苏联史 第一卷

俄国革命

Русская революция

姚　海◎著

人民出版社

序

李凤林

苏联是曾经显赫一时的超级大国，对世界历史发展产生过巨大的影响，在现代中国的发展中也留下过重要痕迹。虽然苏联仅存在七十多年的时间，但是在这短短的七十多年中，它两次震撼了世界，改变了世界，一次是1917年的十月革命，另一次是1991年的苏联解体。

历史是一个绵延不断的长河，苏联是俄国历史中的一个阶段，一个时期，俄国作为苏联的前身和继承者，其历史是整个俄国历史这一有机整体中的一个重要组成部分。

历史是最好的老师，无论个人还是国家，都可以从历史的经验和教训中汲取营养。研究历史不仅可以使我们更好地认识过去，也可以使我们更好地把握未来。

历史是人创造的，人在创造历史的过程中，其精神的和物质的活动离不开他所生活的环境。俄国拥有横跨欧亚大陆的广袤国土，博大的生存空间和独特的气候条件孕育了俄国人豪爽、粗犷的性格，以多神教为基础的东正教培育了俄国人推崇平均主义、自给自足、自我封闭、自我欣赏的民族意识以及拯救人类的弥赛亚（救世主）情结。俄国人在这片广袤的国土上创造了灿烂的文明，它在科技、文化、艺术等领域取得的伟大成就得到世界的承认和敬仰。与此同时，俄国人的社会意识和俄国的社会现实往往是矛盾的，例如崇尚自由的俄国人又非常信奉权威，崇尚平均主义的俄国人又可以经常心安理得地生活在垄断的社会经济和政治环境中，生活节奏平缓的俄国人又会在社会变革中急于求成，急躁冒进。俄国人和苏联人正是在这种自然和社会环境中创造自己的历史的。1917年的十月革命和1991年的苏联解体都表现了俄国人的这种民族特点和社会特征。了解这个历史需要超乎寻常的智慧和方法。正如19世纪俄国诗人丘切夫诗中所描绘的那样："俄罗斯，你用智慧无法理解，用通常的尺度无法揣摩，它有与众不同的性格，相信它是你唯一的选择。"

苏联是我们的近邻，也是我们的重要伙伴。中国革命和新中国六十年来的发展与苏联有着千丝万缕的联系。在苏联存在的七十多年中，中苏关系经历了兄弟般的联盟关系，苏联对新中国的发展和建设提供了大量援助；与此同时，中苏也经历了意识形态对抗甚至局部的边界冲突；目前中俄关系已经发展成为平等、信任长期的战略协作伙伴关系，双方宣布永远做好邻居、好朋友、好伙伴。对苏联历史的研究有助于我们总结历史的经验教训，深化中俄关系，造福于两国人民。

历史上，苏联对我们的影响是巨大的。这种影响包括历史的、思想的、政治的、经济的、文化的、国际关系方面的……

在意识形态方面，苏联的影响是非同寻常的。1949年，毛泽东在总结中国共产党28年的光辉历程时提出，"十月革命一声炮响，给我们送来了马克思列宁主义"，形象化地揭示了一个基本事实，即中国共产党人了解马克思列宁主义，并以它作为自己指导思想的理论基础是从苏联学来的。被称作"马克思主义百科全书"的《联共（布）党史简明教程》对中国思想界的影响是"深远的"。在政治方面，我们正是在学习苏联的情况下建立了自己的国家政权。在经济方面，苏联不仅向我们提供了巨大的援助，而且其经济管理体制曾经被我们照搬照用。在文化方面，苏联文化和文学曾经影响几代中国人，许多已经被俄国人淡忘的苏联歌曲几乎成为中国的民歌。在国际关系方面，我们在新中国成立初期曾经实行向苏联"一边倒"的外交政策，把国家的建设和发展同苏联紧密地联系在一起。如此等等。

中国的建设深受斯大林模式的影响，在某种意义上说，中国的改革开放是对苏联发展模式的反思、修正或扬弃。因此，研究苏联历史对于当今中国的改革开放和现代化建设事业具有极其深远的历史意义和现实意义。

苏联历史，对于四五十岁以上的中国人来说，是一门既熟悉又陌生的学问。之所以这样说，是因为凡是受到过高等甚至中等教育的人，都或多或少地接触过这门学科，知道苏联历史中的一些重要事件或人物，此其一；其二，我们大多是通过《联共（布）党史简明教程》了解苏联历史的，而此书对苏共历史和苏联历史的阐述、描绘是程式化的，不能全面反映苏联发展的真实历史。

因此对苏联的历史很有必要重新学习，重新研究。历史科学是一门包罗万象的学科，涉及一个社会的方方面面，需要从政治、经济、文化、社会、思想等等各个方面对历史的进程进行全面的考察。研究任何一个历史题目并作出结论，需要具备一系列主客观条件，要有正确的立场、严谨的学风、科学的方法、充分的史料，等等。因此，正确认识历史离不开历史学家的辛勤劳动。可以说，在新形势下撰写和出版一部能够全面反映苏联走过的历程的学术著作是我国史学工作者多年的夙愿。

如今，实现这种夙愿的客观条件已经基本具备，包括：(1) 苏联已经成为历史，我们可以在历史的距离中考察这段历史，使历史研究的成果具有较大的客观性；(2) 苏联解体后，大量的历史档案已经公布，为客观地研究这段历史提供了较为充分的史料；(3) 中国三十多年改革开放的实践使我国的历史学家能够对苏联模式在特定历史条件下的积极意义作出更加客观的分析，同时对这一模式的弊端有了更加透彻的理解，他们更加成熟，思想更加解放，研究方法更为科学；(4) 我国已经拥有一批掌握扎实的专业基础知识，科学的研究方法，长期潜心研究苏联历史方面的专家。他们站在马克思主义的立场上，运用科学的研究方法，在分析研究新鲜史料的基础上已经撰写出大量有关苏联史学的最新研究成果。

由中央编译局和人民出版社与国内一批历史学家合作撰写出版的九卷本《苏联史》是苏联史学术研究领域的一件大事。这套著作的出版无疑会在学术界引起强烈反响。参加这套著作撰写的，既有老一代历史学家，也有年富力强的中青年史学工作者。老一代历史学家几乎一生都在研究苏联历史，他们撰写出的著作反映了其毕生的心血。而中青年史学工作者在市场经济大潮中，面对花花世界的各种诱惑，能够坐冷板凳，甘于寂寞，潜心研究历史问题，是值得称道的。

这套著作系统考察和研究了苏联各个时期的历史，对历史事件、历史人物、历史发展脉络进行了全方位的考察和研究。尤其难能可贵的是，这套著作对以往一些研究不够充分的历史时期和某些很少涉及的问题，进行了比较深入的研究和介绍，在某种意义上说，填补了学术研究的空白。就我所知，到现在为止俄罗斯联邦尚未出版过这样规模的反映苏联历史的巨著。

这部九卷本《苏联史》是一个整体，总体上反映了写作集体对苏联史的看法，而每卷书又是由负责写作的学者独立完成的，表现了作者本人的学术观点和研究成果。像任何学术研究一样，这部苏联历史著作中的某些观点也可能引起争鸣。由于所掌握的史料的不同，看问题的角度不同，对同一个历史问题往往会有不同的认识，不同的解读。不同观点的碰撞会推动学术研究的深化，这是好事。相信这部著作的出版一定会有助于我们进一步了解俄国，对于深化中俄战略协作伙伴关系发挥积极的作用。

我本人不是专门学历史的，从1950年学习俄文起，一生都从事对苏工作，而在苏联和俄国学习和工作23年的经历和外交工作的需要，使我不断学习苏联历史，长期关注苏联历史的研究。本书的有些作者是我的老朋友，我在这里向本书的问世表示祝贺，同时更要向潜心研究俄国，包括它的历史和现状的学者，表示由衷的敬意！

2009年夏

（作者系中国前驻俄罗斯联邦大使，现任国务院发展研究中心欧亚社会发展研究所所长）

主编的话

郑 异 凡

公元1991年12月，苏联共产党执政了74年的苏联解体了。正如20世纪初的十月革命曾经震惊世界一样，苏联的解体同样震惊了世界。此后苏联历史成了举世瞩目的研究对象，各国学人和政界都在探讨一个世纪之谜——一个超级大国轰然倒塌的原因。大家都想了解这样一个超级大国是怎样兴起，又是怎样一步步走向衰亡的。

苏联历史的轨迹

我们首先看看苏联走过的道路。

俄国是在一个落后的农业国进行社会主义革命的，不具备社会主义的必要的物质前提。这是列宁后来公开承认的。另一个不足是对搞社会主义的理论准备不足。列宁曾是革命的阶段论者，长期以来，一直认为俄国应当先进行民主革命，然后再进行社会主义革命，因此在1917年以前列宁关于民主革命谈得很多，比较具体、周密，而关于社会主义革命谈得较少，比较泛泛。1917年突然提出社会主义革命的任务，在理论和思想准备方面都存在严重的准备不足。对党内高层领导人来说更是如此，因此列宁的主张社会主义革命的“四月提纲”应者寥寥。在举行武装起义问题上，列宁的主张起初不为中央所接受，后来又受到党内声望颇高的季诺维也夫和加米涅夫的顽强反对，这一切都不是偶然的。那时只有少数人主张直接进行社会主义革命，顺便解决民主革命的任务，如布哈林、托洛茨基。

列宁是现实主义者，在第一次世界大战环境所形成的革命危机的形势下，他力促布尔什维克党抓住不可多得的历史机遇，发动武装起义并取得了胜利。这个选择没有错，但这并不改变社会主义需要必要的物质前提这一客观历史要求本身，而仅仅是历史发展顺序的变更。无论如何，发展生产力这一课必须补上。

布尔什维克党夺取政权后，马上遇到政权的建设问题，没有现成的方案，基本上是摸索前进。此前的一些设想非常不完备，部分借鉴巴黎公社，而更多的是从第一次世界大战期间各国（包括沙皇俄国）的战时措施中借鉴而来。由于战争的需要，那时的交战各国都采取了军事管制的办法，政府把生产和消费统统管起来，于是有人认为这就是社会主义的雏形了，称之为“战时社会主义”或“军事社会主义”。国家战时对粮食的垄断，居民消费品的定量供应(配给制)等等，在布尔什维克党执政的情况下就被当作共产主义的措施了。资本主义国家为战时的需要所采取的措施一旦被披上“共产主义”的外衣，加上取消市场、货币关系等传统的共产主义观念中的措施，这一切就变成了所谓的“军事共产主义”。列宁后来说，那时认为把全国的生产和消费统统管起来，就是共产主义了。

高度集中的军事管理体制对战争来说是非常必要的，它保证了苏维埃政权取得国内战争和反击外国武装干涉的胜利。苏俄军事共产主义的一项最基本的措施是“粮食征收制”。这个词通常译作“余粮收集制”，这种译法有两个问题，其一，当时征收的不仅仅是“余粮”，而几乎是农民的所有粮食，其二，这不是和平的收集，而是凭借暴力的强取。何况这是沙俄和临时政府实施过的政策，并非布尔什维克的发明。因此按照这个词的原意改译为“粮食征收制”较为贴切。在这种制度下出卖粮食，甚至家藏粮食都是“投机倒把”和“反革命”行为，要遭到严厉的惩罚。这种做法引起广大农民的严重不满，国内战争的后期，农民反对苏维埃政权的起义蜂起，被称作“小国内战争”，严重威胁到苏维埃政权的存在。

这迫使列宁承认苏维埃政权遇到了十月革命以来最严重的政治和经济危机。在这生死存亡关头，列宁决定赶快后退，向农民让步，实行粮食税，于是出现了所谓的“农民的布列斯特”。由于农民在缴纳了粮食税之后可以自主支配手头的粮食，就引出了交换的问题。于是出现了运用市场、商品、货币这类向来被看作是资本主义的东西的问题，新经济政策应运而生。

这是苏联70多年历史中的第一次改革，是列宁执政五年时间里发生了第一次模式的转换：从军事共产主义转向新经济政策。新经济政策的最重大的突破是在社会主义建设中运用市场机制，这是在马克思主义发展史上应当大书特书的大事。这充分说明列宁不是按预先设定的、固定不变的模式进行社会主义建设的。

新经济政策下尽管也遇到一系列困难，甚至危机，但经过及时的政策调整，苏俄在经济建设中取得了巨大的成绩，工农业生产很快得到恢复。这是苏联走向兴盛的时期。

这时候的政治体制仍然是“一党专政”(这是列宁和俄共公开承认的用语)，取缔其他社会主义政党（孟什维克党和社会革命党）和本党内的反对派，驱逐持异议的知识分子（“哲学船事件”），以救灾的名义镇压东正教人士，消除东正教在广大群众中的影响，压制不听话的少数民族干部（格鲁吉亚事件），这样俄共也就失去了党内外的有效监督，没有一支政治和社会力量能够对布尔什维克政权实施监督、施加压力以实施政治体制改革。军事共产主义时期高度集中的政治体制，把全国作为一个军营来管理的军事化体制，已经与和平时期经济建设的需要不相适应，政治体制的改革应当与经济体制的改革同步进行，更不用说，经济改革需要政治体制的保护。但是在新经济政策时期，政治体制没有进行相应的改革，而是朝削弱党内国内民主，朝着高度集权的方向发展。列宁在生命的最后时日感觉到这个问题的严重性，他在给俄共第十二次代表大会的信中建议进行政治制度的改革，要求加强对包括政治局和总书记在内的各级组织和领导人的监督，但为时已晚，已经重病在身的列宁，力不从心，由季诺维也夫、加米涅夫和斯大林组成主政的“三驾马车”对列宁的建议阳奉阴违，置之不理。

政治体制的日益集权化和僵化最终决定了新经济政策的命运。列宁的改革宣告失败。布哈林、李可夫等人在最后关头据理力争，但已无济于事，他们在羽翼丰满的斯大林面前无能为力，无法挽狂澜于既倒。

新经济政策在弥补社会主义革命物质和理论准备不足方面发挥了重大作用——在社会主义建设的理论上加进了利用市场机制这一重要成分，在物质方面，它提供了在落后国家发展经济、和缓社会矛盾的有效手段。到20世纪20

年代末新经济政策处于社会主义发展的十字路口——一个方向是向市场经济和民主化发展，最后形成有特色的苏联社会主义模式；另一个方向是向高度集中的计划经济和集权体制发展，这就是我们在20世纪30年代看到的斯大林模式。

1929年，斯大林在击败了所有反对派之后中断了新经济政策，宣布让新经济政策“见鬼去”，在苏联实行了第二次模式的更换，实行“斯大林模式”，回到了已被历史所否定的军事共产主义模式。斯大林模式通过农业集体化、国家工业化——实际上是重工业化和军事工业化，实行严格的高度集中的计划管理，一方面使苏联的重工业得到高速度的发展，使苏联的一些工业发展指标赶上或接近西方发达国家，另一方面，开始暴露出苏联经济片面发展的弊病——农业和轻工业严重落后，国民经济综合平衡失调。

20世纪30年代形成的斯大林模式是对列宁新经济政策模式的否定和反动，它有三大支撑点：

1. 实行农业全盘集体化，剥夺全体农民。集体农庄并不是列宁所主张的合作社，而只不过是国家向农民征收粮食的大型连环保组织，国库得以充实，而农民变得更穷了。1932—1933年的大饥荒在很大程度上是人为的：全盘集体化对农村生产力的严重破坏，收过头粮，为换取外汇而不断增加粮食出口，向全国和国外隐瞒灾情，拒绝国外援助，等等。

2. 在国家工业化名义下的重工业化和军事工业化，把全国的物力人力集中到重工业和军事工业的发展中去，而置与人民日常生活休戚相关的轻工业于不顾，整个农业生产的首要任务也完全是为重工业服务，为之提供资金和原料。

3. 在阶级斗争尖锐化的借口下在国内对各阶层、各民族实施大规模镇压，以维持斯大林的个人独裁统治。经过20世纪30年代的大清洗、大镇压，列宁的战友和“老近卫军”被消灭了，领导层中有独立见解、有创造精神的人员被消灭了，武装部队中熟悉现代化战争的有才能的将领被消灭了，文化界有创造性的理论家、作家、艺术家、剧作家、历史学家、自然科学家、技术专家被消灭了。这是斯大林的“自宫”行为，其恶果在卫国战争中立即暴露无遗。苏军俘获了德军保卢斯元帅被看作是一重大胜利，而战前斯大林却处决了自己五大元帅中的三个元帅，并且恰恰是懂得现代化战争的元帅（剩下两位元帅伏罗希洛夫和布琼尼都是骑兵出身）。这正是德国统帅部求之不得的天大好事！

在文化界开展的大批判运动，不仅使用了“批判的武器”，而且也动用了“武器的批判”，借此确立了斯大林主义在意识形态领域、文化领域的绝对统治地位，用一本《联共（布）党史简明教程》来治天下。这直接导致马克思主义发展的停滞和倒退，庸俗唯物主义、教条主义的盛行。

在政治上，坚持并强化一党专政的路线，终于形成了斯大林的个人专权。斯大林模式的出现和形成开始了苏联由兴向衰的转折。

在战云密布的20世纪30年代末，斯大林最终采取同希特勒德国结盟、祸水西引的方针，以牺牲他国的利益来保全自己。这一战略让斯大林搬起石头砸了自己的脚，使希特勒赢得时间做好准备，入侵苏联。由于对希特勒德国的入侵丧失起码的警惕，由于大清洗对军队的严重摧残，苏联在战争初期遭受严重挫折。

这场战争终于胜利了，高度集中的军事动员体制、俄国反抗外来侵略的民族主义传统即人民的力量对胜利的结局发挥了决定性的作用。高度集中的体制，使苏联在卫国战争中能迅速把整个国民经济纳入战时轨道。卫国战争的胜利是苏联各族人民保卫祖国浴血奋战的胜利，也是包括中国在内的世界各国对苏联的支援的胜利。领导人在战争初期的严重失误增加了苏联人民的牺牲和损失。然而，令人意想不到的是，战争的胜利反而为加强斯大林模式提供了“依据”，也成为今天不少人为斯大林模式辩解的依据。

胜利的人民有权得到回报，至少应当得到休养生息的机会。应当像列宁在国内战争胜利后那样，适应时代的要求，抓住大好时机，进行改革，改变僵化的模式，让工人、农民和知识分子过上好日子。然而，斯大林不仅放过战后改革的大好机遇，反而加强已不适应时代需要的政治、经济模式。对内加强恐怖统治和思想控制，在反对“世界主义”的旗号下实行文化专制主义即臭名远扬的日丹诺夫主义，在哲学、文学、戏剧、电影、报刊等各个领域继续战前的大批判运动，制造一个接一个的冤假错案。斯大林处死自己曾经宣布的接班人库兹涅佐夫和沃兹涅先斯基，怀疑莫洛托夫、伏罗希洛夫、贝利亚等身边的战友为外国间谍，在临死之前还制造了一个“医生案件”，造成一个人人自危的社会氛围。他加强对农民的剥夺，再次酿成国内的大饥荒。他以战时叛国为名继续迫迁少数民族。对外，他为维护从雅尔塔体系所获得的既得利益，同西方搞冷战，搞军备竞赛。他一手制造了外蒙古独立，肢解中国。他控制东欧国家，改变它们实行的人民民主制度，把这些国家变成自己的“卫星国”，组成“社会主义阵营”。这些做法严重影响了国内的经济发展和人民生活水平的提高，也严重阻碍了东欧国家的政治经济发展。赫鲁晓夫把斯大林的种种行为解释为性格“多疑”，实际上是斯大林害怕大权旁落，权力是斯大林紧紧抓住不放的“命根子”！

1953 年斯大林逝世，苏联出现改革的契机。靠生理学的自然规律来改变国家的命运，是苏联社会主义制度的悲哀！

斯大林的统治如从列宁逝世算起，将近 30 年，如从 1929 年算起，共 24 年，期间积累了大量的问题，在他去世的时候苏联已经处于难以为继的局面，变革的呼声早在斯大林执政的时候已经暗流涌动，斯大林去世后，改革已经成为不可抵挡的潮流。这时候，不管谁上台执政，贝利亚也好，马林科夫也好，赫鲁晓夫也好，都势必把改革提到第一位，人们已经感到高度集权的管理模式已不适合当时的苏联社会，阻碍了社会的发展，区别只会在于改革的深度如何，进程如何，无论如何改革是不可避免的。

在党内斗争中赫鲁晓夫胜出，他以反对“个人崇拜”、平反冤假错案为突破口，实行“解冻”，开始改变斯大林的某些政策，如强调集体领导、抓农业（改变生产资料同生产者的脱离，减轻农民的负担，开垦荒地等等），提升轻工业的地位。对外则设法缓和国际紧张环境，试图以此减少军备竞赛。

赫鲁晓夫的最大功绩是反对斯大林的个人崇拜，从而揭开了斯大林问题的盖子。至今仍有人指责赫鲁晓夫大反斯大林，说他在苏共二十大上所作的秘密报告“全盘否定斯大林”。实际上，如果不是从印象出发，而是从事实出发，只要读一读“秘密报告”本身就可以看到，那里对斯大林的否定并没有否定到点子上，即没有触及斯大林的体制问题。正如当时外国的共产党人铁托和陶里亚蒂所说的，斯大林的问题不是什么个人崇拜问题，而是“制度”问题（那时还没有“体制”的说法，所以用了“制度”一词，所以被指责为否定社会主义制度，不过他们的意思是清楚的）。在苏联历史问题上，赫鲁晓夫全盘肯定了斯大林反对托洛茨基、季诺维也夫、加米涅夫、布哈林、李可夫、托姆斯基等反对派的斗争，肯定了对他们的镇压。他平反了不少冤假错案，但是没有为苏联历史上这些最大的冤假错案平反！他多次赞扬斯大林是“杰出的马克思主义者”。

由于缺乏对斯大林体制的整体认识，改革仅局限于某些局部问题，没有触动斯大林体制本身。赫鲁晓夫继续斯大林的赶超模式，在斯大林的“建成”社会主义论断的基础上，宣布社会主义在苏联取得了“最终的、完全的胜利”，许诺在20年内进入共产主义。他注意了农业和轻工业的发展，人民的日常生活得到了某种程度的改善，然而重工业和军事工业依然是苏联优先发展的重点。由于主客观的原因，赫鲁晓夫继续同美国进行军备竞赛。20世纪60年代利别尔曼提出的改革试验，没有得到实施，便告夭折。当然，赫鲁晓夫的某些改革措施是有意义的，如实行“解冻”，把人们的思想从斯大林主义的桎梏中解放出来，取消干部任期的终身制，使拖拉机等农业生产工具成为集体农庄的财产，等等。他的另一些措施如常受到批评的“三和两全”，从理论上、逻辑上讲并没有什么错误。全民国家、全民党从理论上说是走向共产主义的必经阶段，而就赫鲁晓夫的本意而言，他无非是借此昭示人民，这个国家、这个党是全体人民的，不会再搞无产阶级专政，不会再用专政去镇压人民，因为人民的国家是不能对人民自己专政的。和平共处、和平过渡、和平竞赛，则是要向世界昭示，这个国家不会再去搞世界革命、颠覆其他国家，而要在竞赛中战胜资本主义。这些都仅仅是公示性质、宣言性质的东西，至于苏联在竞赛中是否能够胜出，想来赫鲁晓夫本人也未必相信。就在他接手这个国家的时候，战争的创伤尚未完全修复，人民的生活还相当艰苦，供应还很困难，吃得并不好，他的“土豆烧牛肉”的美餐，只是说给自己的人民听听而已！对西方国家的访问使他开了眼界，知道苏联还落后于西方很多，还必须执行赶超战略。由于抓了农业，开垦了大片荒地，到20世纪50年代后期人民的餐桌才开始丰盛起来，才有较多的牛奶、面包、白糖、香肠供应。

赫鲁晓夫执政十年，当然有很多错误，他文化水平不高，行事鲁莽，常欠考虑，在后期也欣赏起对自己的崇拜。但是应当说，他进行的改革从总体上说是必要的，人们可以指责他改得不够，或者其某些措施不在点子上，但不能否定改革的必要性。然而，在保守的官僚集团面前，就是这样没有实质触动斯大林体制的改革也不能见容，尤其是他的干部制度改革直接损害了当政官僚们的根本利益，于是一场“宫廷政变”轻轻松松地结束了赫鲁晓夫的改革，斯大林主义死灰复活。

勃列日涅夫统治苏联长达18年。不少人至今仍然怀念勃列日涅夫时期，因为这一时期不搞运动，不搞大规模的镇压，社会比较安定。同斯大林、赫鲁晓夫相比，勃列日涅夫的特点是“不折腾”，不过这只是相对而言，其中也包括不搞改革。勃列日涅夫执政初期，柯西金继续改革，但不久就被勃列日涅夫的“新斯大林主义”所取代。不过，由于消除了斯大林模式中频频动用暴力的一面，斯大林模式的潜力在这一时期得到最大程度的发挥。在整个苏联历史发展中，勃列日涅夫时期是以安定，然而保守、停滞著称的。

要维持统治，意识形态的严格控制是必不可少的，这就在国内逼出了“异议人士”（通常译作“持不同政见者”，实际上有的并不一定是“政见”的歧异问题）运动。这些异议人士有的并不反对社会主义，只是反对苏共的错误，反对斯大林主义而已，例如著名的梅德韦杰夫兄弟。但是即使这样，也不见容于当局。在勃列日涅夫统治时期，关集中营的少了，进“精神病院”的多了，反革命罪少了，“流氓罪”多了，驱逐出境的少了，吊销护照的多了……总之，还是变着花样压制“异端”。干部任职的终身制恢复了，正是从勃列日涅夫开始，苏联出现了连续三代病夫治国、老人治国的世界罕见景象。

在勃列日涅夫的统治时期，苏联的官僚特权阶层最终形成，在俄国通常把这个阶层叫做“在册权贵”（номенклатура），即由上级任命的登记在册的高级官员。正是这些“在册权贵”把平庸的勃列日涅夫推上台，并且不让又老又病的勃列日涅夫退下来，正是他们把病人安德罗波夫和老人契尔年科扶上台，也正是他们最后搞垮了苏共和苏联。

勃列日涅夫的对外政策，还是相当折腾的。其一，苏联自己不改革，也反对和压制东欧各国的改革，悍然出兵镇压了捷克的“布拉格之春”，致使“社会主义大家庭”里的矛盾越积越多，错过了拯救社会主义的时机。其二，追求世界霸权，继续同美国进行军备竞赛，消耗了大量国力。其三，实行“勃列日涅夫主义”，干涉他国内政，兵陷阿富汗。正是在这一时期，苏联错过了世界科技革命的大好时机。这一时期是斯大林模式的潜力得到最充分发挥的时期，也是其最后挣扎的时期。

安德罗波夫上台被人们寄予厚望，他的某些措施被看作是改革的先声。作为克格勃的首脑，他对国内的真实情况，国家存在的问题是清楚的，但是他没有一个经过深思熟虑的改革方案，他感觉到这个国家维持现状已经没有前途，但是他所能够实施的仅仅是使用强制手段，加强劳动纪律，并且他已是病入膏肓的人了，没有足够的精力去处理国事，即使他有改革的雄心大志，也已经心有余而力不足了，他执政一年就撒手人寰。人们记得，列宁卧病之中虽想改革，但力不从心的悲剧。接替安德罗波夫的位置的契尔年科不但是一个病魔缠身的老人，并且是一个胸无大志的庸人，他要的只是总书记这个头衔。这样，由勃列日涅夫恢复的职务终身制创造了一个泱泱大国由老人、病人治国，连续三年每年安葬一位党国首脑的世界纪录。

这种情况再也不能继续下去了，全国人心思变，迫使苏共推出“年轻力壮的”54岁的戈尔巴乔夫出任党和国家的领导人（不过，请记住，列宁是在54岁逝世的!）。戈尔巴乔夫的改革是时代的要求，是苏联继续发展的历史要求。但是，戈尔巴乔夫最初并没有看到根本改革体制的必要性，而是认为以往的问题是发展速度不够，因而第一个措施是推行“加速发展战略”，指望在旧体制下通过人为的办法加速经济的发展。不久即证明此路不通。老牛拉破车，靠鞭打怎能加速！那时的苏联真有点儿病急乱投医，开展了一个反酗酒运动，禁售各种酒精饮料。这种做法在20世纪20年代已经试过，并且以失败告终。一则俄国人历来嗜酒如命，积习难改，二则这是国库的重要来源，禁酒等于断了国家的财路。这就注定禁酒运动必然泡汤。有了前面的教训，这才走上体制改革的道路。实践显示，单纯的经济体制改革困难重重，阻力太大，于是想到进行政治体制的改革。一方面，戈尔巴乔夫的改革部分是赫鲁晓夫改革的继续，完成赫鲁晓夫未竟之事业，如平反冤假错案，戈尔巴乔夫的力度和深度都大大加大了。另一方面，他把自己的改革同列宁的新经济政策挂钩，新经济政策成为他的蓝本之一。戈尔巴乔夫提出民主化、公开性，都从列宁的著作中找到根据，是列宁的主张。这一切既是为了打破改革的阻力，也是想使社会主义回归本来的面貌，使社会主义成为民主的自由的社会，即建设一个“人道的民主的社会主义”。本来“人道”、“民主”是社会主义应有之义，无须画蛇添足。戈尔巴乔夫之所以在社会主义之前加上“人道、民主”几个字，是因为公开揭露了斯大林的大量黑暗的暴行之后，需要向人民交代，社会主义到底应当是什么样的，没有民主就没有社会主义，建设一个人道的民主的社会主义社会，是改革的方向和目标，是对人民的许诺。这个目标没有错，可惜的是，当苏共通过这一纲领的时候，苏联已余日无多了，纲领始终是纲领，没有能够变成现实。

戈尔巴乔夫的改革存在严重的缺陷，略举数例。其一是完全忽略了严重的民族问题。列宁曾经说过，沙皇俄国是各族人民的监狱，大俄罗斯民族歧视、迫害少数民族。斯大林执政后推行大俄罗斯沙文主义，继续迫害少数民族，其整体迫迁一系列少数民族的做法是历史罕见的。结果苏联国内民族之间积怨甚深，尤其是第二次世界大战前被并吞的波罗的海三国独立情绪强烈，民族问题呈一触即发之势。其二是国内的贪腐问题严重，老百姓对各级官员的特权深恶痛绝，因此当叶利钦打出“反特权”大旗，一呼百应，大得人心，终于成为他推翻苏共、解体苏联的有力武器。其三是党内“在册权贵”的强大的保守势力，一有机会就兴风作浪。戈尔巴乔夫休假期间爆发的“8・19 事件”，是对改革的反动，使广大群众对苏共失去信心。其四，历史的旧账并未从人民的记忆中消失。清算斯大林大镇压的旧账，是迟到的正义。其五，还有一点是不能忽视的，这就是在戈尔巴乔夫改革的整个时期，国内的经济每况愈下，改革在经济上没有给百姓带来看得见、摸得着的好处，这样其支持率越来越低。我亲耳听到一位列宁格勒大学教授说：生活得苦了，但过得愉快了。“苦”是物质的贫乏，“愉快”是说有了思想自由、言论自由了。

戈尔巴乔夫忽视严重的民族问题，在市场经济问题上举棋不定，在一些关键时刻犹豫不决。由于苏联几十年来一直墨守成规，不善于根据世界和国内形势的变化及时调整自己的理论和方针政策，苏共从整体上来说成为不思变革的保守的党，戈尔巴乔夫的改革首先遇到的阻力就是来自党的各级组织及其领导人，改革到处受到内部力量的抵制。戈尔巴乔夫终于得出结论，不可能把共产党作为改革的依靠力量，试图摆脱僵化的苏共，因此他宁要总统的头衔，而不想要总书记的职位。但是在一个党国一体化的国家里，一旦失去党的支持，就失去了依靠，尤其是在国内和党内尚未形成强大的改革力量的时候。在某些问题上戈尔巴乔夫急于求成（如多元化、多党制、改组苏维埃等等），必须看到苏联几十年形成的体制已到了积重难返的程度，改革既刻不容缓，也不能急于求成，改革的必要性必须同改革的适当措施结合起来。戈尔巴乔夫的悲剧在于看到改革的必然性和必要性，但此时此地他已回天乏术，找不到适当的措施来挽狂澜于既倒。

纵观苏联 74 年的历史，有过两次模式更换（由军事共产主义转换成新经济政策，再由新经济政策转换成斯大林模式）和三次改革。最成功的一次改革是列宁主持的由军事共产主义向新经济政策的转变，它在理论上打破了传统的废除市场关系的社会主义理论，决定在不施加暴力的情况下引导农民走向社会主义，从恢复农业着手，以恢复和发展农业带动工业的恢复和发展，取得了重大成就。但是它也存在致命的缺陷，即没有能够触动政治体制。列宁在经过短时间的犹豫之后，取缔了其他社会主义政党（孟什维克党和社会革命党），在党内又禁止各种派别，这就使列宁所说的“一党专政”变成不受任何监督的“一党独裁”，最后变成一种不受法律约束的无法无天的“个人独裁”。其结果就是经济体制的改革得不到政治体制的保护，一个人就可以用一句话予以废除，新经济政策被打发去“见鬼”。而中断新经济政策，也就埋下了葬送苏共和苏联的历史伏笔！

列宁生前已经看到斯大林掌握的无限权力有可能被滥用，专门写信给党的代表大会，建议一方面加强党内监督，一方面解除斯大林的总书记职务。这时候的总书记职务虽然还不是后来的党政第一把手，但掌握中央组织人事和处理日常事务的大权，一旦被滥用，后果严重。但是列宁的建议没有被接受，最高层的某些人士出于私利的考虑，一心一意支持斯大林继续担任总书记，这便留下了极大的隐患。

苏维埃制度曾被说成世界上最民主、最好的制度。然而，历史表明事实并非如此。在“一党专政”的国家，国家事务的决定权在共产党，而不在苏维埃，十月革命后代表民意的苏维埃逐渐变成无足轻重的机构，最后沦为“橡皮图章”。戈尔巴乔夫后来提出复兴苏维埃，“全部政权归苏维埃”，在“一党专政”的情况下，只是一种幻想，而放弃“一党专政”，全部政权真的归苏维埃，就意味着共产党失去政权。这是一个无法克服的矛盾。

赫鲁晓夫改革的重大缺陷是未能触及体制问题，不能也不敢把斯大林个人专制体制与社会主义制度区分开来。改革是局部性的，对斯大林个人崇拜的揭露虽然震撼世界，但问题往往归结为斯大林个人，这显然是很不够的，不足以解决问题。赫鲁晓夫在开始的时候也强调加强集体领导，但没有形成一种机制，在他站稳脚跟之后，就逐渐退回到个人说了算。这样就为自己的下台埋下了伏笔，给“宫廷政变”开了方便之门。

戈尔巴乔夫的改革比前两次改革都要深入，它触及了积重难返的政治体制，但缺乏充分的准备，如何正确处理党和苏维埃的关系，如何解决一触即发的民族问题，如何推进国内的民主化，又能保持苏共的领导地位，如此等等，戈尔巴乔夫都缺乏预见和考虑，陷入头痛医头、脚痛医脚的状态，徒具愿望而无有力措施，非常被动。

政治体制改革是一大难题，到了20世纪末，不改，则苏共迟早可能步罗马尼亚的后尘，改，如处置不当则反而会加速垮台。这里的问题不出在民主化、公开性，民主自由是当今世界之潮流，世界上众多的民主制国家并没有因民主而垮台，倒是那些强权专制的国家政变频仍，当权者交替出现。苏联由于错过几次改革的良机，问题已经到了积重难返的程度，在这样的国家如何实行改革，做到改而不死，动（变动）而不乱，是一个世界性的难题，是一个值得探讨的问题。

向马克思、恩格斯和列宁求教

苏联兴亡的原因是一个世纪性的问题，即使到本世纪末也未必会有一个公认的答案。本书作者并不企望解答这个难题，只是希望我们提供的事实有助于读者对答案的探寻。我们再提供一些往往被读者忽略的马克思、恩格斯和列宁的论述，也许会给我们以某种启发。

一个由列宁首创的社会主义苏联，一个口口声声要建立社会主义，甚至据说已经开始共产主义建设的苏联，一个千百万群众曾经为之献身奋斗的国家，为什么最终垮台、解体，而达不到自己的目标？

恩格斯在《费尔巴哈和德国古典哲学的终结》中关于历史有一段精辟的论述：

“历史进程是受内在的一般规律支配的。”[1] 人们所预期的东西很少如愿以偿，许多预期的目的在大多数场合都互相干扰，彼此冲突，或者是这些目的本身一开始就是实行不了的，或者是缺乏实行的手段的。“行动的目的是预期的，但是行动实际产生的结果并不是预期的，或者这种结果起初似乎还和预期的目的相符合，而到了最后却完全不是预期的结果。这样，历史事件似乎总的说来同样是由偶然性支配着的。但是，在表面上是偶然性在起作用的地方，这种偶

[1] 《马克思恩格斯选集》第4卷，人民出版社1995年版，第247页。

然性始终是受内部的隐蔽着的规律支配的，而问题只是在于发现这些规律。”[1]

“无论历史的结局如何，人们总是通过每一个人的追求他自己的、自觉预期的目的来创造他们的历史，而这许多按不同方向活动的愿望及其对外部世界的各种各样作用的合力，就是历史。”[2]“我们已经看到，在历史上活动的许多单个愿望在大多数场合下所得到的完全不是预期的结果，往往是恰好相反的结果，因而它们的动机对全部结果来说同样地只有从属的意义。”[3]

恩格斯就此进一步提问：“在这些动机背后隐藏着的又是什么样的动力？在行动者的头脑中以这些动机的形式出现的历史原因又是什么？”[4] 他回答说：

“如果要去探究那些隐藏在——自觉地或不自觉地，而且往往是不自觉地——历史人物的动机背后并且构成历史的真正的最后动力的动力，那么问题涉及的，与其说是个别人物、即使是非常杰出的人物的动机，不如说是使广大群众、使整个整个的民族，并且在每一民族中间又是使整个阶级行动起来的动机；而且也不是短暂的爆发和转瞬即逝的火光，而是持久的、引起重大历史变迁的行动。”[5]

探讨促使群众行动起来的动因，这是能够引导我们去探索那些在整个历史中以及个别时期和个别国家的历史中起支配作用的规律的唯一途径。

在这里我们之所以大段援引恩格斯的话，是因为在74年的苏联历史中我们可以多次看到这种预期和结果、动机和效果相背离的状况。尽管领袖们一再宣布他们发现并掌握了“规律”，所发现的“规律”如何正确，他们对规律的运用如何英明，他们的预期如何百分之百得到实现，然而历史毕竟是按照自己的规律发展的，一切违背历史规律的东西都不免遭到失败和破产。“军事共产主义”、“全盘集体化”、“阶级斗争尖锐化”和“大清洗”、“建成社会主义”、“进入共产主义”、“发达社会主义”等无不如此。一部苏联兴亡史如实地证实了恩格斯的论断。实际上，某些领导掌握的并不是什么规律，而是权力，他们依靠

[1] 《马克思恩格斯选集》第4卷，人民出版社1995年版，第247页。

[2] 同上书，第248页。

[3] 同上。

[4] 同上。

[5] 同上书，第249页。

手中的权力恣意妄为，无视历史发展的客观规律，无视人民群众的诉求与呼声，无视历史的潮流，凭自己的意志与权力行事。这就难免一朝崩溃，难逃历史的审判。

有人把苏共丧权、苏联解体归罪于赫鲁晓夫、戈尔巴乔夫，认为是党内出了“叛徒”。很难想象，一个大国、一个大党能够被某一个人、某一个叛徒出卖。可以说，历史上没有任何一个个人拥有这样的力量。苏联共产党、中国共产党党内都出现过货真价实的叛徒，但都没有能够搞垮党。因为决定党的命运的不是个别领袖，而是广大党员、广大群众。列宁就此写道：

“历史上有过各种各样的变化；依靠信念、忠诚和其他优秀的精神品质，这在政治上是完全不严肃的。具有优秀精神品质的是少数人，而决定历史结局的却是广大群众，如果这些少数人不中群众的意，群众有时就会对他们不太客气。”[1]

列宁这里说的是，对历史上任何一个重大转变起决定性作用的是广大群众，而不是少数领袖人物。群众对苏共“不太客气”，是因为它已经“不中群众的意”，换言之，不得人心！当苏共中央总部被查封，其中的工作人员走出总部大楼的时候，围观的群众没有一个人表示声援，而是旁观，甚至嘲笑。这是一幅什么样的情景！

不言而喻，这不是否定领袖的作用，领袖对促进或者推迟历史的发展能够发挥巨大的作用。1871 年 4 月 17 日，恩格斯给库格曼的信中谈到偶然性的作用，他说世界历史“发展的加速和延缓在很大程度上是取决于这些‘偶然性’的，其中也包括一开始就站在运动最前面的那些人物的性格这样一种‘偶然情况’。”[2]

恩格斯在《德国的革命和反革命》中指出，需要研究革命必然爆发又必然失败的原因，“这些原因不应该从一些领袖的偶然的动机、优点、缺点、错误或变节中寻找，而应该从每个经历了动荡的国家的总的社会状况和生活条件中寻找。”恩格斯特意批驳了领袖“出卖”论，他说：“当你问到反革命成功的原因时，你却听到一种现成的回答：因为这个先生或那个公民‘出卖了’人民。

---

[1] 《列宁选集》第 4 卷，人民出版社 1995 年版，第 679 页。

[2] 《马克思恩格斯全集》第 33 卷，人民出版社 1973 年版，第 210 页。

从具体情况来看，这种回答也许正确，也许错误，但在任何情况下，它都不能说明任何问题。甚至不能说明，‘人民’怎么会让别人出卖自己，而且，如果一个政党的全部本钱只是知道某某公民不可靠这一件事，那么它的前途就太可悲了。”[1]

同样，用“叛徒论”来解释苏联这样一个大国的解体，虽似简单明了，但不能说明任何问题，也是直接违背恩格斯的教导的。

马克思写于 1857 年的《印度起义》一文中有一段话非常值得注意：

“人类历史上存在着某种类似报应的东西。历史报应的规律就是，锻造报应的工具的，并不是被压迫者，而是压迫者自己。”[2]

马克思说的是印度的起义。此前，英国殖民者在印度本地人中间招募一支名叫“西帕依”的雇佣军，用来征服印度并维持其统治。然而，正是这支部队在 1857 年震撼殖民者的印度民族起义中发挥了重要的作用。所以马克思接着写道：“第一次打击法兰西君主制的是贵族而不是农民。发动印度起义的不是饱受英国人折磨、侮辱和洗劫的莱特，而是由英国人供给吃穿、受英国人豢养和宠爱的西帕依。”[3]

马克思提到的这个“历史报应的规律”或者“类似报应的东西”，值得我们注意。在苏联共产党垮台上，我们同样看到了它的威力。

历史报应规律包含两个方面：报应什么，由谁执行报应。

历史上的坏事恶事不能不受到历史的报应，中国有俗语说，物极必反，善恶到头终有报，就体现了历史的报应规律。承认报应规律，可以使人们对历史存敬畏之心。

这种报应有的很快来到，有的需假以时日，待矛盾积累到一定时候爆发。十月革命前列宁在《论大俄罗斯人的民族自豪感》中写道：

“我们满怀民族自豪感，因为大俄罗斯民族也造就了革命阶级，也证明了它能给人类提供为自由和为社会主义而斗争的伟大榜样，而不只是大暴行，大批的绞架和刑讯室，普遍的饥荒，以及对神父、沙皇、地主和资本家十足的奴

---

[1] 《马克思恩格斯全集》第 11 卷，人民出版社 1995 年版，第 6 页。

[2] 《马克思恩格斯全集》第 16 卷，人民出版社 2007 年版，第 334 页。

[3] 同上书，第 335 页。

颜婢膝。”[1]

按照历史报应规律，这样充满大暴行的制度是迟早要被推翻的。令人遗憾的是革命胜利之后人们在苏联还是看见了大暴行、刑讯室、集中营、大饥荒，以及对领袖的顶礼膜拜……

即使在阶级社会，国家的职能之一也是维持社会的稳定，防止社会分裂，防止“经济利益互相冲突的阶级，不致在无谓的斗争中把自己和社会消灭”，“缓和冲突，把冲突保持在‘秩序’的范围以内”[2]。这是恩格斯在《家庭、私有制和国家的起源》中说的。然而斯大林的国家却人为地掀起“阶级斗争”，制造社会的对抗和分裂。这样的国家出路有两个，一个是痛改前非，进行改革，一个是一意孤行，政权垮台。欠债总是要还的。世界历史的进程是一个不断进步的进程，总是光明战胜黑暗，正义战胜邪恶，民主战胜独裁，自由战胜专制的过程，如果不是这样，人类岂不是永远生活在奴隶社会，或者中世纪的黑暗统治之下！世界历史是世界法庭！布哈林在“自己的”法庭上说得很清楚：“世界历史就是进行审判的一个世界法庭。”[3] 所有处于无奈绝望之中的人们都曾寄希望于世界法庭。历史学家罗·亚·梅德维杰夫把他论斯大林主义的起源及其后果的专著取名为《让历史来审判》，绝非偶然。

报应规律的另一方面是实施报应的往往是作恶者自己打造的工具。苏共的垮台，其原因可以列举很多，但归根结底在于苏共本身。列宁曾经提议解除斯大林的总书记的职务，列宁的理由是斯大林“太粗暴”，他认为，这个缺点在一般共产党人之间的相互交往中是可以容忍的，“但是在总书记的职位上就成为不可容忍的了”，他特别警告说，“这一点看来可能是微不足道的小事”，但“这是一种可能具有决定意义的小事”。[4] 但是列宁身后的领导班子或者出于一己私利的考虑，或者由于眼光短浅，硬是把斯大林保了下来，并且赋予更大更多的权力。这样到 20 世纪 20 年代末，大权在握的斯大林就急不可待地中

[1] 《列宁选集》第 2 卷，人民出版社 1995 年版，第 450 页。

[2] 《马克思恩格斯选集》第 4 卷，人民出版社 1995 年版，第 170 页。

[3] 《布哈林在法庭上的最后陈述》（1938 年 3 月 12 日），《国际共运史研究》（布哈林专辑），人民出版社 1981 年版，第 139 页。

[4] 《列宁全集》第 43 卷，人民出版社 1987 年版，第 340 页。

断了新经济政策，使社会主义失去走向市场的可能性，而斯大林性格上“粗暴”的缺点，在20世纪30年代的大镇压中毕露无遗。

斯大林实行了由上级任命的等级官员制度，把自己的工资提高到1万卢布，给党政官员以高薪，同时实行暗箱操作的红包制度，在社会主义国家内部培养出一个享有特权的高薪阶层，即“在册权贵”。20世纪50年代赫鲁晓夫进行了还没有触动体制本身的改革，但是他提出的干部任期制已触及一大批干部的利益，于是他们发动“宫廷政变”推翻了赫鲁晓夫政权，使苏联失去一次通过改革以挽救共产党政权的机会。戈尔巴乔夫上台重启改革，这次的改革冲击面更大，深深触及党内利益集团根本利益，这就不可避免地遭到党内“左”右派的反对和抵制，既有保守派的“8·19政变”，又有分裂派的别洛韦日密林会议，叶利钦高举反特权的大旗，赢得大量群众的支持，而结集在他周围的党政官员绝大部分又是在册权贵。在册权贵的各路大军汇集起来推翻了苏共的领导，解散了苏维埃联盟。

促使苏联解体的还有另一支由苏联自己打造的力量。在苏联存在的74年里，在地缘政治上继承的是沙皇俄国的衣钵，它在1921年动用武力并吞了自己刚刚承认的独立的格鲁吉亚民主共和国，1940年，又出兵波罗的海三国，并吞了独立的立陶宛、爱沙尼亚、拉脱维亚。这样，苏联恢复了沙俄帝国的版图。然而，正是这四个被红军占领，强行并入苏维埃联盟的国家，争取民族独立的运动始终不断，成为苏联国内最不安定的因素，它们在20世纪80年代末率先举起民族独立的大旗，宣布本国主权高于一切，动摇了苏维埃联盟的基础，并最后脱离苏联，恢复为独立国家，为苏联国内其他谋求独立的共和国作出了榜样。这支民族分离队伍是苏联自己打造培养出来的，它们曾经“壮大”了苏联，但最后又成为解体苏联的急先锋，这就是一种历史的报应。

多次打断改革、最终使苏共丧权的不是平民百姓，而是苏共自己培植起来的领导上层——“在册权贵”！最后促使苏联解体的急先锋，在联盟内部打开缺口的则是几个被兼并的国家！这大概就是马克思所说的历史报应规律！

苏联史研究在俄国的进步

半个世纪前，赫鲁晓夫“解冻”之后，开始公布一些有关苏共的档案资料，纠正斯大林时期对苏联历史的歪曲，但是这个过程随着赫鲁晓夫被党内政变推翻而中止。戈尔巴乔夫上台之后，继续“解冻”的进程，开始填补“历史空白”，公布许多绝密档案，打开了苏联历史研究中的许多禁区。苏联解体之后，许多重要档案馆对学者开放，历史学家得以深入接触到尘封多年的档案，为真正的史学研究提供了大量可靠的依据。

对苏联历史重新审视始于戈尔巴乔夫时期的剧作家、政论家等，他们不是专业的历史研究者，是“外行”，但恰恰是他们凭自己的敏感、经历和历史见闻，对一些重大的历史事件提出新的看法，尽管多少存在不准确的地方，但非常富有启发性。

我们且以著名的剧作家米·沙特罗夫为例。他发表在 1987 年第 4 期《新世界》上的《布列斯特和约》（中译名为《1918 年的苏俄领袖们》，世界知识出版社出版），《前进，前进，前进……》（1988 年）等剧作在恢复革命的真实历史方面就发挥了积极作用。在这些剧本里，过去一直被从历史上抹去的列宁的战友们如托洛茨基、布哈林、季诺维也夫、加米涅夫等登上了舞台，斯大林也不再是一贯正确的了，也会受到列宁的批评，这样剧作者就在舞台上展示了一幅比较接近历史真实的生动画面，虽然其中还存在如此这般的不足之处。沙特罗夫是中国观众熟悉的《以革命的名义》（1957 年）的剧作者，他的《我们一定胜利》（1982 年）上演后，勃列日涅夫曾率苏共中央政治局全体委员去观看，因为这些党的领袖们所知道的党史知识不会超过《联共（布）党史简明教程》所教给他们的。沙特罗夫写过很多关于列宁的剧作，显然仔细研究过列宁的生平以及他所处的历史时期，知道许多官方历史教科书所不提供的资料。《布列斯特和约》一剧写于 1962 年，当时无法发表或者上演，只能发表一些片段，直到 25 年之后，才得以全文发表。这自然推动了当时提出的“填补历史空白点”、恢复历史真相的运动，同时也给苏联的历史学家们背后击一猛掌。

接着，历史学家们也开始投入重新研究。他们从事两方面的工作：

过去苏联历史学家能看到的机密档案非常有限，只有少数学者能够进入绝密档案库。[1]西方学者主要依据的是托洛茨基被驱逐出境时携带出去的档案，

[1] 1988 年我参加在联邦德国举行的布哈林问题国际学术研讨会，与会的有一批苏联学者，其中来自苏联科学院历史研究所的学者就当面指责苏共中央马列研究院的学者垄断档案。

德国人在占领期间从斯摩棱斯克掠走的档案（称“斯摩棱斯克档案”）。从 20 世纪 80 年代末起，苏联开始公布一些解密档案，苏联解体后各级档案馆对外开放。历史学家们发掘整理档案资料，报纸杂志上不断披露从档案库中发掘出来的专题资料，在长期工作之后开始出版大量的专题档案集。尤其值得注意的是由 A.H. 雅可夫列夫院士主编，众多著名史家参加整理编辑的系列档案丛刊《20 世纪俄国文献》[1]，一个专题一个专题地公布解密档案，如《1921 年喀琅施塔得文献》、五卷本《新经济政策是怎样被打断的。1928—1929 年联共（布）中央全会速记记录》、《斯大林与世界主义。苏共中央宣传部文件》，等等。

另一方面，历史学家们开始在此基础上撰写苏联史的论文和专著，如俄国史、苏联史、苏联国家史、政治史、经济史、文化史，等等。尽管由于史家们掌握的材料多寡有异，观点立场不同，对同一历史事实看法和评价不尽相同，甚至截然相反，但俄国的苏联史研究开始进入一个新阶段，总体上逐步走向写真实的历史，纠正以往对历史的伪造和歪曲。十月革命和国内战争只讲列宁和斯大林，不讲托洛茨基，能说清楚吗？除了列宁和斯大林两人以外，把十月革命后的所有党政领导人、列宁的亲密战友都打成“人民敌人”、“叛徒”、“内奸”，这样的历史能让人信服吗？一边宣布社会主义已经“建成”，一边实施大镇压，把千百万无辜人士投入监狱、集中营，予以枪毙，这是社会主义吗？这样的党史，这样的苏联史，是不是应当改写呢？写真实的历史必然要否定伪造的历史、歪曲的历史，说是填补历史的空白也好，说是恢复历史的正义也好，归根结底，需要还历史以本来面目！

与此同时，长期以来被雪藏于“特藏库”（спецхран）的禁书禁报禁刊，如托洛茨基、布哈林、季诺维也夫等反对派成员的著作，刊载反对派文章的报刊也解禁开放，有的公开重印。这使读者得以看到反对派的真正观点和主张，而不是靠斯大林著作和党的决议中多半是被歪曲或断章取义的转述和引文来了解他们的主张。苏联当时曾有禁令，禁止在论文和著作中直接引用反对派的言论，而只准转述，否则就是宣扬反对派的言论。过去一些被查禁的图书，如“异议人士”罗伊·梅德韦杰夫的《让历史来审判》等，也得以公开出版。戈

[1] Россия. XX век. Документы. Под общей ред. Академика *А.Н.Яковлева*. Международный фонд «Демократия». Изд. «Материк».

尔巴乔夫在苏联历史上第一次正式承认苏联存在书报检查制度，并予以废除。

自 20 世纪 90 年代以来，互联网得到飞速发展，许多俄国的学术著作、历史资料以至档案文件等可以在网上看到和下载，给史学研究提供了极大的方便。这一切为苏联史的研究提供了扎实的第一手资料，为纠正历史的伪造提供有力的证据。

俄国的史学家，不仅可以看到和使用各种新的解密档案材料，而且在写作史学论著时不再有过去那些官方的意识形态的束缚，没有了各种条条框框，可以按照自己研究的结果来写作了。历史研究成为历史学家的工作，而不再是政治家的工具。政治家们不再能够对历史的学术研究发号施令了，即使有人想发号施令，也再无法定于一尊。对苏联历史的各种问题仍然存在不同看法，争论在继续，但争论不再能够由官方来统一。莫斯科大学历史系副系主任Л.С. 列昂诺娃教授指出：当前，俄国史学家们已达成了一定的共识，认为学术研究不能再回归从前那种思想一统的老路，方法和观点的多元化是任何一门学科顺利发展的首要条件之一。在这种生态条件下，苏联史的研究出了不少可喜的成果，包括论文和专著。这里既有为斯大林辩护的菲利波夫等人著作的教学参考书《俄国现代史（1945—2006）》，也有"颠覆性"的由安·祖波夫主编、多国学者参加编写的两卷本《20 世纪俄国史》。可以同意或者不同意他们的观点，但仅就这两种观点截然对立的图书能在俄国出版而论，不能不承认这是历史的巨大进步。

从这一切可以看到，俄国的苏联史研究在最近 1/4 世纪的时间里有了长足发展，这是史学的进步，而不是历史虚无主义。

我们的工作

苏联的解体为苏联的社会主义画上了一个句号，苏联作为国家，作为制度，已经成为历史，整个苏联时期已经摆在世界历史的舞台上任人评说。苏联史成了整个俄国历史中的一个阶段、一个时期。诚然，这是一个非常独特的、影响过整个世界的时期。写前朝史是史家的一种惯例，一个朝代结束了，就有可能看到被深深掩盖的各种历史真相，有可能较为客观地评说其功过得失，为客观的科学的历史研究提供有利的条件。

苏联解体后，我国出了几本苏联史的专著，发表了不少叙述和论述苏联某一段历史、某一个问题的著作，这些著作分析问题的角度不同，详略不一，观点看法也不一致，对苏联历史和问题的研究出现了争鸣的良好态势。对存在74年的世界上第一个社会主义国家的兴衰存亡过程及其原因的探讨，不是短时间内能够达成共识的。罗马帝国灭亡以来世界上罗马兴亡史就出了好多种。法国大革命离今天已有两百多年，研究的著作依然源源不断地问世。曾有记者问周恩来怎样评价法国大革命？周恩来回答说：现在作结论为时尚早。已经过去两个世纪的法国革命尚且如此，一个曾经影响整个人类社会的社会主义革命的得失和经验教训，绝对不可能在短时间内取得各方的共识。仅仅就斯大林一人的评价而论，从他逝世算起，事过半个多世纪仍然众说纷纭，无法盖棺论定。对这么一段影响世界历史的发展进程的苏联历史决不是某几人或某几本书能作出定论的！

本书的作者群体关注苏联历史已久，有些学者从20世纪50年代起就学习和研究苏联史。有过痛苦的“文化大革命”经历的作者们深感苏联对中国影响之大、之深，开始从中国的教训反思苏联的历史。从20世纪70年代末开始，中国的苏联史研究者写出了一批有独立见解的论述苏联历史的论文和专著。

苏联解体之后我们有意写作一部比较完整、较为详尽的能够反映苏联历史真实过程的苏联史，这既是我国广大关心苏联历史的读者的需要，也是我们自己厘清苏联历史本身发展过程的需要。为此，本书的作者和其他一批苏联史研究者一起从1995年以来投入以下两项工作。

为使中国的学者能够看到并利用从苏联末期起开始公布的大量解密档案，由沈志华教授牵头在中国社会科学院立项，编译出版了34卷《苏联历史档案选编》[1]。我国有数十名苏联史研究者、翻译者投身于《苏联历史档案选编》的编译出版工作，历时七年，于2002年正式出版发行。这部书为我国苏联史的研究提供了一份非常有价值的资料。

编译出版档案资料不是我们的最终目标，利用这些档案资料撰写一部反映苏联历史真实面貌的苏联史，这才是我们追求的目标。1996年由沈志华等教授倡议，“中国史学会东方历史研究出版基金”提供资助，由郑异凡研究员

[1] 参见沈志华执行总主编：《苏联历史档案选编》，社会科学文献出版社2002年版。

牵头在中央编译局为九卷本《苏联史》正式立项。2002 年《档案选编》完成之后，作者们开始集中精力撰写这部《苏联史》。

我们长期从事于历史研究，多年的工作使我们深深感到，一个历史工作者需要具备史魂、史识、史胆。“史魂”说的是史家的道德良知，要显善揭恶，独立思考而不媚时，不随风倒，尤其不为恶辩护。“史识”说的是对历史的认知，是建立在历史事实基础上的对历史的清醒认识，以史实为依据，运用历史唯物主义、历史主义，把握基本的历史联系，认识和揭示历史的本来面貌，力求揭示历史发展的规律。“史胆”，面对历史要敢于秉笔直书，敢于讲真话，敢于写真实的历史，这是对历史负责的态度。史魂、史识、史胆，这是中国史学的优良传统，也是我们追求的方向。

本书作者们努力给读者提供一部真实的苏联史。任何一个史家对自己所记叙、描绘的历史，不可完全处于超然的、纯客观的地位，必然会有自己的看法，并且会以各种形式表现出来，这是不言而喻的。本书同样如此，我们力求做到的是，所提供的历史事实，是真实可信的，我们的看法是有据可依的。苏联历史中伪造的东西太多了，纠正这些东西困难重重，尤其是对我们这些外国的史学家来说更是如此。迄今为止俄国的史学家们在这方面做了大量的工作，但是应该说，仍然处于起步阶段。写出一部完整、全面、真实的苏联史，有待俄国和各国历史学家的共同努力，我们所做的工作只是抛砖引玉而已。

当然，我们也不妄自菲薄，中国的历史学家在研究苏联史上具有自己的优势。我们是社会主义国家，正在建设中国特色的社会主义。此前我们在相当长的一个时期曾经照搬照抄过苏联斯大林的那一套做法，我们的社会主义曾经深深留下斯大林模式的烙印。中国人对斯大林模式的弊端有切身体会，摒弃和改革斯大林模式是中国改革开放的起点。这样，我们在考察苏联的成败得失时，会有自己的感性认识，可以通过自己的教训去认识苏联历史中的问题。从 20 世纪 70 年代末起，中国学者已经开始对苏联史中的某些问题进行认真的反思，得出新的认识，如列宁晚期思想、对斯大林的评价、对布哈林的评价、对赫鲁晓夫的评价、对《联共（布）党史简明教程》的评价、苏联农业集体化和工业化等等问题，都提出了自己的新见解，可以说，在 20 世纪 80 年代中国学者在苏联史的若干问题的研究上走在了苏联史家的前面。

马克思在《〈政治经济学批判〉导言》中说过:“人体解剖对于猴体解剖是一把钥匙。反过来说，低等动物身上表露的高等动物的征兆，只有在高等动物本身已经被认识之后才能理解。”[1]这是马克思就资本主义社会对以往的各种社会的关系而言的。资本主义是借以往的社会形式的残片和因素建立起来的，其中一部分是还未克服的遗物，继续在这里存留着，一部分原来只是征兆的东西，得到了充分发展。中国的社会主义，是在苏联模式的基础上建立起来的，而中国特色的社会主义则是在克服和摒弃苏联模式中的斯大林模式的基础上建立起来的，在这里如马克思所说，一部分原来只是征兆的东西，如列宁的运用市场机制的新经济政策，得到了充分发展。在我国斯大林模式虽然已被摒弃，但不可否认，一部分尚未克服的“遗物”仍继续存在。通过中国特色的社会主义实践，我们能够更清楚地认识苏联社会主义的得失，这是不言而喻的。

本书是一部多卷本的苏联史，以相对独立的历史阶段分卷，依次为:俄国革命、国内战争、新经济政策时期、斯大林模式的确立、卫国战争、战后斯大林时期、赫鲁晓夫的十年、勃列日涅夫的十八年、戈尔巴乔夫改革和苏联解体。历史的延续存在有机的内在联系，分卷只是为了写作方便，并不是对苏联史的科学分期。九卷书是一个整体，讲述一个连续不断、有机联系的历史过程。与此同时，各卷的内容又是相对独立的。为发挥每一位作者的特长和创造性，在总体设计下，每卷的作者独立设计本卷的结构和内容，写作风格也不强求一致。为叙事方便，卷与卷之间部分内容或有重叠交叉。由于作者的视角不同，运用的资料不同，这种重叠不会是简单的重复。这样，每一卷都可以作为有头有尾的独立的一段史书来读。由于长期磨合，作者们对苏联历史的总体看法是一致或近似的，相信全书在基本观点上也会是一致的。尤其值得指出的是，本书的多数作者同时也是《苏联历史档案选编》相应卷次的主编，档案的编辑工作为他们提供了扎实的史料。

本书自 1996 年立项，到 2013 年开始出书，历时十多年，是名副其实的“十年磨一剑”。一部历史著作的撰写确实需要有较为充裕的时间，急就章是不行的。我们不敢说本书是精品，但是应当说，要出精品就必须舍得下“十年磨一剑”的功夫。

---

[1] 《马克思恩格斯选集》第 2 卷，人民出版社 1995 年版，第 23 页。

司马光言："鉴前世之兴衰，考当今之得失。"写"前世之兴衰"是历史学家的责任，"考当今之得失"则未必是史学家所能完成的任务，倒不如说是每一位读者自己的任务。历史学家的首要责任就是写出信史，使所写的历史书尽可能接近历史本身。这是考当今之得失的前提。如果历史事实被歪曲了，那由此得出的结论必然陷入谬误。2009 年 5 月 13 日，习近平在中央党校说：领导干部要通过研读历史经典，看成败、鉴是非、知兴替，起到"温故而知新"、"彰往而察来"的作用。我们希望这套《苏联史》能在这方面提供一些有用的东西。

在成书之际我们深深怀念中国社会科学院世界史所已故朱庭光所长，他一直关怀我们的苏联史研究和写作；怀念我们的挚友中央党校战略研究所的姜长斌教授，他不是课题组成员，但几乎参加了我们的所有学术讨论，贡献了许多宝贵的意见，长斌不幸于 2009 年年初去世，未能看到本书的出版，实为憾事。中国社会科学院世界历史研究所闻一、马龙闪研究员、华东师范大学历史系余伟民教授、中国政法大学金雁教授等也参加了我们的部分讨论会，人民出版社张伟珍编审为本书的出版做了大量工作，东方历史研究基金会和人民出版社提供了资助，前驻俄大使李凤林先生百忙中为本书作序，对此我们深表谢意！

2009 年 7 月 18 日二稿

2011 年 5 月 1 日三稿

目录

前　言

1917 年俄国革命，是 20 世纪最重要的历史事件之一。这是一场扭转了俄国的发展方向、影响了 20 世纪世界历史进程的大革命。

在 1917 年二月革命爆发之前，没有任何迹象能够预示，沙皇政权几天之后就将被推翻，统治俄国 300 余年的罗曼诺夫王朝也将轰然倒塌。然而在不期而至的二月革命风暴中，连自由主义反对派政党和革命政党都不曾想象的事情成为现实。二月革命中产生的临时政府曾经获得了普遍支持，但它也在仅仅 8 个月之后就被逐出俄国历史舞台，而二月革命时还默默无闻的布尔什维克党掌握了国家政权。按照十月武装夺权的组织者托洛茨基的说法，在历史上再也找不到这样的急剧转变了。[1] 这个转变来得如此突然和迅猛，以至连列宁本人都深感意外。他在夺权成功之后对托洛茨基说，从遭受迫害、处于地下状态，到突然当权，这一急剧变化令人头晕目眩。[2]

90 多年以来，俄国革命以其复杂的背景、宏大的场面、矛盾的现象、戏剧性的情节、众多的谜团以及持久而又深刻的历史意义，一直吸引着人们的兴趣和关注。在俄国和世界上许多国家，对于俄国革命的探索、认识和理解从未停息，产生了大量回忆、研究、介绍这场革命的论著，也形成了关于这场革命的各种不同观点。

一

1917 年革命以来，俄国社会对革命的认识和解释一直存在明显的分歧，而在相互对立的观点深处，是不同的政治立场。

在具体的 1917 年革命史的研究层面上，革命后的苏维埃俄国曾经有过一个相对宽松的环境。20 世纪 20 年代，出版了大量关于革命的文献资料和事件参与者对革命的论述和回忆，其中包括一些右翼政治家和“小资产阶级政党”代表人物的著作。这一时期，甚至在革命阵营内部，对革命的看法相对来说也是多样的，如托洛茨基与波克罗夫斯基曾就俄国革命的前提和性质进行过激烈

---

[1] *Троцкий Л. Д.* История русской революции. М., 1997. С. 27.

[2] [俄] 托洛茨基著：《我的生平》，赵泓、田娟玉译，郑异凡校，上海人民出版社 2007 年版，第 296 页。

的争论。一些马克思主义历史学家如克里沃舍诺伊、比昂特科夫斯基等开始研究俄国资本主义与专制制度以及与西欧资本主义的关系、无产阶级集中程度对于革命的意义、第一次世界大战期间阶级矛盾的尖锐化、二月革命的基本矛盾、1917 年社会紧张程度与革命进程等问题。[1]

但随着联共（布）党内斗争的尖锐化和高度集权政治体制的形成，对于革命的解释也逐渐趋于一律。雅罗斯拉夫主编的四卷本《联共（布）党史》和斯大林亲自审定的《联共（布）党史简明教程》是那个时代革命史学的代表性作品。党的领袖的意见成为认识和理解 1917 年俄国革命的唯一依据。1931 年 10 月，《无产阶级革命》杂志发表了斯大林的《论布尔什维主义历史的若干问题》，为这些问题规定了极其狭隘的思维框架。对于革命历史的表达越来越简单化、理想化、政治化和神圣化。譬如，革命的复杂背景和根源被以必然性一言蔽之；2 月到 10 月之间曲折的革命过程被描述为布尔什维克党领导人民所向无敌的胜利进军；革命的很多事实由于政治原因而被歪曲或者湮没；布尔什维克以外的政治力量和政治人物一概被戴上资产阶级、小资产阶级的帽子并纳入反革命阵营；布尔什维克领袖的活动及其作用被塑造为神话；十月革命的价值被归纳为若干只可尊崇膜拜的信条。

苏共二十大后，有关俄国革命的苏联官方史学逐渐发生了一些变化。这一过程始于布尔加洛夫的论文《论布尔什维克在 1917 年 3—4 月的策略》。从 20 世纪 50 年代中期到 20 世纪 80 年代中期，阿弗列赫、沃洛布耶夫、格隆特、格利科夫、古谢夫、佳金、杜莫娃、拉维雷切夫、列别洛夫、明茨、斯塔尔采夫、索波列夫、切尔明斯基等一大批苏联史学家在发掘大量史料的基础上，一定程度上拓展了革命史研究的范围，并开始重新探讨斯大林时代革命史学中某些最失真的内容。但是，这一时期对俄国革命史的研究并无多少实质性的突破，大量史学论著还是继续拔高革命前俄国社会经济水平和文化发展程度，拔高布尔什维克和无产阶级的革命斗争，而对于列宁专门论述过的俄国革命的特殊性则避而不谈。

20 世纪 80 年代中期以来，俄国社会开始重新思考 1917 年的革命。这一时期革命史研究的最主要特点是，改变了已经过去的时代所特有的高度政治化立

[1] *Кривошеиной,Е.Н.*Февральская революция. М. - Л., 1926 ; *Пионтковский С.А.* Октябрьская революция. Ее предпосылки и ход. М., 1923.

场。史学界在重新审视以往的革命历史编撰学时，认识到了它存在的问题。“我们必须避免片面地研究十月革命，那时历史进程被看作是革命阵营单方面的活动和事件，而与之对立的力量是可以忽略不计的。我们的任务是研究所有社会阶级、所有政党，既要研究它们的对抗，也要研究各个联盟和妥协的形成。”[1] 知名学者佳金在 1990 年 7 月的国际会议上说：“我们真的滥用了资产阶级、贵族、知识分子、工人阶级等概念，没有更清晰的界定，没有研究我们所写的那些人是怎样认识自己的、是怎样理解自己在社会中的角色和面临的任务的。”[2]

在有关 1917 年俄国革命前提的问题上，一些历史学家提出了新的见解，认为在 1917 年的俄国既不具备资产阶级革命的前提，更不具备社会主义革命的前提。著名学者舍洛哈耶夫的观点具有很大的代表性，他认为，1917 年所有政治运动的社会基础都非常狭隘，因此“任何形式的社会重建模式都没有其自身实现的现实物质前提”。[3]

但是，虽然可以质疑 1917 年存在资产阶级革命和社会主义革命的前提，却并不能忽视对于 1917 年革命的根源和条件的研究，因为革命本身是一个不可否认的事实。很多学者指出，1917 年发生的社会和政治爆炸具有合理性，俄国社会经济的长期因素对此具有影响，而起主要作用的是与第一次世界大战有关的社会局势的变化。著名历史学家伊斯坎德罗夫指出，影响 1917 年事件的历史因素有：废除农奴制度的迟缓、教会权威的衰落、君主与人民之间联系的断裂、对立政党之间相互关系的缺失等等。[4] 苏联时期最主要的革命史权威之一沃洛布耶夫院士也提出了一个新的概念：十月革命是帝国系统性危机的结果。[5] 有学者用现代化

[1] Историки спорят. Тринадцать бесед. Под общ. ред. *В. С. Лельчука*. М., 1989.с.45.

[2] Реформы или революция? Россия 1861–1917. Материалы международного коллоквиума историков. СПб., 1992. С. 335.

[3] *Шелохаев В.В.* Феномен многопартийности в России //Крайности истории и крайности историков. М., 1997. С. 17.

[4] *Искандеров А.А.* Российская монархия, реформы и революция //Вопросы истории. 1993. N 3. С. 107–108.

[5] *Волобуев П.В., Булдаков В.П.* Октябрьская революция: новые подходы к изучению. // Вопросы истории. 1996. N 5–6. С. 29.

理论和方法分析革命的原因，认为经济的高速现代化与基本居民阶层的精神状态没有相应变化这一矛盾，是导致革命的条件。[1] 还有观点认为，引发革命的主要因素包括：俄国现代化的特点和困难，现代因素与传统的本土因素的碰撞，反抗社会不公正的造反传统，社会主义和马克思主义思想与俄国土壤的独特结合等。[2]

与革命前提问题相关的是对 1917 年革命的定性问题。如果说俄国不具备资产阶级革命或社会主义革命的前提，那么应该怎样确定 1917 年事态的性质？阿南伊奇等很多学者都把 1917 年 2 月和 10 月的两大政治事件视为一次革命，认为这是一个连续的过程。[3] 出现了一些新的提法，如把 1917 年事态称为"下层的革命"，或认为 1917 年普遍的社会动荡是"村社革命"。[4] 布达科夫认为，1917 年的动乱类似 17 世纪的"混乱时期"，是国家政权崩溃、帝国结构性危机的结果。[5]

20 世纪 90 年代以来的俄国革命史研究越来越多地关注传统与现代的冲突，以及表现这种冲突的社会心理和精神状态。1994 年和 1995 年俄国分别举行了以"革命与人：社会心理观点"、"革命与人：日常生活、习俗、行为、道德"

[1] *Колоницкий Б.И.* Демократия как идентификация: к изучению политического сознания Февральской революции //Февральская революция. От новых источников к новому осмыслению. М., 1997. С. 116. ；*Коротаев В.И.* Революция 1917 г.: авантюра или закономерность? // Россия, 1917: взгляд сквозь годы. Архангельск, 1998. С. 16.;*Зориков А.Н.* Криминальная обстановка как результат и фактор социальной мобильности России в начале XX в. //Революция и человек. Быт, нравы, поведение, мораль. М., 1997. С. 5–6.

[2] *Голдин В.И.* Россия, 1917: взгляд сквозь годы. Архангельск, 1998. С. 5.

[3] *Ананьич Б.В.* Власть и реформы. От самодержавной к советской России //Вестник Российского гуманитарного научного фонда. 1996. N 2. С. 34 ；Февральская революция и судьбы демократии в России. Материалы международной научной конференции（14–15 марта 1997 г.）. Ставрополь, 1997.

[4] *Рейман М.* Заметки по 1917 году //Россия в XX веке: судьбы исторической науки. М., 1996; *Бухараев В.М., Люкшин Д.И.* Российская смута начала XX века как общинная революция //Историческая наука в изменяющемся мире. Вып. 2. Казань, 1994.

[5] *Булдаков В.П.* Красная смута. М., 1997.

为主题的学术会议。此类研究致力于运用大量资料来解释群众、集团、阶层的活动的动机。有关成果表明，一个地方的食品供应、离开铁路的远近、人口分布的密度和性别年龄构成等等因素都可以导致某些情绪、想象、传闻、成见等的形成，进而影响革命的进程。

苏联时期的革命史学虽然也研究各个社会阶层和集团在革命中的行为，但群众往往只是被作为革命政党行为的客体，而不是独立的历史主体。20 世纪 90 年代以来的研究，对革命时期各个社会群体的分析进入了一个比较具体和细致的阶段。

农民作为最大的社会阶层、传统政治文化的承载者，其精神和行为成为研究的对象。Л.В. 达尼洛娃、В.П. 达尼洛夫等人的研究指出，农民行为结构的主要特点是村社性。一方面，这意味着农民中存在着民主、公正、平等之类的道德基础。[1] 另一方面，表明农民的思维具有消极性和守旧性，他们孤立于外部世界，固执地坚持把世界划分为“我们”和“他们”。[2] 几乎所有研究革命时期农民问题的历史学家都指出，1905—1907 年的革命、斯托雷平的改革特别是第一次世界大战，破坏了农民对于君主主义的幻想。但需要进一步解释的是，这种情况达到了何种程度、对 1917 年的革命进程究竟产生了多大影响。

苏联时期，历史学家竭力证明俄国无产阶级的先进性以及在革命中的特殊作用，尽管列宁早在十月革命一周年的时候就已明确指出，俄国革命的胜利决不是由于俄国无产阶级有什么功劳，也不是由于它比别人先进。[3]

当代学者对俄国无产阶级问题进行了重新审视，基里亚诺夫指出，“工人运动实际上有很多形式、很多面貌，而不是在苏联史学中所确定的那样”，他认为，在以往史学著作中工人阶级的组织程度和政治倾向被明显拔高了。[4] 一些研究成果表明，革命前只有很小一部分工人参加了同企业主和专制制度的斗争：1910 年是 1.4%，1913 年是 13.4%；政治罢工不仅数量很少，而且并无革

---

[1] *Данилова Л. В., Данилов В. П.* Крестьянская ментальность и община // Менталитет и аграрное развитие России（XIX–XX вв.）М., 1996. С.22，39.

[2] Менталитет и аграрное развитие России（X1X–XX вв.）. М., 1996. С. 39, 387.

[3] 参见《列宁全集》第 35 卷，人民出版社 1985 年版，第 137 页。

[4] *Кирьянов Ю.И.* Рабочие России и война: новые подходы к анализу проблемы //Первая мировая война. Пролог XX века. М., 1998. С. 433, 436.

命倾向；“在大多数情况下，罢工是分散的、地方性的和局部的。”[1]

与此相应的是如何认识和评价资产阶级的问题。在苏联史学中，俄国资产阶级，包括其中的左翼自由主义反对派，都是以反对革命的力量出现的。20世纪90年代以来，一些学者提出了客观认识资产阶级在1917年革命事态进程中的作用和地位的问题，认为资产阶级的政治路线在总体上具有两重性，是改革与保守的结合。[2]一些学者提出了研究角度和研究方法的更新问题，即在革命条件下，重要的不在于这个或那个社会阶层的立场本身，而在于它对其他阶层的接受和评价。

在苏联史学中，革命是作为历史进步力量的工农群众同贵族资产阶级联盟进行斗争的舞台。贵族通常被认为是专制制度的基础、阻碍社会进步发展的主要力量。在当代史学中，有学者指出，俄罗斯国家是由官僚而不是贵族管理的，贵族集团的基本部分是不问政治的，这种情况在政党对贵族的影响较弱这一点上得到了反映。[3]

1917年革命是俄国历史的转折点，因而在大量的通史类著作中都有对革命的专门论述。在此类论著中，值得注意的是祖波夫主编的《20世纪俄国史(1894—2007)》[4]。此书第一卷叙述了1894—1939年的俄国历史，其中有相当篇幅用于1917年俄国革命。作者利用大量以往少为人知的史料，展示了1917年俄国首都和外省城市、农村和前线的人和事，对革命史中的一些空白、模糊或有争议之处进行了探讨。

一些学者从人物研究入手探讨1917年革命，代表性著作是约非所著《1917年：列宁、克伦斯基、科尔尼洛夫》。[5]此书通过对1917年最有影响的三个人物的思想和活动的分析，揭示了1917年事态进程中一系列值得关注的事实。

[1] Россия. 1913 год. Статистико-документальный справочник. СПб. 1995. С. 403.; *Желтова В.П.* Стачечная борьба российского пролетариата в 1910–1912 гг. М., 1993. С. 209.

[2] *Юрий М.* Общественные организации русской буржуазии в период первой мирвой войны //Первая мировая война: страницы истории. Черновцы, 1994. С. 133.

[3] Из глубины времен. Вып. 3. Спб., 1994. С. 23,4–16; *Кабытов Е.П.* Кризис русского дворянства. Самара, 1997. С. 132.

[4] История России XX:1894–1939. Под ред. *А.Б.Зубова.* М., 2009.

[5] *Иоффе Г.З.*Семнадцатый год: Ленин, Керенский, Корнилов. М.,1995.

20 世纪 90 年代以来关于革命史的研究还有一个极其重要的方面，即大量有关革命的文献资料重新出版，许多革命参与者和见证人的记载或回忆得到公开，为革命史研究的深入创造了条件。

在西方学术界，真正对俄国革命史进行比较深入的研究是从英国著名苏联学家爱德华·卡尔开始的。20 世纪 50 年代初期，卡尔的《布尔什维克革命》三卷作为其 14 卷巨著《苏俄史》的第一部分相继出版。这是西方研究俄国革命史的标志性成果，其第一卷中用四章分别论述了布尔什维克的基础、布尔什维克与孟什维克的分歧、1905 年以后俄国事态的发展、1917 年 2 月到 10 月的革命进程。[1] 他在 20 世纪 70 年代末又出版了《俄国革命：从列宁到斯大林。1917—1929》。[2]20 世纪 60 年代中期，亚当·乌拉姆的《布尔什维克：共产主义在俄国胜利的精神和政治历史》[3] 一书主要论述了列宁生平活动及其思想的发展，以及他在 1917 年及以后的革命实践。此书被认为是西方学术界关于列宁的标准传记，也是研究布尔什维克革命的思想基础的主要论著之一。

20 世纪 60 年代开始，西方俄国革命史研究中的政治化色彩趋于淡化，一些学者开始关注和重视俄国革命的社会经济条件和革命进程中具体事实的研究，出现了一些具有重大影响的成果。美国印第安纳大学历史学教授拉宾诺维奇在 20 世纪 60 年代后期出版的《布尔什维克走向政权》是这一时期西方学术界研究俄国革命的代表作。[4] 这本被认为是“去意识形态化”的俄国革命史专著主要利用革命时期俄国的报纸、期刊等出版物以及政府、政党、组织的正式文件，细致研究了七月事件及以后布尔什维克一步步走向政权的事实和背景。此书有数十种版本，20 世纪 80 年代在俄国出了俄文版。拉宾诺维奇后来又陆续出版了多种关于俄国革命的论著，他是迄今为止西方最负盛名的俄国革命史权威之一。

---

[1] Carr, E.H. *The Bolshevik Revolution*, Volume 1, New York, 1951.

[2] Carr, E.H.*The Russian Revolution from Lenin to Stalin 1917–1929.* London: Macmillan Press, 1979.

[3] Adam Ulam. *Bolsheviks*: *The Intellectual and Political History of the Triumph of Communism in Russia* New York.1965,1998.

[4] *Рабинович А.* Большевики приходят к власти.Революция 1917 года в Петрограде. М.,1989.

一些学者的研究选题不断深入和细化，如韦德研究了 1917 年革命中的战争与和平问题，[1] 艾舍和巴希尔分别探讨了孟什维克在 1917 年革命中的理论和实践，[2] 罗森伯格等详细论述了主要自由主义政党立宪民主党及其领袖在革命中的活动及其作用，[3] 芒克对科尔尼洛夫事件及其影响进行了详尽分析。[4] 对于资料的发掘和使用也给予了越来越多的重视，出版了一些文件集。[5]

20 世纪 90 年代，西方对俄国革命的研究进入了新阶段，其标志是理查德·派普斯的两卷本著作《俄国革命》。[6] 受到西方历史学总体发展方向的影响，派普斯此书侧重研究社会心理、群众精神状态、特定集团的思想及其对事态进程的影响。阿克顿等编著的《俄国革命的关键因素》也是一部有特色的关于俄国革命的著作。此书分别以事件、人物、政党和运动、机构和组织（如苏维埃、临时政府、工厂委员会、学校、教会、地方和城市自治、商会）、社会群体（如贵族、哥萨克、知识分子、职员、农民、士兵、工人、商人、妇女）、经济状况和日常生活、民族和宗教问题等方面进行了论述，力图比较全面地反映革命时期的俄国社会。[7] 科瓦尔斯基编著的《俄国革命：1917—1921》精选关键性的文献资料并配以解释和说明，展示了俄国革命的基本事实。[8] 稍后由

---

[1] Wade R.A. *The Russian search for peace: February-october 1917.* Stanford.1969.

[2] Abraham Ascher. *The Mensheviks in the Russian Revolution*. New York ,1976.John D. Basil. *The Mensheviks in the Revolution of 1917*. Columbus: Slavica Publishers Inc., U.S. 1984.

[3] Rosenberg W.G. *Liberals in the Russian Revolution: The Constitutional Democratic Party, 1917–1921*. Princeton University Press.1974 ；Riha T. *Russian European: Paul Miliukov in Russian Politics*. New York. 1969.

[4] Munck J.L. *The Kornilov Revolt : A Critical Examination of Sources and Research*.Aarhus: Aarhus University press, 1987.

[5] Martin McCauley. *The Russian Revolution and the Soviet State 1917–1921: documents.* London,1980.

[6] Pipes Richard. *The Russian Revolution*.Random House, 1990; *Пайпс Р.* Русская революция. M., 2005.

[7] *Critical companion to The Russian Revolution.1914–1921*. Edited by E. Acton, V. Iu. Cherniaev, W.G. Rosenberg，Indianan University Press, Bloomington and Indiannapolis, 1997.

[8] Ronald Kowalski. *The Russian Revolution,1917–1921*. London and New York.1997.

美国学者奥兰多·菲格斯与俄国学者鲍里斯·科罗尼茨基合著的《解释俄国革命:1917年的语言和符号》[1]是一本有特色的俄国革命史专著，它对1917年俄国革命中流行的口号、词语、称呼、歌曲、标识、象征物、服装、仪式、群众活动方式等等进行分析解读，展示了俄国大革命的政治文化面貌和特点。

在中国，由于中俄两国曾经有过共同的历史性选择，中国公众对于苏维埃俄国和苏联的历史，首先是俄国革命的历史，有着特别的关注。我们同俄国人一样，也有一个很长的时期是完全以斯大林时代苏联的立场来认识俄国革命的。我们对十月革命的了解大体上来自于《联共（布）党史简明教程》以及以此为依据的苏联历史论著和文艺作品。同苏联一样，由此形成的俄国革命的印象与革命的真实历史相去甚远。在很长时间里，我们对革命的历史事实知之甚少，甚至不了解苏联对十月革命史研究的发展变化。例如，十月革命通常被认为就是一场武装的战斗，攻打冬宫更是被视为革命的符号，有的著作甚至想当然地生动描写起义者与支持临时政府的士官生之间在冬宫的每一处地方进行白刃格斗。而实际上，根据十月起义领导者和参与者的记录，武装起义过程中并未发生大规模流血的情况；临时政府所在地冬宫也不是被起义者所攻克，而是守卫冬宫的士官生放弃了抵抗。早在20世纪60年代，苏联官方史学著作就已经明确指出，在彼得格勒武装起义的整个过程中，总共死6人，伤50人。[2]但这些事实在很长时间里没有受到应有的关注。

国内学术界对1917年俄国革命史的研究大体上是自20世纪80年代以来逐步开展的。1980年出版的孙成木、李显荣、康春林著《十月革命史》在很长时间内是国内唯一的专门论述十月革命和国内战争的专著。[3]随后陆续出现了一系列关于十月革命的论文，对十月革命的客观物质前提、十月革命的性质、特点和历史意义、布尔什维克在夺取政权斗争中的策略和口号、十月革命

[1] Orlando Figes and Boris Kolonitskii. *Interpreting the Russian Revolution.The Language and Symbols of 1917.* Yale University Press, New Haven and London,1999.

[2] История Коммунистической партии Советского Союза. Т. 3. Кн.1. М., 1967. С.321–328. 笔者在《第一次世界大战与十月革命的发生》(《外国问题研究》1988年第1期）一文中介绍了相关资料。

[3] 参见孙成木、李显荣、康春林:《十月革命史》，三联书店1980年版。

与农民等问题进行了争论和探讨。[1] 也有学者专文论述了十月革命的特殊性和历史的选择性，认为列宁的方案是当时诸多选择中的一个，列宁的理论、方针、策略和胆识决定了十月革命的胜利。[2]

总体来说，国内对1917年俄国革命的历史学研究还是十分薄弱的。已有研究一般都以十月革命为对象，选题侧重于理论性、原则性的问题，如革命的前提、革命的性质、革命的必然性、革命的意义等等，研究方法主要是理论的分析论证。无疑，这些研究对于我们深入认识俄国革命是必要和重要的。但是也应承认，有很多讨论是在对历史事实缺乏了解的情况下进行的。学术界对于二月革命以及二月到十月之间的革命进程、重大事件、重要现象、关键人物的思想和活动等一系列具体问题很少进行以文献档案资料为基础的实证性研究。这种情况正在引起关注，近几年，开始陆续出现一些探索俄国革命历史真实的成果。[3]

---

[1] 参见徐天新：《布尔什维克党在十月革命准备时期的农民政策》，《世界历史》1981年第6期；柳植：《十月革命与历史的选择性》，《历史研究》1988年第5期；闻一：《十月革命与农民、农业问题》，《世界历史》1987年第5期；丁士超：《俄国的资本主义与十月社会主义革命》，《史学月刊》1992年第5期；姜长斌：《从马恩学说到邓小平理论——为纪念十月革命80周年而作》，《世界历史》1997年第5期；吴恩远：《十月革命：必然性、历史意义和启迪》，《世界历史》1997年第5期；余伟民：《世界现代化进程中的十月革命》，《当代世界与社会主义》2000年第4期；于沛：《十月革命的胜利是科学社会主义的胜利——纪念十月革命90周年》，《世界历史》2007年第5期；高放：《俄国十月革命与苏维埃》，《当代世界与社会主义》2007年第4期；沈永兴：《谈谈十月革命的前提和列宁的贡献》，《史学理论研究》2007年第16期；赵士国：《十月革命是俄国特定历史条件下唯一正确的选择》，《史学理论研究》2007年第18期；陈之骅：《十月革命的必然性和历史意义》，《史学理论研究》2007年第4期；孙成木：《对十月革命评价的一点认识》，《世界历史》2008年第2期。

[2] 杨存堂：《十月革命与历史的选择性》，《历史研究》1988年第5期。

[3] 参见郑异凡：《有关十月革命的几个问题》，《当代世界社会主义问题》2002年第3期；《左派社会革命党人对十月革命的贡献》，《当代世界与社会主义》2004年第1期；《自由——十月革命的第四个口号》，《探索与争鸣》2008年第1期等。闻一：《十月革命——阵痛与震荡》，广东人民出版社2010年版。姚海：《历史性的转折：1917年俄国革命》，《一个大国的崛起与崩溃：苏联历史专题研究（1917—1991）》之一部分，社会科学文献出版社2008年版，以及有关1917年革命的系列文章。

二

尽可能全面客观地了解和认识1917年俄国革命的根源、革命的进程和事实、革命的理想与现实、革命的结局和影响，是总结20世纪社会主义经验教训时必不可少的一步。

鉴于国内还没有系统反映1917年俄国革命史的学术成果，有必要从加强实证性研究入手，深化和拓展俄国革命史的研究。因为只有在说清楚基本历史事实的基础上，才有可能正确地理解革命，才有可能回答有关革命的一系列问题。

正是基于这种认识，本书的主要任务不是讨论有关俄国革命的抽象的、理论性的问题，而是尽可能真实地再现俄国革命的历史，探讨俄国革命究竟是怎样发生的，又是怎样从二月走向十月的。

近20多年来大量文献和档案的公布和出版，使我们有可能尽量恢复历史真相，让已经成为神话的革命重归本色。当然，就一个研究者、一本研究著作而言，要做到完全客观真实地重现俄国革命是不可能的，因为个别的研究者不可能根据自己掌握的有限资料来完整地恢复历史的全部内容。但探索真实的历史，这应该是研究者努力的方向，也是这本关于俄国革命史的书追求的目标。

在研究俄国革命、写作本书时，笔者主要利用了俄文资料，包括多卷本俄国革命文件汇编、有关当时俄国政治党派和社会组织在革命中的活动的档案文件、政治领袖和事件参与者的论著、记载、回忆录等。对于探索1917年俄国革命真实历史的工作来说，那些革命亲历者当时的讲话、演说、信件、文章以及他们对事件的记载、回忆等等具有独特的价值。它们比那些措辞严谨的宣言、决议等等文件更具体更生动地反映了革命的历史。布尔什维克领袖列宁的文章和书信，托洛茨基在革命期间的很多文章和演讲稿以及两卷本《俄国革命史》，孟什维克活动家苏汉诺夫详尽记载二月到十月事态发展的多卷本《革命札记》，以及国家杜马主席罗将科、临时政府总理克伦斯基、军队将领邓尼金等著名人物的回忆录等等，使人能够想象当时俄国革命的复杂和宏大的场景，也为复原革命的真实面貌提供了生动史料。

在研究和写作过程中，笔者也参考了苏联（俄国）、美欧和中国研究俄国革命史的主要学者的论著，主要是近20年间出版的最具代表性的历史学研究成果。

苏联时期的革命史学通常以布尔什维克党的活动为主线来阐述1917年革命，强调布尔什维克在革命中的地位和作用，把1917年革命的历史解释为布尔什维克领导人民夺取政权的胜利进军。但实际情况并非如此。二月到十月的道路不是布尔什维克党高歌猛进的坦途，而是各种社会政治力量在俄国人民——首先是彼得格勒的工人和士兵——自发地揭竿而起的背景之下，进行复杂斗争的曲折过程。

本书根据1917年革命的实际进程，大体按照时间顺序，分11章论述革命的根源和革命的发生发展，特别注重在事实层面上全面地反映1917年革命的面貌，力求充实、弥补或修正对革命史了解的不足、缺失或偏差。

第一章从俄国历史文化传统和现代化道路的特点、俄国第一次革命后的形势变化、第一次世界大战造成的局面等方面探讨俄国革命的历史根源和现实背景。

第二章论述二月革命进程，具体讨论群众运动在8天时间里从罢工游行到士兵起义的发展、沙皇政权的瓦解和君主制的终结，揭示俄国人民在自发革命中表现出的历史主动性。

第三章主要分析资产阶级自由主义反对派及其控制的国家杜马、孟什维克和社会革命党及其领导的彼得格勒苏维埃、沙皇政权以及军方等不同层面在革命中的活动，研究二月革命中政权问题的解决方式及其对革命后政治局势的影响。

第四章论述布尔什维克党对二月革命的反应，着重分析党内对局势的不同看法及其理论根源、列宁借道德国返回俄国的经过、布尔什维克党的理论重建等问题。

第五章专门探讨二月后俄国局势的基本特点，论述无政府主义泛滥、社会心态普遍激进化和临时政府的软弱无力以及这些因素的相互作用。

第六章梳理七月事件的来龙去脉，对长期以来模糊不清的布尔什维克与七月事件的关系进行澄清，以事实说明七月事件中布尔什维克试图借助群众运动夺取政权、但因尚不具备挑战临时政府和革命民主派政党的实力而遭遇重大挫折。

第七章把科尔尼洛夫军事政变视为 1917 年俄国革命的最重要转折点，全面论述事件的背景、过程和结局，分析军事政变失败对政治局势产生的决定性影响。

第八章主要讨论从 7 月初到 9 月初布尔什维克党处境地位的急剧变化。布尔什维克因其在七月事件中的作用而遭到政治压制和舆论攻击，但科尔尼洛夫军事政变为它摆脱困境创造了良机。而布尔什维克从 9 月初开始在俄国政治格局中取得优势的主要原因，在于它及时修改了口号以满足群众的要求。

第九章论述布尔什维克在主要城市苏维埃中取得多数地位后，在以何种方式夺取政权问题上的激烈争论，以及最终在列宁坚持下作出扔掉选票、拿起步枪的选择过程。

第十章论述十月起义的准备和实行，特别是军事革命委员会具体组织领导起义的事实，以及在全俄苏维埃第二次代表大会上布尔什维克与民主派政党之间的对立和冲突。

第十一章论述布尔什维克夺取政权后遭到的最初挑战、党内在是否应该组成各社会主义政党的联合政府问题上的严重分歧，以及布尔什维克为巩固政权而采取的一系列措施和遇到的问题。

三

在致力于重现 1917 年俄国革命的一系列重大事件、重要现象、关键人物思想和行动的历史真实的同时，本书将俄国革命置于近代以来俄国历史进程和 20 世纪初期俄国所处国际环境的坐标体系之内进行考察，并由此重新审视和解释有关俄国革命的众多问题。

为什么会发生革命

1917 年的俄国革命，是俄国历史长期的结构性问题、中期的社会政治形势和短期的事态发展这三方面因素结合的结果。

长期因素，是俄国现代化进程中经济、社会、政治之间的结构失衡以及由此造成的系统性危机。彼得时代开始的俄国的欧化，是以赶超西方先进国家为主要特点、以追求军事强国地位为直接目标的现代化之路。这种由国家政权主导、用强制手段直接推动的赶超型现代化道路包含着尖锐的矛盾，长久地影响着俄国社会及文化的发展。19 世纪末 20 世纪初，长期积聚起来的矛盾不断以极端的对抗形式表现出来，国家面临根本改革或革命的选择。由于沙皇政权的调控能力减弱，不能主动改革，1905 年爆发了第一次俄国革命。这次革命的最终结果是妥协：沙皇政权在政治制度和土地关系方面进行了重大改革，但俄国现代化进程中的结构失衡状况依然存在，政治民主化问题和农民土地问题仍是困扰俄国社会的基本问题。这些在长时期内起作用的结构性、系统性问题，是 1917 年俄国革命的历史文化背景。

中期因素，是俄国第一次革命后出现的形势变化。第一次革命后，俄国曾经出现过走和平革新道路的可能性。根据十月十七日宣言进行的政治制度方面的改革，使俄国迈出了向资产阶级君主制演变的关键一步。而大臣会议主席斯托雷平所推行的一系列改革，其目标指向与俄国社会、经济、文化的现代化进程相适应。但是，斯托雷平的改革遭到来自各个方面的反对和抵制，他以强力手段推行自由主义改革的政策在政治上陷入困境。1911 年 9 月斯托雷平遇刺身亡，是俄国政治和社会形势变化的重要标志，也是对俄国走和平革新道路的沉重打击。俄国进入了一个新的危机时期。社会下层否定现存结构的行动趋于强烈，自由主义反对派的纲领和策略不断激进化，而沙皇政权竭力想把俄国拉回到 1905 年以前的老路上去。社会与政权在国家政治生活层面上的冲突和对抗不断加剧，系统性危机在发展，新的革命形势在酝酿。

短期因素，是第一次世界大战对俄国的影响。第一次世界大战激化了既有矛盾，在战争影响下发生的一系列事件把俄国引向 1917 年革命。俄国在战争中的失利使沙皇政权的合法性依据逐渐流失，自由主义反对派运动的社会基础因其在战时的作用而日渐发展，“进步同盟”基本上控制了国家杜马，战争的苦难使工人、农民、少数民族的斗争此起彼伏、持续不断。到 1917 年，俄国又一次走到了历史的十字路口，面临发展道路的选择。而沙皇政权不能顺应时势主动改革，革命终于爆发。从这个意义上说，沙皇政权、尼古拉二世是

1917 年革命的制造者。[1]

革命的两个阶段

按照通常的说法，1917 年的俄国发生了两次革命——二月革命和十月革命。但是，如同法国大革命那样，俄国 1917 年 2 月和 10 月发生的事件代表了革命的不同阶段，因而可以将其纳入一个连续的统一过程予以考察。当然，这是一个可能引起争论的问题。但应该记得，即便是布尔什维克领袖列宁，也曾明确提出以政权问题来划分 1917 年俄国革命的两个不同发展阶段。2 月之后，革命在按照自己的逻辑发展，而布尔什维克试图扭转这个发展方向。列宁在四月提纲中指出，布尔什维克要为从革命的第一阶段向第二阶段转变而斗争，这个斗争的核心内容是夺取政权。

在 2 月到 10 月的 8 个月中，引发俄国革命的基本因素并无根本变化，革命要解决的主要社会任务也无根本变化。甚至在十月武装起义中诞生的布尔什维克领导的人民委员会，也与 2 月以来几届临时政府一样，仍然是一个临时政府。列宁起草的文件明确指出，人民委员会在立宪会议召开前临时管理国家。而且，布尔什维克夺取政权之后的最初行动，也还是解决 2 月以来最迫切需要解决的问题。布尔什维克真正开始推行自己的纲领，已是在 1918 年的春天。

事实上，很多在 1917 年身处革命之中的革命家，包括列宁在内，经常把俄国革命与法国革命进行对照比较，并力图用法国革命的逻辑和经验来解释俄国革命的现实。他们把 1917 年的事态发展视为如同法国革命那样的连续的革命进程，用吉伦特派、卡芬雅克、罗伯斯庇尔等等概念，来表达对俄国革命的阶段和现象的认识。

[1] 笔者在 1993—1994 年留俄期间曾多次就俄国自由主义与俄国革命的问题求教于时任俄罗斯科学院《祖国历史》主编的 К.Ф. 沙齐洛教授。他在谈到 1917 年革命的条件时，一再地把尼古拉二世称为“革命的制造者”，认为他“制造了革命”。在他看来，革命是有可能避免的，如果沙皇政权能够如它在历史上曾经做过的那样进行重大改革的话。

沙皇政权迅速崩溃的原因

从1917年2月23日（俄历）彼得格勒发生“面包骚动”开始，到3月2日尼古拉二世宣布退位，沙皇政权在8天之内迅速土崩瓦解。这一切是如此出人意外，以至于直到现在仍被称为“二月革命之谜”。但在历史的表象下面潜藏着谜底。多年来政权的抱残守缺、漠视社会的要求、拒绝根本性改革、普遍的腐败、明显的低能、罔顾民生等等，已经侵蚀了这个制度的基础，使它失去了抵抗革命的能力。在二月革命期间，处理首都事务的军政官员都不是靠自己的才干居于高位的，他们对于发生的事件先是估计不足，后来又惊慌失措，即便在决定武力镇压之后，也缺乏行动的能力；一贯高调的君主主义组织在二月事件中几乎没有作出任何反应，突然之间销声匿迹；甚至连皇室显贵也纷纷附和革命，要求君主让步。而在群众揭竿而起之时，自由主义反对派频频向尼古拉二世施压，作为政权支柱的军队主要将领也明确要求沙皇为国家利益作出牺牲，各方面的合力最终迫使尼古拉二世退位。

各党派的作用

二月革命是自发地开始的，只是在革命爆发后，自由主义反对派和包括布尔什维克在内的各革命政党才开始试图影响革命进程。国家杜马临时委员会和彼得格勒苏维埃的成立表明，资产阶级自由派和温和社会主义政党开始发挥重要作用。

长期以来，苏联史学对自由主义反对派及其控制的国家杜马在二月革命中的作用持否定态度，将其视为反革命力量。实际情况是，国家杜马在二月革命的罢工和游行阶段虽然未直接参与运动，但在士兵起义开始后，国家杜马很快成立了杜马临时委员会，直接领导起义，组织革命暴力，推进革命发展，促使沙皇退位，通过派出政治委员迅速掌握中央政权，并通电全国，把革命推向外省。从要求成立责任政府发展到采取措施接管政权，国家杜马从合法的反对派阵地转变成为二月革命的领导机构。

孟什维克、社会革命党也迅速行动起来，积极影响群众运动。由他们发起建立的彼得格勒苏维埃和杜马临时委员会一样，积极发号施令，干预事态进程。彼得格勒苏维埃发布的“一号命令”开始了军队的民主化进程，在摧毁俄国旧制度支柱的同时，也从根本上瓦解了俄国军队，这一事实深刻影响了 2 月到 10 月间的俄国局势。

临时政府与苏维埃同时存在的双重权力现象，意味着自由派与革命民主派主导了 2 月后的俄国政局。而人数不多、力量有限的布尔什维克党虽然也在群众中积极活动，但终究无力影响革命自发性蓬勃展开的过程。

卫戍部队士兵为何倒戈

二月革命的转折点，是从自发的工人罢工和示威游行转变为以卫戍部队士兵为主体的武装起义。士兵的造反改变了局面，但彼得格勒卫戍部队全面倒戈并不是出于政治方面的原因。彼得格勒卫戍部队基本上是由在前线作战的近卫团的后备营组成的，而这些后备部队的人员组成主要是那些因负伤而送到后方现已痊愈的士兵和刚被征召入伍的农民。从军事角度说，这是一支涣散的、没有纪律性的、没有战斗力的军队。在二月事件中，他们发动起义的主要目的之一是因为不愿离开“温暖的营房”、被整编成战斗部队派往前线。这个动机后来得到了证实：在苏维埃中央执行委员会同国家杜马临时委员会达成的协议中专门规定，起义的士兵因其特殊的“革命功勋”将不被调往前线，以此作为对他们在二月事件中发挥作用的报答。

在旧制度垮台之后，围绕着调动卫戍部队到前线的问题，仍进行着激烈的政治斗争。临时政府试图把哪怕一部分“革命卫戍部队”调离首都，而布尔什维克则把卫戍部队士兵视为自己最主要的支柱，捍卫他们留在彼得格勒的权利。从政治角度讲，主要由农民组成的彼得格勒卫戍部队比较容易受到革命宣传的影响，而彼得格勒卫戍部队也确实迅速地布尔什维克化了。但是，前线作战部队，甚至是亲布尔什维克的部队，极为鄙视和敌视首都卫戍部队，认为应该用刺刀把他们押进战壕。

天气因素的影响

二月革命的直接原因是彼得格勒食品供应跟不上，出现了排长队的情况而引起的骚动。造成粮食供应紧张的原因不是通常认为的粮食短缺，而主要是因严寒而造成的粮食运输困难。俄国1916—1917年的那个冬天特别冷，2月的彼得格勒出现了少有的严寒，平均温度达到零下29摄氏度。罕见的大雪盖住了铁路，火车头也因酷寒而不能正常工作。冬天有6万节装载粮食和燃料的车皮因为积雪而无法移动，由此造成的供应不足对北方城市特别是彼得格勒影响很大。

天气对于群众的活动也产生了很大影响。2月下旬，彼得格勒在经历了长时期的严寒之后突然明显变暖了，22日的气温竟然升到了零上8摄氏度。此前因为严寒而尽量减少出门的首都居民纷纷走上街头享受温暖的阳光。出乎意料的好天气为2月23日开始的罢工和游行创造了条件，很多工厂的工人在举行了集会后就唱着革命歌曲直接上街示威游行。24日的涅瓦大街上挤满了带着妻子儿女的工人，示威游行就像节日的游园活动。而皇后在25日给尼古拉二世的电报中还把彼得格勒发生的事情看作是一场“流氓”闹事活动。虽然25日晚沙皇政权开始采取行动平息运动，但在26日（星期日）这个晴朗的冬日，灿烂的阳光、令人愉快的清爽空气使人愿意上街并与人交流，成为有利于群众的聚集和活动的重要因素之一。

首都与外省的差异

沙皇制度的被推翻通常被认为是全民的意志，但实际上反对君主制的情绪只是在彼得格勒比较强烈。而且左翼政党放大了这种情绪，他们通过苏维埃执行委员会向杜马临时委员会和临时政府施加压力，强化了其中倾向于由立宪会议来解决未来国家制度问题的意见，而官方的态度又反过来进一步激化了社会的反王朝情绪。这是在革命的日子里出现的一种循环。但在外省，传统的政治观念在革命初起时几乎还没有什么改变，即便在工人中间，也并未出现普遍的反对君主制的思想。

首都的革命如火如荼，而外省开始时并无反应。直到2月27—28日的那个深夜，由国家杜马临时委员会派往交通部的政治委员布勃利科夫通过铁路电报系统发出的电报向全国宣告了彼得格勒的革命，俄国的外省才平静地接受了彼得格勒发生革命的事实，开始了“根据电报进行的”革命。“电报革命”的核心内容，是二月革命政权延伸到外省，在各地实现了政权的重组。外省的

"电报革命"使地方政权和平地转入国家杜马临时委员会和临时政府手中，这是当时社会各阶层可以普遍接受的事实。

政权问题的解决方式

在杜马临时委员会和苏维埃执行委员会协商的基础上，成立了自由主义者主导的临时政府，标志着自由派与民主派在俄国革命性质和任务问题上的妥协和合作，形成了临时政府和苏维埃同时存在的双重权力现象。

3 月 2 日晚上国家杜马临时委员会同彼得格勒苏维埃执行委员会进行谈判时，确认了关于立宪会议法律地位的三项原则，即立宪会议将代表"全民的意志"、在立宪会议之前"不预先解决"所有迫切问题、立宪会议是"俄罗斯土地的主人"。[1] 这三项原则同时也确定了临时政府的地位并限制了它的权力：首先，临时政府只是一个临时机构，只是存在于未来立宪会议决定政府和宪法形式之前；其次，临时政府将在立宪会议召开之前管理国家，但它无权解决当时俄国面临的任何重大问题，也不能建立任何常设的管理制度；再次，所有重大而又迫切的问题都必须由立宪会议来作出决定。在这种情况下，临时政府并不比之前的沙皇政府更有权威。

而苏维埃对临时政府的支持是有条件的。彼得格勒苏维埃表达了"革命民主派"即首都工人和士兵的利益，不同意社会主义政党参与"资产阶级"内阁，强调只有在新政府实现自己所作出的承诺、保卫革命成果、继续同旧秩序斗争的情况下，它才能获得苏维埃的支持。

政权问题的这种解决方式，既是主要社会政治力量处于相对平衡状态的体现，也是二月革命后混乱局面的重要根源。

二月后俄国局势的实质

二月革命后，俄国局势的基本特点不是通常所说的"两个政权并存"，而

[1] Учредительное собрание и его историческое значение. http://refhist.ru/history/the_constituent_assembly and _its_historical_value/m/28516/1.3.html.

是空前的无政府主义，表面上的双重权力现象实质上意味着没有强有力的政权。突然获得解放的俄国人民成为1917年俄国生活中的真正主角，自发性主导了革命的进程。人民迫切希望实现自己要求得到的一切，以至自行采取行动解决问题。临时政府不能够有效行使政府职能，也无力维持社会秩序。苏维埃则以革命群众代言人自居，不愿限制群众的“革命首创精神”即自发性。

俄国成为“最自由的国家”，居民、团体、政党都有充分的言论、活动的自由，甚至包括要求推翻现政府的言论和活动。俄国社会出现了普遍的激进化，无政府主义泛滥成灾，社会秩序彻底瓦解，军队纪律荡然无存。社会心态的普遍恶化，成为一种巨大的否定性力量，也为各种政治激进主义提供了最合适的土壤和条件。

在旧的权威已经崩溃、新的权威尚未形成之时，不是政党领导群众，而是群众推动政党。群众的自发性决定着革命的未来，各个政党的命运取决于他们能否满足人民，哪怕是在口头上。而各政党在影响革命进程方面所作的努力和采取的方式是不一样的。

列宁的选择及其依据

二月革命后的俄国处于历史的十字路口。布尔什维克与俄国其他政治力量一样，面临历史性的抉择。俄国国内的布尔什维克组织依据建党初期就已明确的革命理论，准备有条件地支持临时政府，走上资产阶级民主共和国框架内的合法反对派之路。

身居苏黎世的列宁起先没有料到俄国会发生革命。他在1917年1月9日向瑞士社会民主党青年党员发表演说称：“我们这些老年人也许看不到”未来社会主义革命的决战了。[1] 在报纸上看到二月革命爆发的消息时，列宁甚至不敢相信。但在确认俄国真的发生了革命之后，他很快意识到布尔什维克面临着千载难逢的夺权机会，提出并论证了由俄国社会主义政党中最激进的布尔什维克掌握政权的问题。列宁的这一选择不是基于俄国进行社会主义革命的经济和文化条件已经成熟，而是基于俄国因战争而出现的危机。他特别强调，如果没

[1] 《列宁全集》第28卷，人民出版社1990年版，第333页。

有世界大战，俄国可能不会发生反对资产阶级的革命。他认为布尔什维克夺权斗争的胜利将是世界革命的组成部分，并确信落后的俄国在西方先进国家工人阶级的帮助下能够建立社会主义社会。

列宁的回国、他的四月提纲以及他为使党接受自己的新思想而进行的顽强斗争，把布尔什维克党领上了夺取政权的道路，也使临时政府陷入了持续不断的危机。

俄国革命中的德国因素

列宁冒着极大的政治风险，借道德国返回俄国。德国总参谋部、外交部乃至德皇都介入了帮助列宁等俄国侨民回国一事。因为众所周知，列宁在第一次世界大战中持“变帝国主义战争为国内战争”、“使本国政府在帝国主义战争中失败”的立场，这在客观上与德国的利益有重合点。出于同一目的，德国对于包括布尔什维克在内的俄国反战革命力量给予了经费上的支持。德国的政策具有普遍性，并不是只针对俄国，也不是只针对布尔什维克的。

布尔什维克与德国的关系问题曾被赋予了很多政治色彩。1917 年，临时政府曾指控布尔什维克领导人收受德国经费，是德国间谍。布尔什维克则断然否认存在德国经费问题，认为临时政府的指控是政治迫害。第二次世界大战以后，公开了第一次世界大战时期的德国外交部档案，证明了德国与布尔什维克之间的联系。而苏联官方史学一直把所有与此问题相关的材料称为是伪造的，是对布尔什维克的诽谤。

德国经费问题是否存在和布尔什维克是否被德国收买，是两个不同的问题，应该明确地加以区分。

随着新的档案资料的公开，已经不能绝对排除俄国革命中的德国经费问题。因为，在列宁书信中就可以找到一些证实这个问题的依据；而 20 世纪末公布的联共（布）特别档案中的相关文件，至少部分地证明德国经费问题是存在的。

但指控列宁和其他布尔什维克领导人是德国间谍迄今为止没有根据。显然，德国人试图利用布尔什维克，因为他们认为布尔什维克奉行的方针在客观上有利于自己，有助于削弱俄国的作战能力，促使俄国退出战争。而列宁和布尔什维克有自己的目标，也不可能被收买，但这并不排除布尔什维克在特定时期采取灵活的策略，利用德国的资金来组织俄国的革命，为自己争得夺取政权的机会。

布尔什维克在七月事件中的作用

继4月、6月的政治危机后，7月初，彼得格勒数十万工人和革命士兵举行反对临时政府、要求“一切政权归苏维埃”的游行示威，事态很快失去控制，发展为大规模动乱。最后，临时政府和苏维埃协力，调动军队平息了动乱。

对于七月事件的性质，临时政府在事件之后进行侦查的结果是把七月事件定性为布尔什维克挑起的暴动；布尔什维克则辩解说运动是自发的，布尔什维克只是在不能阻止其发展的情况下领导了运动并使之具有和平性质。苏联时期都以布尔什维克的说法解释其在七月事件中的作用，而近年来俄国不少史学论著把七月事件视为布尔什维克组织的一次不成功的夺权活动。

七月事件是复杂的。它既具有一定的自发色彩，又明显受到布尔什维克的影响。布尔什维克的宣传、鼓动和组织工作对事态进程起了显著作用。它既是群众反对临时政府、要求苏维埃掌握政权的运动，也是布尔什维克夺取政权的一次尝试。在七月事件过程中，布尔什维克党的领导层中存在着明显的意见分歧。党内的激进力量打算放手一搏，尤其是立场强硬的布尔什维克军事组织一度完全控制了运动。而党的中央委员会一再犹豫，多次改变立场。列宁并不反对工人和士兵的发动，但他不认为布尔什维克已经具备了夺权的基础。布尔什维克党内的这种复杂情况所产生的实际结果，就是党对当前运动的态度多变。但总体来说，布尔什维克党试图借助于彼得格勒工人和士兵之力夺取政权，只是其力量还不足以成功。

布尔什维克口号的变化

1917年，布尔什维克争取群众的口号并不是4月份就明确提出并一直坚持的。在经受了七月事件后的打击之后以及在科尔尼洛夫发动军事政变引起国内政局巨变的情况下，布尔什维克及时进行了策略的调整，修改了自己的口号，其标志是8月31日的中央委员会扩大会议对一系列迫切问题作出的明确表态。

在战争问题上，布尔什维克自1914年8月起就提出了把帝国主义战争转变为国内战争的口号。但直到1917年8月，布尔什维克在战争问题上的表态仍是很原则很抽象的。例如，四月代表会议决议的表述是“绝对不允许对‘革命护国主义’作任何让步”，“只有至少几个交战国的全部政权转到真正能够消灭资本压迫的无产者和半无产者阶级手里，才能用民主的和约结束这场战争”[1],8月初的第六次代表大会决议仍然没有提出结束战争的具体方法。但是到8月底，布尔什维克开始采用满足人民要求的新口号，明确提出“立即建议各交战国的人民缔结普遍民主和约”。[2]

在农民土地问题上，8月底以前布尔什维克尽管支持农民废除地主土地所有制的要求，但并不同意按农民的要求平分土地。四月代表会议决议仍强调“全国一切土地国有化”。[3]6月，社会革命党把平分土地写进了自己的党纲，这一主张遭到了布尔什维克的强烈批评。但到8月底，布尔什维克把社会革命党的这个口号接了过来，变成自己的口号。8月31日中央委员会扩大会议提出，“立即无偿地废除地主的土地私有制，在立宪会议作出决定以前，把土地交给农民委员会管理”。[4]

在工人问题上，工人代表苏维埃要求剥夺资产者的财产，分配给工人集体。到8月底，主张企业国有化的布尔什维克虽然仍然不认同工人代表苏维埃的基本要求，但态度上有新的进展，保证“在全国范围对生产和分配实行工人监督”。[5]

在民族关系和国家形式问题上，二月革命后民族关系的现实促使布尔什维克重新考虑联邦制问题，列宁在6月的苏维埃第一次代表大会上提出了“让俄罗斯成为自由共和国的联盟”的口号，但这主要还是原则立场的表达。到8

[1] 《苏联共产党代表大会、代表会议和中央全会决议汇编》第1分册，人民出版社1964年版，第436页。

[2] 同上书，第481—482、510页。

[3] 同上书，第440、441页。

[4] 同上书，第510页。

[5] 同上书，第486—487、510页。

月份，布尔什维克开始采取更有针对性的措施以争取非俄罗斯民族的支持。8月31日，布尔什维克公开地、明确地宣布："真正实现俄国境内一切民族的自决权，首先满足芬兰和乌克兰的要求。"[1]

8月底的布尔什维克中央委员会扩大会议决议还对当时俄国社会关注的一些具体问题明确表达了自己的立场，如要求立即废除前线的死刑，恢复在军队中进行宣传鼓动和建立一切民主组织的完全自由，清除军队中反对革命的指挥员，解散国务会议和国家杜马，立即召开立宪会议，消灭一切等级特权等。[2]

布尔什维克党的口号的变化，表明它敏锐地把握住了俄国人民大多数的脉搏，抓住了问题的关键，及时地调整了自己的策略，使自己紧密地与他们站在一起，获得了他们的支持，对此后局势的发展产生了决定性的影响。

右翼军事政变失败对政局的影响

七月事件后，社会和政治危机继续加剧，俄国在无政府主义的汹涌浪潮中沉沦。右翼力量试图通过建立军事专政的途径，恢复社会秩序和军队纪律。8月，俄军总司令科尔尼洛夫发动军事政变，向彼得格勒派出军队并要求克伦斯基交出权力。克伦斯基政府求助于苏维埃，在民主派和布尔什维克的共同参与下挫败了军事政变。

科尔尼洛夫军事政变及其被平息这一事件本身仍有许多可以深究之处，而其对俄国革命进程的影响更是值得充分重视。科尔尼洛夫军事政变的失败从根本上改变了国内政治格局：右翼出完了最后一张牌，其力量遭受毁灭性打击，不可能再参与政治角逐；中间偏右的主要自由主义政党立宪民主党因与科尔尼洛夫有牵连而名声扫地；中间偏左的孟什维克和社会革命党在苏维埃中的影响逐渐削弱；而政治格局中的左翼——布尔什维克因参与平息科尔尼洛夫叛乱而摆脱了七月事件以来的困境，并以新的口号重新赢得群众的支持。从在主要城市苏维埃中占据多数开始，布尔什维克一步步接近掌权。已经没有现实的

[1] 《苏联共产党代表大会、代表会议和中央全会决议汇编》第1分册，人民出版社1964年版，第510页。

[2] 同上。

社会和政治力量能够阻止它重新崛起。

布尔什维克党内在武装夺权问题上的分歧

9月中旬召开的全俄民主会议是民主派政党希望团结社会力量、解决政权组织问题的最后尝试。由于民主会议上各种意见难以妥协，最后决定由民主会议选举产生一个常设代表机构来解决具体的政府组成问题，据此成立了预备议会（共和国会议）。

在布尔什维克党内，列宁曾一度打算与民主派政党妥协，但很快就转向立即举行武装起义夺取政权的立场。而参加民主会议的布尔什维克领导人认为，在布尔什维克已经在苏维埃中占有优势的情况下，应该等到全俄苏维埃第二次代表大会，[1] 以合法途径解决政权问题。在列宁的坚持下，布尔什维克退出了民主会议，开始准备武力夺权。

布尔什维克党内对于武装夺权时机是否成熟的问题还是存在重大分歧，即便是在10月10日中央委员会会议作出武装起义决定后，中央委员会和彼得格勒党组织内部仍有强烈的反对意见。反对立即举行武装起义的意见主要是基于对于局势的判断以及对于俄国革命理论的认识。

在党内争论还在进行之时，从10月21日起，托洛茨基领导的彼得格勒苏维埃及其军事革命委员会开始采取行动，组织起义。预备议会上的孟什维克和社会革命党人建议临时政府立即宣布激进的“土地和和平”纲领，以此抽去起义的社会依据，但遭到克伦斯基政府拒绝。军事革命委员会领导的起义为25日夜间在全俄苏维埃第二次代表大会上建立布尔什维克政权奠定了基础。

兑现承诺的不易

布尔什维克以和平、土地、面包和自由的口号获得了群众的支持，为十月的胜利提供了保证。在武装夺权成功之时，布尔什维克以《和平法令》、《土地法令》表明了兑现承诺的态度。但是，临时政府没能解决的问题，对于苏维

[1] 全俄苏维埃第二次代表大会召开的日期多次变化，最后确定的日期是10月25日。

埃政权来说也绝非易事。和平、土地、面包、自由，都不是仅仅通过颁布法令和发表宣言就能实现的，在承诺、理想与现实之间，还有很大的距离。

《和平法令》在形式上满足了俄国人民要求结束战争的愿望，但以国内法形式提出的原则不可能成为各交战国相互关系的基础并结束国际战争，而“缔结公正的民主的和约”的呼吁在当时现实国际政治中更多的是一厢情愿的理想主义表达。与此同时，《和平法令》又呼吁以世界革命的方式来结束战争、实现和平，这也被事实证明是不可能的。苏维埃政府不得不与德国进行单独媾和的谈判，并且在一再拖延之后，最终以屈辱的割地赔款为条件，同德国签订了和约。而这样做的目的，如列宁明确指出的那样，是为了保住苏维埃政权。

《土地法令》的主要内容出自于社会革命党人的《农民的土地问题委托书》，列宁把社会革命党的土地纲领作为布尔什维克党解决土地问题的办法，说明当时布尔什维克党在土地问题上并没有自己的成熟考虑，事实上《土地法令》也没有真正解决农民土地问题。

在粮食问题上，布尔什维克在十月革命之初也拿不出什么新的解决办法。为了维持军队和城市的粮食供应，新政府不得不延续沙皇政权和临时政府的不成功做法，采取强制措施来迫使农民提供粮食。当然在具体方式上苏维埃政权有发展，如 1918 年春天开始普遍成立村和乡的贫农委员会来帮助征粮，以阶级斗争的方式解决粮食问题。

由于夺取政权时作出的承诺不能及时兑现，人民群众中产生了强烈的不满。在亲自读过很多因为饥饿而陷于绝境的农民和士兵表达愤怒、谴责甚至诅咒的来信以后，列宁意识到“面包与和平”是最为重要的问题。但粮食问题、农民问题一直到 1921 年春天才真正得到布尔什维克党的重视。

最严峻的危机在立宪会议问题上爆发。1917 年 2 月到 10 月间，布尔什维克在不断抨击临时政府拖延召开立宪会议的同时，一再宣称只有它才能保证如期进行立宪会议的选举和召开。在苏维埃第二次代表大会上，布尔什维克领导人庄严承诺，保证按时召开立宪会议，并将尊重立宪会议的意志。列宁曾把 11 月举行的立宪会议选举称为“最先进的选举方法”，并对布尔什维克在选举中获胜很有把握。但选举结果是布尔什维克未能取得多数，于是布尔什维克试图通过赋予苏维埃罢免立宪会议代表的权力的方式，来改变立宪会议的组成。但是用法律手段改变选举结果的尝试未能成功，多数地方的苏维埃并未利用这个权力。苏维埃政权最终以武力驱散了立宪会议。

十月革命胜利的条件

俄国的1917年不是布尔什维克在必然性作用下从胜利走向胜利的过程，而是各政党在群众自发性泛滥的背景下的复杂斗争过程。列宁在1917年7月仍对俄国革命的前景持不确定的看法："至于俄国革命明天会带来什么样的结果，是回到君主制，使资产阶级得到加强，还是使政权转到更先进的阶级手中，这我们不知道，而且谁也不知道的。"[1] 直到10月提出立即举行武装起义的时候，列宁还在反复强调，机会对于布尔什维克党来说是稍纵即逝的。列宁在这里表达的显然不是必然性，而是多种可能性。

列宁在十月革命一周年之时明确地指出，俄国首先开始了革命，"决不是由于俄国无产阶级有什么功劳，也不是由于它比别人先进，相反地，正是资本主义的特别软弱和落后，以及特别逼人的军事战略形势"。[2]

在1917年，由于俄国资本主义的软弱和落后，俄国资产阶级的力量相对薄弱，二月后无力控制局面；受到前资本主义文化影响的劳动群众具有本能的反对资本主义和资产阶级的情绪，影响了二月后俄国向资产阶级民主共和国方向的发展；俄国人民在文化、精神和意识方面都未做好准备过渡到新制度，二月后出现了空前的无政府主义混乱；俄国在军事上的无力和失利，加剧了国内的政治危机。

而战争使临时政府以及先后领导政府的自由主义政党和温和社会主义政党陷于困境。一方面，临时政府不可能立即退出战争、实现包括布尔什维克在内的政党所主张的不割地不赔款的和平，即便有此愿望也无此条件。另一方面，临时政府也不能不继续战争，因为爱国主义、民族主义仍是战时俄国普遍的社会意识，在这种情况下，不能继续战争将失去作为民族政府的合法性。然而继续战争使临时政府不能及时满足人民群众对于和平、土地、面包和自由的渴望，逐渐失去了作为革命政权的合法性。同时，战争使俄国人民遭受了特别

[1] 《列宁全集》第30卷，人民出版社1985年版，第222页。

[2] 《列宁全集》第35卷，人民出版社1985年版，第137页。

深重的苦难，促使他们奋起革命。

布尔什维克出色地利用了这种形势，果断地采取行动，实现了夺取政权的目标。

十月革命道路的特殊性

不少论著热衷于从具体数量上论证俄国资本主义的发展水平，以此来说明十月革命的社会经济前提已经成熟。但是，这类定量分析的结论不能改变1917年的俄国仍是一个经济、政治、社会、文化都还很落后的农业国的事实。列宁在1917年3月中旬回国前夕对瑞士工人说："俄国是一个农民国家，是欧洲最落后的国家之一。在这个国家里，社会主义不可能立刻直接取得胜利。"[1]他在这里表达的显然是俄国还不具备从根本上按照社会主义原则改造社会的物质前提的思想。

按照经典马克思主义的原理，社会主义必须建立在资本主义创造的全部生产力的基础上，而"无论哪一个社会形态，在它所能容纳的全部生产力发挥出来以前，是决不会灭亡的"[2]。但落后与战争的结合所造成的局面为布尔什维克提供了走一条超越一般规律的社会主义革命道路的可能性，即在一个落后的农民国家，首先夺取政权，然后发展生产力，为社会主义创造必要的物质前提。

列宁在1923年口授的《论我国革命》中，对十月革命的特殊性作了系统思考和完整表达。他认为，关于俄国的生产力还没有发展到可以实行社会主义的高度的观点是"无可争辩的"，但是在战争条件下，在人民群众因毫无出路的处境而起来革命的情况下，"我们为什么不能首先用革命手段取得达到这个一定水平的前提，然后在工农政权和苏维埃制度的基础上赶上别国人民呢?"[3]列宁认为，世界历史发展的一般规律不仅不排斥个别发展阶段在发展的形式或顺序上表现出特殊性，反而是以此为前提的。十月革命是一场改变了通常历史

[1] 《列宁全集》第29卷，人民出版社1985年版，第90—91页。

[2] 《马克思恩格斯选集》第2卷，人民出版社1995年版，第33页。

[3] 《列宁全集》第43卷，人民出版社1987年版，第371—372页。

顺序的革命，这正是它的特殊性之所在。

当然，这条特殊道路也是一条艰难的道路。夺取政权后不可能自然地转到发展生产力上去。布尔什维克还必须为巩固政权而战。俄国革命还要经历一个“铁与血”的国内战争时代。

第一章　革命的根源

1917年俄国革命的根源存在于俄国历史长期因素（结构）、中期因素（形势）和短期因素（事件）的结合之中，存在于客观前提和主观条件的相互作用之中。俄国现代化进程中经济、社会、政治之间的结构失衡以及由此造成的系统性危机，是造成革命条件的历史文化背景。1905—1907年的第一次革命后，曾经出现过走和平革新道路的可能性。但斯托雷平体制的失败导致了危机加剧的形势，酝酿了新的革命。而第一次世界大战激化了既有矛盾，在战争影响下发生的一系列事件把俄国引向1917年革命。在这个过程中，参与历史活动的精英和大众的思想、观念、情绪及行为，一方面受到客观历史条件的制约，另一方面又影响了局势和事态的发展。

第一节　俄国社会的结构矛盾

历史文化传统

自9世纪古代国家形成时期以来，处在文明交汇之地的俄罗斯曾先后受到来自北方的瓦利亚基人、南方的拜占庭、东方的游牧民族和西方先进国家的不同影响。

9世纪初，来自北欧斯堪的纳维亚半岛的瓦里亚基人来到东斯拉夫人生活的东欧平原，参与和影响了东斯拉夫人从蛮荒向文明转变的过程。他们开辟的著名商道“从瓦里亚基人到希腊人之路”，促进了一连串古代罗斯城市的建立和繁荣。9世纪中叶，瓦里亚基人部落首领留里克到诺夫哥罗德称王。882年，留里克的继承者奥列格征服基辅，建立了以基辅为中心的国家。

9—10世纪，在基辅罗斯的南面，隔着黑海，拜占庭帝国正处于兴盛时期。基辅罗斯与拜占庭帝国之间的贸易和战争，使得基督教文明潜移默化渗入罗斯。988年罗斯接受基督教为国教，开始了俄罗斯历史上第一次大规模接受西方文明的时期。但拜占庭文化的影响主要体现在精神和艺术方面，而没有涉及罗斯的政治结构和财产关系。直到13世纪初期蒙古征服以前，基辅罗斯内部结构和制度的发展，基本上是以瓦里亚基人的军事组织体制与罗斯土著的“韦彻”制度的结合为基础的。

13世纪初期，蒙古的征服使罗斯发展的方向发生了逆转，开始了罗斯社会和文化的东方化时期。征服者不仅以东方习俗影响了罗斯的表层生活，还以自己的一套制度改变了罗斯的内部秩序。东方因素被植入了罗斯社会和文化之中。1328年起，莫斯科公国的王公被金帐汗封为弗拉基米尔大公，成为汗的代理人，为汗征收贡税。他们继续按照蒙古人的方式发展自己的政治、税收和军事组织。鞑靼—蒙古对罗斯240多年的统治使其社会和文化趋于东方化，罗斯与西方的差距扩大了。而罗斯争取独立和统一的过程进一步加强了它的东方化趋势。为了生存而进行的斗争要求集中一切力量，这种需要加强了政治上的集权化趋势。伴随着摆脱蒙古统治和建立统一国家的过程，罗斯深层结构也在发生重大变化，专制主义政治制度以及作为其社会经济基础的农奴制度逐渐形成。

1480年，罗斯摆脱了金帐汗国的统治。然而，从外族统治下获得解放并未改变罗斯社会政治和经济的东方化进程。沙皇政权严密控制全部社会生活和文化生活，实行自我封闭的政策，从而使莫斯科公国与欧洲文明几乎隔绝。

16世纪的时候，一个对于俄国历史来说意义重大的新因素初见端倪。为了夺取波罗的海出海口，为了成为欧洲大国，俄国不断同其周围的欧洲国家发生冲突，由此产生的直接的军事和经济需要迫使它承认欧洲文化的优越并开始学习西方，力图从那里引进先进的科学知识和生产技术。

在17世纪初期的“混乱时期”，俄国天灾人祸，政局不稳，经济衰败，国家孱弱，因而多次遭受西方邻国的侵略，被动挨打，丧权辱国。这一惨痛的历史经验对罗曼诺夫王朝建立以后的政策产生了重大影响。俄国终于迎来了它的历史上最重要的转折。在17世纪下半期沙皇阿列克谢朝代，从西方引进先进科学知识和生产技术以及与西方贸易的规模迅速扩大，西方上流社会生活方式和社会政治思想也随之进入俄罗斯。

在俄国开始走上追赶西方之路的时候，构成其文化的基本要素是源自于拜占庭的精神和艺术，以及源自于蒙古人的结构和制度。与同时期的西方比较，俄国历史发展的一个最基本独特性就是落后。

这一独特性首先源于俄国历史的开端晚于西欧。19世纪俄国著名历史学家克留切夫斯基在谈到俄国历史的开端时，曾将它与同时期的欧洲进行比较。他指出，东斯拉夫人具有属于整个阿里安部落的原始文化，他们一踏入东欧平原，就处在与他们的阿里安亲族——稍早些时候在西欧开创新历史的日耳曼部落——完全不同的地理环境和国际环境中。流浪的日耳曼人在废墟上安居下来，生活在被他们征服的罗马人和罗马化的外来人之间，并受到后者的文化的直接影响。东斯拉夫人则相反，他们生活在无边无际的平原上，一个荒无人迹、未经开发的地方，这个地方的过去没有为他们留下任何生活设施和文化遗产，甚至连一个废墟都没有留下。东斯拉夫人的原始生活条件，决定了他们的发展比较缓慢，他们的社会结构比较简单，同时也决定了这种发展和这种社会结构的很大的独特性。[1]

俄国发展的迟缓和落后这一特点始终影响着俄国的历史道路，即便在俄国走上欧化道路200年后，到20世纪初期，落后仍然构成俄国革命的历史文化背景的底色。列宁在十月革命一周年谈到俄国革命胜利的原因时说，由俄国来开始无产阶级社会主义革命，“决不是由于俄国无产阶级有什么功劳，也不是由于它比别人先进，相反地，正是资本主义的特别软弱和落后，以及特别逼人的军事战略形势”,[2] 才使俄国走到了前面。托洛茨基在其《俄国革命史》中论述革命的历史背景时，也首先谈到了俄国相对于西欧的落后：“俄国历史的基本和确定的特点，是它发展的缓慢性，以及由此而产生的经济落后、社会形式原始、文化水平低下。”“历史上落后的民族，其发展必然要把历史过程的各个阶段加以特殊的结合。其发展道路在总体上会具有无计划的、复杂综合的性质。”[3]

赶超型现代化的困境

18世纪初期，以彼得一世改革为标志，俄国走上了以赶超西方先进国家为主要特点、以追求军事强国地位为直接目标的现代化之路。这种赶超型现代化是由国家政权主导并以强制手段直接推动的，因此，经济和社会表层生活中的进步经常是以政治生活领域的停滞以及巨大的社会损失为代价的。彼得一世

---

[1] [俄]克留切夫斯基著：《俄国史教程》，第23—24页。

[2] 《列宁全集》第35卷，人民出版社1985年版，第137页。

[3] *Троцкий Л. Д.* История русской революции. Т.1.Февральскрй Революции. М., 1997. С.33, 35.

的改革使俄国的欧化达到了高潮，深刻地改变了俄国社会经济、政治和生活方式，奠定了使俄国成为现代国家的基础。但在改革过程中也包含着尖锐的矛盾。

首先是有限的西方化目标和普遍的东方化手段之间的矛盾。沙皇政权引进西方文化的基本目的不是为了改变俄国的现存社会及其制度，而是为了增强它的力量，巩固它的基础。彼得以东方式的手段来推行俄国西方化，“用野蛮制服了俄国的野蛮”。[1] 而这种做法，正是莫斯科公国时代形成的传统。

其次是表面生活的西方化与内部结构的东方化之间的矛盾。由于改革，俄国的表面生活，尤其是贵族上流社会的生活迅速欧化，但俄国的社会经济和政治制度从本质上来说并没有因改革而欧化，相反加强了东方化的趋势。使用东方式的手段必须依赖东方式的制度，君主专制制度和农奴制度继续发展和强化。

再次是欧化进程造成的上层的西方化与下层的东方化之间的矛盾。作为欧化的受惠者，俄国贵族在其与国家的关系中的地位和作用有了改善。而作为欧化的牺牲品，占人口绝大多数的农民不仅在经济上为欧化政策承受了沉重的负担，而且在人身方面受到更残酷的奴役。上下层之间的文化差距扩大，直到19世纪上半期，在一代平民知识分子形成之前，俄国的新文化实际上只是贵族的文化，而90%以上的居民仍处于传统文化的影响之下。[2]

俄国欧化进程初期出现的这些矛盾反映了俄国近代发展道路的基本特点和俄国社会从传统向现代转变的独特模式，长久地影响着俄国社会及文化的发展。

但是，与沙皇政权的初衷相悖，欧化有其自身的逻辑，欧化的范围不可避免地超越表层生活而进入到更深的领域。

18世纪末叶卡捷琳娜二世的开明专制改革和19世纪初亚历山大一世的贵族自由主义改革表明，西方文化对俄国的渗透逐渐影响到意识形态和内部结构的层面。1861年亚历山大二世实行的农民改革具有划时代的意义：俄国农民获得了人身解放，成为享有权利的公民；赎买份地在实际上结束了封建生产关

---

[1] 《马克思恩格斯选集》第2卷，人民出版社1972年版，第147页。

[2] 参见姚海：《俄罗斯文化》，上海社会科学院出版社2005年版，第107—109页。

系；地主土地所有制虽然被保留下来，但其性质发生了根本变化，已具有一般资产阶级私有制的特征。但农民的解放是有条件的，除了土地问题基本上按地主的愿望解决之外，农民在完成赎买份地以前仍负有对地主的义务；农民摆脱了对地主的人身依附关系，但以行政权力强化了的村社和连环保制度仍然把他们束缚在封建宗法关系中。俄国走上了一条崎岖不平的发展道路。

改革使俄国旧有的社会结构发生了很大变动，等级关系出现松动，阶级关系逐渐形成。贵族地主虽然保持了他们在封建时代的大部分物质利益和政治上的统治地位，但他们的等级特权开始受到法律的限制，他们对社会生活的垄断也发生动摇。工业资产阶级加快成长，许多市民、农民、职员以及一部分贵族纷纷从事工业活动，跻身于资产阶级的行列。到19世纪70年代末，俄国已有工业企业将近28000家。工业无产阶级作为一个新兴的阶级也开始形成，它的组成包括原来国有土地和世袭领地上手工工场的农奴工人、破产的手工业者、农村分化过程中成为无产者的破产农民以及外出打工的贫苦农民。

资本主义经济的发展和社会结构的重组，资产阶级自由主义运动的活跃，必然要求发展滞后的政治结构进行相应的调整。专制制度在迈出了从封建农奴制国家向资本主义国家演变的关键一步之后，不得不继续按照资产阶级的法制精神，19世纪60年代至70年代在地方管理和自治、司法、财政、教育、军事等方面进行了一系列改革，陆续把资产阶级国家因素引入了俄国社会政治生活。有两个例子可以说明改革所达到的程度和产生的影响：一是1878年民粹派女革命家查苏里奇行刺彼得堡总督特列波夫并致其重伤，但有陪审团和律师的法庭宣判其无罪并当庭释放；二是1881年初沙皇亚历山大二世被刺身亡前已经决定成立一个由地方自治代表组成的具有立法咨询性质的全国性机构，这将是未来俄国议会的雏形。

但是，剧烈的变革产生了强烈的震撼，社会转型时期各种矛盾极为尖锐，不同社会力量严重冲突。一方面，新的资本主义关系对传统的宗法制关系构成有力冲击；另一方面，改革受到来自于贵族地主的抵制，更受到来自于社会下层以及自认为代表了农民利益的民粹派空想社会主义革命家的反抗。

19世纪60年代至70年代的改革因其妥协性质而引起革命派别的激烈反对，而俄国政治制度对不同政见的压制和排斥促使革命者采取极端的方式来证明自己的存在。于是出现了一个悲剧性的现象：在俄国政权第一次以非暴力方式实行历史上空前广泛和深刻的结构性改革之时，革命恐怖主义也在迅速发展，以至改革的推动者亚历山大二世最终遇刺身亡。在此之后，沙皇政权从“政府自由主义”转向反动，拒绝继续实行改革，俄国政治生活陷于停滞。

1905年革命

19世纪末20世纪初，俄国进入了充满危机的深入现代化阶段。俄国的资本主义经济在快速发展。随着工业革命的大体完成，19世纪90年代俄国经济中出现了“工业高涨”局面。这是自1861年改革以来俄国经济发生质变、社会转型加速的关键因素。工业的迅猛发展改变着国家的经济结构，同时引起了俄国社会结构的急剧变化。伴随着快速工业化而出现的城市化过程的加快导致城市人口的迅速增长，大量农村人口进入城市。人口构成和社会关系出现新趋势，等级社会逐渐向阶级社会转变，贵族和农民的分化加剧，资产阶级、无产阶级以及知识分子的人数显著增加，传统的等级制度受到严重破坏，开始形成更加重视人们的职业、财产和受教育程度而忽视其等级背景的观念。要求废除等级制度、实现平等自由和社会公正的呼声日益强烈。

俄国社会的结构性矛盾更加突出，农奴制和等级关系的残余与逐渐成长的阶级关系同时并存，宗法制的农民经济和地主土地所有制与资本主义关系或市场关系同时并存，贵族在国家机关中的支配作用以及大土地所有者在中央和地方政府机构包括国家杜马中的数量优势与资产阶级自由主义运动的立宪要求并存。最核心的问题有两个：一个是经济社会方面的农民土地问题，另一个是政治领域贵族独掌政权问题。19世纪末叶开始的严重社会和政治危机，就是围绕这两个基本问题展开的。

相对于19世纪90年代的工业迅速发展而言，俄国仍是一个落后的农业国家。尽管农奴制已被废除，但俄国农村落后，农民生活贫困。造成这种情况的第一个原因是地主土地所有制，即地主占有大量土地，而农民却缺少土地。1861年农民改革未能解决农民土地不足的问题，土地问题直到1917年仍是俄国社会面临的最尖锐最迫切的问题。农民反对地主、夺取土地的斗争表明，不解决土地问题，俄国就不可能以和平的方式实现发展和进步。困扰俄国农业和农村的第二个原因是宗法制的村社构成了整个农业的基础，村社限制农民的人身自由，把农民束缚于土地之上，抑制农民的分化。

在这两个因素之外，19 世纪末叶俄国又进入了一个人口增长周期，从而放大了农业、农村和农民问题的严重性。19 世纪末，在俄国中部地区，由于人口快速增长和缺少土地而形成了巨大的农业人口过剩，有一半的农村劳动人口属于“多余的人”。[1]19 世纪后 16 年中有 6 年发生了饥荒，仅在 1891 年的饥荒中就有 70 万人饿死。人口过剩以及由此引发的饥饿，使俄国农民为争取面包和土地的斗争延绵不绝。“问题在于数百万人在忍饥挨饿。正是饥饿而不是理智开始影响他们的表现和行为。农民们开始闹事，并演变为 1904—1906 年的农民革命。”[2]

在政治领域，沙皇政权不能适应由于俄国经济发展和社会结构变动所提出的变革政治结构的要求。随着资产阶级在国家经济生活中的作用进一步加强，它同沙皇政权的矛盾也逐渐发展。工业高涨年代成长起来的新一代资产阶级知识分子，成为追求政治变革的俄国自由主义运动新的力量来源。自由主义反对派在 19 世纪末 20 世纪初加强了对政权的压力，发出了“准备向官僚专制制度公开挑战的呼声”。

沙皇政府的高压措施加快了自由主义的激进化。1899 年，成立了俄国自由主义的第一个政治组织——“聚谈”(Беседа)。“在俄国出现合法政党以前，先进的社会就已通过‘聚谈’获得了统一的、起指导作用的中心”。[3]1903 年 11 月，“地方自治和立宪主义者同盟”成立，其目标是促使沙皇实行宪制。1904 年“解放同盟”的诞生把自由主义与专制主义的冲突推向高潮。作为自由主义激进一翼的政治组织，解放同盟的目标已经不仅仅是要求沙皇颁布一个宪法，而是要推翻现存制度，实现普选权，由立宪会议来制定俄国的宪法。解放派深信，实行立宪制度是俄国唯一的出路，应该以全部力量向专制政权挑战并使它声誉扫地。为达到目的，解放同盟实际上同解放运动中的革命流派结成

---

[1] *Анфимов А.М.* Крестьянское хозяйство Европейской России. 1881– 1904. М., 1980. С.229.

[2] *Белоусов Р.А.* Экономическая история России: XX век. Книга I. На рубеже двух столетий. М., 1999. С.21，49.

[3] *Маклаков В.А.* Власть и общество на закате старой России. Париж, 1936. С.210.

了联盟。它主张实行土地的普遍国有化，为农民反对地主的斗争进行辩护；对工人运动的兴起持欢迎态度，愿意暂时放弃以资产阶级法制国家的思想与无产阶级革命思想的对抗；与除社会民主党以外的各革命组织建立联系，对社会革命党的恐怖行动保持沉默乃至为之辩解。[1] 如此激进的纲领和策略，在俄国自由主义的历史上是前所未有的。

19 世纪末 20 世纪初，俄国解放运动中的革命派别也在发生深刻变化。劳动解放社的成立标志着俄国马克思主义流派的形成，俄国社会民主工党的成立使社会主义工人运动进入了一个新阶段，列宁主义的诞生宣示了马克思主义俄国化进程的开始。革命民粹主义在经历了 19 世纪最后近 20 年的低潮之后重新复活，革命者又拿起手枪和炸弹对付沙皇政权。一些民粹派组织联合起来成立

1906 年 4 月 27 日，第一届国家杜马开幕

[1] *Леонтович В.В.* История либерализма в России. Париж, 1980. С.237.

了社会革命党，并提出了争取土地社会化和民主共和国的目标。

世纪之交的俄国社会积累了太多的矛盾，出现了结构性、系统性的危机，国家面临改革或革命的选择。由于沙皇政权的调控能力减弱，俄国历史上屡试不爽的政治传统——由政府主动进行自由主义性质的改革以缓和矛盾、实现发展——已不再奏效。日俄战争引发了第一次俄国革命，但引起革命的真正原因是农民要求解决土地分配不均和资产阶级要求分享政治权力的问题。

第一次革命是俄国在资本主义道路上发展的结果，是资本主义文化与表现为农奴制残余的宗法制文化的激烈对抗形式。革命运动与自由主义运动在1905年的汇合，形成了对专制主义的强大冲击，从而使革命具有波澜壮阔的外貌。维特后来在回忆录里写道："当时，几乎在所有场合，绝大多数人都头脑发热，要求在人民代表制的基础上对俄罗斯帝国实行彻底的改造。"[1]

然而革命力量还未强大到足以彻底地从根本上改造俄国的地步，因此最终的结局仍是沙皇政权在革命的压力下进行改革，1905年《十月七日宣言》就是这种妥协的结果。沙皇政权作出重大让步，君主专制不复存在，俄国朝资产阶级君主制演变方向走出了关键一步。公民自由和政治自由得到承认，国家杜马成为新的政治斗争舞台。

但在革命转入低潮后，沙皇政权重新开始了进攻。1907年的"六三政变"突出地表明，政权试图限制两年前所作让步的影响。左翼自由主义者和社会主义者都认为，"沙皇政权不是听从真理和保持克制，而是变本加厉地制造谎言，以至于达到了荒谬绝伦的地步——'专制立宪'，即幻想以宪法的形式来保持绝对君主制的实质。"[2]

事实上，导致第一次革命的两个基本问题并未消除，农民土地问题和政治制度问题仍是俄国所要解决的主要问题。由俄国现代化道路特殊性造成的结构性矛盾仍是引起新的社会动荡的长期历史根源。不是改革就是革命，俄国面临选择。如果政权不能主动改革，那么新的革命就是不可避免的。

---

[1] *Витте С. Ю.* Воспоминания. Т.2. М., 1994. С.324.

[2] 参见 *Иоффе Г.З* .Семнадцатый год: Ленин, Керенский, Корнилов. М., 1995. С.4.

第二节 第一次革命后的形势变化

斯托雷平改革

第一次革命后，旧有的结构性问题继续存在。沙皇政权实行了以《十月十七日宣言》为依据的政治制度变革和旨在缓和农民土地问题的土地改革，反映了俄国通过改革的方式解决结构性矛盾、实现和平发展的可能性。但斯托雷平遇刺身亡后出现的新情况，把系统性危机引向深入，成为导致1917年革命的中期因素。

斯托雷平改革的第一个目标是解决农民土地问题。1905年的革命清楚地表明，不解决这个问题俄国就不会有安宁和发展。为了在保持地主土地所有制的条件下消除农民缺地现象，沙皇政府改变了土地政策。1906年11月9日的法令允许农民把村社份地确认为私产并退出村社，以期加快农村的分化。这无疑是经济上进步的欧洲式的纲领，是同资本主义演进的道路相适应的，“它促进和推动这一演进，加速对农民的剥夺，加速村庄的瓦解，使农民资产阶级更快地形成。从科学的经济学来讲，这项法律无疑是进步的”[1]。但是，由贵族地主阶级选择的变革方式具有不公正的性质，从政治角度来看，这是一条以牺牲广大农民群众为代价的农业资本主义道路。

斯托雷平土地改革取得了一定的成效。随着村社这种宗法共同体开始瓦解，农民的分化加剧，宗法自然经济受到资本主义商品经济的强烈冲击，俄国农业文化水平有了提高，农业产量尤其是商品率也迅速提高。此外，村社的被破坏意味着俄国传统文化的基础受到动摇和削弱，俄国农民生活条件和环境的变化使他们身上的宗法色彩日益淡薄，旧的信仰逐渐丧失，新的观念开始形成。

但是，斯托雷平土地改革没有从根本上解决问题，无论是地主土地所有制和村社份地占有制都未能彻底消除。在前三届杜马中，农民代表不分党派，都一致要求把地主土地交给耕种这些土地的农民，使地产的分配更加符合平均

[1] 《列宁全集》第16卷，人民出版社1988年版，第209页。

原则和劳动原则。农民代表要求把土地交给个人或自愿结合的协作社使用，表明了农民对传统村社的冷漠和对某种新制度的向往。但在否认私有权和实行平均原则的条件下，这仍然将是村社精神和方式的延续。民粹主义政党社会革命党的纲领指出：党将坚持把全部私人占有土地社会化……并过渡到社会占有和在平均使用基础上交给民主地组织起来的公社和地域性公社联盟支配。党的领袖切尔诺夫认为“实行土地社会化意味着只要愿意就可以把整个农业的罗斯变为一个大的全俄土地公社”[1]。这种主张的实质显然是维护宗法制度和自然经济，是与俄国进步的方向背道而驰的。俄国农民及民粹主义政党对改革的抵制和反抗，意味着农民土地问题仍将继续困扰俄国社会，新的冲突是不可避免的。

斯托雷平的第二个目标是对地方管理和自治机关进行改革，其主要目的是使地方自治机关尽量消除或至少弱化阶层和等级色彩，以及建立更加有效的中央集权化的管理结构。斯托雷平提出了建立各阶层的地方自治机关和各阶层的村社的方案，以期改变农民机构的封闭性和农民相对于俄国社会其他阶层的狭隘性。这一改革目标与俄国社会、经济、文化的现代化进程是相适应的。但是关于地方改革的方案未能得到实现，这在很大程度上是由于贵族大土地所有者和宫廷集团的抵制，以及为讨论这些方案而成立的地方经济委员会的顽强反对。在1911年有关西部省份地方自治改革法案引起的危机后，斯托雷平与君主和第三届

斯托雷平

[1] 参见 *Леонмовин В.В.*История либерализмав России.1762–1914.Париж.1980.С.255.

国家杜马十月党多数代表之间失去了相互信任。

斯托雷平以强力手段推行自由主义改革的政策在政治上陷入困境：他的改革措施遭到保守派的越来越强烈的抵制，而他对革命运动的态度和独断专行的做法则激起了“左”派的敌视和自由派的反对。与此同时，第四届国家杜马中自由派与右派的矛盾也日益扩大。斯托雷平及其实行的改革所面临的困境，表明资本主义成分与前资本主义成分的对立和冲突是很难缓和的。

总体而言，第一次革命后，沙皇政权被迫进行的改革使俄国政治结构有所调整，经济发展比较迅速，社会思想和意识也逐渐发生变化，俄国现代化进程显著加快。但是，改革没有从根本上解决旧有的结构性问题，相反，随着经济和社会发展的加快，矛盾和冲突还在加剧。

但是，斯托雷平改革遇到的挫折并不表明俄国已经完全失去了走和平革新道路的可能性。俄国通过和平改革实现发展的前景仍然是存在的。列宁在谈到斯托雷平改革的时候也曾说过，历史上有过这类政策取得成功的例子。

斯托雷平改革对俄国社会经济的稳定和增长产生了作用。“大约从 1908 年开始，俄国走出了革命危机，进入一个繁荣时期。虽然俄国在经济上依旧落后于欧洲大国，但农业改革扫除了国家发展道路上的一大障碍，为经济进步打开了新的前景。城市工人和职员的工资有了显著增长，他们的社会影响力也明显扩大，可以通过工会、合作社、保险公司等等维护自己利益。在大城市里面，廉价剧院、赌场越来越多，这是生活水平提高的结果。国民教育取得了显著成绩，作为一个重要指标，新兵的识字比例从 1875 年的 21% 提高到 1913 年的 73%。在精神和文化方面，这个时期被称为‘白银时代’：思想的探索十分活跃；造型艺术、音乐、戏剧、绘画、文学走上了新路，尝试着新的形式。”[1]这成为那个时代的标志。美国学者拉伊夫指出：“西方世界第一次追随俄国，接受它的风格、它的趣味、它的精神价值。”[2]

[1] 参见 *Геллер М.Я.* История Российской империи. Т.3.М., 1997. С.244.

[2] *Раев М.* Понять дореволюционную Россию: Государство и общество в Российской империи. Лондон, 1990. С. 229.

出现新的危机

斯托雷平于1911年遇刺成为俄国政治的分水岭，他的死反映了改革的困境。在此之后，俄国又向革命走近了一步。俄国社会政治形势趋于紧张化，进入了一个新的危机时期，革命运动的持续发展和自由主义运动的激进化证明了这个趋势。

危机的第一个表现是“下层”的反抗不断加强。除了农民对斯托雷平土地改革的抵制和反抗之外，最值得关注的是大城市和工商业中心工人对自己状况的普遍不满以及由此引起的罢工运动的高涨。这是被卷入现代化进程最深、经受其社会和心理后果最切的阶层对社会进程的反应。工人阶级中出现了最有文化、最城市化、更自觉的年轻一代，他们是战前政治罢工和示威游行的主要力量。作为新的工业高涨对工人情绪和行为产生影响的结果，1911年开始的大城市和工业中心工人罢工运动的活跃，成为战前社会危机的最初征兆。1912年，勒拿事件激起的罢工抗议浪潮的规模仅次于1905年1月9日流血的星期日之后工人的反应。罢工抗议活动包含了社会的、经济的、政治的动机，并反映了要求平等和独立等心理层面因素。虽然这一时期工人运动的规模和水平在总体上仍然有限，参加罢工斗争的工人在1910年为1.4%，1913年达到13.4%，政治性罢工数量很少，而且“在大多数情况下，发动是分散的、地方性的和局部的”，[1] 但其发展的趋势是明显的。

战前工人运动和罢工浪潮与布尔什维克的宣传鼓动所产生的巨大影响有关。布尔什维克成功的主要原因首先在于其富有成效的宣传和组织工作，它的口号和呼吁越来越贴近工人的情绪，使每次罢工在其参与者眼中都是朝光明未来前进的一步，不管其性质和直接结果如何；其次在于它系统持续地利用工人阶级的所有合法组织和方式来影响他们，特别是布尔什维克杜马代表利用其杜马代表不受侵犯权开展宣传活动，使自己成为工人阶级的真正领袖。[2]

---

[1] Россия. 1913 год. Статистико-документальный справочник. СПб. 1995, С.403 ; *Желтова В.П.* Стачечная борьба российского пролетариата в 1910–1912 гг. М., 1993. С.209.

[2] *Хеймсон Л.* Об истоках революции// Отечественная история. 1993. No. 6. С.11.

危机的第二个表现是自由主义反对派运动在组织上更趋成熟、在纲领和策略上更加激进。在国家政治生活的层面，社会与政权的对立在发展。由于1909—1913年俄国工业的新一轮高涨，资产阶级的力量明显增长。与19世纪90年代的那一次工业高涨比较，这次工业高涨更加广泛、更加平衡地覆盖了重工业和轻工业，而且较少依赖国家直接或间接的补助和控制。[1] 这一特点在资产阶级与国家政权的关系上得到了反映。逐渐成长起来的资产阶级已经不能忍受在现存制度下自己的角色和地位：资本主义经济已是沙皇制度不可或缺的物质支柱，但在第一次革命后形成的贵族与资产阶级的联盟中，资产阶级只是一个不平等的伙伴，经济利益要与贵族分享，政治权力却基本上仍然由贵族独掌。

在经济上已经统治了俄国的资产阶级越来越强烈地表达了改变政治结构的要求。在新一轮工业高涨过程中成长起来的新一代俄国资产阶级具有更明确的阶级自觉和行动意识。“大多数受过高等教育的工商界第三代新人，已经作为成熟的、具有明确自我意识的资产阶级出现在俄国历史舞台上。”[2]1909—1910年，被称为莫斯科工商阶级“年轻一代”代表的柯诺瓦洛夫和里亚布申斯基发起并领导了一个很有活力的运动，试图推动俄国大资产阶级发起新的自由主义运动，不仅是为了自己的经济利益，而且也是为了实现包括建立法制、实行言论出版集会自由等内容的政治纲领。他们认为，这样的纲领不仅符合作为主导阶级的资产阶级的利益，也反映和代表了国家的总体利益。[3]1912年，成立了以莫斯科工商资产阶级为核心的激进的自由主义政党——进步党，这标志着俄国资产阶级政治愿望的加强。

自由主义领袖不断警告沙皇政权：如果拒绝改革，国家就不得安宁，混乱将会加剧，政权将陷于孤立。自1913年末开始，各自由主义政党结成联盟，在“孤立政权”的口号下采取一致行动。在第四届国家杜马中，立宪民主党和进步党的策略从“有节制的反对派”转向“负责任的反对派”，在政治方面转向更加实际的要求，包括改革选举制度、建立对杜马负责的责任内阁等。此

[1] *Хеймсон Л.* Об истоках революции// Отечественная история. 1993. No. 6. C.6.

[2] Owen T.G. *Capitalism and Politics in Russia*：*A Social History of the Moscow Merchants*, *1855–1905.* Cambrige，1981，p.200.

[3] *Хеймсон Л.* Об истоках революции.// Отечественная история. 1993. No. 6. C.6.

外，对时局和对政权的不满在知识阶层中也在蔓延，职业知识分子、大学生中的反对派情绪加强，特别是在彼得堡和莫斯科。第一次革命后形成的自由主义与沙皇政权相互妥协的局面完全破裂，国家杜马连续通过自由主义性质的法律草案，多次否决政府各部的预算；而内阁频频拒绝杜马质询，国务会议经常否决杜马通过的法案。

在战前政治危机中，工人的罢工浪潮与职业知识分子及资产阶级某些集团的自由主义反对派运动这两股潮流起了相互促进的作用。勒拿事件后工人运动的规模无疑推动了俄国社会各集团尤其是首都和大工业中心的反对派情绪的发展。同样不可否认的是，尽管工人和资产阶级之间的矛盾和冲突也有发展，但工人的罢工和示威游行也得到了来自自由主义反对派运动的承认甚至同情。

政权调控能力减弱

作为矛盾的另一方，沙皇政权的思维和行为是加剧战前政治危机的重要原因。

以尼古拉二世为最高代表的保守贵族竭力想把俄国拉回到 1905 年以前的老路上去，政权内部在对政权性质、国家管理和自治制度等问题的看法上倾向于倒退。18 世纪以来，在把宗法制政权人格化的俄国传统与彼得大帝引入俄罗斯帝国的官僚制度及其对国家和国家利益的认识之间开始产生矛盾，但这两种立场在较长时间里一定程度上是相互妥协的。在亚历山大三世反改革时期，虽然政权内部两种观点的分歧加强，但亚历山大三世以其个人权威遏制了两者之间的冲突。到尼古拉二世时期，这种分歧以尖锐冲突的形式表现出来。

尼古拉二世及其亲信为加强沙皇个人权威而采取的行动中表现出明显的心理退化倾向，如回到阿列克谢·米哈伊罗维奇时代的宫廷礼仪等等。这种传统的反动在尼古拉二世的政治行动中也有反映，他甚至采用阴谋方法对付自己的政府，如 1913 年同内务大臣马克拉科夫多次秘密会见商讨被反对派称之为“国家政变”的计划，而不让自己的大臣会议主席知情。[1]

战前政治危机的发展与政府对社会和政治运动的强硬态度有直接关系。

---

[1] *Хеймсон Л.* Об истоках революции.// Отечественная история. 1993. No. 6. С.13.

政府特别是内务部及其所辖的警察部门加强了对工人运动和布尔什维克宣传活动的监视，并且经常违反法律，对工会和具有反对派情绪的社会组织以及合法刊物为所欲为。政府甚至不能容忍自由主义温和的改革要求，在言论、出版、社会组织乃至国家杜马等各个方面削弱或剥夺自由主义的合法斗争手段。

1913 年秋天，司法部着手制定限制出版自由和议员不受侵犯权的法案，以限制杜马成员在塔夫里达宫以外进行政治宣传。尼古拉二世与马克拉科夫密商准备采取的措施包括在首都实行紧急状态、解散国家杜马、取消杜马立法权等内容。大臣会议主席科科夫佐夫从国外回来听说此事后结束了这个方案，但到 1914 年春天戈列梅金内阁时，这个方案又重新复活。在 1914 年 6 月末，即彼得堡总罢工以前，已经准备好了宣布在彼得堡实行非常状态的法令，只需要填上具体日期和君主的签字就可生效了。[1]

这种极端愚蠢的政策把自由主义推向左边，从而加剧了沙皇制度的危机。自由主义反对派中最激进的进步党和立宪民主党左翼开始尝试同杜马以外的极左力量联合，并将此作为摆脱杜马内部僵局的唯一出路。涅克拉索夫甚至要求立宪民主党放弃议会斗争方式，把党的工作重点放到杜马之外。立宪民主党活动家认为，他们同政府的斗争已经不能“和平地结束”。十月党领袖古契柯夫断言，“崩溃是不可避免的”。

司徒卢威后来在流亡中写道：“从 1905 年 12 月开始，从莫斯科武装起义的那个时候开始，无论怎样评价政府在 1905—1914 年间的政策，对于俄国的自由和法制的最大威胁已经不是来自右边，而是来自左边……”他认为，无论是反对派还是政权都不清楚、也没有意识到这一点。在来自“下面的”“革命极端主义灾难”面前，双方都没有走能使国家安宁、社会和解的互相妥协的道路。“这既是防守一方，也是进攻一方的责任。”[2]

一个因现代化进程引起的矛盾特别尖锐的社会，比一个明显停滞的社会更加有利于革命形势的发展。这是直到 1917 年革命为止俄国局势发展的基本特点。

[1] *Хеймсон Л.* Об истоках революции.// Отечественная история. 1993. No. 6. С.12.

[2] 参见 *Иоффе Г.З.* Семнадцатый год: Ленин, Керенский, Корнилов. М., 1995. С.4.

第三节　战争影响下的事态发展

短暂的爱国主义激情

还在第一次世界大战爆发以前，一些对俄国国情有深刻认识的政治人物就意识到，一场大战对于俄国来说将是灾难。斯托雷平在死前不久曾提出警告："对于俄国、对于执政的王朝来说，战争必然会造成灾难。"[1] 前内务大臣杜尔诺沃也曾谈到这一点。

但是，到1914年，要不要战争已经不是政治家和军人可以自由选择的问题。俄国已经深刻地卷入了国际帝国主义的利益争夺之中。俄国统治集团认为，战争的胜利将满足俄国的领土要求和经济利益、巩固君主制度。大资产阶级鼓吹霸权主义和沙文主义，认为战争不会导致民族灾难，相反能使分裂的社会在爱国主义的旗帜下团结起来。自由主义反对派阵营则希望，与盟国一起打败德国将会在俄国促进和巩固资产阶级民主制度。

俄国宣战后，一度出现了爱国主义热情高涨的局面，并暂时中断了社会的不满情绪和反对浪潮，暂时停止了政治危机的发展。

俄国宣战后莫斯科支持战争的集会

战争激起了俄国社会各阶层的强烈的爱国主义热情，激发了俄国人对沙皇宣言的回应。战争对于有教养的俄国人来说是卫国战争，他们从中看到了结束军事失败的

[1]　参见 *Иоффе Г.З.* Семнадцатый год: Ленин, Керенский, Корнилов. М., 1995. С.4.

趋势，为俄国争取强国地位，缓和尖锐的内部矛盾，加强俄国各民族的团结，保卫东正教的机会。很多俄国人把已经开始的战争视为正义的、解放性质的。哲学家别尔嘉耶夫认为，“新的战争不同于俄日战争，它将是人们的战争、社会的战争，而不是国家的战争、政府的战争。”另一位俄国思想家瓦西里·罗扎诺夫把俄国在这场战争中的胜利与它未来的精神和道德复兴联系起来。

7月26日（8月8日），在国务会议和国家杜马特别会议上，代表们宣布沙皇与人民的一致，投票支持政府的军事预算。在这次会议上，大臣会议主席戈列梅金、外交大臣萨宗诺夫、财政大臣巴尔克的发言受到各主要党团的欢迎。劳动派领袖克伦斯基发言说：“我们坚定地相信，俄罗斯民主的伟大力量和所有其他力量将给予来犯之敌迎头痛击，保卫我们世世代代以鲜血和汗水灌溉的土地和文化。”[1] 米留可夫宣读了立宪民主党中央的决定：“我们将为把欧洲和斯拉夫人从德国威胁下解放出来而战斗，在这一斗争中我们是团结一致的……不论我们对政府的国内政策态度如何，我们第一位的职责是保卫我们国家的统一和不可分割。我们将搁置内部纷争，不让敌人对我们的分歧抱有希望。”[2]

俄国参战后，在爱国主义情绪高涨的情况下，只有布尔什维克党团认为，战争是掠夺性的、帝国主义的，号召以国内战争结束它。在各交战国中只有俄国和塞尔维亚的社会民主主义者在议会投票反对战争预算，主张本国政府战败。有少数社会民主主义者如普列汉诺夫、捷伊奇等持护国主义立场。派普斯说：“俄国社会主义者很严肃地对待自己的国际主义义务，因为与他们的西方同志不一样，他们在自己的国家还没有很深的根基，他们并没有充斥爱国主义感情，而且他们知道，除了利用‘战争造成的经济和政治危机’，他们没有任何别的办法夺取政权，就如斯图加特代表会议指出的那样。”[3]

顺利的动员说明了人民对战争的态度。战争一开始就事实上没有了罢工，全国到处都举行了反对德国的示威游行。在彼得堡，德国大使馆被捣毁，德国人开设的商店橱窗被砸，在愤怒的人群中有工人、职员和大学生。而在柏林，德国人也做了同样的事情。

---

[1] История России XX:1894–1939. Под ред. *А.Б.Зубова.* М.,2009.С.331.

[2] Русские Ведомости.М.,1917.7.22.

[3] *Пайпс Р.* Русская революция. М., 2005. Т.2. С.57.

8 月 18 日，彼得堡改名为彼得格勒。

在战争的最初日子里，有大约 4000 名全俄闻名的艺术家、诗人、律师等志愿上前线，其中有尼古拉·古米廖夫、萨沙·切尔内、维根基·维列萨耶夫等。充当战地记者的有米哈伊尔·普利什文、瓦列里·勃留索夫、鲍里斯·萨文科夫。开始进行捐赠活动，大量来自居民的金钱进入红十字会，用于国防之需和购买战债，用于资助被征召入伍的士兵家庭。格·李沃夫任主席的帮助伤病军人全俄地方自治联盟、立宪民主党人 M. 切尔诺科夫为首的全俄城市联盟、格奥尔基勋章获得者联盟、帮助战争牺牲者协会、全俄帮助伤病穆斯林委员会、皇室成员创立的一些委员会等各种社会组织和基金会在短时间内开展广泛活动。在皇村，用尼古拉二世本人及其家庭的财产开办了几家医院，皇后亚历山德拉·费奥多罗夫娜和她的女儿在这里当护士。在战争的第一年末，国内已经建立了一个社会组织的网络系统，这些组织的目的是联合各种力量支持前线和军队。

战争的破坏性影响

然而，战争对于俄国来说是灾难性的。

首先是俄国为东线作出了巨大的人员牺牲。俄国单独支撑着东部战场，其战线从波罗的海到伊朗长约 2000 公里。按照邓尼金将军的计算，这里集中了奥匈帝国、德国和奥斯曼帝国联合武装力量 45%—50% 的兵力。而同盟国大约同样多的兵力用在从英吉利海峡到瑞士长 400 公里的西线。英国、法国和 1917 年参战的美国的联合军事与经济潜力至少超过俄国 4 倍。

俄军士兵在战壕中写家信

俄国在战时征召了 1500 多万士

兵，另外还有约300万人在各种半军事组织中从事后勤保障工作，其动员人数已经超过了英法的总和。早在1914年底，俄国死伤、失踪及被俘人数就达到120万人。在二月革命前夕，俄军总计约1000万人，其中作战部队720万人。在两年半的战争中，俄军阵亡、因伤死于医院、被俘、开小差以及列入伤员名册的共有500万人。

其次是军需供应严重不足。在全面动员后，俄国军队士兵人数很快达到650万，但只有460万支步枪。军事行动开始4个月后，炮弹储备就已耗尽，工厂来不及生产。铁路运输车皮严重不足，在其一半被用来供应前线需要之后，产生了不能保证企业所需物资的运输以及向城市运粮的问题。战地医院、床位、被褥、药品不够。按照官方资料，战时军需供应只能达到军队平时需要的30%—60%。[1]

俄国士兵用自己的鲜血补偿了俄国技术与经济的落后以及对大规模长期战争的缺乏准备。俄国军队的装备情况反映了俄国经济的困境。例如，每万名士兵拥有的现代武器如机枪、速射火炮、飞机、装甲车、坦克及弹药的保证程度，俄军仅为其西方盟军和敌军的1/5—1/15。粮食和物资保障情况特别糟糕，1916年已经在作战部队中实行“禁肉”日，而按照当时规定，沙皇军队士兵每昼夜合理的膳食结构中包括每人3/4磅肉或鱼，当然这不是基于“沙皇和老爷”对俄军士兵的热爱，而是为了使他们能够肩负重担。那时候，俄国士兵按照条例配备的步枪、装备、大衣等，负重高达约两普特(1普特为16.38公斤)，其合理膳食要求卡路里应达每天5000—6000大卡。

再次是战争对于俄国经济产生了破坏性的影响，给俄国人民带来了巨大的牺牲和苦难。

1915年春天，就已暴露出原材料供应不足、燃料缺乏、熟练工人大量减少、引进机器设备数量骤减等问题。俄国工业既不能满足前线的需要，也不能保证后方的供给。1915年夏天，粮食事务特别会议主席A. 克里沃舍因在大臣会议上说：“什么时候你在听取来自地方的故事时，你就会感觉到是在疯人院里……政出多门，管理不善，一片混乱。”军事部长A. 波利瓦诺夫指出：“完

[1] 参见“Круглый стол”. Гражданская война в России.// Отечественная история.1993. N 3.

全是一幅濒临崩溃和惊慌失措的景象。”[1]

普通的没有文化的或文化水平不高的人民并不明白战争的原因和目的。那时人们只能通过报纸获知消息，而在俄国只有不超过 10% 的居民读报，懂得政治、历史和地理的人不多。布鲁西洛夫将军曾指出，来自俄国内地的新兵根本不知道这场战争是怎么回事儿，他们是为何而战。1915 年春夏的戏剧性事件使得反战分子的人数迅速增加，别尔嘉耶夫在 1915 年指出，战争加强了人民对政权的敌意。战争还唤醒了人们最低级的本能。[2]

从 1916 年开始，经济恶化的现象越来越严重，燃料和原材料供应不足达到了灾难性的程度，工业企业经常不能完成军事订货合同，铁路运输无力应付不断增加的运输量。

战时俄国农业举步维艰，农村中有一半的男劳动力被征召入伍，对马匹的征用使欧俄 50 个省用于农业的马的总数从 1914 年的 1790 万匹缩减至 1917 年的 1280 万匹，耕牛的数量因被征用和被屠宰供应军队也大幅减少，农业机器和农具的生产急剧下降，矿物肥料的供应在 1916 年只能满足需求的 8%—9%。粮食播种面积减少，谷物和土豆总产量从战前几年的年平均 70 亿普特连续下降至 1917 年的 50 亿普特。1915 年开始，不仅对城市居民和军队的供应发生困难，甚至在农村中都出现了粮食危机。工人名义工资的增长远远跟不上飞涨的物价，莫斯科地区工人平均工资 1916 年比 1914 年增加 84%，而同期的物价要比 1914 年增加 200%—300%，生活必需品的价格更是增加了 4—5 倍甚至更多。[3]

钱越来越不值钱，商品变得越来越少。由于食品供应不足和货币贬值引起的城市居民普遍不满情绪达到了危险的白热化程度。由于战前彼得格勒从英国输入的煤炭比从顿涅茨克输入在经济上更加划算，因此当德国切断波罗的海的海上通道时，彼得格勒立即就感觉到了燃料危机。农民手里拿着粮食等待粮价上涨，因为有传闻说粮食价格要从每普特 2.5 卢布涨到 25 卢布甚至更

[1] Архив Русской революции. М., 1992. Т.18. С.37,18.

[2] История России XX:1894–1939. Под ред. *А.Б.Зубова.* М., 2009. С.331.

[3] [俄] 梁士琴科著：《苏联国民经济史》第二卷，人民出版社 1954 年版，第 865—870、882、885 页。

高。在这种情况下，他们不知道存的钱怎么办，因为工业品也严重不足。在1916年，一些地区的人已开始挨饿。首都是最易受打击的，每天最起码需要运来450车皮粮食和燃料，但实际平均只有116车皮，而且形势还在继续恶化。1916年末彼得格勒和莫斯科只能得到所需要的粮食的1/3和燃料的1/2。[1]

曾是沙皇政府最后一任内务大臣的普罗托波波夫在1917年临时政府特别调查委员会上描述了这样的情景："财政体系瓦解，商品交换遭到破坏，劳动生产率急剧下降；……道路交通被完全破坏，这使得经济和军事形势特别复杂化了。在铁路问题上大本营和大臣会议这两个权力并存的局面导致了可怕的混乱……1916年冬天，由于暴风雪，有6万节装载燃料、食品和饲料的车皮被压在雪下。对农村无限制的征兵使农业生产陷于停滞，可以感觉到劳动力严重不足……城市在挨饿，商业受到压制，经常遭到征用的威胁……商品很少，物价飞涨，导致了抢劫……军队疲倦不堪，供应不足降低了军队的士气……"。"没有人来整顿秩序。好像到处都有发号施令的长官，这种长官还真不少，但没有整顿的意志、计划和系统，……也不可能有。最高当局不再是活力和光明的源泉，它已经被愚蠢力量的愚蠢影响所左右。"[2] 人民与政权的"一致"逐渐转变为愤怒和提心吊胆。[3]

战时社会运动

残酷的战争很快就激化了战前就已表面化的矛盾，重新恢复了政治危机的进程，推动事态向革命方向发展。在毫无出路的处境下，战时工人运动、农民运动、民族运动持续不断，成为整个社会危机尖锐化的重要表现。而战争的特殊条件又对社会和政治局势产生了巨大影响：战争武装了人民。大量的人口，占总人口的80%的农民、10%的工人和其他居民阶层直接获得了武器、

---

[1] *Чурбанов В.* IV Дума и революция: созданная предотвратить–вынужденная возглавить. http://www.russia-today.ru/2006/no_03/03_centenary.htm.

[2] 参见 *Иоффе Г.З.*Семнадцатый год: Ленин,Керенский, Корнилов.М.,1995, С.5–6.

[3] *Чурбанов В.* IV Дума и революция: созданная предотвратить–вынужденная возглавить. http://www.russia-today.ru/2006/no_03/03_centenary.htm.

战争经验以及随时准备战斗的“前线”心理。俄军的构成发生了重大变化。在经过了1914—1916年的战争之后，较有战斗力的近卫军、哥萨克和基层军官、军士遭受的损失巨大，几乎全部作战部队的主要人员构成实际上就是穿上军装的农民，充任基层指挥官的大多是原先的预备役军官。沙皇政权实际上已经失去了自己的主要支柱——军队。手中掌握了武器、代表了俄国社会中最贫困最受压迫的农民的数百万士兵群众，以及同样武装起来的那部分城市工人，成为具有巨大的社会潜能的现实力量。他们的情绪和立场，影响了1917年俄国事态的发展。俄国革命进程基本上取决于他们的态度。

但在二月革命前，在当时革命政党受到沙皇政权的镇压和限制的情况下，在俄国政治生活的表面进行活动的主要是自由主义政党。自由主义政党及其控制下的社会组织成为俄国政治生活中的主要力量。他们同沙皇政权的公开冲突成为上层危机的显著表现之一，也是使旧制度在二月革命中迅速崩溃的重要因素。

战争之初，主要自由主义政党立宪民主党中央曾决定有条件地支持政府，但它并未放弃自己的政治目标，而是把战争视为实现自己目标的良机。米留可夫在1914年9月的立宪民主党领导层会议上指出，“战争为俄国社会力量开辟了一个新纪元，使它得以重新参与国家建设。现在，它不应消极地对待社会问题”。[1]

米留可夫

利用战争组织力量、扩大影响是自由主义运动的重要策略原则。

1914年七八月间，立宪民主党、十月党、进步党等自由主义政党先后发起成立了全俄地方自治联合会和全俄城市联合会。这两个组织具有合法地位，担负向军队供应医疗器材、组织救护人员、建立野战医院和军需仓

[1] Буржуазия накануне февральской революци. М.-Л., 1927. С.1–2.

库、疏散伤病员等任务，后来还参与了对军队的粮食供应。到1916年末，在其所属各类机构中工作的人员已达数十万。

1915年5月，在全俄工商业代表大会上，进步党人里亚布申斯基建议各地成立军事工业委员会，以动员私人企业承担国家订货。代表大会通过决议，提出了立即召集杜马会议、成立军事工业委员会以帮助前线等要求。7月，举行了军事工业委员会第一次代表大会，古契柯夫被选为中央军事工业委员会主席。在不长时间里，全俄各地成立了200多个地方军事工业委员会，一些自由主义者—大企业家则成为地方军事工业委员会的领导人，如莫斯科的里亚布申斯基、基辅的捷列申科等就是其中最为著名的人物。在这个过程中，以叶甫列莫夫和柯诺瓦洛夫为代表的进步党逐渐成为沙皇政权的反对力量中起主导作用的政党之一，其基础是具有自由主义倾向的莫斯科企业家。

在自由主义政党的策划下，1915年夏秋，合作社联合会、帮助战争受害者协会、全俄劳动委员会等各种社会组织纷纷成立。在所有这类社会组织中，起领导作用的是自由主义活动家。

这些社会组织的成立及其活动，并非如以往很多学术著作强调的那样只是为了支持战争。事实上自由主义运动的领袖从一开始就赋予这些组织以明确的政治任务，希望它们成为促进政治改革的工具。由于地方自治联合会、城市联合会、军事工业委员会等组织广泛参与了军事后勤的组织工作，沙皇政权不能不考虑他们的意见并承认其地位。正因如此，一些右翼政论家把这类社会组织视为自由主义运动用来逐渐掌握整个国家机关的“特洛伊木马”。[1]

社会与政权之间因战争爆发而出现的蜜月持续时间不长。在自由主义活动家的影响和引导下，各社会组织的活动很快从纯粹的事务方面扩展到政治方面。被沙皇政权视为最大危险的自由主义反对派运动采取了越来越强硬的立场，不断向政权施压。而1915年春夏俄国的军事失利以及前线给养和弹药灾难性短缺的问题，进一步加强了要求更积极地吸收国家杜马、各政党和社会组织参与制定国家战略的呼声。各社会组织同国家杜马中的自由主义反对派互相呼应，向沙皇政权发难。

[1] *Думова Н.Г.* Кадетская партия в период первой мировой войны и февральской революции. М.,1988. С.42.

而政权为了在困难的战争时期得到社会的支持，不得不作出一些让步。6月，尼古拉二世被迫改组政府，撤掉了几个声名狼藉的大臣，如内务大臣H.A.马克拉科夫、军事大臣苏霍姆林诺夫、正教院总监萨勃列尔和司法大臣谢格洛维托夫，而在新的任命中，最引人注目的是由立宪民主党和十月党提名的波利瓦诺夫出任军事大臣。

7月19日，国家杜马新的例会开幕。杜马多数派决议确认了必须成立“社会信任的政府”的要求，这个得到立宪民主党支持的提法比稍早时在全俄城市代表大会上最先提出的成立“责任政府”的激进要求温和一些。而政府显然也希望与立宪民主党合作，以至同意由米留可夫在立宪民主党内的亲密同事盛加略夫担任影响力很大的陆海军事务委员会主席职务。8月，政府允许举行全俄地方和城市自治机关会议，而在此之前这是根本不可能的。全俄地方自治联合会和城市联合会分别举行代表大会，抨击政府的无能，要求由这两个组织完全掌握对军队的供应事务，呼吁成立有社会活动家参加的新政府和召开杜马会议。充满反政府情绪的军事工业委员会代表大会也提出了类似的政治要求。

1915年11月，地方自治联盟和城市联盟成立了联合的组织：全俄地方自治和城市联盟（Земгор），其名义上的目的是为了更好地组织对军队的供应和对后方的动员。在安排难民生活、帮助军人家庭方面，这个组织做得比政府更好，虽然政府和军方并不喜欢它。

通过在社会组织中的共同工作，自由主义运动内部知识分子和工商资产阶级这两支主要力量间的联系得到了加强，其主要表现之一便是立宪民主党与进步党的接近。进步党很重视实业界与知识界的联合，认为俄国社会应该关注工业问题，因为如果说战场上的胜利取决于工业的繁荣，那么在内政问题上也基本如此。而在知识阶层中具有广泛影响的立宪民主党内，也有许多人意识到对于俄国的发展来说，必须以西方类型的资产阶级来取代旧式的知识分子。“工业界、城市资产阶级和知识分子在国防方面的共同工作，有力地把我们‘第三等级’推上了俄国生活的前台”，“俄国社会将此视为官僚制度之后合法地领导俄罗斯国家的过程”。[1]

---

[1] *Думова Н.Г.* Кадетская партия в период первой мировой войны и февральской революции. М., 1988. С.45.

古契科夫

自由主义运动中再次出现了加强同革命力量合作的主张。1915 年秋，古契柯夫和柯诺瓦洛夫力图与社会主义运动和工人运动代表建立联系并达成妥协，具体的渠道是由分别担任中央军事工业委员会主席和副主席的古契柯夫和柯诺瓦洛夫与该委员会中的工人团及其领袖格沃兹杰夫和波格丹诺夫进行接触。谈判结果是工人团加入军事工业委员会。大工厂的工人选举自己的代表进入军事工业委员会，以与管理层的代表进行直接对话而不是罢工和群众大会的方式来协调利益冲突。这些活动为形成“革命护国主义者”联盟奠定了基础，而革命护国主义者在二月革命后在建立联合政府方面发挥了重要作用。

在战时俄国政治中，各社会组织成为自由主义运动联系各阶层人士进行政治斗争的纽带。一个从上到下、遍布全国的社会组织网络，为自由主义反对派在 1917 年二月革命中掌握政权奠定了基础。

进步同盟的斗争

在国家政治生活层面上，1915 年 8 月在国家杜马中成立了以自由主义政党为主、联合杜马各党团（除了极左翼和极右翼）的进步同盟，其成员在 422 名杜马代表中占了 235 名，其中包括著名的民族主义—君主主义者舒尔金。进步同盟还得到了国务会议的部分代表、地方和城市自治集团以及相当一部分军队将领的支持。政府中的自由主义官僚如 A.B. 克里沃舍因、C.Д. 萨宗诺夫、A.A. 波利瓦诺夫（军事大臣）、И.K. 格里戈罗维奇（海军大臣）等也欢迎进步同盟的成立。

这是俄国战时政治的一个转折点。进步同盟最主要、最直接的目的，是联合杜马中的反对派力量，争取改组政府、改变国家治理方式。米留可夫曾公开表示，进步同盟的意义在于解决政权问题。1915 年 8 月 25 日，在前线流血不止、一座座城市失守之际，进步同盟明确提出了自己的要求：

1. 成立受到社会信任、与立法机关合作、决心在最短时间内实行确定纲领的政府；

2. 建立对于官僚机关活动的法律制约；

3. 在非直接与军事活动相关的问题上，取消军事当局与民事当局之间的分隔；

4. 对因政治或宗教原因而被判刑者实行大赦；

5. 停止宗教迫害，包括以立法形式确定的对犹太人的限制；

6. 给予波兰自治，向芬兰人和乌克兰人作出政治让步；

7. 重建工会；

8. 重新审查现行法律。[1]

大臣们倾向于讨论这些要求，但尼古拉二世在拉斯普京和皇后的支持下持不妥协立场。他认为，要是让杜马活动家坐到大臣的位子上，他们会把帝国的管理搞得一团糟，并导致战争的失败。他还相信，只有他自己才能对国家命运承担责任，他无权把这个责任转移到别人肩上。9 月 3 日，沙皇下令杜马休会至 1916 年 2 月。对于杜马主席罗将柯关于杜马是革命的安全阀的说法，尼古拉二世根本就不加理会。国内政局出现了急剧右倾的情况。进步同盟决定保持合法性，继续组织力量，准备在杜马复会时发起新的政治攻势。立宪民主党领导人在同法国大使谈话时表示，同盟“决定不回答任何挑衅，而报之以忍耐和理智。到战争结束时，我们等着瞧”。[2]

俄军在战场上的失利使反对派的情绪越来越激昂。1916 年 2 月国家杜马复会的开幕式上，杜马主席罗将柯当面向沙皇提出了建立责任内阁的问题。在得到否定的答复之后，进步同盟的领导人在杜马之外积极活动，抨击当局，推动社会各阶层的反政府浪潮。柯诺瓦洛夫在一些社会组织的会议上公开把现政府称为“人民的敌人”，古契柯夫谴责大臣会议主席施丘尔梅尔背叛国家，说现政府是“可怜的、恶劣的、污糟的”。涅克拉索夫、曼德里施塔姆等立宪民

[1] История России XX век:1894–1939. Под ред. *А.Б.Зубова*. М., 2009. С.336.

[2] *Палелог М.* Царская Россия во время мировой войн. М.-Пг. 1923. С.154.

主党左翼领导人要求党采取措施“同其他民主派政党接近”，更广泛地发动群众，成立“全俄社会力量的指挥部”，组织同政权的斗争。

1916 年秋，前线战局恶化，经济面临崩溃。群众性革命运动高涨。在同年 10 月中旬进步同盟领导人与内务大臣的会谈中，进步同盟要求吸收自由主义活动家进入政府，而政府方面认为进步同盟“希望社会动荡和改变现存制度”，会谈以双方断绝所有联系而告结束。

自由主义反对派认为，或者是彻底改组政府，或者是革命。他们把激发社会的情绪作为自己的职责，而在战争条件下对付政权的威力最强大的炸弹就是指责它叛国。1916 年 11 月 1 日杜马年会开会，自由主义反对派在会上对政府发起了猛烈攻击。

在 11 月 1 日下午 2 点 30 分开始的杜马会议上，杜马主席罗将柯接受了地方自治联合会和城市联合会递交的要求成立与人民一致、能领导国家取得胜利的政府的请愿书。在宣读了杜马多数派声明之后，进步同盟首脑米留可夫等人发表了演说。米留可夫抛出了他不久前作为杜马成员出访欧洲期间搜集到的一些报纸上关于俄国政府准备与德国单独媾和的消息，强烈谴责现政府背叛俄罗斯民族利益，指出“一小撮黑暗势力以自己卑劣的私利左右重要的国家事务……我可以向你们指出这些人的名字：马纳谢维奇—马努伊洛夫、拉斯普京、皮季里姆、施丘尔梅尔”，这个“宫廷党”集合在皇后的周围。他不断提出责问：“这是什么，是愚蠢还是叛卖？”米留可夫后来自己承认，他当时的这个“揭露”实际上没有任何根据，要证明确实存在某个宫廷党或与德国单独媾和的可能性是不存在的。但在 11 月 1 日的杜马会议上，米留可夫宣称“我们对这个政权能否引导我们走向胜利已失去信心，因为我们所作的纠正它、改善它的所有尝试都没有成功”；“在我们和这个政权之间，鸿沟正在扩大并变得不可逾越。除了争取现政府垮台之外，我们今天没有任何别的任务”；“为了数百万牺牲的生命，为了流淌成河的鲜血，为了我们对于把我们派到这里来的人民所承担的责任，我们将斗争到底，直到政府负起责任为止”。[1]

米留可夫和其他两位进步同盟活动家 B. 马克拉科夫、B. 舒尔金谴责政府的演说的文本以打字稿、秘密印刷的单行本和口头方式迅速传遍了前线和后

[1] ГАРФ, Ф.523,Оп. 3, Д.22.

方，加强了各社会阶层的怀疑、震惊和愤怒情绪。全俄国都认为，米留可夫证明了皇后和施丘尔梅尔“把俄国出卖给了威廉皇帝”。这对政权的打击是沉重的：在社会看来，生活的艰辛，几百万同胞的伤亡等等，一切都得到了解释。著名的立宪民主党人奥波林斯基证实：“普遍的感觉是，俄国往好里说是由疯子在治理，往坏里说是被叛徒所支配。”[1] 警察机关的报告指出：“立宪民主党最近获得了出人意外的政治影响，其领袖成了真正的时势英雄。”11 月 1 日到 5 日的杜马会议成为社会激愤情绪的发生器。进步同盟领导人的言论促进了反政府情绪在全国范围内的发展，后来被很多人认为是发出了革命的信号。自由主义者为革命打开了大门，国家杜马事实上成为革命的领袖，只不过它自己还没有意识到这一点。[2]

11 月 8 日，施丘尔梅尔被解除职务。原先领导交通部的 A.Ф. 特列波夫出任新的大臣会议主席。11 月 19 日杜马复会时，他带着一个很自由主义化的发言去了塔夫利达宫。但迎接他的是侮辱性的喊叫，在 40 分钟时间里没让他说出一句话。到秩序总算恢复的时候，他利用通报盟国同意俄国对康斯坦丁诺波尔和黑海海峡要求的机会，试图劝说杜马代表们结束不守规矩的行为，与政府一起着手开展实际工作。但他不断地被打断，不知所措。在他之后极端民族主义者普里施凯维奇发言，要求政府“停止向德国出卖俄国”并远离拉斯普京和“拉斯普京帮”。

为了缓和杜马的情绪，沙皇同意特列波夫的意见，让内务大臣普罗托波波夫离开政府。但皇后立即向莫吉廖夫大本营发去电报，要求尼古拉二世在与她见面前不要采取任何行动，并立即前往莫吉廖夫。当特列波夫来到大本营希望得到沙皇对接替普罗托波波夫的人选的认可时，沙皇告诉他普罗托波波夫继续留任。特列波夫在大臣会议主席任上不到两个月，1916 年 12 月底被尼古拉二世解除职务，接替他的是戈利岑公爵。后者意识到自己的健康状况、年龄以及经验都不适合这个职位，希望沙皇取消任命，但未获同意。

---

[1] *Оболенский В.А.* Моя жизнь и мои современники. Париж, 1988. С.124.

[2] *Чурбанов В.* IV Дума и революция: созданная предотвратить–вынужденная возглавить. http://www.russia-today.ru/2006/no_03/03_centenary.htm.

政权拒绝妥协

罗将柯

1916 年末 1917 年初，很多人已经感觉到，俄国已经陷入了深刻的危机和困境之中。《俄罗斯言论报》在 12 月 27 日写道：国家已经走进了“死胡同，即便政治气候发生彻底的变化，也未必能够找到出路”。莫斯科的《晨报》在新年的第一天以展望未来为主题发表了著名社会活动家新年讲话的专辑，他们的看法是一致的：“目前局势是难以想象的”，“无路可走，无法可想”，“我们陷入了死胡同”。[1]

但尼古拉二世仍然对此无动于衷。英国驻俄大使乔治·布坎南到皇村作新年拜访时表示希望尼古拉二世任命一个受到人民信任的人当大臣会议主席，但沙皇回答说：“那您认为是我应该得到自己人民的信任还是他应该得到我的信任？”布坎南因此而感到惶然。[2]

1917 年 1 月 1 日，在冬宫举行了盛大的新年招待会。罗将柯面见沙皇时向他报告：“我认为国内局势从未这样危险和紧急，全国范围内的情绪发展可能最严重的动乱。已经不分党派，全俄国都一致要求更换政府并任命一位受到人民信任的负责的总理。为了战胜敌人和组织后方，应该在互相信任的条件下同议会和社会机构一起开展工作。在战争时期，我们的一切都陷于崩溃，这是我们的耻辱。没有政府，没有制度，至今没有后方和前线之间的协调。不管你朝哪儿看，都是滥用权力和杂乱无章。经常更换大臣首先是引起惊慌，其次是导致从上到下所有官员的冷漠。人民意识到，您把所有杜马和社会团体信任的人士排除出政府，而代之以不称职和无能力的人。您还记得吧，陛下，波利瓦

---

[1] *Иоффе Г.З.*Семнадцатый год: Ленин, Керенский, Корнилов. М.,1995. С.6.

[2] *Чурбанов В.* IV Дума и революция: созданная предотвратить–вынужденная возглавить. http://www.russia-today.ru/2006/no_03/03_centenary.htm.

诺夫、萨宗诺夫、伊格纳杰夫伯爵、萨马林、谢尔巴托夫、纳乌莫夫，这些忠诚为您和俄国服务的人都被撤职了，没有任何原因和过错……您还记得戈卢别夫和库洛姆津这样的老资格国务活动家吧，他们被撤换只是因为在国务会议中不愿闭上嘴不说真话。这简直就是危害俄国，帮它敌人的忙。在您的周围，陛下，已经没有一个可靠的、诚实的人：所有好人不是被撤就是离开，留下的只是那些名声不好的人。谁都知道，皇后绕过您发号施令管理国家，大臣们都去向她报告。根据她的意愿，不合她心意的很快就会被从职位上拿下，换上根本不合适的人。国内对皇后的不满和敌视在增长……她被认为是德国的支持者，是维护德国利益的。甚至在普通人中间都在谈论……”

尼古拉二世要求罗将柯拿出事实证据，罗将柯回答说：“没有事实，但皇后用某种方式领导的政治力量导致这样的结果：在人民心目中已经形成了这样的看法。为了挽救您的家庭，请找个办法让皇后不要再干预政治事务。因为我预感到会发生可怕的事件，俄罗斯人的心灵在受煎熬。人民正在疏远自己的沙皇，因为在经历了这么多的牺牲和苦难之后，在流了这么多鲜血之后，他们看到又有新的磨难在等着他们。”[1]

话题转到前线问题时，罗将柯提到他在 1915 年时就建议沙皇不要直接指挥军队，现在罗马尼亚战线遭到新的失利，所有责任都落到了沙皇肩上。“不要迫使人民在您和祖国的福祉之间进行选择。在他们的理解中，沙皇和祖国至今为止还是不可分离的，但是很快就会把两者分开……”尼古拉二世双手抱头，过了一会儿说：“我 22 年来努力使一切变得更好，难道这 22 年都错了？”罗将柯稍有迟疑，还是直言道：“是的，陛下，22 年来您是走在错误的道路上。”对于这些令人不快的开诚布公的话，尼古拉二世反应平和，没有动怒甚至没有表现出不满。[2]

在 2 月 10 日，即革命开始前的两个星期，罗将柯最后一次觐见沙皇。气氛非同寻常的冷淡，以至于罗将柯感到不能以通常自由交谈的方式进行汇报，而只能读写好的报告。尼古拉二世的态度不仅是漫不经心的，甚至是不耐烦的。在读到有关粮食供应不好和一般政治局势的内容时，沙皇打断他：“能不

[1] *Родзянко М.В.* Крушение империи. Харьков. 1990. С.206–207.

[2] *Родзянко М.В.* Крушение империи. Харьков. 1990. С.207.

能快点？米哈伊尔·亚历山大罗维奇大公在等我喝茶。”在罗将柯谈到国内情绪的危险性和发生革命的可能性的时候，沙皇打断他说：“我得到的消息是完全相反的。至于杜马的情绪，如果杜马像上次那样表现激烈，那它将被解散。”罗将柯在结束报告时说：“我认为向您说出我个人的预感和担心是我的责任：这是我最后一次向您报告。”“为什么？”“因为杜马将被解散，而按照政府走的那个方向不会有什么好结果……还有时间和可能扭转一切，这就是您同意成立对议会负责的责任政府。但看来这不会发生。您不同意我的看法，陛下，一切都将照旧。依我看来，这样做的结果就是革命，就是谁都控制不了的无政府主义。”尼古拉二世没有做任何回答，只是干涩地道了别。[1]

上层密谋政变

1916 年末到 1917 年初，君主主义者、自由主义者为争取改变政治方针而采取的行动与革命运动结合在一起，使沙皇政权陷入了全面危机，为二月革命的爆发准备了条件。

1916 年末，局势的危急促使一些高级官僚、高级将领和一些倾向于“把君主制从君主手中拯救出来”的大公都站到了尼古拉二世的反对派立场上。许多皇亲国戚、贵族高官都明确表示希望沙皇向社会作出更大的让步，在建立信任内阁的基础上与杜马达成妥协。12 月 3 日，巴维尔·亚历山大罗维奇大公受皇室成员委托向尼古拉二世建议：尽快赐予一个宪法，或者至少成立一个受到杜马信任的政府。12 月底，亚历山大·米哈伊洛维奇大公警告说，革命的发生不会晚于 1917 年春天。[2]

在沙皇拒绝采取相应措施后，关于旨在改变政权体制或皇位易人的阴谋正在酝酿的传言多了起来。12 月 16—17 日的那个晚上，保皇派集团刺杀了权倾朝野的沙皇佞臣拉斯普京。具体策划和执行者中包括沙皇的亲戚费里克斯·尤苏波夫公爵、德米特里·巴甫洛维奇大公、国家杜马代表普里什凯维奇、军医拉扎维尔特等。在决定采取这一极端措施时，他们以及他们所代表的

[1] *Родзянко М.В.* Крушение империи. Харьков. 1990. С.212–213.

[2] История России XX век:1894–1939. Под ред. *А.Б.Зубова.* М., 2009. С.370.

很多人确信，拉斯普京在毁灭俄国和王朝。进步同盟首脑也曾参与此事，试图籍此迫使沙皇让步并防止革命发生。拉斯普京被杀的消息在彼得格勒传开后，"人们在街头互相拥抱，去喀山大教堂点燃蜡烛"。排队买面包的普通妇女都兴奋地议论这个新闻，大家都不断地重复，"狗只能像狗一样去死"。[1] 二月革命后，拉斯普京在皇村的坟墓被挖开，他的尸体被烧掉。

但拉斯普京之死不能阻挡革命的浪潮，局势仍在继续恶化。索尔仁尼琴在分析二月革命前的俄国局势时认为，"刺杀拉斯普京不仅是一个保卫君主制的姿态，而且与 12 月举行的地方和城市自治大会一样，是革命的第一枪，革命的第一步。拉斯普京没了，但不满仍在迸发，这种不满如果不是针对沙皇的话，那是针对谁的呢？" [2] 国家杜马成员、君主主义者舒尔金指出："原先把一切问题都归咎于拉斯普京……而现在搞清楚了，问题不在于拉斯普京。把他杀了，但什么都没改变。" 国家杜马主席罗将柯后来也把刺杀拉斯普京称为"第二次革命的开始"。[3]

在对尼古拉二世失望之余，一些自由主义活动家与军方将领频繁接触，积极准备发动政变。

1916 年 10 月，在共济会创建者之一、立宪民主党人费奥多罗夫安排的场所，召开了一次自由主义运动主要领导人会议。参加会议的 15 人中，绝大多数是共济会成员。古契柯夫指出，在通过议会斗争取得政权的努力未能奏效、而革命又日益迫近的情况下，必须以政变方式迫使尼古拉二世退位，否则革命就将"越过我们"而达到其目的。会议接受了这一意见，并明确了政变的纲领：阿列克谢继位；米哈伊尔大公摄政，他应宣誓忠于宪法，从而使国家和平地走上资产阶级君主制的道路；李沃夫组阁。[4]

会议之后，古契柯夫、涅克拉索夫和捷列申柯拟定了政变的具体计划，并着手准备。同时，李沃夫、阿列克谢耶夫、立宪民主党人基什金和费奥多罗

---

[1] История России XX век:1894–1939. Под ред. *А.Б.Зубова.* М., 2009. С. 346.

[2] *Солженицын А.И.* Размышления над Февральской революцией. http://vff-s.narod.ru/gov/pr/opr33a.html

[3] История России XX век:1894–1939. Под ред. *А.Б.Зубова.* М., 2009. С. 347.

[4] 参见 История СССР.1859–1917. Под ред. *В.Г.Тюкавкин.* М., 1990. С.383.

夫、第弗利斯市长哈季索夫等人也进行了密谋，准备在 11 月 30 日发动政变、逮捕沙皇。这个计划由于阿列克谢耶夫后来的动摇而没有实行。[1]

大约在 12 月底，米留可夫从克里米亚回彼得堡的途中在莫斯科作了逗留。在这里，反对派人士在私宅“秘密”约定：“近期将发生宫廷政变。”宫廷政变的主要组织者是曾任第三届国家杜马主席的十月党领导人古契柯夫，参与者中包括著名的地方自治活动家格·李沃夫、克雷莫夫将军等人，政变的目的是罢黜尼古拉二世和亚历山德拉·费多罗夫娜，代之以皇位继承人阿列克谢，由沙皇的兄弟米哈伊尔·亚历山大罗维奇大公摄政。

古契柯夫后来在回忆录里说，他担心政权转到革命者手中，因而计划在从大本营到皇村途中拦截沙皇专列并迫使尼古拉二世退位。参与这一阴谋的有涅克拉索夫、捷列申科、维亚泽姆斯基公爵、北方战线总司令鲁兹斯基。

1917 年 1 月初，在国家杜马主席罗将柯的家中举行了部分杜马反对派领导人和军队将领的会议。与会者中包括共济会军事支部成员克雷莫夫将军，他此时已加入了古契柯夫等人的密谋。克雷莫夫最初出现在俄国政治地平线上是在 1915 年，那时他是乌苏里哥萨克师师长。这年夏末他同提出了宫廷政变想法的古契柯夫集团建立了联系。捷列申科回忆，克雷莫夫“不止一次地到彼得格勒，并以军人的权威试图说服怀疑者再也不能拖延了。他和他的朋友意识到，如果不把宫廷政变领导权抓在自己手里，人民群众就会实现政变”。[2]

克雷莫夫在会上表示，如果不能产生一个军队信任的政府，就不可能有胜利的希望；战争必将受到后方的干扰，暂时的成功也终将毫无疑义。他最后说：“军队中的情绪是这样的：大家都会很高兴地欢迎政变的消息。政变不可避免，这在前线能够感觉到。如果你们决定采取这一决定性措施，那么我们将支持你们。很明显，没有其他办法。你们和其他人已经尝试过了其他一切可能的办法，但皇后的坏影响比对沙皇说实话更有用。不能再浪费时间了。”与会者沉默了几分钟，盛加略夫最先说道：“将军说得对，政变是必需的……但谁来作出决定？”施德洛夫斯基表示：“当他在毁灭俄国的时候，对他就没有什么值得可惜和怜悯的”。会场开始活跃起来。布鲁西洛夫将军说：“如果必须在沙皇

[1] *Николаевский Б.Н.* Русские масоны и революция. М., 1990. С.92–93.

[2] *Иоффе Г.З.* Семнадцатый год: Ленин, Керенский, Корнилов. М., 1995, С.79.

和俄国之间作出选择，那我选择俄国。”捷列申科的发言更加坚决和强硬，罗将柯打断他说：“你们没有考虑，沙皇退位以后会发生什么……我任何时候都不会去搞政变，我宣过誓……我请求你们不要在我家里说这事。如果军队能够做到让沙皇退位，那就让它通过自己的长官去做。我一直到最后一分钟都会用劝说的方法，而不是暴力的方法……”[1]

尽管罗将柯不主张政变，但会后密谋者们还是开始采取行动，着手招募铁路警卫队军官，准备让他们拦截沙皇专列，迫其退位，如遇反抗，就使用武力。整个计划授权克雷莫夫指挥。同时，还准备在首都动用近卫军的一些团来逮捕政府成员、控制重要设施和场所。

1917 年 1 月，关于存在政变“阴谋”的说法在社会上广泛流传，而一些反对派头面人物也有意渲染宫廷政变正在酝酿之中。古契柯夫、柯诺瓦洛夫、米留可夫、李沃夫公爵等已在考虑分配“自己的政府”的部长职位了。

李沃夫公爵和大本营参谋长阿列克谢耶夫将军建议向尼古拉·尼古拉耶维奇大公建议，迫使尼古拉二世让位于儿子并将他放逐到克里米亚，由尼古拉·尼古拉耶维奇大公摄政并担任最高总司令。大公要求给他一天时间考虑，但最终拒绝了这个建议，认为“士兵们不会理解这样的安排”。但他虽然拒绝了这个宫廷政变计划，却并未将它告诉尼古拉二世。

1917 年 2 月 9 日，在罗将柯的办公室里，反对派领导人同鲁兹斯基将军和克雷莫夫将军讨论了政变问题。会议决定，不能再拖延下去了，应在 4 月份尼古拉二世从大本营返回首都时，在鲁兹斯基将军的部队驻防地将其逮捕并迫其退位。在普列奥布拉任斯基近卫团任职的罗将柯的儿子也联络了一批军官，其中包括德米特里·巴甫洛维奇大公。米留可夫曾经对采取非和平行动持怀疑态度，但事态的发展使他面临一个既成事实，而且他本人最后也向密谋者表示：“给我派两个团到杜马来，杜马就能夺取政权。”[2]

但是所有这些宫廷政变计划都没有得到认真的执行。参与当时政变阴谋的城市联盟主席 M. 切尔诺科夫后来证实说：“谁都没有认真考虑这个问题。有过这样的议论：最好有谁来组织这样的政变。”米留可夫本人后来也写道：“知

---

[1] *Родзянко М.В.* Крушение империи. Харьков. 1990.С.200.

[2] 参见 История СССР.1859–1917. Под ред.*В.Г.Тюкавкин.* М., 1990. С.384.

识分子集团……只会幻想不会发生的宫廷政变。”古契柯夫在去世前说：“我至今深信不疑，如果所有这些在技术上能够执行到底，那么我们将会避免后来所发生的一切。但问题恰恰在于事情的技术层面：不仅在军事指挥人员的下层，而且在其中层，都没有那种不能置身事外的强烈的责任感……”[1]二月革命后，右翼立宪民主党人 B. 马克拉科夫眼看着革命不可阻挡地发展时说：“如果后人诅咒这场革命的话，那么他们也会诅咒我们，因为我们未能及时地以上层政变来预防革命！”米留可夫在老年时忧郁地承认：“我们是没有经验的革命家、蹩脚的阴谋家。”[2]

不过，虽然君主主义者、自由主义者所计划的这些行动都没有实现，但仍然是对沙皇政权的致命打击。派普斯指出，“如果连俄国社会的上层都开始以革命的方式采取行动了，那么 1917 年的革命就是不可避免的了。”[3]

值得注意的是，沙皇政权对于当时沸沸扬扬的政变“密谋”情况是了解的，它也完全有可能在进行必要改革的同时进行铁腕镇压。但政府的反应是消极无力的，它没有对政变计划的主要嫌疑人采取行动，如实施逮捕。例如，尽管安全部门已经掌握了北方战线司令鲁兹斯基将军与阴谋者联系的确切证据，但甚至没有剥夺鲁兹斯基的指挥权，只是把彼得格勒从他指挥的北方战线防区中划了出来，成为一个独立的军区，并任命哈巴罗夫将军为彼得格勒军区司令。

共济会的活动

在二月革命前夕的俄国政治局势发展中，秘密政治组织俄国共济会发挥了重要作用。

20 世纪初俄国共济会的历史，是从 1907 年科学院院士、自由主义活动家 M.M. 科瓦列夫斯基根据法国共济会的授权，组建名为“北极星”的共济会团体开始的。约在 1912 年，成立了俄国共济会的领导机构——最高会议。战争

---

[1] Александр Иванович Гучков рассказывает. М., 1993. С.12. 参见 *Иоффе Г.З.* Семнадцатый год: Ленин, Керенский, Корнилов. М., 1995. С.11.

[2] 参见 *Иоффе Г.* Семнадцатый год: Ленин, Керенский, Корнилов. М., 1995. С.12–13.

[3] *Пайпс Р.* Русская революция. Т.1. М., 2005. С.338.

期间，共济会在国家杜马、地方自治联合会、城市联合会、中央军事工业委员会和各大城市都建立了分支机构。到 1916 年，俄国共济会已吸收了约 300 名自由主义政党和温和社会主义政党的主要活动家、高级军官和官员以及一些皇室成员。

在二月革命前，俄国共济会在实际上成为除布尔什维克党之外所有社会政治力量的协调和指挥中心，它与俄国自由主义运动的关系尤为密切。有的西方学者认为，立宪民主党人构成了俄国共济会的基础。在文献资料中经常被提及的共济会主要成员中，著名的立宪民主党人就有约 20 名。二月革命前夕，共济会最高会议中有一个 5 人核心，其中除最高会议书记克伦斯基属劳动派外，其余 4 人均为自由主义者：立宪民主党人涅克拉索夫、进步党人柯诺瓦洛夫和叶甫列莫夫、接近于进步党的捷列申柯。当时活跃于政坛上的古契柯夫、李沃夫、马克拉科夫等自由主义运动的领导人也都是共济会成员。米留可夫是否加入共济会的问题尚无定论，但他在 1906 年时就曾被邀请入会。他本人后来也说，二月革命前夕他承认了共济会最高会议的政治决定。他还认为，由于共济会这个秘密组织的存在，俄罗斯帝国最后几年的历史应该改写。[1] 在军队中，由古契柯夫介绍，最高统帅部参谋长阿列克谢耶夫将军、北方战线司令鲁兹斯基将军、克雷莫夫将军、杰普洛夫将军等加入了共济会。[2]

20 世纪初的俄国共济会同 19 世纪的共济会相比有一个显著区别，即其活动受到明确的政治思想指导，以限制或推翻沙皇制度为目标。[3]

还在 1915 年夏天，由于进步同盟对政府的“第一次冲击”未获成功，最高会议曾考虑在国家杜马中采取比进步同盟更激进的方针，把立宪民主党和其他左翼政党的杜马代表组成“左翼联盟”，同时还准备同地下革命组织建立联系。据最高会议成员、孟什维克领袖齐赫泽回忆，在华沙陷落之后，最高会议讨论了通过宫廷政变迫使尼古拉二世退位的可能性问题，并着手舆论和经费方面的准备。[4]

---

[1] 参见 История СССР.1859–1917. Под ред. *В.Г.Тюкавкин.* М., 1990. С.384.

[2] *Берберова Н.* Люди и ложи. Русские масоны XX столетия. Нью-Йорк, 1986. С. 36.

[3] *Николаевский Б.Н.* Русские масоны и революция. М., 1990. С.109.

[4] *Николаевский Б.Н.* Русские масоны и революция. М., 1990. С.88.

1916 年夏，在最高会议的指导下，共济会成员开始为使各自所属的党派采取非议会斗争方式，迫使沙皇把政权交给“受全国信任的政府”而进行活动。古契柯夫还给大本营的阿列克谢耶夫将军写信，请他说服沙皇把权力交给资产阶级。最高会议拟定的由阿列克谢耶夫或李沃夫组阁的计划，也通过沙皇身边的一个官员克洛波夫转给尼古拉二世。

在二月革命前的最后几个月中，最高会议和一些共济会支部经常讨论发动宫廷政变或军事政变的问题，并开展了一系列组织工作。在当时所有的政变密谋中，自由主义者—共济会成员都居于核心地位。

稍后，在整个二月革命以及临时政府成立过程中，共济会继续发挥了重要作用。克伦斯基后来曾就共济会在二月革命中的作用写道：“这样一种党外的方式取得了卓越的成果，其中最主要的就是形成了俄国未来民主制度的纲领，它真正由临时政府实现了。”[1]

1917 年革命的发生是俄国现代化道路矛盾性的结果，是资本主义文化与封建宗法制文化冲突与对抗的极端表现。在沙皇政权不能继续以主动的改革来缓和矛盾的情况下，革命便成为开辟发展道路的方式。俄国近代以来失衡的结构、斯托雷平体制失败后形成的局势、第一次世界大战影响下矛盾的激化和事态的发展，这些因素的结合酝酿了 1917 年革命的爆发。

[1] Из истории борьбы за власть в 1917 году. Сборник документов. М., 2002. С.21.

第二章　二月革命

1917年2月23日到3月2日（俄历，公历3月8日到3月15日[1]），沙皇政权在8天之内迅速土崩瓦解。这一事件“不仅改变了俄国的命运，而且也改变了世界历史的进程。”[2]然而，这一切是如此突然，如此出人意外，以至于到现在仍被称为“二月革命之谜”。

从1917年2月23日到3月2日，这8天里飞速发展的局势明显可以分为两段：2月23日到26日的“面包骚动”和27日开始的士兵起义。

第一节 “面包骚动”

风暴将临

进入1917年后，很多人都认为，人民革命的风暴即将来临。1月初，沙皇政权的保安局的报告描绘了这样一幅画面：人们在工厂内外举行集会，反对战争，抗议物价飞涨、面包不够、缺乏一个民主政府；罢工风潮又起，工人要求提高工资、提供面包；一些工厂停工，因为工人宣称他们饿得干不动了，要去找吃的；各种各样的党派、协会散发鼓动性的宣言和小册子，人们举着红旗和标语横幅、唱着革命歌曲示威游行；工人手中出现了枪支和其他武器，对维持秩序的警察和部队的袭击频繁发生。抢劫商店特别是食品店、纵火、行凶这一类事件越来越多地出现在报告中。保安局给内务大臣的报告指出，现在的情况同1905年前非常相似。“自由派政党相信，随着可怕的、不可避免的事件的到来，政府当局将会作出让步，把全部政权转到立宪民主党手中。左派政党则指出，当局不会让步，将会出现一个自发的、无政府主义的革命，那样就会为使俄国变成废除沙皇制度的国家、变成按新的社会原则建立起来的国家创造条件。”[3]

[1] 1918年2月14日以前俄国通用俄历，此后改用公历。在20世纪，从1900年3月起，俄历与公历相差13天，如俄历10月25日为公历11月7日。本书中公历和俄历并用时，俄历在前，公历在后面的括号内。

[2] *Солженицын А.И.* Размышления над Февральской революцией. http://vff-s.narod.ru/gov/pr/opr33a.html

[3] ［俄］德·阿宁：《克伦斯基等目睹的俄国一九一七年革命》，三联书店1984年版，第31—32页。

1916—1917 年的那个冬天特别冷。彼得格勒 1917 年头三个月的平均温度达到摄氏 –26.5°，比上一年低了 10 度。2 月的彼得格勒出现了少有的严寒，平均温度达到摄氏 –29°。天气冷到农民们没法去城里的市场。罕见的大雪盖住了铁路，又缺少人手清除积雪。连火车头在这样的酷寒中也不能正常工作了，经常要生上火几个小时才能产生蒸汽压力。恶劣的天气使得运输问题更加尖锐，1916—1917 年的那个冬天有 6 万节装载粮食和燃料的车皮因为积雪而无法移动，这个数字占了全部铁路运力的 1/8。[1] 由此造成的供应不足对北方城市特别是彼得格勒影响较大。保安局在 2 月初的报告中指出，“如果居民还没有发动饥饿暴动，那么这并不意味着他们在最近的将来不会组织这样的暴动：愤怒在增长，而且看不到尽头。而这类饥饿群众的自发暴动将是走向最可怕的无政府主义革命疯狂和无情的破坏道路的第一或最后阶段，这是毫无疑问的。”[2]

2 月 10 日，尼古拉二世在皇村接见国家杜马主席罗将柯。杜马主席在呈递沙皇的奏折中指出：“战争表明，国家的治理是不能没有人民参与的。……恳请陛下拯救祖国，它因人民与政府之间的根本分歧而处于特别危险的状态中。……政府非但没有改变自己的治理方式，反而重新使用自己那一套早就过时的办法。恢复了逮捕、流放、压制新闻出版。甚至政府原来一直依靠的那些人士也受到怀疑，全俄国都受到怀疑。……难道这些措施会有好结果吗？难道这些措施能改变情绪、平息骚动吗？这些措施是侮辱性的，只会挑战社会，其结果

面包店门前的长队

[1] *Пайпс Р.* Русская Революция. Глава 8. Февральская революция. http://stepanov01.narod.ru/library/pipes/chapt_1_08.htm.20080518.

[2] *Кульчицкий С.* Русская революция 1917 года: новый взгляд. День, 4 октября 2003.

必将适得其反。……政府正以此彻底摧毁自己的权威。”罗将柯在奏折中坚持主张成立对杜马负责的政府，并认为在战争结束后，“只有在有一个得到人民信任的政府的情况下，国家才能有力地提出自己的要求。”[1]

局势在持续恶化。2 月中旬，由于运输困难，彼得格勒食品供应跟不上，出现了排长队的情况。据《革命札记》作者苏汉诺夫记载，到 2 月 21 日，彼得格勒到处都在议论“食品供应的困难、商铺门前的长队、焦躁的妇女、捣毁某个仓库的企图等等”。有人认为，“革命开始了”。[2] 市内有流言传播，说政府将对面包实行定额供应。出现了恐慌性的抢购。排队买面包的队伍越来越长，经常有人通宵排队，希望早上面包房开门时排在前面能买到面包。人们都很焦躁，人群中经常发生争吵和斗殴。不安、恐惧和愤怒在不断加剧。由于燃料危机，一些工厂停止了生产。2 月 21 日，著名的普梯洛夫工厂被迫关闭，3.6 万名工人失去工作和生活资料，踯躅街头。[3]

不仅是彼得格勒，全国范围内不满情绪在不断增长。因阿列克谢耶夫生病而临时代理总参谋长职务的古尔科将军提醒尼古拉二世：“陛下，您在有意为您自己准备绞刑架。这些乌合之众是不会讲礼貌的。”尼古拉二世看起来受到了触动，他一度考虑对杜马反对派作出让步。国家杜马于 2 月 14 日复会一周以后，2 月 22 日，尼古拉二世召集了大臣会议主席戈利岑和一些大臣讨论成立责任政府的问题。他在会议结束时作出决定，次日到国家杜马去表明自己的意志——同意成立对国家杜马负责的政府。

但是，22 日当天傍晚时分，戈利岑公爵又被召到宫中。沙皇告诉大臣会议主席，他准备去莫吉廖夫大本营。戈利岑不解地询问：“陛下，怎么了？责任政府怎么办？要知道您已经准备明天去国家杜马。”沙皇回答：“是的……但是我改变了自己的决定……我今天晚上就去大本营。”戈利岑认为，沙皇突然

---

[1] Последний всеподданнейший доклад М. В. Родзянко（10 Февраля 1917 года）. http://www.tuad.nsk.ru/~history/Author/Russ/B/BlokA/last/pril.html

[2] *Суханов Н.Н.* Записки о революции. Книга первая. Берлин-Петербург-Москва. С.16.

[3] 参见 *Пайпс Р.* Русская Революция, Глава 8. Февральская революция. http://stepanov01.narod.ru/library/pipes/chapt_1_08.htm.20080518.

决定去大本营的原因，是他试图逃避持续不断的报告、会议和谈话。[1] 也有学者指出，在沙皇的两个决定之间是他与皇后的谈话。皇后对于杜马代表参与刺杀拉斯普京耿耿于怀，此事增强了她对于试图限制沙皇权力的国家杜马的敌视。[2]

不管出于何种动机，最后实际发生的事情是，在一个紧张和复杂的时刻，沙皇离开首都彼得格勒去了莫吉廖夫大本营。他认为并不存在对政权的真正威胁，因为 21 日晚上内务大臣普罗托波波夫要他相信，没什么可担忧的，可以放心地走，后方掌握在可靠的人手中。[3] 然而最终的结果是，他再也无法以俄罗斯帝国皇帝的身份重回彼得格勒了。

自发的罢工和游行

进入 2 月下旬，彼得格勒的天气突然明显变暖了。好天气一直持续到 2 月底，其中 22 日的气温竟然升到了零上 8 度。因为严寒而在较长时间里尽量少出门的市民们很乐意出来享受温暖的阳光。出乎意料的天气变化对于那些日子里发生的历史性事件有着不小的影响。[4]

普梯洛夫工厂女工的示威游行。1917 年 2 月 23 日（3 月 8 日）

就在尼古拉二世离开彼得格勒后的第二天，2

[1] *Родзянко М.В.* Крушение империи. Харьков. Изд. Интербук.1990.С.214–215.

[2] *Геллерс М.Я.* История Российской империи.Т.3. М., Изд. “МИК”, 1997. С.275.

[3] *Пайпс Р.* Русская Революция, Глава 8. Февральская революция. http://stepanov01.narod.ru/library/pipes/chapt_1_08.htm.20080518.

[4] 参见 *Пайпс Р.* Русская Революция, Глава 8. Февральская революция. http://stepanov01.narod.ru/library/pipes/chapt_1_08.htm.20080518.

月 23 日，由于面包供应不足而引起的彼得格勒工人自发的罢工和示威游行，揭开了 1917 年二月革命的序幕。而此时尼古拉二世在莫吉廖夫安静的环境里，远离事态的中心，不受困扰也不必采取任何措施。

二月革命史的研究者几乎公认，2 月 23 日（3 月 8 日）彼得格勒工人的大罢工是这场革命的开端。有人认为，这是普梯洛夫工厂因缺乏燃料而停产所引起的罢工向全市蔓延的结果。[1] 也有人提到这一天是国际妇女日，维堡区的纺织女工打算用罢工来纪念这个日子，她们派出代表到各个工厂去争取支持。[2]

很多工厂都举行了集会，然后工人们唱着革命歌曲走上大街举行示威游行。下午，工人们从工厂集中的维堡区进入市中心区。游行是在“面包!”的口号下进行的。工人们提出的主要口号是“给我们面包！面包！面包!”走上街头的工人砸商店的玻璃，阻止有轨电车通行，强制其他工人加入游行队伍。警察在现场抓了 20 来个人，但很快又放了。这一天罢工和示威游行的规模不小，根据不同的说法，人数在 7.8 万到 12.8 万之间。[3] 彼得格勒市长 A.П. 巴尔克和军区司令哈巴罗夫要求军警尽量避免与人群冲突，以防暂时还是经济性质的骚动转变为政治动乱。到傍晚 6 点左右，街上就平静下来，恢复了常态。[4] 齐娜依达 · 吉皮乌斯在日记中认为，23 日发生的是一场“平常的饥饿暴动”。[5]

第二天，2 月 24 日，彼得格勒的局势变得紧张起来。这天的罢工规模越来越大，参加集会和游行的人越来越多，情绪也越来越激进。“涅瓦大街上出现了一群群携带妻子儿女的工人，示威游行就像节日的游园一样。”[6] 运动以出

---

[1] [俄] 德 · 阿宁:《克伦斯基等目睹的俄国一九一七年革命》，三联书店 1984 年版，第 115 页。

[2] *Иоффе Г.З.*Семнадцатый год: Ленин, Керенский, Корнилов. М., 1995. С.28.

[3] 参见 *Чурбанов В.* IV Дума и революция: созданная предотвратить–вынужденная возглавить. http://www.russia-today.ru/2006/no_03/03_centenary. htm.20080816

[4] *Пайпс Р.* Русская Революция. Глава 8. Февральская революция. http://stepanov01.narod.ru/library/pipes/chapt_1_08.htm.20080518.

[5] Февральские события 1917 года. http://www.kro.su/article/show/?id=661

[6] [俄] 德 · 阿宁:《克伦斯基等目睹的俄国一九一七年革命》，三联书店 1984 年版，第 116 页。

乎意料的速度蔓延，群众运动的浪潮自发地滚滚向前。根据彼得格勒军区司令哈巴罗夫将军的报告，24 日大约有 20 万工人参加了罢工。[1] 上街的工人队伍中有人拿着棍子或铁器，人群的行为开始失控，不少商店被砸，一些食品店、面包铺被抢，不少地方发生了工人与警察以及后备部队的冲突。但军队和警察没有接到明确的指示，并未采取强硬措施驱散示威群众。

25 日，彼得格勒全市几乎所有企业都停工了，参加示威的工人已达 30.6 万人，一些工厂还成立了工人战斗队。城市居民的其他一些阶层如学生、教师、职员等也开始参加到游行示威中来，运动开始有了全社会总罢工的性质。涅瓦大街和市中心很多广场都挤满了人。很多大街上都在举行游行集会。电车完全停驶了。苏汉诺夫感觉到，“对于每个专注的观察者来说，新的局势已经完全不同于原来的骚动。星期五我已经确信我们在经历革命，这是正在发生的事实。”[2]

“街上的运动的规模很大，以前从未有过。主要路段完全就像在举行集会。居民们似乎特别愿意去兹纳缅斯基广场。在那里的亚历山大三世纪念碑的台基上，不断有左翼政党的演说家完全不受阻碍地发表演讲。……战争和专制制度被认为是一切灾难特别是粮食供应崩溃的根源。……同时还不断有消息说警察和部队中的分化在发展。很多警察和哥萨克部队沿着街道移动，慢慢穿过人群，但没有采取任何积极行动，这种情况特别地激发起了示威者的情绪。”[3] 兹纳缅斯基广场上人越聚越多，群众与广场四周的几支哥萨克骑兵小分队

兹纳缅斯基广场的集会

[1] *Чурбанов В.* IV Дума и революция: созданная предотвратить–вынужденная возглавить. http://www.russia-today.ru/2006/no_03/03_centenary.htm.20080816

[2] *Суханов Н.Н.* Записки о революции.книга первая. Берлин-Петербург-Москва. С.20.

[3] *Суханов Н.Н.* Записки о революции.книга первая. Берлин-Петербург-Москва. С.41–42.

基本上相安无事，广场上的集会和示威持续了约三个小时。后来又来了一队骑警并向人群发出警告。一个哥萨克开枪打死了一名警官，然后是一阵枪声。广场上的人四处逃散，留下了一地的棍子、帽子和靴子。[1]

通常认为，23 日到 25 日发生的事件就是“面包骚动”。工人罢工的直接原因是彼得格勒粮食供应不足。当时彼得格勒到处都传说面包店里没有面包，面包要实行凭证供应。托洛茨基指出，“这是对人们神经的新打击”。“罢工很快变成了大街上的骚动。这种骚动是自发的……原因是商店门前排队的人们买不到面包”[2]。当然，彼得格勒的“粮食”问题仅仅是积聚在帝国内部的不满这一巨大火药桶的引爆物而已。

有研究指出，1917 年俄国实际上不缺粮食。减去需求和联合会征购以外，1916 年粮食富余为 1.97 亿普特。[3] 经济史专家安菲莫夫的结论是：“在 1917 年收割以前，欧俄还没有用完以往几年剩余的粮食，它能够用自己的粮食供养自己和军队。”问题在于像彼得格勒这样的大城市出现了粮食恐慌。有一些研究者认为，彼得格勒的食品尤其是面包的供应不足和价格上涨是由人为因素造成的，是二月政变的领导人“推动了 1917 年初严重粮食危机的产生……从 1916 年 11 月在杜马中开始对政权发动猛烈攻击开始，马上就出现了粮食供应的崩溃，这难道不是同步发生的吗?”[4] 但是，完全归因于人为因素显然并不全面。在彼得格勒自发的罢工和示威开展起来的时候，首都还是有一些粮食储备的。据彼得格勒军区司令哈巴罗夫将军说，2 月 25 日市内仓库中还有 9000 吨面粉，够彼得格勒居民吃几天的。但因为没有燃料，很多面包房不得不停工。彼得格勒面包供应紧张的直接原因在于，灾难性的降雪厚厚地覆盖了铁路，使得本来就很紧张的铁路运输陷于停顿，妨碍了向首都运输粮食

[1] [俄]德·阿宁:《克伦斯基等目睹的俄国一九一七年革命》，三联书店 1984 年版，第 118 页。

[2] *Заславский Д.О.* Канторович Вл.А. Хроника Февральской революции.Т. 1, М.,1923 . С.18.

[3] *Китанинаяя Т. М.* Война, хлеб, революция , продовольственный вопрос в России. 1914–октябрь 1917. Ленинград.1985. С.219.

[4] 参见 *Кожинов В.В.* Россия век XX（1901–1939）. Москва,1999. Глава 6. Что же в действительности произошло в 1917 году? http://hronos.km.ru/libris/ kogin6.html

和燃料。[1]

彼得格勒从 23 日到 25 日的 3 天动乱几乎没有受到政府方面的认真对待。尼古拉二世离开彼得格勒后，首都事务实际上是由一些庸碌的官员在负责。内务大臣普罗托波波夫是靠贿赂拉斯普京获得这个职位的。军事大臣别利亚耶夫是一个在同僚中素有“死脑筋”之称的军事官僚。彼得格勒军区司令哈巴罗夫将军的职业经验不超出办公室和军事学院的范围。他们起初都未看到局势的严重性，对已经发生的事件先是估计不足，后来又惊慌失措。当局实际上没有采取有效措施解决迫切问题，平息群众的不满。为了控制局面，彼得格勒军区司令哈巴罗夫将军投入了驻扎在市内和郊区、准备上前线的近卫团的后备营去帮助警察和哥萨克。但军队和警察没有明确的目的，他们的行动也并非是坚决有力的。当局对首都骚动的犹豫不决加剧了街头游行示威的势头，使得参与者越来越多、越来越大胆，人们似乎感觉到政府害怕了，可能会作出某种决定。

对于彼得格勒正在发生的一切，最高政权也把它视为通常的“骚动”，没有表现出特别的担心。25 日，皇后亚力山德拉·费奥多罗夫娜告诉在莫吉廖夫大本营的尼古拉二世：“这是一场流氓活动……但这一切都会过去，会平静下来，只要杜马规矩点就行。……不用开枪——只要下令不让他们到桥这边来。食品的问题使人发疯了。”[2]

由于对事态性质认识不足，沙皇政权并没有及时应对。1916 年 11 月开始担任彼得格勒市长的巴尔克认为，“2 月 25 号对我们来说是一个彻底的失败。不只是革命行动的领导者确信军队的行动是缺乏勇气的、甚至是不情愿的，而且民众也因感觉到了权威的脆弱而变得勇气十足。”[3]

[1] 参见 История России XX век:1894–1939. Под ред. *А.Б.Зубова.*М., 2009. С.370.

[2] [美] 马克·斯坦伯格、[俄] 弗拉基米尔·赫鲁斯塔廖夫著：《罗曼诺夫王朝覆灭》，张蓓译，新华出版社 1999 年版，第 38、40 页。

[3] *Балк А.П.* Последние пять дней царского Петрограда 23–28 фев.1917. Русское прошлое, 1991. С. 38.

当局的镇压行动

到了首都街头示威游行蓬勃发展的第三天（25 日）晚上，沙皇政权作出了必要时使用武力平息民众情绪的决定。[1]25 日晚上 9 点左右，尼古拉二世给彼得格勒军区司令哈巴罗夫发去简短电报：“我命令明天必须制止首都的动乱。在与德国和奥地利进行战争的困难时期，这种动乱是不能允许的。”[2]一个小时后，彼得格勒军区司令哈巴罗夫在军区部队指挥官会议上下令使用武力驱散游行示威的人群。

巴尔克记录了 25 日晚上统治集团内部的活动和心态：

“在晚上的军事会议上，大家听取了地方军事首长的报告，主张军队采取积极行动在第二天镇压哪怕是最轻微的骚动。哈巴罗夫将军毫不犹豫地同意抓紧拟定一个面向全体居民的非常强硬的宣言。

“午夜时分我被大臣会议主席戈利岑公爵紧急召唤……所有大臣和警察部门的首脑、国务会议成员瓦西里耶夫都已在桌边坐定。哈巴罗夫将军没有说出什么新东西，只是说他已下令采取断然措施要求明天镇压动乱。已经命令部队并警告首都民众，任何制造混乱的企图都会被毫不留情的镇压。命令正在印刷，并将在黎明前在街头巷尾大量张贴。哈巴罗夫的言语沉着，像他的习惯一样，但言辞中又透露出对这次行动的胜利缺乏信心。别利亚耶夫将军的发言同样也充满不确定性和信心不足。他是怕负责任的人，用这样的言语总结道：‘是的，当然，采取有力的措施是必要的’。内务大臣普罗托波波夫首先描绘了各政党的基本情况和他们对事件的影响……他的结论是：要及时采取迅速和果断的措施镇压首都的骚动。农业大臣利季赫……总结说，只有下决心采取强制措施并接受任何必要牺牲，才能重建权威和秩序。每个人都必须做好充分的思想准备去接受流血，无论它多么恐怖，因为现在一旦机会错过，以后恐怕需要付出的代价是血流成河……外交大臣波克罗夫斯基一直漠然地坐在沙发上，一

---

[1] Kowalski R. *The Russian Revolution,1917–1921*. London and New York, Routledge,1997. p.35.

[2] *Ольденбург С.Ф.* Царствование императора Николая II. СПб., 1991. С. 627.

言不发。他无精打采，常闭着眼睛，给人的感觉是筋疲力尽，只是在与瞌睡做斗争。然而他的第一句话让人感到坦率、毫不混乱，并且坚决认为只有一个解决办法：'先生们'，他说，'依我所见我们仅剩下一条路可走：立刻去见皇帝并恳请陛下让其他人来全部替换我们。我们并没有得到这个国家的信任，并且如果继续保持现状。我们绝对不能实现任何目标'。波克罗夫斯基说的是正确的。我料想大多数人在内心深处也都认识到了这一点，但同时也感觉到在首都暴民骚动叛乱时放弃他们的大臣职务不是时机，也是违法的。其他的大臣表达的观点并无特别之处。除了波克罗夫斯基之外的其他人都要求采取果断的措施。"[1]

25 日当天夜里，沙皇政权对动乱采取了镇压行动，100 余名各革命组织的成员被捕。在工人区，人们捣毁并放火烧了一些警察所。

2 月 26 日早晨，全副武装的部队控制了彼得格勒。哈巴罗夫发布公告，禁止示威游行，并宣布将以武力实施禁令。公告要求工人复工，到 28 日仍不复工的工人将被送往前线。

这天是星期日，"一个晴朗的冬日。灿烂的阳光，令人愉快、清爽的寒气，蔚蓝色的天空和不久前刚刚下过的小雪，令人产生一种节日的欢乐情绪。……大街上，不管是人行道还是马路当中，到处是人群……人们不时停下来，急忙地交换消息。大家都非常兴奋、激动，并不害怕。……可能是一种共同冒险的感情把大家联合了起来。……那是真正全民节日的感情。"[2] 很多工人不顾哈巴罗夫将军的禁令，绕过执勤的士兵，继续走上街头，涌向涅瓦大街。

下午 3 点左右，涅瓦大街多处发生部队和示威者的冲突。沃伦近卫团的一个连向聚集在兹纳缅斯基广场的人群开火，打死了约 40 人。也有一些军人在冲突中被打死。

但是，使用武力镇压示威者的命令和流血事件在卫戍部队中引起了强烈反应。下午 5 点左右，巴甫洛夫近卫团第四连的士兵带着 30 支步枪和不超过 100 发子弹走上街头，往涅瓦大街前进。在遇到一队骑警阻拦后，他们开了

[1] *Балк А.П.* Последние пять дней царского Петрограда 23–28 фев.1917. Русское прошлое,1991. С. 38–41.

[2] [俄]德·阿宁：《克伦斯基等目睹的俄国一九一七年革命》，三联书店 1984 年版，第 119—120 页。

枪。子弹用完后，他们返回兵营并筑起路障。但这些士兵的造反行为遭到镇压，19 名主谋被关进彼得保罗要塞。

至此，由 23 日自发开始的“面包骚动”似乎结束了。大多数人——包括政治活动家——在 26 日晚上都感到，秩序已经恢复了。

原先认为只有同杜马达成政治妥协才可能结束骚动的内阁，现在反过来建议尼古拉二世解散杜马，并得到了尼古拉二世的同意。大臣会议主席戈利岑电话通知杜马主席罗将柯，沙皇命令杜马休会并延期至 4 月。这个行动被认为实际上就是解散杜马。沙皇政权一向认为，资产阶级自由主义反对派的活动是造成革命形势的重要原因，所以希望通过解散其控制的国家杜马来除掉骚动的中心。

各左翼政党的领导人也都认为，运动已经被压制下去了。据人民社会主义党领导人晋季诺夫称，当时彼得格勒还不存在有组织的政治舆论，群众在寻找领导人，渴望有人把他们模糊不清的愿望确切表达出来，并向群众提醒。这种说法看来是比较接近事实的。26 日晚上在克伦斯基家中举行的各左翼政党活动家聚会上，对局势的估计是保守的。卡尤罗夫回忆说，当时“可以感觉到一点：起义已被消灭了。游行是手无寸铁的，没有什么东西可以用来还击采取坚决措施的政府”。俄国社会民主工党区联派的代表尤列涅夫认为：“没有也不会有任何革命，军队中的运动正在消失，必须采取长期的应付办法”。这种观点很大程度上也是彼得格勒布尔什维克的看法。[1]

不过，在 26 日晚上，国家杜马主席罗将柯对局势下一步发展的判断是完全不同于上述意见的。罗将柯在 26 日晚上 9 点 52 分发给尼古拉二世（大本营在 26 日晚上 22 点 40 分收到）的电报中指出：

“在彼得格勒开始的群众骚动具有自发的性质和危险的规模。骚动的原因是面包不足和面粉运输薄弱引起恐慌，但主要是人们完全不信任无力引导国家走出困境的政权。正因为如此，事态无疑将会扩大，虽然我们暂时还能以和平公民流血的代价加以控制，但如果重复出现这种情况，我们将无法控制局面。运动可能会蔓延到铁路，国家生活将在最严重的时刻陷于停顿。彼得格勒生产

[1] ［俄］德·阿宁：《克伦斯基等目睹的俄国一九一七年革命》，三联书店 1984 年版，第 30 页。

军用物资的工厂由于缺乏燃料和原材料而停产，工人无工可做，饥饿的失业的人们正在走向自发的、不可控制的无政府状态。全俄国的铁路交通陷于彻底混乱。由于没有燃料和必要的原料运来，南方的63座高炉中只有28座还在工作。乌拉尔的92座高炉中有44座停产。生铁产量日渐减少，炮弹生产面临大幅下降的危险。由于担心当局措施不力，人们不愿把粮食运到市场上出售，这将使面粉厂停工，而面粉短缺将是对居民和军队的极大危险。政府权力已彻底瘫痪，完全无力恢复已遭破坏的秩序。陛下，救救俄国吧，它正面临屈辱和羞耻的威胁。在这种情况下战争是不可能胜利结束的，因为骚动已经扩散到军队并将进一步发展，如果不能果断结束政权的无人负责和无序状态的话。陛下，请立即征召一位得到全国信任的人士，授权他组织一个全体人民能够信赖的政府。重新恢复了对于自己和自己领导人的信心的全体俄国人民，将跟着这个政府前进。在这个后果极为可怕的前所未有的危急时刻，已经没有别的出路，也不可能再拖延了。”[1]

对于罗将柯的电报，尼古拉二世的反应是不屑的：“罗将柯这个胖子又给我发来了胡言乱语，我甚至都不会回答他。”[2]但是，以后的事态发展表明，在主要政治活动家中，只有国家杜马主席对局势发展的预测是正确的。

在致电沙皇之后，罗将柯还向总参谋长阿列克谢耶夫将军和各战线司令发去了内容相同的电报。北方战线司令鲁兹斯基将军是27日收到电报的，他在电报纸上面批道：“非常遗憾，从24日到27日没想到要通报我们彼得格勒发生了什么。应该想想，24日以前就有迹象，不满情绪的增长可能引起骚动；在工人和卫戍部队中有人在进行宣传，但有关这方面的情况也没有通知前线，也许，这是有目的的。”[3]

[1] Телеграмма Председателя IV Государственной Думы М.В. Родзянко Императору Николаю II о начале революционных выступлений в Петрограде. http://www.krugosvet.ru/articles/109/1010974/1010974a2.htm

[2] Революция 1917 года: почему Февраль? почему Октябрь? http://cityref.ru/prosmotr/5433-8510.htm

[3] Отречение Николая II. Воспоминания очевидцев. Материалы и документы. http://www.gumer.info/bibliotek_Buks/History/otrech/15.php

罗将柯确信，如果不进行根本性的改革，俄国是不可能取得战争胜利的。必须换人，换管理制度。君主已不可能从现在的大臣那里、而只有从杜马领导人那里了解真相。他认为对沙皇隐瞒真相是犯罪。必须保存杜马并使杜马继续拥有权力。如果要动杜马，那么全国可能都会起来保卫自己的法定权利。出于这样的认识，罗将柯在会见大臣会议主席戈利岑时，明确要求政府尽快辞职。

但是到26日夜间，由于沙皇政府的镇压行动，从23日开始的运动被压制下去了。也正因为如此，有人提出这样的疑问："二月下旬发生的'面包骚动'可以被认为是自发的。但它难道已经是那个我们所称的二月革命吗？"[1]

第二节　士兵起义

事态急剧转折

然而，局势的发展再一次出人意外。罗将柯在结束其回忆录《帝国的崩溃》时写道：26日的杜马例会"仍在讨论粮食问题。表面看来一切都平静……但是，就像什么东西突然之间断裂了，国家机器脱离了轨道。人们警告过的那种可怕的、毁灭性的事情发生了"[2]。立宪民主党人纳波科夫认为："在26日晚上，我们还根本没想到最近两三天将会发生如此巨大的决定性的具有世界历史意义的事件。"[3]

从2月27日开始，事态发生了根本转折。自发的工人罢工和示威游行转变为以彼得格勒士兵为主体的武装起义。苏汉诺夫将这一天称为"革命的第一天"。[4] 各政党开始竭力影响革命进程。自由主义政党及其控制的国家杜马临时委员会在影响彼得格勒卫戍部队、促使沙皇退位、组织临时政府方面起了主要作用。孟什维克、社会革命党在成立苏维埃、影响群众运动方面占有主导地位。力量有限的布尔什维克党虽然在群众中积极活动，但终究"无力影响革命

[1] Из истории борьбы за власть в 1917 году. Сборник документов. М., 2002. С.8.

[2] *Родзянко М.В.* Крушение империи. Харьков. Изд. Интербук.1990. С.215.

[3] История России XX век:1894–1939. Под ред. *А.Б.Зубова.* М., 2009. С.370.

[4] *Суханов Н.Н.*Записки о революции. Книга первая. Берлин-Петербург-Москва. С.79.

自发性蓬勃展开的过程”。[1]

卫戍部队士兵起义

27日清早，沃伦团教导队士兵为解救前一天因反对武力镇压示威者而被关押的战友发动兵变，是一个具有决定意义的事件。随后，驻扎在彼得格勒各处的几个近卫团的后备营士兵相继上街。士兵们在步枪的刺刀上系上了红布条，在军乐队的鼓号声中走上街头。就是从这个时候开始，工人自发的威游行转变为士兵起义。

起义士兵和工人在没有遭遇抵抗的情况下，就占领了彼得保罗要塞，夺取了军火库并得到了70000支步枪和左轮手枪，占领了各个地段警察局和警察总局并将它们烧毁。保安局也被放火烧了。彼得格勒的监狱里关押的约8000刑事犯被放了出来，他们马上就成为最早的一批趁火打劫者。彼得格勒的街道上行驶着满载起义者的卡车和小车，到处都是手持武器、挂着子弹袋的起义者，有的甚至一人带着几件武器。到处都有连续不断的枪声，伤亡事件时有发生。抢劫商店十分普遍。俄国的首都成了起义者的大舞台。

当天傍晚，起义士兵已达66700人，几乎占了彼得格勒卫戍部队的1/3。彼得格勒事实上已在起义者手中，而一些本来受命要驱散人群、恢复秩序的部队都散掉了。彼得格勒军区司令哈巴罗夫将军能够指挥的部队只剩下四个近卫连、五个骑兵连和两个炮兵连。

在这个夜里，哈巴罗夫直接指挥的约1000人的一支部队起先集中在海军部大厦等待前线部队到达，然后又到冬宫广场准备保卫冬宫。他给总参谋长阿列克谢耶夫发出了关于27日首都局势的电报：“请允许我向皇帝陛下报告：未能执行在首都恢复秩序的命令。不少部队相继违背自己的职责，拒绝镇压暴动

[1] История Коммунистической партии Советского Союза. Т. 2, М., 1966. С.672.

分子。有些部队与暴动分子结为一伙并且调转枪口对付忠于皇帝陛下的部队。其余忠于职守的部队全天都在同暴动分子战斗并遭重大损失。傍晚时暴动分子已控制了首都大部。只有在冬宫外集结的少数部队还忠于自己的誓言。”[1]

28 日黎明时分，沙皇的兄弟米哈伊尔大公来到了冬宫。米哈伊尔在同将军们交谈之后，指示哈巴罗夫的部队离开冬宫，他说不想让人说罗曼诺夫家族又像 1905 年 1 月那样在冬宫广场上向群众开枪。[2] 于是哈巴罗夫的部队回到了海军部大厦。

28 日白天，人群包围了海军部大厦。在得到消息说起义者已经占领了彼得保罗要塞以及没有前线部队到达彼得格勒之后，哈巴罗夫命令部队有组织地不带武器撤出海军部大厦。就这样，彼得格勒不再存在有组织的保卫现政权的力量了。这一天，起义士兵人数已逾 12 万。

到 3 月 1 日，除了两个军事学校的士官生外，彼得格勒卫戍部队完全转到了革命方面。沙皇政权的高级官员被逮捕。彼得格勒的大街上到处是欢欣鼓舞的人群，到处是“打倒卖国贼”、“打到压迫者”、“自由万岁”的口号。塔夫利达宫正门前的台阶成了无休止的群众大会的讲台，登台发言的人一个紧接一个。已经没有人怀疑专制制度已被推翻，连沙皇的堂兄弟基里尔·弗拉基米罗维奇也率领他指挥的近卫军部队站到了胜利者一边。沙皇政权土崩瓦解。

士兵的造反改变了局面，但彼得格勒卫戍部队全面倒戈的原因值得深究。彼得格勒卫戍部队基本上是由在前线作战的近卫团的后备营组成的，而这些后备部队的人员组成则主要是那些因负伤而送到后方现已痊愈的士兵和刚被征召入伍的农民。卫戍部队的这种构成使其比较容易受到革命宣传的影响，但从军事角度说，这是一支涣散的、没有纪律性的、没有战斗力的军队。在二月事件中，他们发动起义的主要目的之一是因为不愿离开“温暖的营房”、被整编成战斗部队派往前线。他们随时准备抓住有可能使他们呆在首都安全的兵营里而避免上前线的任何机会。

这个动机被后来的发生的事实证明了。在苏维埃中央执行委员会同国家

[1] История отечества в документах. 1917–1993 гг. Часть 1. 1917–1920 гг. М., 1994. С.12.

[2] *Иоффе Г.З.* Семнадцатый год: Ленин, Керенский, Корнилов. М., 1995. С.30.

杜马临时委员会达成的协议中有一条规定，起义士兵由于其特殊的"革命功勋"将不被调往前线，[1] 这是对他们在二月事件中采取的行动的报答。

在旧制度垮台之后，围绕着调动卫戍部队到前线的问题，仍进行着激烈的政治斗争。临时政府还是试图把哪怕一部分"革命卫戍部队"调离首都，而布尔什维克则把卫戍部队士兵视为自己最主要的支柱，捍卫他们留在彼得格勒的权利，而彼得格勒卫戍部队也确实迅速地布尔什维克化了。但是，在前线部队，甚至在亲布尔什维克的部队中，对于首都卫戍部队极为鄙视和敌视。在阵地上流传着这样的威胁："我们要用刺刀把彼得格勒那帮家伙押进战壕！"[2] 从政权安全的角度来说，沙皇政权把大量的后备部队放在首都是干了一件蠢事。[3] 因为无论如何，正是彼得格勒士兵的暴动成为二月事态转折的标志。

首都局势失控

在27日清晨开始发生大规模士兵起义的情况下，统治集团内部出现动摇。在群众性革命行动的压力下，首都的军事和行政当局失去了控制局面的信心。

彼得格勒军区司令哈巴罗夫在27日中午发电报给尼古拉二世，请求"迅速从前线调来可靠的部队"。在下午向政府报告首都局势时，他甚至控制不住身体的明显颤抖。军事大臣别利亚耶夫在傍晚7点22分给大本营参谋长阿列克谢耶夫将军发去电报称："彼得格勒的局势变得极为严峻。依靠少数继续忠于职守的部队暂时不能平息军事叛乱。相反，很多部队逐渐归附于叛乱者。火烧起来了，但没有手段灭火。必须紧急调来真正可靠的部队，而且数量要足够在市内各个地方同时采取行动。"在几分钟后发出的第二份电报中，别利亚耶夫进一步报告了有关情况："大臣会议认为必须宣布彼得格勒处于紧急状态。

[1] *Иоффе Г.З.* Из истории российской демократии 1917 года. Литературная газета. №45, 12 ноября 2002 г.

[2] *Иоффе Г.З.* Из истории российской демократии 1917 года. Литературная газета. №45, 12 ноября 2002 г.

[3] *Иоффе Г.З.* Семнадцатый год: Ленин, Керенский, Корнилов. М., 1995. С.29.

鉴于哈巴罗夫将军表现出惊慌失措，已命令赞科维奇将军协助他。”[1]但作为彼得格勒军区保安部门负责人，赞科维奇私下向国家杜马临时委员会成员古契柯夫表示，由于没有可靠的部队，他不打算对起义士兵采取任何积极行动。[2]

27日一整天都在玛丽亚宫开会的政府也没有采取任何措施。傍晚，大臣会议主席戈利岑给沙皇发电报，请求任命一位有声誉的将军指挥彼得格勒的部队，表示大臣会议不能应付局面，请求将其解散并授权一位得到公众信任的人士组织新政府。

夜里10点30分，尼古拉二世的兄弟米哈伊尔大公[3]在与大臣会议主席和杜马领袖磋商后，从彼得格勒通过直通线路与大本营参谋长阿列克谢耶夫将军联系，请他报告尼古拉二世，为了平息已有很大规模的运动，必须立即准许大臣会议集体辞职，并任命一位得到君主信任和各阶层普遍尊敬的人士担任大臣会议主席，目前最合适的人选是李沃夫公爵。阿列克谢耶夫将军报告尼古拉二世后回复米哈伊尔，君主已决定返回皇村，涉及政府组成的问题待回到皇村后再议。[4]

夜里11点左右，大本营收到了戈利岑公爵关于大臣会议集体辞职以及建议由米哈伊尔大公领导临时军事专政的电报，并由阿列克谢耶夫将军呈送尼古拉二世。惊慌失措的大臣们没有等到尼古拉二世答复，就纷纷离去。

28日凌晨1点35分，21位国务会议成员联名给尼古拉二世发电报，向沙皇情愿。“在祖国面临严重危机的情况下”，“由于运输系统彻底瘫痪和不能提供必需的原材料，工厂纷纷停产。同样由于运输瘫痪引起的被迫失业和粮食危机的极端尖锐，使得人民群众彻底绝望。而人民心中充满的对政府的愤怒和对政权的深刻怀疑进一步加剧了绝望的情绪。所有这一切转变为自发的人民动

---

[1] *Спиридович А.И.* Великая Война и Февральская Революция. 1914 –1917 гг. Нью-Йорк. Всеславянское Издательство.1962. С.174.

[2] 参阅 *Николаев А.Б.* Государственная дума в Февральской революции. Рязань. 2002. С.58–59.

[3] 还在1904年，在尼古拉二世有了儿子阿列克谢之后，米哈伊尔就失去了继承权。后来他因与离过两次婚的纳塔里娅·弗里费尔特结婚而失宠，直到1914年战争爆发后才被允许回到俄国。他指挥过“野蛮师”，后来因病离开前线，被任命为骑兵督察。

[4] *Галушкин Н.В.* Собственный Его Императорского Величества Конвой. М., 2004. С.238.

乱，现在军队也参加了这一运动。从未得到俄国人民信任的政府现在彻底名声扫地，根本不能应付目前的局势。”电报指出，如果现政府继续掌权，将意味着法律秩序的崩溃、战争的失败和王朝的灭亡。最后的也是唯一的办法是按照人民代表制的原则对国内政治进行重大调整、现政府辞职并由沙皇指定一位受到人民信任的人士组织新政府。电报最后强调，拖延不决将造成难以预料的灾难。[1] 大本营收到这份电报已是 28 日凌晨 2 点 20 分。

前线军事将领也开始对尼古拉二世施加压力。27 日下午和晚上，西南战线司令布鲁西洛夫和北方战线司令鲁兹斯基在收到罗将柯的电报后，给尼古拉二世去电，建议立即成立一个对杜马负责的政府以平息人民的骚动，避免采取“可能加剧局势恶化”的镇压手段。

在 27 日，皇后也三次给尼古拉二世发去电报。中午 11 点 12 分，皇后发来电报：“昨天的革命具有极其可怕的规模。我知道，有其他一些部队被卷入。得到的消息没法再坏了。”中午 1 点 5 分的电报说，“必须让步。罢工在继续。很多部队转向革命一边。”最后，晚上 9 点 50 分的简短电报充满了惊恐：“……没有马车，也没有汽车。周围末日审判正在进行。”[2]

长期以来有一种说法，似乎愚蠢和固执的尼古拉二世对彼得格勒发生的事情不感兴趣，结果很轻易地放弃了权力。这种说法与事实之间有很大距离。尼古拉二世在 26 日就注意到，在得到彼得格勒发生动乱的消息后，大本营的“许多人都带着恐惧的神色”。但是，在 27 日中午以前，尼古拉二世和大本营的将军们确实认为彼得格勒的事态只是通常的“骚动”。不过，在连续传来有关彼得格勒卫戍部队暴动、首都当局无力用自己的力量将其平息的消息，尤其别利亚耶夫和皇后的几封电报使尼古拉二世意识到了局势的严重性，大本营开始“清醒过来”。

27 日傍晚阿列克谢耶夫将军收到了别利亚耶夫的紧急电报后，确信彼得格勒形势危急。他立即去见沙皇报告情况。而尼古拉二世的反应也是明确的，

[1] [美] 马克 · 斯坦伯格、[俄] 弗拉基米尔 · 赫鲁斯塔廖夫著：《罗曼诺夫王朝覆灭》，张蓓译，新华出版社 1999 年，第 51—52 页。

[2] *Спиридович А.И.* Великая Война и Февральская Революция.1914 –1917 г. г. Нью-Йорк. Всеславянское Издательство.1962. С.176.

他立即作出决定：（1）任命侍从将军伊万诺夫取代哈巴罗夫将军为彼得格勒军区司令，负责结束彼得格勒的动乱；他应在28日率领担任大本营保卫任务的格奥尔基营出发前往彼得格勒。（2）从北方战线和西方战线各抽调一个步兵旅、一个骑兵旅和一个机枪队前往彼得格勒。[1] 伊万诺夫在1906年有过镇压喀琅施塔得水兵暴动的经验，曾担任过西南战线和西方战线司令。在他临行前，阿列克谢耶夫将军签署秘密命令，授权他对居民适用野战军事法庭。[2] 根据沙皇的指示，阿列克谢耶夫还立即向北方战线和西方战线下达了相关的命令。运载格奥尔基营的列车在3月1日早上到达皇村，然后又退到维里扎车站并在那里停下，部队没有采取行动。从北方战线调来的一支部队在卢加车站同已经转向革命的地方部队的代表相遇，随后宣布自己不会承担讨伐任务。

在27日傍晚7点给皇后的电报中，尼古拉二世告诉她，已经命令诺夫哥罗德近卫骑兵军立即前往彼得格勒。他在晚上11点多给戈利岑的电报中说："我已命令我的参谋长派一位高级指挥官立即前往首都。同时也下达了有关军队调动的命令。我授予你维持城市秩序所需要的全部权力。关于人事变动事宜，在目前情况下我不予考虑。"[3]

内务大臣普罗托波波夫对于杜马及其主席罗将柯在革命中的作用有更多的了解，他在27日晚上坚持要求逮捕罗将柯。

深夜，将近1点时，尼古拉二世出发去自己的专列，准备返回皇村。这时已是28日了。他还是相信，自己回到首都以及忠于他的部队的抵达将会扭转彼得格勒的局面。在车厢里，尼古拉二世再次接见了担负重大使命的伊万诺夫将军。但是，尼古拉二世此时没有意识到，他调动军队平息彼得格勒事态的努力已经不可能成功了，他自己也再无机会作为俄罗斯帝国的皇帝回到彼得格勒了。

二月革命过程中还有一些现象和问题尚未得到充分解释。索尔仁尼琴在

---

[1] *Спиридович А.И.* Великая Война и Февральская Революция.1914 –1917 гг. Нью-Йорк. Всеславянское Издательство.1962. с.174.

[2] Из истории борьбы за власть в 1917 году. Сборник документов. С.15.

[3] [美] 马克·斯坦伯格、[俄] 弗拉基米尔·赫鲁斯塔廖夫著：《罗曼诺夫王朝覆灭》，张蓓译，新华出版社1999年版，第48—49页。

思考二月革命时指出，在22日人们开始袭击面包铺时，尼古拉二世突然改变已定的亲临国家杜马表达成立责任政府意愿的计划，坚持立即离开首都，去了莫吉廖夫大本营；而如果23—24日尼古拉二世在皇村的话，普罗托波波夫就不能轻易地对他蒙蔽事态真相，而他也可能会采取一些缓和局势的措施。也是在那几天，因患病而衰弱的阿列克谢耶夫将军回到了大本营，换下了临时代替他的火性将军古尔科，而阿列克谢耶夫将军的态度对事态发展起了关键作用。面包是二月革命的主要起因，但“现在我们知道，面包灾难还未达到要窒息彼得格勒的程度，更不要说整个俄国了。那时还没有开始饥饿，甚至还没有出现真正的面包供应不足。……在一些工厂，管理当局自己供应食品，那里根本就没有为面包排队。而对卫戍部队官兵而言根本就不存在面包供应不足的情况，但他们却决定了一切。”[1]所有这些问题的答案仍然有待于深入探讨。

革命政党的作用

23日开始的运动基本上是完全自发的“骚动”，没有哪个政党直接准备、发动了它。运动逐步发展起来之后，各政党也都没有很快认识局势的性质，没有采取实际措施来组织和引导革命。这种情况延续到2月26日晚上。

但运动一旦开始，彼得格勒的革命组织还是试图尽量发挥作用。

2月23日，维堡区的布尔什维克组织支持女工的行动，并为罢工确定了“打倒战争”和“给我们面包”的口号。[2]俄国社会民主工党区联派也在23日散发了一份传单，呼吁女工们“组织会议和集会去揭露我们困难状况的原因”，“与政府和工厂主斗争”。传单描述了工人及其家庭的悲惨境遇，提出了“打倒专制政权！”“临时革命政府万岁！”“和平万岁！”“结束战争！”“民主共和国万岁！”等口号。[3]

[1] 参见 *Солженицын А.* Размышления над Февральской революцией. http://vff-s.narod.ru/gov/pr/opr33a.html

[2] *Иоффе Г.З.* Семнадцатый год: Ленин, Керенский, Корнилов. М., 1995. С.28.

[3] Kowalski R.*The Russian Revolution.1917–1921.* London and New York, Routledge. 1997. pp.43–44.

从2月24号起，区联派、社会革命党和布尔什维克印发各种各样的传单，激励工人继续游行示威，鼓励卫戍部队加入到工人中去，甚至主张苏维埃的选举。[1] 但这只是鼓动罢工和示威，还谈不上是有意识的领导革命。而且，群众对于某些口号并不认可。晋季诺夫回忆说，游行队伍中打出了一面写有“不要战争”的红旗，但这个口号“根本不符合群众的情绪”，“引起了群众的反对，马上就被取了下来。这个情况我现在还记得很清楚。”[2]

据二月事件的参与者记载：23日的罢工开始后，它并没有被马上赋予特殊的政治意义，也没有人认为骚乱会产生什么样的重大结果，更没有人想过这将是俄罗斯帝国崩溃的导火索。人们对于群众性的罢工斗争已不感到陌生了，进入1917年后，大规模的罢工就已发生多次。二月革命的参与者和目击者、孟什维克活动家苏汉诺夫说：“当时的人们看到这样规模的骚动已经有几十次了。如果说有什么特别的话，那就是政权的迟疑不决。但这只是骚动，还不是革命。不仅还看不到光明的结局，而且这时没有任何一个政党把它当回事，而只是尽量利用运动于宣传目的。”[3] 各左翼政党对23日事态的反应只是纷纷表

二月革命中的涅瓦大街

[1] Kowalski R.*The Russian Revolution.1917–1921.* London and New York, Routledge. 1997. p.45.

[2] [俄]德·阿宁:《克伦斯基等目睹的俄国一九一七年革命》，三联书店1984年，第117页。

[3] *Суханов Н.Н.* Записки о революции. Книга первая. Берлин-Петербург-Москва. С.19.

示支持总罢工，但这对事态的性质与进程并无明显作用。苏汉诺夫肯定地说："没有任何一个政党为伟大转折做好了准备"。[1]

尽管不少左翼政党和自由主义政党的领袖在 2 月初就预言革命是不可避免的，但他们对革命的突然到来是毫无准备的。晋季诺夫说："革命犹如晴天霹雳，不仅使政府惊慌失措，而且也使杜马和各个社会团体措手不及。对我们革命者来说，它也是一件十分出人意料而又令人高兴的事情。"社会革命党人姆斯基斯拉夫斯基说，革命来临时，他们这些"党内人士还像福音书中熟睡的无知少女一样"。立宪民主党活动家马克拉科夫也曾对法国大使说："我们谁都没有想到运动的规模如此之大，我们谁都没有想到会有如此浩劫。"[2]

彼得格勒布尔什维克领导人之一、布尔什维克中央俄国局成员、俄国社会民主工党彼得堡委员会委员施略普尼科夫的反应很具有代表性。当有人告诉他彼得格勒发生了革命时，他挥挥手说："哪会有什么革命！只要给工人面包，运动就会平息。"[3]23 日晚上，布尔什维克中央俄国局和彼得堡委员会召开联席会议分析形势，提出要进一步扩大和加强在士兵中的宣传工作，继续进行罢工和示威，但会议并未意识到革命已经开始了。

二月革命的迅速发展并非如苏联时期主流史学所说的那样，是布尔什维克党领导的结果。实际情况是，在罢工的头两天，布尔什维克党没有采取十分主动的行动。直到 25 日运动出现高潮时，中央局和彼得堡委员会才散发了呼吁工人继续斗争的传单。从这天起，中央局和彼得堡委员会积极参加事变，并根据形势的发展采取了一些措施。26 日当天，彼得堡委员会决定要加快组织工厂委员会，并建议各工厂委员会派人组织"情报局"。26 日晚上，维堡区委会议（有中央局代表参加）决定将罢工转变为武装起义，并计划同士兵联欢，

[1] *Суханов Н.Н.* Записки о революции. Книга первая. Берлин-Петербург-Москва. С.19.

[2] 参见［俄］德·阿宁：《克伦斯基等目睹的俄国一九一七年革命》，三联书店 1984 年版，第 30 页。

[3] *Чурбанов В.* IV Дума и революция: созданная предотвратить–вынужденная возглавить. http://www.russia-today.ru/2006/no_03/03_centenary.htm.20080816

武装工人，以中央名义发表一个宣言。[1]28日，中央局在《彼得格勒苏维埃消息报》上发表宣言，提出了建立民主共和国、没收地主土地、实行八小时工作制、停止帝国主义战争等目标，并号召工人和士兵选出代表参加临时革命政府。除了党的领导机关的一系列活动外，党的基层组织和党员也在群众中做了大量的宣传和组织工作。无疑，这些措施对革命的发展是起了作用的，但是布尔什维克党的行动很大程度上是为适应形势发展、改变被动局面而作出的反应，没有事实依据可以证明运动是按照布尔什维克党的计划进行的。

布尔什维克党未能在革命过程中占据掌握全局的领导地位，这是很难否定的事实。“否定二月群众发动的自发因素是不正确的。运动的发展是如此迅猛，以至于在工厂、军营和街道上的人群中的布尔什维克无力影响革命自发性蓬勃展开的过程”，他们所能做的只是“坚定地谋求使布尔什维克的口号成为起义群众的口号”。[2]

总体而言，在二月革命风暴来临的时候，俄国的革命者并未有意识地为这场被索尔仁尼琴称为“奇怪的”革命做什么具体的准备。他们是措手不及地遇到了革命。索尔仁尼琴非常尖刻地指出，俄国革命政党十余年间一直在讲革命、革命，但在1906年的失败后他们四分五裂，然后又受到斯托雷平时期俄国生活复兴的打击，然后又是1914年爱国主义的高涨。就这样，到1917年时他们并未准备革命，甚至在酝酿革命情绪方面也没有发挥什么作用，而只是鼓动罢工。做那些事情的主要是国家杜马中的自由主义反对派，而不是革命政党。革命是以后备营士兵自发运动的形式开始的，但部队中并没有正规的秘密的士兵革命组织。在革命最初几天，没有任何一个革命政党表现了自己，没有一个革命政党成员在街头战斗中受伤甚至划破手脚。齐赫泽、斯科别列夫、克伦斯基并不是作为自己党的领袖、而是作为国家杜马左翼代表来到苏维埃的。革命是在没有革命者的情况下开始的。[3] 事实上，当二月

[1] 参见 История КПСС. Т.2. М., 1966. С. 668–669. 会议决定的行动计划除了发表宣言一项有据可查外，其余都未能得到证实。

[2] История КПСС. Т.2. М., 1966. С. 672.

[3] 参见 *Солженицын А.И.* Размышления над Февральской революцией. http://vff-s.narod.ru/gov/pr/opr33a.html

革命爆发的时候，各个革命政党的主要领袖们大多不在首都彼得格勒，甚至不在俄国。如列宁和马尔托夫在瑞士，托洛茨基在纽约，策列铁里和唐恩以及郭茨等在西伯利亚流放地，切尔诺夫在巴黎。在彼得格勒应付局面的是这些党相对次要的领导人。

第三节　罗曼诺夫王朝的终结

专列上的沙皇

28 日清晨，在派往彼得格勒的格奥尔基营从大本营出发之前不久，尼古拉二世乘专列离开了莫吉廖夫，前往彼得格勒郊外的皇村。

此时，国家杜马临时委员会派往交通部的政治委员布勃利科夫已经控制了全俄铁路网。他进驻交通部后立即发布命令，在彼得格勒区域内禁止任何军事列车移动，以防忠于皇帝的军队向彼得格勒运动。[1] 他曾不无得意地对下属说："我领导着交通部，我掌握了全国铁路！我给全俄国发出电报！看着，是我命令在彼得格勒周围 250 俄里范围内禁止一切军车移动！！行了！任何效忠皇帝的部队不能调动！知道吗？哥伦布的鸡蛋！在俄国，铁路就是一切！"[2]

布勃利科夫和他的工作班子

布勃利科夫得到尼

[1] *Катков Г.М.* Февральская революция. М., 1997. С. 296.

[2] *Солженицын А.И.* Красное Колесо : узел III. Март семнадцатого. Глава 231. Ломоносов прибыл к Бубликову.—Царский поезд в плен! http://solzhenicyn.ru/modules/myarticles/article_storyid_569.html

古拉二世离开大本营前往皇村的消息大约已是2月28日晚上。他立即召来了交通部工程师罗蒙诺索夫，要求他为革命政府服务，弄清楚沙皇列车的位置，并以杜马临时委员会命令的方式控制其活动。罗蒙诺索夫用了不到一小时就与尼古拉铁路、西北铁路、莫斯科—温道铁路的管理部门联系上了，并下达了跟踪沙皇专列的命令。

2月28日这一天，沙皇专列所经过的城市都很平静，彼得格勒的动乱还没有波及俄国的腹地。3月1日凌晨2时左右，专列到达离彼得格勒还有200俄里的小维谢拉车站后，铁路部门通知说不能再走了，因为下面几个车站如托斯诺、柳班等看来已被造反的"革命部队"控制。后来弄清楚，是经过托斯诺和柳班的军车上的士兵砸了车站上的小吃部，然后又上车走了。此时，尼古拉二世的专列同大本营失去了联系。为了安全，沙皇专列掉转方向开往北方战线司令部所在地普斯科夫。

在彼得格勒，国家杜马临时委员会正在讨论尼古拉二世退位的问题。布勃利科夫从交通部打来电话，说开往皇村的沙皇专列已经到达小维谢拉车站，并询问如何处理。他得到答复说关于这个问题尚未作出决定。3月1日凌晨4点50分，布勃利科夫电话报告罗将柯，沙皇专列已朝博洛戈耶方向开去，并再次询问如何行动。罗将柯还是告诉他，尚未作出决定。3月1日早上9点，布勃利科夫电话报告，沙皇专列已到达博洛戈耶车站。罗将柯命令：扣留专列，以他的名义发电报请求觐见尼古拉二世，并为他准备专列前往博洛戈耶。罗蒙诺索夫亲自发出了电报。随后罗蒙诺索夫接到了温道—雷宾斯克铁路负责人普拉沃苏多维奇打来的电话。普拉沃苏多维奇说，博洛戈耶的沙皇专列发来电报，要求允许专列从博洛戈耶开往普斯科夫。罗蒙诺索夫立即回答："无论如何不行。"但十分钟后从博洛戈耶发来电报说，沙皇专列已用尼古拉铁路的蒸汽机车开往普斯科夫。布勃利科夫和罗蒙诺索夫急忙采取措施，试图在温道铁路上设障拦截专列，阻止其前往普斯科夫，但未能成功。[1]

沙皇专列在3月1日中午停靠旧鲁萨车站。这里的气氛完全没有受到首

---

[1] *Спиридович А.И.* Великая Война и Февральская Революция.1914 –1917 г г. Нью-Йорк. Всеславянское Издательство.1962. С.233.

都革命事态的影响，站台上聚集了很多百姓，他们都想见见沙皇。当沙皇在车厢窗口露面时，所有的人都脱帽致敬，很多人还双膝跪地，画十字表示祝福。

尼古拉二世在他的专列旁

3月1日下午3点左右，沙皇专列到达德诺车站。电报员送来了罗将柯再次要求觐见沙皇的电报。尼古拉二世吩咐答复罗将柯，他在德诺车站等待罗将柯到达。但彼得格勒方面迟迟没有答复罗将柯何时出发。最后尼古拉二世决定去普斯科夫，在那里等罗将柯。

3月1日晚上7点左右，专列到达普斯科夫车站。站台上灯光昏暗，下着小雨夹雪。没有为沙皇的到来举行任何仪式。个头不高、略显瘦小的北方战线司令鲁兹斯基将军登上了沙皇专列。在此之前，国家杜马主席罗将柯要求他说服尼古拉二世同意成立一个对杜马负责的政府。

最高统帅部参谋长阿列克谢耶夫将军也给普斯科夫发来了给尼古拉二世的电报。这份3月1日晚上22点20分发出、23点由鲁兹斯基转交的电报，对尼古拉二世是一个巨大的压力。阿列克谢耶夫将军强调："全国范围内不断扩散的无政府状态造成的危险每一分钟都在加剧，军队在进一步瓦解，战争已不可能继续，在目前情况下亟待发布皇帝诏书以安抚民心，达到这一目的的唯一途径就是确认成立责任内阁并授权国家杜马主席组阁。根据得到的消息，有理由期待罗将柯领导的杜马活动家还能够制止全面崩溃，能够同他们一起工作。但继续浪费时间将减少维持和恢复秩序的最后机会并有利于极端左翼分子夺取政权。鉴于此种情况，恳切请求皇帝陛下立即从大本营发布以下宣言"。电报所附宣言草案的核心内容是："为了更紧密地团结人民的力量以尽快取得胜利，我认为必须成立对人民代表负责的内阁，并任命国家杜马主席罗将柯选择得到全俄国信任的人士组织这个内阁。”[1]

鲁兹斯基后来回忆，沙皇对他提出的“关于成立责任内阁必要性的理由平静地、冷静地但又带有强烈信念地表示反对”，说难以想象一个立宪制的俄国将会是什么样子。[2] 沙皇不同意鲁兹斯基将军提出的“君主在位，政府治国”的公式，但在鲁兹斯基的压力下，最终还是作出了让步，同意组织责任内阁。

3 月 2 日 0 时 20 分，沙皇给已经率领部队到达皇村的伊万诺夫将军发去这样一封电报：“希望您顺利到达。在我到达和向我报告之前不要采取任何行动。”[3] 因为先前给伊万诺夫下达的镇压任务已经与试图通过满足杜马要求而实现政治解决的考虑不相符合了。但尼古拉二世事实上再也未能到达皇村，而已在皇村待命的伊万诺夫将军和他的部队也没有采取任何行动。

3 月 2 日清晨 5 点 15 分，尼古拉二世给参谋长阿列克谢耶夫发去电报，说“可以公布提供给他的关于组织责任内阁的宣言了”。[4]

如果事情到此为止的话，俄国将会成为立宪君主制国家。

尼古拉二世退位

但是，在彼得格勒，事态又有了新的发展。杜马领袖原先以为，沙皇允诺成立责任内阁的让步将安抚“下层”。然而，彼得格勒的激进情绪在加强。群众集会、示威游行如火如荼。卫戍部队士兵们不再服从命令。一部分工人

---

[1] Отречение Николая II. Воспоминания очевидцев. Документы. 2-е издание дополненное. Москва. Советский писатель. 1990. №12. Телеграмма генерала Алексеева, посланная в Псков на имя Николая II. http://publ.lib.ru/ARCHIVES/SCH/SCHEGOLEV_Pavel_Eliseevich/_Schegolev_P._E..html#01

[2] *Иоффе Г.З.* Семнадцатый год: Ленин, Керенский, Корнилов. М.,1995. С.32.

[3] *Боханов А.Н. и др.* История России. XX век. М., 1996. С.138.

[4] Отречение Николая II.воспоминания очевидцев.Документы. 2-е издание дополненное. Москва. Советский писатель. 1990. № 12. http://publ.lib.ru/ARCHIVES/SCH/SCHEGOLEV_Pavel_Eliseevich/_Schegolev_P._E..html#01

和士兵提出了沙皇退位的要求，虽然这未必是最后通牒，而且也未必具有普遍性。

随着群众情绪的升级，杜马临时委员会在同社会各界活动家磋商时谈到了尼古拉二世的去留问题。在彼得格勒苏维埃的压力下，杜马临时委员会产生了尼古拉二世退位的方案。但杜马临时委员会提出这个方案并非完全出于无奈，而是带有一定的主动色彩。以立宪民主党米留可夫为首的一部分人倾向于作出重大让步以阻止革命的进一步发展，即废黜尼古拉二世和特别招人恨的皇后，以一位新的君主来取代他。按照米留可夫及其支持者的设想，这将为保留君主制提供一个好的机会。古契柯夫认为，没有君主制度，俄国就不能生存；不能坐待革命分子去摧毁它，而应争取主动，“应该在俄国拥立一位新的皇帝。应该在这面新的旗帜下把可能集合的力量都集合起来……进行反击!”舒尔金更明确地表示，尼古拉二世退位不可避免，但不能让皇帝同革命派直接见面，退位诏书应该交到君主派人士手中。而“一旦退位诏书落到我们手中，革命可能就会从此消失……曾屈从于解散命令并且只是因为旧大臣们逃散才取得了政权的国家杜马，就将把这个政权交给新政府。革命将从法律上被取缔。”[1]

杜马委员会最后提出的解决方案是：说服尼古拉二世退位，将皇位让与继承人——13 岁的阿列克谢，由沙皇的兄弟米哈伊尔大公摄政。杜马的自由主义领袖们感到，这个方案比较适合快速变化的局势。杜马临时委员会决定派古契柯夫和舒尔金作为使者立即前往普斯科夫，他们的任务是说服尼古拉二世让位于皇位继承人并由米哈伊尔大公摄政。

在普斯科夫，鲁兹斯基将军结束同沙皇长时间的谈话之后，回到自己的司令部与罗将柯通话。通话是从 3 月 2 日的凌晨 3 点 30 分开始的，持续了大约 4 个小时，到早上 7 点多结束。鲁兹斯基通过电话告诉罗将柯，沙皇已经作出自由主义反对派期待已久的让步，同意成立对立法议会负责的政府、授权罗将柯组阁、并已准备在 3 月 2 日当天发布宣言。罗将科的答复令鲁兹斯基深感意外和震惊。罗将柯说：“很明显，陛下和您对于这里发生的

[1] ［俄］德·阿宁：《克伦斯基等目睹的俄国一九一七年革命》，三联书店 1984 年版，第 140—142 页。

事情并不了解。这是一场最可怕的革命。要制止它是不那么容易的。在两年半的时间里我在自己的每一次奏折中都提醒皇帝，如果不能立即做出满足全国人民的让步，那么灾难就会逼近。我应该告诉您，在运动刚开始时，政府当局畏缩慌乱，没有坚决采取任何预防性措施；很快部队同群众结合起来；部队不开枪，而是走上街头，而人群对他们高喊‘乌拉’。中止立法机构的工作就好像火上浇油。出现了无政府状态，国家杜马和我个人只能尝试控制运动并开始领导它，以避免发生导致崩溃和国家灭亡的无政府状态。但是很遗憾，我无法做到这点。人民的激情迸发，未必能够控制。军队彻底瓦解，不仅不服从命令，还杀害军官。对皇后憎恨到了极点。为避免流血，不得不把除军事大臣和海军大臣以外的全部大臣关进彼得保罗要塞。我很担心自己也会有同样的遭遇，因为人们的抗议是针对任何持温和或有限要求的人的。……我认为有必要向您通报，您提到的准备做的事情已经不够了，已经直截了当地提出了王朝的问题。”

在鲁兹斯基询问具体以什么方式解决王朝问题时，罗将柯回答：“我怀着内心的痛苦答复您，尼古拉·弗拉基米罗维奇。我再重复一遍，对王朝的愤怒已达到极点，……提出皇帝让位于儿子并由米哈伊尔·亚历山大罗维奇摄政的可怕的要求已经是确定无疑的。”罗将柯要求“停止派遣部队，因为他们不会反对人民。不要再做不必要的牺牲。”在鲁兹斯基传达了已拟定的沙皇宣言文稿后，罗将柯明确表示：“很遗憾，宣言已经晚了，它应该在我请求皇帝成立责任内阁的第一份电报后立即公布。时机已经错过，回头再无可能。……政变将是自愿的，对所有人都无痛苦的。那时一切都将在几天内结束。有一点我能够说：不会有流血，不会有无谓的牺牲。我不

阿列克谢耶夫，鲁兹斯基

允许发生这种情况。”[1]

鲁兹斯基与罗将柯的谈话通过北方战线司令部的电话同时传到了莫吉廖夫大本营。参谋长阿列克谢耶夫将军了解杜马主席的新意见后，指示大本营的卢科姆斯基将军与北方战线参谋长Ю.达尼洛夫将军通话，请刚去休息的鲁兹斯基将军马上“不要顾及礼仪”地叫醒尼古拉二世，向他报告鲁兹斯基和罗将柯谈话的内容。

3月2日上午10点15分，阿列克谢耶夫把鲁兹斯基与罗将柯谈话的概要用电报发给了各战线和舰队的司令：“皇帝陛下在普斯科夫表示同意发表宣言满足人民的愿望、建立对议会负责的责任内阁，并授权杜马主席罗将柯组阁。北方战线司令向国家杜马主席通报了这一决定，后者在3月2日3点半的电话谈话中答复，2月27日公布宣言是及时的，而目前这个行动为时已晚，因为现在发生了可怕的革命，群众的情绪很难控制，军队已经瓦解。杜马主席虽然还受到人们信任，但他担心不能够控制群众的情绪。现在极其尖锐地提出了王朝的问题，只有在满足有关君主让位于其儿子并由米哈伊尔·亚历山大罗维奇大公摄政的要求的情况下，继续战争直到胜利才是可能的。看来，局势不允许其他的解决办法。在彼得格勒临时政府事实上掌握着军队和铁路运输的情况下，每一分钟的动摇都只会吊高其胃口。必须拯救作战部队使它免于瓦解；必须同外部敌人斗争到底；必须拯救俄国的独立和王朝的命运。这是必须放在第一位的，尽管要作出代价高昂的让步。如果你们赞同这个观点，请尽快回电表达自己对陛下的忠诚请求。”

为了强调局势紧急，阿列克谢耶夫在电文后又加上了一段话：“我再重复一遍，对于俄国的存在来说每一分钟的拖延都是致命的。在作战部队高层首长中应该形成统一的思想和目标，使军队免于动摇和出现可能的违背职责的情况。军队应该全力同外部敌人作斗争，解决内部事务时应该避免军队受煽动参

[1] Отречение Николая II. Воспоминания очевидцев. Документы. 2-е издание дополненное. Москва. Советский писатель. 1990. № 17. Разговор по прямому проводу генерал адъютанта Рузского с председателем Государственной Думы Родзянко, http://publ.lib.ru/ARCHIVES/SCH/SCHEGOLEV_Pavel_Eliseevich/_Schegolev_P._E..html#01

加政变，由上层决定来完成的政变是没有痛苦的。”[1]

阿列克谢耶夫的电报包含了希望将军们支持尼古拉二世退位方案的暗示。电报的措辞事实上是为了得到肯定的答复，后来的事情也正是这样发生的。

鲁兹斯基把要求军队主要将领表态一事报告了沙皇，并建议在了解他们的立场之后再作考虑。高加索战线司令、前最高统帅、沙皇的叔叔尼古拉·尼古拉耶维奇、西南战线司令布鲁西洛夫、西方战线司令埃维尔特很快给大本营回电表示，为了制止革命、结束无政府状态，拯救祖国和王朝，支持要求尼古拉二世退位的意见，呼吁沙皇为祖国作出牺牲。阿列克谢耶夫将收到的回电转发沙皇，并表达了自己的意见：“在忠实地向皇帝陛下报告这些电报后，恳请陛下毫不迟疑地作出决定……拖延将意味着俄国的灭亡。暂时还能使军队不受席卷彼得格勒、莫斯科、喀琅施塔得和其他城市混乱的影响，但不能保证以后继续保持军队的纪律。一旦军队卷入内政，那将意味着战争的结束、俄国的耻辱和它的瓦解。陛下热爱祖国，为了它的完整和独立，为了取得胜利，恳请陛下作出能够和平顺利地走出业已形成的极为严峻的困局的决定。”[2]普斯科夫的北方战线司令部在下午 2 点 30 分收到了这份电报。

但罗马尼亚战线司令萨哈罗夫将军表达的意见有些不同。2 点 50 分，北方战线司令部收到了他发给鲁兹斯基将军（副本发给阿列克谢耶夫将军）的电报。电文称：“侍从将军阿列克谢耶夫把国家杜马主席罗将柯对皇帝陛下作出的把国家交给责任内阁的仁慈决定所作的罪恶的令人愤怒的答复转发给我，并要求通过您向陛下报告在业已形成的局面下解决这个问题的意见。我对陛下的热爱不允许我的心灵与杜马主席向您提出的可能实现的卑鄙建议作妥协。我坚信，不是俄罗斯人民——它从来没有提到过自己的沙皇——想出了这样的罪恶行径，而是强盗团伙——我指的是国家杜马——背叛性地利用合适时机实现其罪恶目的。我坚信，如果不是因为受命保卫祖国抵御外敌，如果不是因为被

[1] Отречение Николая II. Воспоминания очевидцев, Документы. 2-е издание, дополненное. http://publ.lib.ru/ARCHIVES/SCH/SCHEGOLEV_Pavel_Eliseevich/_Schegolev_P._E..html#01

[2] ГАРФ. Ф.601. Оп.1. Д.2102. Л.1-3. http://www.rusarchives.ru/evants/exhibitions/1917-myths-kat/29.shtml

那些控制了军队生活来源的国事犯所掌握的话，前线军队会坚定地挺身保卫自己的最高统治者。但回到理性的逻辑并考虑到已经形成的毫无出路的处境，我——仍然坚定地忠诚于陛下——在痛哭的同时被迫表示，为了国家，为了保持同外敌斗争的能力，直面已出现局面的解决办法也许是痛苦最小的出路。不要让拖延进一步助长更卑鄙的贪求。”[1]

3 月 2 日下午 3 点，鲁兹斯基拿着主要将领的电报去见沙皇。尼古拉二世面无表情地看了电报。他一向蔑视杜马中的自由主义政治家，因此对他们的意见可以置之不理。但是当军队主要将领要求他为了祖国和王朝的利益而退位的时候，他事实上已别无选择。

鲁兹斯基开始说话：只有这条出路，让位给皇太子。在沉默片刻之后，尼古拉二世说：“我不知道，是否全俄国都希望这样。”鲁兹斯基将军回答说：“陛下，现在没有进行民意调查的可能性，但事态发展很快，形势已经恶化到了如此地步，以至于任何拖延都有可能产生无可挽回的灾难”。鲁兹斯基要求沙皇听听在场的萨维奇将军和达尼洛夫将军的意见，尼古拉二世表示“希望听到坦诚的意见”。两位将军支持自己的司令的意见。大家都沉默不语，过了一两分钟，沙皇说：“我决定了，我退位”，然后划了十字。将军们也划了十字。[2]

随后拟定了给罗将柯和阿列克谢耶夫的两份电报，其内容是：尼古拉二世将皇位让与继承人阿列克谢皇子，在他成年以前由米哈伊尔大公摄政。但在电报将要发出时遭到了一些沙皇侍从的阻止，他们为沙皇的决定而震惊，要求缓一缓再发电报，至少等到彼得格勒有新消息来，因为当时已经知道古契柯夫和舒尔金出发来普斯科夫了。尼古拉二世有些动摇，也许是看到了一丝微弱的希望，于是决定听了杜马使者的意见再说。

3 月 2 日深夜，古契柯夫和舒尔金到达普斯科夫。在宫廷事务大臣弗列德里克斯、军队事务办公厅主任纳雷什金将军、鲁兹斯基将军和达尼洛夫将军在场的情况下，古契柯夫首先陈述了彼得格勒的无政府状态，然后谈到了杜马临时委员会的政治解决方案：“人民中间有很深的看法，即目前局面是由政权特

[1] ГАРФ. Ф.601. Оп.1. Д.2102. Л.1-3. http://www.rusarchives.ru/evants/exhibitions/1917-myths-kat/29.shtml

[2] Отречение Николая11: Воспоминания очевидцев. Л., 1927, С.197–199.

别是最高政权的错误造成的，因此需要采取某种能够对人民意识产生作用的行动。唯一的出路就是把最高统治权转移到别的人手里。这样才能拯救俄国，拯救君主制原则，拯救王朝。如果陛下宣布将把权力移交给年幼的儿子，并由米哈伊尔·亚历山大罗维奇大公摄政或以摄政王的名义授权组织新政府，那么俄国可能得救。我说是可能得救，因为事态发展很快，目前罗将柯、我以及温和的杜马代表都被极端分子视为叛徒。他们当然反对这个做法，认为这有可能救了我们的古老原则。陛下，只有在这样的条件下才能够尝试恢复秩序。您在就此作出决定以前，当然应该好好考虑，进行祈祷，但作出决定不能迟于明天，因为明天如果您再要求我们提出建议，我们将无能为力。我们担心会有进攻性的行动。”

尼古拉二世的答复使所有在场的人感到非常意外，他说：“在你们到达以前，在侍从将军鲁兹斯基同杜马主席通过直通线路谈话后，我考虑了一上午，为了俄国的福祉、安宁和得救，我准备让位于我的儿子。但是现在，再次考虑了自己的处境后，我得出结论，由于他的病情，我应该同时以我和他的名义宣布退位，因为我不能同他分离。”鲁兹斯基将军后来写道：大家都哑口无言，因为按照俄罗斯帝国根本法的规定，沙皇没有权力代替儿子——法定继承人——放弃皇位。最后，古契柯夫表示，“您内心的父亲情感在说话，在这里没有政治的位置，因此我们不能对您的建议有任何反对。”[1]

尼古拉二世回到自己的车厢，将上午已经准备好的退位诏书上皇位继承人的名字改为米哈伊尔·亚历山大罗维奇大公。3 月 2 日夜里 11 点 40 分，尼古拉二世签署退位诏书，并根据杜马代表的要求增加了新皇帝必须宣誓立宪的内容。根据杜马代表的建议，在诏书上签字的时间定为下午 3 点，即他实际作出退位决定的时间，以表明他是自愿的而不是在杜马代表的压力下退位的。尼古拉二世同时还亲笔书写了任命李沃夫公爵为大臣会议主席、尼古拉·尼古拉耶维奇大公为总司令的命令，并将签字时间写为下午 2 点，以使命令具有合法性。

---

[1] Отречение Николая II. Воспоминания очевидцев. Документы. 2-е издание, дополненное. Протокол отречения Николая II. http://publ.lib.ru/ARCHIVES/SCH/SCHEGOLEV_Pavel_Eliseevich/_Schegolev_P._E..html#01

退位诏书中表示："在这些俄国生活中具有决定性意义的日子里，我将促进我们人民的紧密统一和团结全部人民力量以加快取得胜利视为良心和责任。我同意国家杜马的请求，从俄罗斯国家皇位上退位并交出最高权力。我不愿与我亲爱的儿子分离，故由我的兄弟米哈伊尔·亚历山大罗维奇大公继位，并祝福他登上俄罗斯国家皇位。我嘱托我的兄弟在管理国家事务时与立法机构中的人民代表保持充分的牢固的一致，遵守将由他们确立的原则，并对此宣誓。"[1] 稍后，3 月 7 日，在对军队的最后文告中，尼古拉二世要求军队"服从临时政府"。这个文告被临时政府禁止发布。

对尼古拉二世作出退位决定的评价众说纷纭。即便在十月革命后的俄国侨民中也有着不同的意见，有人愤怒地谴责"背叛的将军"迫使沙皇退位；有人认为这是一个善意的决定，就如退位诏书中所说的那样，是为了"减轻人民的痛苦……为了使所有人民力量紧密统一和团结以便尽快取得胜利"；有人认为是尼古拉二世意志薄弱、软弱无力，在关键时刻不能抵制向他施加的压力；还有人认为在普斯科夫沙皇别无其他出路。

尼古拉二世作出这个决定时的真实想法无人知晓。也许他已厌倦于不断要求立宪的左翼，厌倦于坚持要回到"专制主义的原则"的右翼，厌倦于战争，厌倦于不断更换大臣，厌倦于处理国家面临的问题。而在普斯科夫，对于家庭和患血液病的儿子的担忧强化了这种厌倦，并促使他最终作出了退位决定。但可以肯定的是，如果军队已经决定抛弃他了，那他实际上已经没有其他选择。

军队主要将领在促使尼古拉二世退位问题上起了决定性作用。最高统帅部参谋长阿列克谢耶夫在 2 月 28 日早上还调动部队前往彼得格勒，但到 3 月 1 日晚上他就决定支持杜马临时委员会主席罗将柯组织责任内阁了。在这段时间里，罗将柯说服他不要用暴力的、军事的手段来对付彼得格勒，而要用政治的方法促使沙皇成立对杜马负责的政府。3 月 2 日，阿列克谢耶夫将军又以征求各战线司令意见的方式，向尼古拉二世施加压力，促其退位。这个关键军事领导人立场的转变对后来局势的发展至关重要。对于阿列克谢耶夫将军的急剧

[1] Отречение Николая II. Воспоминания. очевидцев. Документы. 2-е издание, дополненное. Манифест отречения Николая II. http://publ.lib.ru/ARCHIVES/SCH/SCHEGOLEV_Pavel_Eliseevich/_Schegolev_P._E..html#01

转变，后来一些侨民和君主主义者指责他背叛。但是阿列克谢耶夫同情自由主义领袖，主要是出于吸引更广泛社会力量参加军事努力的考虑。他认为，由于拉斯普京丑闻，尼古拉二世在军队高层已经威信扫地，随着他的退位，政权将得到巩固，军事努力将会更加积极。[1]

沙皇与古契柯夫和舒尔金的谈话记录表明，沙皇是动摇的。他的怀疑源自于他不相信缺乏经验的自由主义活动家具有管理这样一个处在战争时期的庞大国家的能力，以及确信只有君主制和专制制度能够适应俄国的历史传统和精神。在决定退位的时候，他相信这是为了保留俄国的君主制度而走出的一步。据宫廷警卫队长沃伊科夫证实，尼古拉二世回到包厢时眼中含着泪水。尼古拉二世在 3 月 2 日的日记中写道："周围都是背叛、胆怯和欺骗！"显然，他认为自己是被那些有义务为自己服务到底的人出卖的。

君主制的末日

但是让米哈伊尔继承皇位的行动又一次落后了，就像当初试图通过允诺成立"对杜马负责的政府"来挽救君主制一样。

杜马的自由主义领导人试图保留君主制的倾向，与彼得格勒群众的反君主制情绪明显对立。3 月 2 日，米留可夫在塔夫利达宫发表演说时宣称，"原君主把俄国引向毁灭的边缘，他将自愿逊位或被黜。政权将转到摄政王米哈依尔·亚历山大罗维奇大公手中。皇位继承者将是阿列克谢。"这时，他的话被长时间的愤怒叫喊声打断，"这还是旧王朝！""共和国万岁！""打倒王朝！"米留可夫继续说，"我们不能把有关国家制度的问题置于一边不作回答。我们认为它应该是议会制的立宪君主制度。"但反对王朝的口号声再次淹没了他的声音。米留可夫讲话之后，彼得格勒出现了反对君主制、要求宣布俄国为共和国的示威游行。卫戍部队军官的代表团向杜马委员会表示，如果米留可夫不收回自己的话，那么军官的生命在任何一个团里都无法保证。米留可夫只得宣布，他说过的有利于罗曼诺夫王朝的话只是他的个人意见。当古契柯夫带着沙皇让位给米哈依尔的诏书从普斯科夫回到彼得格勒，在铁路工人集会上为"米哈依

---

[1] Из истории борьбы за власть в 1917 году. Сборник документов. М., 2002. С.16.

尔皇帝”祝福时，工人们关上了大门，试图把诏书销毁，把古契柯夫干掉。[1]

尼古拉二世让位于米哈伊尔的方案引起了杜马活动家和临时政府内部最早的分裂。以克伦斯基和罗将柯为代表的一种观点要求米哈伊尔大公至少在立宪会议之前拒绝接受皇位，未来国家制度的问题应该由立宪会议来解决。而以米留可夫和古契柯夫为代表的另一种观点坚持要米哈伊尔无条件接受皇位，认为这是保存俄罗斯国家的最后机会。

最后的妥协意见是让米哈伊尔自己来决定。

3 月 3 日早上，国家杜马临时委员会和临时政府的代表团来到米哈伊尔的住地米利昂纳亚大街 12 号布加金娜公爵夫人宅邸。参加谈话的有 10—12 人。双方陈述了自己的立场。坚持捍卫君主制原则主要政治活动家只有米留可夫和古契柯夫。米留可夫强调：“为了巩固新政权需要强有力的政权，……只有它依靠群众习惯的政权象征才能够是强有力的。君主制就是这个象征。如果没有这个象征而只有临时政府，这个政府甚至维持不到立宪会议召开。它将是一艘帆船，会淹没在人民骚乱的海洋中。”[2]但占优势的显然是要求米哈伊尔拒绝皇位的意见。罗将柯、舒尔金等人对实行君主制已失去了信心，认为已经没有任何力量可以使米哈依尔呆在皇位上。罗将柯事后说：“我们很清楚，大公和他的追随者都将被打死，因为他已没有忠实于他的部队，他不可能依靠武装力量。” [3]

米哈伊尔起身进了另一个房间，与李沃夫、罗将柯进行了简短的谈话，然后出来面向在场的人。他眼含泪水地宣布，在将由临时政府召集的立宪会议就未来国家制度作出决定以前，他拒绝接受皇位。克伦斯基动情地长时间地晃动着米哈伊尔的手。在拟定的宣言文稿中是这样写的：“我决定：我只在我们的人民表达了自己意志的情况下才可能接受最高权力，他们应该举行全民选举，通过自己在立宪会议中的代表确定俄罗斯国家的治理形式和新的基本法。”宣言还呼吁全体居民服从临时政府，直到举行普遍、直接、平等和无记名的选举

[1] *Бубликов А.* Русская революция. Нью-Йорк. 1918. С.28.

[2] *Милюков П.Н.* Воспоминания. М., С.468.

[3] *Родзянко М.В.* Государственная Дума и Февральская 1917 года революция.1919. С.45.

产生立宪会议代表并决定政府形式。[1] 俄国君主制就此被画上了句号。

3月3日5点钟，罗将柯和李沃夫一起打电话给鲁兹斯基将军，向他通报最新的政治安排。罗将柯对鲁兹斯基说："在得到我的通知以前，有关退位及交权给米哈伊尔·亚历山大罗维奇大公的宣言不要公布，这非常重要。问题在于，尽管以极大努力或多或少将革命运动控制在了一定范围内，但局势仍然没有恢复正常，很可能会爆发内战。对于米哈伊尔摄政和皇位继承人继位的方案可能会妥协，但由他继承皇帝之位是绝对不会被接受的。请您采取一切您能够采取的措施，以便暂缓公布。""爆发了对我们大家来说都很突然的士兵暴动，我还从未见过这样的暴动。他们其实不是士兵，而只是从木犁旁弄来的农民，他们认为现在提出自己的全部要求是有利的。在人群中可以听到的就是'土地和自由'、'打倒王朝'、'打倒罗曼诺夫王朝'、'打倒军官'。很多部队都发生了杀害军官的事。工人也加入进来。无政府状态达到极点。在同工人代表长时间谈判后，直到今天晚上才达成了某些协议，主要内容是过一段时间召集立宪会议，让人民能够表达自己对国家治理形式的意见，只有那时彼得格勒才能自由地喘口气。夜里比较平静。部队在夜里还算有秩序，但宣布米哈伊尔·亚历山大罗维奇大公为皇帝将是火上浇油，将开始无情地毁灭一切能够毁灭的东西。从我们手中将丢掉和失去所有权力，将没有人去平息人民的骚动。在目前提出的形式下，不排除能够回到王朝。在战争结束前，最好有一个最高会议（通话最后罗将柯作了纠正，应该是国家杜马临时委员会）和目前的临时政府继续活动。我完全相信，在这样的条件下能够迅速安定，胜利一定会有保障。……今天我们建立了以利沃夫公爵为首的政府，已经给所有战线司令发电报通报此事。在立宪会议解决宪法问题之前，一切将保留如下形式：最高会议、责任政府、立法议会的活动。"[2]

罗将柯随后就同一内容与阿列克谢耶夫通了话。他竭力使将军相信，拒绝宣布米哈伊尔为皇帝只是在立宪会议召开之前是有效的，立宪会议将就俄国

---

[1] Из истории борьбы за власть в 1917 году. Сборник документов с.25.

[2] Отречение Николая II. Воспоминания. очевидцев. Документы. 2-е издание, дополненное. 32. Разговор по прямому проводу ген. Рузского с М. В. Родзянко и кн. Львовым. http://publ.lib.ru/ARCHIVES/SCH/SCHEGOLEV_Pavel_Eliseevich/_Schegolev_P._E..html#01

君主制度的问题作出决定。

当阿列克谢耶夫得知这个新的突然的转折时，他深感震惊和气愤，认为自己被欺骗了。他于3月3日6点钟给各战线司令发去电报，通报了彼得格勒政治家的新意见，认为罗将柯的动机是不正确的，目的是促使军队高层将极端分子的解决办法当作既成事实来接受。他认为军队高层集体的声音和他们的条件应该让所有人了解并影响事态进程。他建议立即召开各战线总司令会议，以便制定对付临时政府的共同行动路线。但他已找不到直接的支持，将军们不再愿意干涉彼得格勒的政治乱局。实际上阿列克谢耶夫自己也知道，大势已去，“火车已经开动了”。在同罗将柯的谈话中，阿列克谢耶夫能说的只是：“除了说‘上帝保佑俄国’以外，我再没什么可补充的了。”[1]

3月3日清晨，尼古拉二世离开普斯科夫前往大本营。

3月7日克伦斯基在莫斯科“APC”电影院举行的军官和士兵代表会议上说：“目前，旧王朝对我们一点威胁都没有。他们中的每个人都处于严密监视之下……临时政府很快会就王朝问题发表专门声明。我请你们相信，在任何情况下，王朝机器都不可能继续为害。王朝将一劳永逸地从俄国消失。创建新的人民和新的军队吧！其余的一切就交给我——司法部长和临时政府吧！”[2]

被囚禁于皇村的尼古拉二世

临时政府作出决定，剥夺已退位的前皇帝尼古拉二世及其妻子的自由，并将其押解至皇村；委派国家杜马代表布勃利科夫、维尔什宁、格里布宁和卡利宁前往莫吉廖夫大本营执行此决定；授权阿列克谢耶

[1] 转引自 *Иоффе Г.* Семнадцатый год: Ленин，Керенский，Корнилов. М., 1995, С.38.

[2] Пребывание министра юстиции в Москве // Вестник Временного правительства. № 4 (50). Пг. 1917. 9/22 марта. С. 3. 转引自 *Фомин С.* Великая? Безкровная? Русская? Часть 2. Русский вестник.16.02.2007.

夫将军提供一支卫队，供前往大本营的国家杜马代表调遣。[1]

3月8日，布勃利科夫等四位杜马代表到达大本营。在他们在场的情况下，阿列克谢耶夫将军向尼古拉二世宣布了对他的逮捕令。随后，尼古拉二世被押往皇村。在皇村，彼得格勒军区司令科尔尼洛夫将军在古契柯夫见证下宣布了对皇后及其子女的逮捕。临时政府同英国政府进行了关于沙皇家庭去英国的谈判，但没有结果。后来已在流亡中的米留可夫、克伦斯基、捷列申科等将此归咎于英国政府不愿接受罗曼诺夫一家；而英国驻俄大使布坎南则认为当时正是俄国方面没有作出把前沙皇家庭送往英国的决定，因为临时政府处于苏维埃的控制之下。也许这两方面的原因都是存在的。从现实政治角度考虑，临时政府担心把罗曼诺夫一家送往英国会招致彼得格勒苏维埃和革命民主派的愤慨。而英国政府也不愿意得罪俄国反对君主制的力量，引起其对英国及其盟国的怀疑和敌对。[2]

社会的不同反应

沙皇制度的被推翻通常被认为是全民的意志，但实际情况并非完全如此。在革命进程中，彼得格勒群众的情绪是出现了超越立宪君主制的范围的趋势，在有些工人、士兵的集会上，通过了实现共和国的决议。但是，这些决议并不是出自“孱弱的群众”，而是由左翼政党的代表倡导和建议、在群众集会的热烈场面上得到通过之后被送往苏维埃执行委员会，在这里被作为“人民的声音”接受下来。然后“执行委员们”向政府和杜马临时委员会提出这个问题。在这里，倾向于由立宪会议解决未来国家制度问题的意见得到了加强。这些事态发展又反过来强化了社会上的反王朝情绪。这是在革命的日子里出现的一种循环。

即便如此，这种情况也只是发生在彼得格勒。首都以外的庞大的俄国在那些日子里并没有参与这些事件，也没有表达自己对改变俄国国家制度的意

[1] ГАРФ. Ф.1779. Оп.2. Д.1. Ч.1. Л.15–16. http://www.rusarchives.ru/evants/exhibitions/1917-myths-kat.shtml

[2] 参见 *Иоффе Г.З.* Семнадцатый год: Ленин, Керенский, Корнилов. М., 1995. С.36.

见。二月事件是在“打倒战争”而不是“打倒沙皇”的口号声中发展起来的。二月期间，在一部分情绪激进的首都工人提出“打倒沙皇”的口号后，仍有很多工人对此并不赞同，继续愿意支持君主制度。

在外省，传统的政治观念几乎还没有任何改变。在得到尼古拉二世退位的消息后，伊丽莎白格勒市工人代表苏维埃第一次会议通过了致拟议中的皇位继承人米哈伊尔·罗曼诺夫的致敬电。在哈尔科夫铁路工厂，当一位社会党人向工人们宣布沙皇已被推翻时，一些工人把他从临时搭起的讲台上揪了下来。在赫尔松，当省长宣读尼古拉二世退位的诏书时，一些刚刚参加了革命游行的工人双膝跪下。君主制的思想在农民中具有更深的根基。虽然彼得格勒卫戍部队士兵大量参与二月事件在一定程度上说明农民对沙皇的忠诚已经动摇，但大部分农民并没有失去对沙皇的信任。

彼得格勒起义士兵和工人的力量是推动结束俄国君主制的主要力量，但自由主义反对派在俄国政治前台所起的作用是十分关键的。他们挟群众运动之力，先是对尼古拉二世施压，继而又对米哈伊尔施压，扮演了结束君主制的主要力量的角色。杜马委员会承担政府职能的决定、古契柯夫和舒尔金面见沙皇敦请其退位的做法、罗将柯等人关于君主制已无法实行的结论等等，都在事实上加快了沙皇制度的崩溃。杜马临时委员会的出面对于军队上层接受革命也起了很大作用，从而减弱了旧制度对革命的抵抗。作为反对专制主义的重要力量，自由主义反对派政党在人民革命违背其意愿真的到来时，顺从于革命的目标，从而以自己的方式参与和影响了革命进程。

军队主要将领在促使尼古拉二世退位过程中起了决定性作用，在米哈伊尔继位问题上也没有强力干预，实际上以另一种方式促成了君主制的终结。

如果具体到人的话，那么促使尼古拉二世退位的主要人物是罗将柯、阿列克谢耶夫和鲁兹斯基；而向米哈伊尔施加压力并迫使其放弃皇位的是罗将柯、克伦斯基，或许还有李沃夫。

令人不解的是，当俄国君主制的船只在风雨飘摇中下沉的时候，一贯表现得强硬而又招眼的俄国君主主义者特别是黑色百人团，并没有表现出保卫君主制和君主的愿望和行动。他们没有试图挽救它，而是迅速销声匿迹。立宪民主党政论家Б. 米尔斯基后来写道：同法国骑士的区别是，昨天还忠于沙皇的人原来是“胆小的雇员”，“宫廷、官僚机构、贵族……没有统一的英雄主义动机、没有统一的功勋意识。”[1]

“谁能够想象、谁能够预测，俄罗斯帝国会以这样不可思议的速度崩溃？300年的王朝，500年的君主制，甚至没有做一点抵抗的尝试！……3月1日还没有谁会相信尼古拉二世会退位，3月3日退位的就已经不仅是尼古拉二世，而是整个王朝了。外交部长米留可夫在最初的外事活动中就向外国人承认，立宪民主党人也为胜利的突然性和轻易性感到震惊。进步同盟没想过、也不想把罗曼诺夫王朝赶下台，他们愿意让尼古拉继续留在皇位上，他将会向他们作出让步，就像以前一样。”[2]

索尔仁尼琴认为，“我们甚至可以承认：俄国政府几乎没有为了自己的存在而同颠覆行为进行斗争。”“俄国政权既没有用政权的行动的力量，也没有从心理上去管理首都的居民。政府保卫下的电话站在革命的整个时期都在为城市、杜马和革命者服务。君主主义者哪去了？……俄罗斯人民联盟哪去了？全都销声匿迹了，什么都不存在了。流亡中的君主主义者一致强调说所有人都背叛了不幸的沙皇，但首先背叛他的是君主主义者：大公们、普里什凯维奇、舒尔金、马尔科夫等，他们中甚至没有人公开谴责政变。……大臣和将军们为什么如此惊慌失措？为什么在俄国最艰难的几周任命的大臣会议主席是昏庸无能的戈利岑公爵？为什么军事大臣是猥琐官吏别利亚耶夫？（他们两人都通过走夫人路线迷惑了皇后）为什么主要权力场内务部的大臣职位交给了一个精神变态的、饶舌的、好说谎的、歇斯底里的胆小鬼普罗托波波夫？为什么在彼得格勒军区司令位置上放上了迷迷糊糊、庸庸碌碌、意志薄弱、愚蠢不堪的哈巴罗夫将军？莫斯科军区司令位置上的穆罗佐夫斯基也是这样的人物。帝国其他军区司令和省长位置上的人也不比他们好多少。而在最高统帅部和各战线司令部任职的都不是最有才华的人，甚至不是最忠于君主的人。”“皇位不是在物质上垮掉的，它和它的政府在精神上早就垮掉了。1917年2月俄国政府没有表现出哪怕是瘦弱孩子般的力量，它的表现比老鼠还差。政权早在革命开始前就已

[1] 参见 Последние новости（Париж）. 7 июня.1920.

[2] *Солженицын А.И.* Размышления над Февральской революцией. http://vff-s.narod.ru/gov/pr/opr33a.html

经输掉了二月革命。”[1]

马克拉科夫曾把沙皇政府比作一个驾驶着汽车的疯子司机。到 1917 年 2 月底，方向盘从疯子手中夺过来了。在俄罗斯帝国境内，没有任何一个省份、没有任何一个城市起来保卫王朝。全国跟着首都彼得格勒走入革命迷雾重重的未来。

可以说，俄国君主制垮台的突然和迅速，不仅在当时令人震惊，也为后世留下了深入探索和思考的广阔空间。

第四节　人民的节日

狂欢与放纵

革命是人民的节日。二月革命及其之后的最初一段时间，是人民狂欢的时期。

在 2 月 27—28 日的那个夜里，彼得格勒充满着革命的激情和解放的狂喜。“塔夫利达宫灯火通明……这是俄罗斯生活复兴之夜。”这也是一个狂欢之夜。几乎对所有人来说，革命的到来都是出乎意外的。社会各阶层的人们都充满兴奋和愉悦的情绪。街上很多人以互相拥吻公开表达自己的兴奋之情。塔季扬娜·吉皮乌斯在 3 月 26 日写道：“革命的初夜犹如复活节之夜，每个人都感觉到，奇迹正在自己身边发生。”最后一任交通大臣描述了当时的情况：“突然之间没有了长官、没有了警察、没有了义务、没有了禁忌，大家都因这种非同寻常的形势而亢奋。”[2]

不期而至的自由引发了社会各阶层的激情。

3 月 3 日，罗将柯在通知阿列克谢耶夫关于米哈伊尔大公拒绝皇位的消息时，描述了杜马临时委员会的精神状态：“我们大家都情绪饱满而又坚定”。一

---

[1] *Солженицын А.И.* Размышления над Февральской революцией. http://vff-s.narod.ru/gov/pr/opr33a.html

[2] *Кригер-Войновский Э.Б.* Записки инженера. Воспоминания, впечатления, мысли о революции. М., 1999. С. 93.

位前线士兵给卡卢加省的家乡写信说：“谢谢你们还记得我们这些被可恨的政府强迫抛家离土的不幸的人们。现在终于自由了。记着，孩子们，再也没有老爷、地主、长官，这是巨大的幸福。要珍惜这个自由并且充分利用它。”当时担任土耳其斯坦总督的库罗帕特金将军在3月8日的日记中写道：“我感觉到自己变年轻了，十分兴奋，以至心中有些惭愧，作为侍从将军对革命运动和政变表现得如此兴高采烈的确是并不体面的……但我高兴是因为没有这样的政变我们将面临巨大的危险，我们将被击败，国家内部的可怕大屠杀将不可避免。”[1]

3月的彼得格勒就像在进行一场持久的街头狂欢。人们兴高采烈地向塔夫利达宫行进，举行胜利阅兵、集会和各种其他会议。到处都在举行游行、集会和感恩祈祷。社会学家皮·亚·索罗金回忆说：“所有人都欢呼庆祝，仿佛是在过复活节。他们在所有地方高呼‘自由！’，高唱革命自由之歌。”[2] 整个三月

3月的彼得格勒街头

[1] 参见 История России XX век:1894–1939.Под ред. *А.Б.Зубова.* М., 2009. С.401.

[2] Orlando Figes and Boris Kolonitskii. *Interpreting the Russian Revolution.The Language and Symbols of 1917*. Yale University Press,New Haven and London,1999.p.46.

里几乎每天都会发生各种游行集会，而且都伴着革命歌曲。众多看似毫无关联的事件，实际上却构成了革命的进程。

3 月，随着革命向外省扩散，在大多数省城，都举行了被称为“自由的节日”的盛大革命集会，印有“自由之歌”的宣传册被分发给所有人学唱。在有些城市，几乎全体市民都参与其中。这种欢庆革命的形式逐渐变得普遍而又经常，在许多地方的城市和乡村，来自彼得格勒的任何消息都成了人们庆祝的理由。越来越多的居民狂热地参加集会、辩论、选举、庆祝以及各种各样的社会政治活动，街头政治成为越来越多的俄国人的生活方式。

一位见证人描述了 3 月末梁赞省一个村庄的庆祝过程：“年轻人和士兵们制成了一面红旗，人们高唱《马赛曲》，然后沿着村庄街道行进……所有人的脸上都洋溢着欢乐。人群会时不时地停下来，彼此亲吻欢呼。所有人都感叹，‘这一天终于来了！胜利的复活节终于降临了！’”[1]无论在首都还是在地方，人们盛装而出，欢庆盛大的节日，或者说参与节日般的革命，事实上已经分不清这究竟是节日还是革命。正是在这种气氛和形式中，革命向外省扩展，成立了各级地方政府。

各种各样的会议、社会组织、宗教团体、村民大会纷纷向临时政府和国家杜马发去致敬和庆贺的电报。在政权更迭之后的最初日子里，这样的电报就达到了 1.4 万多份。[2]

这种欢欣鼓舞的局面在俄国历史上是前所未有的。

与此同时，群众的革命行动伴随着暴力。手持武器的士兵和工人开始无所顾忌地施暴。

在革命的最初日子，发生了很多士兵杀死军官的情况。据杜马代表本尼格森指出，还在 2 月 27 日，就有两位在奥布霍夫兵工厂工作的炮兵将军被杀。[3] 28 日，一位波罗的海舰队的军官跑到国家杜马，说那里正在按照名单

---

[1] Orlando Figes and Boris Kolonitskii. *Interpreting the Russian Revolution.The Language and Symbols of 1917*. Yale University Press,New Haven and London,1999.p.43.

[2] 参见 История России XX век:1894–1939. Под ред. А.Б.Зубова. М., 2009. С.401.

[3] *Беннигсен Э.* Первые дни революции 1917 года // Возрождение. Париж. 1954. № 33. С. 122. См.*Фомин С.* Великая? Безкровная? Русская? Часть 2. Русский вестник. 16.02.2007.

杀害军官，要求杜马委员会进行干预。波罗的海舰队司令涅比宁也曾就此专门向杜马军事委员会作了报告。在波罗的海舰队基地喀琅施塔得，起义水兵杀死了超过 120 名军官。在舰队司令部所在地赫尔辛福斯，一些军官在街上、住宅和执勤地点被自己所在分队的水兵所杀，舰队司令涅比宁海军上将也在 3 月 4 日被杀。[1] 波罗的海舰队军官被杀的背景很复杂，有材料表明，这个名单由喀琅施塔得的芬兰民族主义组织提供给德国方面，其中包括几乎所有将领、军官和资深舰船专家，德国人直接插手了俄国军官被杀事件。[2] 布尔什维克在激发水兵们对军官的仇恨情绪方面也发挥了重要作用。多年之后，一位知名布尔什维克施比茨贝尔格在完全偶然的情况下同一些海军军官谈话时表示，他们为了革命而组织了这些行动。他们被迫这样做，因为革命"在这边开始已经过了两三天，而波罗的海舰队在舰队司令涅比宁的领导下仍然保持平静。必须'深化'革命，把水兵和军官分离、在他们之间制造一条不可逾越的仇恨和互不信任的鸿沟，还为时不晚。为此，刺杀了涅比宁海军上将和其他海军军官。'鸿沟'造成了，没有能干的领导人了，军官把水兵们看成是杀人犯，而水兵们害怕一旦复辟军官们会报复他们。"[3]

根据当时负责收尸的卫生委员会的资料，在彼得格勒，革命的最初几天被杀的军官就有 60 人。[4] 受伤者人数要多出很多。塔夫利达宫从 27 日开始就

---

[1] *Фомин С.* Великая? Безкровная? Русская? Часть 2. Русский вестник. 16.02.2007.

[2] *Сорокин П.* Дальняя дорога. Автобиография. М., 1992. С. 81.

[3] *Граф Г.К.* Балтийский флот в войну и революцию. СПб. 1997. С. 284–285. 另有资料谈到了同一情况：喀琅施塔得的民族主义者斯比特贝尔格（Спитберг）说："为了革命，这些牺牲是必要的。我们担心，没有马上站到喀琅施塔得起义一边的波罗的海舰队在涅比宁的灵活政治领导下会站在反革命的立场上。这促使我们尽快在军官和水兵之间挖掘一条鸿沟。他们之间应该要流血。"这些牺牲必将"推动革命前进"。（见 *Фомин С.* Великая? Безкровная? Русская? Часть 2. Русский вестник.16.02.2007.）这里的 Спитберг 与 Шпицберг 似乎应为同一人，其说话的内容和口吻都是一致的。名字稍有不同可能只是拼读的问题。

[4] *Ходнев Д.И.* Февральская революция и запасной батальон Лейб-Гвардии Финляндского полка // 1917 год в судьбах России и мира. Февральская революция: от новых источников к новому осмыслению. М., 1997. С. 273–274.

有 3 个医疗站在工作，3 月 1 日又在位于什巴列尔街和扎哈利耶夫街的专门关押警察和宪兵官员的地点设立了 4 个医疗站。在 3 月的最初几天，国家杜马的卫生部门把 62 名受伤的警察和宪兵送到医院。2 月 27 日到 3 月 13 日，仅在塔夫利达宫登记在案的就有 1962 起请求医疗救助的事件。同一时间内，在塔夫利达宫地区，正式登记的有 2421 名伤病员。[1]

据官方统计，彼得格勒二月革命期间有 1433 人死于暴力。[2] 在有产者看来，这是一场真正的灾难："夺取政权的斗争走上了街头，转变为全俄范围的暴行，即对于有产者的公开暴力……红色暴动的标志是历史上闻所未闻的流血，它把很多人的胸膛染红。"[3]

即便是在外省，暴力行为也普遍存在。例如，在奔萨，"归顺人民"的部队进行阅兵，一些士兵当场把将军打死，扒光他身上的衣服，把尸体扔在检阅台下，其他士兵用脚踩踏尸体。一个报纸编辑向部队喊话，要他们选举新的指挥官。[4]

这些事实从根本上推翻了曾经广为流传的关于二月革命是不流血的革命的说法。这个说法最早是由克伦斯基制造的。他在 3 月 5 日刊发的司法部长文告中说："至今为止，临时政府旨在推翻旧制度、建立新秩序的所有命令都是由人民不流血地执行的。"[5] 但实际上，在他说这些话的时候，已经流了很多的血，不少人已经失去了生命。

[1] *Николаев А.Б.* Революция и власть: IV Государственная дума 27 февраля - 3 марта 1917 года. СПб.,2005. С.470.

[2] [法] 尼古拉 · 韦尔特著：《1917 年，革命中的俄罗斯》，上海世纪出版集团，上海人民出版社 2007 年版，第 34 页。

[3] *Ознобишин А.А.* Воспоминания члена IV-ой Государственной думы. Париж, 1927. С.251. 252, 263. 转 引 自 *Фомин С.* Великая? Безкровная? Русская? Часть 2. Русский вестник.16.02.2007.

[4] *Солженицын А.И.* Красное Колесо. Глава 458. Как в провинции было. Фрагменты. http://www.solzhenicyn. ru/modules/myarticles/article_storyid_869.html

[5] *Керенский А.Ф.* Обращение министра юстиции // Новое время. 1917. 5 марта. 转引自 Фомин С. Великая? Безкровная? Русская? Часть 2 . Русский вестник.16.02.2007.

暴力的另一种表现形式是打砸抢。革命激起了原始的欲望。失去任何纪律约束和道德束缚的士兵以及从监狱里放出来的刑事犯持械抢砸商店，狂饮胡闹，殴打行人，掠夺财物，入室抢劫。在彼得格勒，革命的最初两周，报案的闯入民宅进行抢劫的事件就有约300起，此外还有不少抢劫商店、仓库、列车的事件。[1] 在奔萨，城里到处是喝得醉醺醺的不扎腰带的士兵，以及监狱里放出的500名刑事犯。奔萨居民一到晚上就早早关门熄灯防备抢劫。[2] 在特维尔，后备团的士兵劫掠了省长宅邸，狂灌白兰地和伏特加，大把抓砂糖往嘴里塞。一些警察在大街上被打死。一个名叫伊申的士兵公然用刺刀捅死了伊万诺夫上校，并且立即从死者身上扒下了靴子，坐在雪地上安然自得地自己穿上了。他就是因为看上了这双靴子而杀人，而周围的人都没去碰他。[3]

高尔基在3月1日就指出："大多数人认为，革命者的行为只是暴露出其乌合之众所具有的亚洲式暴力……抢劫已经开始了。现在还会发生什么呢？我想不出任何东西来。但我预感到许多人会流血，会超过以前的任何一次。"[4]

革命的标志

狂欢中的人们破坏旧时代的标志，创造新的革命象征，是二月革命否定旧文化、形成自己的革命政治文化的重要表现之一，也是革命本身的重要表现形式。对革命者而言，在没有一个真实的反革命的敌人可以与之战斗的情况下，破坏所有旧政权的标志就是革命本身的内容。最初发动这一场运动的就是游行示威的群众，他们破坏和袭击罗曼诺夫王朝的一切标志：双头鹰、三色

[1] *Солженицын А.И.* Красное Колесо. Глава 8. Фрагменты народоправства–Петроград. http://solzhenicyn.ru/modules/myarticles/article_storyid_1246.html

[2] *Солженицын А.И.* Красное Колесо. Глава 458. Как в провинции было. Фрагменты. http://www.solzhenicyn. ru/modules/myarticles/article_storyid_869.html

[3] *Солженицын А.И.* Красное Колесо. Глава 458. Как в провинции было. Фрагменты. http://www.solzhenicyn. ru/modules/myarticles/article_storyid_869.html

[4] 参见［法］尼古拉·韦尔特著：《1917年，革命中的俄罗斯》，上海世纪出版集团，上海人民出版社2007年版，第34页。

旗、沙皇塑像、监狱等等。

对于革命群众来说，双头鹰代表的就是沙皇政权、帝国统治，因此，摧毁这一标志意味着人民的胜利。还在2月28日，人们就已经开始对双头鹰标志的破坏行动，即所谓“烤鹰”，这是当时一个很流行的说法。人们愿意冒着生命危险爬上政府机构的大楼楼顶，摘下罗曼诺夫王朝的双头鹰标志，插上他们的红旗。对于一些暂时无法搬动的双头鹰标志，则用旧布蒙上，或挂上车胎遮盖。在彼得格勒，所有建筑的双头鹰标志都被除去。在革命群众看来，这就是革命。根据一位英国外交官的观察，到4月底，这场运动已达到相当的程度。俄国外交官们必须避免使用一切原帝国的标志和文字，在所有官方文件中剔除“帝国”字眼，摈弃所有关于帝国的内容。

焚烧旧政权的标志物

原先俄罗斯帝国的国旗三色旗遭到与双头鹰标志相同的命运。三色旗被认为代表了旧政权的残酷压迫，在三色旗下的一切活动都是反革命。右翼组织曾举行游行保护三色旗，而左派则要求镇压游行，彼得格勒苏维埃工人部甚至威胁要采取武装行动。士兵们也拒绝接受作为原帝国标志的三色旗，因为他们已经宣誓忠于革命政府。

原先的国歌从革命一开始也就被认为是帝国政权的象征。在2月期间以及之后的各种场合中，只要此国歌响起，就会引发严重的分歧与对立。3月9日里加红军司令部发布了一项命令，禁止演奏原国歌。人们曾试图修改国歌，填加新词，如把“上帝保佑沙皇”改为“上帝保佑人民”，但是结果都不成功。

在革命浪潮之下，沙皇及皇室成员的塑像、画像毫无疑问地遭到革命群众彻底、疯狂的摧毁。有时也会有一些人试图加以阻止，结果只会招致麻烦。为避免冲突，政府官员经常亲自负责对此类画像的处理，如教育部长命令，学校不得出现沙皇及其家庭成员的任何画像。同时，印有沙皇头像的货币和邮票都被要求予以更换。如何处理印有沙皇头像的奖章也成为一个问题。士兵们把自己奖章上尼古拉的头像划掉，或是朝里佩带。再后来，则采取统一行动，把军队中成千上万的奖章重新熔铸，把沙皇头像换为圣格奥尔基像。“革命的最显著表现就在于，人们将昨天还在顶礼膜拜的沙皇肖像彻底毁掉。”与此相应的是有关皇室成员或帝国的纪念碑的命运，作为旧政权政治势力的标志，它们理所当然地遭到破坏。

监狱是沙皇制度最令人痛恨的场所，对监狱的破坏标志着革命所带来的自由，具有重大的象征意义，因为在自由国度中是不会有监狱的，摧毁监狱标志着一个“崭新的美好的世界”的建立。在革命歌曲中，旧世界的形象首先就表现为监狱的“镣铐”。这里所涉及的不仅是政治革命，更是一场道德革命。一位妇女在革命爆发后不久给政府写信说：清除所有的监狱将是俄国革命的“神圣职责”，因为没有不可拯救之世人。被释放的政治犯要求立即释放他们尚在押的狱友——普通罪犯，只要他们保证不再酗酒、赌博。

2 月 27 日，首都十字监狱的所有罪犯均被释放。同一天，很多群众聚集于有“俄罗斯巴士底狱”之称的彼得保罗要塞，这是最能代表沙皇专制压迫的地点。人们想当然地认为其中定有不少“为人民而战斗”的革命英雄正在黑暗的囚室中奄奄一息，大家做好了充分的进攻准备，甚至舒尔金和斯科别列夫也赶来准备同监狱当局谈判。但结果却发现，除了 19 名造反士兵之外，监狱里面已经空无一人。人们几乎无法相信，彼得保罗要塞已经归属革命了。随后在要塞升起了红旗，以表示革命取得了一个标志性的胜利。

在破坏旧制度标志物的过程中，产生了新的革命的象征物。狂欢中的人们创造了革命的政治文化，新的词汇、歌曲、标志、旗帜等等被赋予了革命的象征意义。

人们相互用“公民”或“同志”的称呼代替了“先生”。报纸杂志用醒目的标题谈论“自由的俄罗斯”、“自由的国家”、“博爱的纪元”；“集会”、“革命”、“民主”、“委员会”、“政委”等成为广泛使用的、甚至时髦的词汇。

自从革命开始，歌曲对于革命群众的自我组织起着重要作用。一些革命参与者的回忆录都提到了人们在走上街头时高唱着革命歌曲。“上百人的工人游行队伍高举旗帜、齐声高歌，沿着涅瓦大街一路走来。”“……难以计数的人群，他们的力量不断增强。他们有的高歌《马赛曲》，有的唱着《华沙颂》，还有的一路唱着《同志们勇敢前进》等革命歌曲。”一些当时在俄国首都的外国人对此颇为惊讶：“人群一直高唱《马赛曲》，其间还时常高呼他们的要求——‘面包！’‘面包！’。”沙皇政府警察部门关于2月24—26日的记录中，也提到了人们高唱革命歌曲。

由于这些歌曲的歌词、曲调本身就是一种革命的宣示和表达，高唱革命歌曲成为抗议的标志、战斗的标志。人们从中获得自信、力量和方向，以此激励和鼓舞斗志和士气，并且吸引更多的人参与。歌曲将人们联系到一起，赋予各类人群以共同的身份与使命：革命。事实上，很多人是在高唱革命歌曲的游行队伍的感染下，从旁观者变成参与者的。

作为二月革命文化的一项重要内容，革命歌曲把不同党派的人们紧密地联系在一起，成为跨越党派界限的革命符号：如果是属于不同党派的人，只要他唱起革命歌曲，立即就会被所有人接受为自己队伍的一员。孟什维克可以与无政府主义唱响同一首歌，社会革命党也可以与布尔什维克同立于一面旗帜下放声高歌。

《马赛曲》成为了革命的标志。无论在官方的记录还是当时人们的回忆中，二月革命时期最著名的歌曲就是《马赛曲》，是《马赛曲》的旋律保证了革命的胜利。《马赛曲》取代了《上帝保佑沙皇》，人们高唱《马赛曲》表达自己慷慨激昂的情绪。每一次高呼自由，每一次高唱《马赛曲》，都更坚定了他们的战斗决心。在当时常见的军队向革命宣誓效忠的仪式，也是伴随着《马赛曲》进行的。甚至在军队里早晚的祷告中，也经常伴有《马赛曲》。彼得格勒街头还流行《工人马赛曲》：“盯着贼，盯着狗，盯着富人。盯着可恶的吸血鬼沙皇！揍他们，杀他们，该诅咒的恶棍！新生活的曙光已经出现！”[1]

随着政治进程的日益戏剧化，真正的戏剧则变得越来越政治化了。3月13日，首都的大剧院在经历了二月巨变之后重新开放了。按照观众的要求，乐队首先演奏了《马赛曲》、《国际歌》等革命歌曲。在15日恢复的芭蕾舞演出中，也应观众的要求演奏了《马赛曲》，演奏时全场观众都起立致敬。多数剧院在3月份恢复的演出都添加了不少革命场景和歌曲。

[1] 参见 *Фомин С.* Великая? Безкровная? Русская? Часть 2. Русский вестник. 16.02.2007.

红旗以及各类革命标志对于革命群众而言，也有着重要的意义。红旗成了人民战斗的象征，昭示着他们的怒火与理想，人们随时准备为此而献身。在革命的日子里，红旗一般是预先做好的，但也有些是在街头直接做成的。早在2月23日，就有报道称，晚间群众散开后，街头布满红旗。像1905年那样，游行者们将三色旗的白、蓝两色扯掉，只留红色的一条。于是在彼得格勒街头，出现了一面面狭长的“红旗”。随着革命的发展，很多房子和宫殿上——包括冬宫上空——都插上了红旗。

红色在革命过程中被赋予特殊的革命意义。除红旗外，还有许多红色标志。2月25日发生了革命的第一场战斗，游行群众在喀山大教堂附近受到哥萨克阻拦而停下，这时，一个年轻女孩从游行队伍中向哥萨克走去。所有人都紧张地注视着她：他们会不会向她开枪？女孩从大衣口袋中拿出一束红玫瑰，递给哥萨克指挥官。那位坐于马上的军官弯下身，微笑地接过花。人群中爆发出雷鸣般的欢呼与掌声——这既是欣喜也是解脱的呼声。在人们看来，红色的花束象征的既是和平，也是革命，接受了这束红玫瑰就意味着彼此的理解与团结。于是，就连哥萨克的坐骑都被扎上了红带子。26日枪击事件激起士兵哗变，起义士兵形式上的一个标志，就是在步枪的刺刀上扎上了红布条。

二月革命后，红色领章装饰了军装。二月革命后的最初日子，很少有人会在不带红色领章的情况下上街。甚至连基里尔·弗拉基米罗维奇大公都戴上了红领章，右翼组织“米哈伊尔·阿尔汉格尔同盟”的首脑普里什凯维奇也在自己的领章上优雅地缀上了红色标记。即便是普通人也热衷于对士兵服装的模仿，出现一种全新的革命服装——带有红色肩章以及镶红色线条的制服，大受群众欢迎及推崇。

作为二月革命中心的塔夫利达宫也成为革命的标志物。从27日示威游行的士兵为证明自己的爱国心及行动的合理性而径直前往塔夫利达宫开始，塔夫利达宫很快被视作革命政府与革命权力的象征，许多请愿者都会选择到这里来表达自己的意愿。塔夫利达宫成为革命人民心目中“民主的圣殿”和“革命的圣坛”。很多宣传画和明信片，以至临时政府的纸币及各类证券上，都有塔夫利达宫的图像，其背景通常是一片自由与希望之光。

在二月革命期间，这些革命的语言、歌曲、红旗、红领章、红布条——为大众指引方向，明确目标与理想。而在二月胜利之后，它们作为革命的标志受到崇拜，继续引领着运动的潮流。革命的标志在1917年的政治文化中带有宗教的色彩，它们代表了革命的神圣理想——自由、博爱和社会公正。虽然不同的人可能对其具体意义的认识会有差异，但是基本的含义是明确无误的。

二月革命后在现实政治生活方面出现了多元化，但是大革命的政治文化影响了所有政治党派。新的革命象征形式遍布于社会生活的各方面，受到广泛接受和普遍推崇，其强势是任何个人或组织都无法反对和逆转的，任何反对这种政治文化的言论和行为都被视为“反革命”。比如，虽然《马赛曲》刺激着君主主义者的神经，但他们也只能遵从这一潮流而起立致敬，因为事实上他们别无选择。

在破坏旧制度的标志、创造新的革命象征的过程中，对旧标志的净化意图以及对新象征的期待同时存在。但传统的某些特征仍然得以保存。例如在“自由的节日”中，军乐团演奏着《马赛曲》，但是整个氛围却与传统的阅兵仪式相似——人们参加庆典，接受上级指示——只是如今他们本身也可以成为主动参与的一员，并且具有了革命化的特征。传统的三色旗虽然在大多数场合下遭到毁坏，但在首都以外的地区，仍有以三色旗为标志的革命集会。当时有报道称，“人们高举国旗绕城游行，然后再回去继续工作”。有时，红旗与三色旗还会同时出现。如海军不少舰艇为了表达对革命的忠诚而升起红旗，但将三色旗高悬于船尾，就像1905年革命时那样，甚至连激进的波罗的海舰队中央委员会也公开表示要保存旧国旗。而海军军旗圣安德烈旗更是保留到十月武装起义之后。

高潮后的彼得格勒

革命带来的并不全都是崇高和激情，生活中并不是所有方面都因革命而改变了。

随着二月革命高潮的过去，彼得格勒的生活似乎在逐渐走上其固有的轨道。根据报纸报道，马尔索沃校场上的“革命牺牲者安息之地”很快就无人问津了。同样还是那些报纸登载着同样的数以百计的广告，表明通常的实业和贸易活动在按部就班地进行。晚上，马利英剧院和亚历山大剧院灯火辉煌，衣着入时的女士和先生们出入其间。而普罗大众一如以往涌向电影院和马戏团，在那里，意大利马戏演员奇尼泽利的演出不断引起疯狂的掌声，观众们还留下了遍地的瓜子壳。

很多报纸和杂志充斥着低级趣味和色情内容，“罗曼诺夫皇室暧昧关系秘闻”现在谁都知道了，关于前皇后亚历山德拉、拉斯普京、维鲁博娃以及其他一些过去的显赫人物的名字及其轶事吸引了很多人的关注。当时，这类内容肮脏、愚昧、下流的小册子挺受欢迎，无论是在繁华的涅瓦大街，还是在城市郊区，都卖得很好。这也许是俄国“大众文化”的最初浪潮。对于这种现象，高尔基表达了深深的担忧：“正是在现在，当人们身上所有阴暗的本能都被鼓动起来，而愤怒、屈辱等引发的复仇的情感尚未清除的时候，这些肮脏的‘文学作品’就特别有害，特别容易使人受到污染。”他认为，旧政权在俄国人民面前是有罪过的，因为它“总是力图使我们远离社会建设的现实事业”，但也应该承认，“我们自己在道德上的动摇性并不比我们的敌对势力差”。[1] 但他的这些思想在当时明显是不合时宜的。

3—4 月的彼得格勒，灰色、肮脏的城市。载着武装的工人的汽车在奔驰。街道和广场经常挤满了人，穿着灰大衣的士兵特别多。3 月中旬，“彼得格勒非同寻常地活跃。从清早到深夜，街上挤满了人，其中大部分是军人……失去了新鲜感的红色领章的数量比革命最初几天少了，但粗野和放肆似乎有增无减。不带武器的士兵们敞着军大衣，嘴上叼着香烟，口袋里装着瓜子，在人行道上不给任何人让路，还推搡行人。不知为什么，在这些日子里嗑瓜子成了‘革命人民’的必修课，而从‘自由’时代开始以来街道几乎就没有打扫过，因此人行道和马路都盖上了一层瓜子皮……”。[2]

4 月间在彼得格勒的作家蒲宁目睹了革命后的首都状况：“在彼得堡不断举行会议、集会，一个接一个地发表呼吁、法令，……涅瓦大街上不时驰过插着红色小旗的政府小车、轰轰作响的超载卡车。一些部队打着红旗在音乐声中以很夸张的步伐整齐地行进……涅瓦大街挤满了灰色的人群：披着大衣的士兵，没有工作的工人，闲逛的女仆，以及卖卷烟的、卖红领章的、卖黄色画片

---

[1] [俄] 高尔基著：《不合时宜的思想》，江苏人民出版社 1998 年版，第 49—50 页。

[2] *Врангель П.Н.* Воспоминания генерала барона П.Н.Врангеля. Франкфурт-на-Майне.1969. С.29.

的、卖糖果的以及卖你想要的任何东西的小贩。人行道上满是垃圾和瓜子壳，马路上结着冰，冻住的马粪使它坑洼不平。”

一位从前线回到彼得格勒的年轻军官，当时与社会革命党领导层接近、后来成为著名的文学家、哲学家和社会学家的费多尔·斯捷蓬，曾经这样描述了三月的彼得格勒：“我想我会看到一个愤怒的、壮观的、充满了革命浪漫的城市。但是我的期待没有实现。印象是深刻的，但同预期恰恰相反。彼得格勒无论是从外在面貌上还是从内在精神上都是一幅糟糕透顶的画面：放荡、无聊、粗鄙……无尽的红旗，但并不是革命的旗帜在空中飘扬，而是落满灰尘的红色女衣随意地挂在乏味的灰色的墙上。一群灰色的士兵明显与已完成的伟大事业不相称，他们解下了制服上的腰带，披着军大衣，在城市的广场和街道上晃荡。时而传来沉闷的隆隆声，装甲车和装满士兵和工人的卡车不知开往哪里；指向前方的枪，呼啸的旋风，放肆而又凶狠的目光……不，这不是我在前线听说的那个伟大的革命，不是全体人民追求自由的美好事物，而是革命的丑陋反面……这是醉酒后的狂欢，‘我们赢了’，我们纵酒作乐，我们不向任何人报告任何事情。”[1] 斯捷蓬的观察和感受具有一定的代表性，类似的见证很多。

[1] Из истории борьбы за власть в 1917 году. Сборник документов. М., 2002. С.27–28.

第三章　国家杜马、苏维埃与政权问题

在二月革命风暴中，资产阶级自由派控制的国家杜马及其临时委员会参与了革命，在一定程度上领导了起义和革命暴力，并通过派出政治委员迅速掌握了中央政权。由革命民主派政党孟什维克和社会革命党发起建立的彼得格勒苏维埃也开始积极影响事态进程，它发布的一号命令开始了军队的民主化进程，在摧毁俄国旧制度支柱的同时，也从根本上瓦解了俄国军队。在杜马临时委员会和苏维埃执行委员会协商的基础上，成立了自由派主导的临时政府，标志着自由派与民主派在俄国革命性质和任务问题上的妥协和合作，由此形成了临时政府和苏维埃两个权力中心并存的双重权力现象。

第一节　国家杜马及其临时委员会

参与革命

二月革命前夕，国家杜马按计划在 2 月 14 日开始举行会议。杜马主席罗将柯承认，那时“杜马的情绪是萎靡的……不管怎样，杜马还是站在自己原先的立场上，没有同政府公开决裂。杜马只有一个武器——语言。”[1]

2 月 23 日彼得格勒发生“饥饿暴动”时，自由主义反对派和其他政治力量一样，并未对事态发展寄予太多关注。立宪民主党决定 27 日早上在米留可夫家中举行中央委员会会议，会议内容竟是讨论立陶宛自治的方案！

26 日，国家杜马举行会议，主要议题是关于把供应居民粮食事务交给地方自治机关。进步联盟早就提出了这个要求，现在政府终于同意了。在会上，俄国社会民主工党孟什维克杜马党团领袖齐赫泽、劳动派成员克伦斯基建议通过一个激进的决议案，认为不能容忍大臣会议继续掌权，应该建立一个“受全体人民监督”的政府，立即保障言论、集会、结社和人身的自由，把“粮食事务”转交居民等内容。但决议草案不了了之。

26 日晚上，大臣会议主席戈利岑通知国家杜马主席罗将柯，沙皇已决定将杜马会议延期到 4 月举行。但沙皇政权这一次对杜马采取的行动与解散第一届和第二届杜马不一样。前两次解散杜马时，杜马所在地塔夫利达宫被上了

---

[1] *Родзянко М.В.* Крушение империи. Харьков.1990. С.214.

锁，还设置了岗哨，杜马代表除了私人住宅以外无处可去。这一次政府只是把沙皇关于杜马延期的命令通知罗将柯，没有打算关闭塔夫利达宫。

27日清晨，已持续几天的工人罢工和示威游行转变为以彼得格勒士兵为主的武装起义。这一天是星期一，杜马原定的工作日程是从上午11点开始举行几个专门委员会的会议。因此，不是所有杜马代表都要到塔夫利达宫来。而且，按照彼得格勒的习惯，来塔夫利达宫的代表到得也并不早。只有那些一早就已经听说了彼得格勒发生军事叛乱的代表才急匆匆地赶来，住得较近的如米留可夫、克伦斯基是步行赶到杜马的，盛加略夫、舒尔金等是被杜马派出的汽车接来的，而施德洛夫斯基是乘坐挂有红十字旗帜的汽车来的。

到达塔夫利达宫的杜马代表们对已发生的情况毫无准备，大家都不知所措，三五成群地聚在一起，一面交流各种消息，一面等待自己的党团领导人的意见。

但杜马以及各党团的领导人一时也不知如何是好，罗将柯把自己关在办公室里，进步联盟的领袖们也不出面，连齐赫泽、斯科别列夫等最左翼的代表，也以为一切都已不可收拾，要想挽救局面只有等待奇迹出现。

随着彼得格勒的运动愈演愈烈，国家杜马被卷入革命。"从2月27日开始，国家杜马在二月革命中发挥了领导作用，从争取建立责任政府发展到采取旨在夺权、成立临时政府和推翻专制制度的措施。杜马及其机构实行的所有措施，反映了杜马自由主义者从反对派转变为资产阶级革命者的过程。"[1]

上午，在塔夫利达宫第11号房间，举行了进步联盟执行局会议。李沃夫提出，杜马代表不解散，应该像法国大革命时期的国民公会那样开会。但面对复杂的局面，大家都无良策。党团领袖们全都无法走出会议室去面对自己的杜马代表。

杜马主席罗将柯就其政治立场而言是一个自由主义的君主主义者，在杜马主席的位置上，他比其他人更好地观察着俄国。他经常在给沙皇的报告中公开地谈论哪些招人痛恨的官员应该被收拾，哪些社会意见应该倾听。但是沙皇不能容忍他的建议，也不听他的意见。就是因为这种情况，立宪民主党也不再

[1] *Николаев А.Б.* Революция и власть:IV Государственная дума 27 февраля - 3 марта 1917 года. СПб., 2005, С.592.

信任他，一年前在提出社会信任的政府首脑候选人时，米留可夫坚持主张用平庸的李沃夫代替他。

现在，罗将柯认为，沙皇让杜马休会的举动排除了以和平方式平息冲突的任何可能性。但杜马左翼不服从沙皇命令、不散去的做法，在他看来也是一种造反，也是他不能同意的。而在街上，士兵们在杀害军官，动乱在蔓延和扩大。正因如此，他在26日晚上给沙皇和主要将领发了电报，要求沙皇同意成立责任政府。布鲁西洛夫和鲁兹斯基作出了响应，但阿列克谢耶夫还保持沉默。而沙皇则以让杜马休会作出了回答。罗将柯认为，沙皇的措施是毫无理性的，它抽去了秩序的最后支撑。但他还是竭力试图纠正沙皇的这个错误。27日中午12点40分，罗将柯再次给尼古拉二世发去电报：[1]

"根据陛下的命令，国家杜马会议被延期到4月。最后的支柱被抽掉了。政府完全无力平息动乱。对卫戍部队不能抱有希望。近卫团的后备营都发生了叛乱。杀死军官。他们站到人群和人民运动一边，向内务部大楼和国家杜马进发。国内战争已经开始并正在蔓延。恳请陛下立即下令在我昨天给陛下的电报的基础上组织新政权。请陛下取消杜马会议延期的命令，重新召集立法议会。请求陛下毫不迟疑地以最高宣言的形式宣布这些措施。陛下，不能拖延。如果运动蔓延到军队，那将是德国人的胜利，俄国的毁灭，而王朝也将完结——这是不可避免的。我以俄国的名义，恳求陛下这样做。决定陛下和俄国命运的时刻到了。明天就可能晚了。"[2]

但罗将柯措辞尖锐的电报也许只是引起了沙皇的愤怒。

随后，罗将柯又与沙皇的兄弟米哈伊尔大公通了电话。他们在电话中商定，米哈伊尔大公立即秘密前往彼得格勒与罗将柯会面。罗将柯和米哈伊尔曾是近卫重骑兵团的战友。罗将柯对米哈伊尔大公有相当的影响力，他们在1月间还一起谈论过时局。当时米哈伊尔大公请求罗将柯再次向沙皇说明真相，而罗将柯希望米哈伊尔大公尽量影响尼古拉二世，让杜马开会并让皇后不再干预国务。

---

[1] 大本营在2月27日13点12分收到这份电报。

[2] ГАРФ.Ф.601.Оп.1.Д.2090.Л.1.http://www.rusarchives.ru/evants/exhibitions/1917-myths-kat/12.shtml

27 日上午的进步联盟领导人会议没有结果，随即开始举行杜马各党团领导人会议，这实际上只是在出席进步联盟首脑会议的人员的基础上增加了齐赫泽和克伦斯基，因为极右翼党派的领袖在得到杜马休会的消息后都离开了塔夫利达宫。

在杜马各党团领导人会议上，大家内心都反对服从沙皇命令，但心里又不踏实，担心不服从可能就意味着开始革命。进步联盟领袖都不赞成起义，特别是杜马主席罗将柯，坚持采取合法斗争形式的原则，认为不能公开反抗沙皇解散杜马的命令，而应说服尼古拉二世取消这个命令。在杜马反对派中居于二号人物位置的米留可夫似乎也表现出信心不足。在突如其来的情况面前，他也觉得难以预测，怕犯错误，因而认为暂时不要有任何举动。除了克伦斯基和齐赫泽，杜马党团领袖们大多不知所措。但是必须做点什么，杜马代表还等在那里。最后大家同意，承认沙皇杜马休会的命令，不以杜马名义继续工作，但还需要附加某些条件，如杜马代表不散开返回各地，而是留在彼得格勒，以便于见面和集中。这需要把代表们召集起来，由他们作出最终的决定。克伦斯基建议：打铃，请杜马代表们进入叶卡捷琳娜大厅开会。会议最终决定举行杜马部分代表非正式会议。为强调会议的非正式性质，会议地点不是在通常举行杜马全体会议的叶卡捷琳娜大厅开会，而是叶卡捷琳娜大厅后面的半圆大厅。

27 日下午 2 点，罗将柯请代表们到半圆大厅，召开非正式的杜马部分代表会议。半圆大厅比较小，没有足够的位子容纳参加会议的约 300 名杜马代表，有一些代表只能站着。主席台上坐着全体杜马党团领袖。立宪民主党左翼领导人涅克拉索夫发言，主张立即把全部政权交给一位杜马信任的、强有力的将军，应该立即迫使政府任命这样一位将军并授予他镇压暴动的专制权力。卡拉乌洛夫反对，他认为，我们一直在骂政府是笨蛋、恶棍甚至是背叛者，但现在涅克拉索夫居然建议要求这些白痴采取行动。我们必须自己做点什么！如果不能，那就证明我们应该从这里滚蛋！但他也未能说明应该或能够做些什么。米留可夫在一些代表发言之后表示，请求政府实行军事专政是有失体面的，而杜马自己成立委员会来实行专政也是不合适的，因为杜马作为立法机构不能自行掌握行政权力。而且，在不了解动乱的具体规模、各地部队的态度、参加动乱的工人和各社会组织的人数等等情况的背景下，建立新政权的时机还远未到来，暂时不能作出任何决定，应该继续等待。米留可夫在回忆录中说：“我发言建议等待，直到弄清楚运动的性质，与此同时成立杜马成员组成的临时委员会以便恢复秩序并与有关人士和机构联系”。[1]

杜马部分代表会议最后终于达成了一致的意见：为了防止崩溃，各党派要消除分歧、保持一致；由一些杜马代表组成一个委员会，但它不能预先得到任何授权，而要视情况的发展而定。由于杜马部分代表会议不是杜马全体会议，不能就委员会的组成进行选举表决，于是决定由杜马各党团领袖作为这个委员会的组成人员。杜马部分代表会议同意，杜马代表将无条件地服从这个委员会。杜马部分代表会议结束时，代表们相约都不离开塔夫利达宫。

杜马各党团领导人到罗将柯的办公室开会，成立了已经由杜马部分代表会议同意的委员会，其组成包括除极右翼外的所有杜马党团的代表。或者说，是在进步联盟的基础上加上了来自右翼的舒尔金、来自左翼的齐赫泽和克伦斯基等人。委员会总共 13 人，罗将柯任主席。

国家杜马临时委员会部分成员。前排左起：弗·尼·李沃夫、勒热夫斯基、施德洛夫斯基、罗将柯。后排左起：舒尔金、德米特留科夫、恩格尔加尔特、克伦斯基、卡拉乌洛夫

在委员会的名称问题上进行了讨论。最后确定委员会名称为“在彼得格勒维持秩序并与机构和个人进行联系的国家杜马临时委员会”，这个名称反映了杜马反对派的谨慎：委员会是临时的，目的是维持秩序和进行联系，而不是为了采取行动和进行管理。而联系的对象只是合法的机构而非革命政党或组织。立宪民主党人格拉西莫夫对委员会名称的选择作了解释：“从刑法典的角度这很重要，要是革命不成功呢？”但另一

[1] *Чурбанов В.* IV Дума и революция: созданная предотвратить–вынужденная возглавить. http://www.russia-today.ru/2006/no_03/03_centenary.htm.20080816

位立宪民主党人伊恰斯回答说："彼得·瓦西里耶维奇，抛弃你的想法吧！如果革命不成功，那我和你会同委员会的名称一起被吊在同一棵树上"。[1] 但不管怎样，成立临时委员会已经是杜马超出自己权限的、具有革命性质的行动。

成立杜马委员会的决定与杜马得到的有关局势的消息之间有一定的联系。在杜马部分代表会议期间，古契柯夫同当天下午 3 点刚被任命为彼得格勒军队保安部门首脑的赞科维奇将军进行了谈话。据古契柯夫说，赞科维奇不打算针对起义士兵采取任何积极行动，他为自己这一立场所找的形式上的理由是没有可靠的部队。作为军队保安首脑的赞科维奇本应采取一切手段镇压革命，但他却在事实上与杜马领袖之一达成了某种默契。赞科维奇的这个态度对于杜马的活动具有重大影响。国家杜马临时委员会的成立是在古契柯夫与赞科维奇谈话过后，[2] 这也许不是偶然的。

2 月 27 日下午国家杜马临时委员会的成立是二月革命中最关键的事件之一。此事发生在民主派政党发起成立彼得格勒苏维埃之前的几个小时。

接管政权

由于同大臣会议主席戈利岑公爵的会谈没有取得结果，也由于彼得格勒起义的顺利发展、不断有新的部队站到国家杜马一边，国家杜马临时委员会在经过激烈的争论后，决定在事实上接管政府权力，着手"恢复国家和社会秩序"。

在这个过程中，关于普列奥布拉任斯基近卫团转到国家杜马一边的消息成为促使杜马夺权的最后理由。这个消息是杜马临时委员会成员施德洛夫斯基在 27 日夜间 11 点多通过电话从该团梅谢里诺夫大尉那里得到的，后者当时

[1] *Чурбанов В.* IV Дума и революция: созданная предотвратить–вынужденная возглавить. http://www.russia-today.ru/2006/no_03/03_centenary.htm.20080816

[2] 通常认为，古契柯夫在 27 日持观望立场，直到 2 月 28 日早晨确信政府没有力量可以镇压造反后才匆匆赶到国家杜马。但实际情况是，古契柯夫从 27 日早晨开始就一直在国家杜马，并积极参与了杜马上层的活动。参阅 *Николаев А.Б.* Государственная дума в Февральской революции. Рязань.2002. С.58–59.

就在该团位于百万街的营房里。杜马临时委员会成员得知这个消息后欣喜若狂：大家都从座位上跳起来，围住了施德洛夫斯基："现在我们没什么可顾虑的了……我们有了可靠的部队……该作决定了。"最后，在杜马临时委员会成员特别是米留可夫的压力下，罗将柯决定杜马临时委员会掌握政权。[1]这是在27日夜里11点到12点之间的事情。

随后，27日夜间12点左右，向全俄各城市发出了罗将柯签署的关于成立国家杜马临时委员会的电报，公布了杜马临时委员会的成员名单：米·弗·罗将柯，亚·费·克伦斯基，尼·谢·齐赫泽，瓦·维·舒尔金，帕·尼·米留可夫，米·亚·卡拉乌洛夫，亚·伊·柯诺瓦洛夫，伊·伊·德米特留科夫，弗·阿·勒热夫斯基，谢·伊·施德洛夫斯基，尼·维·涅克拉索夫，弗·尼·李沃夫，恩格尔哈特上校。根据国家杜马临时委员会的建议，国家杜马代表、总参谋部的巴·阿·恩格尔哈特上校任起义的彼得格勒卫戍部队司令之职，从午夜1时起履行职责。[2]

与此同时，罗将柯给最高统帅部参谋长和各战线、各舰队司令发去电报：

"1. 国家杜马临时委员会通知阁下，鉴于原大臣会议已停止履行管理职能，政府权力现已转归国家杜马临时委员会。

2. 国家杜马临时委员会已着手建立正常生活秩序和管理首都，要求作战部队和舰队保持充分镇静并坚信同外部敌人斗争的共同事业一分钟也不会中断和削弱。军队和舰队将一如既往的坚强和勇敢。临时委员会在帮助首都部队、支持居民群众的同时，将尽快恢复后方的安定，重新开始政府机构的正确活动。希望每一位军官、士兵和水兵履行自己的职责！

国家杜马主席罗将柯"[3]

2月28日（3月13日）凌晨，国家杜马临时委员会发布关于政权问题的公告：

"旧政府的措施使国家陷于毁灭。在这一严重情况下，国家杜马临时委员

---

[1] *Николаев А.Б.* Государственная дума в Февральской революции. Рязань. 2002. С.76.

[2] Революционное движение в России после свержения самодержавия. Документы и материалы. М., 1957. с.401.

[3] *Галушкин Н.В.* Собственный Его Императорского Величества Конвой. М., 2004. С.237.

会认为自己不得不承担起恢复国家和社会秩序的责任。临时委员会意识到通过这一决定的全部责任。它相信人民和军队将帮助它完成重任，建立一个符合人民要求并能够得到人民信任的新政府。”[1]

罗将柯电告沙皇，说彼得格勒的革命如火如荼，政府机构已经失去作用，无知的群众主宰着局势，为了防止军官和政府官员被杀，安抚狂热的情绪，杜马委员会决定承担起政府职能。

但杜马临时委员会及其领袖是小心翼翼的，“就像在苏维埃中的情绪一样，这里也没有任何自信——也许今天或明天就会有部队从前线回来，将会严厉地对付‘杜马革命家’”。[2]

国家杜马掌握政权后，在很短时间内就获得了社会的普遍承认。全国各地纷纷发来支持电报，沙皇大臣和官员表示效忠，甚至起义部队和革命派高层也支持杜马临时委员会掌权，希望以此使自己的行动合法化。杜马临时委员会也获得了最初的国际承认。3 月 1 日，法国和英国大使正式向国家杜马主席罗将柯表示：“法国和英国政府决定与俄国人民意志的真正表达者、唯一合法的临时政府——杜马临时执行委员会——建立事务联系。”[3]在沙皇政权依旧存在的情况下，杜马临时委员会一方面起着政府权力的作用，另一方面还以最高权力机关的面貌存在。

领导起义

杜马成为革命中心，是同杜马为解决革命提出的任务而采取的一系列措施联系在一起的。在杜马临时委员会成立前后，作为俄国议会下院的国家杜马已在彼得格勒采取了一系列超越自由主义的、具有革命性质的行动。而“在作出夺权的决定以前，由罗将柯、涅克拉索夫、克伦斯基等著名人物领导的临时

[1] Революционное движение в России после свержения самодержавия.Документы и материалы. М., 1957. С.402.

[2] *Иоффе Г.З.*Семнадцатый год: Ленин, Керенский, Корнилов. М.,1995. С.31.

[3] *Николаев А.Б.* Государственная дума в Февральской революции. Рязань. 2002.С.76–77.

委员会就采取了旨在推翻沙皇制度的措施。”[1] 这些措施中最主要的有：动员和组织彼得格勒卫戍部队转到国家杜马一边，实行革命暴力，建立政治委员制度，组织地方政权机关，等等。

27日，国家杜马事实上成为起义的指挥部。它成功地组织军队转到国家杜马一边、使革命得以顺利发展的事实，是促使杜马临时委员会把政权掌握在自己手里的直接因素。

这天早上，一些杜马代表就积极活动，鼓动起义士兵去杜马所在地塔夫利达宫，使得杜马事实上介入了事态发展，并很快成为革命的中心。克伦斯基是组织“造反的部队到杜马去”的主要倡导人。他在清晨从电话中得知解散杜马和士兵造反的消息后，就给自己社会革命党内的同志和左翼律师朋友打电话，请求他们尽量影响运动、让部队继续造反并到国家杜马去。

聚集在塔夫利达宫前的起义部队

下午1点，第一批起义部队的代表来到国家杜马所在地塔夫利达宫。他们代表了25000名士兵和军事医学院的学员，试图“搞清楚人民代表机关采取什么立场”，想知道“国家杜马是否愿意站在运动一边”。罗将柯向他们转告了杜马各党团领袖会议的决定：“当前的基本口号是废黜旧政权并以新政权取代它”，为了实现这一目的，杜马“将积极参与运动，但为此首先需要秩序和安宁”。罗将柯向代表们解释说，“关于新政权的候选人还没有确定，现在谈论这一点为时尚早。”罗将柯还向代表们展示了发往大本营的给沙皇的电报以及给总参谋长阿列克谢耶夫将军和三个战线司令的电报。在外省出版物上，罗将柯的这些话被理解为“杜马废

---

[1] *Николаев А.Б.* Революция и власть:IV Государственная дума 27 февраля -3 марта 1917 года. СПб., 2005.С.507.

黜了旧政权并建立了新政权”。[1]

越来越多的起义士兵和工人不断促使杜马采取更积极的行动。

下午 1 点多，劳动派成员别尔斯基和沃伊采霍夫斯基等人坐汽车来到塔夫利达宫，他们的身份是起义士兵和工人的领导人。人们向杜马提出的问题是：“杜马现在打算怎么办？现在你们可以把政权掌握在自己手里。就是现在，要不就永远别想。”不一会儿又有一队士兵在恰尔诺鲁斯基带领下来到塔夫利达宫，要求立即面见杜马主席罗将柯。当罗将柯和克伦斯基、涅克拉索夫、米留可夫和其他一些人出来与他们见面时，恰尔诺鲁斯基说：“国家杜马主席先生，整个城市处于革命人民和士兵的掌握之中，必须立即把罗曼诺夫王朝赶下台，把杜马代表中所有立宪民主党右翼分子清除出杜马。”罗将柯则竭力表示，不能接受这样的要求。代表们没有得到希望的结果。[2]

快两点的时候，有人跑来报告说大约有 3 万人的起义士兵和工人在向塔夫利达宫行进。罗将柯叫来负责塔夫利达宫警卫工作的奥斯坚—萨根少将并下达命令：塔夫利达宫的警卫部队在执行任务时要使用说服的方法，不得使用武器。但下午两点约 30000 起义士兵来到塔夫利达宫时，还是发生了冲突。一名谢苗诺夫团的起义士兵被打死，塔夫利达宫警卫队长受了伤。冲突之后，起义士兵仍坚持留在塔夫利达宫的栅栏外面。这时杜马部分代表会议正在举行。

杜马代表克伦斯基、斯科别列夫、齐赫泽出来与起义者见面并发表讲话。斯科别列夫面对聚集在街上的群众发表了简短的演说。“他大致说了以下一些话：‘旧政权垮台了……它还在抵抗……现在国家杜马正在开会。杜马代表还在动摇。他们还没有决定把政权掌握在自己手里。我们在向他们施加压力。同志们，请注意，建设新的国家是很困难的；组织新政府是很困难的，非常困难……这可能会拖一天、两天。要有耐心，首先要建立革命秩序’。”齐赫泽在回答士兵和武装的工人提出的给他们派领导人的问题时，号召起义者组织起来。克伦斯基发表了激情洋溢的演说，他宣布：“士兵们，国家杜马与你们在

[1] *Николаев А.Б.* Государственная дума в Февральской реаолюции. Рязань. 2002. С.47.

[2] *Чарнолуский В.И.* Десять лет назад（Воспоминания [в 1927 г.] о первых моментах февральской революции）http://biblio.narod.ru/gyrnal/publicat/fevr_17_tharn.htm.

一起!”[1]

下午2点到3点之间，起义士兵占据了塔夫利达宫。2月27日出版的唯一报纸《彼得格勒新闻工作者委员会消息报》对国家杜马所在地发生的事情进行了报道:“起义士兵的领导人撤掉了塔夫利达宫的警卫，自己接管了国家杜马的警卫任务，占领了国家杜马建筑物内的邮局和电报局，并在电报机旁布置了岗哨。”前来塔夫利达宫换岗的原先的警卫也被解除了武装。

克伦斯基

在起义士兵占据塔夫利达宫过程中，克伦斯基起了重要作用。目击者证实:“我亲眼看到，克伦斯基带着一支小部队开始整顿秩序，他安排了第一批岗哨。”杜马代表П.В. 格拉西莫夫写道:克伦斯基带着塔夫利达宫围栏外的部队进入塔夫利达宫的院子里，并为国家杜马任命了“来自自由的俄国人民的第一个荣誉岗哨”。克伦斯基后来也一再谈到，是他把革命的部队带进了塔夫利达宫，带到了国家杜马。而根据斯科别列夫等人的回忆，他和齐赫泽、克伦斯基是最早领导起义士兵的人。“我们立即组织了几个排的武装士兵来代替国家杜马原来的警卫。警卫没有抵抗，把自己的岗位让给了新的革命的卫队”[2]。

为了动员和组织更多部队转到起义一边来，克伦斯基在2月27日下午将近3点钟时在杜马部分代表会议上发言，请求授权他和齐赫泽一起乘车到各起义部队去宣布国家杜马对他们的支持和国家杜马的团结。但他未得到多数的支持。

[1] *Николаев А.Б.* Государственная дума в Февральской реаолюции. Рязань. 2002. С.51–52.

[2] 参见 *Николаев А.Б.* Государственная дума в Февральской реаолюции. Рязань. 2002. С.52–53.

起义的士兵和工人聚集在塔夫利达宫内，为杜马掌握军事力量创造了条件。克伦斯基和他周围的一些人把这件事抓在了自己手里，形成了一个被称为“克伦斯基司令部”的非正式的机构。2 月 27 日下午，“克伦斯基司令部”担负起了领导起义士兵和工人同旧政权的军事和警察力量进行斗争的工作。它所推行的革命暴力政策也有力地促进了国家杜马影响的扩大。“克伦斯基司令部”的组织工作和一些杜马代表的活动，促成了彼得格勒最初一批革命部队的建立。克伦斯基、罗将柯和卡拉乌洛夫下令组织一些士兵和工人的队伍并将其“派往城市各个地方去发动尚未起义的部队”。“克伦斯基司令部”还派出一队士兵占领了后备装甲汽车师的军火库，从里面搬出了近百挺机枪和近千支手枪，武装了起义士兵和工人。指挥部还命令一些部队执行了诸如占领政府机关和战略要地等任务。到 27 日傍晚，“克伦斯基司令部”掌握的已经不仅是没有组织、自由散漫的起义士兵人群，而且也有了保持着军官指挥系统的正规部队。这使得革命的发展在一定程度上已经是有领导的。而在此时，苏维埃离掌握起义领导权还很远。

随着起义的发展，杜马临时委员会面临的需要解决的问题越来越多。为此，在 2 月 27 日傍晚，根据杜马部分代表会议的决定，成立了包括军事委员会在内的几个专门委员会。杜马军事委员会是由“克伦斯基司令部”转变而来，领导它的主要杜马活动家仍是克伦斯基和罗将柯。“从这个时候开始，可以说杜马军事委员会是作为起义的领导机关存在的”[1]。克伦斯基在回忆录里写道：“我们在杜马中……建立了中央机关以控制部队和起义者的活动”，这个中央机关指的就是军事委员会，它隶属于杜马临时委员会，其职责中有一项重要内容是指挥对付还在抵抗革命的普罗托波波夫的警察力量的行动。

苏汉诺夫描述了他见到的军事委员会的工作情况：“在塔夫利达宫门庭的左边，离入口不远，放着一张长桌，围着它挤满了很多人，主要是军人。我看见克伦斯基在他们中间，正在做什么指示。……在这里克伦斯基是以军事委员会成员的身份活动。”苏汉诺夫指出，领导军事委员会的是克伦斯基。[2] 其他

---

[1] *Николаев А.Б.* Государственная дума в Февральской реаолюции. Рязань. 2002. С.57.

[2] *Суханов Н.Н.* Записки о революции.книга первая.Берлин-Петербург-Москва.1922. С.101–102.

一些事件参与者也谈到了克伦斯基作为军事委员会领导人的活动：“一拨拨武装人员穿过人群奔他而来，挤满了塔夫利达宫，找他，问他该做些什么、怎样‘保卫自由’。”“他向士兵们发号施令，在他周围形成了一个指挥部。”[1]

杜马军事委员会发挥了起义的军事指挥部的作用，它继续如“克伦斯基司令部”那样领导起义。刚赶到杜马的第一后备团的军官和士兵成为军事委员会直接掌握的武装力量。军事委员会派出了几个由下级军官和士兵组成的侦察小组到皇宫广场、参政院广场、瓦西里岛、海军街等地方了解情况；还有几支50—150人的战斗分队奉命占领总军械库、中央电话站和火车站、彼得格勒省宪兵司令部等目标。克伦斯基还打算授权苏汉诺夫带一支小分队和交通工具去占领彼得格勒保安局并保证其档案的完整性，但因苏汉诺夫希望从事政治方面的工作而作罢。晚上，军事委员会控制的第一后备步兵团完成了一系列旨在削弱旧制度、巩固新秩序的重要任务。但是由杜马军事委员会指挥的这些行动并不总是成功的，如夺取电话站的战斗就遭到挫折，杜马派出的部队遭到政府守卫部队的交叉火力截击，损失了一辆汽车。

2月27日晚上，根据米留可夫的建议，军事医学院教授B.A.尤列维奇被补充为军事委员会成员。在塔夫利达宫的叶卡捷琳娜厅，尤列维奇对米留可夫说：“作为革命的中心，塔夫利达宫需要可靠的警卫并在自己的周围团结起士兵群众。相应的部队能够也应该由那些倾向于国家杜马并把它视为精神团结、实际依靠和安全的中心的士兵组成。”尤列维奇“要求立即采取相关措施，并表示自己可以听从

夺取电话站

[1] 参见 *Николаев А.Б.* Государственная дума в Февральской реаолюции. Рязань. 2002. С.57.

主事者调遣”[1]。

在杜马临时委员会的军事委员会积极开展活动的时候，27 日晚上 7 点左右或稍晚一些，在塔夫利达宫里，正在酝酿中的彼得格勒苏维埃也成立了自己的起义指挥部。指挥部起初是由聚集在塔夫利达宫的起义团队的代表组成的。参加指挥部工作的有姆斯基斯拉夫斯基、19 世纪 90 年代开始就是社会革命党军事组织成员的菲利波夫斯基上尉、索科洛夫和晋季诺夫。晋季诺夫把这个“起义指挥部”称为“革命的军事指挥部”。但这个“指挥部并未能对起义者进行任何实际指挥，一切都只限于谈论。”指挥部工作的主要成果是形成了关于起义进程口头汇总、确定了行动的基本任务。姆斯基斯拉夫斯基回忆：“如果我们哪怕有一支联系紧密、保持纪律的部队就好了……没有火炮，没有机枪，没有指挥人员，没有通讯”。[2] 而且，晋季诺夫很快就认为姆斯基斯拉夫斯基“不行”而离开了，而几个士兵代表也去参加晚上 9 点召开的彼得格勒苏维埃成立会议了。

2 月 27 日晚上 9 点左右，有 20 多名来自前线的军官来到彼得格勒苏维埃的起义指挥部。这些军官大多是从前线到彼得格勒休假或出差的，在 27 日的事件中来到了国家杜马，其中有些人参与了军事委员会的工作。晚上，克伦斯基把他们组织起来，并让他们参与苏维埃的“起义指挥部”的工作。于是，杜马军事委员会和苏维埃起义指挥部这两个机构实现了最初的联合，以“联合的起义指挥部”、联合的军事委员会的名义开展活动。这一步骤对于国家杜马将自己的影响力扩大到所有起义士兵和工人具有重要意义。

为了将彼得格勒卫戍部队完全控制在自己手中并摧毁旧的军事—警察中心，国家杜马临时委员会很快就作出决定，正式承认联合指挥部为国家杜马临时委员会下属的军事委员会，任命杜马临时委员会成员、十月党人、总参谋部上校军官恩格尔哈特为军事委员会主席和彼得格勒卫戍部队司令。恩格尔哈特是由 B.H. 李沃夫推荐进入杜马临时委员会的，让他担任军事委员会主席可能也是李沃夫的建议。罗将柯也支持恩格尔哈特，他曾在 1915 年要求后者加入

[1] *Суханов Н.Н.* Записки о революции. Книга первая. Берлин-Петербург-Москва.1922. С.105.

[2] 参见 *Николаев А.Б.* Государственная дума в Февральской реаолюции. Рязань. 2002. С.61.

了十月党。恩格尔哈特在26日根据杜马代表的请求去巴甫洛夫团的军营“以便得到有关巴甫洛夫团士兵起义的准确消息”。恩格尔哈特的身份对任命他担任军事委员会主席也有一定作用。

2月27—28日的午夜，罗将柯亲自带着恩格尔哈特到军事委员会的房间宣布对他的任命。这个任命遭到军事委员会一些人的反对，但稍后进来的克伦斯基在同罗将柯简短交谈后发表讲话，强调必须建立统一的坚强的政权。

在苏联史学中，对于这一事件曾有不同的说法，如认为是杜马夺取了“别人的”军事委员会；苏维埃执行委员会中的社会革命党—孟什维克领导层担心其单独实现对卫戍部队的控制权会导致杜马临时委员会同专制主义结盟，因此把军事委员会给了杜马临时委员会；一开始形成了两个互相独立的军事委员会，后来在国家杜马临时委员会的庇护下两者联合为统一的军事委员会，等等。

当时的实际情况是，彼得格勒苏维埃显然不太愿意承认杜马在领导起义中的作用，它强调27日的事件仍然具有自发性质。其《告彼得格勒居民书》说：“……士兵们不愿反对人民，他们挺身而起反对政府。他们同人民一起夺取武器、军火库和一系列重要的政府机构”[1]。但这个说法同时表明，苏维埃实际上也承认自己在27日并未参与对起义的领导。事实上也只是随着“克伦斯基司令部”改组为杜马和苏维埃的联合军事委员会，彼得格勒苏维埃才开始参与对起义的具体组织工作。

但苏维埃执行委员会确实没有对恩格尔哈特的任命制造障碍，反而号召士兵们服从已经成为杜马所属机关的军事委员会的命令。[2]2月28日，苏维埃执行委员会以传单形式宣布：“国家杜马临时委员会在军事委员会的帮助下组织军队并任命部队指挥员。工人和士兵代表苏维埃执行委员会不愿妨碍同旧政权的斗争，不希望士兵们拒绝保持牢固的组织和拒绝服从军事委员会以及它任

---

[1] Революционное движение в России после свержения самодержавия. Документы и материалы. М., 1957. С.188.

[2] *Токарев Ю.С.* Петроградский Совет рабочих и солдатских депутатов в марте и апреле 1917. Л., 1976. С.56.

命的指挥员的命令。”[1]

在起义的军事指挥机关问题上的基本事实是：杜马和苏维埃最初的军事指挥机构都是以非正式的“指挥部”形式出现的，但杜马的“克伦斯基司令部”开始工作的时间比苏维埃的“起义指挥部”早 4 个小时；杜马临时委员会在成立军事委员会方面行动较早且较为主动，杜马部分代表会议在 27 日 7 点前就已作出了在“克伦斯基司令部”基础上成立军事委员会的决定，而杜马临时委员会在 27 日夜里 12 点左右决定将杜马军事委员会与苏维埃“起义指挥部”联合；彼得格勒苏维埃在 27 日下午忙于自身的组织工作，在缺乏联系、经验和干部的情况下未能建立有效的军事机关，苏维埃军事中心“起义指挥部”的独立性在其同杜马军事委员会联合以后已经不存在了。正因如此，苏汉诺夫谈到了苏维埃的一个决议“要求允许全体选出的苏维埃执行委员会成员进入军事委员会”。这说明苏维埃希望控制军事委员会，但无力掌握它；同时，这也意味着苏维埃承认杜马在建立军事委员会一事上已占有先机。

杜马代表和杜马临时委员会及其军事委员会为组织起义、扩大其掌握的军事力量的规模而采取的措施产生了实际效果：军事委员会与尚未站到起义一边的部队进行谈判，使一些部队转向革命。起义士兵人数在 27 日早上是 10200 人，中午是 25700 人，傍晚是 66700 人。[2] 在起义部队的基础上，杜马组建了最初的革命部队，并占领了重要的政府机关和战略地点。

派出政治委员

杜马临时委员会不仅使自己拥有政府权力，并在赋予自己最高权力方面采取了实际行动。杜马临时委员会掌握中央政权的一个基本原则是尽可能保留原有权力机关，并在采取措施利用旧大臣和高级官吏的同时，通过任命政治委员证明了自己的最高权力性质和领导革命的事实。

杜马临时委员会组织新政权的最初的也是最重要的措施是建立政治委员

[1] Петроградский Совет рабочих и солдатских депутатов в 1917 году. Протоколы и материалы. Т.1.Л., 1991. С.25.

[2] 参见 *Николаев А.Б.* Государственная дума в Февральской реаолюции. Рязань. 2002. С.62.

制度，即由杜马临时委员会特别任命和授权一些杜马代表作为政治委员派往各个政府管理机关。政治委员从国家杜马临时委员会获得特别授权，其中包括在政府机关的内部管理和一般社会政治领域推行改革的授权。政治委员制度成为临时权力机制的主要因素，它保证了中央政府正常发挥职能，是实现政权更迭的重要环节。

杜马临时委员会在 2 月 28 日凌晨就决定了政治委员名单：进步党人布勃利科夫派往交通部，十月党人阿列弗耶夫派往内务部，接近立宪民主党的萨瓦捷耶夫和十月党人萨维奇派往军事和海军部，中央派杜马党团代表巴萨科夫和立宪民主党人马克拉科夫派往司法部，进步党人巴雷什尼科夫派往邮政总局，立宪民主党人格隆斯基和卡卢金派往电报总局，立宪民主党人格拉西莫夫和贝贝利亚耶夫派往彼得格勒市政府，十月党人 С.Н. 罗将柯派往商业和工业部，立宪民主党人沃尔科夫和十月党人 И.И. 卡普尼斯特派往农业部，立宪民主党人维诺格拉多夫和进步党人季托夫派往财政部，十月党人戈德涅夫派往最高法院。克伦斯基地位特殊，他尽管没有出现在杜马临时委员会的政治委员名单中，但实际上被任命为派往司法部的政治委员。因克伦斯基曾一直受到秘密警察的监视，罗将柯在临时委员会会议上说："克伦斯基不喜欢他们（秘密警察），就让他去对付他们。我们就任命他担任司法部的政治委员。"[1] 杜马临时委员会并未立即向所有政府部门派遣政治委员，已派遣的政治委员从 28 日开始陆续到位。彼得格勒苏维埃没有往政府部门派遣任何政治委员。

3 月 1 日，杜马临时委员会又从杜马代表中任命了一批新的政治委员，其中包括给一些政府部门增派的政治委员：中央派党团成员瓦西里契科夫派往农业部，十月党人 Д.П. 卡普尼斯特派往内务部，立宪民主党人阿杰莫夫派往司法部，十月党人金加科夫派往国家印刷厂，十月党人柯瓦列夫斯基派往国民教育部，十月党人罗斯托夫采夫和斯捷姆普科夫斯基派往商业和工业部，立宪民主党人切尔诺斯维托夫派往邮政和电报总管理局，立宪民主党人多勃罗沃尔斯基派往交通部，立宪民主党人罗季切夫派往芬兰大公国事务署。这一天，格隆斯基和萨拉兹金成为彼得格勒电报通讯社的政治委员，新闻稿要经格隆斯基签字后方可发稿。古契柯夫也在这一天就任军事部政治委员。

---

[1] *Николаев А.Б.* Государственная дума в Февральской революции. Рязань. 2002. С.77.

3 月 2 日，国家杜马临时委员会继续派遣政治委员。格隆斯基出任国家杜马临时委员会出版局政治委员，立宪民主党人沃斯特罗金被派往农业部和粮食问题特别会议，立宪民主党人杰米多夫被派往农业部，立宪民主党人、国务会议成员格里姆派往国务会议办公厅和玛丽亚宫，进步党人格罗季茨基被派往国家监察部，立宪民主党人伊恰斯被派往国民教育部，进步党人李沃夫被派往国家剧院管理处。立宪民主党人、第二和第三届国家杜马代表戈洛文被派往宫廷和领地部。

到 3 月 2 日为止，国家杜马临时委员会共任命了 38 名政治委员到政府部门和有关管理机关。[1] 政治委员们通常都是带着武装的小分队前去任职的。任命和派遣政治委员，使主要中央管理机关在国家杜马临时委员会的控制下恢复了活动。

杜马临时委员会对政府机关和管理部门的控制有几种形式：部分政府部门和管理机关的原大臣或负责人被免职或被逮捕，由政治委员全面接管其职权；有些部门的大臣和负责官员继续任职，但给他们派去了政治委员，必要时进驻警卫队和安全保卫人员；有些部门继续由原先的官员领导，杜马临时委员会也没有派遣政治委员，但由杜马军事委员会派出安全保卫人员和警卫队；还有一些部门的大臣或主要官员事实上被免职，但杜马临时委员会没有派遣政治委员，只是派出安全保卫人员控制其建筑物。

国家杜马临时委员会对下属委员会和政治委员的活动保持控制，并经常进行直接干预。例如，3 月 1 日杜马临时委员会命令弗谢沃洛日斯基中将立即履行总参谋部军事交通管理局局长职责，并允许他"拥有专车以便在彼得格勒市内无障碍地通行"。这个命令限制了军事委员会的权力，因为军事交通管理局属于军事委员会管辖。杜马临时委员会主席罗将柯实际上越过了军事委员会主席古契柯夫对其下属发号施令，而且事先未与古契柯夫沟通。对于特别重要的部门，哪怕已经任命了政治委员，国家杜马临时委员会也仍然给予特别的关注并直接干预其活动。例如，临时委员会已将布勃利科夫派往交通部，但它很重视交通运输问题，经常直接就有关问题下达指示和命令。如 3 月 1 日临时委员会命令尼古拉铁路运行一处处长别洛乌索夫和运行稽查员博罗金采取措施

[1]　*Николаев А.Б.* Государственная дума в Февральской революции. Рязань. 2002. С.79.

“组织和保障彼得格勒枢纽站的正确运行和减轻压力”。[1]

实行革命暴力

杜马临时委员会及其军事委员会关于占领机构、逮捕沙皇制度支持者的命令，证明了自己在二月期间活动的革命性质。它领导的革命暴力以及它安排的对革命的保卫，使它成为二月期间革命司法的中心。在革命的最初几天，彼得格勒街头有约 20000 人是从监狱释放出来的，其中有 4000 人是刑事犯。很自然，在新政权面前尖锐地提出了保卫社会秩序的问题。[2]

从 2 月 27 日开始，起义士兵自发地对旧制度的支持者采取了逮捕和拘留等措施。大部分被捕者被押解到塔夫利达宫，其中有官吏、军官、宪兵和警察。塔夫利达宫很快就几乎变成了关押被逮捕者的地方。

作为对此种现象的反应，国家杜马临时委员会作了专门的解释，竭力表示逮捕是自发的，“迄今为止没有发生任何根据它的指示进行的逮捕”。[3] 但无论如何，塔夫利达宫成为革命司法的最重要中心。在这里，从 2 月 27 日开始，陆续成立了接收被拘军事和高级民事官员委员会、初级侦查委员会等机构，具体负责逮捕事务。

在 27 日的杜马部分代表会议上，一些杜马代表就事实上开始准备行使逮捕权。在起义士兵进入塔夫利达宫时，警卫队长契科里尼大尉拒绝归附起义士兵，后者威胁说要逮捕他。他跑进正在开会的半圆形大厅，请求保护他免受起义士兵之害。在了解情况后，“齐赫泽很简单地解决了问题：您自己选吧，或者是同革命部队站在一起，或者是被逮捕。杜马主席罗将柯吩咐把他带回他自己的办公室去，直到决定怎样处理他。”[4] 齐赫泽和罗将柯实际上是直接解除了不愿站在革命一边的官员的职务，并发出了最早的逮捕威胁。

---

[1] *Николаев А.Б.* Государственная дума в Февральской революции. Рязань. 2002.С.87–88.

[2] *Николаев А.Б.* Революция и власть:IV Государственная дума 27 февраля-3 марта 1917 года. СПб., 2005. С.8.

[3] *Николаев А.Б.* Государственная дума в Февральской революции. Рязань. 2002.С.174.

[4] *Николаев А.Б.* Государственная дума в Февральской революции. Рязань. 2002.С.165.

克伦斯基在实行革命逮捕方面起了重要作用。押解被逮捕者来到塔夫利达宫的起义部队“只是要见克伦斯基并把旧制度的奴仆交给他”。罗将柯证实，抓了人的军人们提到“国家杜马代表克伦斯基的名字，把他作为他们行动的领导人”。舒尔金说：武装的人群带着“要抓谁?”的问题来找克伦斯基。逐渐在社会意识中形成了这样的意见：克伦斯基进入国家杜马临时委员会是为了完成交给他的特别任务：“逮捕一切最活跃的旧政权的走狗以保卫新制度免遭反革命之害。”[1]

2 月 27 日白天，“克伦斯基司令部”下令逮捕政府成员，当时没有任何其他人能够作出这样的决定。克伦斯基在回忆录中谈到 27 日下午 3 点过后他与聚集在叶卡捷琳娜大厅的人群见面的情况：“他们想知道，我们打算对沙皇制度的支持者做些什么，并要求严惩他们。我解释说，他们中最危险的将会被抓起来，但人们无论如何不应自行执法。我要求不能造成流血事件。”“在回答谁是第一个应该被逮捕的问题时，我说应该是前司法大臣、国务会议主席谢格洛维托夫。我下令把他直接带到我这里来。”[2]据报道，克伦斯基亲自派遣一个排的士兵去逮捕谢格洛维托夫并将其押解到塔夫利达宫。布勃利科夫说，首先逮捕谢格洛维托夫是因为此人“不仅是最有害的，也是沙皇最能干的顾问”[3]。君主主义者塔尔贝格认为，“克伦斯基清楚该怎么做。失去谢格洛维托夫，君主制就失去了一个最大的最有经验的领导者”[4]。克伦斯基在逮捕他时说：“我们不想加害于您，但是您作为反动分子对于新俄国是危险的。您应该待在这里。”[5]也有研究者认为，克伦斯基首先逮捕谢格洛维托夫是希望促使国务会议转到革命一边，并同时逮捕也在玛丽亚宫办公的大臣会议成员。[6]但起义者最后没去玛丽亚宫，谢格洛维托夫是在自己家中被捕的。晋季诺夫认为，逮捕前

---

[1] *Николаев А.Б.* Государственная дума в Февральской революции. Рязань. 2002.С.182.

[2] *Керенский А.Ф* .Россия на историческом повороте: Мемуары. М., 1993. С.138.

[3] 参见 *Фомин С.* Великая? Безкровная? Русская? Часть 2.//Русский вестник.16.02.2007.

[4] 参见 *Фомин С.* Великая? Безкровная? Русская? Часть 2.//Русский вестник.16.02.2007.

[5] Февральская революция 1917 года. Сб. документов и материалов. М., 1996. С. 247.

[6] *Николаев А.Б.* Революция и власть: IV Государственная дума 27 февраля - 3 марта 1917 года. СПб., 2005. С. 450.

司法大臣谢格洛维托夫这一事件是转折性的历史路标之一。这是以革命的名义、由革命实施的第一个逮捕行动，与此同时这也是决定革命未来发展的一个姿态。在执行任务的士兵把谢格洛维托夫带到塔夫利达宫时，“克伦斯基走到他面前对他说，是革命政权逮捕了他。这是第一次用这个词，就是说存在着这样一个革命政权，必须承认它以至服从它”[1]。

大概与此同时也发出了逮捕内务大臣普罗托波波夫的命令。2月27日午后，普罗托波波夫得到消息有一些武装的士兵在找他后，慌忙离开了内务部。

最初的逮捕可能是偶然的，但杜马领袖很快就开始试图利用逮捕作为同自己的敌人斗争的适当手段。2月27日晚，罗将柯在玛丽亚宫同大臣会议主席戈利岑会谈时指出，“当天的事态以及政府的惊慌失措绝对地要求政府成员立即离职并将权力移交给国家杜马临时委员会，以便安定彼得格勒和防止国家出现无政府主义。”在戈利岑拒绝同意这一做法后，罗将柯即以逮捕“大臣会议全体成员”相威胁。[2] 罗将柯的威胁并非只是口头上的。克伦斯基回忆说，“通知终于来了，政府在玛丽亚宫开会。立即派出了一支由装甲车护送的部队，带着逮捕全部内阁成员的命令去那里。”[3]28日凌晨占领玛丽亚宫后，起义部队试图逮捕沙皇政府大臣。大臣们四处逃散，外交大臣波克罗夫斯基在地下室里躲了几个小时。

杜马临时委员会在2月27日夜里宣布掌握权力后，开始在自己的活动中广泛地使用逮捕手段，以便直接控制中央机关。28日凌晨在派出自己的政治委员的同时，临时委员会命令解除沙皇政府大臣的职务，并给予政治委员逮捕他们的权力。

政治委员布勃利科夫在到达交通部后，要求交通大臣克里格尔—沃伊诺夫斯基“立即到杜马去向新政权效忠”，后者表示只要他宣誓效忠过的君主还在位，他就不能这样做。于是布勃利科夫立即宣布逮捕他，但允许他选择关押地点。克里格尔—沃伊诺夫斯基选择了自己的办公室。

3月1日，涅克拉索夫命令逮捕雅尔塔市长斯皮里多维奇少将并将其押送

[1] 参见 *Фомин С.* Великая? Безкровная? Русская? Часть 2.//Русский вестник.16.02.2007.

[2] Февральская революция 1917 года.Сб. Документов и материалов. М., 1996. С.115–116.

[3] *Керенский А.Ф.* Россия на историческом повороте: Мемуары. М., 1993. С.140.

至彼得保罗要塞。3 日，他又代杜马临时委员会主席发布命令，立即逮捕芬兰总督泽英将军和芬兰院副主席、参政官波罗维季诺夫。政治委员们还手握对军队指挥员进行撤职和逮捕的授权。杜马临时委员会成员涅克拉索夫把杜马代表曼瑟列夫派往一支部队时指示说：如果军官们助长反革命情绪，就逮捕他们。[1]

杜马临时委员会的军事委员会也实施了逮捕政策。在 2 月 27 日夜里，它命令第二波罗的海舰队的军官占领涅瓦大街、涅瓦河、莫伊卡河和海军部之间的地区时，还要求他们逮捕政府大臣和其他沙皇政权的代理人。后来它又实行了对反侦察人员、宪兵、警察的逮捕。28 日上午 10 点 45 分，杜马临时委员会军事委员会主席签署命令“逮捕位于兹纳缅斯基街 41 号的军区司令部反侦察局人员及该局局长雅库波夫上校”。3 月 2 日古契柯夫以杜马临时委员会军事委员会的名义命令逮捕洛戈文斯基准尉。3 月 3 日军事委员会发出一系列逮捕令，如逮捕 7 名宪兵司令部的军官，逮捕 144 号红十字列车长，逮捕宪兵上校戈尔林克等等。

杜马临时委员会授权进行的逮捕具有重要的现实和政治意义。而起义群众也按自己的方式理解这些命令的含义并作出了反应，经常在没有杜马临时委员会及其机构批准的情况下独立实行逮捕。在二月期间，由杜马组织的逮捕与群众自发的逮捕是同时并存的。

二月期间发生了比较普遍的对军官、警察等使用革命暴力的情况，国家杜马对此也负有一定责任。因为国家杜马事实上并未采取措施尽量加以控制，而是默认甚至某种程度上支持类似行动。

杜马临时委员会军事委员会主席恩格尔哈特是应该为二月期间杀害军官承担一定责任的军人之一。3 月 1 日由他签署的命令说，鉴于有“军官解除士兵武装”的传言，“作为杜马临时委员会军事委员会主席，我宣布，对采取此类不能允许的行动的军官，将采取最坚决的措施，直至枪决。”命令的本意是想安抚士兵，但结果刺激了士兵对军官的暴力行动。他后来自称：“这个命令

---

[1] *Мансырев С.П.* Мои воспоминания о Государственной Думе. // Страна гибнет сегодня: Воспоминания о Февральской революции 1917 года. М., 1991. С.110–111.

成为指责我应对数十名军官在塔夫利达宫花园中被杀一事负责的理由。"[1]在革命的目击者、第四届国家杜马成员奥兹诺比申看来，杜马临时委员会对于二月革命期间出现的杀戮行为难辞其咎，"这些犯罪行为的最大的教唆者和罪犯就是第四届国家杜马——第四届犯罪的国家杜马。"[2]

长期以来，苏联和俄罗斯史学通常对国家杜马在二月革命中的作用持否定态度，或者称之为"反革命"，或者认为它参与革命"不坚决"。但事实表明，国家杜马有意识地成为了革命的中心，并从 2 月 27 日开始在夺权过程中起了领导作用。当然，杜马代表及其临时委员会的成员在对待已经发生的事件的态度上是有区别甚至是有重大分歧的。但无论如何，以进步联盟为基础的杜马多数派最终还是以杜马临时委员会的名义采取了行动。在二月革命的日子里，在国家杜马的核心层中，已经事实上形成了革命俄国的第一个临时政权。杜马临时委员会是这个政权的集体领导核心。

尽管杜马委员会是临时的，但它的行动表明它领导了正在展开的革命运动。尽管临时委员会在一定程度上受到了仍然存在的君主政权以及同它争夺革命主导权的彼得格勒苏维埃的制约和限制，但它任命政治委员到各政府机关、解决地方政权组织问题的最初行动，正是它作为革命政权存在的主要标志。尽管当时还不是很清楚革命的目的究竟是什么，但是杜马的行动还是标志着俄国自由主义反对派"在革命自发的开始、资产阶级有可能掌握政权等确定的条件下，站到了资产阶级革命的立场上。"[3]

在二月革命之后，一些自由派和民主派政治活动家都曾竭力证明杜马在革命中的作用，强调杜马拒绝了沙皇解散杜马的敕令，而卫戍部队的起义则是为了向杜马表示支持。由米留可夫起草的临时政府 3 月 3 日公告称："2 月 26 日晚上，国家杜马主席罗将柯收到了将杜马会议推迟至 4 月的敕令。第二天早上，沃伦斯基团和拉脱维亚团的下级军人走上街头，举行了支持国家杜马的游

---

[1] Воспоминания председателя Военной комиссии Временного комитета Государственной думы о февральской революции 1917 г. // Клио 2003. № 1（20）. С. 177.

[2] 参见 *Фомин С.* Великая? Безкровная? Русская? Часть 2.//Русский вестник.16.02.2007.

[3] *Николаев А.Б.* Революция и власть:IV Государственная дума 27 февраля -3 марта 1917 года. СПб., 2005. С.8.

行。”[1] 克伦斯基、切尔诺夫等很多政治家也支持这种说法。

但在后来受到君主主义者攻击时，尤其是在十月革命后，这些过去的政治家又竭力淡化甚至否定杜马在二月革命中的作用。罗将柯曾对一位法国外交官说，“我们成了革命的俘虏”。针对保皇派关于是杜马准备、制造、鼓动和实现了 27 日的政变的说法，罗将柯认为杜马“完全没有自觉地准备已经爆发的革命，也没有为它的实现制订任何计划、成立任何组织。”米留可夫在革命十年后发表的回忆录中说：“关于国家杜马作为一个机构成为革命的领导者，在 26 日被解散后决定‘不散开’的神话，完全不符合事实。相反，杜马顺从地解散了，并为了自己的目标而完全没能作出漂亮的革命姿态。这几天革命的爆发本身同杜马被解散没有任何联系，解散杜马一事无论是群众还是起义士兵都一无所知。”[2] 但事实是，在 2 月 27 日这一天，国家杜马所在的塔夫利达宫是起义士兵和工人汇集的中心，而当时苏维埃还未成立。如果说 2 月 27 日的运动开始受到一定政治力量影响和控制的话，那么这种力量首先就是国家杜马。

第二节　彼得格勒工人和士兵代表苏维埃

苏维埃的成立

由于 2 月 27 日运动出现重大转折，各政党纷纷采取行动，以各自的方式对革命进程施加影响。

2 月 27 日白天，一份名为《到芬兰车站去》的传单在群众中传播：“同志们，长久等待的时刻已经到来！人民正在把权力掌握在自己手中，革命已经开始。不要错失时机，今天就建立一个临时革命政府！只有组织才能加强我们的力量。首先，选举代表并让他们互相接触，在武装力量的保护下建立代表苏维埃。到军营去发动目前尚未行动的士兵，把他们都带到我们这边来。让芬兰车

[1] *Черменский Э.Д.* Начало второй Российской Революции. //История СССР.1987.1. С.98.

[2] Архив русской революции. Т.6. Берлин.1922. С.5. ；*П.Н.Милюков.* Россия на переломе. Т.1.Париж.1927. С.46–47.

站成为聚集革命司令部的中心。占领一切可以作为堡垒进行战斗的建筑。士兵同志们和工人同志们！选出代表，建立能够战胜专制统治的组织，工人代表苏维埃组织！”[1]

关于传单的作者，存在着不同的说法。有人认为是布尔什维克曾试图让彼得格勒的芬兰车站成为革命的中心，在这里“聚集起革命的指挥部”。[2] 但也有人认为是由区联派、无政府主义者和部分布尔什维克积极分子联合所为。[3] 但不管作者是谁，传单表达的思想未能得到实现。起义的士兵们都往塔夫利达宫去了，那是国家杜马所在地，也是这一天即将成立的彼得格勒苏维埃的所在地。

这天，刚刚从监狱中出来的中央军事工业委员会工人部领导人、孟什维克 К.А. 格沃兹杰夫、П.О. 波格丹诺夫、Г.Е. 勃列依多等人直接赶到塔夫利达宫，同孟什维克国家杜马党团代表齐赫泽、斯科别列夫以及苏汉诺夫、斯切克洛夫等人一起，宣布组成彼得格勒工人代表苏维埃临时执行委员会，掌握了成立彼得格勒苏维埃的主动权。

孟什维克十分重视苏维埃的作用，在革命最初几天各企业苏维埃刚一出现，他们就在其中积极活动。孟什维克在告人民书中宣称，工人代表苏维埃是把全民革命胜利进行到底的统一的有组织的力量。

彼得格勒工人代表苏维埃临时执行委员会通过《彼得格勒新闻工作者委员会通报》发出号召，要求各企业和部队按照每一千名工人和每一个连的士兵产生一名代表的比例，立即选出苏维埃代表到塔夫里达宫集中。很快就有大约 250 名代表来到，其中士兵占了绝大多数，工人代表大约有 50 名。

2 月 27 日当天晚上，召开了彼得格勒工人和士兵代表苏维埃第一次会议，与会者超过 1000 人。

彼得格勒苏维埃第一次会议讨论了一些迫切问题并作出了相应的决定。

---

[1] 参见 Melancon M.*Who Wrote What and When? Proclamations of the February Revolution in Petrograd,23 February–1 March 1917.*//Soviet Studies. Xl,3.1988.p.489.

[2] *Николаев А.Б* .Государственная дума в Февральской реаолюции. Рязань. 2002. С.39.

[3] Melancon M. *Who Wrote What and When?Proclamations of the February Revolution in Petrograd,23 feb.-1 March 1917.*//Soviet studies.Xl,3.1988. p. 492–493.

彼得格勒工人和士兵代表苏维埃会议

会上首先提出了粮食问题，成立了一个粮食问题特别委员会，并责成其与国家杜马临时委员会一起研究采取必要的措施来保证彼得格勒军队和居民的粮食和食品供应；决定对国家的、军队的、公众的和其他仓库中现存的面粉实行统一管理，并供应给面包房。会议成立了由社会革命党人姆斯基斯拉夫斯基和菲里波夫斯基为首的军事委员会，负责进一步组织军队参加革命运动。会议成立了文献委员会，负责报纸出版、传单和呼吁书。会议还选出了十名临时特派员，负责彼得格勒各区苏维埃的组织工作。会议讨论了苏维埃与国家杜马临时委员会的关系问题，决定派齐赫泽和克伦斯基作为苏维埃代表加入国家杜马临时委员会。[1] 苏维埃第一次会议进行过程中，不断有各部队的代表到来，而会议也几度中断，向新来的代表欢呼致意。

苏维埃第一次会议通过了告彼得格勒和俄国居民书，内称“斗争还在继续，要把它进行到底，要彻底推翻旧政权并以新的人民政府取而代之，唯有如

[1] 这实际上是对现状的确认。2 月 27 日晚上，国家杜马临时委员会先于苏维埃成立之时，齐赫泽和克伦斯基已是其成员。

此才能拯救俄国。为了顺利完成争取民主的斗争，人民应该建立自己的政权组织。……工人代表苏维埃认为自己的基本任务是团结人民力量进行斗争，使政治自由和人民政权在俄国得到彻底巩固。……我们共同的事业，是为彻底排除旧政府和在普遍、秘密、直接、平等基础上选举并召集立宪会议而斗争”。[1]

齐赫泽，斯科别列夫

国家杜马孟什维克党团领袖齐赫泽被选为苏维埃主席，社会革命党人克伦斯基、孟什维克斯科别列夫担任副主席。在最初的15人执行委员会中，有两名布尔什维克：施略普尼科夫和扎鲁茨基。

在苏维埃主要领导人中，克伦斯基获得了最多的声望，很快成为了“革命的最爱”。

克伦斯基1881年出生于辛比尔斯克，他的父亲是当地的中学校长。非常巧合的是，1917年俄国舞台上的两个杰出人物都出自于辛比尔斯克，而且，克伦斯基的父亲、中学校长Ф.М.克伦斯基和国民学校督学И.Н.乌里扬诺夫——列宁的父亲——关系很好。乌里扬诺夫家的两兄弟亚历山大和弗拉基米尔都毕业于这所学校。弗拉基米尔在中学读书时，克伦斯基还是个年幼的孩子。他们年龄相差11岁，都生于4月22日。有一次，当中学校长的父亲带着年幼的儿子到学校里，叫他自己一级一级走上二楼。他不知道，中学生弗拉基米尔·乌里扬诺夫注视着他们父子，并对其同年级同学A.科林夫斯基说：“你知道吗？不知为什么我不喜欢这个小克伦斯基……”[2]

[1] *Кульчицкий С.* Русская революция 1917 года: новый взгляд.//День.4 октября 2003.

[2] *Иоффе Г.З.* Из истории российской демократии 1917 года.//Литературная газета. 2002. № 45（5900）.

克伦斯基毕业于彼得堡大学，1905—1907年与社会革命党合作，一度与其战斗组织有联系。在经历逮捕和流放后回到彼得堡，开始律师生涯。作为一个才华卓越、激情洋溢的律师和演说家，他在一系列政治案件的辩护上取得了声誉。1912年被选入国家杜马，属于劳动派杜马党团。克伦斯基受到安全机关的严密监视，在他们的文件中，克伦斯基的外号是“快手（скорый）”。

克伦斯基这颗政治明星在二月后迅速升起不是偶然的。在二月事件前，他不仅在革命者和社会主义者中间，而且在自由主义反对派中间，都十分活跃。二月革命过程中，他发挥了重要作用，并且在联系反政府力量的各个环节、促成国家杜马和彼得格勒苏维埃的合作中具有重大影响力。

彼得格勒工兵代表苏维埃立即成为在全俄罗斯具有权威的机关。3月29日至4月3日举行的全俄苏维埃会议（Всероссийское совещание Советов）赞同彼得格勒苏维埃执行委员会的政策，并将执行委员会改组为全俄中央执行委员会，增补了16名各党团的代表。

在苏维埃领导层中，孟什维克领袖策列铁里据有特殊位置。他当时并不是主席团成员，甚至不是执行委员会成员，但实际上是苏维埃的灵魂人物。策列铁里曾是第二届国家杜马社会民主党党团领袖之一，1907年遭流放，1917年3月中旬才回到彼得格勒。

苏维埃的领导力量

在由起义的工人和士兵于2月27日选举产生的彼得格勒工兵代表苏维埃及其执行委员会中，孟什维克和社会革命党占据多数。

孟什维克和社会革命党在彼得格勒工兵代表苏维埃及其执行委员会中的优势地位这一事实，在后来的很长时间里被解释为布尔什维克“忙于”进行街头革命战斗而对于组织政权的问题认识不足，而其他政党和集团则积极地“组织政权”。但在实际上，孟什维克和社会革命党在二月革命过程中及以后一段时间具有更强的政治影响力是很自然的。他们从革命一开始就作为“革命民主派”力量在积极进行活动，事实上代表了自发革命的主体——工人和士兵（穿军装的农民）的大多数，得到了他们的支持。

孟什维克是俄国马克思主义工人运动中具有较高文化素养的一个群体，

俄国无产阶级政党俄国社会民主工党中的重要派别之一。它同时也是一个非俄罗斯人占了多数的政治组织。在1907年俄国社会民主工党第5次代表大会上，孟什维克中有34%的俄罗斯人，29%的格鲁吉亚人，23%的犹太人。当时，孟什维克在彼得堡和莫斯科分别有2800人和1500人，在梯弗里斯有5000人，基辅有2000人，巴库和叶卡捷林诺斯拉夫都是1000人左右。在1905—1907年的第一次革命期间，孟什维克的人数在4—5万之间浮动，而1917年二月革命中孟什维克走出地下活动状态时，持孟什维克立场的人数达到约20万人。[1]在1917年8月的孟什维克代表大会上，其代表中有27%的工人、46%的知识分子。[2]这种情况说明了孟什维克的社会基础和组织核心之所在。

孟什维克首先依靠的是“工人知识分子”——最有文化的、倾向于民主主义和社会主义的那部分无产阶级分子。第一次革命以后，尤其是1909—1914年的经济高涨时期，孟什维克的组织和思想获得较大发展。当时，俄国社会运动比较活跃，工会、合作社、医疗信贷等逐渐普及。在这个背景下，俄国工人运动中的欧化倾向日益明显，社会民主工党杜马党团的活动范围扩大，孟什维克的理论和主张在先进工人中发展很快。

孟什维克在发展马克思主义理论、用马克思主义分析俄国现实方面作出了很多贡献，拥有一批杰出的马克思主义理论家，如哲学方面的普列汉诺夫、阿克雪里罗德、德波林，经济学方面的马斯洛夫、斯特鲁米林、罗曼，俄国社会思想史和政治史研究方面的普列汉诺夫、马尔托夫、马尔丁诺夫、波特列索夫、唐恩、罗日科夫等。

孟什维克对于马克思、恩格斯及其西欧学生的思想的态度，总的来说是无条件的接受多于修正性的改造。应该承认，普列汉诺夫等人也主张把马克思

---

[1] 参见*Шелохаев В.В. и др.*Политическая история России в партиях и лицах. М., 1993. С.9. 关于1917年孟什维克的人数有不同说法。有人认为根据5月召开的孟什维克和俄国社会民主工党联合组织全俄代表会议的材料，与会者代表了4.5万名党员。参见 Миллерр В. К вопросу о сравнительной численности партий большевков и меньшевиков в 1917г.// Страницы истории КПСС. М., 1989. С.255,259. 也有研究认为，5月时孟什维克有10万党员。参见李永全：《俄国政党史》，中央编译出版社1999年版，第231页。

[2] *Шелохаев В.В. и др.* Политическая история России в партиях и лицах. М., 1993. С.13.

普列汉诺夫，马尔托夫，唐恩

主义基本观点同俄国实际结合起来，同对祖国的历史、社会经济关系、政治机构、文化等等的认识结合起来。他们在评价俄国资本主义关系的发展水平时十分谨慎，如普列汉诺夫认为，俄国经济中资本主义演变的过程尚未结束，直到1917年资产阶级制度的创造潜力还远未耗尽。他们强调社会经济形式的客观更替，但也从未怀疑社会革命和政治革命的必要性和巨大进步意义。

孟什维克的战略方针体现在1902—1903年由普列汉诺夫主导的《火星报》编辑部人员起草的俄国社会民主工党党纲中。这个党纲在1903年的党代表大会上得到通过，并且事实上成为不仅是孟什维克也是布尔什维克在很长时间里的共同纲领。党纲中提出了最高纲领和最低纲领，其战略和策略观点可以归纳为以下几点：

马克思主义政党只能给自己提出那些解决问题的客观条件已经成熟的任务；

党致力于最大限度地扩大解放运动参加者的队伍，不排斥具有反对派情绪的资产者阶层；

准备同所有民主力量包括立宪民主党结成联盟；

不排除利用一切政治斗争手段包括武装斗争手段，只要这些手段不违背基本的道德准则（孟什维克坚决反对抢劫、恐怖等手段）；

在采用非法斗争形式的同时，利用如工会、合作社、文化教育团体以及国家杜马等一切合法组织；

无产阶级政党不追求提前夺取政权，主张在民主革命阶段发挥合法的极左翼反对派的作用（1917 年孟什维克因加入李沃夫任总理的临时政府而破坏了这一原则，也因此而损害了自己在人民群众心目中的形象）；

孟什维克战略和策略的一个特点是对 18—19 世纪欧洲资产阶级革命榜样的重视与模仿。他们在作出重要政治决定时，经常以那些革命为借鉴，但与此同时存在的一个问题是忽视了俄国无产阶级政党活动的条件与西方的不同。

在 1905 年革命之后，孟什维克形成了关于俄国即将到来的革命的理论。他们认为，经济落后的俄国还不具备进行社会主义革命的条件，未来的革命应为资本主义的充分发展开辟道路，资产阶级民主政党应该领导革命并组织政府，而社会主义政党将作为反对党对政府施加压力，争取实现工人阶级和其他劳动人民的经济和政治要求，然后再为向社会主义过渡创造条件。

1917 年的二月革命中，孟什维克以自己关于俄国革命的理论为依据，确定了对于政权问题的态度。他们认为，在革命过程中成立的国家杜马临时委员会以主要自由主义政党立宪民主党和十月党为政治基础，它得到了俄国军队、金融界和工商业界的支持，并且与英国和法国政府有密切的联系。杜马临时委员会在旧政权已经瘫痪的情况下开始行使政府职能，是孟什维克领导人乐于见到的。在他们看来，杜马临时委员会采取的行动有助于平衡彼得格勒苏维埃的权力，因为苏维埃应该是一个革命群众的自治机关，在政治上它应该是“人民的喉舌”、“革命的控制器”。苏维埃可以领导工人进行罢工斗争，行使自治权，向政府施加压力、进行监督、引导它走正确道路，但苏维埃不能成为政权机关。而杜马委员会则是新的资产阶级民主政府的雏形，如果它能够公开地与专制政府的残余力量斗争，成立真正的民主政府，它就会与苏维埃形成一种同盟关系，从而更快地实现俄国革命的目标。

苏维埃领导人对于在政府中担任职务不感兴趣，他们不愿意为“资产阶级”临时政府的活动承担责任，拒绝加入这个政府。但他们愿意给予政府有条件的支持，并在实际上通过联络委员会来影响政府的路线。

正是在这个认识基础上，苏维埃同国家杜马临时委员会很顺利地就政权组成问题进行了谈判并达成了协议。苏维埃执行委员会建议工人代表苏维埃承认将要公布的关于成立临时政府的宣言，并且呼吁群众支持临时政府，恢复秩序。而杜马临时委员会也希望借助于苏维埃在人民群众中的影响来平息街头的暴动。[1]

孟什维克认为，俄国的革命已经走出了重要的第一步——推翻了沙皇，并且取得了成功，但还需要继续扫清旧制度的残余，以引进西方式的“先进的”制度。这个再造俄国的任务应该由临时政府来承担。

孟什维克在彼得格勒苏维埃中占据了大约 10% 的席位，在其执行委员会中则占据主导地位。孟什维克也是在理论上指导苏维埃及其活动的政党。

社会革命党的建党过程经历了很长时间。社会革命党人的直接先驱是民意党人。在民意党逐渐淡出社会政治生活舞台之后，其成员一部分转向马克思主义，一部分成为社会主义革命者（中文通常译作“社会革命党人”）[2]。19 世纪 90 年代中期，出现了社会主义革命者的组织，如基辅的社会主义革命者小组，萨拉托夫的社会主义革命者联盟，瑞士伯尔尼的俄国社会主义革命者联盟等等。他们信奉民意党关于恐怖和密谋的策略思想和自由主义民粹派“做小事情”的思想，强调自己与俄国革命传统的紧密联系和对几十年来俄国革命思想和运动的忠诚，批评社会民主党人忽视千百万农民的利益。

到 1905 年，全俄已有 40 多个社会主义革命者的地方委员会或小组，20000—25000 名成员。[3] 但这些组织在指导思想、纲领、组织和策略等问题上存在分歧。切尔诺夫曾指出党内存在 5 个思想流派：亲马克思主义派别、政治恐怖主义派别、倾向于无政府主义的派别、最高纲领派，以及以郭

切尔诺夫，郭茨

[1] Martin McCauley. *The Russian Revolution and the Soviet State 1917–1921:documents.* London, 1980. p.17.

[2] 社会革命党的俄文名称 Партия социалистов-революционеров，按其原意可译成社会主义革命党。

[3] *Шелохаев В.В. и др.* Политическая история России в партиях и лицах. М.,1993. С.28.

茨、切尔诺夫、希什科为代表的《革命俄罗斯》编辑部力图控制的中间派。

这种分歧反映在1902年开始的制定党纲的工作中。这是一个漫长而又痛苦的过程。直到1904年5月，党纲的第四个方案才得以公布；在进行修改之后，在1905年12月到1906年1月召开的社会革命党第一次代表大会上得到通过。这次代表大会也是社会革命党正式成立的标志。该纲领宣布党的最终目标是废除资本主义私有制，在社会主义基础上改造生产和整个社会制度；强调经济和政治民主是社会主义的前提和组织形式。

与俄国社会民主工党一样，社会革命党也是第二国际的成员党。

社会革命党对于俄国资本主义的认识与旧的民粹主义有所不同，其理论的一个重点是从肯定的和否定的两个方面对资本主义进行了分析，正面因素是生产力的增长及其社会化，负面的因素是这些进程所具有的形式。社会革命党人认为，俄国资本主义的特点是“在创造性、历史进步性与黑暗性、掠夺性和破坏性之间”具有最低限度的积极意义。

社会革命党的社会主义的根源和民族特点在于其土地社会化理论。这个理论的出发点是关于俄国农民劳动经济向社会主义的非资本主义演进和俄国社会主义萌芽在农村的发生早于城市的思想。农村在走向社会主义道路上的和平演进和民主发展的前提，是土地的社会化和政治制度的民主化，这也正是社会革命党纲领中的两个最低要求。[1]

恐怖活动是社会革命党的主要策略思想，也是社会革命党内为数不多的没有争议的问题之一。与民意党执行委员会直接组织参与恐怖活动的方式不同，社会革命党建立了专门从事恐怖活动的“战斗组织”(Боевая организация)，它相对独立于党中央委员会并实行自治，但是由一位中央委员担任其领导人。社会革命党恐怖活动的方向也与民意党有所区别，民意党的主要注意力集中在刺杀沙皇上，而社会革命党主要针对民愤最大的政府官员。在1905年革命前，战斗组织的活动十分高效，先后成功刺杀或重伤内务大臣Д.С. 西皮亚金、内务大臣В.К. 普列维、哈尔科夫省长И.М. 奥波林斯基、乌法省长Н.М. 波格丹诺维奇等沙皇政权的高官。1904年，社会革命党中央委员会批准了针对当时的莫斯科省督、沙皇的叔叔谢尔盖・亚历山大罗维奇大公的恐怖行

[1] *Шелохаев В.В. и др.* Политическая история России в партиях и лицах. М., 1993. С.31.

动，并由战斗组织在1905年4月2日将其刺杀。在第二届国家杜马被解散后，它曾积极准备针对沙皇尼古拉二世的恐怖行动。

社会革命党坚持推翻沙皇专制制度，争取政治自由，召开立宪会议，实现土地社会化。这些要求在“土地与自由”这个俄国革命的基本口号中得到了充分体现。由此可见，社会革命党的力量主要不在于他们是社会主义者，而在于他们是充分反映了俄国人民大多数利益的民主主义者，他们希望为俄国建立民主的公民社会创造条件。

第一次革命促使社会革命党在很大程度上修正了自己的策略。它的活动范围迅速扩大，它的宣传更加广泛和有力。一方面，社会革命党继续认为革命力量不仅需要组织，还需要武装。在第一次革命的两年多时间里，它组织的恐怖活动十分频繁，达到200次左右。它在1905年1月就成立了专门的委员会为武装发动做技术准备，但还未来得及开展活动，其领导成员就遭逮捕。很多社会革命党的地方组织也纷纷准备武器、成立战斗队，在1905年12月的莫斯科起义、1906年夏天的喀琅施塔得起义等武装斗争中发挥了重要作用。另一方面，恐怖活动在党的策略中已不再占据最重要的位置。社会革命党的策略重点转到组织革命力量并赋予其活动更多自觉性上面。它尤其关注农村，成立了农民联盟，在提出第一、第二届杜马中农民代表的行动纲领方面作出了重大贡献。在第一次革命期间，社会革命党力量大增，党员人数达到50000—60000人，有13个地区组织、78个省级组织和350个县级组织。[1]

第一次革命后，社会革命党经历了比较困难的时期。先是斯托雷平旨在破坏村社和在农村发展私有制的土地改革对社会革命党土地纲领的基本原则构成直接威胁，后是党内隐藏的沙皇政权奸细阿泽夫被揭露造成的道德冲击。第一次世界大战把社会革命党分成国际主义者和护国主义者两大派别。国际主义派的领袖是纳坦松和切尔诺夫。1915—1916年，这一派的代表人物在国外出版《思想》、《生活》等报纸。而侨居国外的护国主义者也出版了自己的报纸《在国外》、《新闻报》。

二月革命的爆发令社会革命党人措手不及。他们没有组织和领导革命，但很多成员积极参加了革命，几乎在全国各地社会革命党人都是当地新政权的

[1] *Шелохаев В.В. и др.* Политическая история России в партиях и лицах. М., 1993. С.37.

组织者和参与者。社会革命党中央委员晋季诺夫和左派社会革命党人、社会革命党工人战斗队领导人亚历山大罗维奇作为彼得格勒民主社会的代表，积极呼吁居民选举代表进入苏维埃。在第一届苏维埃执行委员会中，社会革命党的代表有亚历山大罗维奇和刚加入社会革命党的前劳动派成员克伦斯基。克伦斯基还被选为彼得格勒苏维埃副主席并出任临时政府司法部长。

4月8日晚上，社会革命党领袖和党的主要理论家切尔诺夫回到彼得格勒。

与列宁一样，切尔诺夫在战争一开始就站在齐美尔瓦尔德会议的立场上，呼吁反对帝国主义战争，主张工人没有祖国。按照苏汉诺夫的说法，没有切尔诺夫就没有社会革命党，就像没有列宁就没有布尔什维克党一样。

克伦斯基到车站去迎接切尔诺夫。但因火车晚点，他先离开了，把接站的任务委托给了晋季诺夫。欢迎仪式很热闹，但就组织程度而言明显比布尔什维克要差一些。欢迎人群打出了“土地和自由”，“通过斗争取得权利”等社会革命党的口号。切尔诺夫在《马赛曲》中走出车厢，接受了鲜花，微笑着通过欢迎人群步入车站的“沙皇厅”。回到彼得格勒后，他曾试图从克伦斯基那里得到对齐美尔瓦尔德路线的支持，但并不很成功。在苏维埃执行委员会中，他很快就追随策列铁里的路线。

二月巨变之后，社会革命党和孟什维克一样，认为俄国的革命是资产阶级民主革命，政权应该转到资产阶级手中；苏维埃不应是新政权的雏形，而只能是无产阶级的职业政治组织和自治机关，其基本任务是组织尚未定型的劳动群众。

1917 年，社会革命党在组织上的发展速度是俄国任何一个政党都望尘莫及的，其党员人数在 5 月底达到数十万人，人数最多时有一百万左右。[1]

孟什维克和社会革命党这两个主导了革命过程中建立起来的苏维埃的政党，以其理论和对实际的判断影响着俄国革命的进程。他们并不准备充分利用苏维埃的权威来领导革命，而是认为苏维埃只应该是“人民的喉舌”、“革命的控制器”。

在彼得格勒苏维埃中，布尔什维克是少数。这种情况与其国内组织的状态以及对局势的认识有直接关系。1917 年初，布尔什维克是一个只有 23000

---

[1] *Шелохаев В.В. и др.* Политическая история России в партиях и лицах. М., 1993. С.42.

名党员的小党，在首都彼得格勒只有约 2000 人，地方上的组织更加薄弱。[1] 由于在战争时期主张俄国战败，布尔什维克领导人遭到普遍谴责，处境艰难，二月革命期间有的侨居欧洲或美国，有的在遥远的流放地，同彼得格勒没有任何牢固的联系。当时主持中央俄国局工作的是施略普尼科夫、莫洛托夫、扎鲁茨基等相对次要的人物。在 1917 年 8 月布尔什维克第六次代表大会选出的 29 名中央委员和候补中央委员中，没有一人在二月革命期间在革命的中心彼得格勒！而且，二月革命爆发时就连列宁本人也一无所知，而且根本没有料到发生革命的可能性。

在二月革命的最初几天，2 月 24—26 日，维堡区的一些企业选举产生了工人苏维埃作为领导罢工的机构。在这种情况下，布尔什维克党的维堡区委在 27 日早上决定成立一个倡议选举工人代表苏维埃的小组，并且很快散发了传单。但在一段时间里，党的中央局、彼得堡委员会和一些区委对选举苏维埃的工作都未加重视，甚至在中央局 28 日发表的宣言中，不仅没有号召建立工人代表苏维埃，而且只字未提苏维埃。

在推翻旧政权后的初期，面对孟什维克和社会革命党的政治优势，布尔什维克还不可能有太多期望。他们还没有能够提出明确政治目标的领袖，他们为扩大自己的政治影响还有很长很复杂的路要走。

一号命令

苏维埃成立后第一个重要举措是发布了关于军队民主化的一号命令。但这并不是一个深思熟虑、认真准备之后采取的行动，而是在事态推动下拟定一个详尽的文件以满足士兵群众要求的过程。

3 月 1 日清早，卫戍部队各单位的士兵代表来到彼得格勒苏维埃执行委员会，反映军官试图解除士兵的武装。当时，无论是苏维埃还是杜马军事委员会都未对此进行调查或给予证明。但杜马军事委员会对卫戍部队的不安定情况作出了反应，它公布了由杜马代表、军事委员会主席恩格尔哈特签署的一份声明，指出有关军官解除士兵武装的传闻是不真实的，同时警告军官，如果他们

[1] История Коммунистической партии Советского Союза.Т. 2. М., 1966, С.547.

真有如此举动，将对他们采取直至枪决的严厉措施。声明的调子表明，杜马临时委员会和苏维埃都害怕可能发生的军官对新秩序的抗拒，同时也担心起义会导致彻底的无政府主义。[1]

但彼得格勒卫戍部队起义士兵不满足于杜马军事委员会采取的措施，他们向彼得格勒苏维埃表示了自己的不安。士兵代表认为，苏维埃执行委员会没有对杜马委员会在军官问题上的态度作出必要的评价。正在举行的苏维埃会议决定讨论“士兵们的需要”。会议决定士兵可以选出代表参加执行委员会会议，但约定这只是临时的，为期 3 天。

在有士兵代表参加的执行委员会会议上，会议主席索科洛夫归纳了 3 个基本问题：1. 军官和士兵的关系；2. 是否给武器；3. 士兵应该服从谁。会议记录中有 9 位部队代表的发言，实际发言的代表可能要多得多。有 3 人头头是道地表达了对军官的不信任；而近卫立陶宛团的代表认为，如果让所有的军官“滚蛋”，那么部队里就不会留下一个人，士兵是没有纪律概念的；有两人谈到了必须建立选举产生的委员会；士兵格拉杜索夫建议只给军官们冷兵器；柯诺瓦洛夫指出，武器应该由士兵掌握；叶戈尔斯基团的士兵认为必须让连委员会有权支配武器。无党派社会主义者马克西姆（C.A. 克里万斯基）明确地建议士兵们：不给任何人武器；选举代表参加苏维埃；在政治方面只服从苏维埃。[2]

经过讨论，执行委员会决定采取措施安抚士兵：重申彼得格勒卫戍部队每个连产生一名代表参加苏维埃的工作；在杜马组织政府时，苏维埃提出的条件中应包括不把起义部队调离首都。但执行委员会没有对士兵提出的军官试图解除革命士兵武装以及杜马军事委员会安抚士兵的措施表态。

有些士兵对此结果还是不满意，他们想同“推行反革命政策的军事委员会”对话。3 月 1 日傍晚，士兵代表来到杜马军事委员会，要求军事委员会和苏维埃给卫戍部队发一个命令。杜马军事委员会的人没有很好接待士兵代表，也不愿同他们谈什么。士兵代表们宣称，如果杜马不发布这样的命令，那他们

---

[1] *Катков Г.М.* Февральская революция. М., 1997. С.362.

[2] Приказ №1 и Декларация прав солдата-- социальная природа и идейная эволюция. http://2balla.ru/index.php?option

就自己发。[1]

此后的细节在一些当事人或见证人的回忆录中有些出入，但大体的情况是清楚的：举行了有起义部队代表参加的苏维埃执行委员会扩大会议，交换了意见，最后决定把有关组织部队和保证士兵权利的措施综合起来并以命令形式发布，授权在杜马军事委员会工作的苏维埃执行委员会成员和执行委员会中的士兵代表组成一个小组起草命令。[2] 会上选举产生了一个由彼得格勒苏维埃执行委员会委员 Н.Д. 索科洛夫为首的专门委员会。

执行委员会扩大会议结束后，文件起草委员会成员留下来工作。

索科洛夫与士兵代表拟订一号命令

深夜，苏汉诺夫回到塔夫利达宫 13 号房间，看到了这个委员会的工作情况："索科洛夫坐在写字台后面写着，他的周围全是坐着的、站着的、趴在写字台上的士兵。他们有的在向他口授，有的在纠正他写的文字。……原来，这是苏维埃选出的制定关于士兵的'命令'的委员会在工作。没有任何秩序，没有任何讨论，所有的人都在说话，所有的人都被这项工作吸引，在没有任何表决的情况下形成自己的集体意见……"[3] 对于文件的形式，索科洛夫建议采用"呼吁书"或"通告"，但士兵们坚持要用"命令"。

最后，这个文件被称为"一号命令"，在 3 月 2 日凌晨由《彼得格勒苏维埃消息报》公布。

"彼得格勒军区卫戍部队全部近卫军、陆军、炮兵、舰队的士兵应立即准

[1] *Катков Г.М.* Февральская революция. М., Русская мысль, 1997. С. 363.

[2] *Шляпников А.Г.* Канун семнадцатого года. Семнадцатый год.Т. 2. М., 1992. С.190.

[3] *Суханов Н.Н.* Записки о революции. Книга первая. Берлин-Петербург-Москва. 1922. С.265.

确执行、彼得格勒工人应周知本命令。

工人和士兵代表苏维埃决定：

（1）在所有连、营、团、移动仓库、炮兵、骑兵连、军事管理机关各种类型的勤务单位、海军舰船，立即选举由上述军事单位的下级军人中选出的代表组成的委员会。

（2）所有还没有选举出自己派往工人代表苏维埃的代表的军事单位，按每个连一个名额选出代表，他们应携带书面证明，在3月2日上午10点以前到国家杜马所在地报到。

（3）各部队的政治活动应服从工人和士兵代表苏维埃和自己部队的委员会。

（4）国家杜马军事委员会的命令应该得到执行，但在其命令与工兵代表苏维埃的命令和决定矛盾的情况下除外。[1]

（5）所有武器如步枪、机枪、装甲汽车等等应该由连、营的委员会掌握，无论在何种情况下都不应交给军官，即便他们要求也不行。

（6）士兵在作战队列中以及派出执行勤务时应该遵守严格的军人纪律，但在非执勤时和不在作战队列时，他们在自己的政治生活、一般公民生活和私人生活方面享有全体公民都享有的权利，这种权利一点也不能削弱。特别是取消非执勤时对军官必须立正、敬礼的规定。

（7）同样取消对军官的尊称，如“阁下”、“大人”等，代之以将军先生、上校先生等等。禁止粗暴对待所有等级的士兵，特别是禁止使用“你”称呼他们；士兵应该将所有破坏以上规定的情况以及一切军官与士兵之间争执的情况向连长报告。

本命令应在所有连、营、团、舰船乘员、炮兵连等战斗单位和非战斗分队宣布。”[2]

---

[1] 3月7日在布尔什维克报纸《真理报》上刊登的一号命令中，第4条改为“杜马军事委员会的命令只有在其与工人和士兵代表苏维埃的命令和决定不矛盾时方能执行”。参见 *Катков Г.М.* Февральская революция. М., 1997. С. 366.

[2] Приказ № 1 Петроградского Совета рабочих и солдатских депутатов о демократизации армии. Хрестоматия по истории СССР. 1861–1917. М., 1970. С. 528–529.

在一号命令起草和印刷的时候，苏维埃代表团与国家杜马临时委员会在连夜就新政府的组织问题进行谈判。谈判从 3 月 2 日凌晨 1 点开始。大约 4 点钟的时候，索科洛夫带着已在《彼得格勒苏维埃消息报》上公布的一号命令来到谈判的现场，让国家杜马临时委员会的成员们了解这个命令。一号命令让杜马临时委员会成员深感震惊。В.Н. 李沃夫回忆了当时的情况：索科洛夫快步走到我们的桌子前，要求我们了解一下他带来的那张纸上的内容……这就是众所周知的一号命令……古契柯夫在读完以后立即表示，这个命令……不可理喻，并离开了房间。米留可夫开始说服索科洛夫绝对不能公布这个命令，（他不知道刊登命令的报纸已经在分发了）……最后，米留可夫也无可奈何地站起来走开了……我跳起来以自己特有的激情向索科洛夫叫道，他带来的这张纸是对祖国的犯罪……克伦斯基（当时的司法部长）跑到我面前喊道："弗拉基米尔·尼古拉耶维奇，别说了，别说了！"然后抓住索科洛夫的手，很快把他带到了另外的房间。"[1]

"一号命令"使得彼得格勒卫戍部队事实上脱离了指挥机关。而且，尽管一号命令形式上只是针对彼得格勒军区部队和彼得格勒工人而发的，但它事实上立即就传达到整个俄国军队。在 3 月 1 日到 2 号的那个夜里，命令就已经通过电报发给各部队。同时，3 月 2 日凌晨刊登了一号命令的《彼得格勒苏维埃消息报》已开始散发。据临时政府最后一任军事部长维尔霍夫斯基说，一号命令总共印了 9 百万份。[2] 一号命令的思想在彼得格勒以外也广泛传播，并且得到了士兵群众的支持，在军队中普遍建立了各级委员会。

一号命令是在第一次世界大战仍在进行之时、俄国有大约 1100 万人手中持有武器的情况下发布的。由一号命令开始的"军队民主化"，实际上就是俄国军队的无政府主义化。它取消了军队的纪律，从根本上摧毁了军队的基础，使其瓦解和失去能力。俄国军方和大多数政治家把一号命令视为最致命最恶劣的文件，认为它极大地强化了 1917 年俄国军队瓦解的过程，使军队无可挽回

[1] *Кожинов В.В.* Россия век XX（1901–1939）. Москва. 1999. Глава 6. Что же в действительности произошло в 1917 году? http://hronos.km.ru/libris/ kogin6.html

[2] *Кожинов В.В.* Россия век XX（1901–1939）, Москва. 1999. Глава 6. Что же в действительности произошло в 1917 году?http://hronos.km.ru/libris/ kogin6.html

地涣散成为没有纪律性、没有战斗力、但是持有武器的危险的乌合之众。[1]而后来苏维政权建立后，也很快解散了这支军队而建立了一支新型军队。

当代俄国学者科日诺夫指出，一号命令是“匆忙草就的”的文件，其主要目的是瓦解军队和最终瓦解俄国。“如果思考一下那些强硬的语句，就能够明白，这是要把几百年来建成的、作为国家脊梁的俄国军队彻底消灭。仅仅是士兵的‘自由’不受‘任何限制’这一条就足够了”。他认为，“还在1917年3月2（15）日，当一号命令公布的时候，俄罗斯国家的毁灭就已成为不可逆转的事实。一号命令产生于彼得格勒——实际上就是全俄的——苏维埃执行委员会，而布尔什维克直到1917年9月在苏维埃中都未起过任何领导作用。”[2]

一号命令虽然是以彼得格勒工人和士兵代表苏维埃的名义发布的，但彼得格勒苏维埃并没有直接制定这个文件，也没对这个文件进行表决。苏维埃只能顺着形势走，默认士兵们的要求和行为，因为它别无选择。它不能反对也不能取消这个命令，因为那将冒失去对卫戍部队影响力的风险，甚至可能失去在整个俄国军队中的权威。但苏维埃显然也不愿意看到一号命令对于军队的破坏性影响。为了淡化一号命令产生的影响，3月5日颁布了由杜马临时委员会和苏维埃联合的军事委员会的名义发布的二号命令，强调一号命令只适用于彼得格勒卫戍部队而不适用于作战部队。苏维埃对此是认可的。3月7日苏维埃执行委员会专门指出，一号命令只适合于彼得格勒卫戍部队。但一切已经晚了，军队“民主化”的进程已不可逆转。

彼得格勒苏维埃成立之后，很快成为最重要的现实政治力量之一。不过，在其成立后的最初日子里，苏维埃领导人和苏维埃代表对自己的力量并无信心，也不够强硬。每次一听说有某支部队快要到达或可能发生枪击的消息——这些消息往往是假的，苏维埃代表们就抓起自己的大衣或斗篷，仓皇奔向出口。[3]沙皇政权可能进行镇压仍是笼罩在他们头上的令人恐惧的阴影。一号命令为苏维埃争得了士兵的支持。然而，为得到这种支持而采用的方式和手段最

---

[1] 参见 *Бахурин Ю. А.* Первый, последний приказ. http://www.ostfront.ru/Text/First.html

[2] *Кожинов В.В.* Россия век XX（1901–1939）. Москва. 1999. Глава 6. Что же в действительности произошло в 1917 году? http://hronos.km.ru/libris/ kogin6.html

[3] *Иоффе Г.З.*Семнадцатый год: Ленин, Керенский, Корнилов. М., 1995. С.31.

终也会对准自己，这已被此后的事态发展证明了。

第三节 临时政府成立

杜马临时委员会与苏维埃妥协

二月革命中，自由派与民主派的合作很大程度上是由杜马临时委员会倡导、彼得格勒苏维埃响应的。从 2 月 27 日开始，国家杜马临时委员会在其活动中就奉行了与苏维埃合作的原则。而苏维埃在其成立之初也经常求助于杜马临时委员会。[1]

根据合作的原则，杜马临时委员会在解决革命引起的迫切问题时都与彼得格勒苏维埃进行协调，并吸收了各社会组织参与。在军事和粮食问题上的妥协的结果，是成立了苏维埃和杜马联合的军事委员会和粮食委员会。军事委员会吸收了大量军官、士兵、大学生等参加军事工作，确保了摧毁沙皇政权在彼得格勒最后的支撑点、在部队中恢复秩序的工作。军事委员会是临时委员会下属的最大的委员会，在其中工作的超过 400 人。粮食委员会解决了二月革命中产生的供应起义部队粮食的问题。还有很多其他问题的解决虽然并未通过苏维埃和杜马的联合机构，但双方也有相互交流和协商，或彼得格勒苏维埃一定程度上直接参与某些活动。

但杜马临时委员会为扩大临时权力的基础而采取的与苏维埃合作的行动，也加强苏维埃的权威和影响，从而一定程度上削弱了自己的地位。

当沙皇专列在铁路线上来回运动并最后停在普斯科夫的时候，国家杜马临时委员会着手组织临时政府，这时它已经不可能不同彼得格勒苏维埃执行委员会商量着做了，因为苏维埃成立之后，很快就吸引了一部分卫戍部队士兵并实际上影响了他们。杜马领袖很清楚，在国家崩溃的情况下，除了与苏维埃谈判之外，不可能指望还有别的什么出路。

苏维埃执行委员会同意谈判，首先是由掌握其领导权的孟什维克和社会

[1] *Николаев А.Б.* Революция и власть: IV Государственная дума 27 февраля - 3 марта 1917 года. СПб., 2005. С.248.

革命党的革命理论决定的。早在1905年革命之后，孟什维克就逐渐形成了关于俄国未来革命的理论。他们认为，在俄国这样一个经济落后的国家里，革命的任务是为资本主义的充分发展开辟道路。而既然革命是资产阶级民主性质的，那么就应该由资产阶级来领导，来掌握政权。社会主义政党将实行对资产阶级政府施加压力的政策，以争取实现工人阶级和劳动人民的经济要求和政治要求，为向社会主义过渡创造条件。二月革命中，孟什维克实践了这一理论，认为立宪民主党是“最有资格执政的民主派”，政权应该集中在由自由主义政党的代表组成的政府手中。至于社会革命党，1905年革命的结局使它得出了与孟什维克类似的结论。在二月革命中，社会革命党人起先是尽量避免掌握权力，继而又同孟什维克一起，与立宪民主党实行合作。

但除了这个理论认识方面的因素，还存在着更加实用主义的考虑：形势还有不确定性，还不能肯定沙皇政权已经完结了；伊万诺夫将军的部队随时可能进入彼得格勒；空气中还弥漫着报复的威胁。彼得格勒的革命圈子里还存在着某种恐惧。很自然，执行委员会中的孟什维克和社会革命党领袖乐于同杜马临时委员会达成妥协，显然也是因为从中看到了使已经发生的事情具有“合法性”基础的可能性。[1]

3月1日，彼得格勒苏维埃执行委员会就组织政府问题召开会议，决定苏维埃不向政府派遣代表，只限于向政府提出一定的政治要求并对实行情况进行监督。彼得格勒苏维埃执行委员会宣称自己准备支持新政府，但前提是它不损害“革命民主派”的利益。

执行委员会会议讨论的中心问题是由杜马临时委员会组织政府的条件，而对于组织这个政府则没有一个人反对，包括当时执行委员会39名成员中的11名布尔什维克及其支持者，以及出席会议的三位布尔什维克党中央委员扎鲁茨基、施略普尼科夫、莫洛托夫。在第二天的苏维埃大会上，出席会议的400名代表中只有19人反对把政权交给资产阶级，而当时仅布尔什维克党团就有40人左右。这种情况说明了国内布尔什维克的政治立场。[2]

苏维埃执行委员会决定派齐赫泽、苏汉诺夫、索科洛夫、斯切克洛夫、

---

[1] Из истории борьбы за власть в 1917 году. Сборник документов. М., 2002. С.19.

[2] *Троцкий Л.Д.* История Русской Революции. Т.1. Февральская Революция. М., 1997. С.282.

菲利波夫斯基与杜马临时委员会进行谈判。

3月1日到2日的那个夜里，苏维埃与国家杜马临时委员会的谈判讨论了有关把政权转交给由杜马临时委员会组成的临时政府的条件。最后达成的妥协性协议规定，临时政府在自己的活动中应该遵循的八点原则：立即赦免政治犯，实行言论、出版、结社、集会和罢工的自由，取消阶级、等级和民族的限制，立即准备根据普遍、平等、直接、秘密原则选举并召开立宪会议，以隶属于地方自治机关的民警取代旧警察，按四项原则选举地方自治机关，不解除参加革命的部队的武装，也不把他们调离首都，士兵享有一切公民权利。应该说，在总体上这是一个把国家引向宪制和民主的纲领，体现了一般资产阶级民主的精神，是自由主义立宪派和革命民主派的联盟的基础。列宁在回到俄国后也承认，在政治上，“目前俄国是世界上最自由、最先进的国家”。[1]

在达成上述协议之后，米留可夫代表杜马临时委员会要求苏维埃执行委员会发表一项宣言，说明临时政府是根据杜马临时委员会和苏维埃执行委员会的协商组成的，因此应该被人民群众视为合法政府并得到他们的支持；宣言还应号召士兵承认全体指挥员、信任军官。苏维埃执行委员会代表同意米留可夫的要求，并在米留可夫的参与下着手起草这项宣言。

第一届临时政府

临时政府的成立及其纲领

3月2日（15日）晚上，临时政府成立。其组成是：部长会议主席兼内务部长Г.Е.李沃夫公爵，外交部长П.Н.米留可夫，陆海军部长А.И.古契柯夫，交通部长Н.В.涅克拉索夫，商业和工业部长А.И.柯诺瓦洛夫，国民教育部长А.А.马努伊洛夫，财政部长М.И.捷列申科，宗教院总监В.Н.李沃夫，农业部长А.И.盛加略夫，司法部长А.Ф克伦斯基，国

[1] 《列宁全集》第29卷，人民出版社1985年版，第105页。

家监察长 И.В. 戈德涅夫，芬兰事务部长 Ф.И. 罗季切夫。

临时政府的成立表明，俄国资产阶级自由主义政党掌握了国家政权。政府中除了克伦斯基外，其余都是立宪民主党人、十月党人、进步党人及其支持者。

第一届临时政府中的自由主义者都受过很高的教育，具有政治活动的经验。作为俄国自由主义的代表人物，他们追求在俄国建立法制国家，认为西方国家及其议会制度是俄国学习的榜样。多年之后，这些当年的俄国自由主义领袖大多已在流亡之中，并开始了对俄国革命的沉重反思。作家阿尔丹诺夫作了这样的总结："把俄国变成英国的尝试没有成功……"[1]

在第一届临时政府中居于领导地位的立宪民主党，在二月革命前是自由主义反对派中的激进左翼。在俄国解放运动中，立宪民主党与布尔什维克有过十分紧密的联系。他们的共同目标就是推翻俄罗斯社会政治结构，实现"自由！解放！"，这意味着消灭历史形成的经济、法律、政治、意识形态方面的"限制"。"解放同盟"的主要代表、1905 年成为立宪民主党领袖之一的司徒卢威曾与列宁有合作，早期甚至参与起草了俄国社会民主工党宣言。另一个鲜为人知的事实是：1904 年加入俄国社会民主工党的谢·米·基洛夫在 1909 年及以后的一段长时间内曾经倾向于立宪民主党，甚至成为北高加索立宪民主党《捷列克报》的主要撰稿人，直到十月革命前才"回到"布尔什维克党。这些事实说明，在争取民主革命的长期过程中，立宪民主党作为自由主义左翼政党的政治目标与左翼革命政党布尔什维克是接近的。沙皇制度被推翻后，立宪民主党在新的政治格局中处在中间偏右的位置，"布尔什维克把它称为反革命政党，但立宪民主党也把布尔什维克称为'反革命政党'"。[2]

克伦斯基是第一届临时政府中唯一的社会主义者。二月革命过程中，他在国家杜马中积极活动，在塔夫利达宫发号施令，组织和动员起义部队到国家杜马，逮捕沙皇政权的大臣，发表热情洋溢的讲话。与很多在那时惊慌失措的政治家相比，克伦斯基在国家杜马和苏维埃中都以革命组织者的姿态出现，他

---

[1] 参见 *Иоффе Г.З.* Семнадцатый год: Ленин, Керенский, Корнилов. М.,1995. С.37.

[2] 参见 *Кожинов В.В.* Россия век XX 1901–1939. М.,1999. http://hrono.ru/libris/lib_k/kogin_vved.php

毫无困难地得到彼得格勒苏维埃的批准，出任临时政府的司法部长。他把自己称为“革命民主派的人质”。

临时政府的组成还透露出了一个重要信息，即罗将柯如日中天的权力受到显著削弱。这也是二月革命中叱咤风云的罗将柯在临时政府成立后很快就销声匿迹之谜的开始。从2月27日开始直到3月2日临时政府组成为止，罗将柯毫无疑问是彼得格勒乃至全俄最具影响力的政治领袖，特别是他代表国家杜马及其临时委员会在掌握彼得格勒的运动、促使军队高层承认现实并敦促尼古拉二世退位方面起了很关键的作用。但在杜马左翼自由主义者看来，他过于温和以至保守，所以在临时委员会决定派代表去普斯科夫敦请沙皇退位时就没有让他去而是选择了古契柯夫和舒尔金，因为担心他有可能与沙皇和将军们达成某种交易。而在临时政府总理人选上，呼声最高的罗将柯最终还是被李沃夫取代。[1] 其中的理由说到底就是杜马临时委员会的多数成员对他不放心，彼得格勒苏维埃更不会对他有兴趣，而临时政府的成立是以苏维埃与国家杜马临时委员会的政治妥协为基础的。

相对温和的自由主义领导人罗将柯的淡出，预示着在俄国革命的高潮时期，与群众自发性紧密结合在一起的激进倾向占据了主导地位，俄国革命将继续在自发性和激进化的惯性作用下发展，任何试图控制自发性和激进倾向的政治党派和人物终将被淹没和淘汰。

自由主义政党在二月革命中掌握政权，很大程度上得益于他们早在革命前就已为掌权做了准备。在国家杜马中，自由主义反对派是进步同盟的主要基础，它拥有一个从中央到地方的广泛机构网，如中央军事工业委员会、全俄地方和城市自治联合会，以及遍布全国的地方自治机关、城市杜马、国民教育机关等等。

自由主义政党之所以能够掌握政权，还在于它得到了群众的信任和民主派政党的支持，而这种信任和支持又是和自由派在争取俄国政治解放的斗争中起过的作用和它最终参与革命并在一定程度上领导革命的姿态联系在一起的。从1916年危机表面化之后，自由派日渐强硬的反政府立场为它赢得了声誉，

[1] [美]马克·斯坦伯格、[俄]弗拉基米尔·赫鲁斯塔廖夫著:《罗曼诺夫王朝覆灭》，张蓓译，新华出版社1989年版，第23页。

它的纲领和目标也适合了广大群众的心理和要求。被卷入二月革命的人民群众是在革命过程中才觉醒过来并参与政治活动的，政权意识相当淡薄，对自由主义政党抱有信任感和期待感，希望它能够领导俄国摆脱危机。随着二月革命从工人扩展到士兵（穿军装的农民）和城市居民，“汹涌的小资产阶级浪潮吞没了一切，它不仅在数量上而且在思想上压倒了觉悟的无产阶级，就是说，用小资产阶级的政治观点感染了和俘虏了非常广大的工人群众”[1]，从而决定了革命的面貌。

二月革命期间处于俄国政治舞台前沿的孟什维克和社会革命党在政权问题上的立场也促成了资产阶级的掌权。在2月27日彼得格勒苏维埃成立之后，孟什维克和社会革命党推行同资产阶级自由主义政党合作的路线，希望由自由主义政党出面领导运动并掌握政权。2月27日的苏维埃会议没有讨论最为重要和迫切的战争和君主制问题，而只是着手处理粮食供应、接管金融机构等具体事务，并有意识地把解决这些问题的决定权交给自由主义政党。根据苏维埃的决定，新成立的粮食委员会由立宪民主党人盛加略夫担任，接管金融机构的事宜授权杜马处理。苏维埃的军事委员会也在当晚根据罗将柯的建议与杜马军事委员会合并，由杜马代表恩格尔哈特上校担任主席。

如果把国家杜马视为自由主义政党夺取国家政权的主要手段，那么地方自治机关在这一过程中所起的就是杠杆和支柱作用。地方自治机关是自由派的重要阵地，培养了众多的资产阶级政治和社会活动家。在临时政府中，从李沃夫总理到许多部长都曾有过在地方自治机关中工作的经历。许多地方自治活动家成为临时政府的顾问和各部的骨干。

临时政府在其成立后的第二天，3月3日，公布了关于其组成及任务的宣言。

“在首都部队和居民的帮助和支持下，国家杜马临时委员会在与旧制度黑暗势力的斗争中目前已经取得的胜利使它能够采取措施更牢固地建立执行权力。”临时政府部长们“以往的社会和政治活动经历确保他们能够得到全国的信任。”宣言表示，临时政府在自己的活动中将遵循如下原则：

1. 立即彻底大赦所有政治和宗教案件，其中包括恐怖暗杀、武装起义和

[1] 《列宁选集》第3卷，人民出版社1995年版，第41页。

土地犯罪等。

2. 言论、出版、结社、集会和罢工自由。在军事技术条件允许的情况下，政治自由也扩大到军人。

3. 取消一切等级的、信仰的和民族的限制。

4. 立即准备在普遍、平等、秘密和直接选举的基础上召集立宪会议，由它决定国家治理形式和宪法。

5. 以从属于地方自治机关的民警代替警察，其首长由选举产生。

6. 在普遍直接平等和秘密基础上选举产生地方自治机关。

7. 对于参加革命运动的部队，不解除其武装，不将其调离彼得格勒。

8. 在作战及执勤的部队实行严格军事纪律的同时，取消对士兵享受与所有公民同样的社会权利的任何限制。

临时政府认为有必要补充声明，它绝不试图利用战争状态推迟实现上述改革和措施。[1]

一方面，临时政府的施政纲领实现了进步联盟在 1915 年 8 月提出的政治要求，而且走得更远。其中第4点事实上已经意味着俄国将成为民主共和国，第7、8 点形式上看是对士兵享有广泛公民权利的确认，但实际上是对无政府状态的妥协和对苏维埃的让步。另一方面，这个施政纲领也有明显的不足，例如在经济和社会政策方面缺乏明确的改革措施，完全没有涉及土地问题、工人劳动条件问题等内容；在战争与和平问题上，也没有明确提出俄国的立场和态度。

双重权力局面[2]

3 月 2 日临时政府的成立，表明了杜马临时委员会与彼得格勒苏维埃这两个司令部在革命进程中的全面政治合作。而临时政府与苏维埃的关系并非从一开始就是两个政权并列的关系。

---

[1] Декларация Временного правительства о его составе и задачах. http://his95.narod.ru/04.htm.

[2] Двоевластие，中文一般译为“两个政权并存”。就二月革命后出现的实际政治局面而言，似译为“双重权力现象”更合适。

在临时政府宣告成立的同一天，彼得格勒苏维埃执行委员会也发表文告称：“由社会温和阶层代表组成的新政权今天宣布了他们承诺要实施的所有改革，……在这些改革中有一部分应该得到广大民主集团的欢迎，如政治大赦、承诺准备召开立宪会议、实现公民自由、取消民族限制等。我们认为，在已产生的政权将在实现这些义务并同旧制度坚决斗争的方向上开展活动的情况下，民主派应该对它给予支持。”

苏维埃执行委员会表示：“俄国人民对旧制度的彻底胜利正在到来，为了这个胜利，还需要巨大的努力，需要特别的沉着和坚强。不能允许分裂和无政府状态。要立即制止一切胡作非为、抢劫、擅闯私宅、盗窃和破坏任何性质的财产、无目的地占领社会机构等。纪律崩溃和无政府状态将会毁灭革命和人民的自由。反革命军事行动的危险性尚未消除，士兵和军官的友好合作对于预防这种危险性是极为重要的。珍视自由和祖国进步发展利益的军官们应该尽一切努力同士兵们一起工作。他们将尊重士兵的个人的和作为公民的尊严，将珍视士兵的荣誉感。而士兵也将懂得，军队只有在士兵和军官团结的情况下才是强大的，不能因为个别军官的愚蠢行为而对全部军官都抱有成见。为了革命斗争的成功需要表现出忍耐并忘掉那些已经参与到你们正在进行的同旧制度的最后的决定性斗争中来的军官所犯过的反民主的过失。”[1]

苏维埃对于无政府状态的担心和对士兵群众的呼吁，与杜马临时委员会的立场是基本一致的，这也是两者在政权问题上进行合作的重要基础。

临时政府在很大程度上代表了“有资格”的阶层及其全国性的利益。尽管形式上有一个社会主义者克伦斯基进入了政府，但第一届临时政府就实质而言是一个资产阶级自由主义的政府。不过，苏维埃执行委员会对它的支持已经创造了日后自由主义政党和社会主义政党（除布尔什维克）组成联合政府的前提，从而为二月后的俄国走一条较为和平的道路提供了条件。

但苏维埃对临时政府的支持是有条件的。由孟什维克和社会革命党领导的彼得格勒苏维埃确实表达了“革命民主派”即首都工人和士兵的利益，它拒绝社会主义政党参与“资产阶级”内阁，强调只有在新政府实现自己所作出的承诺、

---

[1] От исполнительного комитета совета рабочих и солдатских депутатов. 3 марта 1917 г. http://his95.narod.ru/doc15/d4.htm.

保卫革命成果、继续同旧秩序斗争的条件下，它才能获得苏维埃的支持。

因此，在临时政府与苏维埃之间，既有合作，也有矛盾。但尽管如此，仍然很难认为苏维埃与临时政府是对立的两个政权。二月后出现的“双重权力”现象，恰恰证明了国家缺乏强有力的政权这一现实，双重权力现象的背后是“没有强有力的政权”，而这种情况也正是促使苏维埃执行委员和杜马临时委员会妥协的政治现实。

作为杜马各党团领导人联合机构的杜马临时委员会一开始也没有排斥苏维埃，相反，“国家杜马左翼议员在彼得格勒苏维埃成立过程中起了决定性作用。杜马及其临时委员会没有表现出任何阻挠苏维埃成立的企图。苏维埃是在杜马所在的塔夫利达宫内成立的，不少杜马左翼代表在苏维埃执行委员会中占据了领导位置，这说明，以临时委员会面貌出现的国家杜马准备与苏维埃分享自己的影响和权威，奠定了杜马和苏维埃合作的基础，而这种合作的倡导者也是杜马。”[1]因此，随着临时政府成立而出现的“双重权力现象”或通常所译“两个政权并存”实际上并不是完全平衡的，在初期，杜马和政府因素明显要比苏维埃因素更有优势。

第四节 外省的“电报革命”

传播革命的电报

1917 年二月革命在首都彼得格勒是以工人和卫戍部队士兵的起义取得胜利的。但在外省和前线，基本上是平静地接受了彼得格勒发生革命的事实。外省的革命被认为是“和平地、根据电报进行的”“电报革命”，[2]“革命以电报的方式在全国取得了胜利”。[3]

---

[1] *Николаев А.Б.* Революция и власть:IV Государственная дума 27 февраля -3 марта 1917 года. СПб., 2005. С.159.

[2] Февральская революция1917 в России. http://bruma.ru/enc/istoriya/FEVRALSKAYA_REVOLYUTSIYA_ 1917_V_ROSSII.html

[3] *Калашников В.* Кто и как сделал Февральскую революцию. http://www.spbvedomosti. ru/article.htm

“电报革命”这一说法的直接事实依据，是布勃利科夫向全国铁路车站发出的关于彼得格勒革命的电报。布勃利科夫毕业于彼得堡交通工程学院，长期在铁路部门任职，曾任制定全俄铁路网发展规划的跨部门委员会成员。他与俄国资产阶级上层接近，是全俄工商组织著名活动家之一，俄国共济会领导机构“最高会议”成员。1912 年，布勃利科夫从彼尔姆省当选为第四届国家杜马成员，1915 年参加了“进步同盟”。二月革命开始时，被国家杜马临时委员会任命为交通部政治委员。

2 月 23 日在彼得格勒开始的自发的罢工和示威，到 27 日转变为以彼得格勒卫戍部队士兵为主体的武装起义。27 日夜里 11 点多，普列奥布拉任斯基近卫团站到国家杜马一边的消息传到了杜马临时委员会会议现场，促使杜马临时委员会作出了由自己掌握政权的决定。但是，杜马活动家心里并不踏实。“在庆祝胜利的同时，杜马的人是敏感的、害怕的。他们怕君主回来，怕军队从前线调来。这就是为什么要把控制整个铁路网、阻挠皇帝专列移动作为革命的迫切任务的原因。布勃利科夫自荐去完成这个任务，得到了罗将柯的同意。”布勃利科夫“勇敢、精力充沛，准备进行任何革命冒险，出色面对落在肩上的任务。”在得到杜马临时委员会的任命后，布勃利科夫立即带着三卡车士兵到达交通部，宣布逮捕交通大臣克里格尔·沃伊诺夫斯基，“开始按照革命的方式发号施令。”[1]

布勃利科夫一到交通部就立即控制了对全俄铁路的管理权。他建立了政治委员办公室，撤了一批官员的职，任命了一批新的部门负责人。但他采取的最重要的措施，是利用铁路电报网络向全国铁路车站发出电报，宣告政权已转到国家杜马手中。

这份由国家杜马临时委员会主席罗将柯和布勃利科夫共同署名的电报的内容是：

“铁路员工们！造成国家生活全面崩溃的旧政权已经完结。国家杜马委员会已着手组建新政权，并以祖国的名义要求你们：拯救祖国现在取决于你们。应该以双倍的努力保证列车的运行。国家期待你们出色履行职责，期待你们建

---

[1] *Спиридович А.И.* Великая Война и Февральская Революция.1914 –1917. Нью-Йорк.1962. С.194.

立功勋。你们忘我的热情、对祖国的热爱和对运输在战争和后方组织中作用的认识，将弥补俄国铁路网技术上的弱点和不足。”[1]

布勃利科夫发出的电报立即在全俄罗斯帝国的范围内传播，把彼得格勒发生革命的消息告诉了人民。电报震动了整个国家，在加快地方革命事态的发展和促使政权转到杜马临时委员会手中起了重要作用，这种作用甚至超出了布勃利科夫和他的共济会朋友的预料。索尔仁尼琴指出：“他采取了一个比彼得格勒发生的一切有着更大意义的革命行动：在一夜之间仅仅是通过铁路电报就把彼得格勒的革命传播到全俄国”。[2]

对于很多俄国人来说，这份电报是他们得到的最初的关于革命的消息。虽然电报的内容明显超出了事态发展的程度，因为当时沙皇政权还存在，但是电报表现出的那种权威的、居高临下的、威严的口吻，无可争议地令人相信它说的是真实的事情。事件亲历者回忆：“第一印象总是最强烈的。正是从布勃利科夫的电报中，全俄罗斯听说了革命，并且知道是杜马制造了它。在这之后沙皇退位就显得是次要的形式了。但情况真是如电报所说的那样吗？当然不是。在布勃利科夫勇敢地庄严地向全俄罗斯宣告新政权建立时，事实上还不存在任何政权。”后来布勃利科夫也曾表示：“彼得格勒是如此混乱，当时彼得格勒卫戍部队已经人心涣散，在上层也有人议论，哪怕只要从前线调回一个师就能从根本上镇压起义。你能想象，那时只要沙皇有一点点毅力，我就得上绞架。”[3]

在二月革命的消息从彼得格勒向外省传播以及革命本身向各地辐射的过程中，产生作用的不仅是布勃利科夫的一份电报，而是连续的一系列电报；不仅是自上而下的电报，还有自下而上的电报。

2 月 27 日深夜 12 点左右，向全俄各城市发出了罗将柯签署的关于建立国

[1] *Спиридович А.И.* Великая Война и Февральская Революция.1914 –1917. Нью-Йорк. 1962. С.194–195.

[2] *Солженицын А.И.* Красное Колесо:Узел III. Март семнадцатого. Глава 280. Ходы и планы Бубликова. http://solzhenicyn.ru/modules/myarticles/article_storyid_656.html

[3] Почетный гражданин Екатеринбурга А. Бубликов о русской революции. http://museum1723.narod. ru/library/Bublikov.htm

家杜马临时委员会的电报，公布了杜马临时委员会的成员名单，以及出任起义的彼得格勒卫戍部队司令之职的人选。[1] 与此同时，罗将柯给最高统帅部参谋长和各战线、各舰队司令发去电报，通报政府权力已转归国家杜马临时委员会。

国家杜马临时委员会通过派遣政治委员的方式迅速控制了彼得格勒电报通讯社，从而保证了正面地向外省报道和传播彼得格勒发生的革命。作为杜马临时委员会派往彼得格勒电报通讯社的政治委员，格隆斯基和萨拉兹金一到任就撤掉了社长和新闻部主任的职务，公布了杜马临时委员会对新社长的任命，指定了临时的新闻部主任。格隆斯基和萨拉兹金立即编写了反映最近 3 天彼得格勒事态发展的电讯稿，并紧急发往各省的报纸。而对于哈尔科夫、敖德萨、基辅、萨拉托夫这样的大城市，通讯社还发去了补充的电讯稿，更加详细地反映彼得格勒的事件。

电讯稿在地方上的出现和传播，意味着二月革命最初几天外省的信息闭塞状态进一步被打破，有力地促进了地方上革命运动的发展和迅速胜利。发往各省报纸的电报新闻，与宣告杜马掌握政权的布勃利科夫电报一样，以其传播的速度和影响的力度，成为“电报革命”的实际推动因素。杜马代表 А.И. 诺维科夫谈到，萨拉托夫在 3 月 1 日收到并刊发了彼得格勒电报通讯社关于革命的官方电讯稿后，“过了半个小时左右，全城就完全改变了面貌，旧政权对于它来说已经不存在了。”[2]

国家杜马临时委员会派往政府各部门的政治委员到任后，立即向各地相应的下属部门发号施令，这些命令同样是以电报方式传达的。而地方部门也纷纷回电，表示承认政治委员权力。例如，国家杜马临时委员会派驻商业和工业部的政治委员在向地方发出相关命令后，收到了各地的回电。来自奥廖尔的电报是有代表性的：“交易所委员会和当时所有在场的交易所协会成员表示完全赞同服从政治委员和国家杜马临时委员会。”[3]

---

[1] Революционное движение в России после свержения самодержавия.Документы и материалы.М.,1957. С.401.

[2] *Николаев А.Б.* Государственная дума в Февральской революции. Рязань. 2002. С.82.

[3] *Николаев А.Б.* Государственная дума в Февральской революции. Рязань. 2002. С.82.

地方政权问题的解决

“电报革命”的核心内容，是二月革命政权延伸到外省，在各地普遍实现了政权的重组。

在最初的关于彼得格勒发生革命的电报之后，国家杜马临时委员会又发出了一系列的公告、命令、决定，并通过电报传遍全国，迅速在地方层面上确立了自己的政治优势。

这些电报使俄国人民形成了国家杜马在革命中具有特殊地位的印象，也使杜马临时委员会得到了全国各地地方自治机关的及时响应和有力支持。虽然外省的省长们暂时还保持着自己的权力，但各地的地方自治机关很快就宣布承认国家杜马临时委员会的权力，并表示准备服从它的所有指示。数千封发自各地地方自治机关的电报都表示拥护革命、拥护杜马临时委员会的决定。

很多地方向杜马临时委员会发出电报，请求派遣政治委员来解决当地由于革命而产生的各种问题。杜马临时委员会在解决地方政权问题时，决定将政治委员制度延伸到省和县，开始往莫斯科和外省派遣自己的政治委员。杜马临时委员会首先选择了一些杜马代表担任其派往各省的政治委员，这项工作实际上在革命的最初几天就开始了。在 2 月 28 日到 3 月 1 日的那个夜里，杜马临时委员会把第四届国家杜马代表戈托维茨基作为政治委员派往萨拉托夫省，立宪民主党杜马代表诺维科夫被派往莫斯科。3 月 3 日，第四届国家杜马代表、弗拉基米尔省立宪民主党领导人艾伦带着任命他为省政治委员的委任状到达弗拉基米尔。[1]

杜马临时委员会很快感觉到了适用的人手不够，向地方派遣的政治委员不可能全部从杜马代表中产生。于是，在建立地方政治委员制度时，杜马临时委员会事实上很快确定了职务原则，即由地方和城市自治机关的负责人担任政治委员。杜马临时委员会按此原则任命了一批政治委员，并以电报形式通知有关人员。如杜马临时委员会成员涅克拉索夫 3 月 1 日夜里，给莫斯科省地方自治机关主席格鲁季诺夫发去电报，通知他已被国家杜马临时委员会任命为莫斯

[1] *Николаев А.Б.* Государственная дума в Февральской революции. Рязань. 2002.С.90.

科省政治委员，并赋予他广泛的授权，明确“所有官员都对政治委员负责”。[1]

在二月革命从首都向外省发展时，地方自治机关成为二月革命政权在地方上的支柱。对于杜马临时委员会来说，利用地方自治负责人来实现省、县和城市的生活正常化是现实的途径。3 月 2 日，罗将柯给各省和县地方自治机关和城市管理机关发出通令电报，要求“保持社会秩序，不得中断工作，特别重视防务和居民粮食供应工作的正确过程。”同一天他还通电阿尔汉格尔斯克和符拉迪沃斯托克，要求“确保托付给你们的地区的安宁和秩序，特别关注与国家防务相关的工作的连续性”。[2]

临时政府成立之后，各地发来的电报都把它称为“革命人民意志的产物”，是人民“早已期待的政府”并得到他们的“充分信任”，表示已为全面支持临时政府做好了准备。萨马拉地方自治机关负责人在给李沃夫总理的电报中说，李沃夫作为地方自治运动公认的领袖而当选为政府首脑，是实现俄国地方自治运动宿愿的保证。斯摩棱斯克地方自治会议表示相信，李沃夫领导的政府“将把祖国引向最后的胜利并为伟大的俄罗斯开辟光辉的前景”。[3]

同时，许多省、县的地方自治机关也以电报形式向临时政府提出，他们应该成为地方政权的骨干。还有一些地方自治机关干脆自行接管了当地政权。在这种情况下，临时政府于 3 月 5 日正式宣布，各省、县地方自治会议主席为临时政府委任的拥有全权的政治委员，暂署当地政务。这一决定以电报方式通告全国，意味着临时政府把地方自治机关当作地方政权的唯一基础，同时也使临时政府至少在形式上控制了全国。

但这个决定也引起了许多地方人民群众的强烈不满。他们纷纷给临时政府发电报和信件，要求临时政府以至李沃夫总理本人解除当地政治委员的权力，理由是这些人与旧政权有密切联系、推行反人民的政策。在革命中被卷入政治生活的人民群众迅速觉醒，要求一切政府官员均由选举产生的呼声越来越高。这种形势迫使自由主义政党控制的临时政府在地方政权组成问题上做出妥

---

[1] *Николаев А.Б.* Государственная дума в Февральской революции. Рязань. 2002.С.90–91.

[2] *Николаев А.Б.* Государственная дума в Февральской революции. Рязань. 2002.С.91.

[3] *Грасименко Г.А.* Земство в Февральской буржуазно-демократической революции.// История СССР. 1987，No. 4. С.76.

协，改变了单纯依靠地方自治机关的做法，开始正视二月革命期间地方群众组织自发建立的“社会执行委员会”或“社会安全委员会”等机构的存在。同地方自治机关相比，它们具有更广泛的社会基础，政治立场也更为激进。

为争取地方民主主义力量的支持，3月中旬临时政府决定省和县的政治委员由选举产生。临时政府公开表示，当初指定地方自治会议主席担任地方政治委员，是认为他们在民主阶层中享有威望并受到信任，堪为政权的基础；现在既然发现并不是所有的地方自治会议主席都符合这些条件，那就应该允许由其他社会人士担任政治委员。

3月27日，临时政府又发出指示，各省政治委员在自己的活动中应依靠同全省保持着紧密联系的社会执行委员会，这个委员会的执行机关应成为全省社会意见的负责任的表达者。于是，社会执行委员会在很大程度上取代了地方自治机关而成为地方新政权的重要基础。原先由临时政府任命的省、县政治委员，开始被社会执行委员会选出的代表接替，政权的构成发生了变化。

国家杜马临时委员会和临时政府有关地方政权组织问题的一系列电报，推动了地方革命政权的建立。而地方自治机关和社会组织发给杜马临时委员会和临时政府的电报，则成为二月革命政权合法性的证明，并直接影响了新政权的政策。通过电报形式进行的中央政权与地方的互动及其对政治进程的影响，是二月革命期间最值得关注的现象之一。

外省城市的革命个案

“电报革命”是对外省城市开始和发展革命以及组织新政权的一种概括。彼尔姆、伊尔库茨克、新尼古拉耶夫斯克、赤塔等地的事实，基本上反映了俄国外省的二月革命情况。

彼尔姆

1917年2月的最后几天，彼得格勒发生革命的时候，彼尔姆还是很平静的。尽管能够感觉到战争时期的日子不好过，如食品和生活必需品价格上涨，面包店门前排长队，但居民中没有发生对当局的强烈不满和对抗行为。革命政党的活动并不活跃，其积极分子人数也很少。彼尔姆在2月没有发生任何革命活动。唯一有一定影响的事件是，在彼尔姆省军事工业委员会任职的工程师施里亚耶夫在二月革命前夕曾建议省军事工业委员会通过一项决议，呼吁“推翻现存制度”，结果被当局撤销了负责职务。

通过布勃利科夫电报传来的关于彼得格勒革命的消息令彼尔姆当局惊慌失措，不知如何是好。当时省长罗津纳—罗津斯基正好到县里巡视，他的副手雷申斯基—特罗耶库洛夫在2月28日接到了彼尔姆铁路负责人发来的有关交通部政治委员布勃利科夫电报的通报。由于没有从内务部系统得到任何消息和指示，雷申斯基—特罗耶库洛夫决定不在地方报纸上发表电报内容。

3月1日到2日的那个夜里，俄罗斯电报通讯社关于政权转到国家杜马临时委员会手里的电讯也传到了彼尔姆。雷申斯基—特罗耶库洛夫接到电报后不相信其真实性，认为是假消息。他召集当地军事部门代表开会，讨论使用部队防止动乱的问题，同时下令扣押已经印好的报纸，直到3月3日才取消了这个禁令。

3月3日，省长罗津纳—罗津斯基到了叶卡捷琳堡，向全省警察官员发去了由他签名的电报，要求他们“冷静地对待电讯稿报道的消息”、“理智地等待事情的结果”，继续在自己的岗位上工作。同时，他在《乌拉尔生活报》上发表告居民书，呼吁保持平静和理智，维护秩序与和平生活。而在这个时候，革命在彼得格勒已经胜利。这一天，新政府首脑李沃夫关于解除所有省长和副省长职务、省地方自治会议主席自动成为临时政府政治委员并拥有省长的全部权力的电报，已经在全俄范围广泛传播。

3月4日，仍未回到彼尔姆的省长罗津纳—罗津斯基给副省长、各地方和城市地方自治机关主席、警察局长、彼尔姆主教安德罗尼克和叶卡捷琳堡主教谢拉菲姆发去电报，要求所有负责人员服从以李沃夫为首的政府。在电报中，革命的临时政府被称为“政府陛下”。很显然，这位省长还没有意识到，国家发生了革命。这一天，在彼尔姆成立了乌拉尔工人和士兵代表苏维埃，其中大多数是孟什维克和社会革命党人。

3月5日，省长罗津纳—罗津斯基回到彼尔姆后，又发出了一份电报，说他“完全听命于临时的全权政府”。电报的签名是“临时政府代表、省长罗津斯基”。当天，社会安全委员会在彼尔姆成立，它发挥了革命政权机关的作用。3月6日1时35分，自称为临时政府代表的罗津纳—罗津斯基收到了临时政府首脑李沃夫的电报，要求他立即把彼尔姆省的管理权交给省地方自治机关主席。当天，他和副省长签署了权力移交的文件。[1]

在叶卡捷琳堡，一得到彼得格勒发生革命的消息，一些士兵和穿便服的人就跑到市杜马举行集会，他们威胁市杜马议员："如果你们不支持我们，那么第126团就会来支持革命！"铁路员工托尔斯托乌赫召集当地革命民主派领导人秘密开会，决定"谁要是现在还不顺从，立即就地枪决。"会议决定，立即发布命令，逮捕有产阶级的官员和部队指挥官。[2]

伊尔库茨克

伊尔库茨克远离俄国中心，邮件送达伊尔库茨克要8天时间。2月间，虽然有一些关于莫斯科和彼得格勒罢工的消息，但人们从这些罢工中感觉不到强有力的组织和清晰的政治思想，而只能得出"盲目的骚动"的结论。"我们没有看到灾难临近的征兆"。[3]

在二月革命最初的日子里，地方行政官员也不清楚首都究竟发生了什么事情。东西伯利亚总督比利茨和其他人一样，"是从布勃利科夫的电报中知道革命胜利的消息的"。布勃利科夫的电报在3月1日早上传到了伊尔库茨克。孟什维克沃伊京斯基回忆说："我记不清这封电报的具体内容了，也忘记了电报中是否使用了'革命'这个词。但其中肯定提到了'国家杜马临时委员会'，并且清楚地表明这个委员会已经掌握了政府权力。""伊尔库茨克是从电报知道革命的。……对于我们在伊尔库茨克的人来说……这一切来得如此突然，就像晴天霹雳。""布勃利科夫的电报对于伊尔库茨克以至对于整个西伯利亚来说，是对已经完成的剧变的正式证明。对于西伯利亚铁路员工来说，他们为铁路线掌握在'布勃利科夫同志'手里而欢欣鼓舞，兴奋地相互传播有关这位曾是尼古拉铁路的机械师和列车员的'同志'的各方面具体情况。全体西伯利亚居民都把布勃利科夫的电报当做是他们摆脱旧制度的福音和废黜旧长官、自己掌握管理权的信号。"而比利茨在看到布勃利科夫的电报之后，知道大势已去，急忙退出了。"就这样，3月1日伊尔库茨克知道了国家杜马临时委员会的存在，

---

[1] *Бушмаков А.В.* Февральская революция в Перми. http://www.archive.perm.ru/page.php.

[2] *Солженицын А.И.* Красное Колесо. Глава 458. Как в провинции было. Фрагменты. http://www.solzhenicyn. ru/modules/myarticles/article_storyid_869.html

[3] *Войтинский В.С.* 1917-й. Год побед и поражений. М.,1999. С.22.

稍后又听说了彼得格勒工兵代表苏维埃的成立。”“对于伊尔库茨克来说，革命的第一天是星期四，3 月 2 日。这天从一大早开始，就到处举行会议，选举代表进入社会组织委员会”。[1] 城市居民把政治流亡者视为自己的领袖、视为政权机关。4 万人的警备部队没有抵抗地服从于新出现的革命机关。策列铁里和郭茨亲自带领执行逮捕任务的小分队，以便能够控制它。[2]

新尼古拉耶夫斯克

在这个边远的西伯利亚小城，市杜马和《西伯利亚之声》编辑部 3 月 2 日才收到关于彼得格勒发生革命和推翻沙皇政府的电报。在当地军事工业委员会中工作的苏什金记载了革命的消息传到新尼古拉耶夫斯克的情况。

3 月 2 日中午 12 点左右，当地军事工业委员会正在举行会议。市警察局长来了，他同委员会的几个人耳语了一番，会议随即宣布暂停。委员会主席团成员同警察局长进行了十来分钟的交谈，然后告诉大家，彼得格勒发生了大动乱。警察局长带来了布勃利科夫的电报。当时在场的人回忆，“电报说的是具

新尼古拉耶夫斯克支持革命的集会

[1] *Войтинский В.С.* 1917-й. Год побед и поражений. М.,1999. С.23–25.

[2] *Солженицын А.И.* Красное Колесо. Глава 458. Как в провинции было. Фрагменты. http://www.solzhenicyn. ru/modules/myarticles/article_storyid_869.html

有起义性质的大规模动乱。电报里没有用‘革命’这样的词，但我在读电报的时候意识到这就是革命。关于已完成的政变、关于尼古拉二世退位的电报不断传到新尼古拉耶夫斯克。在交易所、在军事工业委员会，大家都惊慌失措。”

当天晚上，举行了市杜马紧急会议。会议气氛热烈，发言踊跃，一直开到半夜。会上宣读了国家杜马临时委员会主席的电报、彼得格勒市杜马关于团结在新政府周围的电报。会议通过了告居民书，市长别塞金说必须安定，必须认真应对局势。孟什维克盖尔曼·卡缅斯基呼吁市杜马“领导新尼古拉耶夫斯克的革命”。

新尼古拉耶夫斯克的交易委员会、军事工业委员会以及其他合作社组织作出决定，成立由交易委员会主席比麦诺夫为首的社会组织临时委员会。在重新开始的会议上，又作出决议将这个组织改名为社会秩序和安全委员会，选举俄罗斯—亚速银行在当地的副总经理热尔纳科夫为主席。会议开得很热烈，发言经常被掌声打断。有人提出，要弄清楚警察局支持谁。布尔什维克德罗宁回忆：“对于向他提出的问题，警察局长表示，他将顺从新政权并为它服务。他戏剧性地单膝跪下并交出了自己的军刀。他的表态同样获得了热烈的掌声。”“城里到处都在谈论彼得格勒的事态。工厂、机关都在举行无休止的集会、会议，议论彼得格勒的革命，经常直到深夜。人民为专制政权被推翻而欢欣鼓舞，穿着节日盛装的人们挤满了街道，开始游行。聚集起来的人们要求消灭旧的国家机关、解除警察和宪兵的武装后把他们送往前线。3月4日甚至举行了盛大的阅兵式，部队都表示忠于临时政府。”[1]

在萨马拉省伏尔加沿岸的小城罗夫宁斯克，夜里两点，电报局的年轻的电报员伊万·别洛乌斯接到萨马拉的值班员通知，要求电报员准备接收特别重要的国家电报。别洛乌斯拿起电报纸条，顿时大惊失色：沙皇退位了!!! ……他急忙叫醒了电报局长。局长双手颤抖地核对电报纸上的内容。半小时后，小电报局里挤满了从睡梦中被叫醒后过来的当地官员。他们神情惊慌地反复读着电报，交换着看法，询问着什么——但没有任何人回答问题。他们的小城还在沉睡，什么也不知道。而他们也只是早知道了几个小时。白天，街上有一小伙人打着罗夫宁斯克从未见过的红色横幅。中学校长带着红色的领结和红色的臂

[1] Февральская революция в Новониколаевске. http://vn.ru/index.php?id=84613

章，大声地宣读退位宣言，宣告摧毁“旧制度”、赞扬正在到来的自由。而昨天夜里在电报局的那些人一个也没有出现。罗夫宁斯克一时没了政权。[1]

赤塔

布勃利科夫的电报传到远东的赤塔的时间是3月2日。起初，人们不相信这是真的。但第二天东西伯利亚总督比利茨证实了电报内容的真实性。赤塔市杜马随即表示欢迎临时政府的成立，并在3月3日紧急召开扩大会议讨论建立本州新的政权机关问题。会议决定成立由各政党和社会组织的代表组成的社会安全委员会。这几天，和全俄国所发生的一样，在赤塔选举产生了工人和士兵代表苏维埃。[2]

在二月革命期间，沙皇政权和杜马反对派采取行动的效率、影响群众的程度，在很大程度上取决于对信息传播渠道的控制。意大利历史学家博法指出，“俄国革命是第一次利用了现代通信工具的革命。”[3] 虽然这并不意味着革命完全是依赖电报实现的，但夺取邮政局、电话局、电报局、铁路车站等通信、交通机构和设施的行动被认为是最重要的起义行动，表明起义领导者对控制信息传播途径是极为重视的。对于彼得格勒以外的地方而言，革命消息的传播具有决定性的意义。

在二月革命开始之初，沙皇行政当局显然试图借助于信息封锁，将首都与外省隔绝起来，避免动乱的蔓延。从2月23日开始，沙皇政权对所有从彼得格勒发出的信息采取了严厉的检查制度，彼得格勒电报通讯社停止播发消息。在2月23—24日，中央政权看来甚至认为没有必要把首都动乱的情况通知外省行政长官。到了彼得格勒混乱加剧、发生袭击警察局、部分卫戍部队出现动摇的时候，才给地方长官发出了简短而又费解的通报，指示地方当局采取措施“禁止、制止、无情镇压”当地的动乱。以东西伯利亚为例，直到2月27日，总督才收到了内容稍微具体一些的电报，其开始部分提到了罗将柯曾于2月13日呼吁沙皇任命一个能够得到社会支持的内阁，而结尾部分说政府

---

[1] *Солженицын А.И.* Красное Колесо. Глава 458. Как в провинции было. Фрагменты. http://www.solzhenicyn. ru/modules/myarticles/article_storyid_869.html

[2] *Филоненко В.* Старая власть оказалась бессильной…http://zdr-gazeta.ru/ index. php.

[3] *Боффа Д.* История Советского Союза. Т. 1. М., 1994. С.55.

正在“采取措施”。2 月 28 日，关于罗将柯的第二份电报和一些团队站到起义者一边的通报传到了伊尔库茨克。然而直到这个时候，总督对于彼得格勒事件的规模和性质仍然是不清楚的。

以布勃利科夫电报为开端和代表的一系列电报，如平地惊雷，冲破了旧政权对彼得格勒革命消息的封锁，为革命向外省推进创造了条件，成为二月革命在外省展开的动力来源。

“电报革命”之所以成为现实，其基本条件在于，战争造成的灾难和沙皇政府的腐败已经使人民群众处于毫无出路的境地，他们只有挺身而起，选择革命。二月革命就是俄国人民群众强烈不满情绪的爆发。首都发生革命、杜马临时委员会掌权的消息，点燃了俄国外省的革命之火。

外省的革命根据电报进行，证明以社会爆炸形式表现的二月革命是俄国局势发展的自然结果，也反映了彼得格勒以外广大地区对革命的抵制和反抗十分微弱这一事实。政权转入全国知名的国家杜马领袖手中，在当时是社会各阶层可以普遍接受的事实。正因如此，1917 年俄国革命的二月阶段取得了迅速的、几乎是出人意料的成功。

第四章　列宁与布尔什维克党

二月革命后的俄国处于历史的十字路口。布尔什维克与俄国其他政治力量一样，都面临历史性的抉择。布尔什维克国内组织依据建党初期就已明确的革命理论，准备走上资产阶级民主共和国框架内的合法反对派之路。而列宁回国后从根本上扭转了这一趋势，把党领上了夺取政权、建立无产阶级专政的道路。从二月到十月，布尔什维克所走过的政治道路是严峻的、不平坦的。而这一过程中最重要的转折点，就发生在3—4月间。

第一节　国内布尔什维克对革命的认识

彼得格勒的布尔什维克

二月革命发生时，布尔什维克无论在组织上还是思想上都还未为这场革命做好准备。因此，尽管彼得格勒的布尔什维克积极参与了运动，但在总体上未能对局势产生明显影响。

在二月革命中刚刚走出地下状态的布尔什维克党开始公开地聚集和组织自己的力量，积极开展活动、对革命进程施加影响。但当时布尔什维克在组织上是比较弱的，党员人数较少，许多地方组织尚未恢复，国内党组织缺乏有权威的领导人。[1] 然而，更重要的问题是，布尔什维克国内组织对二月革命后出

---

[1] История Коммунистической партии Советского Союза. Т. 2. М., 1966. С.547. 根据此书提供的数据，1917 年初布尔什维克党的党员人数为 23600 人。但有学者认为这个数字是夸大的。季诺维也夫曾指出，“二月革命后布尔什维克党的队伍中总共有不超过 10000 人。”如按前引多卷本苏共党史的说法，在彼得格勒、莫斯科、乌拉尔、顿巴斯、乌克兰等主要城市和地区共有 5000 人左右的话，那么可以推测，其他地方党组织的人数加起来不会超过这个数。由此可以认为，二月革命时布尔什维克共有约 1 万人是完全现实的。四月代表会议时，根据资格审查委员会的报告，它代表了 79204 名党员。而根据布勃诺夫在 1921 年出版的著作，四月代表会议时的党员人数是 4 万人。斯特鲁米林认为，4 万党员这个数字是更为可信的。参见 *Миллерр В.* К вопросу о сравнительной численности партий большевков и меньшевиков в 1917г. //Страницы истории КПСС. М., 1989.С.255–257.

现的政治局势的认识存在分歧，因而对于党在新条件下应取何种策略也是不一致的。

二月革命后，布尔什维克必须对两个最迫切的问题作出回答：如何对待临时政府，如何对待仍在继续进行的战争。当时，布尔什维克在彼得格勒有两个领导中心：一个是由施略普尼科夫、莫洛托夫、扎鲁茨基为首的中央俄国局，另一个是彼得堡委员会。他们在对待临时政府和战争的态度上持不同立场，但没有任何人提出向社会主义革命转变的问题。

在对待临时政府的态度上，中央俄国局所持观点较左。它在其 3 月 4 日的声明中说，“目前的临时政府就其实质而言是反革命的，因为它站在资产阶级和贵族的立场上。因此，同它不能有任何妥协。”中央俄国局宣布，它的目标是“建立民主性质的临时革命政府（无产阶级和农民的专政）”。[1] 应该说，这个立场是脱离当时的实际情况的。中央俄国局对于在革命中建立并发挥了巨大作用的苏维埃也认识不足，在它 2 月 28 日发表的宣言中，甚至只字未提苏维埃。

在首都工人中影响较大的布尔什维克彼得堡委员会的态度要更现实一些，它赞成苏维埃作出的关于有条件支持临时政府的决议。彼得堡委员会在 3 月 5 日通过的决议中指出：“在临时政府的行动符合无产阶级和广大民主派人民群众利益的条件下，彼得堡委员会不反对临时政府的权力。”[2] 彼得堡委员会的这个立场与主导彼得格勒苏维埃的孟什维克和社会革命党的立场基本一致。

中央俄国局曾试图纠正彼得堡委员会的立场，但遭到拒绝。彼得堡委员会在 3 月 12 日的中央局会上发表声明称，它的主张“完全符合现在的要求，符合目前的利益，它的决议比较具体……彼得堡委员会认为中央局的指示必须先交给彼得堡委员会讨论研究，然后再贯彻执行。……中央局应当重视彼得堡委员会的指示，因为彼得堡委员会依靠群众。中央局在宣言中讲了一系列错话……中央局的这些做法有损布尔什维主义的威信”。[3]

彼得堡委员会的态度迫使中央俄国局修正自己的观点，在 3 月 9 日的会

[1] Вопросы итории КПСС. 1962. №3. С.136.

[2] Правда.7 марта 1917.

[3] Вопросы итории КПСС. 1962. №3. С.144.

议记录中指出，中央局不认为支持临时政府是重要的，同时也没有积极与临时政府对抗的途径。而在3月10日的决议草案中已经谈到了“影响临时政府”的可能性。[1]

在对战争的态度问题上，彼得堡委员会3月7日宣布，在推翻沙皇制度后，它关于战争是帝国主义战争的观点仍然是正确的，因此“将坚决地为不割地不赔款的和平、为各民族的自决权而斗争”。彼得堡委员会决定，通过彼得格勒苏维埃呼吁各交战国的社会主义政党反对自己的压迫者，在前线联欢。

而中央俄国局3月10日在《真理报》上发表关于战争问题的决议：“俄国社会民主工党中央局宣布，革命民主派的基本任务仍是把目前反人民的帝国主义战争变为反对压迫者—统治阶级的战争。”决议号召与各交战国的无产阶级和革命民主派联合起来，在前线举行联欢，实现军队的民主化。

可见，这两个布尔什维克领导机构总体上都是站在国际主义立场上，但彼得堡委员会没有像中央俄国局那样提出变帝国主义战争为国内战争的口号。

加米涅夫的立场

3月中旬开始，随着被流放的布尔什维克领导人返回彼得格勒，情况发生了很大变化。

临时政府采取的最初行动之一是释放所有政治犯。这一决定得到了普遍欢迎。各地急忙释放原沙皇政府的囚徒，把他们送到彼得格勒、莫斯科或者家乡。

在遥远的西伯利亚阿钦斯克，布尔什维克加米涅夫也在准备启程。加米涅夫1883年出生于铁路机械师（后来成为工程师）之家，中学毕业后有一段时间在莫斯科大学学习法学。加入布尔什维克后在高加索和彼得堡从事宣传活动。1907年被捕后不久被释放，随后侨居国外。在国外期间成为布尔什维克中央委员，与列宁关系密切。1912年在第四届国家杜马中成立了不大的布尔什维克小组，加米涅夫被派回俄国领导这个小组和布尔什维克的《真理报》。加米涅夫实际领导了布尔什维克的国内组织。在党内同志看来，他是一个很好

[1] Вопросы итории КПСС. 1962. №3. С.141,143.

的演说家、评论家，是有学识的人，性格温和，善于作出让步和妥协。

1914 年 11 月初，在彼得格勒郊外一幢房子里讨论列宁“关于战争问题的提纲”时，加米涅夫和杜马中的布尔什维克代表被逮捕，随后遭到审判并被流放西伯利亚阿钦斯克。在流放期间，他同布尔什维克第四届国家杜马代表穆拉诺夫和中央委员斯大林时有来往。当时穆拉诺夫和斯大林在西伯利亚图鲁汗斯克边疆区过流放生活，他们去阿钦斯克时经常到加米涅夫那里去，与加米涅夫和他的妻子奥丽加·达维多夫娜（托洛茨基的妹妹）不拘礼节地进行交谈。

加米涅夫

沙皇制度垮台后，加米涅夫和阿钦斯克的其他流放者代表签署了一份致米哈伊尔大公的电报，欢迎他拒绝皇位的“公民功勋”。

3 月 12 日，加米涅夫、穆拉诺夫和斯大林回到了彼得格勒。这时二月风暴已经过去，但令人目眩的胜利带来的欣喜仍然到处能够感觉到。临时政府得到了几乎是充分的支持。劳动群众的很大部分，其中包括工人阶级的很大部分，把实现自己利益的希望与临时政府联系在一起。尽管也有激进的工人，如维堡区的工人，通过了把政权转交苏维埃的具有战斗性的决议，但这种情况只是个别的，完全不能影响彼得格勒和全俄国的情绪。连君主主义者和具有保守情绪的阶层都转向临时政府，把它视为能够对抗革命无政府主义并能阻止它进一步发展的唯一中心。

彼得格勒的这种局面显然对刚回来的加米涅夫、斯大林等人产生了压力，使之倾向于寻求与彼得格勒苏维埃中其他革命民主组织和团体进行合作的途径。

3 月中旬，加米涅夫和斯大林在中央俄国局的影响力加强，而且实际上控制了《真理报》。他们连续发表文章，主张只要临时政府不直接危及群众利益就给予支持；要求放弃无条件反对战争的立场而改行对临时政府施加压力以迫其开始和谈的策略。这个新方针得到了党内大多数人的支持。

关键的问题在于对革命性质和发展前景的看法。大多数布尔什维克认为资产阶级民主革命还没有完结，他们没有想到现在就有可能把资产阶级民主革命转变为社会主义革命。加米涅夫 3 月 18 日在彼得堡委员会会议上的发言是有代表性的："我们是否已经成熟到足以建立无产阶级专政了？没有。……这个时期将会到来，但推迟它对我们有利。现在我们的力量还不够。"[1]

在 3 月 22 日布尔什维克中央俄国局会议上，通过了关于临时政府的决议和关于战争与和平的决议这两个重要的决议，并刊登在 3 月 26 日的《真理报》上。决议非常明确地指出："苏维埃应当对临时政府的一切行动实行最坚决的监督"，"不仅要迫使临时政府放弃一切征服计划，而且还要它立即公开表达俄国人民的意志，同所有交战国媾和。"[2]

3 月 27 日到 29 日，召开了全俄党的工作者会议。绝大多数与会者赞成"有条件地护国"和给予临时政府"有条件支持"的立场。正因如此，当老布尔什维克克拉西柯夫在全俄党的工作者会议上发言说应该提出实行无产阶级专政的问题，并认为"我们已经有足够的力量来夺取政权"时，他显然是孤立的，甚至被会议主席剥夺了发言权。

现在，国内布尔什维克党内虽然在具体问题上还存在分歧，但占主导地位的观点是：俄国目前的革命是资产阶级民主革命，它的目标不可能是社会主义共和国，因为对于落后的俄国来说，资本主义是一个不可避免的阶段。正如《真理报》复刊后第一期上的文章所说，革命的"根本任务是实行民主共和制。"[3]

身在苏黎世的列宁很清楚，在当时所有国内布尔什维克活动家中，加米涅夫在确定党的政策方面起着关键作用。他在 3 月 30 日写给加涅茨基的信中说："加米涅夫应该懂得，他肩负着具有世界历史意义的责任"。他在同一封信中表示："我个人会毫不犹豫地声明，而且是在报刊上声明：我甚至不惜立即同

---

[1] [俄] 布尔扎洛夫：《论布尔什维克在 1917 年 3—4 月的策略》，《苏联历史论文选辑》第三辑，三联书店 1965 年版，第 60 页。

[2] Вопросы итории КПСС. 1962. №3. С. 153.

[3] Правда. 5 Марта 1917.

我们党内的任何一个人决裂，也不向克伦斯基一伙的社会爱国主义或者齐赫泽一伙的社会和平主义与考茨基主义让步。”[1]

也许是意识到了列宁的坚决态度，也许是注意到列宁已在回国的途中，在党的工作者会议起草关于对临时政府态度的决议时，最终的表述改为“密切地监督临时政府的行动”。

与孟什维克联合的倾向

很明显，在1917年3月中旬到4月初，国内布尔什维克领导层的多数人遵循的是党在1905年革命中形成的策略路线。在俄国第一次革命中，1905年4月，举行了没有孟什维克参加的俄国社会民主工党第三次代表大会。大会通过的决议指出，在俄国，无论是为了无产阶级的直接利益还是最终目的，都首先需要用民主共和制来代替专制政体，这个民主革命将不是削弱而是加强资产阶级的统治，胜利的人民起义将产生一个临时革命政府，无产阶级将要求这个政府实现社会民主党的最低纲领，社会民主党在保持独立性的条件下可以参加这个政府；为了巩固和扩大革命成果，社会民主党无论是否参加政府，都必须对政府施加压力。[2]

当时，列宁认为，这个决议明确以最低纲领作为临时革命政府的任务，从而“排除了立即实现最高纲领、夺取政权来实现社会主义革命这类荒唐的半无政府主义的想法”，因为俄国经济发展的程度和广大无产阶级的觉悟程度、组织程度都使工人阶级无法立即获得完全的解放。列宁指出，“我们并不是拖延社会主义革命，而是用唯一可能的方法，沿着唯一正确的道路，即沿着民主共和制的道路，向社会主义迈出第一步”。[3]

与孟什维克不同的是，布尔什维克强调无产阶级在民主革命中负有起领导作用的使命，社会民主党将对一切资产阶级政党采取不调和的敌对态度以便

[1] 《列宁全集》第47卷，人民出版社1990年版，第596、593页。

[2] 《苏联共产党代表大会、代表会议和中央全会决议汇编》第1分册，人民出版社1964年版，第89—90页。

[3] 《列宁选集》第3卷，第518、521、522页。

争取向社会主义过渡。[1]

二月革命之后，在大多数布尔什维克领导人看来，党自1905年革命以来对俄国革命性质和发展道路的估计得到了证实。他们认为临时政府是现有条件下可能有的最先进的政府，而党的当前任务是促进民主革命的发展，因此不能立即采取激烈反对临时政府的态度。

在三月会议上，虽然所有代表都认为临时政府是资产阶级的、实质上反对革命的政府，而且都承认在革命发展的一定阶段上将不可避免地发生与这个政府的冲突、工兵代表苏维埃应在革命发展过程中掌握全部政权，但绝大多数人认为改变政权性质不是现在要做的事情，“现在强行加速与资产阶级各阶层分离的过程，对我们是不利的。必须赢得时间，……以便巩固革命的成果，作好与临时政府斗争的准备”。[2]

国内布尔什维克党组织中占主导地位的意见与孟什维克对于俄国革命的认识是一致的。[3]虽然在战争问题上国内布尔什维克组织的立场同孟什维克—社会革命党的“护国主义”保持着距离，但是有条件支持临时政府的共同点削弱了列宁反对战争的呼吁的实际影响力。因为反战呼吁只有在排除临时政府、改变苏维埃政策的条件下才是有可能实现的。

布尔什维克国内组织所倾向的“加米涅夫路线”同孟什维克国际派领袖马尔托夫的立场尤其接近。

马尔托夫在回国前就对传到瑞士的有关孟什维克领导人齐赫泽和斯科别列夫的“各种爱国演说”感到不安，担心这样的立场将使情绪激进的群众认为孟什维克明显地妥协了。他在拒绝孟什维克和社会革命党人的“革命护国主义”的同时，不希望革命队伍出现分裂，认为这对国家民主化的整个事业是危险的。马尔托夫在给克里斯季的另一封信中谈到了在瑞士的俄国侨民争论中他自

[1] 《苏联共产党代表大会、代表会议和中央全会决议汇编》第1分册，人民出版社1964年版，第89—90页。

[2] 参见布尔扎洛夫：《论布尔什维克在1917年3—4月的策略》，《苏联历史论文选辑》第三辑，三联书店1965年版，第71页。

[3] 有关孟什维克对俄国革命的认识，参见本书第三章第二节，苏维埃中的孟什维克和社会革命党。

己的立场："我根据列宁的渴求谈到了他的愚蠢——起先他表现出盲目和缺乏自信，而后又很强硬，现在又尖锐地表达自己主张推翻临时政府建立'工人政府'的独立的社会民主立场。此外，在我看来，我们现在关注的事态进程，正好出色地证明了我们在1905年反对列宁和托洛茨基时所捍卫的思想，即激进的资产阶级革命是能够发展、能够实现的，如果工人阶级让资产阶级掌权、但推动它不断前进的话。"马尔托夫认为，只有在那种情况下，即如果事态发展真的失去了资产阶级的进步和民主的倾向，工人阶级将会面临政权问题。也只有在那个时候，社会民主主义应该决定它有没有机会掌权或者诚实地承认资产阶级民主革命结束并转为资产阶级制度的政治反对派。"这就是争论的实质——我们是否要追求这种局面？我想不要，应该向懂得自己在俄国只占居民的少数的工人阶级表明，在长期斗争之后，政权将落入他们的手中，他们在斗争中将会增强自己的力量，这种力量不仅能偶然地夺取政权，而且能巩固政权并借助于它实现自己的目标。"马尔托夫担心，列宁主义者"在目前的位置上描绘工人政府的蓝图，必然在俄国实行含混不清地号召群众要求这样的政府的策略"，说这个政府能够做很多有益的事情："民族平等、土地改革、军事改革等等"。[1]

就这样，二月后，国内布尔什维克和孟什维克在俄国革命的性质和任务、革命后政权问题的解决等重大问题上走到了一起，使得布尔什维克和孟什维克之间关于党的组织结构和俄国革命的条件的争论降到了次要地位。

国内布尔什维克中出现了这样的主张：支持临时政府的各个社会主义政党应该结成联盟。尽管国内布尔什维克与孟什维克在对战争和临时政府的态度上还存在差异，但出于巩固革命的愿望，这两个党自下而上地趋向于重新统一。

布尔什维克党内与孟什维克联合的愿望在一些地方组织中特别强烈，他们开始采取积极的行动争取实现联合。在派遣代表出席3月下旬全俄党的工作者会议的70多个布尔什维克组织中，已有30余个实现了同孟什维克的联合。在与全俄党的工作者会议同时召开的苏维埃代表会议上，布尔什维克代表对孟什维克领袖唐恩提出的关于政权问题的决议案投了赞成票。[2] 全俄党的工作者

[1] 参见 *Иоффе Г.З.* Семнадцатый год: Ленин, Керенский, Корнилов. М.,1995. С.58.

[2] 参见［奥地利］尤利乌斯·布劳恩塔尔著：《国际史》第二卷，上海译文出版社1986年版，第85页。

会议还决定同孟什维克举行联席会议，并成立一个由加米涅夫、斯大林、泰奥多罗维奇、诺根等组成的谈判委员会与孟什维克国际派领导人就联合问题进行接触。

这种情况似乎预示着俄国将向资产阶级民主共和国的方向发展，而布尔什维克和孟什维克都将成为合法的反对党。

但在这个时候，一个因素的介入完全改变了这种局面，这就是列宁、他的回国、他的四月提纲以及他为使党接受他的思想而进行的不懈斗争，最终从根本上改造了布尔什维克党。

第二节　列宁回国

从苏黎世观察彼得格勒

二月革命爆发时，列宁作为俄国政治流亡者旅居瑞士的苏黎世，住在一位叫卡梅列尔的鞋匠家里。1917年2月初，列宁给自己的妹妹玛利娅发了封信。因为从某个出版社收到了一些钱，他以苦涩的幽默在信中写道："娜嘉（克鲁普斯卡娅）开玩笑说，你开始收到养老金了！哈哈！玩笑很开心，但物价昂贵得令人绝望，而由于神经疾病，工作能力差得令人绝望……我们过得像以前一样，很平静。"[1]

列宁在苏黎世

在得到彼得格勒革命的消息之前，列宁像所有人一样，根本没有想到俄国会发生革命。正因如此，当关于二月事件的最初信息传到苏黎世的时候，列宁起初是不太相信这个令人震惊的新闻的，因为这来得太突然了，几乎是不可

[1] *В.И.Ленин.*Полное собрание сочинений. в пятидесяти пяти томах.Т.55.С.369.

能的。3 月 2 日（15 日）他在给阿尔曼德的信中说："今天我们在苏黎世都很激动：3 月 15 日《苏黎世邮报》和《新苏黎世报》登载了一则电讯，说在俄国，经过 3 天的斗争，革命于 3 月 14 日在彼得格勒获得了胜利，说 12 名杜马代表掌握了政权，大臣们全都被捕了。如果德语区人不胡说八道，那就是真的。目前俄国已处在革命的前夜，这一点毫无疑义。"[1]

在很快确认了俄国革命已经发生这个事实后，列宁受到极大震撼，他的思想发生了急剧的转变。用克鲁普斯卡娅的话说，在得到关于革命的最初消息后，"伊里奇的梦醒了"。[2]

仅仅两个月前，1917 年 1 月 9 日，在苏黎世的社会民主党青年党员会议上，列宁发表演说时称，"我们这些老年人，也许看不到"未来社会主义革命的决战了。[3] 但在得到二月革命的消息后，他马上就意识到布尔什维克党在俄国夺取政权并开始世界革命的绝好机会来了。

3 月 3 日（16 日），他写信给在挪威的柯仑泰：

"刚才我们收到了第二批关于彼得格勒 3 月 1 日（14 日）革命的政府电报。工人们血战了一个星期，米留可夫 + 古契柯夫 + 克伦斯基却掌握了政权！！完全符合欧洲的'旧'模式……不过这没什么！这个'第一次革命（由战争引起的第一次革命）的第一个阶段'，既不会是最后一个阶段，也不会仅仅是俄国的革命。"[4]"且看人民自由党（它在新内阁中占多数，因为柯诺瓦洛夫甚至几乎'有点左'，而克伦斯基简直就更左了！）怎样给人民以自由、面包、和平……等着瞧吧！"[5]"如果现在立宪民主党人允许合法的工人政党存在，如果我们的人要去同齐赫泽之流'团结一致'，那就是莫大的不幸！！"[6]

在这封信中，列宁已经表达了自己政治路线的基础，这将是在他领导下的布尔什维克党推行的路线。这个时候国内布尔什维克领导人还在就政治立场

[1] 《列宁全集》第 47 卷，人民出版社 1990 年版，第 563—564 页。

[2] *Иоффе Г.* Семнадцатый год: Ленин,Керенский,Корнилов. С. 54.

[3] 《列宁全集》第 28 卷，人民出版社 1990 年版，第 333 页。

[4] 《列宁全集》第 47 卷，人民出版社 1990 年版，第 564—565 页。

[5] 同上书，第 565 页。

[6] 同上。

的表述以及如何制定对临时政府的策略进行争论，但列宁已经把原则决定了。

3月4日（17日），在“从俄国传到苏黎世的消息非常少，但目前我们国内的事态却发展得非常快”[1]的情况下，列宁和季诺维也夫一起草拟了一个关于无产阶级在俄国革命中的任务的《提纲草案》，当天寄往斯德哥尔摩和克里斯蒂安尼亚（奥斯陆），给那里即将回国的布尔什维克。他在提纲中指出，俄国新政府不可能给俄国各族人民以和平、面包和充分的自由，革命无产阶级必须给自己提出继续为争取民主共和国和社会主义而斗争的任务。[2]

列宁密切关注着国内局势的发展，并对彼得格勒的布尔什维克领导人的立场感到担忧。他在3月6日（19日）给瑞典社会民主党人伦德斯特勒姆发了一份电报，请他转交从斯德哥尔摩和克里斯蒂安尼亚回国的布尔什维克。电文很简短：

“我们的策略是：完全不信任新政府，不给新政府任何支持”[3]；“把无产阶级武装起来——这是唯一的保证”[4]；“决不同其他党派接近。”[5]

这几句话实际上提出了通过武装起义推翻临时政府、建立单一政党专政的任务。电报被带回了彼得格勒。3月13日，叶·波·博什先后在俄国社会民主工党中央委员会俄国局会议上和党的彼得堡委员会会议上宣读了这份电报。

列宁在回国前还以《远方来信》的形式为《真理报》写了一组文章，表达他对时局和党的策略的看法。他明确地提出了下述思想：俄国发生的革命不会停止在“资产阶级民主革命阶段”，而将很快转向下一阶段——“社会主义革命阶段”。在这条道路上，俄国无产阶级的同盟者是贫农，以及欧洲先进国家的无产阶级。这是一个新观点，因为至今为止布尔什维克纲领的出发点是，资产阶级革命胜利之后将会有一个或长或短的资本主义发展的时期，在此过程中将逐渐形成向社会主义过渡的条件。但就如后来的事态发展所表明的那样，列宁看到了俄国“下层”——工人和士兵群众——巨大的革命热情。需要的只

---

[1] 《列宁全集》第29卷，人民出版社1985年版，第1页。

[2] 同上书，第5—6页。

[3] 同上书，第63页。

[4] 同上。

[5] 同上。

是把他们组织和动员起来，向他们提出简单易懂的口号，确定最近的看得见的目标。在列宁的观点中，马克思主义的理论概念与他对俄国处于政权缺位、空前的革命无政府主义和混乱的现实状态的实际评价奇异地结合在一起。[1]

但列宁的观点显然是那些从流放地回来的国内布尔什维克领导人所不能接受的。在列宁回国前，《真理报》只发表了他的第一篇文章，而且把其中尖锐批评临时政府、孟什维克和社会革命党的内容删去了。

取道德国回国的方案

但是，对于远在瑞士的列宁来说，首先要解决的是怎样回到俄国的问题。列宁很清楚地知道，历史为他实现自己以革命方式让俄国翻天覆地、最终给予资本主义和帝国主义毁灭性打击的目标提供了也许是千载难逢的机会。而国内布尔什维克的状态显然不能承担这样的历史性使命。他自己必须尽快回国，领导革命。

列宁从确认革命已经开始后就急迫地寻求回国方案。3 月 2 日或 3 日，他给在伯尔尼的季诺维也夫发电报，告诉他俄国革命的消息并叫他立即来苏黎世商讨回国事宜。

绕道法国和英国回俄国是不可能的，因为各协约国政府不允许宣传和平和鼓吹失败主义的俄国国际主义派政治活动家过境，那些站在国际主义反战立场上的俄国侨民被列入了不允许进入协约国国家的名单。

因此，列宁考虑过一些“不可思议的”回国方案。他提出过乘坐飞机飞越战线的主意，但这显然是不可能的。他也有过搞一个“瑞典聋哑人”的护照借道瑞典回国的想法，为此他给斯德哥尔摩的加涅茨基写信：“再也不能等待了，想公开回国的希望全都落空了。不管怎样必须立即回国，而唯一可行的计划是：找一个外貌像我的瑞典人。但我不会说瑞典话，因此这位瑞典人必须是聋哑人。现将我的照片寄给您，以备需用。”[2]

3 月 5 日，在给阿尔曼德的信中，列宁请她如果回国的话，“暗地里在英国确切打听一下”，他是否可以过境。一天后列宁又向她谈道：“我确信，如果

[1] Из истории борьбы за власть в 1917 году. Сборник документов. М., 2002. С.31.

[2] 《列宁年谱》（1917 年 3 月—10 月）第 4 卷，三联书店 1984 年版，第 12 页。

我通过英国时不用假名，我会遭逮捕，或者干脆被扣留在英国”，并提出了让载有俄国革命者的列车获准通过德国到哥本哈根的想法。[1]

3月6日，列宁给在日内瓦的维·阿·卡尔宾斯基写信，谈他打算利用卡尔宾斯基的证件秘密通过英国和荷兰回到俄国的计划，请卡尔宾斯基考虑一切具体做法，并立即开始准备实施这项计划。[2]

3月6（19）日，孟什维克国际主义派领袖马尔托夫提出了一个俄国政治侨民回国的方案：给彼得格勒苏维埃执行委员会发电报，建议它实施一项以俄国侨民（包括国际主义者）交换滞留俄国的德国人的计划。马尔托夫在给H.克里斯季的信中写道：“从俄国没有什么消息传来，临时政府对内给予了充分的自由，对外建立了比以前更坏的‘警戒线’，这令人愤怒，甚于返回俄国面临的很多困难。”他提到，已经有消息说英国人正在筛选，只准备放行社会爱国主义者，而在瑞士的俄国侨民决定“全力以赴争取达成协议，以德国平民俘虏换取允许我们借道德国回国。”至于德国方面的态度，马尔托夫写道：“在最初的非官方询问（通过瑞士的一位部长）之后得到了答复说，德国方面无条件地放行，而且关于交换的说法明显只是‘出于礼貌’：请立即动身，然后我们再就交换问题同俄国政府达成协议。”

马尔托夫谈到了列宁对这个方案的反应：

“昨天我同列宁和其他人就此问题开了个会。列宁坚决主张：必须立即采取行动准备动身，如果同彼得格勒就交换的事浪费时间，米留可夫就会破坏回国的全部可能性。我们以最坚决的形式回答说，我们不能作为被德国抛给革命俄国的礼物而回国，即带着帕尔乌斯[3]的‘光环’出现在人民面前。我们应该尽一切可能迫使俄国政府同意交换，这样我们才能完全平静地上路。这时我们的施压看来产生了一定的效果。我们提出建议，如果我们通过克伦斯基或其他人提出的方案没有得到答复或拖延答复的话，那么我们就将发表一个声明：鉴

---

[1] 《列宁年谱》（1917年3月—10月）第4卷，三联书店1984年版，第15—18页。

[2] 同上书，第17页。

[3] 帕尔乌斯是俄国的同时也是德国的社会民主党人、记者、企业主，与德国外交部有联系，他曾向德国外交部递交了使俄国革命化的建议书，并从那里得到资金支持。关于布尔什维克与德国资金的关系问题，将在第八章中专门论述。

于明显的阻挠以及英国方面的干扰，我们将直接利用借道德国回国的可能性。对此列宁尽管不太满意，但同意等待谈判。我对向彼得格勒提出的要求还没有丧失希望，对大约一个月后回到彼得格勒没有失去希望。”[1]

在此之后，列宁马上又给卡尔宾斯基写信，表示同意马尔托夫的意见。列宁为自己确定了等待实施马尔托夫方案的期限。他在稍后给彼得格勒苏维埃执行委员会的信中写道：“我们用两周时间等待来自俄国的答复，在这之后我们将自行决定实施该方案。”[2] 在给加涅茨基的信中，列宁写道：“对我们来说，回到俄国去的唯一希望（的的确确是唯一的希望），就是赶快派一个可靠的人到俄国去，通过‘工人代表苏维埃’的压力迫使政府同意以一切流亡在瑞士的俄国人同被拘留在俄国的德国人交换。”[3]

看来取道德国回国可能是唯一现实的方案。因为，二月革命鼓舞了处于旷日持久战争困境中的德国人，在他们看来，现在出现了俄国退出战争以及随后德国在西线获胜的实际可能性。德国政府尤其是参谋总部渴望尽早与俄国单独媾和，以便能在东线脱身，将兵力集中在西线以发动拟议中的攻势。但临时政府坚决表示将遵守与盟国的协约，要把战争进行到胜利，拒绝与德国单独签订和约。因此，德国政府为实现东线停火，促进俄国反战革命运动、搞垮俄国临时政府是一个必要条件。而正是在这一点上，德国的目标与布尔什维克的目标是重合的。德国方面认为，布尔什维克所奉行的“变帝国主义战争为国内战争”的路线对他们是有利的。布尔什维克领导人回到俄国，将有助于破坏临时政府准备同英法一起继续进行战争的政策。

东线参谋长马克斯·霍夫曼后来说：“我们自然希望采用宣传手段来加剧因革命造成的俄国军队的涣散。在后方，某位与在瑞士过流亡生活的俄国人保持着联系的人提出了利用他们中的某些人以便更快地摧毁俄国军队的斗志、毒化其精神的想法。”这个某人通过埃尔茨贝格向德国外交部提出了相应的建议，结果是产生了著名的“铅封车厢”，把列宁和其他侨民经过德国送回了俄国。向德国官方提出这个建议的人是亚历山大·帕尔乌斯。

---

[1] *Иоффе Г.З.*Семнадцатый год: Ленин, Керенский, Корнилов. М.,1995. С.56.

[2] *Ленин В.И.* Полное собрание сочинений. Т.31. С.120.

[3] 《列宁年谱》（1917 年 3 月—10 月）第 4 卷，三联书店 1984 年版，第 47—48 页。

帕尔乌斯原名亚历山大·利沃维奇·格尔方特，1869年生于俄国，1886年侨居瑞士，后来到了德国。19世纪90年代参加德国社会民主党的活动，属于其左翼，并以马克思主义大理论家和世界政治经济问题专家闻名。20世纪初期开始积极参加俄国社会民主工党的工作，是《火星报》和《曙光》杂志（Заря）的撰稿人。1905年返回俄国，是革命中成立的彼得格勒工人代表苏维埃执行委员会委员，也是托洛茨基的好友。1906年他被流放西伯利亚，但不久就跑回德国。1910—1914年间住在君士坦丁堡，在那里经商取得成功，脱离了国际社会主义运动，并且表现为德意志帝国的支持者。

帕尔乌斯、托洛茨基和列夫·捷依奇。1906年

战争初期，帕尔乌斯在军事订货上发了财，后来成为德国政府的俄国事务顾问。帕尔乌斯最早注意到战时德国的直接利益与布尔什维克的目标具有重合性。

1915年1月，他在同德国驻土耳其大使交谈时建议，德国方面可以帮助俄国革命者，以此促成俄国的混乱和瓦解以有利于德国。这一建议显然引起德国高层的重视。1月13日，帕尔乌斯受到德皇威廉接见。3月11日，他递交了一份给德国外交部的备忘录，名为《准备在俄国发动大规模政治罢工》。备忘录详细论述了按照1905年革命的方式（总罢工、民族边区起义等）组织革命的计划。他特别建议要重视支持正在与俄国政府斗争的布尔什维克和孟什维克，认为“计划只有在俄国社会民主工党的领导下方能实现。这个党的激进一翼已经着手行动。但很重要的是要把温和的孟什维克派别吸引到自己一边。目前激进一派阻挠这样的联合。但两周前他们的领袖列宁自己提出了与孟什维克联合的问题”。据此，帕尔乌斯认为第一位的任务是，“在经费上支持社会民主工党的布尔什维克派，他们正在利用其掌握的一切手段继续进行反对沙皇政府的斗争。应该安排与其领袖们在瑞士进行接触。"[1]为了开始这些工作，帕尔乌斯要求得到经费支持。德国高层很快作出反应。1915 年 3 月，在外交大臣霍特里布·冯·雅戈夫与军队最高指挥机关[2]协调之后，帕尔乌斯得到了 100 万马克用于“在俄国的革命宣传”。他随即动身，去与列宁见面。

而布尔什维克领袖列宁在战前就渴望战争发生，在战争开始后则希望本国政府在战争中战败。还在 1913 年初致高尔基的信中他就指出：如果奥地利与俄国之间发生战争，“对于革命（整个东欧的革命）说来将是一件极有利的事。”[3]战争爆发后，他对于各交战国的社会民主党人支持本国政府的立场深感愤怒，利用自己在瑞士出版的《社会民主党人报》呼吁同工人队伍中的“社会沙文主义者、爱国主义者、护国主义者”进行无情的斗争。

战争爆发不久，1914 年 8 月，列宁在波兰的波罗宁诺被奥地利当局逮捕，但很快作为“沙皇政权的敌人”被释放了。在加涅茨基的活动和安排下，列宁和妻子一起乘坐奥地利当局专门准备的军邮列车迁居瑞士。在和平的瑞士，列宁出版《社会民主党人》杂志，反复强调自己在战争问题上的观点，宣传俄国在这次战争中必须战败的思想，呼吁俄国人民实际促成俄国的战败。他在《革命的社会民主党在欧洲大战中的任务》中指出：“从俄国各民族的工人阶级和劳动群众的观点来看，沙皇君主政府这个压迫欧亚洲的民族和人口数量最多的、最反动、最野蛮的政府战败为害最小”[4]。“唯一正确的无产阶级口号是变当前的帝国主义战争为国内战争。”[5]“只有这样的策略才会成为工人阶级适应新历史时期各种条件的真正革命的策略。”[6]1916 年 4 月 12（25）日，在瑞士的昆塔尔举行了齐美尔瓦尔德会议后又一次社会主义政党代表会议，列宁在会

[1] *Шуб Д. Н.* Политические деятели России（1850–1920 годов）. Глава VI. Парвус, Ленин и Вильгельм II. http://vse-knigi.su/book/61259.

[2] 代表军方参加会谈的是东线司令兴登堡元帅。

[3] 《列宁全集》第 46 卷，人民出版社 1990 年版，第 234 页。

[4] 《列宁全集》第 26 卷，人民出版社 1988 年版，第 17 页。

[5] 同上书，第 23 页。

[6] 同上。

上进一步强化了布尔什维克党在战争问题上的立场，号召在前线和后方加强使本国政府战败的宣传。[1]

沙皇政权的安全机关很清楚布尔什维克领袖的这些公开的声明，因此从战争一开始就把列宁视为敌方间谍，对他进行监视。据宪兵将军 А.И. 斯皮里多维奇报告，列宁在 1914 年 6 月和 7 月两次去了柏林，与德国侦察机关进行了接触。

关于帕尔乌斯与列宁 1915 年 5 月在伯尔尼酒店的见面，有一种说法认为会谈没有结果，列宁不支持帕尔乌斯的建议；也有人认为，帕尔乌斯回来后，6 月 6 日由雅戈夫发给德国财政大臣的报告实际上证实了会谈的结果。雅戈夫在报告中说，在俄国进行革命宣传需要 500 万马克，因外交部支配的基金不能满足，请求财政大臣根据预算第二部分第六条关于不可预见的开支的规定提供。

促成列宁等持反战立场的俄国政治流亡者回国，是帕尔乌斯在同德国驻哥本哈根大使乌尔利赫·冯·布罗克多夫－兰卓见面时提出的，当时他谈到了通过支持最激进的力量而将俄国引入无政府主义状态的必要性问题。据布罗克多夫－兰卓说，帕尔乌斯的想法在外交部得到了冯·马尔赞男爵、军事宣传部门负责人以及埃尔茨贝格的支持。他们说服了首相贝特曼·霍尔韦格，然后首相建议德国军方（即兴登堡和鲁登道夫）实施相关行动。布罗克多夫－兰卓在给外交部的报告中写道：

“如果我们在经济和军事上要继续把战争进行到秋天，那么现在尽力加深俄国的混乱就是非常重要的，但不应对俄国革命进程进行任何公开的干涉。不过，我认为我们应该隐秘地加深温和派与激进政党之间的分裂。后者获胜符合我们的利益，因为在这种情况下不可避免地会发生一些戏剧性的变化，这些变化将动摇俄罗斯帝国的存在。看来，即便温和派继续掌权，也很难想象局势会不经剧烈动荡而过渡到正常状态。此外，我认为，从我们的观点来看，支持极端分子更为有利，因为这将更快地导致确定的结果。非常可能，大约三个月就能看到，将达到的瓦解程度使我们能够以军事力量摧毁俄国。”[2]

---

[1] История России XX век:1894–1939. Под ред. *А.Б.Зубова.* М., 2009. С. 366.

[2] *Соболев Г.Л.* Русская революция и «немецкое золото». СПБ., 2002. http://www.rusrevolution.info/books/index.shtml?2_04

二月革命后，德国高层官员急于解决让反战的俄国侨民经德国回彼得格勒的问题，希望以此加强俄国反战革命运动，促使俄国退出战争。外交部大臣秘书助理布舍 1917 年 4 月 2 日致电德国驻伯尔尼公使冯·罗姆贝格：“希望俄国革命者经过德国回国之旅尽快成行。”随后，德国首相授权罗姆贝格与俄国侨民进行接触，建议他们过境德国返回俄国。

列宁考虑再三，最后决定同德国方面进行借道德国返回俄国的谈判。列宁当然很清楚，借道德国——俄国的敌国、头顶着“帕尔乌斯光环”回到俄国，是一件十分可怕和冒险的事情。但在极为紧迫的形势下，为了俄国革命和世界革命的事业，他准备冒政治上和道德上的风险尽快回国。

列宁在作出这个决定的同时，也进行了周密的安排。他仔细考虑了并向德国方面提出了过境德国的一系列条件，如应该享有完全的治外法权，德方不得对旅客的人身、护照、行李进行任何监视和查验，任何人不得进入车厢等要求。[1]

瑞士社会党人 P. 格里姆和普拉滕先后充当了俄国侨民与德国驻瑞士大使谈判的中间人。德国表示同意立即安排这次旅行，而列宁也不想再等。3 月 18 日，俄国社会民主工党中央国外委员会决定接受格里姆关于让希望回国的侨民取道德国返回俄国的建议。列宁拟定的中央委员会的决定中强调，格里姆认为这是当前唯一的办法。决定指出：“罗·格里姆的建议是完全可以接受的，因为不论属于哪个政治派别，不论对‘保卫祖国’问题、对俄国继续进行战争还是缔结和约问题等等抱什么态度，都保证有通行的自由；”“这项建议的基础是用俄国侨民交换被拘留在俄国的德国人的计划，侨民没有任何理由拒绝在俄国进行宣传以促成这一交换的实现”。决定认为，此事“绝对不容许拖延”，有些派别主张再等一等的意见对俄国革命运动是极端有害的，中央国外委员会决定接受建议并将立即动身。[2]

3 月 22 日（4 月 4 日），普拉滕把列宁拟定的关于俄国政治侨民取道德国回国的过境条件转告德国公使。当天，德国驻伯尔尼公使发回柏林一份电报，

[1] *Троцкий Л. Д.* История Русской Революции. Т.1. Февральская Революция. Москва.1997. С.290.

[2] 参见《列宁全集》第 29 卷，人民出版社 1985 年版，第 75—76 页。

称列宁和季诺维也夫以俄国社会主义者小组及其领导人名义请求立即允许他们经过德国返回俄国。公使在电报末尾说："为了尽快把他们送回俄国，应该做好一切准备工作……立即作出允许的决定，是符合我们的最高利益的。"这一问题得到了德国最高当局的批准。德皇指示，如果瑞典同意放行的话，就把这些俄国社会主义者经过德国送回俄国。[1]

24日，列宁接到普拉滕的通知：德国政府同意按布尔什维克提出的条件让政治侨民取道德国去俄国。

普拉滕没费多少事就与德国驻瑞士大使签订了一个书面协议，其要点如下："1. 所有过境侨民对战争的态度没有分歧；2. 侨民乘坐的车厢享有治外法权……；3. 过境者应承诺在俄国进行宣传以促成交换与回国侨民相应数量的被拘押在俄国的奥匈人和德国人。"有各种证据表明，这一协议是得到德国最高层批准的。法国、比利时、荷兰和其他盟国向彼得格勒通报了关于俄国侨民取道德国回俄国的消息。俄国总参谋部通过自己的侦察机关也得到了有关俄国侨民将取道德国回国的情报。俄国驻瑞士军事谍报人员向国内报告："已经得到消息，俄国社会主义者将用德国人的钱经过德国返回俄国，同时明显的和平主义者也将被放行……有可能德国间谍会与他们一起渗入俄国。"[2]

取道德国回国的方案把很多在瑞士的俄国政治侨民吓住了，他们担心自己的政治名誉受损，主张等到彼得格勒批准再说。马尔托夫本人和多数孟什维克国际主义者没有果断地下决心采取和列宁一样的行动，他是在列宁回国一个月后再经过德国回国的。

有些布尔什维克对此也心存疑虑。卢那察尔斯基在给妻子的信中谈到了他对列宁急于回国的看法："他太急于要走。而他在只有德国同意而未取得俄国的任何确认的情况下断然离去，我认为是一种错误，这种错误可能对他的未来产生不好的影响。而孟什维克们（特别是谢姆柯夫斯基）非常虚伪，他们几乎要因列宁的'自作主张的、非同志式的、不可容忍的举动'而审判他。但是，由于列宁不在，我和梁赞诺夫如此激烈地站出来为他辩护，以致最后与其说是在履行列宁受攻击时为他辩护的义务，不如说是我们自己在行使解释的权利：

---

[1] 参见 История России XX век:1894–1939. Под ред. *А.Б.Зубова.* М., 2009. С. 405.

[2] *Иоффе Г.З.*Семнадцатый год: Ленин, Керенский, Корнилов.М.,1995. С.57.

为什么我们从简单的政治合理性的考虑出发，而绝不是从道义出发，不同意他的计划。在我心中还有一种想法：我反正不可能于星期三和列宁一起走，否则我也许会仅仅为了团结而决定与他共命运，而不顾他的这一举动会招来铺天盖地责难的危险——在我们看来这是十分明显的。”[1]

“铅封的车厢”

3 月 25 日，列宁在伯尔尼同法国、德国、瑞士和波兰的左派社会民主党的代表举行启程前的会议，向他们解释俄国政治侨民取道德国回国的原因。普拉滕、保尔·列维（哈特施坦）、洛里欧、吉尔波、勃朗斯基等人看了由列宁主导拟定的过境协议，并写了一份给报纸的声明：“我们，在下面签名的法国、瑞士、波兰及德国的国际主义者认为，我们的俄国同志不仅有权，而且应该利用通过给他们的机会返回俄国。”[2]

离开瑞士前，列宁写了《给瑞士工人的告别信》中说，俄国无产阶级开始了帝国主义战争引起的一系列革命，但是，“我们清楚地知道，俄国无产阶级的组织、修养和觉悟程度都不及其他国家的工人。并不是特殊的素质而只是特殊的历史条件使得俄国无产阶级在某一时期，可能是很短暂的时期内成为全世界革命无产阶级的先锋。”[3] 列宁强调，“俄国是一个农民国家，是欧洲最落后的国家之一。在这个国家里，社会主义不可能立刻直接取得胜利。但是，在贵族地主的大量土地没有触动的情况下，在有 1905 年经验的基础上，俄国这个国家的农民性质能够使俄国资产阶级民主革命具有巨大的规模，并使我国革命变成全世界社会主义革命的序幕，变成进到全世界社会主义革命的一级阶梯。”[4]“俄国无产阶级单靠自己的力量是不能胜利地完成社会主义革命的。但它能使俄国革命具有浩大的声势，从而为社会主义革命创造极好的条件，这在

---

[1] 参见《苏联历史档案选编》第 1 卷，社会科学文献出版社 2002 年版，第 2—3 页。

[2] 《列宁年谱》（1917 年 3 月—10 月）第 4 卷，三联书店 1984 年版，第 60 页。

[3] 《列宁全集》第 29 卷，人民出版社 1985 年版，第 91 页。

[4] 同上书，第 90 页。

某种意义上说就意味着社会主义革命的开始。”[1]

3月27日（4月9日）是启程的日子。临行前，列宁和其他俄国政治流亡者在有关他们途经德国返回俄国的相关条件的文件上签字，表示了解并将履行这些条件。文件内容如下：

我签字确认：

已向我宣布由普拉滕与德国大使馆商定的条件；

我服从于旅行的领导者普拉滕；

我已被告知来自……的消息，据此俄国临时政府警告说将对那些经过德国返回俄国的俄国国民以叛国罪进行起诉；

我为我的旅行承担全部政治责任；

普拉滕给予保证的旅行到斯德哥尔摩为止。

1917.3.27（4.9）[2]

下午3点多，列宁夫妇、阿尔曼德、季诺维也夫等俄国政治侨民共30人乘火车离开苏黎世前往德国边境，在那里坐上了德国方面提供的只有两节车厢的专列，由德国情报部门的军官陪同，踏上了非同寻常的回国之旅。

这趟专列经过斯图加特、法兰克福、柏林，于3月30日（4月12日）到达波罗的海港口城市扎斯尼茨，列宁和其他政治侨民乘坐渡轮到达瑞典的特雷勒堡，从这里再乘坐火车前往彼得格勒。

列车在德国境内时，普拉滕同德国当局达成的条件得到了严格的遵守。一路上没有任何官员进入俄国侨民的车厢，与三个陪同他们的德国军官的所有交流都是由普拉滕进行的。站台上的德国社会民主党人也没有一人进入车厢。这就是后来所谓“铅封车厢”的来历。但列宁和其他侨民乘坐的车厢并不是如当时和以后媒体所称的那样真的是“铅封的”。

列宁很担心俄国国内有人会把他同“德国间谍”联系起来，预先采取了很多措施，如拒绝与德国官员进行任何公开接触，拒绝与帕尔乌斯在瑞典见面等。为了尽量消除过境德国这一事实产生的影响，星期五到达斯德哥尔摩的俄

---

[1] 《列宁全集》第29卷，人民出版社1985年版，第90页。

[2] РГАСПИ. Ф.2. Оп.1. Д.4522. Л.1–2,http://www.rusarchives.ru/evants/exhibitions/1917-myths-kat/89.shtml

国革命者拟定了一份集体公报，说明取道德国回国的缘由和具体情况，并将其交给当地左翼报纸《政治报》发表。其中特别强调，普拉滕“单独同随车的德国政府代表进行了一切必要的交涉。在取道德国的 3 天行程里，俄国各党派同志没有离开过车厢。德国当局完全信守了协议”。[1]4 月 2 日，他们乘坐的火车到达瑞典和芬兰交界处的托尔涅奥车站，下面就是俄国的领土了。[2]

列宁回国途中在斯德哥尔摩停留。1917 年 3 月 31 日（4 月 13 日）

列宁和其他人对俄国政治局势的想象都不太好，担心回到彼得格勒后可能遭到临时政府逮捕。季诺维也夫回忆道：“我们都坚信，我们一回到彼得格勒就会被米留可夫和李沃夫逮捕。弗拉基米尔·伊里奇比谁都相信这一点……为防万一，我们向所有与我们同行的人要了正式的字据，说明他们准备进监狱并在任何法庭面前为自己经过德国回国的决定承担责任。”[3]但其实临时政府也十分担心苏维埃会指责它在“世界上最自由的国家”侵犯自由，因此没有对经过德国回国的列宁及其一行采取什么行动。

在列宁一行离开瑞士回国后，马尔托夫在给 H. 克里斯季的另一封信中说：“列宁派走了，而我们处于比以前更困难的境地，因为从一方面说，他们通过德国必然会引起关于‘同德国人的协议’的喧嚣，从另一方面说，彼得格勒人见到他们来了就会想，我们也会通过德国回国，就不会再关心我们的命运了。因此，我们情绪不佳……”[4]

[1] 《列宁全集》第 29 卷，第 509—510 页。

[2] 当时芬兰是俄罗斯帝国的一部分。

[3] 参见 *Иоффе Г.З.* Семнадцатый год: Ленин, Керенский, Корнилов. М., 1995. С.59.

[4] *Иоффе Г.З.* Семнадцатый год: Ленин, Керенский, Корнилов.М., 1995. С.57.

回到彼得格勒

4月3日傍晚，在白岛车站的小餐厅，聚集了20来位前来迎接列宁的布尔什维克负责干部，他们中间有加米涅夫、列宁的妹妹玛利娅、施略普尼科夫、柯仑泰、拉斯科尔尼科夫等人。在站台上等候的还有步行好几俄里来到车站的谢斯特罗列茨基兵工厂的工人们。列宁到了，谢斯特罗列茨基的工人把列宁举在头上进入车站大厅，在这里欢迎的人们与列宁相互问候、拥吻。列宁发表了简短的讲话，谈到了俄国革命对于国际无产阶级的意义。随后，大家簇拥着列宁走进他的车厢。

一落座，列宁马上就责备加米涅夫："你们在《真理报》上写的都是些什么东西？我们看了几期，狠狠地骂了你们。"[1]但这并没有妨碍他们分离多年后重逢的亲切气氛。

晚上11点10分，列车到达了彼得格勒的芬兰车站。彼得格勒的布尔什维克组织动员了几千工人和士兵去欢迎列宁回国，一个装甲车营把它的全部装甲车都开到了车站，第二波罗的海舰队的水兵在站台上列队迎候。列宁下车后，年轻的指挥员马克西莫夫致欢迎辞，他表示希望列宁进入临时政府。而列宁以"社会主义革命胜利万岁"作为回答。

随后，列宁与前来迎接他的彼得格勒苏维埃主席齐赫泽在芬兰车站的"沙皇厅"见了面。孟什维克活动家苏汉诺夫具体地记载了当时的情形：

"列宁手捧一束鲜花，走进或者说跑进了沙皇厅。他急匆匆走到房间中央，在齐赫泽面前突然停住了，仿佛遇到了一个意外的障碍。齐赫泽……不改其忧郁神情，发表了如下'欢迎辞'：'列宁同志，我们以彼得格勒苏维埃和革命的名义，欢迎您回到俄国。但我们认为，革命民主派目前的主要任务是保卫我们的革命不受侵害，不管这种侵害来自内部还是来自外部。我们希望，您将和我们一起来实现这样的目标。'齐赫泽说完了。我被这个意外情况弄得不知所措。但列宁看起来很清楚该怎样应付这种情况。他站在那里，摆出一副所发

[1] *Раскольников Ф.Ф.* Кронштадт и Питер в 1917 году. http://www.rusrevolution.info/books/index.shtml?12_01.2008-03-18

生的事情与自己全无关系的样子，环顾四周聚集的人群，甚至看着沙皇厅的天花板，摆弄着手里的花束（这跟他整个人很不协调），然后完全是背对着执行委员会代表团致'答词'：'亲爱的士兵、水兵和工人同志们，我很荣幸向你们所代表的胜利的革命致敬，向你们——全世界无产阶级军队的先锋队致敬。如同我们的同志卡尔·李卜克内西号召的那样，人民把武器对准剥削者——资产者的时刻到来了。你们完成的俄国革命开辟了一个新时代。全世界社会主义革命万岁！'"[1]

托洛茨基评论说：列宁"不是面对齐赫泽而是面对水兵和工人，不是谈论保卫祖国而是号召国际革命，不是提到临时政府而是提到李卜克内西。列宁在车站上只是把自己下一步的政策作了一次小小的演习。"4 月 3 日，"从这一天开始，布尔什维克大声地发出了声音，更重要的是自己的声音"。[2]

在车站广场上，在士兵们要求下，列宁登上了一辆装甲车，向欢迎群众发表演说。随后，在数千名工人、士兵和水兵组成的队伍的护送下前往布尔什维克总部所在地克舍辛斯卡娅大厦。车队走得很慢，几乎在每个街口都要停下。列宁多次对聚集的群众发表简短讲话。"这是光彩夺目的凯旋，甚至可以说是很有象征性的。"[3]

列宁回国后，他乘坐封闭的车厢经德国回国一事遭到资产阶级报刊的猛烈抨击，一些专栏作家热衷于有关列宁的专列被优先安排在运送弹药的德国军列之前等等传闻，"'打倒列宁！滚回德国去！'的口号成为4月中旬的热门口号，列宁的名字成为彼得格勒市民最熟悉的名字，在军营和工厂传播。"[4]布尔什维克党历史上一些著名党员充当沙皇警察局密探的故事也被旧事重提，如前国家杜马布尔什维克党团领导人马林诺夫斯基、《真理报》发行主编切尔诺玛佐夫、出版工作者协会书记米哈伊洛夫等。14—16 日，所有报纸都刊登了在芬兰车站欢迎列宁回国仪式上担任仪仗队的波罗的海舰队革命水兵的声明："得知列

[1] *Суханов Н.Н.*Записки о революции.Т.2. Москва.1991. С.6–7.

[2] *Троцкий Л.Д.* История Русской Революции. Т.1. Февральская Революция. Москва.1997. С.293,282.

[3] *Суханов Н.Н.* Записки о революции. Т.2. Москва. 1991. С.8.

[4] *Суханов Н.Н.* Записки о революции. Т.2. Москва. 1991. С.42.

宁先生回到我们俄国是得到德国皇帝和普鲁士国王许可的，我们为自己曾参加欢迎他回到彼得格勒的活动而深感遗憾。如果我们知道他是通过什么样的途径回来的，我们会立即以愤怒的吼声‘打倒！滚回你经过的那个国家去！’来代替欢迎的‘乌拉’声。”布尔什维克总部克舍辛斯卡娅大厦前面不断有反对列宁的抗议示威。报纸证实，列宁曾两次出现在阳台上试图解释，他被误解了。但示威人群还是要求逮捕他。在临时政府中，米留可夫也坚持采取这一措施。

当时民主派政党反对这种喧嚣。4 月 17 日的彼得格勒苏维埃机关报《消息报》发表社论为列宁辩护，说他是“毕生致力于服务工人阶级、服务于被欺侮被压迫者事业的人”。左翼孟什维克苏汉诺夫曾试图说服米留可夫，要他相信列宁是完全没有危险性的。他后来承认，“我们没有料到列宁和他的‘抽象观点’坚持下来了，而且我们没有料到列宁能够以这些抽象观点不仅征服革命、征服积极的群众、征服整个苏维埃，还用它征服了自己的布尔什维克们。我们根本错了……他迫使布尔什维克完全接受了自己的‘梦幻的思想’。在不久的将来，过去那些对布尔什维克来说是明显荒谬的、明显空想的、明显偏离社会民主主义历来教导的那些思想，成为社会主义唯一正确的话语。”[1]

第三节　布尔什维克党的理论重建

列宁的新思想

列宁到达克舍辛斯卡娅大厦已是 4 月 4 日（17 日）凌晨。

克舍辛斯卡娅大厦宽敞雅致，大楼的主人克舍辛斯卡娅是马林斯基剧院的芭蕾舞演员，曾是沙皇面前的红人。在二月革命的日子里，革命组织没收或征用贵族宫殿或名人豪宅形成风潮。克舍辛斯卡娅的这座大宅被驻扎在附近的装甲师士兵占了。3 月初，当时在中央交易所大楼顶层占了两间房子的布尔什维克向士兵们提出要求，希望把宅子当做自己的总部。他们的要求得到了满足。中央委员会、彼得堡委员会、军事组织等立即就搬了进来。对于布尔什维克来说，克舍辛斯卡娅大楼位置很好，彼得保罗要塞近在咫尺，不远处是经常

[1] *Суханов Н.Н.* Записки о революции. Т.2. Москва. 1991. С.19–21.

举行政治集会的马戏院，附近还有军营和维堡区的工厂。自3月初成为布尔什维克总部以来，克舍辛斯卡娅大厦楼顶的红旗使它成为一座标志性的建筑，不满现状的工人、士兵和水兵经常来到这里，大厦前面的广场成为不间断的群众集会的场所，几乎每天都能看到如巴格达契耶夫、沃洛达尔斯基或其他布尔什维克领导人从面向街道的阳台上向经过的人群发表演说。

在克舍辛斯卡娅大厦的大厅里举行了欢迎列宁归国的布尔什维克党的工作者会议。列宁在会上作了一个半小时的讲话，阐述从资产阶级民主革命过渡到社会主义革命的纲领，以及党在目前时期的任务和策略。

4月4日中午12点左右，列宁来到塔夫利达宫，在出席全俄苏维埃代表会议的布尔什维克代表的会议上作了关于革命无产阶级的任务的报告，报告的提纲后来即以《四月提纲》而闻名。列宁接着又在出席全俄苏维埃代表会议的布尔什维克代表和孟什维克代表的联席会议上再次宣读和说明了自己的纲领。

列宁在塔夫利达宫作报告

列宁思想的核心是要解决政权问题，即布尔什维克应该依靠无产阶级和贫农，为把目前的革命转变为社会主义革命而斗争。而在建立以苏维埃政权为形式的“无产阶级专政”之后，它应该实际地推行激进的社会改造，这将是向社会主义迈进的“步伐”：工人对产品的生产和分配的监督、没收地主土地并分给农民、立即实现和平，等等。

应该说，这些措施与其说是社会主义性质的，不如说更多地体现了民主革命的任务。而且，其他民主派政党也不反对采取这样的措施。但列宁要求立即实现这些任务，其目的是使不能解决这些问题的临时政府陷入危机。由于当时苏维埃是支持临时政府的，推翻临时政府的时机尚未成熟，因此列宁建议走一条迂回的道路："不给临时政府任何支持"，"全部政权归苏维埃"，即便这是孟什维克和社会革命党人占优势的苏维埃。在苏维埃掌握政权之后，布尔什维克党再去"争取苏维埃中的多数地位"。他认为，布尔什维克掌握了苏维埃，就能"以和平的政治斗争把全部政权掌握在自己手中"。

但是很明显，布尔什维克的这个立场将导致它同支持临时政府的其他社会主义政党和团体（如孟什维克和社会革命党）之间不可避免的矛盾和冲突。因为无论是孟什维克还是社会革命党都绝不追求政权转到苏维埃手中，他们对政权的看法完全是另样的。对于他们来说，目前的政权只是建立民主国家过程中必需的"临时木板房"而已。列宁对此非常清楚，坚决拒绝加米涅夫与孟什维克联合的倾向。他坚持与第二国际的社会民主主义彻底决裂，将之视为肮脏的机会主义，主张建立共产党和共产国际。

如果说二月革命后国内布尔什维克的主流观点符合迄今为止是正统的布尔什维主义原则和策略的，那么列宁的新思想意味着布尔什维克革命理论的根本改变。

列宁实际上否定了他自己在《社会民主党在民主革命中的两种策略》一书中提出的先进行资产阶级民主革命和建立民主共和国，然后才进行无产阶级革命和建立无产阶级专政，即通过民主共和制度走向社会主义的观点，而把实现革命转变作为迫切的任务提上了日程。要使布尔什维克党接受这一重大的理论发展，已经不仅仅是从思想上重新武装党，而是要在新的理论基础上重建一个党。列宁自己明确指出，旧的布尔什维主义应当抛弃，我们要建立无产阶级的共产主义政党，布尔什维主义的忠实维护者已经创造了这个政党的各种因素。他甚至表示，要把坚持原有观点的人送进"古董保管库"、"'老布尔什维克'保管库"。[1]

列宁坚持认为，俄国社会主义革命的条件已经成熟：有大垄断企业，有无产阶级，最主要的是有坚强的革命政党。根据马克思主义理论，在资本主义与无产阶级的胜利之间有一很长的国际和国内战争阶段，而列宁充满了"变帝国主义战争为国内战争"的斗志，哪怕是可能的巨大牺牲或不确定也不能使他却步：先投入战斗，然后才见分晓。

列宁的《四月提纲》最终改变了布尔什维克党对革命的认识和党的策略。

---

[1] 《列宁选集》第3卷，人民出版社1995年版，第26页。

然而在开始时，他制定的行动纲领遭到了普遍的反对。苏汉诺夫当时参加了在克舍辛斯卡娅大厦的大厅里举行的会议，他说："我不会忘记这次具有雷击般作用的演说，它不仅使我这个偶然参加会议的异端者，而且也使所有正统派深感震惊。可以肯定，谁都未曾料到会有这样的讲话。"参加会议的布尔什维克同样感到意外和不知说什么好。[1]

德拉布金回忆说："他的话使在场的每一个人都感到震掠，因为没有人曾经预料到这一点。相反，人们倒曾希望列宁的归来会说服中央俄国局——特别是对临时政府持不调和立场的莫洛托夫同志——遵守秩序。"有的党员把列宁的提纲称为"乌托邦式的"，认为这表明他已"长期脱离俄国生活"。布哈林后来也曾说过，当时党的一部分组织把列宁的提纲看作是对于被普遍承认的马克思主义思想的背叛。[2]

在自己的发言中，列宁明确表示甚至强调，他并没有与自己的党商量，而只是以个人的名义讲话。事实上列宁也确实是很孤立的，布尔什维克党中央和彼得堡委员会都拒绝接受这个纲领。因为在他们看来，在资产阶级革命与社会主义革命之间有一个很长的资本主义自由发展的时期。"列宁得到的支持程度再清楚不过地表明，不仅在社会民主党人中间，而且特别是在自己的学生中间，他的思想都是孤立的。支持列宁的只有柯仑泰（不久前还是孟什维克），她拒绝与那些不能和不愿实行社会主义革命的人保持一致！……但她的支持引起的只是讽刺、嘲笑和喧闹。"有10多人因不赞同列宁的观点而离开了会议。[3]有些布尔什维克认为，列宁的发言非但没有导致和深化社会民主党人中间的分歧，相反消除了分歧，因为在对待列宁立场的态度上，布尔什维克与孟什维克之间不可能存在分歧。

列宁的思想对孟什维克同样产生了强烈震撼。在他们看来，列宁的提纲是"胡言乱语"、"反革命宣传"、"点燃内战之火"，等等。当时，离讲台就几步远的亚·波格丹诺夫向列宁大声叫道："这是胡话，是精神病人的胡话。为

[1] *Суханов Н.Н.* Записки о революции.Т.2. Москва. 1991. С.11,15.

[2] 参见［美］罗伯特·文森特·丹尼尔斯著：《革命的良心》，高德平译，北京出版社1985年版，第72页。

[3] *Суханов Н.Н.* Записки о революции.Т.2. Москва. 1991. С.17.

这样的胡言乱语鼓掌是可耻的。你们应该为自己感到羞耻，马克思主义者们!”策列铁里正式表达了反对意见，他批评了分裂路线，并强调俄国还缺乏实现社会主义转折的客观条件。“马克思主义的理论著作……教我们懂得，俄国的革命不可能实现从半封建制度到社会主义制度的跳跃，因此在资产阶级经济关系的基础上实现国家的全面民主化是革命能够取得的成果的极限。”[1]策列铁里得到了大会多数，包括不少布尔什维克的支持。

曾经的布尔什维克、现在的护国主义者戈尔登伯格作了简短的发言：“列宁今天把自己当作了欧洲一个已经空缺了30年的王位的候选人，这是巴枯宁的王位！在列宁的新话语中能够听到老调子，能够听到已经过时的原始的无政府主义的观点。……列宁在民主派内部举起了内战的旗帜。同那些以分裂为信条的人谈统一是非常可笑的，他们已将自己置身于民主派之外!”斯切克洛夫说：“列宁的发言产生于一些抽象的概念，这些概念证明俄国革命已从他身边经过。在列宁了解了俄国事态的实际状况后，他自己也会否认自己的这些概念的。”斯科别列夫在会下谈到列宁的“梦幻思想”时，把列宁称为“一个置身于运动之外的、完全不可救药的人”。[2]

孟什维克和社会革命党以及苏维埃的领导人坚决拒绝列宁《四月提纲》中提出的思想。他们中间没有人想把政权转归苏维埃，他们认为，苏维埃只是特定阶段上深化俄国民主化的工具，仅此而已。他们难以想象，一个事实上还很落后，而且深受战争之害的、农民占人口大多数的国家能够急剧过渡到社会主义!

党内的不同意见

《四月提纲》提出后，在一段时间里遭到了布尔什维克党内“上层”的不理解和抵制。“毫无疑问，在列宁回国后的最初几天，他在自己党内最觉悟的同志中间是完全孤立的。……季诺维也夫在那些日子里保持低调，不公开发言，不显露自己对列宁的‘梦幻思想’究竟是反对还是支持。”[3]

[1] 参见 История России XX:1894–1939.Под ред. *А.Б.Зубова.* М., 2009. С.407.

[2] *Суханов Н.Н.*Записки о революции.Т.2. Москва. 1991. С.16,19.

[3] *Суханов Н.Н.* Записки о революции. Т.2. Москва. 1991. С.19,20.

拉舍维奇证实，较少理论素养的布尔什维克总的来说不大懂得列宁提出问题的方式，因此明显不知所措。他回忆说，他带着弄不明白的问题去找斯大林，但斯大林也只是不确定地回答说："行吧"。列·谢列布里亚科夫要直接得多，他用手指在太阳穴周围转着圈说："或者我们是傻瓜，或者伊利奇是傻瓜"。[1]

在党的领导层中，从理论上反对列宁思想的主要是加米涅夫。他认为，在实现经济和社会的民主改造之前，向社会主义革命转变是不可能的。4月6日，中央俄国局举行会议讨论列宁的提纲。加米涅夫发言说，列宁没有提供"具体的指示，因为他把目前的形势估计得和1871年一样，然而我们这里还没有1789年和1848年完成的东西……政权不在苏维埃手里。革命是资产阶级性质的"。斯大林也认为，列宁的提纲只是略图，其中没有事实，因此不能令人满意。[2]

4月7日，列宁的提纲以他个人的名义在《真理报》上发表。但加米涅夫第二天就在《真理报》发表文章，表示不能接受列宁的提纲，因为其出发点是资产阶级民主革命已经结束，并试图把这场革命立即转变为社会主义革命。文章还表示，在中央委员会作出新的决议之前，仍将继续执行和捍卫党的三月会议通过的关于临时政府和战争问题的决议。在彼得堡委员会4月8日的会议上，列宁的提纲被交付表决，结果以13票反对、2票赞成、1票弃权被否决。

列宁顽强地为他的思想而斗争，他频频地与中央委员会和彼得堡委员会的同志开会、商谈，坚持不懈地解释他在提纲中提出的观点。最后大家同意，把分歧拿出来公开讨论。4月8日开始在党组织中就列宁的提纲进行辩论。

列宁的提纲首先得到了普通工人党员的支持，他们比较容易地接受了关于实现革命转变、建立无产阶级专政的思想。在彼得格勒和莫斯科的党委这一层反对列宁的提纲，但多数区级组织和所有基层组织都拥护。4月中旬开始，彼得格勒、莫斯科等地方党组织相继召开代表会议，通过了支持《四月提纲》的决议。

---

[1] Из истории борьбы за власть в 1917 году. Сборник документов. М., 2002. С.34.

[2] [俄]布尔扎洛夫：《论布尔什维克在1917年3—4月的策略》，《苏联历史论文选辑》第三辑，三联书店1965年版，第69页。

但在布尔维克党的领导层中，仍然存在强烈的反对意见。在4月下旬召开的党的第七次全国代表会议上，当列宁关于战争和政权问题的决议案以多数票通过时，有一些人离开了布尔什维克党。而在革命转变问题上，列宁遇到了更为激烈的反对。李可夫的发言表达了反对者的看法，“社会主义变革的太阳将从何处升起？我想，根据现有条件，根据居民的生活水平，开始社会主义变革不是我们的事情。我们没有力量和客观条件来做到这一点，……我们面临着伟大的革命任务，但我们不能超出资产阶级制度的范围来完成这项任务”。加米涅夫也重申：“我认为列宁同志是不对的，他说资产阶级民主革命已经结束。我认为它还没有结束……说资产阶级民主制已丧失了实行民主的一切可能性还为时过早。”[1] 在表决有关这一问题的提案时，118票中有47票反对或弃权，而且这还是在列宁反复做了工作之后。但无论如何，四月代表会议表明列宁争取到了党内的多数，他可以推行新方针了。

俄国社会民主工党的创始人之一波特列索夫在回忆录中写道，党内尊重普列汉诺夫，热爱马尔托夫，但跟列宁走。列宁的政治意志、他的激情、他对反对者的无情批判，最终战胜了反对意见、怀疑和动摇。参加党的四月代表会议的年轻党员特别是工人党员被列宁的呼吁唤起了，他们的“精神被控制了”，在“已投入战斗的”他们面前，展开了一个惊人的富有吸引力的前景。[2] 从国外回来的布尔什维克侨民，首先是列宁，扭转了国内布尔什维克的思想倾向，促使布尔什维克党走上了一条全新的道路。

列宁在一度孤立的情况下最终从理论上和政治策略上改造了布尔什维克党，出现这样结果的原因很多。苏汉诺夫认为，首先是列宁的个人品质。“列宁是一种特殊现象。他是具有完全特别的精神力量的人……这种活动家的类型是运动理论家与人民领袖的特别幸运的结合”，是天才。其次是列宁在党内长期以来历史地形成的领导地位。列宁是布尔什维克党“垄断的、唯一的、不可分离的”领袖，因为“布尔什维克党是列宁一人开创的事业”，没有列宁，党的机体就没有了心脏和大脑。再次是列宁影响大众的能力。“列宁勇猛的‘左

[1] Седьмая（апрельская）Всероссийская конференция РСДРП（б）. Протоколы. М., 1958. С.93,80.

[2] Из истории борьбы за власть в 1917 году. Сборник документов. М., 2002, С.34.

倾'、无所顾忌的激进主义、不受科学和健全思维约束的原始的蛊惑宣传，保证了他在最广泛的无产阶级和农民群众中的成功，他们除了沙皇的鞭子外还没有接受过任何训练。”[1]

但是，列宁最终能以他的思想重新武装布尔什维克党的最重要最根本的原因是，战争在继续进行，前线在继续流血，后方在迅速崩溃，占人口大多数的下层群众已经不可能照旧生活下去，而“革命的”临时政府在各种互相对立的社会力量中间艰难维持，它不能满足任何人的迫切愿望和要求，当然也不能令任何人满意。

列宁关于革命转变的思想影响了俄国革命的进程，为在俄国这样一个资本主义相对落后的国家里实行社会主义革命提供了一种理论上的依据，同时也成为指导布尔什维克党夺取政权的策略原则。毫无疑问，如果没有列宁，没有列宁的四月提纲以及他为使党接受这一提纲而作的斗争，布尔什维克党将走上截然不同的另一条道路，俄国也将因此而朝着另一个方向发展。

根据马克思主义的一般原理对俄国社会进行分析，显然只能得出在当时的俄国实现社会主义的物质条件尚未成熟的结论。列宁在十月革命六年后口授的《论我国革命》中承认了这一点。但他同时指出，“世界历史发展的一般规律，不仅丝毫不排斥个别发展阶段在发展的形式或顺序上表现出特殊性，反而是以此为前提的”。[2] 他认为第一次世界大战创造了改变通常的历史顺序的机会，使俄国无产阶级有可能先夺取政权，然后解决发展问题。在 1917 年的革命浪潮中，列宁充满了斗争精神，他不愿选择“平稳的航行”[3] 和充当安全的反对派，而宁愿“首先让无情的斗争来解决选择道路的问题”。[4] 对于无产阶级来说，这种斗争至少会使他们有一些机会为进一步发展文明争得并不十分寻常的条件。[5]

在《四月提纲》的指引下，布尔什维克党开始为革命转变而斗争。在布

---

[1] 参见 *Суханов Н.Н.* Записки о революции. Т.2. Москва. 1991. С.21–23.

[2] 《列宁选集》第 4 卷，人民出版社 1995 年版，第 776 页。

[3] 《列宁选集》第 1 卷，人民出版社 1995 年版，第 617 页。

[4] 同上。

[5] 参见《列宁选集》第 4 卷，人民出版社 1960 年版，第 691、686、688 页。

尔什维克四月代表会议期间发生的政治危机表明，在旷日持久的战争以及经济危机的压力下，彼得格勒的相当一部分居民正在迅速地激进化。也许，列宁看到的问题其他社会主义领袖也看到了，但孟什维克、社会革命党担心并且竭力防止的东西，恰恰是列宁勇敢面对并且竭尽可能来推进的东西：他们希望恢复秩序，而列宁认为必须把革命继续推向前进。

在战争继续进行、经济局势恶化、社会秩序解体、而政府无所作为的情况下，布尔什维克的口号得到越来越多的支持，党在下层群众中的影响不断扩大。

为了实现革命转变的目标，布尔什维克领导人面临着怎样使群众“布尔什维克化”的任务。这是一项并不容易的工作：群众暂时还是坚定地支持孟什维克和社会革命党人的苏维埃的，并且通过苏维埃支持临时政府。布尔什维克自己承认，一开始士兵并不支持他们，而采取中立的立场。但四月后布尔什维克展开了强大的宣传攻势，其宣传工作有了很大的改变。

布尔什维克党在二月革命期间还没有一份全国性报纸，二月后才开始合法地出版自己的报纸，但面临经费严重不足的问题。党中央机关报《真理报》二月后最初几周处境十分艰难，在3月份仅有8000个订户。但到4月下半月，《真理报》无论在印数、版面容量还是在印刷质量方面都变身为俄国最大报纸之一。除了《真理报》，4月份布尔什维克党还出版17种日报，每天总印数达32万份。到6月份《真理报》已有8.5万份的发行量。《战壕真理报》、《真理之声报》、《士兵真理报》等共有7.5万份的发行量。在前线，春天时部队每天能够收到约10万份布尔什维克的报纸和传单，基本上每个连都能看到；到7月初，每天收到的布尔什维克报纸和传单达到了32万份。在每个营、甚至

在冬宫广场上发售《真理报》

每个连都有布尔什维克宣传员，他们的活动受布尔什维克军事组织的领导和监督。[1]

布尔什维克进行了规模巨大的宣传、鼓动和组织工作，对于其所需经费来自于何处的问题，存在着不同的说法。苏联时期的著作通常认为来自于党合法的收入，首先是工人和士兵的小额捐赠，以及党员的党费收入，这些钱解决了布尔什维克的经费问题。如有的著作指出，布尔什维克从工厂委员会和士兵中搜集了 50 万卢布用于《真理报》的印刷。[2] 但实际上捐赠和党费都是非常有限的收入。战争时期，在物价飞涨的情况下，工人连养家糊口都很困难，不可能依靠他们的捐助来支撑党的宣传工作的需要。例如，从 1916 年 12 月 1 日开始到 1917 年 2 月 1 日的两个月里，布尔什维克党的出纳处总共才收到 1117 卢布 50 戈比；3 月，高尔基捐了 3000 卢布。有资料显示，在 1917 年夏天，彼得格勒布尔什维克党员月平均缴纳党费 1 卢布 50 戈比，而彼得格勒布尔什维克的党员人数在 7 月末时是 32000 人；但 7 月时每印制一份传单就要花 1 万卢布。此外，党费收入还要支付党的专职工作人员即职业革命家的生活费。对于布尔什维克党极端困难的财务状况，彼得格勒保安局首脑戈洛巴乔夫指出："他们组织的资金财产有限，在接受德国资助的情况下，这一块未必有什么地位"[3]。革命后侨居国外的孟什维克阿布拉莫维奇曾谈道："我对于没有德国人就不会发生革命的说法持怀疑态度。但是，我不能相信，布尔什维克党在没有得到大量经费的情况下能够这样快地获得巨大的力量。钱不是一切，但不能轻视钱。庞大的机构、庞大的出版物，都建立在钱的基础上，这是不可能通过其他途径轻易建立的。"[4]

在彼得格勒和前线，布尔什维克开始拥有知名度，党员人数迅速增加。在彼得格勒，其人数从 2 月的 2000 人增加到 4 月初的 1.6 万人，到 7 月末时

[1] 参见 История России XX:1894–1939. Под ред. *А.Б.Зубова.* М., 2009. С.407.

[2] *Сазонов И.О.*Большевистское слово. Л., 1978. С. 129–137.

[3] *Соловьев О. Ф.* Парвус: политический портрет. // Новая и новейшая история, 1991, № 1, С. 178.

[4] 参见 *Фельштинский Ю.* Крушение мировой революции. Брестский мир: Октябрь 1917-ноябрь 1918. М., 1992. С.54–55.

达到了3.2万人。[1] 在这些新党员中，有不少是以前的孟什维克、社会革命党成员以及无政府主义者，他们很明显被布尔什维克的不妥协态度深深吸引了。布尔什维克还在受到其宣传鼓动影响的工人和士兵中组建了自己的武装——赤卫队。[2]

联合托洛茨基

列宁回国后不久，托洛茨基也回到了彼得格勒，而且很快就与列宁密切合作。这是1917年俄国革命中的一个重要事件。

早在1905年的革命中，托洛茨基就是一个叱咤风云的人物。作为彼得格勒苏维埃的主席，他给那次革命留下了自己深刻的印记。在第一次革命失败后，他经历了审判、流放、逃亡。1917年二月革命爆发的时候，他在美国。

托洛茨基以美国报纸上有限的消息为依据，对俄国革命的发展进行分析和预判。在2月27日示威转变为起义的那一天，他就意识到，“我们是第二次俄国革命开始的见证人”。在国家杜马临时委员会发表《告俄国人民书》宣布杜马将组建新政府、负责恢复国家和社会秩序之后，托洛茨基在纽约的俄侨报纸《新世界报》上撰文指出，“罗将柯和米留可夫们谈论秩序还为时过早。在巨浪滔天的罗斯，明天还不会平静。……彼得格勒的事态只是开端。……第二个巨浪将冲过罗将柯和米留可夫之流的头顶……革命将产生自己的政权……走向胜利的人民的革命机关。更主要的战役和更主要的牺牲还在后面”[3]。托洛茨基对于苏维埃中孟什维克领导人迫不及待地要让资产阶级掌权持批评态度。托洛茨基认为，起初在苏维埃执行委员会中实际上起主导作用的不是其主席齐赫泽，而是苏汉诺夫，而他“从革命的第一天起就打算尽快地把政权和战争都抛

[1] История России. Двадцатый век.Кризисы Временного правительства. Конец двоевластия. http://xx-stoletie.ru/2/8-krizisy-vremennogo-pravitelstva-konec-dvoevlastiya.html

[2] 近年有史学著作指出，赤卫队员的津贴是用来自德国的经费和德国印制的10卢布面值的假钞发放的。参见 История России XX:1894–1939. Под ред. А.Б.Зубова. М., 2009. С.408.

[3] *Троцкий Л.Д.* История русской революции. Т.1. М., 1997. С.447.

给资产阶级”[1]。

托洛茨基到达彼得格勒

1917年3月25日，托洛茨基到俄国驻美国纽约总领事馆办理回国手续。两天后，他和妻子以及两个孩子登上一条挪威客轮启程回国。途经加拿大时，托洛茨基被英国当局作为“德国间谍”逮捕，被关押了20多天。在彼得格勒苏维埃的干预下，临时政府外交部长米留可夫被迫要求英国释放托洛茨基。

4月底，托洛茨基获释后搭乘轮船横跨大西洋回国。他经瑞典、芬兰回到彼得格勒已是5月4日（17日）。在他乘坐的列车到达芬兰边境的别卢斯特洛夫车站时，他受到了乌里茨基、卡拉汉等区联派主要成员以及布尔什维克代表费奥多罗夫（不久后成为彼得格勒苏维埃工人部主席）的欢迎。在彼得格勒的车站，举行了正式的欢迎仪式，乌里茨基和费奥多罗夫发表了讲话，欢迎的人群把托洛茨基高高抬在肩上。托洛茨基从车站直接去了塔夫利达宫的彼得格勒苏维埃。由于他在1905年曾任彼得格勒苏维埃主席的经历，执行委员会中的布尔什维克建议邀请他进入执行委员会。执行委员会中的孟什维克和社会革命党领导人同意他先作为没有表决权的候补委员进入执行委员会。

托洛茨基到达彼得格勒的第二天，5月5日，第一届联合政府成立。托洛茨基在彼得格勒苏维埃会议上发表了他回国后的第一次讲话。在谈到俄国革命意义的时候，托洛茨基充满激情地指出，它开辟了受苦受压迫的阶级反对统治阶级斗争的新时代，“一个铁与血的时代”。对于社会主义者参加政府一事，托洛茨基不顾社会主义者部长和苏维埃领导人的尴尬，坦率地表示：“我不能隐瞒，我不赞同现在发生的许多事情。我认为，参加内阁是危险的。……我们曾经有过因两个阶级的矛盾而产生的双重权力现象。联合内阁不会使我们摆脱这

[1] *Троцкий Л.Д.* История русской революции. Т.1. М., 1997. С.178.

种情况，而只是把它带到内阁中去。但革命不会因联合内阁而死亡。只需要记住三条：(1) 不信任资产阶级；(2) 监督自己的领袖；(3) 相信自己的革命力量。……我认为，你们下一步要做的是把全部政权交到工人和士兵代表手中。只有单一政权才能拯救俄国。作为世界革命序曲的俄国革命万岁！"[1]托洛茨基在讲话中表达的观点，与列宁在《四月提纲》中表达的思想是一致的。

托洛茨基回到彼得格勒后，加入了俄国社会民主工党内的"统一社会民主主义者区际组织"（区际派，习惯译作"区联派"）。这个组织成立于1913年底，起先的名称是"俄国社会民主工党区际委员会"，主张孟什维克与布尔什维克联合。

区联派在第一次世界大战前有1000人左右，战争爆发后持国际主义立场，在工人队伍中有一定影响。二月革命后，在区联派的队伍中有一批有影响的杰出的社会民主主义活动家，如卢那察尔斯基、梁赞诺夫、尤列涅夫、丘德诺夫斯基、马努伊尔斯基、沃洛达尔斯基、越飞、弗拉基米罗夫、乌里茨基、卡拉汉等，多伊彻称之为"一个才华横溢的杰出政治人物团体"。[2]二月后区联派约有4000人，被选入彼得格勒苏维埃的有40人左右。在他们中间，有不少是托洛茨基的追随者。流亡中的托洛茨基也一直支持和激励这个组织，并且为它的出版物撰稿。因此，区联派是以欢迎自己领袖的心情欢迎托洛茨基回来的。

区联派在政治立场上与布尔什维克继续接近，他们反对战争，反对革命护国主义，赞同布尔什维克的路线，愿意与布尔什维克组织联合，愿意在彼得格勒的区杜马选举和苏维埃改选中与布尔什维克采取一致行动。

托洛茨基创办了区联派的报纸《前进报》。不过，尽管它也有一些才华出众的撰稿人，但因缺少强大的财力支持和分布广泛的组织网络，报纸并未产生重大影响，在区联派正式加入布尔什维克党之前总共只出了16期。托洛茨基的政治影响力主要是通过那些日子里无数的演讲产生的。回到彼得格勒仅仅两

---

[1] *Троцкий Л.Д.* Речь на заседании Петроградского Совета. //Историческое подготовление октября, часть 1: От Февраля до Октября. http://www.magister.msk.ru/library/trotsky/trotl236.htm

[2] [波]伊萨克·多伊彻著：《武装的先知》，王国龙译，施用勤校，中央编译出版社1998年版，第284页。

三个星期，他和卢那察尔斯基就被认为是苏维埃左派中最有口才、最受欢迎的鼓动家。他在喀琅施塔得水兵中受到偶像般的崇拜，水兵们对他言听计从。他几乎每天晚上在“摩登”马戏场对群众演讲，而且能够“在感情上同他面前热情、无知的大众融为一体”。[1]

托洛茨基回国后仅仅一个月时间，就对彼得格勒的政治生活产生了巨大影响。卢那察尔斯基写道：“不少接近托洛茨基的人们都有认为他是俄国革命头号真正领袖的倾向。”但卢那察尔斯基不同意托洛茨基使列宁逊色的说法，认为列宁的政治才能的规模还没有显露出来，因为列宁“不经常公开讲话，而且写作也不很多。他主要是在布尔什维克阵营内指挥组织工作，而托洛茨基则在各种集会上慷慨激昂”。[2]

列宁对于托洛茨基的回国是十分重视的，他非常需要把托洛茨基及其周围六七个杰出的宣传家、鼓动家、策略家和雄辩家以及区联派中的一大批优秀人物引入自己的党内。在托洛茨基回到彼得格勒后一两天，他就安排了与托洛茨基的见面。而托洛茨基在回到彼得格勒后很快就了解了列宁的《四月提纲》的内容，并有一种一拍即合的感觉。他回忆5月5—6日同列宁见面时的情况时说：“我告诉列宁，没有什么东西能够使我和他的四月提纲以及他回国后党所采取的全部方针分开，并说我面临着两种选择：或者立即‘个人’加入党的组织；或者试着把区联派的优秀分子带进来，该组织在彼得堡有近三千人，并且很多重要的革命力量都同他们有联系……列宁没有断然表示赞成哪一种做法。……政策是共同的。从我到达后的第一天起，我就在工人和士兵的集会上说‘我们布尔什维克和国际主义者’，而由于经常重复使用‘和’这个连接词会给发言造成困难，所以我很快就简化成这样的说法：‘我们布尔什维克—国际主义者’。就这样，政治上的联合走在了组织上联合的前面了。”[3]

5月10日，区联派举行代表会议，讨论与布尔什维克的联合问题。会议

---

[1] 参见[波]伊萨克·多伊彻著：《武装的先知》，王国龙译，施用勤校，中央编译出版社1998年版，第290—291页。

[2] 同上书，第299页。

[3] [俄]托洛茨基著：《论列宁》，莫斯科，俄文第2版，第41—42页。李显荣：《托洛茨基评传》，中国社会科学出版社1986年版，第204页。

通过决议，主张紧密团结无产阶级的一切力量，把革命进行到底。这个决议的内容与布尔什维克四月代表会议的决议基本一致。列宁在季诺维也夫的陪同下，作为布尔什维克党中央的代表参加了区联派的这次代表会议。他对会议决议给予积极评价，并建议托洛茨基和区联派立即与布尔什维克联合、立即派两名代表进入《真理报》编辑部。[1] 托洛茨基出于自尊心，也考虑到区联派中一些人反对合并的意见，回答列宁说，在政治上他已同列宁完全一致，也接受列宁提出的联合的大部分技术性建议，但“我不能说自己是一个布尔什维克。坚持旧称呼是令人不快的”，认为他们应当在一个新党里，用一个新的党名。[2] 正式联合的问题暂时搁置下来，但实质性的联合已是事实。

在托洛茨基看来，列宁的《四月提纲》是对他的不断革命论的肯定。既然在革命理论上已经一致，那么就没有什么可以妨碍共同行动了。他需要一个坚定的组织结构作为依托，人数不多的区联派只有同布尔什维克合作才能把思想化为行动。而对于列宁来讲，托洛茨基及其追随者是 1917 年混沌局势中不容忽视的力量，是实现他关于从革命第一阶段向第二阶段转变的思想的宝贵盟友。同托洛茨基这样的政治家结盟，毫无疑问加强了布尔什维克的力量。

[1] 参见李显荣：《托洛茨基评传》，中国社会科学出版社 1986 年版，第 197—202 页。

[2] 参见 [波] 伊萨克 · 多伊彻著：《武装的先知》，王国龙译，施用勤校，中央编译出版社 1998 年版，第 287—288 页。

第五章　无政府状态与政治危机

1917年二月革命后，俄国成为“最自由的国家”。但表面上存在的双重权力现象实质上意味着没有强有力的政权，临时政府因其政策不能满足多数人的愿望和要求而陷入持续不断的政治危机。在社会层面上，旧的权威被推翻后，由于缺乏能有效行使政府职能的权力，无政府主义空前泛滥，社会秩序彻底瓦解，军队纪律荡然无存。在这种情况下出现的社会心态恶化成为一种巨大的否定性力量，也为各种政治激进主义提供了最合适的土壤和条件。无力无为的政府与普遍的无政府状态使俄国社会陷于崩溃。3—6月，临时政府以及民主派和自由派的联合遭遇到来自左翼和右翼的强有力挑战。俄国的前途取决于具有不同文化背景的政治力量之间的斗争，而这一斗争的关键就在于谁能吸引人民群众的大多数跟自己走。

第一节　临时政府的困境

法律和政治基础

3月2日晚上，彼得格勒苏维埃执行委员会代表与国家杜马临时委员会成员会谈时，明确了关于立宪会议法律地位的三项原则：(1) 普遍的自由的选举（“全民的意志”）；(2) 立宪会议享有解决国家生活的主要问题包括确定国家治理形式的特别权力（在立宪会议之前“不预先解决”所有迫切问题）；(3) 只有立宪会议自己能够决定自己任务的范围和界限（立宪会议是“俄罗斯土地的主人”）。[1] 这三项原则同时也规定了临时政府的法律地位及其活动范围：

首先，正如临时政府的名字所表明的，它是一个临时机构，只是存在于未来立宪会议决定政府和宪法形式之前。

其次，临时政府将在立宪会议召开之前管理国家，但它无权解决当时俄国面临的任何重大问题，也不能建立任何常设的管理制度。

再次，所有重大而又迫切的问题都必须由立宪会议来作出决定。在这种情况下，尽管临时政府在处理国家行政和立法事务如停止国家杜马和国务会议

[1] Учредительное собрание и его историческое значение. http://refhist.ru/history/the_constituent_assembly and _its_historical_value/m/28516/1.3.html

的运作、结束君主制、履行政府职能时没有遭到正式的限制或抵制，但事实上，它的法律地位使它并不比之前的沙皇政府更加有力。

作为苏维埃的领导力量，孟什维克在关于临时政府的声明中表示："临时政府的任务简单明了：在人民和军队的支持下，迅速果断地摧毁旧制度遗留下来的、干扰建立新制度的一切事物，进而同样迅速果断地创造新秩序赖以存在的一切。"[1]策烈铁里很清楚地表明了孟什维克对新政府的立场："一旦临时政府抛弃革命的道路而选择妥协的道路，那么，同志们，你们和我们一起将毫不畏惧地示威游行反对政府，并且像废除旧制度一样把它推翻。"[2]因此，孟什维克虽然同意由自由主义政党掌握政权，但并未完全承认和信任他们，而是保持着警惕。

继3月3日宣布八项施政原则之后，3月6日，临时政府在告俄国公民书中再次明确表示，它的政策基础是在全国实行民主改造。

临时政府成立之初，确实推出了一系列措施实现上述原则，使俄国一下子从沙皇制度转变为推崇普世民主的国家，而且，由于各种社会和政治力量"拥有最大限度的合法性"、由于政府"没有用暴力压迫群众的现象"，[3]俄国成为世界各交战国中最自由的国家。

通常认为，临时政府是反人民的政府，只是在彼得格勒苏维埃的压力下才被迫作出了一些政策让步。但实际上，临时政府是试图按照苏维埃执行委员会与杜马临时委员会达成的八点协议来施政的，这也是它在初期得到俄国社会广泛支持的主要原因。而为了保持来自广大城乡居民的支持，临时政府甚至不惜削弱其同地方自治机关的联系，而在地方政权的组成上作出了重大妥协。[4]尽管从2月到10月临时政府的组成几度变化，但其基本方针没有实质变化，因为改组的政府不可能从根本上改变一开始就已明确的临时政府的责任和使命。

但在俄国面临的亟待解决的土地问题、和平问题、国家制度的宪法基础

[1] Abraham Ascher. *The Mensheviks in the Russian Revolution.* New York.1976. p.90.

[2] Abraham Ascher.*The Mensheviks in the Russian Revolution.*New York.1976.p.93.

[3] 《列宁全集》第29卷，人民出版社1985年版，第105页。

[4] 参见本书第四章有关地方政权的组织的内容。

问题等根本性问题上，临时政府的政策是失败的。虽然根据苏维埃与国家杜马临时委员会的协议，这些重大问题应留待立宪会议解决，但实际情况是这样做不符合群众要求立即解决问题的愿望。临时政府没能正确认识局势、及时采取政治措施以满足群众的迫切要求，结果使得群众逐渐失去了对二月革命政权的信心和耐心。

冬宫广场上的集会。1917 年 4 月 18 日（5 月 1 日）

土地问题

土地问题是 20 世纪初期俄国革命的主要根源之一。二月革命后，俄国农民对于得到土地抱有极大的期望，并开始自行采取措施以他们的方式解决土地问题。因此，临时政府成立不久，在 3 月 19 日（4 月 1 日）就作出了关于土地问题的决定。临时政府承认，土地问题在国家面临的最严重的经济和社会问题中居于首位，解决这一问题是临时政府最重要的任务。决定提出了解决土地问题的基本原则：(1)“土地问题不能用任何强占的办法来解决。暴力和抢劫是经济关系中最恶劣最危险的手段。只有人民的敌人才会推动人民走上这条导致毁灭的道路，走这条道路不会有任何明智的结果。”(2) 将土地问题“列入未来立宪会议的议事日程”,“通过人民代表机关制定法律来解决土地问题”。(3)临时政府认为,尽快完成解决土地问题的准备工作、向人民代表机关提供正确审议和制定土地法令的全部资料,“是自己不可推卸的责任”。据此,临时政府决定:尽快准备和整理土地问题的资料;由农业部长负责此项工作;在农业部设立土地委员会;由农业部长向政府提出建立这一委员会的方案和预算。[1]

4月3日,内务部副部长С.Д.乌鲁索夫给各地的临时政府政治委员发去指示电报,要求保护私人土地所有制。电文中说,临时政府和工兵代表苏维埃很关心播种工作,因为这对于保证军队和居民的粮食供应至关重要。“我要求各地采取措施,创造有利条件,保证农事的正常进行,保护每个土地所有者的财产、工具以及支配自己土地的自由。”[2]

面对农民自行夺取土地的行动,4月21日临时政府再次就土地问题作出决定。除了重申只有立宪会议才能最终正确解决土地问题外,临时政府在决定中明确宣布:成立土地问题总委员会,负责制订土地改革方案。参加总委员会工作的有国家杜马临时委员会、各政党、全俄农民联盟、工人和士兵代表苏维埃、全俄合作社联盟、省农民委员会等机构和组织的代表以及临时政府邀请的人士,它将在省、县、乡土地委员会的协助下,为立宪会议预先准备新的土地制度的法令;成立地方各级土地委员会,其职责是收集有关地方土地制度和居民土地需求情况的资料、在立宪会议实行土地改革之前的过渡时期内解决土地问题纠纷和争执。

临时政府的决定指出:“如果地方居民不等立宪会议的决定就擅自立即改变土地制度,将会使祖国蒙受巨大的不幸,……将导致经济的全面破坏。土地无人耕种,庄稼无人收割。国家将面临贫困和饥荒。”临时政府的决定表示确信,人民的立宪会议一定会找到公正解决土地问题的办法、确立新的土地制度;呼吁士兵们保持平静并要他们相信,不可能避开或越过他们去解决他们家

[1] Революционнее движение в России после свержения самодержавия. Документы и материалы. М., 1957. С. 439.

[2] Революционнее движение в России после свержения самодержавия. Документы и материалы. М., 1957. С. 451.

乡的土地问题。[1] 但无论如何，临时政府的这个立场不能满足广大农民的迫切要求。

在土地问题总委员会中，78% 是社会革命党人、人民社会主义党人和劳动派成员等社会主义者。总委员会在 10 月前制定的法律草案基本上是社会革命党土地纲领的翻版。社会革命党历来被认为是农民利益的代表，它主张废除土地私有制，实行土地社会化。但在战争继续进行的情况下，社会革命党的立场与临时政府政府土地政策是一致的，即认为土地改革只能推迟，否则失控的土地重分将恶化国内局势、使军队战斗力受到威胁；但立宪会议会决定实施土地社会化，这将消除社会紧张状态、避免国内战争，因为立宪会议作为全民代表机关的权威将迫使地主妥协。

农村的集会

但是，农民不这么看。地方各级土地委员会的活动经常与政府的政策相矛盾，不等中央政权的决定就没收地主土地，有些地方自行将没收的土地分配给农民。5 月召开了全俄农民代表苏维埃第一届代表大会，多数代表认为，他们要“带着土地回家”。大会作出决议，在立宪会议之前，全部土地应该转归地方土地委员会支配。

临时政府不支持农民苏维埃代表大会作出的决定。尽管从 5 月到 8 月，临时政府农业部长的位子一直是由社会革命党领袖切尔诺夫坐着，但临时政府认为自己不能对违反私有财产原则的解决方案承担责任。直到 9 月 25 日克伦斯基签署的宣言中才明确，农业用途的土地交给土地委员会支配。

[1] Революционное движение в России в апреле 1917 г. Апрельский кризис. Документы и материалы. М., 1958. С.316–317.

土地问题迟迟不能解决使农民对政府的不满与日俱增，而布尔什维克立即给农民土地的宣传取得了效果。“我们农民在大多数情况下已经厌烦革命，因为我们没有看到自己的处境有哪怕一点点改善。”[1]

战争问题

战争问题是二月革命后俄国面临的最重要问题。还在二月革命前，立宪民主党和加入进步联盟的各党派就认为，与德国单独媾和意味着背叛。立宪民主党占主导地位的第一届临时政府宣布，要将战争进行到胜利为止。

外交部长米留可夫虽然并不喜欢战争，认为战争正在消耗俄国的实力，但是他坚持主张欧洲的和平和俄国政府的继续生存都依赖于协约国对同盟国的军事胜利。因此，米留可夫要求俄国人民在德国战败之前忍受战时的困难，他也相信俄国人民能够接受这个现实。事实上，米留可夫认为，二月革命的爆发是俄国人民对于沙皇政府无力引导俄国取得战争胜利的愤怒感情的宣泄。革命“之所以发生是因为旧的沙皇制度不能引导我们走向胜利”，是“为了清除俄国走向胜利道路上的障碍”。他强调，“也许正是由于战争，我们还能勉强维持这一切。如果没有战争，一切会很快垮台。”[2]

不少自由主义者已经预见到俄国将会在战争中失败，但还是主张继续进行战争，因为“俄国的荣誉和尊严不容许宣布与盟国的条约只是一纸空文”；因为英、美、法等盟国对于俄国建立和巩固新制度的事业具有重要意义，如果盟国失败，就可能导致旧制度在俄国复辟。米留可夫“把自己的所有希望寄托于爱国主义的凝聚作用上，……在他看来，只有战争的胜利才是可能把全体俄国人联合起来的共同目标。”[3]

四月危机后加入政府并逐渐加强了自己在政府中地位的孟什维克和社会革命党领袖也有类似的看法。虽然他们曾经承诺实现不割地不赔款的普遍和

[1] История России XX:1894–1939. Под ред. *А.Б.Зубова.* М., 2009. С.427–428.

[2] 参见［俄］德·阿宁:《克伦斯基等目睹的俄国一九一七年革命》，三联书店 1984 年版，第 163—167 页。

[3] T. Riha.*Russian European:Paul Miliukov in Russian Politics.*New York.1969.p.310–313.

平，但他们很快意识到，即便不是为了不割地不赔款的和平，而只是为了保持统一的俄国，以及履行向协约国作出的承诺，也必须继续进行战争。他们同样排除了同德国单独媾和的可能性，因为这样的和约会被视为对同盟国民主的英国和法国的叛卖；同德国签订和约还可能使年轻的革命俄国受到威胁，德国的胜利将导致君主制的复辟和新的革命制度的毁灭。[1]

实际上，米留可夫和他在临时政府中的同事，以及彼得格勒苏维埃的领导人，都为俄国继续战争做了一切努力，但是看来只有米留可夫清楚地意识到，“不割地不赔款的和平”只是一个面具，它掩盖了对协约国的背叛和同德奥的单独媾和。这个面具早晚要被撕掉，米留可夫的路线只是使这个时间来早了一点儿。

但继续战争的政策显然违背了人民群众大多数的意愿。人们对战争的态度发生了很大变化。1914 年宣战的时候，没有人问因何和为何而战，大家同仇敌忾地要打败德国人，战争的胜利是唯一的目标。而现在，战争目的究竟是什么成为社会舆论关注的中心问题，这意味着人民开始怀疑，它是否需要这个胜利。社会情绪在悄悄变化。二月革命后最初的一段时间，并没有出现反战倾向，不仅是官方人士，即便是社会甚至普通人包括士兵群众，都拒绝与德奥单独媾和的“无耻”想法，提出这种口号的人会挨揍。但另一个事实是，后方士兵不愿上前线，而前线士兵不愿进攻。

社会各阶层互相矛盾和混乱的愿望在“不割地不赔款的和平”这个口号中得到了体现。这个口号意味着：我们希望获胜，我们不拒绝作战，但前提是战争必须是正义的而不是掠夺性的。这个口号成为苏维埃在战争问题上的公开路线，但这个口号本身完全是理想主义的，是不可能实现的一厢情愿。

二月革命的爆发说明俄国人民由于战争而处于毫无出路的状态，已经不愿意再打下去。而临时政府和先后参与其中的自由主义政党和温和社会主义政党在总体上都坚持战争政策，他们都没有意识到，全国已充满对战争的疲惫和不满，继续战争的政策不符合俄国人民的愿望。

自由主义政党和孟什维克、社会革命党一致同意继续战争，其逻辑结果

---

[1] [俄]德·阿宁：《克伦斯基等目睹的俄国一九一七年革命》，三联书店 1984 年版，第 71—72 页。

就是延缓解决包括召开立宪会议在内的人民迫切要求解决的问题。因为俄国军队已经涣散，如果在战争条件下召开立宪会议解决土地、民族、国家制度等重要问题，必然导致前线的彻底崩溃和普遍的动乱，而这将意味着俄国的战败。

立宪会议问题

立宪会议的思想是资产阶级自由主义学说的一个重要组成部分，在法国大革命期间传入俄国，开始在先进贵族知识分子中间得到传播。在十二月党人的纲领性文件、北方协会领导人穆拉维约夫拟订的宪法方案中明确规定，“人民是最高权力的源泉，人民享有为自己作出决定的独有权力”。穆拉维约夫认为，他制订的有关新的国家制度的方案，应该提交立宪会议审议。[1]

19 世纪下半期以来，由于从农民改革开始的广泛的结构性改革，俄国经济和社会的发展加快，同时也越来越明显地产生了从根本上改革国家制度的要求。西方国家在法制国家建设、公民社会形成等方面的经验引起了俄国社会的关注。在这一背景下，立宪会议思想对俄国解放运动的新一代人产生了越来越大的影响。1862 年，名为“青年俄罗斯”的革命组织提出，要把政权转交给名为“国民会议”的制宪会议。民意党在其 1879 年的纲领中也指出，“人民的意志将由自由地普遍地选举产生的立宪会议充分地很好地表达和实行”。[2] 在 19 世纪 70 年代末 80 年代初，自由主义反对派加强了要求立宪的活动，认为建立立宪的法制的国家是实现政治自由和公民自由的出发点。1878 年，自由主义精神领袖齐切林呼吁，必须立即采取措施限制专制制度，“只有政治自由能给俄国社会以新的生命。实行代议制是唯一的出路。”地方联合会 1880 年代表大会宣布，它将争取实行一院制议会，在普选的基础上成立中央人民代表机关。[3]

---

[1] Освободительное движение и общественная мысль в России в XIX в.М., 1991. С.105; Россия с начала XVIII до конца XIX века. М., 1997. С. 329.

[2] *Протасов Л.Г.* Всероссийское Учредительное собрание: история рождения и гибели. М., 1997. С.13.

[3] 参阅姚海：《近代俄国立宪运动源流》，四川大学出版社 1996 年版，第 99—100 页。

20 世纪初期，俄国几乎所有的政党，从自由主义政党到社会主义政党，在同专制制度的斗争中都赞成和支持立宪会议的口号，并把要求召开立宪会议纳入了自己的纲领。在第一次革命中，沙皇政权被迫实行君主立宪，俄国政治开始了杜马时代。

立宪会议思想在俄国社会得到更广泛传播是在 1917 年二月革命之后。推翻君主制度后，俄国主要政治力量意识到，俄国面临的最重要的问题之一，就是实现俄国解放运动长期追求的召开立宪会议的思想，由立宪会议来确定国家治理方式，解决国家生活中的主要问题，为俄国的未来发展指出方向。

自由主义政党在二月革命期间曾力图挽救君主制度，但在这一努力失败之后，很快转而支持立宪会议的口号。从自己的政治理论出发，自由主义政党认为必须由立宪会议来确认政权的合法性和正统性，制定国家宪法、解决迫切的社会问题和民族问题。立宪民主党（人民自由党）在 3 月末的第七次代表大会上支持立宪会议的口号，并具体提出了建立一个有总统和责任制内阁的议会制共和国的方案。也有一些立宪民主党领导人强调指出，立宪会议应该成为一次性的现象：通过宪法，确定俄罗斯国家体制的类型，而“不能使自己承担‘全部政权’的职能”。“立宪会议无限的充分的权力将隐藏巨大的危险，因为在其拥有‘无限权力’的情况下，就根本谈不上人民主权。”[1]

在苏维埃中占有优势的孟什维克和社会革命党把巩固革命成果与立宪会议结合起来，认为在俄国建立民主共和国是保护人民利益和为社会主义进一步斗争的最好形式。有些社会主义者还担心，只要立宪会议还未正式宣布共和制，尼古拉二世及其继承人的逊位就是破坏了俄罗斯王位继承法，也就给了君主主义者宣布这一行动无效并恢复君主制的机会。孟什维克和社会革命党认为，俄国还不具备实现社会主义的前提，因此革命具有资产阶级性质。孟什维克把立宪会议视为“革命的花冠”，主张现阶段应该为建立资本主义国家创造基础，反对苏维埃向“独立的阶级路线”方向发展的倾向。社会革命党把立宪会议称为俄国“全部土地的会议”，就像 1613 年的缙绅会议一样，是革命的最高目标，革命将以其开始工作而宣告结束。他们认为，政权和人民这两种力量

[1] Учредительное собрание. Страницы документа. http://www.actref.ru/jur/the_constituent_assembly/m/59762/ 1.1.html

将在立宪会议上实现联合，创造“俄国社会重建的奇迹”。[1]

起先由自由主义政党领导、后来有温和社会主义政党参加并逐渐占主导地位的临时政府，对立宪会议的法律作用和一般政治意义是重视的，也为筹备立宪会议选举和召开做了一系列准备工作。

临时政府成立之后，在3月3日的声明中表示将立即着手召开立宪会议的准备工作。3月5日作出了“关于成立特别会议起草立宪会议选举条例的决议”，立宪民主党中央委员科科什金被任命为特别会议主席。特别会议于6月底形成了关于立宪会议选举条例草案第一部分。[2] 根据选举条例，立宪会议由居民根据普遍的、不分性别的选举权平等原则，通过直接和不记名投票、采用比例代表制选举产生的800名代表组成。年满20岁的公民和年满18岁的军人享有选举权。特别会议认为，“从未有过如此广泛地实现普选原则的法令，俄国在这方面无疑是走在其他国家前面的。”

临时政府为立宪会议的选举和召开所做的准备工作，即便在国内政治气氛日益紧张的情况下也没有停止。临时政府在7月20日批准了立宪会议选举条例的第一部分，同时责成有关国家机关和社会组织做好编制选民名单的准备工作，责成内务部为立宪会议选举做好技术准备并确保选举尽快顺利进行，决定在参政院内成立一个特别机构以解决立宪会议选举条例实施过程中产生的问题。考虑到当时的实际情况，临时政府决议中还确定了如下原则：在各地建立省和县的地方自治局和市、镇自治机关并选举产生立宪会议选举事务委员会成员之前，暂时由临时政府指定的地方社会机构和组织选举产生的人员代行其职权。[3]

为解决立宪会议召开可能产生的法律问题，临时政府成立了专门的法律会议。法律会议研究了立宪会议开幕式的程序和立宪会议开幕之后临时政府的法律地位问题，以法国革命的经验为参照系，作出了相应的结论。法律会议认

---

[1] Учредительное собрание. Страницы документа. http://www.actref.ru/jur/the_constituent_assembly/m/59762/ 1.1.html

[2] 立宪会议选举条例完成起草并公布的只有这一部分。

[3] Учредительное собрание. Россия, 1918. Стенограмма и другие документы. М., 1991. С.11–12.

为，“立宪会议无论如何不是从临时政府那里取得权力，这种权力直接来源于人民的最高意愿。”法律会议还草拟了“关于保卫立宪会议安全和维护立宪会议大厦秩序的暂行规定”、“关于组建立宪会议临时执行机关的法律草案以及立宪会议法令颁布方式的草案”等法律文件。[1]

临时政府还于 5 月 24 日通过了“关于成立直属临时政府的立宪会议大厦改建委员会的决议”，由临时政府商业和工业委员（部长）斯捷潘诺夫任主席。

但是，立宪会议选举准备工作的进展和速度与群众的期待之间存在很大距离。

负责制定有关立宪会议法律的特别会议主席科科什金认为，在召开立宪会议之前，首先需要完成一系列极其复杂的工作，如制定选举法、建立地方选举机关、编制选民名册等，此外还应“有时间进行选举宣传，以便居民能以觉悟的态度对待选举”。他的结论是“立宪会议未必能在夏末秋初之前召集”。[2]

“立宪会议和民主共和国万岁”

组织俄国历史上空前的普遍的选举，准备工作需要时间。尽管很多人认为准备工作进展迟缓，但未必是临时政府自食其言，有意拖延。然而这在相当程度上引起了迫切希望立宪会议解决问题的部分群众的不安和疑虑。

在六月危机的影响下，临时政府意识到国内局势的紧张程度在加剧，需要给群众一个解

[1] Учредительное собрание, Россия, 1918. Стенограмма и другие документы. М., 1991.23–27.

[2] *Кокошкин Ф.Ф.* Учредительное собрание. Петраград. 1917. С.6–7.

决问题的确定时间预期。6月14日（27日）临时政府宣布，立宪会议选举定于9月17日（30日）举行。7月事变后，又把立宪会议选举日期推延到11月12日（25日）。但在革命时期，以月计算的时间已经是群众不能接受的，他们希望的是立即、马上解决问题。在焦虑的等待中，曾经对临时政府抱有极大期待的群众越来越不安和不满。

除了准备工作中的技术性原因外，临时政府没能尽快组织立宪会议选举并尽快召集立宪会议，还受到其他一些因素的影响。

一是临时政府对于局势的认识和判断上存在严重错误。临时政府忽视了革命仍在进行之中这个最基本的事实，忽视了解决现实问题的紧迫性，没有从革命政治的高度来认识和理解立宪会议对于革命进程和国家前途的影响，过分拘泥于程序，而没有果断采取政治措施解决问题。

二是受到临时政府战争政策的牵制。由于坚持继续战争的政策而不能在战争条件下实施任何重大改革，临时政府把所有迫切问题都留待立宪会议解决，而立宪会议本身也因战争仍在进行而迟延。

临时政府以及先后在其中占主导地位的自由主义政党和民主派政党延缓了对俄国社会进行民主改造的日程，“临时政府政策的矛盾性日益明显，在任何一个重大问题上它都首尾难顾”，[1]其政治后果就是削弱了自己对群众的政治影响力。

其他紧迫问题

但在临时政府面前，除了土地、和平、立宪会议等重大问题，还有国家经济濒临崩溃的烂摊子。

二月革命后，经济局势每况愈下，交通运输几乎崩溃，铁路和内河航运已经不能胜任把给养送到前线和把粮食运往城市的任务。原料和燃料不足迫使企业停产、解雇工人，而失业人口增加又造成新的不稳定。下层群众的物质生活条件非但没有因为革命而得到改善，相反还迅速恶化了。大城市的粮食问题

[1] 参见 *Кара-Мурза С.Г.* Гражданская война 1918–1921 гг. Глава 2. После Февраля 1917 г. http://www.kara-murza.ru/books/war/civil_war4.htm

没有改善，甚至更加恶化，买面包的队伍越来越长。物价飞涨，黑市猖獗，生活必需品严重短缺。战争造成的巨大牺牲和损失在继续，几百万士兵依旧困守在战壕里，很多失去了主要劳力的农民家庭在艰难度日，苦熬战争的第三个年头。千百万农民关注的土地问题依然如故。非俄罗斯民族要求实现独立或自治愿望也还得等待“俄国土地的主人”——立宪会议来答复。最后，人们还必须生活在一个没有安全感和稳定感的环境中，感受无力、无助和面对到处横行的武装分子的恐惧。

对于这种老问题没有解决、新问题不断产生的局面，临时政府难有解决良方。

为保证居民基本需要，3 月 25 日开始政府实行粮食垄断。这实际上是继续了沙皇政府的做法。在只有国家机关能够以固定价格出售粮食的同时，工业品价格却不断提高，以至于一普特粮食的价格只相当于一副马掌铁。农民开始惜售粮食，出现了粮食供应的中断，导致城市居民的恐慌。

春天，临时政府按照彼得格勒苏维埃的要求，提高了工人工资，结果进一步加剧了通货膨胀，引起了普遍不满。而临时政府作为行政权力必须为此负责。[1]

临时政府通过了关于工厂委员会的法律，着手拟订工会、劳动保护、保险等方面的法案。但在苏维埃宣布在全国各大工业中心实行 8 小时工作日时，临时政府认为这在战时还不能实现。针对工人自行管理工厂对生产造成的影响，临时政府作出决定，不允许工人擅自取消企业行政管理的行为。这些做法显然是招致工人反对的，也削弱了临时政府在工人中的影响力。

由于作为革命政权的临时政府未能带来群众需要的东西，它逐渐受到工农群众甚至部分有产阶级的冷遇以及随之而来的敌视。

1917 年的二月革命推翻了沙皇专制统治，俄罗斯帝国境内的各非俄罗斯民族争取自由的斗争是革命迅速胜利的原因之一，同时，二月革命也为非俄罗斯民族争取权利和自由的斗争开辟了新的前景。沙皇政权的瓦解打碎了束缚各族人民的枷锁，各民族地区的离心倾向空前加强，但是二月革命未能给被压迫民族带来自由。二月后，芬兰、爱沙尼亚、拉脱维亚和乌克兰等纷纷要求自

---

[1] *Головатенко А.Ю.* История России. Спорные вопросы. М., 1994. С.141.

治，而临时政府认为，非俄罗斯民族的自治和自决的问题应由立宪会议来解决。临时政府事实上继续了沙皇政府的政策，坚持“统一而不可分割的俄国”，一再延缓解决民族问题。在推翻了沙皇制度的民主俄国不能实现各非俄罗斯民族的自由，其结果是俄国各民族的解放运动出现了空前高涨的局面，有些民族边区自行宣布自治或独立。俄罗斯帝国事实上已经瓦解。在这种情况下，临时政府被迫承认了波兰的独立以及一些民族地区的自治。

临时政府的弱点

临时政府的政策陷于困境，根本问题在于它对二月后俄国社会和政治现实的认识和判断是不正确的，因此其政策中有很多不切实际的成分。临时政府没有看清楚，二月后彼得格勒以至全俄政治舞台上的真正主角是不再承认任何权威的群众——工人、士兵和农民。它没有把群众的迫切需要作为稳定政局的首要问题来解决，而是在一系列具体问题上，特别是在土地问题和战争问题上，强调形式上的合法性和程序，久拖不决，使自己失去了群众。在一场自下而上、翻天覆地的大革命中，一个强调秩序和法律、但又不能满足群众迫切要求的政权，是注定难以维持的。

临时政府是一个充满政治理想主义的政府。起先由俄国著名自由主义活动家组成、后来又有著名社会主义者加入的临时政府，应该说是希望在俄国结束专制制度及其残余的。但这些旧制度下的反对派、革命者突然一下子转变为执政者之后，他们中的不少人对于俄国的未来抱有政治上十分幼稚的想法，希望在俄国这样一个还未能摆脱专制制度和农奴制度遗产的国家，而且还是在战争时期，就立即按照西方模式甚至是超西方模式、以剧变的方式实现旨在使俄国迅速民主化的广泛纲领。它不能适应革命年代的形势，也没有提出适当的任务，而是沉醉于对普世民主的浪漫主义想象，作出了一系列脱离实际的决定。

克伦斯基曾表示，“我们要建立的不是某种英国式或德国式的制度，我们要建立的是真正意义上的民主共和国”[1]。临时政府总理李沃夫公爵认为：“俄罗斯人民的精神已经显示出，它在本质上就是一种普世民主的精神。它不仅准

[1] История России XX:1894–1939. Под ред. *А.Б.Зубова.* М., 2009. С.425.

备融入普世民主之中，并且准备在进步的道路上身先士卒。而在这条道路上还矗立着法国大革命的三大原则：自由、平等、博爱。”[1] 临时政府一再呼吁全体公民、所有居民阶层，为建立自由的、民主的俄国的共同目标而团结起来。然而这在当时是不可能实现的任务，全民团结的局面也根本没有出现。[2]

相反，在社会崩溃的过程中，临时政府的一些政策措施明显助长了无政府主义，恶化了社会秩序，也进一步削弱了自己的地位。例如，政府成立后不久即把对政治犯的大赦扩大到刑事犯罪分子，约 1.5 万个因刑事犯罪而被判刑者获得自由，其结果是犯罪率立即急剧上升。虽然做了很大努力，试图将他们重新安置在其原先的关押地，但收效甚微。为维持秩序，政府授权地方自治机关组建民警局取代原先的警察局，其负责人由选举产生。但在实际过程中事情走了样，很多坐过牢的、流放过的有刑事案底的人混进了警察局，结果造成犯罪猖獗，无人在乎法律秩序。为了体现自由和人权，临时政府废除了死刑，包括在前线作战部队。在军队中实行“民主化”，从而导致军队的彻底瓦解，为自己准备了掘墓人。临时政府实行言论自由，任何党派团体都可以自由地宣传自己的主张，甚至可以公开在军队中进行失败主义和拒绝执行命令的宣传鼓动。而即便是在实行民主制度的法国，在战时进行失败主义的宣传和活动也是受到严厉打击和惩罚的。1917 年法国军队中失败主义者也很活跃，克雷孟梭总理为稳定秩序而下令枪毙了近千名叛乱者。[3]

临时政府是一个缺乏执行力的政府，它缺少既有权威、又有魄力、还能审时度势的领导人。

第一届临时政府总理格·李沃夫公爵是一个理想主义者，也是一个蹩脚的政治家。当时有人形容李沃夫是“坐在驭手的位置上，但都懒得提缰绳”。作为临时政府总理，他认为革命人民正在自行组织一切，因此没有采取措施应付日益发展的混乱局面。他宣称：“我相信俄罗斯人民的伟大心灵充满了对别人的爱，我相信这是真理、真实和自由的首要根源。在这里蕴含着俄罗斯人民

[1] 参见[法]尼古拉·韦尔特著：《1917年，革命中的俄罗斯》，上海人民出版社2007年版，第 47 页。

[2] 参见 Из истории борьбы за власть в 1917 году. Сборник документов. М., 2002. С.22.

[3] 参见 История России XX:1894–1939. Под ред. *А.Б.Зубова.* М., 2009. С.424.

的全部的光荣和所有的一切。”[1]然而现实生活完全不是这样。获得了自由的俄国人民像别林斯基所预料的那样，以自己的狂放不羁和为所欲为掀起了淹没俄国大地的无政府主义狂潮。几个月后，李沃夫在辞去总理职务后表示：“为了挽救局势，须要驱散苏维埃、向人群开火。我做不了这事。”推举他出任总理的米留可夫后来说，他很遗憾推荐了李沃夫而不是罗将柯担任总理，后者“有自己的看法并总能捍卫它”。[2]

在第一届临时政府中任外交部长的米留可夫本人则是一个书卷气很重、还有点教条的知识分子出身的政治家。二月革命不是如他所期待的那样发生了，而他还是试图按照他拟定的宫廷政变的方式行事。他反对让米哈伊尔退位，在米哈伊尔宣布拒绝皇位后他甚至不愿再参加政府，后来是在其党内朋友劝说下才忍让下来。在二月革命后最初的政治危机中，他的表现明显缺乏政治上的敏感性和灵活性。

被认为是“政治强人”的第一届临时政府的军事部长古契柯夫是俄国自由主义运动中保守一翼的代表，十月党主席，曾担任第三届国家杜马主席。他认为二月革命后两个权力中心同时存在的局面实际上剥夺了临时政府应有的权力，为了恢复秩序，必须有一个坚强的政权，为此首先要采取坚决措施解散苏维埃士兵和工人代表。但他在临时政府中缺少支持。他反对拟议中的《士兵权利宣言》，但在看到临时政府既无意愿也无能力对付士兵造反的浪潮时，很快明白大势已去，在5月初选择了离开。

临时政府中最具有活力、在群众中知名度最高的是克伦斯基。作为一个进步律师、民主主义者，他在革命前就享有声誉。他在二月的日子里发挥了组织者的作用，无论是在杜马会议还是公众集会上，都善于以语言调动听众的情绪，曾被称为“革命的最爱”。1917年36岁的克伦斯基先后出任临时政府的司法部长和军事部长，七月事件后又担任了临时政府的总理，直至临时政府被推翻。但他过于虚荣，搬进冬宫后，他使用亚历山大三世的寝宫和办公室，言行举止经常模仿拿破仑。更致命的问题是，他对民主、自由的理解是极其片面和极其理想化的，甚至是很荒谬的，而且他以自己的刚愎自用把这种理解拿来

[1] 转引自 История России XX:1894–1939. Под ред. *А.Б.Зубова.* М., 2009. С.395–396.

[2] История России XX:1894–1939. Под ред. *А.Б.Зубова.* М., 2009. С.396.

指导政府的政策，从而对临时政府的政策错误及其严重后果负有主要责任。

临时政府还是一个权力受到明显制约的政府。临时政府应该对其失败的政策负责，但实际上它又难以完全负责，因为它的权力是十分有限的，尤其是在七月以前，其施政经常受到苏维埃的掣肘。二月革命后，苏维埃与临时政府之间既通过3月10日成立的联络委员会来协调政策，也因为政治斗争局势的发展和群众情绪的激进而不断发生矛盾。来自苏维埃的牵制和压力，比临时政府作为临时性政权的特点更加明显地限制了它履行政治职能的范围和能力。例如，苏维埃采取的最初行动——颁布一号命令——首先削弱了国家杜马临时委员会军事委员会对彼得格勒卫戍部队的控制，随后使得临时政府不能单独调动军队和警察执行自己的命令。

虽然彼得格勒苏维埃在整个3月和4月上半月奉行有条件支持临时政府的方针，力图避免在最初时刻就同在政府中占优势的自由主义政党发生冲突，但在社会失范和崩溃、无政府主义空前泛滥、临时政府无法控制局面的情况下，掌握了苏维埃领导权的民主派政党并没有为局势的严峻感到特别的不安，相反，甚至从某种程度上还希望这种局面存在。在二月革命及以后阶段占据着政治优势的孟什维克和社会革命党竭力主张各个革命民主阶层的妥协，迎合了广大居民阶层中渴望尽快为所有人解决所有问题的情绪。对于群众自发地成立各种组织来解决自己关心的问题的情况，民主派政党是持充分肯定态度的。孟什维克领袖策列铁里认为：“这些组织吸引了几乎所有工人、农民、士兵、知识分子，是同人民联系在一起的新型民主国家的萌芽。”[1]

第二节　“最自由的国家”

放任的自由

3月是举国一致的日子，支持临时政府的不仅有工人、士兵以及很多外省城市的居民，还有许多政府官员和军官、东正教上层人士、皇亲国戚。

但这种情况持续的时间不长。因为社会各阶层对革命的目标和任务有不

[1] История России XX:1894–1939. Под ред. *А.Б.Зубова.* М., 2009. С.402.

同的看法：知识分子渴望民主自由和新的民主俄国的强大，农民希望得到土地，工人想缩短工作日、提高工资，少数民族要求平等。更多人认为，专制政权的垮台将能够结束战争。老百姓生活在自己的希望中。一位事件的目击者在日记中写道："我们的仆人巴沙叔叔相信，所有的东西都会变得便宜。面包会便宜到 3 戈比，砂糖和黄油也是这样……听说面粉将会到处都是，成千上万普特……"[1] 这就是革命的开始，它的"蜜月"，当时还不清楚，人们期待的许多东西都是画饼，一个更加不幸的时期将会到来。[2] 社会各阶层急切的希望很快就转变为极度的失望，社会心态的恶化成为二月后俄国动荡和混乱的精神背景。

革命是人民的节日，但节日的庆祝和狂欢很快成为失控的自由、无政府主义的灾难。二月后俄国政治局面中的双重权力现象实际上只是一种表象，更本质的特点是无政府主义泛滥。因此，与其说是出现了双重政权或两个政权并存局面，还不如说是在空前的无政府主义状态下存在着两个政治中心，因为实质性的问题不是真正的权力机构多了，而是政权的权威不够，或者说就是没有强有力的政权。

革命摧毁了旧制度，原有的权威已经荡然无存。在 1917 年，过去受剥削受压迫的人们在摆脱了枷锁、获得前所未有的解放之后，不再承认任何权威，而表现出他们向往自由自在、无拘无束的天性。以自发形式开始的二月革命使人民群众的社会期望空前高涨，激发起他们强烈的改变现状的要求。

现在，没人愿意自己再受到任何强制，大家都在举行集会、享受自由，提出自己对政府的要求，期待生活会变得更加美好。但是，在这一过程中，大部分居民失去了公民性，他们不能理解和接受国家和社会利益，而只希望得到自己要求的东西。对于和平、土地和其他一切现实利益的渴望，压倒了还未扎根的公民意识。[3]

人民群众开始自由地表达自己本能的愿望。除了工人、士兵、农民代表

[1] *Князев Г.А.* Из записной книжки русского интеллгента за время революции и гражданской войны.1915–1922гг.//Русское прошлое.СПБ., Кн.2. 1991. С.115.

[2] *Иоффе Г.З.*.Семнадцатый год: Ленин, Керенский, Корнилов. М., 1995. С.31.

[3] История России XX:1894–1939. Под ред. *А.Б.Зубова.* М., 2009. С.404.

苏维埃之外，还普遍地自发地成立了社会执行委员会、社会安全委员会、人民意志委员会、城市委员会、工厂委员会、士兵委员会等各种各样的自治组织，来自行解决他们关心的各种问题。如社会执行委员会在2—3月几周内其数量就增加了好几倍；在农村，传统的村会和合作社组织开始发挥更大的作用，农民委员会开始自行解决土地问题。在企业，主要由无政府主义者和布尔什维克发起建立的工厂委员会，组织工人管理工厂，同企业主作斗争。还有很多自发成立的社会组织开始解决诸如反对投机倒把、维持社会秩序、同犯罪行为作斗争、协调经济问题等等具体问题。

彼得格勒的政治生活变得不可理喻。不久前对立宪民主党十分敌视的右翼组织，现在却依附于它，就如同在革命汪洋大海中抓住了锚一样。而广大群众不久前还支持立宪民主党，现在却转而赞成更革命的社会革命党了。Ф.И.夏里亚宾描述了1917年3月的彼得格勒："只要去一下涅瓦大街就够了，你马上能够感受到人民中间无政府主义自发势力是何等疯狂肆虐。我看到一伙士兵是如何狂暴地将另一些'公民'牢牢黏贴在墙上的海报揭下来，以及因此而发生的疯狂的街头流血斗殴。"[1]

全俄国到处都出现了多重权力现象。在外省，从省长到一般警员被一些自发成立的委员会逮捕。在农村，农民们自行夺取土地、烧毁地主庄园、抢劫粮食、种子、牲畜、机器和农具。名目繁多的群众自发成立的组织或机构通常只关心某一个方面的具体问题，对于其他方面的事情则不多过问，但在这些组织之间也互相排挤、争权夺利。它们与省、县政权机关、政治委员以及原有的地方和城市自治机关平行地开展活动，互相争论、互不买账。例如通常约由200人组成的城市委员会经常与市杜马同时举行会议，拒绝承认市杜马的决议而作出自己的决定。省和县之间也是矛盾重重，县的委员会经常同城市委员会争吵。省里来的人直接干预县的管理，引起县里的人们不满意，为什么政治委员要由上面任命？于是开始自行改选政治委员。[2]所有这些组织都表现出强烈

---

[1] *Алексеев А.* Март-апрель 1917 года: Россия на грани нервного срыва. //Наука и жизнь. № 3. 2009. http://www.dm-b.ru/1272/

[2] *Солженицын А.И.* Красное Колесо. Глава 16. Фрагменты народоправства–провинция. http://solzhenicyn.ru/modules/myarticles/article_storyid_1238.html

的自我管理的欲望，加快了残存的社会生活组织形式的瓦解。

不同的组织和机构都根据自己的利益和能力行事。在克舍辛斯卡娅大厦前面发生过这样的事情：当布尔什维克领导人从大厦的阳台上对群众发表演说时，卢加市苏维埃成员、军医Л.正好路过，他开始发表反对意见，但还没来得及说几句，从克舍辛斯卡娅大厦里冲出几个水兵，抓住他的衣领扭送到“摩登”马戏场边上一间空房子里，那里已经有几个被抓的“反对者”了。这一幕恰好被人群中一位来自卢加的士兵看到了，他马上跑到电话站通知了卢加市苏维埃。卢加市苏维埃执行委员会立即给克舍辛斯卡娅大厦打电话，要求立即放人，并威胁说如果不放就马上派一支强有力的队伍到彼得格勒，把布尔什维克从克舍辛斯卡娅大厦赶出去。这个电话产生了效果。过了5分钟，军医Л.被放了出来。[1]

政府本来应该组织社会生活，但临时政府在革命形势下无力解决现实问题，这使得群众的情绪越来越激进，行动越来越不受约束。一位当事人写道：“冒出了成千上万的野心家，产生了成千上万的草头王。每个野心家都宣称自己拥有主权……每个人都要求得到满足。每个人都在要求、要求、再要求。”[2]“甚至在文化都市里加，自立为王的现象也比比皆是，所有的人都以某个社会组织的名义行事，‘征收’钱财、物资，入室搜查，而且拒绝出示证件，对受害者进行威胁。一伙身份不明的强盗袭击了一个带着2000卢布的生意人，将他杀死后劫走钱财，把他的尸体塞进箱子放到他家邻居的院子里。”[3]

政府机关处于解体状态。以邮电部门为例，几乎所有机关职员都不再理会长官，不是扎堆聊天，就是上街游行。邮电部门员工给自己减少工作时间，起先是下层职员，然后是官员。邮局不再一天送5次信报，改成了两次。早报能够在11点时送到就是好的了。从邮箱取信由原来的8次改成了一两次。[4]

[1] *Солженицын А.И.* Красное Колесо. Глава 8. Фрагменты народоправства–Петроград. http://solzhenicyn.ru/modules/myarticles/article_storyid_1246.html

[2] 参见 Из истории борьбы за власть в 1917 году. Сборник документов. М., 2002. С.21–22.

[3] *Солженицын А.И.* Красное Колесо. Глава 167. Фрагменты народоправства–провинция. http://solzhenicyn.ru/modules/myarticles/article_storyid_1087.html

[4] *Солженицын А.И.* Красное Колесо. Глава 8. Фрагменты народоправства–Петроград. http://solzhenicyn.ru/modules/myarticles/article_storyid_1246.html

邮电总监亚·尼·艾列尔将军抱怨，“新的邮电部一片混乱。策列铁里不干事情，却要求任命第四个部长助理。下级职员不再听话。大家都不好好工作，还一致要求提薪。年度预算增加了6500万卢布，还是不够。人们提出了种种不可思议的要求，如果予以满足，那么仅仅对邮电部门就要增拨4亿卢布。目前，莫斯科正在召开邮政职员代表大会。把每天送5次信改成送2次。未分拣的信件堆积如山。”[1]

彼得格勒的市政管理完全瘫痪。3月，清洁工人已完全停止清扫道路上的积雪和垃圾。只好动员部队去清除冰雪。由于供水压力不足，高楼层用水困难。供水部门职员要求市杜马增加上百万卢布经费，提高员工待遇。有轨电车也是同样，没有增加的经费投入就不能正常运行。

工厂工人劳动纪律涣散，同时不断要求增加福利。工人们普遍提出提高工资的要求，有的甚至要求提高4—5倍。“三角”工厂的工人要求实行每天6小时工作制，并据此补发战争时期全部缺额工资。不久还有工厂提出了实行每天4小时工作制要求，还扬言如果拟议中的立宪会议“反对群众的要求”，那就向它扔炸弹。涅瓦造船厂来了一些皇村警备部队的代表，把工人召集起来开会，说皇村及其郊区的7.5万名士兵要求工人们不是空谈而是为国防紧张工作，并威胁说：“如果不听，我们会找到强制的手段！”而工人们也不示弱，表示愿意奉陪。还有一些从前线来的士兵代表团到军事工厂检查工作情况，工人们会用另一种调子回答：我们愿意每天工作14小时，但没有原料和燃料。士兵们在工厂很好糊弄，因为他们不懂生产。

几乎没有哪个行业、没有哪个特定群体没有提出自己的新要求。3—4月间，不断有请愿游行队伍到塔夫利达宫去，特别是在星期六和星期天。请愿者中“有穆斯林、犹太人、佛教徒、教师、工匠、孤儿、聋哑人、药剂师、助产士、妓女。有一次来了几千士兵，在白色大厅的讲台上提出了自己的要求：把士兵的口粮标准提高一倍……来了300名中学生，从课堂上来‘向临时政府致敬’，要求‘现在就不需考试结束学期’”。连彼得格勒的佣人也举行大会，2000名女佣向雇主提出要求：实行8小时工作制，工资提高到官吏水平，否则

[1] 《苏联历史档案选编》第1卷，社会科学文献出版社2002年版，第116页。

就全面罢工。[1]

问题远非仅仅限于无所顾忌地提出要求。在二月开始的人民运动中，不仅蕴藏着巨大的创造力，也包含着可怕的无政府主义。革命在把俄国变成“世界上最自由的国家”的同时，也释放了人民中的阴暗力量。下层人民群众把“给予他们的自由”理解为允许做任何事情，就如别林斯基早在1837年就已说过的那样，“按照我们的人民的理解，自由就是无拘无束，而无拘无束就是胡闹。获得解放的俄罗斯人民不会走进议会，而会去小酒馆喝酒、砸玻璃以及把贵族吊死。”[2]1917年春天的一句流行语是：“现在自由了，想干啥那就干啥。”[3]

蒲宁曾谈到1917年4月初他在彼得格勒时与马车夫的对话：“半道上马车夫告诉我，很多长胡子的庄稼汉都在说，‘现在的人就像没有了牧人的畜生，把一切都搞糟了，在自己杀死自己’。我问他，‘那怎么办呢?’‘怎么办？现在没什么办法。现在是妖怪在暗夜中狂欢。现在没有政府。’”[4] 过去的一切，传统、权利、等级、特权以及相应的意识都荡然无存；旧的结构，无论是政治的、经济的还是社会的，都彻底崩溃了。无政府主义的狂潮很快席卷俄国，普遍出现了无法无天、为所欲为的行为，以及社会崩溃、秩序荡然无存的局面。

首都局势在“日渐恶化。犯罪事件不断增加。酗酒，放纵。……当局依然无所事事，或者只是提出要求。没有采取坚决的措施，所有命令、指示都无人执行。无政府主义已经出现。彼得格勒士兵和工人代表苏维埃也不断丧失威信。人们不再听从这些代表们的话”。[5]

抢劫、酗酒的现象在外省城市也到处发生。例如，在萨拉托夫，4月25日在举行了革命集会后，一群士兵在刚被放出来的刑事犯带领下抢劫酒窖、食

[1] 参见 *Солженицын А.И.* Красное Колесо. Глава 8. Фрагменты народоправства–Петроград. http://solzhenicyn.ru/modules/myarticles/article_storyid_1246.html

[2] 参见 *Секиринский С. С., Филипова Т. А* .Родословная российской свободы. М., 1993. С.53.

[3] *Солженицын А.И.* Красное Колесо. Глава 107. Фрагменты–из реплик той весны.http://solzhenicyn.ru/modules/myarticles/article_storyid_1146.html

[4] *Бунин И.А.* Окаянные дни. М., 1990. С.79. 参见 История России XX:1894–1939. Под ред. А.Б.Зубова. М., 2009. С.403.

[5] 《苏联历史档案选编》第1卷，社会科学文献出版社2002年版，第114—115页。

品店和小商铺，然后狂饮、闹事。执行任务的警卫也跟着一起喝。街上出现了很多喝得醉醺醺的人。这场抢劫和酗酒的动乱继续了3天，直到给当地酒厂派去警卫队之后才停止。一个星期后，这一幕在萨马拉也重演了。在离姆岑斯克7俄里的谢列梅捷耶娃领地来了一个连的士兵进行搜查，他们发现了酒窖，狂饮之后又告诉其他部队，结果一天之内来这里酗酒抢劫的士兵达到2万人次。领地庄园被抢劫一空。[1] 在里加，人群摧毁了瓦尔特施列斯亨酿酒厂，然后狂饮、斗殴，有几个人被打死。[2]

军队的瓦解

在二月革命过程中，军队的倒戈成为旧政权垮台的决定性因素。在“一号命令”颁布以后，士兵和军官的位置完全倒过来了。士兵成为军队的主人，士兵委员会实际掌握了军队。

3月开始，在彼得格勒已经看不到站岗的士兵了，现在哨兵都坐在椅子或凳子上，步枪靠在墙上。士兵们一会儿上街游行，一会儿参加军营里的集会。街上到处是闲逛的士兵，嘴上叼着烟卷，手插在口袋里。前线部队向彼得格勒各后备营派出代表，要求他们派连队补充前线。但革命宣传员鼓动士兵们不理睬前线代表、不去前线。最后只是把少数志愿者组成补充连送往前线。[3]

3月，军事部长古契柯夫解除了150多名高级军官的职务，已经被一号命令废除了纪律的军队现在又遭到新的打击。这时的俄国军队实际上已经不成其为军队，数量已达5万个的各级士兵委员会实际控制了军队，没有它们的批准，临时政府或指挥机关的任何命令都不能生效。

---

[1] *Солженицын А.И.* Красное Колесо. Глава 98. Фрагменты народоправства–тыловые гарнизоны.http://solzhenicyn.ru/modules/myarticles/article_storyid_1155.html

[2] *Солженицын А.И.* Красное Колесо. Глава 16. Фрагменты народоправства–провинция. http://solzhenicyn.ru/modules/myarticles/article_storyid_1238.html

[3] *Солженицын А.И.* Красное Колесо.Глава 8. Фрагменты народоправства–Петроград. http://solzhenicyn.ru/modules/myarticles/article_storyid_1246.html

俄国士兵与德国士兵联欢

布尔什维克的反战宣传也取得了效果，前线停止了军事行动，俄军士兵与德军士兵在双方战壕之间的地带举行联欢，“德国人用香肠换我们的面包，把传单塞给我们的人，没有发生过背信弃义的射击。经常是我们的炮兵用警告性的射击驱散联欢。步兵对炮兵威胁说要向他们扔手榴弹，因为他们妨碍联欢。”一些试图制止士兵与德国人联欢以及要求进攻的军官，被后面射出的子弹杀死。德奥指挥机构欢迎这种情况发生，认为这是俄军瓦解的标志。[1] 从彼得格勒派到前线去鼓动进攻的宣传员经常被轰下台。补充到前线的部队越来越经常地不带武器，他们声称，带那东西干吗？我们又不准备打仗！[2]

在革命后的日子里，彼得格勒和各地的铁路车站出现了一个新景象，就是站台上和列车上挤满了行为放肆、大声喊叫的士兵。他们起先是扎着红布条的，后来是不扎腰带的，再后来是敞着军装的。很多士兵不想乘坐速度慢的军列，而要坐客车。经常是来了一列客车，就把乘客都赶下车。没有车票的士兵挤满了旅客列车，他们砸掉玻璃，从车窗爬进去。有时甚至连车厢顶上也坐着士兵。也有些部队强制要求铁路部门让军列先行。交通部长涅克拉索夫公开承认，没发生火车相撞事件只是由于侥幸。

“要票？让票见鬼去吧！资产阶级的恶习！”这是 1917 年铁路上常能听到

[1] История России XX:1894–1939. Под ред. *А.Б.Зубова.* М.,2009. С.418–419.

[2] *Солженицын А.И.* Красное Колесо. Глава 13. Фрагменты народоправства–фронт. http://solzhenicyn.ru/modules/myarticles/article_storyid_1241.html.

的士兵的语言。[1] 在没有车票并挤满各个等级车厢的士兵中，很多人是从部队开小差的逃兵，他们急着要回去参加“分配土地”。[2] 当时，俄国城乡有很多开小差回来的士兵，这些“带枪的人”经常行使“武器的批判”，成为无政府主义泛滥的一个标志性现象。除了逃兵，还有成千上万的伤兵蜂拥般回到后方，在这些伤兵中间，酗酒狂饮、寻衅闹事、抢劫和暴力是常有的事。[3]

4 月中旬，军事部长古契柯夫在向苏维埃执行委员会所作前线情况的报告中说，局势很严重，部队纪律废弛，开小差的现象仍在继续，和平主义情绪蔓延，士兵们拒绝为军事行动作准备，拒绝调动，拒绝服从。[4]

军队的瓦解在加速。4 月底，根据临时政府的要求工作了两个月的波利瓦诺夫将军领导的委员会提出了旨在实现军队民主化的文件——《士兵权利宣言》。根据这个文件，所有军人享有全部公民权利，有权成为某个政党或组织的成员，有权在非执勤时间内自由地公开地表达和宣传自己观点；在非执勤状态时，所有军人可以穿着便服；在所有不处于作战状态的军区，军人在非执勤时间可以离开军营；不经法庭不能处罚任何军人。宣言中唯一保留的军队首长的权威，是只有在战斗状态下并在自己直接承担责任的情况下，可以对不执行命令的行为采取一切措施，包括使用武力。[5] 任何一个思维健全的人都能明白，《士兵权利宣言》将彻底摧毁军队的纪律，如果它得到实现，军队的基本属性将不复存在。5 月 1 日，古契柯夫因不同意颁布实施《士兵权利宣言》而辞去军事部长职务。

5 月 2 日，不知所措的俄国军队主要高级将领在莫吉廖夫大本营开会讨论《士兵权利宣言》。几乎所有人都认为，宣言是“钉在为俄国军队准备的棺材上的最后一颗钉子”。时任最高总司令的阿列克谢耶夫直截了当地指出，如果军

---

[1] *Солженицын А.И.* Красное Колесо. Глава 107. Фрагменты–из реплик той весны.http://solzhenicyn. ru/modules/myarticles/article_storyid_1146.html.

[2] *Солженицын А.И.* Красное Колесо. Глава 458. Как в провинции было. Фрагменты. http://www.solzhenicyn. ru/modules/myarticles/article_storyid_869.html.

[3] История России XX:1894–1939. Под ред. *А.Б.Зубова.* М.,2009.С.418–419.

[4] *Суханов Н.Н.* Записки о революции. Т.2. Москва. 1991. С.98–99.

[5] Декларация прав солдата для Армии и Флота. http://samuraev.narod.ru/biblio/d/d002.html.

队按照宣言所指的方向走下去，“将会出现彻底崩溃”。西南战线司令布鲁西洛夫说，“给无意识群众自由会使人变成傻瓜”，现在需要的是纪律。德拉戈米洛夫将军说，“旧的纪律不理想，但政府和苏维埃应该确认军官的权威。现在所做的一切将葬送军队……不能这样继续下去了。我们需要权力。”其他将军也都表达了类似的看法。阿列克谢耶夫总结说：“如果公布宣言，那么仅存的基础和希望就将破灭。”

出席主要将领会议的总理李沃夫、新任军事部长克伦斯基、新任邮电部长策列铁里、新任劳动部长斯科别列夫批评参加会议的将军们缺乏互相理解的精神。策列铁里说，“只有一条拯救的道路，这就是军队和国家的信任和民主化”。“纪律是应该有的，但如果士兵们知道你们不会反对民主，他们就会相信你们”。斯科别列夫说，军人们应该懂得“革命的任务”，让人民“明白提出的口号”，那时他们就将得到权力。克伦斯基明确指出，正是民主派得到了“领导军队并指出其进一步发展道路”的权力。[1] 临时政府的态度使军队主要将领感到绝望。

5 月 7 日—22 日，在莫吉廖夫大本营举行了军官代表大会。这是由一些对军队纪律涣散的现象深感忧虑的中层军官在 4 月中旬发起筹备的。大本营的普洛宁上校和列别捷夫上校在“告军官书”中主张建立一个“职业军官组织”，以保卫军官和军队利益不受无政府主义之害。“告军官书”宣称，“强大的军官协会”的主要任务是巩固军队生活的“新的原则”，维护“军事组织不可改变的基础”，帮助指挥机关同瓦解军队的行为做斗争，巩固指挥员的权力。

在军官代表大会上，最高总司令阿列克谢耶夫提出了建立“强有力政权”的必要性问题，认为只有它能制止国家的无政府主义和军队的瓦解。“全国渴望的强有力的政权在哪里？能够迫使每个公民履行对祖国的神圣义务的强大政权在哪里？我们都应该站在一个伟大的立场上：俄国在危急中。作为伟大军队的一员，我们必须拯救它。”他的参谋长邓尼金将军在发言中也指出：“在民主的旗号下，无政府主义原则和无理性狂欢的汹涌浪潮席卷了军队”。[2]

军官代表大会也邀请了一些士兵代表参加，他们是各部队委员会的代表。

[1] *Иоффе Г.З.* Семнадцатый год: Ленин, Керенский, Корнилов. М., 1995. С.66.

[2] *Иоффе Г.З.* Семнадцатый год: Ленин, Керенский, Корнилов. М., 1995. С.72.

阿列克谢耶夫和大会组织委员会这样做的目的是希望多少能够有助于改善士兵和军官的关系。莫吉廖夫苏维埃成员、士兵鲁杰尔的发言给人留下了深刻印象，他向军官们说："你们的声音是荒野中愤怒者的声音。如果这声音发自全体军人代表大会，那么军队、前线、整个俄国都将倾听它……我们是米宁，你们是波扎尔斯基，但愿我们能够站在一起，不过不要忘了，让米宁在前面，波扎尔斯基在后面。祖国将会得救，政权也会有的，人们将服从于这个政权，这将是一个实际的政权，它将一往无前不会停顿，而走在前面的不是波扎尔斯基，而是米宁。"[1]

对于鲁杰尔发言感到担忧的阿列克谢耶夫决定亲自同与会的士兵代表对话。他本人出身于农民，能够找到合适的语言，同士兵说上话。他徒步到了士兵代表住的营房，从灰白的头上脱下帽子向他们致敬，赞扬他们是"履行着自己对祖国的义务的诚实而又伟大的俄国公民，号召他们暂时忘却个人的利益，为筋疲力尽的祖国贡献一切"。阿列克谢耶夫激动地说："你们是你们团队中最优秀的，我敢这么说，因为你们是你们的部队一致选举出来的，我对你们，对最优秀的人，有一个请求……一个恳求……也是命令。"他声音颤抖，眼中闪着泪花："请你们相信，我这么说是不容易的。让指挥官向每个人请求、哀求着来完成自己的任务，难道能够这样生活吗？我们是病态的，出于对疾病的尊重，我这样做了，我还愿意做一切，为了唤起昏昏欲睡的你们对祖国的爱。"阿列克谢耶夫拥抱了鲁杰尔，感谢他充满希望的发言。激动的士兵们发誓要战斗到胜利，战斗到俄国"恢复健康"和"复兴"为止……[2]

在军官代表大会进行期间，5 月 9 日，《士兵权利宣言》由担任军事部长仅 5 天的克伦斯基签发。邓尼金强烈指责这个《士兵权利宣言》"彻底破坏了军队的基础"，他后来当着克伦斯基的面指出："人们每走一步都在重复说布尔什维克是军队瓦解的根源，我反对这种说法。这是不真实的。军队是被另外一些人瓦解的。"[3]

---

[1] *Иоффе Г.З.* Семнадцатый год: Ленин, Керенский, Корнилов. М., 1995. С.73.

[2] *Иоффе Г.З.* Семнадцатый год: Ленин, Керенский, Корнилов. М., 1995. С.73.

[3] *Деникин А. И.* Очерки Русской Смуты.Том первый. http://www.magister.msk.ru/library/history/xx/denikin/denia001.html.

5 月 20 日，克伦斯基来到莫吉廖夫。他在军官代表大会上发表演说称，完全回到旧军队的基础上是不可能的，军官们应该理解那些与沙皇制度垮台联系在一起的深刻变化，寻找同士兵委员会接近的途径。一位在场的军官写道："克伦斯基的到来和他对代表大会的态度让人心情沉重。如果说原先在代表大会上还有一些军官指望克伦斯基帮助复兴军队的话，那么在他到来之后几乎没有这样的人了。"军人们彻底丧失了对临时政府的希望。在 5 月 22 日军官代表大会闭幕时，成立了军官联盟，其目的是制止军队的民主化进程，把军队变成强有力政权的工具，结束国家因革命而造成的解体过程。

但《士兵权利宣言》颁布执行后，俄国军队在进一步实现"民主化"的过程中加速瓦解。这种情况对于战局以及国内政局的发展都产生了深刻影响。

前线处于混乱和瓦解状态之中。5 月下旬，一个军的士兵委员会决定把第 43 师从作战第一线调出作为预备队，而由相邻的第 37 师接防其撤出的阵地。但是当第 43 师正要撤出并充任预备队时，第 37 师的委员会却作出决定不接替第 43 师的位置。军参谋长和军官们花费了两周时间才说服各团同意接防。"敌军很弱，但士兵们不愿意进攻。……补充的连队在路上就四处逃散。到达战壕的只有写着'把战争进行到胜利'、'一切为了祖国'等鼓动口号的宣传画。在战壕里，人们看得最多的是《真理报》。伴随着进攻的将是许多人的死亡，报纸劝告他们不要作战，要分田分地、没收资本；鼓动他们进行斗争，但不是同德国人作战，而是同资本家斗争……"[1]

得到充分民主权利的士兵并不买给他们民主的临时政府的账。例如，喀琅施塔得根本不服从彼得格勒。水兵们"通过决议不承认临时政府，只承认彼得格勒士兵和工人代表苏维埃。它威胁说，要派出铁甲舰，把尼古拉二世弄到喀琅施塔得去。它还威胁说，要炮轰彼得格勒。……越来越多的人惊慌失措。据说，士兵和工人代表苏维埃也陷于恐慌，并已大大向右转了。"[2]

在后方，部队同样涣散。彼得格勒卫戍部队的士兵仍然挤满了城市，电车上和街心花园里到处都是。"满街都是闹哄哄的士兵。在我们前面有 3 个士兵在谈论未来的事。其中一个很果断地回答同伴说，不能不带武器就离开军

[1] 《苏联历史档案选编》第 1 卷，社会科学文献出版社 2002 年版，第 115 页。

[2] 同上书，第 114—115 页。

队，而要把枪带上，‘就像各连队决定的那样’。‘要吓唬吓唬资产者，整一整他们，同他们算清账。’”[1]

其他城市的警备部队也纷纷仿效彼得格勒卫戍部队的榜样，宣布为了保卫革命利益，不得把他们之中的任何一人派往前线。[2]

临时政府和民主派自己也很快感觉到，军队失去了控制。一号命令的主要作者索科洛夫也尝到这个命令结出的苦果。6月份，索科洛夫率领一个苏维埃代表团到前线去，呼吁士兵们遵守纪律，结果在第10军的一个集会上与士兵发生争执，遭到士兵们一顿痛打。索科洛夫被打得昏死过去，送到医院后过了好几天才恢复知觉，三个月后头上还包扎着绷带。[3]

俄军在六月进攻期间的表现，更是证明俄国军队已经完全崩溃。从进攻一开始，前线部队中就普遍发生了士兵造反、拒绝执行命令的情况，很多士兵扔下指挥员往后方跑，还时有枪杀自己的军官的情况发生。7月6日（19日）德军实施的塔尔诺波利反攻很快就突破了俄军防线，迫使俄军撤退。而俄军的撤退很快就变成了惊慌失措的大溃败和无政府主义的大灾难。西南战线的第11集团军委员会给临时政府、最高总司令和中央执行委员会电报中说：“德国人的进攻发展为难以想象的灾难，也许，它正在以灭亡威胁革命的俄国。……很多部队处于迅速瓦解的状态。已经谈不上什么权力和服从了。有些部队甚至不等敌人接近就自行撤离阵地。……通向后方的上百俄里路上到处都是带枪或不带枪的逃兵，他们很健康，很精神，但失去了任何羞耻感，以为自己是完全不会受惩罚的……”[4]

败退的俄军部队掀起了一股可怕的狂潮，在他们经过的道路上，城市和村镇惨遭蹂躏。俄国士兵完全沦为一帮野蛮的匪徒，抢劫、强奸、杀戮、纵火，无所不为。试图制止这些行为的军官被枪杀，连俄军西南战线司令古托尔将军也在俄军败退过程中被士兵所杀。目击者写道：“……到处都是破坏的痕

---

[1] 《苏联历史档案选编》第1卷，社会科学文献出版社2002年版，第115页。

[2] *Солженицын А.И.* Красное Колесо. Глава 98. Фрагменты народоправства–тыловые гарнизоны.http://solzhenicyn.ru/modules/myarticles/article_storyid_1155.html.

[3] *Суханов Н.Н.* Записки о революции.Т.2. М., 1991. С. 309.

[4] *Суханов Н.Н.*Записки о революции. Т. 3. М., 1992. С.7.

迹，遭到过抢劫的仓库和铁路货运列车。是德国人干的吗？不，是‘克伦斯基律师的军队’、‘世界上最自由的军队’干的！……周围是一片士兵灰色军装的海洋，他们是从前线跑回来的……他们中间没有人愿意再参加战斗。”[1]

六月进攻的结局证明，临时政府“把战争进行到胜利”的政策遭到彻底破产，关于军队民主化的主张确实是摧毁旧军队的利器，而布尔什维克立即结束战争、变帝国主义战争为国内战争的宣传也在士兵中取得了显著效果。

农村的动乱

二月革命后的俄国农村发生了巨大的变化。在俄国农民渴望的土地改革迟迟不能实现的情况下，农民们开始以自己的方式为土地和自由而斗争。烧毁地主庄园和富裕农民农庄，夺取他们财物和牲畜的行为到处发生。农民认为“如果沙皇没有了，那么一切都是允许的”。[2]

3 月 27 日，蒲宁从家乡戈洛托沃的奥尔洛夫村给朋友写信说：“在农村，生活现在和以前不一样了。农民完全就像顽童，非常恶劣。在我们县是彻底的‘无政府状态’，为所欲为，乱七八糟，完全像白痴一样不明事理，且不说不懂那些‘口号’，连普通的人话都不懂——真是令人惊异……此外，目前在这里生活不安全。24 日夜里，我们这里的谷仓、两个干燥棚、一些脱粒机、扬谷器等等都被烧了。那天夜里离我们一俄里远的一间空草房（不知是谁家的）也被烧了，是牧场上的。大概是我们村子的一些在矿上待过的年轻人烧的。他们白天喝得醉醺醺地闲逛，晚上曾撬开一个老妇人、士兵妻子家的窗子，向她要伏特加，还想把她杀了。24 日中午，我们家近邻的宅院的牲口棚被烧了……现在弄清楚了，是一个有前科的农民在光天化日之下放火，而农民们反而把受害者抓了起来，说他‘自己放的火’，殴打他，用平板车把他押送到乡里去了……喝醉的士兵和农民向我吼叫，说我‘支持旧制度’；一个老妇不停地大声喊叫，说我们（我和科里亚）是狗娘养的，应该

---

[1] 参见 История России XX:1894–1939. Под ред. *А.Б.Зубова.* М., 2009. С.423–424.

[2] История России XX:1894–1939. Под ред. *А.Б.Зубова.* М., 2009. С.426.

马上扔到火里烧死。”[1]

在专制主义时代，人们已经习惯于在强制下生活。而在沙皇政权被推翻后，下层群众并未因此产生高尚的感情。蒲宁家乡的农民对他说：“老爷，你别看我是这样温顺的人，但只要给我自由，我就会第一个成为强盗。我要喝酒，我要杀人。”[2]

莫斯科省莫扎尔斯克县的首席贵族、国务会议成员瓦尔热涅夫斯基与同是国务会议成员的莫斯科省首席贵族、宫廷总狩猎官谢列梅捷夫之间的通信，非常具体地从俄国农村生活的层面上反映了二月革命后俄国事态的发展。

在瓦尔热涅夫斯基看来，“总的说来一切事件都正按着1789年大革命的老一套在进行，只不过在电报和电话的帮助下速度快些罢了。”3月中旬，他写道：“已被工人和士兵代表苏维埃夺取的权力，已经在威胁着临时政府本身，而在乡村居民的愚昧群众中，已经出现了迫在眼前的像1905—1906年那样的浩劫和恐怖的火花。许多事都使人们担心：全面的无政府状态在逼近。……新政权不能够对事业有所帮助，而只是局限于演说家劝说人们克制和不使用暴力的讲演，但是靠这种办法是长久不了的，愚昧的人群已经胃口大开，于是抢劫的欲望也就几乎不加掩饰了。”

对于瓦尔热涅夫斯基这样的地主来说，“日子过得很艰难，每天都在等待来自我们邻居的某些贪婪丑恶行为——农民抢夺土地，而且时常发生某些带头人的野蛮和无端的报复行为，群众对此则习惯地默不作声，消极地屈服于少数几个狂暴之徒。在他们之中，那种理智的、能使人缓和并克制膨胀的欲望的成分实在太少。”[3]

从前线开小差逃回来的士兵在这个过程中起了重要作用。“一伙一伙的逃兵来到农村，叫喊要立即分配土地，砍伐树林，破坏庄园，捣毁合作社小铺。他们解释说：‘现在一切都是你们的’”。“动乱一般都是从逃兵回来开始的：赶

---

[1] Устами Буниных.М.2005.С.135.参见История России XX:1894–1939. Под ред.*А.Б.Зубова.* М., 2009. С.426–427.

[2] История России XX:1894–1939. Под ред.*А.Б.Зубова.* М., 2009. С.404.

[3] 《苏联历史档案选编》第1卷，社会科学文献出版社2002年版，第84页。

走管理人，砍伐树林，洗劫庄园。武装的逃兵领着同乡人进攻。”[1]

4 月，农民等不及政府的土地改革了，他们开始自行采取行动。在很多省城，虽然道路泥泞难行，还是召开了农民代表大会，成立了农民委员会。从来开会的人里选出了一些人，然后又补充了一些省城里的合作社工作者、地方自治工作者、城市联盟和工人代表苏维埃的人。各地农民代表大会作出的决议各不相同。明斯克的代表大会决定，立宪会议召开前不允许擅自处理土地问题，但地主也不得提高租金、伐光树林；现在全部土地，包括农民份地，都是国家的。雅罗斯拉夫尔省的农民代表大会表示，要把战争进行到彻底巩固自由、平等、博爱以及摧毁德意志帝国为止。沃罗涅日省作出的决定是：战争应该尽快结束，但不应有赔款和掠夺，目前还要有坚不可摧的国家防御；应该不经赎买剥夺地主土地，但在立宪会议之前不夺取；不允许从村社分出单独地块。哈尔科夫省：废除关于分化村社的斯托雷平法律。萨拉托夫省（按社会革命党的说法）：在俄罗斯共和国内永久废除土地私有制，所有人都有权耕作按劳分配的土地。萨马拉省：禁止买卖、租赁土地；只有在土地上工作的人们才有权获得它；如果地主在这个春天不播种，就没收其土地并转交本乡农民；乡委员会是全权的主人，能够确定额外的财产税。……坦波夫省提出的已经不是“土地与自由”，而是“全部土地与全部自由”了。[2]

5 月，各级农民委员会不顾政府部门的规定和要求，开始按自己的想法采取措施。贵族瓦尔热涅夫斯基哀叹：“一切都在无政府状态中破灭和呻吟。临时政府本身也开始崩溃。……教堂没有人去了。这变化有多快，白发老汉比那些尚未受完教育的、仅仅受到社会主义报纸蛊惑的年轻人表现得还要激进。千百万农民大众一下子变成了只是渴望抢劫的最极端的社会主义分子，他们不管祖国是否沦亡，只要有公社就行。”“生活竟落到如此地步。一切随上帝的便吧！……‘农民’，就像卡拉姆津在他的小说中称谓的那样，只考虑唯一的一件事，就是怎样更多地、不受制裁地侵占别人的东西，使它们成为自己

[1] *Солженицын А.И.* Красное Колесо. Глава 22. Фрагменты народоправства–деревня.http://solzhenicyn.ru/modules/myarticles/article_storyid_1232.html.

[2] *Солженицын А.И.* Красное Колесо. Глава 22. Фрагменты народоправства–деревня.http://solzhenicyn.ru/modules/myarticles/article_storyid_1232.html.

的。……在各种不同的村会上已经发出了呼声，要求将教堂圣像上的金银饰品拆下来，用比较便宜的器皿更换银质器皿，而所有贵重的物品都应转为‘人民’的财产！……看看现在吧！只有彻底的崩溃和对可耻的农村公社的幻想”。“‘农民’的情绪在逐日地变坏。按现今的说法，势必很快就会发生大规模的‘破坏社会秩序的行为’，而按俄国人的说法，简直就是强盗袭击。……布尔什维克—列宁主义者的精神和观念很快深入到我们的地区，不断可以听到：‘打倒战争’、‘让那些从战争中得利的人去打仗’、‘我和我的妻子不需要海峡’、‘富人们要从俄国运出商品，而让我们去引颈送死’”。[1]

原因与后果

二月革命后俄国出现的空前的无政府状态，其本质是在传统的规范迅速崩溃和失效、而新政权想象的超现实的规范不可能建立的情况下，出现的普遍的社会失范。而社会的混乱又进一步加剧了占人口绝大多数的下层民众心态的恶化。在没有强有力的政权、社会全面崩溃的情况下，“1917 年俄国公民的大多数没有表现出任何自觉的斗争、劳动和守法的愿望。”[2] 然而，正是这些没有了任何束缚的下层群众，是 1917 年俄国历史舞台上的真正主角，它继续以自发性的力量决定着革命的进程。

这种社会生活的失范和社会心态的恶化及其相互强化，是 1917 年俄国无政府主义泛滥的根本原因；同时，这种情况也为来自不同方向的政治激进主义提供了合适的土壤和条件。也正因如此，“在革命的最初几周，俄罗斯国家这条船就在下沉。”[3]

针对二月革命后的混乱局面，高尔基指出：“俄国人民从本性上讲是倾向于无政府主义的；俄国人民历来是消极的，但是在政权落到他们的手中时，却又是非常残酷的；俄国人民那博得众人赞扬的心地善良实际上是卡拉玛佐夫式的感伤主义，俄国人民对人道主义与文化的劝导是极端地缺乏悟性的。”“人民

[1] 《苏联历史档案选编》第 1 卷，社会科学文献出版社 2002 年版，第 88—89、90、94 页。

[2] История России XX:1894–1939. Под ред. *А.Б.Зубова.* М., 2009. С.404.

[3] История России XX:1894–1939. Под ред. *А.Б.Зубова.* М., 2009. С.403–404.

在利己地、牲畜般地、愚蠢而丑陋地享受着自由”，“人民确实半饥半饱，受尽折磨；人民确实在犯着许多罪行”，“他们不可能是另外一种样子的。他们以前生活的条件不可能在他们身上培养起对个性的尊重、对公民权利的意识和正义感”。[1]

不仅是下层群众因自己的愿望不能马上实现而对新政权不满。在无政府主义肆虐的情况下，曾经狂热欢迎二月带来的政治自由的中间阶层——自由派或民主派的官僚、军官、知识分子也很快发现，这个自由也有反面，已经形成的权力真空是病态的、畸形的。革命巨变不仅激发了社会的下层甚至掀起了它的底层。极端利己主义的欲望和行为以极强的力量表现出来，以致连最起码的社会和政治秩序也荡然无存。司徒卢威后来在流亡中对于有人提起他在 1917 年 3 月的最初日子是如何兴奋时回答说：“那时我是个傻瓜。”[2]

昔日的社会上层对革命和新政府的敌视也与日俱增。二月巨变时，甚至很多君主主义者都几乎没有特别动摇地表达了对二月革命政权的支持，将其视为能够抵制革命无政府主义和保持“国家延续”的唯一力量。但是很快就清楚了，这个希望是枉然的，无力的政权显然不能巩固秩序，不能阻止国家和社会的崩溃。

“……如果国家有一半是文盲，那么政府的号召要付出多大的代价呢？最好出现一个强人，那一切就都有救了。但没有出现。有人甚至想，那就让德国人来吧，那又怎样？开始出现一种情况：到更安全的地方去，去莫斯科、基辅、南方，去国外。还有一些人急忙往欧洲转移资产，生怕晚了。但也有人认为这是卑鄙的。”[3]

所有这些情绪混合在一起，形成了具有爆炸危险的紧张局面。俄国陷入了其历史上的第二次“大混乱”。[4] 在二月后急剧尖锐化的政治斗争中，临时政府及其试图建立的新制度的脆弱性和临时性得到了充分体现。高尔基在六月

[1]　[俄] 高尔基著：《不合时宜的思想》，江苏人民出版社 1998 年版，第 59、84—85、60 页。

[2]　Из истории борьбы за власть в 1917 году. Сборник документов. М.,2002.С.28–29.

[3]　*Солженицын А.И.* Красное Колесо.Глава 8 Фрагменты народоправства–Петроград.http://solzhenicyn.ru/modules/myarticles/article_storyid_1246.html.

[4]　17 世纪初俄国曾经历过一个“混乱时期”。

危机后指出：社会普遍认为，“俄罗斯国家已经千疮百孔，像一条洪水中的旧驳船那样正在解体。”[1]6月，对局势持悲观看法的政治家认为，“立宪会议是开不起来的。从目前情况看，将会出现流血，而专政也是可能的。钟摆按革命方式向左摆动的幅度已经达到了最高极限，在其自然运动中将向后画出同样大的弧度。”[2]

第三节 四月危机

战争问题上的分歧

在二月之后，俄国最核心的问题也许就是战争问题，因为包括和平、土地、立宪会议在内的所有迫切问题都受到战争问题的牵制。战争问题影响着俄国政治进程。

自由主义政党主导的临时政府成立不久，3月4日，米留可夫写信给俄国的驻外大使，概括了临时政府在外交事务上的立场：“我们将严格遵守已经覆灭的专制政府订立的国际条约。我们将坚决加强我们与我们的盟国之间的关系……我所在的政府将竭尽全力争取战争的胜利。”[3]米留可夫的政策表明，俄国将继续作为协约国的一员进行战争。为此，他希望协调俄国与协约国尤其是英、法两国的军事行动和外交行动。

很明显，米留可夫的政策是苏维埃中的孟什维克和社会革命党不能同意的。主张不割地不赔款的和平的苏维埃领导人现在注意到了群众的情绪，并因此而反对米留可夫的政策。

孟什维克报纸《工人报》首先开始了对米留可夫外交政策的攻击。“米留可夫究竟想要什么”，《工人报》文章问道，“他说我们必须推翻土耳其政府，

---

[1] [俄]高尔基著：《不合时宜的思想》，江苏人民出版社1998年版，第196页。

[2] 《苏联历史档案选编》第1卷，社会科学文献出版社2002年版，第122页。

[3] Basil, John D. *The Mensheviks in the Revolution of 1917.* Columbus:Slavica Publishers InC.1984.p.38.

他的真正意图其实是希望我们向君士坦丁堡进军并赋予它沙皇格勒的新名称；他说要解放奥匈帝国的人民，其实是想取得加里西亚……这些违背人民愿望的企图构成了米留可夫真实的目标”。[1] 在遭到持续攻击的情况下，米留可夫被迫向《工人报》编辑部保证，政府将引导俄国朝着齐美尔瓦尔得派所要求的实现普遍的不割地不赔款的和平的目标前进。

孟什维克各派协调了立场，随后由彼得格勒苏维埃在 3 月 14 日《消息报》上公布《告全世界人民书》，呼吁欧洲的民众联合起来争取和平，同时表明了保卫俄国革命免受外部军事力量打击的决心。“俄国民主派声明，它将用一切手段反对自己统治阶级的掠夺政策，并呼吁欧洲各国人民共同坚决地为和平而斗争。……俄国革命不会在掠夺者的刺刀面前退缩，也不会允许外部军事力量打垮自己。”[2]

3 月的下半月，米留可夫也在立宪民主党报纸《言论报》上发表文章攻击批评他的意见，并竭力争取获得彼得格勒卫戍部队士兵的支持。苏维埃中的一些孟什维克领导人开始考虑利用卫戍部队士兵发动一场公开的示威运动反对临时政府。在 3 月 21 日的苏维埃执行委员会会议上，苏汉诺夫建议“苏维埃发起一场有计划的、广泛的、全民的争取和平的运动，并且在和平口号下把首都的无产阶级和卫戍部队动员起来。”[3]

但策烈铁里认为这是政治上不负责任的行为，应该予以制止。他担心激进的行为将危及新的“资产阶级”政权的安全和政治和谐，主张在制定促使临时政府改变外交政策的计划时必须非常谨慎。他希望苏维埃执行委员会在解决国内问题时，必须保证进步力量的统一，还提醒孟什维克要牢记革命期间社会主义者与自由主义者进行合作的政策。策烈铁里认为，失去控制的街头示威运动和对临时政府的激烈攻击会进一步加深社会主义者和自由主义者的分歧，从

[1] 参见 Basil, John D. *The Mensheviks in the Revolution of 1917.*Columbus:Slavica Publishers InC.1984.p.39.

[2] *Суханов Н.Н.* Записки о революции. Книга вторая. Берлин-Петербург-Москва. 1922. C.234–235.

[3] *Суханов Н.Н.* Записки о революции. Книга вторая. Берлин-Петербург-Москва. 1922. C.336–337.

而使保卫革命、反抗外敌侵略的斗争取得胜利的希望变得很渺茫。一个星期后，策烈铁里在全俄苏维埃大会上发言，他呼吁："同志们，如果工兵代表苏维埃宣告，它已经进入与临时政府的冲突，结果造成一部分人支持苏维埃而另一部分人支持临时政府的时候，那么我们的民族事业将会毁灭"[1]。

策烈铁里的意见不仅在苏维埃中，而且在孟什维克党内都得到了多数支持，但这对米留可夫没有产生实际作用。苏维埃进一步采取行动，于 3 月 24 日一致通过了策烈铁里提出了有关苏维埃对外政策的声明，其中阐述了抵抗外敌的革命护国主义和实现国际和平的政策，要求临时政府放弃一切战争企图，拒绝割地和赔款。这一声明通过联络委员会递交临时政府。

在苏维埃的压力下，米留可夫拟定了《临时政府关于战争目的的声明》，并在 3 月 27 日公布。声明中明确宣布，"临时政府代表人民的意志，与盟国紧密团结并彻底解决与世界战争有关的所有问题。它认为，自己有权利和责任声明：自由俄国的目的不是统治其他国家的人民，不是剥夺他们的民族财富，不是强占别国的领土，而是在民族自决的基础上建立巩固的和平。……但是，俄国人民不允许他们的国家在有生力量遭到破坏的情况下屈辱地退出这场大战。这个原则将是临时政府对外政策的基础。临时政府在全面遵守我们对盟国承担的义务的同时，坚定不移地实现人民的意志和保卫我们祖国的权利。"[2]

孟什维克和苏维埃中的大多数社会主义者接受了这个声明，并将其看作是临时政府作出的让步。3 月 29 日的全俄苏维埃代表会议上，策列铁里以彼得格勒工兵代表苏维埃执行委员会的名义提议，承认这个声明是"在外交政策领域朝着实现民主原则走出的重要一步"。[3]

表面看来，临时政府 3 月 27 日有关战争目的的声明是彼得格勒苏维埃取得的一次胜利。但苏维埃对于接受这个声明是有保留的。策列铁里在 3 月 29 日的全俄苏维埃代表大会上说，俄国政府必须走得更远，应该说服自己的盟国

[1] 参见 Basil, John D. *The Mensheviks in the Revolution of 1917*.Columbus:Slavica Publishers Inc, 1984.p.40.

[2] Революционное движение в России после свержения самодержавия. Документы и материалы. М., 1957. С.444–445.

[3] Милюков Павел Николаевич. http://hronos.km.ru/biograf/milyukov.html.

普遍地改变战争目标，放弃他们的兼并野心。有些代表要求公开秘密条约，召开各国的社会党会议以便采取一致行动迫使各个大国表明态度。4 月 8 日到达彼得格勒的社会革命党领导人切尔诺夫在苏维埃执行委员会会议上说，如果宣言仅仅阐明俄国人民的良好意愿，那它一定是无效的；他要求苏维埃和政府将声明作为政府的正式外交文件发送给各盟国。仍在瑞士的孟什维克国际主义者马尔托夫以写信和发电报的方式对苏维埃多数派站在与政府一致的立场持批评态度，认为如果革命不能结束战争，那么战争将会结束革命。

米留可夫 3 月 27 日的声明本身也还存在一些问题。例如，米留可夫在声明中并没有改变他的基本想法，即通过三国同盟的胜利来实现和平。更主要的是，米留可夫坚持，这个声明不是针对协约国的，而“只是针对俄国公民的，也就是说它只是适用于国内政策的需要”。[1] 它没有作为俄国政府的正式外交文件发给协约国各国政府，因此，盟国不仅不一定作出反应，甚至不一定要了解它。

政治对立与街头冲突

为了使苏维埃的立场和临时政府的态度得到实现，苏维埃执行委员会敦促临时政府将声明正式提交各盟国政府。但临时政府迟迟未动。苏维埃遂以不支持发行战时“自由公债”向临时政府施压。在 4 月 16 日的苏维埃全体会议上，以多数通过决议，推迟解决公债问题，直到临时政府采取新的和平措施。

作为妥协方案，临时政府在 4 月 18 日（俄历）向盟国发出了 3 月 27 日的《临时政府关于战争目的的声明》，但同时还发了一份照会[2]，其中表示：“临时政府的声明充满了获得解放的民主国家的新精神，显然不会给那种认为已经完成的变革将会削弱俄国在与协约国共同斗争中的作用的想法提供哪怕是最小的依据。正好相反，全体人民要求把世界战争进行到取得决定性胜利为止的愿望只会继续加强，因为他们意识到所有人和每个人的共同责任。……临时政府在保卫我们祖国的权利的同时，将充分履行其与协约国关系中规定的义务。它

[1] Милюков Павел Николаевич. http://hronos.km.ru/biograf/milyukov.html.

[2] 即通常所说的米留可夫照会。

将继续充满信心地与盟国团结一致，把目前的战争进行到胜利结束。”[1] 次日，俄国外交部出版局将照会文本提供各报刊发表。

米留可夫照会是一个明显的政治错误，因为这既不符合彼得格勒苏维埃关于必须为民主的和平、不割地不赔款的和平而斗争的声明，更不符合彼得格勒士兵和工人大多数的情绪。在苏维埃民主派看来，这个新照会很明显“不仅不是苏维埃多数派期待的实现和平的‘后续步骤’，而是取消了迄今为止革命为争取和平所做的一切”。[2]

临时政府的第一次危机由此而起。

米留可夫照会在苏维埃内部引起了强烈反响。

4 月 19 日，苏维埃执行委员会举行会议讨论这一问题。苏维埃执行委员会中的左翼认为，从对外政策和和平利益的角度来看，照会不仅从根本上取消了革命的意义，而且还包括革命本身；这是对苏维埃和人民的肆无忌惮的侮辱，为此应该在 24 小时内罢免米留可夫。[3]

布尔什维克代表拉林指出，苏维埃已经要求政府必须对各盟国施加压力，但政府没有实现苏维埃的要求，政府的意志是要把战争一直进行到胜利为止。应该共同发表一个有关对外政策的告全俄国人民书。加米涅夫认为，临时政府走上了那条我们不能允许它走的道路，成为帝国主义者手中的工具。他主张当天就应该通过联络委员会要求米留可夫立即辞职。加米涅夫的意见得到了一些执行委员会成员的支持。一些民主派政党领导人也对米留可夫照会表示不满，认为应该有所行动。社会革命党领导人切尔诺夫发言说，我们不能不回应米留可夫的挑战，“打倒米留可夫”这一口号能够把所有力量都团结起来。孟什维克斯科别列夫指出，在米留可夫照会中存在着反映政府或俄国资产阶级的无能的全部悲剧因素，应该使人民对掌握政权有所准备。[4]

不过，苏维埃执行委员会中以齐赫泽、策列铁里等为首的多数人坚持认

---

[1] Революционное движение в России в апреле 1917г. Апрельский кризис. Документы и материалы. М., 1958. С.725–726.

[2] *Суханов Н.Н.* Записки о революции. Т.2. Москва. 1991. С.98.

[3] *Суханов Н.Н.* Записки о революции. Т.2. Москва. 1991. С.99.

[4] 参见《苏联历史档案选编》第 2 卷，社会科学文献出版社 2002 年版，第 2—14 页。

为，没有发生什么特别的事情。

但问题很快超出了苏维埃执行委员会会议的范围。当时，群众的情绪与二月革命初期相比已经有了很大的变化，先前的口号如“把战争进行到底！”“打倒德国大资本家！”“工人们，干活去！”现在已经被“不割地的和平”、“进行和平谈判”、“停止折磨工人”等要求取代了。[1]

因此，当4月20日早晨彼得格勒卫戍部队部分士兵听说米留可夫照会后，就自发地举行示威游行，反对临时政府的外交政策。他们得到了一些工厂的工人的支持，示威游行人数达到10万人。游行队伍打出了“打倒资本家部长！”“打倒战争！”甚至“打倒临时政府！”的口号。齐赫泽带了几个人上街劝说示威群众停止行动，表示执行委员会将立即讨论局势，必要时会号召采取有组织的行动，而分散的发动只能证明我们的软弱并产生不利的影响。[2]

与此同时，支持临时政府和立宪民主党的彼得格勒另一部分居民也举行了游行，他们打出的口号是“信任临时政府！”

在市内的一些地方，支持和反对临时政府的游行队伍发生了冲突，有些冲突还使用了武器。彼得格勒军区司令科尔尼洛夫命令米哈伊洛夫炮兵学校校长将一个炮兵教导连调往皇宫广场保卫军区司令部，该炮兵学校校长向学校士兵委员会请求批准，而士兵委员会将此事通知了彼得格勒苏维埃执行委员会。彼得格勒苏维埃执行委员会主席齐赫泽直接打电话到军区司令部，明确表示调动部队只会使局势更加复杂化，苏维埃执行委员会自己能够应付局面，并会采取一切措施“使城市居民平静下来”。执行委员会派出一个代表团到军区司令部，迫使科尔尼洛夫通过电话取消了这一命令。

与群众的抗议浪潮不断发展的同时，彼得格勒苏维埃执行委员会4月20日继续举行会议讨论米留可夫照会问题。齐赫泽通报了关于临时政府面对辞职这一新的事实，建议各党派选出一名代表与政府交换意见。波格丹诺夫发言指出，今天我们面临的是离开临时政府这一边的事实。由于临时政府和苏维埃之间的冲突，政府辞职可以看作是对舆论的反应。他要求用另一个照会来替代米留可夫照会，并建议以后未经苏维埃同意不得公布任何决定。斯坦凯维奇认

[1] *Суханов Н.Н.* Записки о революции.Т.2. Москва. 1991. С.35.

[2] *Суханов Н.Н.* Записки о революции.Т.2. Москва. 1991.С.102.

为，彻底地取消现政权是不可能的，部分地更换一些部长是现实的出路。他强调，应该形成一个共同的意见，即在目前局势下民主派不能拒绝政权。会议同意执行委员会内各派别分别推选一人或两人，授权他们完全自由地向政府通报情况，并且声明，交换的所有意见并不代表共同的意愿，共同的意愿将随后作出。[1]

4月20日上午的执行委员会会议之后，其成员回到各自的区，安定群众情绪。近卫芬兰团后备营选出的彼得格勒苏维埃代表、执行委员会成员费多尔·林德在20日上午带着一份登有米留可夫照会的报纸回到团里，说服团委员会作出了进行武装示威游行的决定。芬兰团成为第一支去玛丽亚宫要求米留可夫辞职的部队。为了联络力量，芬兰团向第180后备步兵团和第2波罗的海舰队派出了宣传员。由士兵和水兵组成的纵队打着"打倒米留可夫!""米留可夫辞职!"的标语，经过尼古拉耶夫斯基桥前往临时政府所在地玛丽亚宫。沿途又有一些士兵和水兵加入了他们的队伍。

约3万人聚集到了玛丽亚宫前面，举行抗议集会。抗议者情绪激昂，有人号召冲进宫去、逮捕临时政府成员。但在得知临时政府部长都不在这里之后，人们的劲头有所低落。经过彼得格勒苏维埃执行委员会代表几个小时的劝说，士兵和水兵逐渐散去。

傍晚，工人游行队伍又出现在市中心主要街道上，并打出了"全部权力归苏维埃!""打倒临时政府!"的标语。

在这种情况下，彼得格勒苏维埃于20日晚上召开了全体会议。齐赫泽首先发言指出，昨天执行委员会收到了米留可夫照会，其中关于要继续战争到对敌人的决定性胜利的承诺是与3月27日拒绝掠夺政策的声明背道而驰的。

会议开始就照会问题进行辩论。

斯坦凯维奇代表劳动派指出，临时政府和苏维埃之间在众所周知的条件下建立起来的统一遭到了沉重打击，在米留可夫照会中可以看出老帝国主义的遗迹。他表示："在我们弄清政府的凶恶面目之后，将向你们提出信任问题，并要求政府辞职。"

费多罗夫代表布尔什维克指出，现在临时政府的草率决定完全背离了民

[1] 参见《苏联历史档案选编》第2卷，社会科学文献出版社2002年版，第15—17页。

主派。布尔什维克代表加米涅夫批评了执行委员会对临时政府态度问题上所持的立场，认为如果在开始的时候把政权转交给临时政府还有一些可以辩解的理由的话，那么现在，当民主派在苏维埃中已经组织起来的时候，这就是错误的了。现在应该提出的口号是政权归士兵和工人代表苏维埃。“如果我们现在不能实现这一口号的话，那么我们就会丧失时机。”

切尔诺夫代表社会革命党指出了时局的严重性，认为政府面临选择：或是屈服并收回照会，或是辞职。

孟什维克勃罗伊多发言说，米留可夫照会不仅撕毁了自己3月27日的声明，同时也证明自己完全无视民主的利益。但他同时提醒，要警惕那种在目前就去夺权的诱惑。在这样严酷的时刻，这将是一个致命的错误。事情不仅在于难以应付一系列因为战争而更加复杂化的问题，而且还存在着民主派队伍可能分裂的危险性。

孟什维克党团代表强调，临时政府与苏维埃之间的联系已被破坏，很难说怎样才能走出这种处境。但有一点是很清楚的，那就是只有工人和士兵代表苏维埃所代表的有组织的人民意志才能引导我们摆脱这种处境。

沃伊京斯基对布尔什维克因米留可夫照会而指责民主派并要求民主派对苏维埃的所谓“错误策略”负责的立场进行了不点名的批评。[1]

4月20日夜里到次日凌晨，在临时政府所在地玛丽亚宫周围，支持临时政府及其战争政策的部队举行了游行，他们打出的旗号是“临时政府万岁！”“把战争进行到胜利！”

而在玛丽亚宫里面，晚上10点开始举行临时政府、国家杜马临时委员会和苏维埃执行委员会的联席会议。会议开了好几个小时，苏维埃代表多次要求取消照会，但因临时政府以辞职相威胁而未能成功。凌晨4点散会之前，临时政府同意在4月21日白天对照会作出解释。

4月21日白天，示威游行继续进行。根据布尔什维克党中央的号召，士兵和武装的赤卫队列队前往马尔索沃校场，参加者大约有10万人。游行队伍提出的口号是要求和平和政权归苏维埃。在布尔什维克中的左翼激进力量的鼓动下，游行群众与支持临时政府、反对布尔什维克的示威者发生了流血冲突，

---

[1] 参见《苏联历史档案选编》第2卷，社会科学文献出版社2002年版，第18—23页。

造成了 3 人死亡、多人受伤。由于苏维埃执行委员会已于 4 月 20 日晚上发出命令禁止士兵在 21 日白天离开军营，卫戍部队的士兵基本上没有参加 21 日的事件。

临时政府和彼得格勒苏维埃执行委员会举行联席会议。在会上，临时政府对米留可夫照会作了符合群众要求的解释，认为 4 月 18 日照会的文字只应从 3 月 27 日声明的意义上来理解。临时政府还提出了成立联合政府的建议。

苏维埃执行委员会再次开会。考虑到在支持和反对政府的示威者之间已经发生了流血冲突，以及彼得格勒军区司令科尔尼洛夫将军调动部队到皇宫广场，苏维埃执行委员会要求苏维埃士兵部把自己的人派往各处，动员所有部队都回到自己的营房去。会议提议，如果没有执行委员会的决定和决议，无论哪一支部队都不能离开军营。会议还强调，示威游行必须是和平的。会议通过了《告全体公民书》："为了拯救革命，消除威胁它的内乱，我们向你们紧急呼吁：保持镇静、秩序和纪律！……请相信苏维埃会找到实现你们意志的途径。现在不要让任何东西破坏自由俄国的和平生活进程。"执行委员会还宣布：没有执行委员会的召唤，士兵不得携带武器上街；每一项调动部队的命令都必须写在执行委员会的正式公文用纸上，加盖执行委员会的公章，并有执行委员会指定的 7 人中的 2 人以上签名。[1]

会议对临时政府所作的关于 4 月 18 日照会的说明进行了讨论，并就是否认为有关 18 日照会的问题已经结束的问题进行投票。投票结果是 34 票赞成，19 票反对。[2] 这个结果表明，在苏维埃执行委员会中，与临时政府妥协的立场占了上风。

随后，在 4 月 21 日晚间的全体会议上，苏维埃多数代表通过了相应的决议。引起四月政治危机的最主要问题就这样结束了。

策列铁里在 4 月 22 日苏维埃执行委员会会议上说："事件是以我们的胜利、民主派的胜利而告结束的。……无政府主义肆虐的局面是极其有害的，它将危及革命。如果我们今天不能解决这个问题，我们明天就不得不解释我们为什么

---

[1] Революционное движение в России в апреле 1917 г. Апрельский кризис. Документы и материалы. М., 1958. С.759–760.

[2] 参见《苏联历史档案选编》第 2 卷，社会科学文献出版社 2002 年版，第 24—28 页。

这样做。既然我们已经声明，政府昨天采取的步骤在目前情况下满足了我们的要求，那么关于战时公债问题也应令人满意地得到解决。这将立即使动荡的局势稳定下来。”[1]

表面看来，冲突解决了。在群众示威游行和苏维埃的压力下，临时政府回到了3月27日的立场。但是实际的问题并未解决，战争仍在继续。现在冲突已经转到了是结束战争还是继续战争的问题上。而在这个问题上，苏维埃的立场本身就是非常复杂、很难达到的：他们要求的政策既要能够被厌战的人民群众接受，又不会导致俄国的失败和德国的胜利，同时还不会招致诸如社会主义者“背叛”之类的谴责。

四月危机对于布尔什维克和列宁来说是第一个机会，此时列宁回到彼得格勒才半个多月。群众上街以后，布尔什维克立即表示支持，并号召他们推翻临时政府。尽管四月危机最后以和平方式解决，布尔什维克的目的没有达到，但危机本身表明，列宁从一开始对临时政府所作的评价，特别是关于临时政府不可能结束战争的论断，被米留可夫和临时政府的态度证实了。

社会主义者加入政府

四月危机对临时政府的直接影响是米留可夫和古契柯夫的辞职。

如果说米留可夫去职是因为其战争政策不能被苏维埃接受的话，那么古契柯夫辞职则是由于他提出的解决危机的办法不能被临时政府多数接受。古契柯夫认为，恢复秩序需要强有力的政权，为此必须解散苏维埃士兵和工人代表。他在回忆录中写道：“我的整个计划归结于废除工人和士兵代表苏维埃。我认为，如果我们能够建立一个统一的、自由的、对自己而不是对别人负责的、坚强的政权的话，那么即便在面临国家和前线遭到全面破坏的情况下，也有机会恢复秩序。需要某种很血腥的行动，应该有暴力。”他的意见在临时政府内部引起了争议，当临时政府多数部长拒绝他的解决危机方案时，他的绝望达到了顶点，于是提出辞职。古契柯夫回忆了后来他同米留可夫谈起往事时的情况：“米留可夫对我说：‘亚历山大·伊凡诺维奇，有一件事我要责备你：你

[1] 参见《苏联历史档案选编》第2卷，社会科学文献出版社2002年版，第28页。

为什么不逮捕临时政府成员？'我是可以逮捕临时政府成员的，但我不知道全国人民对此会作何反应。""我坚定地认为，在我们实现统一的政府之前，只要继续存在双重权力，我们就不能解决我们的问题，就不能恢复国家和军队的秩序。对于我来说，政变的问题是极为明确的。……我确信，不管困难有多大，仍然是可以克服的。但有一个障碍是无法逾越的——临时政府的大多数人断然拒绝采取果断的斗争措施。这样，我的使命也就结束了。"[1]

四月危机是临时政府的第一次严重危机，同时也是可能发生国内战争的最早警报。正是出于对面临现实危险的认识，在临时政府和苏维埃中都产生了应该建立从立宪民主党到社会主义者的所有民主力量联合的想法。

四月危机发生之后，临时政府竭力寻求与苏维埃中主要的社会主义政党孟什维克和社会革命党的合作。政府总理李沃夫甚至威胁说，如果不能建立这样的联盟，那么临时政府就将辞职。[2]孟什维克和社会革命党对于参加由资产阶级革命产生的政府并承担相应的责任曾经是犹豫不决的，但是一般民众对联合的支持态度影响了他们的选择，促使他们意识到，联合政府也许是避免危机继续发展、防止发生不可预测的后果的现实道路。

5 月 1 日，苏维埃执行委员会对联合政府问题进行了激烈争论。孟什维克领导人齐赫泽代表了执行委员会中多数派的立场，他指出，虽然不参加政府使苏维埃更易于支持和监督政府行为，但在目前情况下承担某些部门的职位将更能够代表人民的利益、满足他们的愿望。而如果让人民失望，将会导致苏维埃丧失对他们的影响力，从而丧失对政府的影响力。最后，执行委员会就同资产阶级的代表实现联合的决定进行了投票表决，投赞成票的有 44 人，投反对票的有 12 位孟什维克、3 位孟什维克—国际主义者和 4 位社会革命党人，另有 2 人弃权。

经过长时间的谈判，第一个联合的临时政府在 5 月 5 日（18 日）正式宣布成立。联合政府由 16 人组成，其中社会主义政党代表是：社会革命党人克伦斯基接替古契柯夫任军事部长，孟什维克策列铁里任邮电部长、社会革命党

[1] Александр Иванович Гучков рассказывает…（Стенограмма）. Вопросы истории. 1991. № 9–10. C.208–209.

[2] R.A.Wade. *The Russian search for peace:February-october 1917.*Stanford.1969. pp.44–48.

人切尔诺夫任农业部长、劳动派成员彼列维尔泽夫任司法部长、孟什维克斯科别列夫任劳动部长、人民社会主义党人彼舍霍诺夫任粮食部长。此外，孟什维克加尔别伦担任了政府办公厅主任。

联合政府中的自由主义者是：李沃夫继续任政府总理兼内务部长，财政部长盛加略夫，交通部长涅克拉索夫，贸易和工业部长柯诺瓦洛夫，教育部长马努伊洛夫，国家救济部长沙霍夫斯科伊，正教院总监李沃夫，国家监察长戈德涅夫。无党派的捷列申科接替米留可夫任外交部长。

对于社会主义者加入政府这一局面，马尔托夫曾经有过预言。在回到俄国之前和之后，他曾警告过要防止这样的事情发生。他曾在孟什维克的会议上指出，参加联合内阁是不可接受的，因为这将使孟什维克成为一个执政党而不是革命党。他拒绝了苏维埃主要领导人齐赫泽、策列铁里和切尔诺夫等人主张的为争取和平而在 7 月份在中立的斯德哥尔摩举行社会主义政党大会。马尔托夫认为，对欧洲资本主义和帝国主义的一次全面攻击既不可能也不一定会使俄国摆脱困境；如果俄国向盟国发出的不仅仅是决议或是外交照会，还有必须停止战争的最后通牒，盟国也许会被迫寻求和平。但是苏维埃领导人担心，如果盟国拒绝，俄国将可能会真的单独面对德国，它可能不得不单独进行一场真正防御性的战争。[1]

现在，由于加入政府，孟什维克和社会革命党成了执政党，获得了实现自己纲领目标的机会，它们将和苏维埃一起，共同承担对于临时政府政策的责任。

根据社会主义部长的倡议，联合临时政府于 5 月 6 日发表宣言，明确了新政府活动的基本方向，提出了尽快实现普遍和平、继续国家民主化、同经济崩溃作斗争、准备进行土地改革的纲领。其要点是：

关于和平问题：“临时政府将同全国人民保持一致，拒绝任何单独媾和的思想，公开提出自己的目标是争取不割地不赔款的、以民族自决权为基础的普遍和平……临时政府相信，俄国革命军队不会允许德国军队在西线摧毁我们的盟国之后全力对付我们。”

---

[1] Hans Rogger. *Russia in the Age of Modernization and Revoltution 1881–1917.* London and New York.1983.p.278.

关于经济问题："临时政府将坚定不移地同国家经济破坏作斗争，继续有计划地对生产、运输、产品的交换和分配实行国家和社会监督。"

关于土地问题："把土地转交到劳动者手里的问题交给立宪会议来解决，并为此作好准备工作。临时政府将采取一切必要措施保证尽可能多地生产国家需要的粮食。"

联合临时政府表示，它将致力于立宪会议的尽快召开。[1]

联合临时政府宣言中提出的计划远远超过了3月3日的临时政府施政纲领。它明确表达了赞成普遍的、民主的和平的立场，同时也向苏维埃发出了一个重要的妥协信号。为了实现自己提出的内容广泛的纲领，这届联合临时政府需要政治稳定，为此必须得到苏维埃的支持，因为苏维埃无论对前线还是对后方都具有明显的影响。而社会主义政党代表加入政府，为这种支持提供了保证。

另外，临时政府也试图满足工人和农民的社会经济要求，尽管这些宣言还只是关于目标的一般陈述，而不是精确的政策陈述。同时，它仍遵守临时政府成立之时就已明确的原则，即所有重大问题如战争问题、土地问题的解决均应最终由立宪会议来作出决定。

5月联合政府的成立是1917年革命进程中的一个标志性事件，它在一定程度上提供了防止进一步的社会分裂以及实现和平的渐进发展的机会。按照司徒卢威的表述，联合政府的基础是国内和解，是在二月革命期间成长起来的两大政治力量——资产阶级（"有资格的成分"）和"革命民主派"（工人、士兵和农民）——政治上的互相作用。由于掌握了苏维埃领导权的社会主义政党的代表加入政府，使得苏维埃与政府的关系发生根本改变，国内双重政权现象事实上已经淡化。

但是，联合临时政府5月6日的纲领性的计划只是原则性的承诺，它并没有实际缓和俄国社会日益增长的紧张状态。许多问题依旧存在：工业经济持续下滑，企业家和工人的关系恶化；农民为政府迟迟未能采取措施进行土地改革而焦躁不安，农村的动荡不断加剧；最重要的是，战争仍在继续，因此其他

[1] Революционное движение в России в мае-июне 1917 г. Документы и материалы. М., 1959. С.229–233.

的一切改革都无法提上日程。国内局势仍在恶化，人民群众对联合政府的政策同样不能满意，而这种情况必然导致新的政府危机。

而且，联合临时政府面临来自左翼的巨大压力。虽然大部分社会主义政党支持实行妥协和建立政治同盟的思想，认为这是维持国内和平的虽然脆弱但是唯一可能的保证，是防止社会瓦解和避免陷入国内战争的唯一机会，但布尔什维克坚决拒绝这种联合，认为这是对劳动人民利益的背叛，也是继续深化革命并向社会主义方向发展的障碍。布尔什维克指出，建立这样的联合政府是为了保持和巩固资本主义制度，不让工人阶级和贫苦农民沿着社会主义道路发展和深化革命，实现自己的要求。

所以，尽管临时政府组成发生了重大变化，但它没有改变布尔什维克对政府的态度。在所有政党和政治集团中间，只有布尔什维克仍然是临时政府的坚定的反对派。他们目标明确地做着其他那些试图制止无政府主义、保存俄罗斯国家的政党根本就不能允许自己做的事情，这就是让临时政府陷入危机，然后通过苏维埃夺取政权。在彼得格勒苏维埃的会议上，在无休止的集会和游行中，在自己的超过50万份印数的50余种报纸和杂志[1]上，布尔什维克不懈地宣传自己的主张，向群众承诺将满足其全部要求。由于临时政府和彼得格勒苏维埃在解决迫切问题上仍无实质进展，布尔什维克在群众中的影响逐步扩大。

第四节　六月危机

全俄苏维埃大会

6月危机是俄国1917年革命进程中继4月危机之后发生的第二次政治危机，发生在全俄工人和士兵代表苏维埃第一次代表大会开会期间。

6月3日（16日），苏维埃第一次代表大会在彼得格勒开幕。[2]孟什维克和社会革命党在会上占据了巩固的多数：在全部822名有表决权的代表中，有

[1] История России. Двадцатый век. Кризисы Временного правительства. Конец двоевластия. http://xx-stoletie.ru/2/8-krizisy-vremennogo-pravitelstva-konec-dvoevlastiya.html.

[2] 苏维埃代表大会举行的日期从6月3日到6月24日。

全俄苏维埃第一次代表大会主席团（从左至右）斯科别列夫、齐赫泽、普列汉诺夫、策列铁里

285 名社会革命党人，248 名孟什维克。布尔什维克代表有 105 名。

政权问题是大会的主题。孟什维克和社会革命党领袖一个个上台发言，其基调是支持临时政府。他们认为，革命民主派除了同“有资格的成分”（即资产阶级）、知识分子和其他阶层妥协和合作之外，没有其他的出路。策列铁里在发言中宣称：“目前在俄国没有任何一个政党会说：‘让我们来掌权，你们走开——我们将取代你们的位置。’”

列宁在随后的发言中向代表们阐述了布尔什维克的纲领，呼吁把全部政权转交苏维埃。他公开宣布，布尔什维克党“每一分钟都准备掌握全部政权。”[1]列宁的这一表态引起了大厅里一阵活跃，响起了掌声和笑声，如果不是嘲笑的话。[2]

但在大会选举苏维埃中央执行委员会时，布尔什维克得到了刚够 17% 的席位。

苏维埃大会以 543 票赞成、126 票反对、52 票弃权通过了对联合政府的支持。[3] 大会发表特别声明，说明了联合的必要性：“把全部政权仅仅交给资产阶级分子，将会给革命事业带来损害；而把全部政权转到苏维埃手中，也会明显削弱其力量，过早地疏远那些还能为政权服务的成分……”[4] 但随后发生

[1] 《列宁全集》第 30 卷，人民出版社 1985 年版，第 240 页。

[2] Из истории борьбы за власть в 1917 году. Сборник документов. М., 2002, С.38.

[3] *Троцкий Л.Д.* История Русской Революции. Т.1. Февральская Революция. М., 1997. С.420.

[4] История России. Двадцатый век. Кризисы Временного правительства. Конец двоевластия. http://xx-stoletie.ru/2/8-krizisy-vremennogo-pravitelstva-konec-dvoevlastiya.html

的事情表明，苏维埃代表大会通过的决议是一回事，而彼得格勒工人和士兵多变的情绪是另一回事。

战争问题仍然是引起最大关注的问题。大会关于战争的决议指出："只要国际民主派还未能结束战争，俄国革命民主派就必须推动提高我们军队的战斗力及其进行防御和进攻行动的能力。"大会批准了临时政府在前线发动进攻的计划。

在经济方面，大会对临时政府刚作出的对高收入征税和成立经济会议及其执行机构经济问题总委员会的决定表达了关注。在民族问题上，大会确认各民族享有直至分离的自决权，但这一问题将留待立宪会议解决；大会同时指出，实现管理分散化是一个紧迫的任务，大会承认芬兰议会在内部事务上享有全权，同意成立乌克兰临时民族权力中心——中央拉达。

在苏维埃代表大会上，很多发言者表达了对于国内形势的关注。粮食部长彼舍霍诺夫说："困难并不在于克服资产阶级的抵抗，因为它在很多方面正在退却；困难在于克服劳动群众的心理，应该号召他们进行最紧张的工作……作出必要的牺牲……如果我们能够克服群众的这种心理障碍，那么我们就能解决我们的问题。"

苏维埃代表大会最后选出了由200人组成的中央执行委员会及其50人的执行局，齐赫泽担任中央执行委员会主席团主席。大会决定不成立与农民苏维埃的共同机构，但要与其协商。[1]

争夺和影响群众

在全俄工人和士兵代表苏维埃第一次代表大会会议过程中，彼得格勒发生了二月以来的又一次政治危机。危机的根源主要在于彼得格勒工人和士兵与临时政府之间在战争、土地等迫切问题上的根本分歧，而其爆发则与布尔什维克的力量增强和试图夺权有关。

四月危机之后，彼得格勒群众的激进化倾向发展很快，布尔什维克在群

[1] 关于苏维埃第一次代表大会的情况，参见 История России. Двадцатый век. Кризисы Временного правительства. Конец двоевластия. http://xx-stoletie.ru/2/8-krizisy-vremennogo-pravitelstva-konec- dvoevlastiya.html.

众中的影响也不断扩大。但在6月初开幕的全俄苏维埃代表大会上，布尔什维克仍然只占有1/8的席位，不可能在大会上取得成功。在这种情况下，党内寄希望于街头暴力斗争的倾向明显加强。

6月初，布尔什维克军事组织领导人强烈主张，在6月10日组织彼得格勒工人和士兵进行反战和反政府示威。他们的理由是，群众在趋向于布尔什维克，尤其是卫戍部队士兵们担心会因为在前线发动进攻而把他们分散派往前线，同时认为"士兵权利宣言"比"一号命令"倒退了一步而心怀不满，反政府情绪强烈。

但布尔什维克党的领导层对于如何把握群众的情绪仍然犹豫不定。沃洛达尔斯基认为不能确定工人是否会走上街头，而且对示威可能产生的结果也有怀疑。托姆斯基提出了"示威可能产生什么结果"的问题，并要求进行讨论。斯大林指出，士兵中发生了骚动，这是事实；而工人中还没有这样的情绪。不过，尽管如此，还是应该对政府给予回击。加里宁坚决反对示威，认为示威缺乏依据，将是"虚幻的"。而军事组织领导人则坚持，如果党不出面领导运动，士兵们也会上街，而且他们因为害怕遭到镇压而会携带武器。

6月8日，在有各区代表参加的布尔什维克党中央和彼得堡委员会会议上，对是否发动示威进行了讨论。最终以131人同意、6人反对、22人弃权的表决结果，决定在6月10日星期天组织示威游行；示威游行应该打出"苏维埃掌权"的旗帜，并提出"打倒10个资本家部长"的口号；为体现示威游行的目的不是推翻政府、而是向苏维埃领袖施加压力，示威游行队伍应向正在举行苏维埃大会的军官学校运动。

会上也有人主张采取更加果断的行动，如中央委员斯米尔加提议，"如果事态发展到冲突的程度，不排除夺取邮政局、电报局和军火库"。彼得堡委员会成员拉齐斯曾打算同机枪团军官谢马什科和布尔什维克军事组织中的工人积极分子拉西亚商量，"在必要时全副武装，并依靠机枪团夺取车站、军火库、银行、邮局和电报局"。托洛茨基指出，这样提出问题的只有几个布尔什维克，而列宁对他们的立场的评价是"稍左了一点"。[1]

---

[1] *Троцкий Л.Д.* История Русской Революции. Т.1. Февральская Революция. М., 1997. С.421–422.

苏汉诺夫认为，布尔什维克决定在6月10日举行示威游行，反映了列宁准备在“形势适宜的情况下”夺取政权的企图。应该说，布尔什维克党准备夺取政权的基本路线是明确的，4月以来，布尔什维克党的中央委员会、彼得堡委员会和军事组织在动员和组织反对战争、反对临时政府的力量方面做了大量工作，其基本目标不是为了别的什么，就是要夺权。但在对局势的估计上和夺权时机的把握上，党内是存在不同意见的。彼得格勒群众的情绪发生了明显有利于布尔什维克的转变，但在外省这个过程要缓慢得多，而在前线士兵中间类似的转变还未发生。以列宁为首的一些领导人在4月危机期间就倾向于认为，夺权还需要时间。而以布尔什维克军事组织为代表的激进力量更强悍，要求采取果断行动。

6月9日早上出版的布尔什维克《真理报》呼吁在10日举行示威游行，这一消息在苏维埃大会上产生了爆炸性的效果。苏维埃执行委员会执行局要求布尔什维克取消10日的示威游行，但布尔什维克中央委员会强调示威具有和平性质，拒绝了苏维埃的要求。

苏维埃中的孟什维克和社会革命党多数认为，布尔什维克的立场和他们争取的群众支持是对革命的威胁。布尔什维克决定10日进行示威游行的问题被提交苏维埃代表大会进行讨论。齐赫泽发表演说，认为“如果大会不采取措施，那么明天就将是致命的日子”。苏维埃代表大会的大部分代表认为，举行示威游行是不合时宜的。大会通过决议，禁止在三天内举行任何示威。大会主席团把几百名代表分成小组分头派往工厂和军营去劝说工人和士兵不要参加第二天的示威。农民代表苏维埃也派出70余人参加了劝说活动。

在苏维埃的压力下，布尔什维克中央委员会多数成员在最后一刻同意取消在10日举行示威的计划。但苏维埃代表大会禁止示威的决定引起了一些彼得格勒工人和士兵的不满。在一些工厂和营房，“人们以极不友好的态度、有时是敌视的态度”对待苏维埃大会派出的代表，还经常用辱骂把他们轰走。

苏维埃领导人开始积极谋求哥萨克的支持。执行委员会领导人出席了正在举行的哥萨克代表大会，请求哥萨克支持苏维埃、反对布尔什维克。哥萨克大会主席、乌拉尔地区的统领杜托夫表示：“我们哥萨克任何时候都不会与苏维埃作对。”[1]

---

[1] *Троцкий Л.Д.* История Русской Революции. Т.1. Февральская Революция. М., 1997. С.425.

6月10日的孟什维克报纸宣称，“现在是给列宁派打上革命的背叛者和变节者印记的时候了”。6月11日，苏维埃执行委员会、大会主席团、各党团领袖共100余人开会，策列铁里发言说，“布尔什维克现在的所作所为已经不是思想宣传，而是阴谋……现在我们要改用别的斗争方法了。……必须解除布尔什维克的武装。……不能容忍他们手中掌握机枪和步枪。我们不能允许搞阴谋”。苏汉诺夫对此评价说，“布尔什维克没有特殊的武器库，所有武器都在士兵和工人手里，他们中很多人跟布尔什维克走。解除布尔什维克的武装只能意味着解除无产阶级的武装，此外这还意味着解除部队的武装”。针对策列铁里的讲话，布尔什维克加米涅夫当时就从座位上站起来叫道：“部长先生，如果你不是信口开河，那么你不能只是口头上说说。逮捕我并以阴谋反革命罪审判我吧。”随后布尔什维克离开会场以示抗议。[1] 次日，苏维埃执行委员会向大会提交了一个具有反对布尔什维克性质的决议案，但没有作出直接的结论。托洛茨基认为，这几天苏维埃中的多数派和少数派针锋相对，但在最后关头都后退了一步：布尔什维克放弃了示威，孟什维克和社会革命党放弃了解除工人武装。[2]

在6月11日的会议上，一位孟什维克代表提议，为了显示民主派的团结和力量，6月18日在彼得格勒和其他主要城市组织工人和士兵的示威。会议通过了这个建议，决定6月18日举行大规模群众游行。苏维埃领导人显然注意到了群众的情绪，意识到游行应该在“妥协性的”口号下进行，因此没有再提出“进攻”、“支持联合政府”等引起争议的口号，而选择了“普遍和平”、“尽快召开立宪会议”、“民主共和国”等口号。

布尔什维克决定，参加18日游行，但要提出自己的口号。《真理报》写道：

“我们将参加18日的示威，为我们曾打算在10日举行的示威中表达的那些目标而斗争。”“我们在自己的旗帜上写上：

打倒反革命！

---

[1] *Троцкий Л.Д.* История Русской Революции. Т.1. Февральская Революция. М., 1997. С. 426–427.

[2] *Троцкий Л.Д.* История Русской Революции. Т.1. Февральская Революция. М., 1997. С. 428.

打倒站在有组织的反革命背后的'盟国'帝国主义者！

全部政权归工人、士兵和农民代表苏维埃！

对产品生产和分配的工人监督万岁！

打倒士兵权利宣言中的不民主条款！

反对解散革命的团队！

反对解除工人武装！

全体人民的武装、首先是全体工人的武装万岁！

不要同威廉单独媾和！

不要同英国和法国资本家的秘密条约！

苏维埃立即公布真正公正的和平条件！

反对进攻政策！面包！和平！自由！

示威不是平常的散步，而是政治力量的检阅。示威应该是革命无产阶级和革命士兵为实现其要求而施加压力的手段。

开始工作吧！时间紧迫！"[1]

在布尔什维克提出的口号中，最主要的是"全部政权归苏维埃"。[2]

6月18日的示威游行有约40万人参加。参加游行的主要是工人和士兵，很多人打着布尔什维克提出的口号标语，走向马尔索沃校场和二月革命烈士墓。相形之下，苏维埃提出的口号在示威游行队伍中显得很孤单。打出了支持临时政府的标语只有普列汉诺夫派、哥萨

6月18日彼得格勒的示威游行

[1] Правда, 14 (27) июня 1917 г.

[2] *Головатенко А. Ю.* История России. спорные вопросы.М.,1994.С.143.

克和犹太同盟等少数人，而且拥护布尔什维克的示威者还迫使他们收起标语，或者干脆扯下他们的标语。

见到这种情景，苏维埃领袖们感到尴尬。那些来自外省的代表也不得不对布尔什维克说："在彼得格勒你们有力量，但外省和前线不是这样。彼得格勒不能与全国背道而驰。"而布尔什维克则回应说，很快就会轮到你们，你们那里也会打出这样的标语。[1]

当时在马尔索沃校场的普列汉诺夫写道，从在场的齐赫泽的神情中看出，他对于打倒资本家部长之类的标语如此之多意味着什么是很清楚的。亲孟什维克的《新生活报》也把 18 日的游行评价为"对现政府的不信任投票"，直接的不信任是针对"资本家部长"的，而间接的不信任是对着孟什维克和社会革命党的社会主义部长的。《新生活报》认为，"就示威者的标语和口号而言，星期天的游行表明了布尔什维克在彼得格勒无产阶级中的完全胜利。"[2]

6 月 18 日的情况表明，联合的临时政府遇到信任危机。如果说四月危机是通过成立立宪民主党和社会主义政党的联合政府这样的政治手段而得到解决的话，那么现在联合临时政府和苏维埃中央执行委员会只能寄希望于准备多时的前线的进攻来解决面临的危机。他们指望前线进攻的胜利能够稳定国内局势，遏制日益增长的激进主义和极端主义浪潮。

列宁指出，看到这场马尔索沃校场上的大规模游行的人中间，没有谁会怀疑布尔什维克的口号在"俄国工人和士兵群众的先锋队中"所占的优势。虽然，这主要是在彼得格勒，未必能说是整个俄国。但是，对布尔什维克口号的支持并非偶然，它是被旷日持久的战争、不断加剧的经济崩溃、每况愈下的日常生活激发起来的，并且很大程度上因为布尔什维克坚持不懈的宣传鼓动而得到加强。布尔什维克坚持证明，只要掌权的还是资产阶级和"妥协派"政党，工人、士兵和农民的切身利益就不可能得到满足。这些宣传的"种子"落在了深翻的土地上，并逐渐生长、发芽。

---

[1] *Троцкий Л.Д.* История Русской Революции. Т.1. Февральская Революция. М., 1997. С.431.

[2] *Троцкий Л.Д.* История Русской Революции. Т.1. Февральская Революция. М., 1997. С.432.

第六章　七月事件

1917年7月初，二月革命后的俄国发生了又一场严重的政治危机。3—4日，彼得格勒的工人和革命士兵举行反对临时政府、要求"一切政权归苏维埃"的游行示威，人数最多时达到50万左右。事态失去控制，发展为大规模动乱。布尔什维克党试图借助于彼得格勒工人和士兵之力夺取政权，但其力量还不足以成功。临时政府和苏维埃协力平息事态，意味着双重权力现象的终结。七月事件是1917年俄国革命发展过程中的转折点，标志着二月革命以来相对平衡的局面被打破。

第一节　危机的爆发

六月进攻失败

临时政府在前线发动的攻势遭受失败是七月事件的重要背景。

还在1916年12月—1917年1月，沙皇政府根据与盟国的协议，决定于1917年春天配合西线盟军的行动，在东线发动进攻。尼古拉二世希望，进攻的成功和战争的胜利能够激发爱国主义的浪潮，改善国内局势，抵消自由主义反对派的压力，缓和下层群众的不满。

但由于二月革命和军队的瓦解，进攻未能在预定时间内实施。二月革命政权同样希望利用进攻来达到军事战略目标和国内政治目的。立宪民主党中央委员B.马克拉科夫曾说："如果我们真的能够顺利进攻……那么俄国就将很快恢复，我们的政权就将被证明是正确的，会得到加强。"社会革命党人斯坦凯维奇认为，进攻是必需的，因为只有付出前线军事行动的代价才能"换来后方和军队的秩序"。[1]

5月初，联合政府成立后，急于以一次胜利的进攻来以爱国主义凝聚人心、制止军队的崩溃、巩固自己的地位，同时也满足盟国的要求。军队将领也认为只有进攻才能维持纪律和阻止军队分裂。邓尼金后来指出，胜利将实现外部的和平以及一定程度上的内部和平。战争的失败将使国家面临无底深渊。但冒险是必需的，也是值得的。

---

[1] *Иоффе Г.З.* Семнадцатый год. Ленин Керенский корнилов. М., 1995. С.82.

联合的临时政府和苏维埃领导层试图通过一次胜利的进攻来缓和国内的政治危机，是可以理解的。但他们没有想到，组织进攻也许是他们最大的失误。他们没有认识到，俄国军队实际上已经无法再战，以苏维埃一号命令和士兵权利宣言为依据的"军队民主化"以及布尔什维克卓有成效的立即结束战争、实现和平的宣传，已经彻底瓦解了俄国军队。

尤其令人惊讶的是，社会主义部长和苏维埃多数派都支持发动进攻，他们没有意识到，虽然大多数士兵和工人还能接受革命护国主义，但绝对没有发起进攻的热情。他们天真地以为，通过显示俄国的军事力量将使他们能够向协约国施加更大压力，促使其寻求普遍的民主和平。而实际上已经完全没有理由相信，成功的进攻能促使协约国谋求媾和，因为美国在4月参战有力地加强了协约国将战争进行到胜利的信心。[1]

但进攻政策还是制定和执行了。

克伦斯基在前线

军事部长克伦斯基为准备进攻不遗余力，每天几次参加士兵大会，登上木头搭起的讲台或就是站在敞篷汽车上，不停地演讲、动员。他很有演说才能，表情真诚可信，唤起了俄军官兵为祖国牺牲的感情。但他走后，他的感召力也随之消失，因为对于士兵们来说，现实的问题是他们明天或后天将迎着德军的炮火前进。

克伦斯基受到的不光是欢呼，也有嘘声。在他6月16日到巴甫洛夫近卫团进行视察动员时，士兵们当面对他说："我们不去进攻，我们不承认您是

[1] 参阅 Wade R.A.*The russian Search for Peace:February-October 1917*,Stanford.1969.p. 56,70–71,72–73.

部长。”士兵们还指责克伦斯基签署了规定军官有权在战时枪毙不执行命令的士兵的命令，以及发布了8月13日以前停止休假的命令，“用口哨把他赶走了”。[1]

俄军最高总司令阿列克谢耶夫将军清楚地知道军队的状况，坚持认为军队已经瓦解，无法再战。他反对进攻，拒绝继续担任总司令职务。5月22日，布鲁西洛夫出任总司令。但新任总司令组织进攻准备时意识到，军队事实上已经解体。他不得不从各部队抽调具有为国牺牲精神的官兵成立突击队，作为进攻的主要依靠力量。

根据大本营制订的计划，进攻定在6月。执行主要进攻任务的西南战线部队第7集团军、第11集团军，应向利沃夫方向实施突击；由刚从彼得格勒军区司令职务上离开的科尔尼洛夫将军指挥的第8集团军，应在卡卢什、波列霍夫一线进行助攻。特别集团军应阻止敌军后备力量的机动。第1、2、14步兵军和第5骑兵军应参加主要打击方向上的突破。

6月16日开始，俄军进行炮火准备。18日，西南战线第11集团军和第7集团军转入进攻。在进攻开始前，部队集结在战壕中。军官和士官们从一个连跑到另一个连，不断进行动员，但他们不是命令，不是叫喊，而是以嘶哑的声音劝说：“弟兄们，别搞砸了！伙计们，别露怯！等炮火一停，就听命令向前冲，上帝保佑。”

进攻开始时，俄军取得了一些战术层面的成功。在两天时间里，进攻部队前进5公里，俘虏敌军军官约300人，士兵1.8万人，缴获火炮29门。克伦斯基将此称为“革命取得的伟大胜利”。与发动进攻联系在一起的那些政治考虑似乎也实现了。6月19日，当有关俄军西南战线部队转入进攻的最初消息传到彼得格勒时，人们欣喜若狂，涌上街头和广场，高呼“信任临时政府”、“把战争进行到胜利”的口号，向政府所在地玛丽亚宫聚集。

但是，进攻本身是计划不周的，加上盟国未在西线同时发起进攻，因此进攻最终不是展示俄国的力量而是暴露了它的弱点。布鲁西洛夫为进攻组建的精锐突击队遭受重大伤亡，后备部队不能跟上。第11集团军和第7集团军的

[1] 徐天新选译：《世界史资料丛刊，现代史部分，俄国十月社会主义革命》，商务印书馆1997年版，第20页。

进攻行动到6月20日就停止了。科尔尼洛夫的第8集团军23日开始从加利奇—斯坦尼斯拉夫一线向卡鲁西、波列霍夫发起的辅攻还算顺利，突破了敌军防线，占领了加利奇、卡鲁西，在6月30日前出到罗姆尼察地区，俘获了一些敌军人员和装备。但是，西南战线的其他部队本应实施突破，可几个星期后仍然在原地打转。北方战线、西方战线、罗马尼亚战线的助攻显得更加无力和无效。在总体上，6月下旬就已清楚，临时政府寄予巨大希望的进攻是失败的。特别是7月初德军在塔尔诺波利方向上实施的反突击，使俄军迅速转入耻辱的溃败。[1] 在两周时间里，俄军死伤及被俘高达40万人，战线后退100—200公里。

六月进攻是俄军在第一次世界大战期间最后的一次进攻，它的失败从根本上摧毁了二月革命政权最后的一点威望。7月初，首都彼得格勒经历了二月革命以来最严峻的事变。

动乱初起

关于七月事件的起因在当时就有一些不同的看法。

有些观察家认为，事件与立宪民主党部长辞职而引起的政府危机有直接关系。7月2日，因策列铁里、克伦斯基、捷列申科等组成的临时政府代表团在基辅事实上承认了乌克兰在立宪会议前就享有广泛自治，联合政府中几位立宪民主党部长辞职，试图以此迫使临时政府对革命自发性施加更大压力。当时的报纸对于立宪民主党部长因与社会主义部长在乌克兰问题上的分歧而辞职的消息给予了密切关注。立宪民主党报纸《言论报》记者认为，联合政府的瓦解给部分部队的士兵和一些工厂的工人提供了一个要求把“全部政权归苏维埃”的绝好机会。托洛茨基认为，四个立宪民主党部长退出政府是迫使“联合政府”垮台，而其选择前线的进攻遭到失败之时辞职是想让社会主义部长去单独应对困局。立宪民主党显然试图使妥协派政党陷于困难境地，迫使他们对群众运动施加压力。立宪民主党部长辞职的消息立即传遍了首都，并在工人和士兵中造

---

[1] 参见 R.S.Feldman. *The Russian General Staff and the June 1917 Offensive.*// Soviet Studies. 1968.XIX,4. pp.535–540.

成了一种认识："该结束联合政府的把戏了！"[1]

也有人认为，首都的骚动是由卫戍部队反对军事指挥机关对拒绝进攻的前线部队采取严厉措施而引起的。[2]

近年有研究指出，七月事件的起因是，临时政府和军事指挥机关在得到俄军西南战线进攻失败的消息后，准备把部分彼得格勒的部队调往前线，因此而引起士兵的骚动；而 7 月 2 日立宪民主党部长退出政府一事则为群众不满情绪的普遍爆发提供了一个机会。[3]

应该说，七月事件更深刻的原因是 6 月以来彼得格勒工人和士兵对于联合临时政府在解决迫切问题上进展迟缓已经失去耐心，对苏维埃的无所作为也日益不满。群众性的骚动在酝酿中。苏汉诺夫指出，在6月底和7月初的时候，"首都在沸腾……群众采取坚决行动的情绪和意志与日俱增。在首都已经用不着进行反对联合的宣传了……在所有的街道，在苏维埃中，在玛丽亚宫，在居民住宅，在广场和街心花园，在军营和工厂，到处都在谈论这一两天就会出事。首都的空气中充斥着这样的议论。没有人确切知道会是什么人、在哪里和怎样'发动'，但能感受到整个城市处于大爆炸的前夜。"[4]

7 月 3 日早晨，第一机枪团士兵们打断了本团各连委员会和团委员会的会议，要求立即讨论武装起义问题。会议气氛非常激烈，前线的问题和政府危机问题交织在一起。会议选举了一个临时革命委员会，由每连派两人参加，以此来代替以前的团委员会。机枪团士兵的主要领头人之一、无政府主义者谢马什科少尉被选为临时革命委员会主席。委员会派出代表到彼得格勒各工厂、各部队和喀琅施塔得去进行宣传鼓动，请求援助。谢马什科"向工厂要来汽车，架

---

[1] *Троцкий Л.Д.* История русской революции. Т.2. Октябрьская революция. Июльские дни: подготовка и начало. http://gosprav.ru/trotsky_october/2/07.

[2] *Рабинович А.* Большевики приходят к власти.Революция 1917 года в Петрограде. Москва. 1989. С.30.

[3] *Иоффе Г.З.* Семнадцатый год. Ленин, Керенский, корнилов. М.,1995. С.84–85；*Борисов Н.С.* Ключ к истории отечества. М., 1993. С.110.; *Соколов А.К.* Курс советской истории. 1917–1940. М., 1999. С.47.

[4] *Суханов Н.Н.* Записки о революции. Том 2（книги 3.4.）. М., 1991. С.309.

上机枪，派往塔夫里达宫和其他地方；他指定了路线，亲自把他那一团人从兵营带到市里；他到莫斯科团的后备营去劝说他们发动并取得了成功；他同设在克谢辛斯卡娅宅第的布尔什维克军事组织……保持着经常性的联系，并向机枪团的士兵承诺他们将得到军事组织的团队的支持”。[1]

第一机枪团士兵的呼吁得到了热烈响应。7 月 3 日早上七点，很多工厂的工人排着队走上街头。9 点钟时，有 7 个团的士兵拿着武器向塔夫里达宫运动。七月事件就这样开始了。大街上示威游行的人数很快达到数万人，他们的要求是推翻临时政府，由苏维埃掌握政权，任命对全俄中央执行委员会负责的部长。“运动在全城广泛蔓延，暴风雨越来越猛烈。在很多工厂都发生了这样的事：……不知从哪里来了些工人和士兵代表团，以某人的名义，引用‘所有其他人’的话，要求‘起事’。当然，‘起事’的只有少数人，但到处都停止了工作。芬兰车站停发列车。在军营中举行简短的集会后，武装的士兵队伍从四面

涅瓦大街。哥萨克部队监视布尔什维克控制的士兵和水兵游行

[1] *Троцкий Л.Д.* История русской революции. Том второй. Октябрьская революция . Июльские дни: подготовка и начало. http://gosprav.ru/trotsky_october/2/07/.

八方向市中心开进。”彼得格勒“全城很快就有了1917年2月最后几天所具有的面貌。从那时以来已经过去了革命和自由的四个月。首都卫戍部队以及无产阶级现在已牢固地组织起来。但是，在运动中看来很少有‘自觉性’、纪律和秩序。是自发性在肆虐。”[1]

除了苏维埃所在地塔夫利达宫以外，示威群众的另一个聚集地是布尔什维克总部克舍辛斯卡娅大厦周围。起事的士兵和工人是把布尔什维克视为自己的领导者而来到这里的。托洛茨基有一个恰当的解释：“到克舍辛斯卡娅大厦来，是为了得到指示、领导和鼓励；到塔夫利达宫去，则是为了提出要求甚至以自己的力量进行威胁。”[2]

傍晚时分，数千名全副武装的士兵和工人高举红旗，打着标语，许多人还带着家人，聚集在临时政府和全俄中央执行委员会所在的玛丽亚宫和塔夫里达宫前面，要求把政权转交给苏维埃。同时，武装的机枪团士兵坐着征来的轻型汽车和军用卡车，手举红旗，整个傍晚毫无障碍地在全城活动。在城市的一些地区，经常传来步枪和机枪射击声，但死伤人数暂时不详。在哨兵同意的情况下，起义者占领了具有重要心理和战略意义的彼得保罗要塞。据报道，一群士兵曾试图抓军事部长克伦斯基，但未成功。在市内的几个火车站，很多彼得格勒人排长队购买车票，准备离开这个城市。

晚上10点30分，起义群众在塔夫里达宫前面广场上举行集会。起义部队选出了几个代表求见全俄中央执行委员会，提出了如下的要求：罢免10个资产阶级部长，一切政权归苏维埃，前线停止进攻，没收资产阶级报纸的印刷厂，土地收归国有，国家监督生产。

联合临时政府和苏维埃对士兵和工人起义的态度是一致的。动乱刚开始时，临时政府和苏维埃就呼吁士兵和工人不要上街，但这个呼吁没起作用，于是彼得格勒军区司令波洛夫采夫命令部队恢复大街上的秩序。但那些没有参加起义的部队不执行他的命令。

傍晚7点，彼得格勒苏维埃公布了一份由中央执行委员会的工人—士兵

[1] *Суханов Н.Н.* Записки о революции. Том 2（книги 3.4.）. М., 1991. С.322.

[2] *Троцкий Л.Д.* История русской революции. Т.2. Октябрьская революция . Июльские дни: подготовка и начало. http://gosprav.ru/trotsky_october/2/07/.

局和农民局签署的呼吁书，表达了苏维埃中央机关对于运动的态度。

“同志们，士兵和工人们！一些不明身份的人不顾所有社会主义政党一致表达的意志，号召你们手持武器走上街头。他们让你们用这种方式来反对解散那些因自己在前线的犯罪行为而玷污了对革命的义务的团队。我们，全俄国革命民主派的全权代表，向你们声明：在前线解散几个团是根据军队和前线组织的要求、按照由我们选出的军事部长克伦斯基的命令执行的。为保卫被解散的团而起事就是反对我们那些在前线流血的兄弟。我们提醒士兵同志们，没有与我们完全一致的军队总司令的命令，任何一支部队都无权携带武器走出军营。在俄国经受磨难的这些日子里，不管是谁破坏这一决定，都将被我们宣布为革命的叛徒和敌人。我们将采取一切可能的措施执行这一决定。”[1]

晚上，军区司令波洛夫采夫下令禁止任何游行。与此同时，临时政府、全俄中执委、全俄农民苏维埃执行委员会举行紧急会议，开了通宵。

第二节 布尔什维克与事件进程

推波助澜

虽然7月3日反对临时政府、不满孟什维克和社会革命党联合政策的运动是自发地开始的，但舆论普遍认为，发生危机的主要责任者首先是布尔什维克。

在七月事件酝酿和发生过程中，布尔什维克普遍的宣传鼓动和党内激进分子的组织发动工作起了推波助澜的作用。

全俄中执委和彼得格勒苏维埃机关报《消息报》指责布尔什维克试图利用无产阶级和士兵群众的不满和不安来达到自己的目的，说首都无产阶级和卫戍部队的一部分手持武器上街是受到了“完全不负责任的布尔什维克鼓动的影响”。无党派报纸《交易所通报》的社论作者更直接地提出了问题：“这是什么？是实现6月10日没有实现的布尔什维克的欲望？是武装发动反对临时政府和按多数原则组织的民主制度？”官方机关从示威游行一开始就将其称为起义或

[1] *Суханов Н.Н.* Записки о революции. Том 2（книги 3.4.）. М., 1991. С.320.

暴动，并试图寻找武装力量来保卫临时政府和苏维埃中央执行委员会。[1]

从布尔什维克4月以来的策略原则来看，它在群众反政府情绪的形成和蔓延方面所起的作用是明显的。高尔基认为："很显然，这一次向'社会革命'的可怕的进发是某些人匆忙而未经深思熟虑策划的。"[2] 早在6月的全俄苏维埃第一次代表大会期间，布尔什维克就试图借助于强力手段和街头斗争实现自己的目标，通过向全俄中执委和全俄农民代表苏维埃执委会施加压力来解决政权问题。彼得堡委员会领导人之一、市苏维埃成员沃洛达尔斯基曾要求发动群众性示威游行，以此为手段破坏政府的军事努力，保持住越来越不耐烦的工人阶级对布尔什维克的信任，最终迫使苏维埃多数派组织完全由社会主义政党代表组成的政府。

布尔什维克军事组织曾建议在6月10日举行工人和士兵的反战和反政府的示威游行，并得到了中央同意。只是由于苏维埃大会的多数代表反对这样的示威游行，而布尔什维克领导层意识到自己的力量还不足以与温和的社会主义者对抗，才最终取消了示威游行的计划。然而，在苏维埃代表大会指定的6月18日支持临时政府的示威游行中，布尔什维克还是让参加示威游行的士兵和工人打出了自己的口号。这一成功刺激了党内的激进分子在7月初组织新的行动。他们主张把对于临时政府的压力扩大延伸到苏维埃。[3]

布尔什维克的纲领和宣传是鼓动群众上街示威游行的，而且7月3日开始的运动也确实打出了布尔什维克的口号。但布尔什维克党内对待运动的态度并不统一。有些领导人认为发动的时机并不成熟，对已经开始的运动持谨慎态度；有些人主张采取"立即行动"的路线，号召立即举行武装起义夺取政权，其主要代表出自于党的军事组织和彼得格勒一些区的委员会；还有一些人则持观望态度，没有明确表明立场。[4]

布尔什维克军事组织在彼得格勒卫戍部队和喀琅施塔得水兵和驻军中都

---

[1] *Рабинович А.* Большевики приходят к власти.Революция 1917 года в Петрограде. М.,1989. С.30.

[2] [俄] 高尔基著：《不合时宜的思想》，江苏人民出版社1998年版，第14页。

[3] *Головатенко А.* История России: спорные проблемы. М., 1993. С.143.

[4] *Соколов А.К.* Курс советской истории. 1917–1940. М., 1999. С.47.

有很大影响。有学者明确指出，是布尔什维克军事组织策动了7月3日的运动。[1] 也有学者虽然强调运动是自发开始的，但也承认军事组织利用了形势。无论何种说法，布尔什维克军事组织在七月事件酝酿和发动过程中的重要作用都是没有疑问的。

布尔什维克军事组织领导人。从左至右，前排：К.Н.奥尔洛夫，К.А.梅霍诺申，В.И.涅夫斯基，Н.И.波德沃伊斯基，П.В.达什凯维奇，Ф.Ф.拉斯科尔尼科夫；后排：Б.М.赞柯，М.С.凯德罗夫，В.Л.潘尤什金，А.И.塔拉索夫-罗季奥诺夫

军事组织领导人波德沃伊斯基具有超级极端分子的声誉，是沙皇制度被推翻后第一个宣称"革命没有结束，它刚刚开始"的人。另一位领导人涅夫斯基生于顿河罗斯托夫，曾是莫斯科大学自然科学系的高才生，和波德沃伊斯基一起参加了布尔什维克最早的战斗小组和军事组织。涅夫斯基后来谈到自己在1917年革命中的活动时，经常赞扬军事组织领导层的独立性和激进主义。他说，7月3日，"在自己的新支持者卫戍部队士兵的压力下，布尔什维克军事组织在没有得到中央批准的情况下非常积极地推进了运动"[2]。

在彼得格勒布尔什维克中，最有影响的激进分子是拉脱维亚人马尔登·拉齐斯，他代表强大的布尔什维克维堡区委。早在准备未能实现的6月10日游行时，拉齐斯就特别强调，游行参加者必须全副武装。他和同样好战的中央委员、立陶宛人斯米尔加一起，呼吁党"武装起来，夺取火车站、兵工

[1] *Головатенко А.* История России: спорные проблемы. М., 1993. С.143.

[2] *Рабинович А.* Большевики приходят к власти. Революция 1917 года в Петрограде. М., 1989. С.38.

厂、银行、邮局和电报局”。在七月事件发生前、不满情绪逐渐增长的情况下，他批评党在群众运动中扮演了消防队员的作用。而在7月3日起义开始后，他认为中央回避同临时政府的冲突，表现不够强硬。多年以后邦契—布鲁耶维奇回忆说，列宁中断他在芬兰乡间的休息回到彼得格勒之后，最担心的就是“布尔什维克的疯狂追求”。[1]

但是，试图以武力推翻临时政府的准备工作是不充分的，被带上首都街头进行“武装示威游行”的士兵和喀琅施塔得水兵没有得到具体的任务。事件的目击者苏汉诺夫认为，“与6月9日所做的不同，布尔什维克党中央委员会既没有组织，也没有开始7月3日的起义。”但是，“当然，起义被认为是不可避免的，因为首都已经沸腾，总的形势……布尔什维克无论在技术上还是在政治上都准备了起义。很显然，他们只是没有把起义时间确定在7月3日。”[2]

需要指出的是，7月3日起事士兵中的领头人物除了激进的布尔什维克外，还有无政府主义者。第一机枪团中的无政府主义者布莱赫曼在7月3日早晨就公开号召以武力推翻政府；士兵领袖之一、无政府主义者谢马什科少尉在第一机枪团发动过程中也十分活跃。无政府主义活动家尼基弗洛娃在7月2—3日率领首都无政府主义者代表团去喀琅施塔得，在那里发表演说，动员水兵支持彼得格勒的起义，并成功地促使一大批水兵决定和喀琅施塔得卫戍部队士兵一起参加彼得格勒的七月事件。[3]

一日三调立场

在7月3日一天里，布尔什维克中央对运动的态度随着局势的发展而三次变化，从试图制止，到领导运动，再到取消支持。

7月3日早上开始的运动很快就表现出转变为无政府主义暴乱的现实危险，

---

[1] *Бонч-Бруевич В.Д.* На боевых постах Февральской и Октябрьской революции. М., 1931. С.77.

[2] *Суханов Н.Н.* Записки о революции. Том 2（книги 3.4.）. М., 1991. С.320.

[3] *Ермаков В.Д.* Маруся: портрет анархистки .//Социологические исследования.1991.№3. С.91.

迹象已经开始露头。这种情况迫使布尔什维克领导层采取明确的立场。当天下午，布尔什维克党中央试图制止运动，它认为时机尚未成熟。

7月3日下午3点左右，机枪团的两个士兵代表来到正在克舍辛斯卡娅大厦里举行的布尔什维克彼得格勒代表会议上，报告说他们团已经决定发动。两个士兵代表声称“他们要解散我们团，他们嘲弄我们。我们不能再等待下去并且已经决定采取行动”。

据托洛茨基说：“没人料到此事，也没人希望发生此事。”托姆斯基宣布：“那些已经发动的团的做法不是同志式的，他们没有邀请我党中央委员会讨论发动问题。中央委员会向大会提议：第一，发表呼吁书劝阻群众；第二，准备一封给执行委员会的信，要求它掌握政权。在缺乏进行新的革命的愿望的情况下，现在我们谈不上发动。”[1]

与会的绝大多数人赞成托姆斯基的提议。主持会议的沃洛达尔斯基表示：布尔什维克党已经决定不采取行动。资产阶级和黑色百人团想要刺激我们采取行动，这样就可以把进攻失败的责任转嫁给我们。我们已决定对此不作任何反应，在进攻仍然继续的情况下不采取任何行动。他以会议的名义要求机枪团的党员们服从党的决议。[2]

下午4点，布尔什维克中央委员会在塔夫利达宫开会。加米涅夫等人提出，布尔什维克党应该采取一切措施来控制群众。这个意见得到季诺维耶夫和托洛茨基的支持。中央委员会会议决定，同意彼得格勒代表会议的决议，避免采取任何行动。

下午5点，布尔什维克分散到各区各工厂去做工作，劝阻群众上街示威游行。呼吁书的文本送到了《真理报》，准备次日早晨印在第一版上。斯大林奉命将布尔什维克党的决议通知苏维埃中央执行委员会。

看来，在运动初起的时候，布尔什维克党中央的态度是明确的。但也存在着反对的声音，例如，布尔什维克维堡区委领导人拉齐斯明确地反对中央委

[1] *Троцкий Л.Д.* История русской революции.Т.2. Октябрьская революция. Июльские дни:подготовка и начало. http://gosprav.ru/trotsky_october/2/07/.

[2] Шестой съезд РСДРП（б）. Август 1917 г. Протоколы. М., 1958. С.17–18.

员会的决定，认为它回避了同临时政府的坚决冲突。[1]

布尔什维克党中央作出劝阻示威游行的决定后，街上的群众并没有平静下来。聚集在临时政府所在地玛丽亚宫和全俄中央执行委员会所在地塔夫里达宫前面的数千名全副武装的士兵和工人打出的旗帜和喊出的口号是："打倒10个资本家部长"、"全部政权归苏维埃"，这正是布尔什维克在6月18日组织示威游行时就提出的口号。

反对临时政府的游行

晚上7点，在塔夫里达宫召开苏维埃工人部会议。会议过程中传来消息，工人队伍和两个团的士兵在向塔夫里达宫行进。加米涅夫在会场一片骚动中登上讲台，正式表态对起义予以承认："我们没有号召运动，但人民群众自己走上了街头表达自己的意志。既然人民出来了，那么我们的位置就在他们中间。现在我们将同他们在一起。现在我们的任务是给运动以组织性。"[2]

晚上7点多，两个团全副武装的士兵高举红旗和要求把政权交给苏维埃的标语，来到布尔什维克总部克舍辛斯卡娅大厦。拉舍维奇和库拉耶夫试图劝说士兵们放弃行动返回兵营，但士兵们报之以"打倒！"的呼声。在部队之后，又来了很多工人，他们同样打出了"一切权力归苏维埃"的口号。

在此期间，喀琅施塔得的布尔什维克领导人拉斯科尔尼科夫打来电话，说明天一早水兵们将开往彼得格勒，无论何人何事都不能阻止他们。喀琅施塔得是布尔什维克党最主要的基地，是七月事件中关键时刻的决定性因素。在7

[1] *Рабинович А.* Большевики приходят к власти. Революция 1917 года в Петрограде. М.,1989. С.40.

[2] *Суханов Н.Н.* Записки о революции. Том 2（книги 3.4.）. М.,1991. С.321.

月 3 日夜间布尔什维克党中央动摇的时刻，喀琅施塔得成为那些坚持主张起义的布尔什维克领导人手中的王牌。

布尔什维克领导层进行了紧张的讨论：在加米涅夫在工人部会议上表了态、布尔什维克事实上成为起义群众领导者后，下一步怎么办？要不要把运动掌握在自己手中？要不要以中央委员会的名义号召继续“和平示威”？这个问题“使布尔什维克领导层彻夜遭受犹豫和动摇的煎熬”。[1]

在示威游行浪潮高涨的情况下，布尔什维克军事组织和彼得堡委员会的领导人重新调整几个小时前采取的立场。在自己新的支持者卫戍部队士兵的推动下，布尔什维克军事组织在没有得到中央批准的情况下非常积极地推进了运动，公开支持运动。群众的示威游行打出了写着布尔什维克口号的旗帜。彼得堡委员会成员、全市代表会议以及各部队和工厂的代表，共同通过一个决议：不再试图阻止群众，而要领导运动，促使政府危机的解决有利于人民；为此号召士兵和工人和平地去塔夫里达宫，选出代表向执行委员会提出要求。大家决定以党的名义号召群众次日继续示威，“以一种和平的有组织的示威让正在开会的执行委员会关注群众的意志。”

布尔什维克党中央委员会在晚上 10 点开会。会议作出了与军事组织和彼得堡委员会同样的决定，转变策略，支持群众运动并对它加以控制；建议工人和士兵采取有组织的行动，和平地向塔夫利达宫推进，选举代表并通过他们表达自己的意愿。

这个决定标志着布尔什维克党正式领导运动了。相关的工作立即展开：起草了告工人和士兵书；为 7 月 4 日的《真理报》第一版准备了相应的标语，以替代当天下午中央委员会制止示威的声明；中央委员会的新决议印成传单散发。

但中央委员会实际上是在压力之下赞同示威游行的。包括列宁在内的中央委员会大部分成员虽然认为发动起义的时机并未成熟，但他们意识到对运动的限制可能是徒劳的，因为他们已经难以控制布尔什维克军事组织和彼得堡委员会的行动，而且群众运动的火很大程度上是布尔什维克点起来的，与其放手不管，不如主动加以控制。此外，无政府主义者—社会主义者对于运动的参与

[1] *Суханов Н.Н.* Записки о революции. Том 2（книги 3.4.）. М.,1991. С.328.

和组织也构成了对布尔什维克的挑战，如果党不采取积极行动将会削弱自己在群众中的威望。

对于布尔什维克党态度的转变，托洛茨基认为“这并不是号召暴动”，但他承认，“从那个时候起，运动的直接领导权终于落入党的彼得堡委员会之手了，其中鼓动家方面的主力就是沃洛达尔斯基，动员卫戍部队的责任则属于军事组织。”虽然党的多数领导人认为力量对比关系还未达到能够夺权的时候，因此主张示威游行应该具有和平性质，但事实上掌握了运动进程的是党内持激进立场的活动家如斯米尔加、拉齐斯、涅夫斯基、波德沃伊斯基等，他们以群众情绪为依据，坚持发动武装起义、推翻临时政府。[1]

布尔什维克军事组织突然走到了舞台中心，“完全控制了运动，并且着手组织尽可能强大和广泛的军事支持。军事组织特别要求前线的支持，派出装甲车占领关键目标和桥梁，派出一个连的士兵占领了具有重要心理和战略意义的彼得保罗要塞。”[2]

晚上 10 点 30 分，在塔夫里达宫前面的广场上，示威群众举行集会，选出了一些代表求见苏维埃中央执行委员会，提出了如下的要求：罢免 10 个资产阶级部长，一切政权归苏维埃，前线停止进攻，没收资产阶级报纸的印刷厂，土地收归国有，国家监督生产。

对于 7 月 3 日爆发的动乱，孟什维克和社会革命党控制的苏维埃中央执行委员会的态度是明确而又坚决的：拒绝群众以最后通牒方式提出的要求，坚持所有问题的解决都必须交由中央执行委员会全体会议讨论决定。

在群众和苏维埃的相持中，夜渐渐深了。局势开始发生变化，群众慢慢散去，街上和各区逐渐平静下来，天平开始向另一边倾斜，运动看起来趋于平息。

街上的人越来越少了，这种情况促使布尔什维克党领导层再次趋于克制，在犹豫不决中重新选择了放弃。布尔什维克取消了自己几个小时以前刚发出的

---

[1] *Горинов М.М.* и др. История отечества. Выпуск 1. М.,1992. С.48–49.

[2] *Рабинович А.* Большевики приходят к власти.Революция 1917 года в Петрограде. М.,1989.С.38.

“和平示威的号召”，“他们否定了继续运动并拒绝领导它”。[1] 为《真理报》准备的标语虽然已经排好了字，制好了版，但还是把它挖掉了。结果7月4日早上出版的《真理报》在第一版上留了一个空白。

列宁的态度

七月事件开始时，列宁不在彼得格勒。6月27日他在妹妹玛利娅的陪同下离开彼得格勒，去了芬兰的涅伊沃尔村，那里有邦契—布鲁耶维奇的别墅。他打算在比较安静的环境下稍微休息几天，并为预定7月召开的布尔什维克党代表大会作准备。

7月3日首都爆发大规模群众暴动后，布尔什维克党中央委员会立即派马克西米利安·萨维利耶夫去涅伊沃尔村向列宁报告情况。由于彼得格勒形成了严重局面，而且党已经参与其中，必须立即作出负责任的决定。列宁、玛利娅、邦契—布鲁耶维奇和萨维利耶夫一行在4日一早乘坐第一班列车去彼得格勒。

8点多，列车驰过了作为芬兰和俄罗斯边界的塞斯特拉河，几分钟后停在边境小站白岛车站。列车停车20分钟，邦契—布鲁耶维奇在站上买来了一沓报纸，几乎所有报纸都详细报道了昨天在彼得格勒发生的事情。在浏览了报纸后，列宁在余下的路途中一直沉默不语。

在彼得格勒芬兰车站，列宁看到的景象完全不同于他4月初回到彼得格勒的时候。那时有欢迎他的工人和士兵，有旗帜和鲜花，有乐队和仪仗队，甚至彼得格勒苏维埃的领导人也到了车站。现在，邦奇·布鲁耶维奇忙着去找马车。站前广场上聚集了一群群工人和士兵，他们准备去参加示威游行，要求立即缔结和约、把政权交给苏维埃。列宁一行前往克舍辛斯卡娅大楼。

这座大宅的原主人克舍辛斯卡娅四五月间不断向政府和彼得格勒苏维埃申诉，想把房子要回来。最后事情闹到法院，法官曾要求布尔什维克在20天内腾出房子。但还是没有结果，大厦仍然是布尔什维克的总部。

7月3日傍晚，很多参加示威游行的工人和士兵向这个中心聚集，喊着“全

[1] *Суханов Н.Н.* Записки о революции. Том 2（книги 3.4.）. М., 1991. С.328.

部政权归苏维埃”的口号，焦急地等待对他们的指示。而军事组织和彼得格勒的领导人就是在这里讨论了下面怎么办的问题，并作出了公开支持群众发动并将其引上街头的决定。

7月4日中午，列宁到达克舍辛斯卡娅大楼，听取了关于最近事态发展的简短报告。

在列宁回到彼得格勒之前，7月4日一清早，运动又出人意料地重新发展起来，并且有了更大的规模，很快失去了控制。

7月4日一大早，工人区就行动起来了，普梯洛夫工厂三万工人带着他们的家属——妇女和孩子，凌晨3点钟就往苏维埃所在地塔夫里达宫去。上午11点左右，陆续有一些部队走上街头，加入到示威游行中去。人群从四面八方走向塔夫里达宫，有些队伍半路上拐到克舍辛斯卡娅大厦。参加游行示威的人数达到了50万左右。

中午，塔夫里达宫周围到处是人，但既不像和平示威，也不成队伍，没有任何组织性。有些武装的示威者冲进了塔夫利达宫。但苏维埃领导层并不准备向群众的压力让步。苏维埃中央执行委员会发出最新呼吁：无意识的力量希望以武器把自己的意志强加给有组织的民主制度，街头运动和破坏行为得到了最充分的表达，“所有站在保卫革命立场上的人”都应该“等待全权的民主机构就政权危机作出决定”，即两周以后由中央执行委员会全体会议来解决问题。

“执行委员会在等待忠于它的部队到来，但来自各方面的报告却都说与它敌对的队伍在向首都开来。水兵和士兵们或水路、或陆路，从喀琅施塔德、新彼得戈夫、红村、红丘要塞，从附近各个地方向首都推进。他们全副武装，带着乐队，尤其可怕的是还带着布尔什维克的标语。”[1]在布尔什维克总部克舍辛斯卡娅大厦前，气氛达到了高潮。中午12点时，武装的喀琅施塔得水兵、士兵和工人约一万人，在名声很大的喀琅施塔得布尔什维克罗沙里和拉斯科尔尼科夫率领下，乘坐征用的拖船和客轮开进涅瓦河口。为了这次政治进军的需要，从军火库里拿出来75普特（约2.5吨）重的军火。喀琅施塔得人在涅瓦

[1] *Троцкий Л.Д.* История русской революции. Т.2. Октябрьская революция. Часть первая. http://gosprav.ru/trotsky_october/2/07/.

河岸登陆后，列队前进到了克舍辛斯卡娅大厦前，等待得到指示。“喀琅施塔得的水兵和首都的工人受了布尔什维克普通党员鼓动家的鼓动，热烈响应号召。……但号召示威的人并不明白是要彻底推翻政府还是只以和平的方式示威。”[1]

就在列宁听汇报的时候，上万名武装的喀琅施塔得水兵在他们的布尔什维克领导人带领下包围了大楼，并要求见列宁。列宁起先拒绝出面，并且显然是以此表示不赞成示威游行。但在喀琅施塔得布尔什维克领导人的坚决要求下，列宁不得不作出让步，勉强同意与水兵们见面。但他显然很不情愿，在走向阳台准备向水兵讲话时，多次对布尔什维克军事组织的几位领导人嚷道：“你们全都该揍。”[2] 列宁对喀琅施塔得水兵先说了几句欢迎的话，然后表示相信“全部政权归苏维埃”的口号终将实现，最后又呼吁喀琅施塔得人克制、坚强和遵守纪律。水兵队伍一阵欢呼，奏着乐往塔夫利达宫去了。

列宁讲话中的矛盾显示了形势的复杂性。多年之后，一位当时聆听列宁讲话的人回忆说：对很多水兵来说，列宁要求示威游行保持和平性是很意外的，他们中的很多无政府主义者和布尔什维克不能理解，武装的渴望战斗的队伍怎能满足于普通的手持武器的队列呢？[3]

7 月 4 日中午刚从芬兰回到彼得格勒的列宁对于事件的态度自然是最为引人关注的。有人认为，在当时情况下，布尔什维克党中央和列宁在很大程度上成了“形势的人质”、“党内局势的人质”。[4] 这个说法不够准确。因为就如列宁对水兵们的讲话所传达的信息是模糊的一样，他对当前运动的态度也是不很明朗的。在 4 日回到彼得格勒以后，直到 5 日凌晨最终决定停止示威以前，列

[1] [波] 伊萨克・多伊彻著：《武装的先知》，王国龙译，施用勤校，中央编译出版社 1998 年版，第 300—301 页。

[2] *Кедров М.* Из красной тетради об Ильиче.// Воспоминаня о Владимире Ильиче Ленине. M., 1956. T.1. C.485.

[3] *Рабинович А.* Большевики приходят к власти.Революция 1917 года в Петрограде. M.,1989. C.37.

[4] *Калягин А.В.* Июльский кризис 1917 года: причины, характер,последствия. http://media.ssu.samara.ru/materials/russia_1917/part7/page1_7.html.

宁的立场并没有明确地表达出来。[1] 加里宁后来回忆，列宁当时不能确定，群众上街是不是夺取政权的开始。列宁不排除在事态发展顺利的情况下引入部队参加行动，但同时也要准备好在损失最小的情况下撤退。[2]

当时与列宁十分接近的季诺维也夫在回忆录里说，对于列宁来说，无产阶级夺取政权的必要性问题在现在的这场革命刚开始的时候就解决了，问题只在于选择合适的时间。在7月的日子里，起先中央都曾反对立即夺取政权，列宁也是这样想的。但是当人民的愤怒浪潮高涨时，列宁的精神为之一振。季诺维也夫回忆，在布尔什维克上层的一个小型会议上，"列宁笑着对我们说，我们现在不试一试吗？但他又马上补充说，不，现在不能夺权，现在还没到时候，因为前线的士兵还不是都站在我们一边"[3]。

在七月事件中，列宁并不反对工人和士兵的发动，但他也不认为布尔什维克已经具备了夺权的基础。当时的情况是，临时政府在首都工人和士兵中还得到一定的支持；苏维埃领导层依旧不愿向群众压力让步；大部分社会主义者认为，无论是外省居民还是前线士兵都不支持把政权转交苏维埃，"全国所有重要力量"在任何情况下都应该为继续战争和拯救革命共同努力。他们担心，断绝与自由主义政党和工商集团的联系，将有可能削弱国家的军事能力、增加反革命胜利的机会。列宁注意到了这种局面，他认为外省和前线的情况具有决定性意义，但那里的情况并不乐观，布尔什维克在农民中得到的支持较弱，很多士兵保持着对苏维埃领导层的信任。这种心态和这种判断所产生的实际结果，就是对当前运动的矛盾立场或犹豫不定。

狂暴席卷首都

喀琅施塔得人在前往塔夫里达宫的途中，在涅瓦大街和铸造大街拐角处

---

[1] *Горинов М.М.* и др. История отечества. Выпуск 1. М., 1992. С.49.

[2] *Рабинович А.* Большевики приходят к власти. Революция 1917 года в Петрограде. М.,1989. С.38.

[3] *Зиновьев Г.Н.* Ленин. Владимир Ильич Ульянов. Очерк жизни и деятельности. Пг., 1918. С.56–57.

政府部队开枪驱散示威游行

遭到政府支持者的枪击，一些人受了伤。发生了对射。随后示威游行的水兵和士兵们开始了挨户搜查。发生了抢劫，很多商店遭难，首先是酒馆、饭店和烟草店。百货商场也遭到攻击。“所有这些不仅可悲，也很可怕。这一切完全不像反对资产者部长的示威，也不像反对他们、要求把政权归苏维埃的起义。”[1]

在彼得格勒的大街上，局势已经完全失控。无政府主义倾向越来越严重，有人号召武装起义夺取政权，征用企业、银行、仓库、商店等。[2]“在‘起义者’的队伍中，根本就看不出任何计划性和自觉性，也根本谈不上对运动的限制和取消。”另一方面，苏维埃和临时政府派出了忠诚的士官生、谢苗诺夫团和哥萨克部队。下午，在城里很多地方都发生了冲突和枪击。在混乱中总共有400多人伤亡。[3]局势变得非常严峻，看不到任何阻止普遍暴乱和大规模流血的措施。

一些事件亲历者指出，在“起义者”队伍中有一些挑拨者。全俄中央执行委员会委员、孟什维克沃伊京斯基指出：“无论如何，我有这样的印象，黑色百人团挑拨者在人群中起了很大作用，他们以自己的方式利用了自发的暴动。”[4]卢那察尔斯基在给妻子的私人信件中写道：“一切都出界了。黑色百人团分子、流氓、挑衅者、无政府主义者、绝望的人们，很大程度上把示威变得

[1] *Суханов Н.Н.* Записки о революции. Том 2（книги 3.4.）. М., 1991. С.331.

[2] *Соколов А.К.* Курс советской истории. 1917–1940. М., 1999. С.47.

[3] *Борисов Н.С.*Ключ к истории отечества. М., 1993. С.110. 也有学者认为共有700多人伤亡。[参见 *Горинов М.М. и др.* История отечества. Выпуск 1. М., 1992. С.48.]

[4] *Войтинский В.* 1917. Год побед и поражений. http://www.felshtinsky.com.

盲目、混乱。……布尔什维克和托洛茨基……实际上在自发性面前让步了。”[1]

“但突然之间彼得堡下起了一场瓢泼大雨。一分钟、两分钟、三分钟，‘战斗队伍’坚持不住了。……起义的士兵四处跑散……情绪破坏了，队伍垮掉了。大雨浇灭了起义的部队。起义群众再也找不到自己的领导人，而领导人也找不到自己的下属……重新组织军队已不可能，任何有计划的行动在大雨后都失去了最后的机会。但自发性仍在肆虐……”[2]

高尔基事后写道：“由席卷7月4日的彼得格勒的疯狂生发出的一幕幕令人厌恶的场景将永远留在我的脑海里。……很显然，这一次向‘社会革命’的可怕的迸发是某些人匆忙而未经深思熟虑策划的，那股把武装到牙齿的人们推上街头的力量的名字就是愚蠢。……开枪的当然不是‘资本家’，导致开枪的不是对革命的恐惧，而是因担心革命失败而生的恐惧。”[3]

下午5点左右，罗沙里和拉斯科尔尼科夫率领的喀琅施塔得水兵到了苏维埃所在地塔夫利达宫门口，宫前花园里挤满了人。人群打出了写着布尔什维克6月9日提出的那些口号的标语和旗帜。对于示威的士兵和工人来说，苏维埃领导层拒绝由他们自己掌握政权，是一件不可理解的事情。喀琅施塔得人要求社会主义政党的领导人出来见他们，并且试图往塔夫利达宫里挤。有些人从打开的窗子里爬了进去。

喀琅施塔得水兵在彼得格勒

苏维埃中央执

[1] *Луначарский А.В.* Письма мои к тебе, конечно, исторические.// Вопросы истории КПСС. 1991. №2.С.35.

[2] *Суханов Н.Н.* Записки о революции. Том 2（книги 3.4.）. М., 1991. С.332.

[3] [俄] 高尔基著：《不合时宜的思想》，江苏人民出版社1998年版，第14页。

行委员会主席团决定派社会革命党领袖、临时政府农业部长切尔诺夫去见示威的水兵和工人，平息他们激烈的情绪。切尔诺夫在塔夫利达宫的柱廊下刚一露面，几千人的武装示威者中就发出叫喊：“把他抓起来！搜查一下，看他有没有武器！”切尔诺夫显然有些恼怒，声称“在这样的情况下我不会说话”，并转身往回走。人群稍微安静了一些。切尔诺夫简短地谈了由于立宪民主党人辞职而引起的政权危机，他的讲话多次被打断。在他讲话结束时，有人要求社会主义者部长立即宣布土地归人民所有等措施。人群中响起了一阵狂暴的声音，舞动着武器的人群开始骚动起来。一群人竭力护着推着切尔诺夫回塔夫利达宫里面去。但水兵们抓住了他，一个魁梧的工人给切尔诺夫迎面一拳，叫道：“狗娘养的！给你权力，你就接着！”水兵们把切尔诺夫塞进了停在台阶旁的一辆敞篷汽车里作为人质，以此要求苏维埃掌握“全部政权”。一群水兵围着汽车，切尔诺夫坐在汽车后座上，看起来完全惊慌失措了。

这时有一群支持苏维埃的工人冲进中央执行委员会正在开会的白色大厅，报告外面发生的事情。他们叫道：“切尔诺夫同志被逮捕了！他马上就会被撕碎的！快去救他！大家都快去！”齐赫泽好不容易稳定了秩序，提议加米涅夫、马尔托夫、卢那察尔斯基、托洛茨基等人去救切尔诺夫。

在托洛茨基开始对水兵们说话时，人群并没有安静下来。他要求周围的人听他说话。他赞扬喀琅施塔得的水兵：“你们红色喀琅施塔得人赶到这里，只是听说革命遇到威胁！红色喀琅施塔得再次表明自己是无产阶级的先进战士。革命的光荣和骄傲，红色喀琅施塔得万岁！”但当托洛茨基试图走向切尔诺夫时，围在汽车周围的队伍又开始发狂了。“你们来宣布自己的意志，向苏维埃表示自己不愿再看到资产阶级掌握政权。但为什么要妨碍自己的事业，为什么要以自己对一些无辜者的微不足道的暴力抹黑和混淆自己的立场？有些人不值得你们的注意……你们每个人都将证明自己对革命的忠诚。你们每个人都准备为革命捐躯。这我知道……把手给我，同志！把手给我，我的兄弟！”托洛茨基向一位表达抗议最激烈的水兵伸出手去，但这个水兵坚决地拒绝作出反应，把自己没拿枪的那只手缩向一边。

但喀琅施塔得水兵也不知怎么办才好，就放了切尔诺夫。托洛茨基抓住切尔诺夫的手，急忙把他拉进塔夫利达宫。面色苍白的切尔诺夫无力地瘫坐到了自己在主席团的椅子上。[1]

下午 6 点钟，在塔夫里达宫，两个执行委员会的联席会议开会。54 个工厂共派了 90 个代表到会。代表们在发言中抗议执行委员会的文告把示威者说成反革命："你们看看我们的标语上写些什么。……我们要求 10 个资本家部长滚蛋。我们信任苏维埃，但不信任苏维埃所信任的人……我们要求立即没收土地，立即实施监督工业。我们要求解决威胁我们的饥荒问题"。"你们见到的不是什么叛乱，而是一个完全有组织的示威。我们要求土地给农民。我们要求取消针对革命军队的命令……我们要求政权转交苏维埃。"群众在 6 月 18 日示威中提出的口号，现在成了他们对苏维埃领导人的最后通牒。

但是掌握中央执行委员会的孟什维克和社会革命党人不想走上冒险的道路，他们认为政权交给苏维埃意味着要宣布和平政策、与协约国决裂、与本国资产阶级决裂并陷入完全孤立，局面将不可收拾。策列铁里坚持："目前局势使得在彼得格勒环境之中不能采取任何新的措施"，所以只有"承认现存的政府……两星期之内召集一个苏维埃非常大会……在工作不受干涉的地方开会，最好是在莫斯科。"[2]

联席会议接二连三地被打断。普梯洛夫工厂约有三万工人来到塔夫里达宫前，要求见策列铁里。"他们很有攻击性，一部分人冲进了塔夫利达宫，要找策列铁里……但这时策列铁里不在会议厅，整个塔夫利达宫都找不到他。大厅里一片混乱，喧闹，狂暴的叫喊。有一群工人闯了进来，他们约有 40 人，手持武器。代表们从座位上跳了起来。一些人没有表现出足够的勇敢和镇定。有一个身穿工装套裤和蓝色无腰短上衣、头戴小檐帽的工人，手执步枪，跳上讲台。他因激动和愤怒而有些颤抖，晃动步枪，急促地喊出一些不连贯的词：'同志们！我们工人忍受叛卖是不是太久了?！你们在这里开会，讨论，同资产阶级和地主做交易……出卖工人阶级。你们要知道，工人阶级不会容忍。我们普梯洛夫工人在这里有三万人，将战斗到最后一人！我们要实现自己的意志！

---

[1] *Суханов Н.Н.* Записки о революции. Том 2（книги 3.4.）. М., 1991. С.333; *Милюков П.Н.* Воспоминания（1859–1917）. Т.2. М., 1990. С.334.

[2] *Троцкий Л.Д.* История русской революции. Т.2. Октябрьская революция. Июльские дни: подготовка и начало. http://gosprav.ru/trotsky_october/2/07/.

不要任何资产者！全部权力归苏维埃！我们紧握手中的步枪！你们的克伦斯基们和策列铁里们骗不了我们！’齐赫泽面对着就在他鼻尖前晃动的步枪，表现得克制和十分冷静。……他俯身伸手把昨天的呼吁书塞到那个工人颤抖的手中，说道：‘给您，同志，拿着，请您读一读。这上面写着您和您的普梯洛夫的同志们该干什么。请您读一读，不要破坏我们的工作。该干什么，这上面全都写着呢……’”[1]

季诺维也夫后来回忆说：“我们的同志们建议我出去同普梯洛夫工厂的工人见面……一片人头的海洋，这种情况我从未见过。几万人紧紧团结在一起。他们继续喊着‘策列铁里’……我开始讲话：‘我代替策列铁里出来见你们。’下面一阵哄笑。这改变了群众的情绪，使我得以发表了一通长篇大论……结束时我请求这些听众立即和平地散去，保持良好秩序，无论在何种情况下都不能受人挑拨作出攻击性的行动。聚集的人群报以暴风雨般的掌声，排成队列，开始散去。”[2]

决定撤退

在 7 月 4 日彼得格勒局面明显失控的情况下，布尔什维克的立场是非常矛盾的。多伊彻指出：“作为一场暴动的领袖，布尔什维克的表现确实令人不可思议：他们对群众发表长篇演讲，但又遏制群众，警告群众不要有暴力举动。不过，布尔什维克也有一些深思熟虑的举动”，如游行队伍中的布尔什维克带头鼓动，组织得最好的喀琅施塔得水兵在动乱中表现最为突出，等等。[3]

一方面，布尔什维克党事实上已经投入了战斗，特别是党内的激进力量打算放手一搏，准备“把事情干到底”。[4]7 月 4 日，布尔什维克中央候补委员

[1] *Суханов Н.Н.* Записки о революции. Том 2（книги 3.4.）. М., 1991. С.336.

[2] *Троцкий Л.Д.* История русской революции. Т.2. Октябрьская революция. Июльские дни: подготовка и начало. http://gosprav.ru/trotsky_october/2/07/.

[3] [波] 伊萨克 · 多伊彻著：《武装的先知》，王国龙译，施用勤校，中央编译出版社 1998 年版，第 301 页。

[4] *Рабинович А.* Большевики приходят к власти. Революция 1917 года в Петрограде. М., 1989. С.40.

谢尔盖·巴格达契耶夫乘坐装甲汽车在彼得格勒全城到处跑，他挥舞步枪，号召他遇到的人都去“逮捕临时政府部长”。巴格达契耶夫在七月事件后被捕受审时承认，他是起义的组织者之一。[1]

另一方面，列宁回到彼得格勒后几个小时，布尔什维克领导层了解到了两个重要的情况：第一，苏维埃中央执行委员会和全俄农民代表苏维埃执委会已向前线部队发出呼吁，要求他们恢复彼得格勒的秩序；孟什维克和社会革命党控制的北方战线军队委员会已着手组织混合分队立即派往首都。第二，临时政府准备指控布尔什维克领导人按照德国的指示组织七月起义，并以此来动员卫戍部队对付布尔什维克。这两个情况极大地影响了布尔什维克对局势的判断。

7 月 4 日晚上，党的领导层中主张采取谨慎的政治策略的意见再次占了上风。托洛茨基、季诺维也夫等人要求小心从事，反对采取可能导致与温和社会主义者彻底分裂的措施，反对不顾苏维埃中央执行委员会和全俄农民代表苏维埃执行委员会的立场而夺取政权。

原先持强硬态度的彼得堡委员会部分成员对是否采取更积极行动的问题也开始趋于谨慎。如沃洛达尔斯基曾主张以组织群众性示威游行的手段来破坏临时政府的军事努力、推动成立由各社会主义政党的代表组成的政府。但现在，作为同工人和士兵有密切联系的彼得格勒苏维埃的成员，沃洛达尔斯基明确指出，这些社会群体还保持着对苏维埃的忠诚，他不想站出来支持那种不顾苏维埃领导层的意志、推翻临时政府的意见。[2]

由于苏维埃和临时政府采取的行动，局势已经明朗。7 月 5 日凌晨 2—3 点，布尔什维克中央委员紧急开会，对当前形势和党的立场进行了长时间的激烈争论。考虑到苏维埃中央执行委员会的坚定态度、彼得格勒无产阶级仍对苏维埃寄予希望、卫戍部队还有一些部队情绪的变化、前线部队中还缺少可靠的布尔什维克核心、群众意识到“政权归苏维埃”是一个复杂的问题以及他们无意明

[1] *Рабинович А.* Большевики приходят к власти. Революция 1917 года в Петрограде. М., 1989. С.56.

[2] *Рабинович А.* Большевики приходят к власти. Революция 1917 года в Петрограде. М., 1989. С.39.

日再继续斗争等等情况，包括列宁在内的大多数领导人主张停止示威游行。[1]中央委员会通过决议，呼吁工人和士兵停止街头示威。这个决议立刻通知了苏维埃中央执行委员会。

7 月 5 日早晨出版的《真理报》最后一版上刊登了一个简单声明："示威游行的目的已经达到……因此我们结束示威游行。"[2]这个声明的文字和口气表明，布尔什维克自己就是以运动组织者和领导者的身份行事的，因此这个声明也证明了布尔什维克在七月事件中所起的实际作用。

当然，以"目的已经达到"作为结束运动的依据，这个解释非常勉强，与事实不符，也是言不由衷的。因为布尔什维克激进分子和参加运动的士兵、工人的目标是要推翻临时政府，利用街头压力迫使苏维埃中央执行委员会和全俄农民代表苏维埃执委会掌握政权；而主张谨慎从事的领导人虽然认为夺权条件并不成熟，但也不排除相机行事。不过，最终的结果是布尔什维克党内无论是激进分子的目标还是温和分子的目标都没有达到。

在七月事件后反驳临时政府关于布尔什维克策划了这场动乱的指控时，布尔什维克强调它只是在不能阻止事态发展的情况下领导了运动并使之具有和平性质。但当时除了高尔基主编的《新生活报》之外，彼得格勒所有社会主义政党的报纸都不接受布尔什维克关于七月事件具有自发性的说法，并坚决要求对极端分子采取坚决措施。针对《真理报》的声明，全俄中央执行委员会机关报《消息报》7 月 6 日发表社论指出："根据《真理报》的意见，7 月 3—4 日的游行达到了自己的目的。7 月 3 日和 4 日的游行及其正式的领导者——布尔什维克得到了什么？他们得到的是 400 名工人、士兵、水兵、妇女和儿童的死亡……他们得到的是对很多私人住宅、商店的毁坏和抢劫……他们得到的是削弱我们在前线的力量……他们得到的是对统一的革命行动的分裂和瓦解……在 7 月 3—4 日，革命遭受到可怕的打击。"中央执行委员会面向士兵的《士兵之声报》7 月 6 日发表题为《钉在耻辱柱上》的文章："《真理报》的先生们，你们不会不明白，你们号召进行'和平示威'会导致什么样的结果……你们痛骂

[1] 关于这次会议及争论的详细情况，至今未见具体材料，有可能是当时未做会议记录。

[2] Революционное движение в России в июле 1917 г. Июльский кризис. Документы и материалы, М., 1959. С.33–34.

政府，污蔑孟什维克、社会革命党和苏维埃，制造恐慌，用并不存在的黑色百人团威胁吓唬人……而现在，你们根据所有懦夫的习惯，你们向自己的读者和追随者掩饰痕迹，蒙蔽真相。”右翼社会革命党报纸《人民意志报》指出：“布尔什维克公开反对革命民主派的意志。革命民主派拥有足够的力量迫使所有人服从自己的意志。它应该这样做……在我们紧张的日子里，任何拖延都等于死亡。”[1]

从已经清楚的事实来看，七月事件既具有一定的自发色彩，又明显受到布尔什维克的影响以至于具体领导；它既是群众反对临时政府、要求苏维埃掌握政权的运动，也是布尔什维克夺取政权的一次尝试。之所以如此复杂，是因为在七月事件的过程中，布尔什维克党内存在着明显的意见分歧和步调不一，即便是党的中央委员会也一再犹豫，多次改变立场。但是，尽管布尔什维克高层分歧严重，仍然很难否认党在总体上对于群众激烈情绪和行为的产生、加剧和蔓延所起的作用，以及对暴动的直接组织和领导。

第三节　七月事件的结束

苏维埃和临时政府采取行动

布尔什维克最后决定结束运动的一个重要条件是苏维埃和临时政府采取的行动。

七月事件中，临时政府再次明显地表现出自己作为一个现实政权的无力。米留可夫和古契柯夫已经辞职，克伦斯基在前线来不及赶回彼得格勒，李沃夫总理好像消失了。没有哪位政府要员出面处理局势。

只有司法部长、来自劳动派的 П.Н. 彼列维尔泽夫自行采取措施，同意情报部门官员提出的一个计划，即利用已收集的材料来证明布尔什维克与德国人的关系，以此促使卫戍部队站到政府一边，平息暴乱。彼列维尔泽夫几天后在

[1] *Рабинович А.* Большевики приходят к власти. Революция 1917 года в Петрограде. М.,1989. С.45–47.

解释自己的决定时说："我认为通告这些消息应该能够在卫戍部队中形成使任何中立都不再可能的情绪。我不得不在彻底查清弥天大罪的所有根源和线索与立即切实镇压威胁政权生存的叛乱之间作出选择。"[1]

7月4日晚上，情报部门邀请中立的卫戍部队各团代表到总参谋部，抛出了有关布尔什维克与德国人关系的材料，竭力证明列宁是德国间谍、彼得格勒街头的武装暴动受到德国人策动，要求卫戍部队保卫临时政府，恢复市内秩序，执行逮捕布尔什维克的任务。

这个消息立即传遍了卫戍部队各个团，士兵的情绪一下子改变了。普列奥布拉任斯基团率先宣布，它将出面镇压动乱。随后又有一些部队作了同样的表态。在一阵枪声之后，参加起义的士兵和工人四散离去。但直到7月4日半夜，彼得格勒市中心仍未平静下来，到处都能听到枪声，有一些人员伤亡。[2]

7月5日凌晨开始，一些部队相继来到苏维埃所在地塔夫里达宫，表达对苏维埃领导层和临时政府的支持。苏维埃中央执行委员会立即通过决议，承诺在三周内召集有地方苏维埃代表参加的会议来最终解决未来政府的组成和成立苏维埃政府的问题。

7月5日清晨开始，从北方战线调来的几支支持临时政府的部队相继开进了彼得格勒。在皇宫广场举行的欢迎仪式上，临时政府农业部长切尔诺夫发表讲话："我相信，这样的到达对你们来说是第一次也是最后一次……我们

从前线调来的部队镇压了暴动

[1] *Рабинович А.* Большевики приходят к власти. Революция 1917 года в Петрограде. М., 1989. С.41.

[2] История России XX:1894–1939. Под ред. *А.Б.Зубова.* М., 2009. С.411.

希望并且相信，再也没有人敢于反对革命民主派的多数。”[1]十分鄙视彼得格勒后备部队的前线士兵毫不留情地镇压残余的起义者。七月暴动就这样结束了。在暴动过程中，总共约 400 人死亡。[2]

7 月 5 日早晨 6 点左右，一队士官生袭击了《真理报》编辑部和印刷厂，编辑部的一些工作人员遭到殴打和逮捕，印刷厂的设备和家具被捣毁，一捆捆刚印好的报纸被扔进附近的莫伊卡河中。彼得格勒军区司令部专门组织了一支包括 8 辆装甲车和一些重炮的分队，准备攻击布尔什维克总部克舍辛斯卡娅大楼。6 日黎明时分，在得到即将发起攻击的警告之后，一些布尔什维克撤到了邻近的彼得保罗要塞，那里有同情布尔什维克的部队。担任攻击任务的部队搜缴了大量武器，逮捕了 7 个还在搬运档案的布尔什维克。

7 月 4 日到 5 日的那个夜间发生的事情，即原先中立的卫戍部队士兵情绪的转变、从前线调回的忠于政府的部队进入彼得格勒，与其说拯救了临时政府，不如说从根本上破坏了布尔什维克的事业，最终决定了事件的结局。

7 月 6 日，工人们开始复工。政府控制的部队重新占领了作为布尔什维克最后据点之一的彼得保罗要塞。彼得格勒的街道恢复了常态。

形势急转直下

七月事件是 1917 年俄国革命发展过程的重要转折点，它导致了俄国国内局势根本性的变化。

七月事件时，克伦斯基不在彼得格勒，他是在 7 月 3 日离开首都到前线去的，在那里得到了有关首都发生动乱的报告。在给李沃夫总理的回电中，克伦斯基主张“坚决制止叛变性的发动，解除参与暴动部队的武装，将所有挑动者和暴动者移送法庭审判”。在前线，他看到了最新一期用俄文出版的德国宣传刊物《同志》，其中有一篇文章使他得出结论：德国人预先知道彼得格勒的

---

[1] *Рабинович А.* Большевики приходят к власти.Революция 1917 года в Петрограде. М., 1989. С.54.

[2] 参见 История России XX:1894–1939. Под ред.*А.Б.Зубова.* М., 2009. С.412.

起义。这很自然地加强了他关于列宁是德国间谍的看法。[1] 他在愤怒和焦躁中坐上了火车，回到彼得格勒。

由于七月事件首先就是卫戍部队的暴动，因此6—7日的政府会议下令将参加暴动的部队解除武装并予以解散。在前线采取措施制止部队的瓦解。指挥人员得到授权，可以对擅自放弃阵地的部队开火。在所有前线部队禁止布尔什维克报纸、禁止政治集会。最重要的措施是对军事犯罪行为恢复死刑，同时成立革命军事法庭并授予其作出死刑判决权力。

军事部长和内务部长得到授权关闭那些鼓吹不服从军事当局的命令、对居民进行煽动的报纸。据此，封闭了布尔什维克的《真理报》、《士兵真理报》、《战壕真理报》、《真理之声》等报纸。为解除工人武装，政府下令平民必须上交其拥有的枪支弹药，拒绝上交者按攫取国家财产罪追究责任。为了防止参加起义的工人和士兵从市中心躲到左岸工厂区，断开了涅瓦河上的桥梁。关闭了边界，以防止"德国间谍"的渗透。

苏汉诺夫记载了7月6日暴动失败以后的形势："士兵中的情况更糟糕。这个刚受到沉重打击的愚昧群体，慌忙地投入了黑色百人团的怀抱。……成百上千的昨天的'布尔什维克'现在脱离了任何社会主义政党的影响。在卫戍部队士兵眼中，甚至连苏维埃的旗帜也开始动摇了。……军营里也在召开群众大会，那里已经能够听到完完全全是煽动大屠杀的言论。……其他社会主义者都已在指责布尔什维克。至于小市民、普通居民、'知识分子'的情况，那也是糟透了……在这里做作的惊慌和真实的仇视达到了极点。军事专政，甚或复辟，在这里即便不受到热烈欢迎，也绝不会遭遇任何抵抗。……'布尔什维克'这个词已经成为人人喊打的恶棍、杀人犯、出卖基督者的同义词。"[2]

布尔什维克陷于孤立和无助的处境。[3]7月6日，卢那察尔斯基在给妻子的信中说："从外表看生活正在步入轨道。……实际上，从深层次看，局势仍然极端不稳定和危险。反动倾向在不断扩大和加强，政权的危机仍在继续，左

[1] *Рабинович А.* Большевики приходят к власти. Революция 1917 года в Петрограде. М., 1989. С.25.

[2] *Суханов Н.Н.* Записки о революции. Том 2（книги 3.4.）. М., 1991. С.353.

[3] 布尔什维克在七月事件后遭到沉重打击，详见本书第八章之"布尔什维克遭受重创"。

翼还没有恢复元气，而且我也不知道它能否很快恢复元气。存在许多十分怕人的预兆。饥荒的预后也极为严峻，将是崩溃。……经过7月4日那一个疯狂的日子以后，不管谁对谁错，我们，国际主义者—左派社会民主党人，成了某种被遗弃的人。这要延续多久，只有上帝自己知道。最后总要有个什么样的结果。经过对12个人的诽谤宣传运动，特别是经过指控列宁为间谍的事件，切尔诺夫事件[1]已经对我产生不了强烈的印象。诽谤是反动派主要的、目前几乎是唯一的武器。……然而，对于愚昧的群众而言，诽谤还是起作用的。而民主派内部分裂了。由此也产生了一个问题：苏维埃在道义上的威望能够保持下来吗？如果能够，那么一切都会逐渐好转。如果不能，强大的反动时期就会来临，尽管不会长久……”一周后，他写道：“局势仍然是那样。前线的惊人不幸和其他情况在我们这里引发出强烈的反动形势，不过它们也在德国引发出反动形势。这是阴暗的时期。……当然，这些都会过去，会好起来的。但是，什么时候呢？我能活到那个时候吗？”[2]

卢那察尔斯基的担心不是没有理由的。

彼得格勒的暴乱促使温和的和保守的政治集团与社会阶级都增强了不惜代价恢复秩序的决心。在春末夏初，上层军事指挥人员、保守主义和自由主义的政治力量因担心国内无政府主义的泛滥和前线军队的混乱，曾竭力主张采取这样的行动。但直到七月事件发生前，政府对极左翼采取行动的可能性受到来自两个方面的制约：其一是政府自己在彼得格勒群众中的威信不够，其二是苏维埃中央机关不愿批准采取镇压行动。

但在七月事件中，临时政府和苏维埃的立场都发生了变化，而且取得了一致。临时政府第一次认真考虑并最终决定以强力镇压左翼军事政治力量、制

---

[1] 七月事变后，临时政府农业部长、社会革命党领导人切尔诺夫被资产阶级报刊指责曾在国外发表失败主义文章并参加一份受德国人资助的报纸的工作。为此，切尔诺夫于7月20日（8月2日）宣布退出政府，并表示只有在为他恢复名誉后才会重返政府。7月24日，临时政府司法部长宣布，对切尔诺夫的指责是没有依据的。后来，切尔诺夫重新进入克伦斯基政府担任农业部长。

[2] *Луначарский А.В.* Письма мои к тебе, конечно, исторические.// Вопросы истории КПСС. 1991. №2.

止其旨在夺权的活动。苏维埃领导层也开始意识到，无限的民主将会把国家引向彻底的无政府状态，只有强有力的政权才能够阻止事态的悲剧性发展，因此放弃了一直所持的不对左翼采用强制力量的主张，同意对布尔什维克采取强硬立场。

在7月7日到8日的那个夜里，工兵代表苏维埃全俄中央执行委员会和农民代表苏维埃执行委员会举行联席会议，讨论最近发生的政治问题，其中主要的是布尔什维克的路线、迅速蔓延的反革命情绪、政府的垮台等。会议通过决议，认为七月事件是无政府主义者—布尔什维克准备的“武装行动的冒险尝试”，承认政府保卫革命自由和恢复秩序的权力，但指出“特别措施”只能针对个别人而不是整个党派。

同自由主义者不同的是，领导苏维埃的孟什维克和社会革命党非常担心，七月事件引起的反革命浪潮将会淹没革命。作为应对这种反革命威胁的措施，他们选择了更紧密地团结在政府周围以及与自由主义政党结成联盟。

前线俄军溃败的消息进一步加强了这一趋势。7月9日，俄军败退的消息传到了彼得格勒。军事失败产生了双重影响：一方面，它进一步激发了部分群众对临时政府的不满甚至敌意；另一方面，出现了把德军的塔尔诺波利突破与七月事件联系起来的舆论，把七月事件称为“布尔什维克试图突破国内战线的尝试”。

7月9日当天晚上，在得到前线大败的消息之后，在塔夫利达宫的白色大厅召开了两个苏维埃执行委员会（全俄工兵苏维埃中央执行委员会和全俄农民苏维埃执行委员会）的紧急联席会议。通宵举行的会议的主要部分是从策列铁里的发言开始的。他描述了国内局势和军事形势的阴暗甚至可怕的情形，强调必须使新政府成为强有力的政权，授予它不受限制的权力。

孟什维克唐恩在会上的发言也代表了苏维埃中温和的社会主义者的立场。唐恩的职业是个医生，但他也是俄国社会民主主义运动的宿将。1917年，他所持的政治立场在孟什维克中比中派稍左一点。在布尔什维克试图在6月10日发动的示威游行流产之后，他曾反对策列铁里对布尔什维克及其追随者采取强硬措施的做法，认为这只会削弱政府的地位并加强列宁的影响。

但现在，可能是因为愤怒的缘故，平时温和的唐恩面部有些扭曲变形。他说：“我们不应该无视这样的事实，即俄国正在军事专政的门前。我们有责任从军事专政手中夺过刺刀，而我们只有通过承认临时政府为社会拯救委员会才能做到这一点。我们应该授予它不受限制的全权，以使它能够摧毁来自左边的无政府主义和来自右边的反革命……我不知道现在政府还能不能拯救革命，但我们必须做最后的尝试。只有革命民主派同政府的团结一致才能拯救俄国。”[1]

联席会议以压倒多数通过了唐恩提出的决议案：“承认前线和国内局势受到军事崩溃、革命失败和反革命力量获胜的威胁，工兵代表苏维埃和农民代表苏维埃中央执行委员会联席会议作出决议：(1) 国家和革命处于危急之中。(2) 宣布临时政府为拯救革命的政府。(3) 承认临时政府拥有不受限制的权力，以恢复军队的组织性和纪律性、同一切反革命和无政府主义作斗争、实行 7 月 8 日宣言中提出的纲领性的积极措施。(4) 社会主义者部长应每周不少于两次向联合的中央执行委员会报告自己的全部活动。”[2]

对此持反对意见的是孟什维克国际派、区联派、左派社会革命党和布尔什维克。

“让政府以铁腕镇压一切无政府主义的爆发和一切侵犯革命成果的行为吧。让它采取革命所需要的一切措施吧。”[3] 这是苏维埃报纸《消息报》的呼声。在苏汉诺夫这个左翼孟什维克看来，“群众是顺从的，衰弱的。资产阶级觉醒了，投入了战斗。所有人都能清楚地感觉到强大的、深刻的反作用力。对于实行真正的专政来说，土壤是适宜的。”[4] 显然，在苏维埃中占优势的孟什维克和社会革命党得出了必须实行专政的结论。国家面临的局面使大多数温和社会主义者加强了建立一个能够制止无政府主义扩散的代表民族利益的政府的想法。“关于专政的问题自然而又不可避免地提上了日程。……问题只是在于，目前条件下要的是什么样的专政?”[5]

---

[1] *Суханов Н.Н.* Записки о революции.Том 3（книга 5.6.7.）. М., 1992. С.8.

[2] *Суханов Н.Н.* Записки о революции.Том 3（книга 5.6.7.）. М., 1992. С.8–9.

[3] 参见 *Рабинович А.* Большевики приходят к власти.Революция 1917 года в Петрограде. М., 1989. С.50.

[4] *Суханов Н.Н.* Записки о революции.Том 3（книга 5.6.7.）М., 1992. С.11.

[5] *Суханов Н.Н.* Записки о революции.Том 3（книга 5.6.7.）М., 1992. С.7.

“拯救革命的政府”

相对于平息极端激进分子的武装运动而言，要消除自由主义者与温和社会主义者之间在新政府组成问题上的分歧更为困难。

七月事件前后，临时政府的组成出现了一些变动。7 月 2 日三个立宪民主党部长辞职。七月事件后司法部长彼列维尔泽夫因未经内阁批准就公布有关布尔什维克与德国关系的材料而去职。7 月 7 日李沃夫本人因不能接受社会主义者部长提出的作为新联合政府的政治平台基础的“共同原则”而辞职，这些原则是根据全俄苏维埃第一次代表大会上通过的关于改革的建议而形成的，对于李沃夫来说它们过于激进了。在这种情况下，7 月 8 日，克伦斯基被任命为总理。

当天，临时政府公布了关于自己的活动纲领的宣言。宣言表示，临时政府的最基本任务是利用一切力量同外部敌人作斗争、维护新的政治秩序、反对无政府主义和反革命。在外交方面，政府将向盟国建议在 8 月间召集会议以协调行动实现俄国革命宣布的原则；在内政方面，将采取一切措施确保 9 月 7 日如期举行立宪会议选举，要在普遍、直接、平等、秘密的选举基础上尽快进行地方管理改革，消灭等级制度，取消文官官阶和勋章，由政府制定组织国民经济的总的计划，实施有关劳动立法，加紧制定 8 小时工作制、社会保险的相关法律。在农业政策方面，政府将依据把全部土地转到耕作者手中这一信念，起草向立宪会议提交的土地改革方案。[1]

与第一届联合政府的纲领相比，考虑到与自由主义政党的关系，宣言没有涉及解散国家杜马和国务会议的问题，也没有提到立即宣布共和国的问题，而这是苏维埃代表大会提出、在社会主义者部长“共同原则”初步方案中得到体现的两个主要的要求。

在自由主义者看来，一个强有力的政权必须排除苏维埃的影响。克伦斯基与罗将柯就“特别重要的国家大事”进行会谈时，后者明确提出“国家政权的独立性”，即要求临时政府独立于苏维埃民主派。

[1] Революционное движение в России в июле 1917 г. Июльский кризис. М., 1959. С.295–296.

立宪民主党领袖米留可夫和他的朋友们同样首先主张政权的独立性。这一立场在第二届联合政府的组成问题上成为立宪民主党的主要条件。他们认为，温和社会主义者的威望在七月事件中受到削弱，现在已经出现了恢复秩序和政府全权施政的有利时机。立宪民主党表示，它加入新联合政府的条件是政府放弃 7 月 8 日的宣言。在其 7 月 15 日向克伦斯基递交的声明中明确提出：

1. 政府所有成员，不论他们属于哪个政党，他们应该仅仅对自己的良心负责，他们在内阁中的行动和存在不是任何形式的委员会或组织干预国家事务的理由。

2. 在国内政策方面，政府应该将它限制在保卫革命的胜利果实上，而不应实施可能会导致国内冲突的举措。所有基本的社会改革和有关政府组成的问题应该完全留待立宪会议解决。

3. 在战争与和平方面，政府应该以与盟国完全一致的原则为指导。

4. 应该采取措施，通过恢复严格的军事纪律以及停止士兵委员会对策略和战略问题的干涉，建立起一支强大的军队。

5. 作为国内行政管理的根本，应该结束政府权力的多元性；在国内重建秩序；坚决同无政府主义、反政府和反革命行为作斗争；尽快组织稳定的地方行政管理。

6. 恢复国家司法的地位，使其能够恰当地发挥作用。检察官和法官不应受到政治家的干预。

7. 举行立宪会议选举，以使人民能够表达他们真实的意愿。[1]

米留可夫起草的这个声明最主要的实质是要求政府不受苏维埃制约，结束政权多元化的局面，恢复秩序，重建军队。但是，在对迫切问题的态度上，立宪民主党显然忘记了四月危机和六月进攻的教训，再次坚持自己在战争问题上的立场。而对于群众期待的根本改革，则推迟到立宪会议去解决。这种态度使他们同正在迅速失去耐心的下层群众处于对立的境地。

为协调这些要求与 7 月 8 日政府宣言之间的矛盾而进行的谈判是困难的，各方言辞尖刻，互不相让。而俄国则处于没有有效领导力量的状态。

---

[1] W.G.Rosenberg. *Liberals in the Russian Revolution:The Constitutional Democratic Party,1917–1921.*Princeton University Press.1974.p.184.

7月13日，召开了苏维埃中央执行委员会会议。克伦斯基首先讲话，他呼吁苏维埃“中央执行委员会应该充分支持政府”，并断绝与布尔什维克的关系。“只有彻底消灭那些追求小集团利益并将其置于整个俄国福祉之上的成分，才可能巩固俄罗斯国家”。这是他就任政府总理后第一次出现在塔夫利达宫，气氛很热烈，连走廊里都站满了人。对克伦斯基的呼吁，大厅里报以热烈的掌声。齐赫泽在致答辞时说：“为了拯救革命，无论面临什么样的牺牲……机构（指苏维埃）都不会停止不前。”据报纸报道，在齐赫泽说了这些话后，克伦斯基从椅子上跳起来拥抱了他。克伦斯基再次登上讲台宣布：“我以临时政府的名义庄严承诺，任何试图恢复君主制的企图都将遭到坚决的无情的镇压。”会场掌声雷动，“共和国万岁！”“为了祖国的荣誉，乌拉！乌拉！乌拉！”的呼声此起彼伏。克伦斯基表示，在目前时刻，国内一切有生力量都应该联合在临时政府周围，并派自己的代表参加政府。[1]

大厅里声音刚平息一点，唐恩就跑上讲台。“克伦斯基同志号召我们做的我们已经完成了。我们不仅准备支持临时政府，我们不仅授予它充分的全权，我们还要求政府使用这个权力。”唐恩代表孟什维克和社会革命党党团提出了一份措辞强烈的决议案，其中指责布尔什维克犯下了反人民反革命的罪行，并认为列宁躲避逮捕是“完全不能允许的”，要求布尔什维克党团在自己党内谴责其领导人的这种行为并取消所有受指控人员进入执行委员会的资格。策列铁里发言说，所有热爱祖国的人都应该响应政府的号召，而政府应该保证不会再发生对革命背后插刀式的打击。梁赞诺夫、诺根等代表布尔什维克党团发言表示抗议，但大会仍然以压倒多数通过了唐恩的决议案。[2]

但围绕组织新政府问题的政治接触和谈判仍在进行。克伦斯基在组阁遇挫后于7月21日突然以提出辞职来施加压力，而其他部长拒绝接受他的请求。7月21日和22日，临时政府成员与各个政党、苏维埃中央机关、国家杜马临时委员会的代表就新政府组成问题进行谈判并达成协议，授权克伦斯基完全自

[1] *Рабинович А.* Большевики приходят к власти. Революция 1917 года в Петрограде. М., 1989. С.62. ；*Суханов Н.Н.* Записки о революции.Том III（книга 5.6.7.）М., 1992. С.21.

[2] *Рабинович А.* Большевики приходят к власти. Революция 1917 года в Петрограде. М., 1989. С.62.

由地组织政府。据此，克伦斯基排除了选择部长的代表制原则，即部长不再是其所属政党的代表，社会主义者部长在形式上也不再向苏维埃负责。在实际上，这意味着苏维埃对于政府的影响力减弱。应该说，这是多数信任临时政府和主张联合政策的孟什维克和社会革命党人对立宪民主党作出的重大让步。

在此基础上，7 月 24 日宣布了新的第二届联合临时政府的组成：总理兼军事部长和海军部长克伦斯基、副总理兼财政部长涅克拉索夫、外交部长捷列申科、内务部长阿夫克森齐耶夫、司法部长扎鲁德内、交通部长尤列涅夫、商工部长普罗科波维奇、教育部长奥尔登堡、农业部长切尔诺夫、劳动部长斯科别列夫、粮食部长彼舍霍诺夫、国家救济部长叶甫列莫夫、邮电部长尼基金、宗教院总监卡尔塔绍夫、国家监察长科科什金。

这届社会主义者和自由主义者的联合政府明显地进一步转向左边。在 15 人组成的政府中，克伦斯基、阿夫克森齐耶夫、切尔诺夫、扎鲁德内、彼舍霍诺夫、斯科别列夫、尼基金等 7 人是社会主义者。

新的联合政府有一个新的特点，即克伦斯基作为政府首脑被授予广泛的权力，部长们形式上不对自己的政党或组织负责。在这个意义上，临时政府确实在与苏维埃中央执行委员会的关系上更加独立，得到了更多的行动自由。

第二届联合政府的组成表明，苏维埃对政府的影响力明显削弱，从这个意义上说，双重权力局面已经结束。新政府中社会主义政党的代表多于立宪民主党等自由主义政党的代表，说明了新形势下的力量对比关系。现在，临时政府与苏维埃甚至在形式上都不再是互相对立的了。

第七章　八月政变

1917年8月，俄军总司令科尔尼洛夫将军发动军事政变。[1]这是右翼力量企图建立军事专政的一次尝试。克伦斯基政府求助于苏维埃，在民主派和布尔什维克的共同参与下挫败了军事政变。科尔尼洛夫的失败从根本上改变了国内政治格局：右翼力量遭受毁灭性打击，不可能再参与政治角逐；主要的自由主义政党立宪民主党因与科尔尼洛夫有牵连而名声扫地；孟什维克和社会革命党在苏维埃中的影响也逐渐削弱；而政治格局中的左翼——布尔什维克的力量显著加强，已经没有什么现实的力量能够阻止它重新崛起。

第一节　自由还是秩序？

混乱加剧

七月事件之后，临时政府和苏维埃对局势失控的担忧加强。克伦斯基在就任政府总理后马上公开宣布："我们的基本任务是保卫国家免受破坏和无政府主义之害。我的政府将拯救俄国，如果理性、名誉、良心的动机还不够的话，它将用铁和血实现俄国的统一。"[2]彼得格勒群众的情绪也因七月事件而发生了重大变化。

这种情况在政府为在七月事件街头冲突中被打死的哥萨克举行的葬礼上得到了体现。在7月15日举行的庄严肃穆的葬礼上，克伦斯基发表演讲，表达了政府同无政府主义斗争的决心："公民们！我们现在正经历着特别悲伤的历史时刻。我们每个人应该向为了我们的祖国、为了自由、为了俄国公民的荣誉而牺牲在首都街头的英雄们默哀致敬。我代表政府对你们说，俄国正处在艰难时刻。它比历史上任何时候都更接近死亡……在你们大家面前我公开宣布，一切挑动无政府主义和动乱的企图，不管它出自哪里，都将遭到无情的制止……在牺牲者的遗体面前，我要求你们发誓，你们将和我们一起为拯救国家和自由竭尽全力。"克伦斯基举起右手喊道："我发誓！"在短暂的安静之后，

---

[1] 这次军事政变也被称为"科尔尼洛夫叛乱"。

[2] *Рабинович А.* Большевики приходят к власти. Революция 1917 года в Петрограде. М., 1989. С.26.

数千只手高高举起，人群中发出巨大的声音：“我们发誓！”

哥萨克的遗体被安放在炮车上，送葬队伍由政府官员、苏维埃代表、参加仪式的各代表团、神职人员和各部队的队列组成，伊萨基大教堂和其他教堂钟声长鸣。从伊萨基大教堂到亚历山大·涅夫斯基修道院，大量民众夹道送行。葬礼结束时已是午后，在整个过程中没出一点差错。[1] 这与七月事件那几天的混乱和喧嚣形成鲜明对照。

但是另一方面，在全国范围内，社会和政治危机仍在加剧。每天都有坏消息：城市的混乱在发展，工厂的好斗情绪在蔓延，粮食和燃料供应的灾难性状态，物价飞涨，芬兰和乌克兰要求完全自治的运动，等等。8 月中旬，在一些军工厂发生了原因不明的火灾和爆炸。由于铁路和水路运输混乱造成的彼得格勒的粮食供应紧张引起了恐慌和绝望。8 月 21 日，德国人占领了重要港口里加。有钱人已经准备离开首都。

在农村，农民自发的暴力行动进一步升级。

最可怕的还是军队的局面。对于俄国军队来说，1917 年的那个夏天如同梦魇。无论在前线还是后方，士兵的情绪进一步激化，哗变和暴动成为普遍现象，军队的瓦解加快了速度。士兵们以“反革命”的罪名逮捕和处决军官，杀害妨碍他们行动的人。临时政府任命的西南战线政治委员费多尔·林德被暴动士兵杀害，成为军队彻底瓦解的标志性事件。林德曾在二月革命中发动普列奥布拉任斯基团的士兵站到革命一边，在四月危机中首先组织士兵上街游行要求米留可夫辞职。8 月下旬，第 3 步兵师的部队在士兵委员会主席、布尔什维克格里戈里·拉兹日文的宣传发动下拒绝执行命令并自行撤出阵地。8 月 24 日，林德来到444团和443团，下令惩处煽动者，要求士兵们遵守纪律、服从指挥。林德愤怒地训斥造反的士兵：“当你们的祖国为了战胜敌人而艰苦奋斗、筋疲力竭的时候，你们却畏缩不前，拒不执行长官的公正要求。你们不是士兵，而是应该被消灭的恶棍。你们是不知廉耻的下流胚和猪猡，不配享受自由。我，西南战线政治委员，为了给你们自由——世界上还没有一个国家的人民能够享受这样的自由——曾经带领士兵推翻沙皇政府。我要求你们立即交出那些煽动

[1] *Рабинович А.* Большевики приходят к власти. Революция 1917 года в Петрограде. М., 1989. С.66.

你们拒不执行命令的人。”但结果不是林德平息士兵造反，而是他被暴动士兵所杀，他的尸体遭到疯狂的士兵的践踏。[1]里加陷落以后，士兵开小差的规模达到了空前程度，每天竟达上万人。士兵们只有一个想法：回老家去！别错过分大地主的牲畜和土地的机会。成群结队的逃兵在小城镇里抢劫商店、欺压百姓，搞得人心惶惶。

俄国继续在无政府状态的汹涌浪潮中沉沦。

在政治层面，七月事件后克伦斯基的政治生涯达到了最高点，他成为连接“有身份的阶层”与“革命民主派”之间的环节、国家一切“有活力的”、“为国家着想的”力量统一的象征。但在社会危机加深以及与此相关的社会力量两极化的情况下，推行中间政策是一项困难的任务。因此，克伦斯基的“路线”经常变化、时而走样，从而使政权陷入困境。克伦斯基在自己的圈子里也经常抱怨说他想走“中间道路”，但很少有人能够理解和接受。[2]

一个引人瞩目的现象是，作为资产阶级政治代表的立宪民主党从原先比较谨慎的立场明显转向右边。

自4月临时政府第一次危机之后，立宪民主党内部在是同民主派政党合作、组织联合政府，还是同右派结盟、建立军事专政并结束革命的问题上就存在分歧。四月危机发生后，米留可夫要求所有立宪民主党部长辞职，以此向苏维埃施加压力。他认为“革命已脱离轨道，其下一步发展我们已无法控制。……我们再不能把自己同革命联系在一起，而要准备力量同它斗争。”[3]但多数中央委员不同意这种不妥协态度。党的左翼领导人涅克拉索夫指出，这将使政府与苏维埃之间的关系复杂化，而这种关系的发展最终将决定俄国的命运。他主张同民主派政党合作，成立多党联合政府。经过激烈的争论，中央决定加入联合政府。

七月事件后，立宪民主党领导层中出现了寄希望于实行军事专政的明显

[1] Юго-Западный фронт. http://militera.lib.ru/bio/gladkov_tk_kikvidze/02.html; *Краснов П. Н.* На внутреннем фронте. III.Бунт 3-й пехотной дивизии. Убийство комиссара Юго-Западного фронта Ф. Ф. Линде. http://www.dk1868.ru/history/Krasnov_na_vn_fronte.htm.

[2] Из истории борьбы за власть в 1917 году. Сборник документов. М., 2002. С.43–44.

[3] Архив русской революции. Т.10. С.13–14.

倾向。在新的联合政府组成问题上，克伦斯基邀请自由主义者重返政府，但米留可夫坚持认为不能向民主派政党让步。立宪民主党中央委员会多数委员虽然认为保留联合政府是必要的，因为如果温和的社会主义者不在政府之内，无政府主义的浪潮将会吞噬俄国，但在第二届联合政府组成的原则上，立宪民主党还是提出了一些强硬的要求，其立场实际上代表了俄国社会相当广泛的阶层要求建立一个"强有力的政府"的愿望。到 8 月的国务会议前夕，米留可夫已经"确定不移地相信，在革命的这个阶段，临时政府注定要垮台，只有军事专政才能把俄国从无政府主义中拯救出来"。[1]

右翼酝酿军事专政

俄国政治格局中的右翼力量认为，国家的外部和内部局势都已经到了万分紧急的地步。他们认为，新成立的联合政府中社会主义政党的力量增强，意味着政权的左倾，意味着政府将更加依赖苏维埃和其他"不负责任的组织"。

早在 3 月底的时候，试图建立军事专政、以"铁腕"恢复秩序的军人和工商界企业家们就已认为，革命的节日钟声鸣响的时间够长了，到了敲响警钟的时候了。[2] 但在 3—6 月间，右翼的活动还是低调甚至秘密的，他们以怀疑的态度看待临时政府试图控制与结束"革命无政府主义"的努力，并逐渐形成了建立"铁腕政权"即军事专政的计划。他们认为，这是巩固临时政府的权力、把它从苏维埃和其他"不负责任的组织"的压力下解放出来的现实途径，"拯救国家"只有在建立军事专政的情况下才是可能的。

3 月中旬，克雷莫夫将军被古契柯夫召到彼得格勒。在会见时，克雷莫夫建议古契柯夫和李沃夫"用一个师在两天之内清理彼得格勒，当然不会是不流血的"。彼得格勒军区司令科尔尼洛夫赞成克雷莫夫的意见，支持"不可避免地果断清理彼得格勒"。但这个建议没有获得政治家的支持。"古契柯夫不赞成，

[1] *Иоффе Г.З.*Семнадцатый год: Ленин, Керенский, Корнилов. М., 1995. .78–79.

[2] *Деникин А.И.* Очерки Русской Смуты.Том первый. http://www. magister.msk.ru/library/history/xx/denikin/ denia 001.htm.

李沃夫挠头说：‘得了吧，这会引起多大的震动！’”[1]

克雷莫夫的建议未被采纳，但他得到了提升，被派往罗马尼亚前线接替克列尔担任第三骑兵军（其序列中包括乌苏里哥萨克师、“野蛮师”、第一顿河哥萨克师）军长。克雷莫夫回到基希涅夫后，对于临时政府制止“革命无政府主义”的能力越来越失望，开始在部队中建立秘密的军官组织。邓尼金认为，克雷莫夫倡议建立的军官组织覆盖了第三骑兵军的部队和基辅警备部队。这个组织给自己确定的第一位目标是，把基辅变成“未来军事斗争”的中心。邓尼金证实，克雷洛夫在 1917 年春天就已认为“前线已经完结，军队的彻底瓦解不是几个月而是几个星期的事”。因此他计划在“前线最终崩溃”的时候把自己的军队开进基辅并实施占领，从那里向尚未丧失爱国主义感情的力量——首先是军官们——发出呼吁，把他们聚集在自己周围。至于在这之后将采取何种治理方式，克雷莫夫没有明确打算，他认为“这是将来的事情”。[2]

在同阿列克谢耶夫的女婿沙普隆上校会见时，克雷莫夫介绍了这个计划，说要在占领基辅后“恢复坚强的政权。从基辅发出呼吁，使全体诚实的爱国者手持武器聚集在我的周围”。他还提出，要在所有部队中进行不引人注目的隐蔽的工作，拟定出“上绞架的候选人”名单。至于临时政府，克雷莫夫极为敌视和不屑地说：“让它见鬼去吧，让这个政府见鬼去吧，让这个混蛋见鬼去吧！”[3]

在 1917 年春天，主张建立军事专政的右翼暂时还未找到自己的波拿巴和卡芬雅克，尽管很多人都预测会出现这样的专政者。列宁也曾指出：“策列铁里或切尔诺夫本人，甚至克伦斯基，都不配扮演卡芬雅克的角色，这一角色将由另一些人扮演，这些人在适当的时候会向俄国的路易·勃朗们说：‘躲开’！但策列铁里之流、切尔诺夫之流却是推行小资产阶级政策的首领，这种政策使

[1] *Деникин А.И.* Очерки Русской Смуты.Том первый. http://www. magister.msk.ru/library/history/xx/denikin/ denia 001.htm.

[2] *Деникин А.И.* Очерки Русской Смуты.Том второй. http://www.magister.msk.ru/library/history/xx/denikin/ denia002.htm.

[3] *Иоффе Г.З.* Семнадцатый год: Ленин, Керенский, Корнилов. М., 1995. С.81.

卡芬雅克分子的出现不但可能而且必不可免。”[1]

4月，当列宁领导布尔什维克为实现革命转变而斗争时，主张只有军事专政能够拯救俄国的右翼团体也开始扩大并加强了秘密活动。弗兰格尔将军和巴伦伯爵、舒瓦洛夫、波克罗夫斯基等人从前线回到彼得格勒，积极在彼得格勒卫戍部队、军事部和军事学校中招募人员，打算建立“军事组织”并着手准备政变。他们同彼得格勒一些士官学校和部队建立了联系，组织了“军官战斗队”。此外，还制定了夺取城市重要目标、逮捕“具有危险性”的人物的计划。但是按照弗兰格尔的说法，他们需要“领袖”，他的声音应该使“全国顺从”，“他在刺刀支持下提出的足够强硬的要求应该得到贯彻”。[2]

5月下旬，在军官代表大会上成立了军官联盟及其总委员会，并在各作战部队司令部、军区和军事指挥机关设支部和分支部。总委员会与“具有民族主义情绪的”社会政治团体、工商业组织以及里亚布申斯基、古契柯夫、米留可夫、苏沃林、布尔采夫等人士建立了联系，得到了其资金支持和政治指导。总委员会还成立了特别分部——“突击营”，其职能是不仅在战场上同敌人作战，而且也要成为建立国内秩序的中坚力量。为了不至于引起革命民主派的不安，突击营被冠之以“革命突击营”的称号。

虽然军官联盟总委员会的活动在形式上都是在合法的框架内进行的，但临时政府和军事部长克伦斯基当然不可能不知道联盟的政治倾向。克伦斯基认为，“总委员会采取的远非是中立的立场，它经常以不能容忍的态度对待临时政府”。[3]

军官联盟总委员会中还有一个由8—10人组成的秘密小组，其主要目标是组织政变以建立军事独裁。6月初，这个秘密团体的代表诺沃西里采夫、西多林、克拉夫钦科到莫斯科和彼得格勒进行活动，同部分立宪民主党中央委员举行了会谈，会见了米留可夫、罗将柯等社会活动家，以及彼得格勒和莫斯科军区的一些将领。

---

[1] 《列宁全集》第30卷，人民出版社1985年版，第316页。

[2] *Врангель П.Н.* Воспоминания генерала барона П.Н.Врангеля. Франкфурт-на-Майне , 1969. С.32–33.

[3] *Иоффе Г.З.*Семнадцатый год: Ленин, Керенский, Корнилов. М., 1995. С.76.

但秘密小组就准备军事政变而向“社会集团”所做的试探并未取得积极成果。因为此时的立宪民主党人对待政变的态度是消极和谨慎的，他们显然不打算在时机还不成熟的时候去支持一个不确定的计划。而且，还有相当一部分立宪民主党人认为，应该支持临时政府甚至孟什维克—社会革命党主导的苏维埃作为控制革命无政府主义的重要力量，应该把立宪民主党同他们的联盟视为能够把事态进程控制在民主方向上的手段。

支持铁腕政策的工商界人物也在积极活动，物色可能的独裁者。一开始候选的对象有阿列克谢耶夫、列奇茨基、高尔察克等将领。4月中旬，在彼得格勒一个与石油开采业企业家和银行家有密切联系的人物扎沃伊科的住处召开了会议，讨论形势、制订计划。起先考虑的领袖人选是当时在彼得格勒的第九军军长列奇茨基。但在弗兰格尔、巴伦等与扎沃伊科接触后，他们倾向于选择科尔尼洛夫来实现自己的计划和意图，因为在革命形势下，一个具有民主色彩的名字更适合于这个角色，而科尔尼洛夫具备这个条件。

根据大企业家A.И.普梯洛夫的倡议，4月末成立了一个名为“俄国经济复兴协会”的组织。参与其中的有不少工业和银行巨头，但其实际领导权不久就落到古契柯夫手中。古契柯夫在回忆录中说，起先协会给自己提出的政治任务是，募集尽可能多的经费以支持右翼的立宪会议代表候选人、在前线和后方进行反对社会主义的宣传；但后来协会成员产生了一个想法，“把募集的资金全部交给科尔尼洛夫将军支配，用来组织反对工兵代表苏维埃的军事斗争”。俄国经济复兴协会的另一领导人普梯洛夫在回忆录里说，协会成员对于临时政府明显的软弱感到不安，因为它甚至不能把布尔什维克从他们擅自占用的芭蕾舞演员克舍辛斯卡娅的宅邸中赶出去。这种情况强化了建立“强有力政权”的想法，这个政权最终应建立秩序。克伦斯基在回忆录里也说，俄国经济复兴协会不仅同苏维埃作对，也同临时政府较劲。[1]

在彼得格勒，一些工业家和金融家们开始讨论建立一个右翼政治组织的问题，其结果是在6月初成立了“共和中心”。它在涅瓦大街106号挂着“比萨拉比亚铁路公司”的牌子的房子里办公，但当时外界很少有人知道这个中心以及它的活动。

---

[1] *Иоффе Г.З.* Семнадцатый год: Ленин, Керенский, Корнилов. М., 1995. С.63–64.

七月事件后，右翼利用布尔什维克在七月事件中的失败以及无政府状态加剧向临时政府施压，要求在前线和后方加强纪律、重建秩序。

6月初成立的共和中心在七月事件后不久就广泛散发宣言，描述了俄国极其严峻的内部局势："政权瓦解，没有秩序，军队的精神和纪律崩溃，经济和工业危机"，"祖国正在走向灭亡"。为了挽救国家，共和中心建议："1. 支持强有力的政权在国内恢复秩序；2. 在军队恢复纪律；3. 把战争进行到胜利；4. 把国家引向立宪会议。"共和中心主张采取合法的行动方式，呼吁临时政府"改变自己治理国家的策略"，它最终应该懂得"仅仅依靠公民的自觉是不可能的"。必须采取下列措施：停止"布尔什维克集团"的活动，对苏维埃代表选举的正确性进行全面的检查，在军队中实行铁的纪律，等等。这个宣言被许多苏维埃和军队委员会称为"反革命组织的文件"。

尽管共和中心开始时具有亲政府的倾向，希望"通过出版物、会议等来帮助临时政府建立巩固的社会支持"，但中心成员很快就意识到临时政府"不能巩固政权"，对其"治国能力"不再抱有幻想。因此，在中心内部很快产生了关于建立军事专政的思想，认为只有军事专政"能够帮助政府，……把国家引向立宪会议"。共和中心的领导人给自己提出的任务是："迫使政府接受军事独裁的支持者以拯救政府本身"。[1]

1917年夏天，共和中心也在准备推出军事专政执行者的主要候选人。首先进入其视野的是海军上将高尔察克。高尔察克在6月离开黑海舰队司令的岗位后来到了彼得格勒，住在瓦西里耶夫岛的私人住宅里。与共和中心的代表见面后，高尔察克表示准备接受共和中心的建议，但希望了解行动计划的基本路线以及中心拥有的实现计划的手段等具体情况。在这次见面后，高尔察克开始参加中心委员会的会议，并且同包括米留可夫、舒尔金在内的一些人士进行过谈话。但是大约到7月中旬，高尔察克受美国军事代表团的邀请去了美国。在这之后，科尔尼洛夫替代了高尔察克的位置。

共和中心同司徒卢威、米留可夫、罗季切夫、多尔戈鲁科夫、柴可夫斯基等政治活动家以及克伦斯基圈子中的一些军人保持着联系。共和中心下属的军事部同很多军事组织如军事同盟、哥萨克军联合大会、逃亡战俘协会、突击

---

[1] *Иоффе Г.З.*Семнадцатый год: Ленин, Керенский, Корнилов. М., 1995. С.70.

营委员会、军人职责协会等建立了联系。共和中心及其军事部和它们所联系的一些人员和组织，在科尔尼洛夫军事政变的酝酿和组织中发挥了重要作用。[1]

军方试图恢复纪律

俄国军队将领把俄军六月进攻的失败视为不仅是俄国军队的耻辱，也是国家的灾难。库罗帕特金说，这是一些“令人心情沉重的日子。我们在西南战线上的几个集团军，除了英勇牺牲的几支部队以外，表现得十分可耻。克伦斯基的夸夸其谈无助于制止军队瓦解。军队瓦解的主要罪魁祸首——彼得格勒士兵和工人代表苏维埃——陷入窘境并威信扫地。它正在和克伦斯基商议恢复死刑和成立有资产阶级人士参加的政府机构的事。如果我们在前线战败并签订耻辱的和约，随着被惯坏的士兵回来，俄国将被劫掠一空，血流遍地。必须尽快用强力而不是语言来恢复铁的纪律。”[2]以科尔尼洛夫、布鲁西洛夫、邓尼金为代表的军队高级将领不断就恢复纪律、重建秩序问题向临时政府施压。在这个过程中，临时政府向军队派遣的政治委员支持了将军们的呼声，特别是政治委员的代表人物萨文科夫、弗罗连科等发挥了特殊作用，把科尔尼洛夫推向了前台。

科尔尼洛夫和萨文科夫

向军队派遣政治委员是在二月革命后开始的。政治委员由临时政府军事部与苏维埃中央执行委员会军事部协商提名、军事部长批准，大多出自于社会革命党和孟什维克，或与其有密切联系的民主主义知识分子。作为临时政府

[1] *Иоффе Г.З.*Семнадцатый год: Ленин, Керенский, Корнилов. М., 1995. С.69–71.

[2] 《苏联历史档案选编》第1卷，社会科学文献出版社2002年版，第123页。

在军队中的代表和耳目，军队政治委员按规定只需要履行政治职责，不得干预任命和更换指挥人员以及战略和策略等问题。但在实践中，政治委员在军队占据的地位要重要得多。他们既要监督和配合军事指挥员，又要联系部队委员会甚至直接面对士兵群众；作战时经常要冒着敌人的炮火冲在前面，还要承受士兵的敌对甚至攻击。完成这些任务对政治委员来说需要足够的个人勇气，在他们中也确实出现了一批像林德那样忠于职守的人物。例如，第 8 军政治委员助理 K. 阿纳尔多维奇因鼓动进攻，被一群士兵抓了起来，双手被反绑在背后，遭到雨点般的拳头打击。但他表现得够硬气，叫道："我就是被吊在绞架上套着绞索也要告诉你们，你们是一帮败类。"令人惊奇的是，在这之后他被士兵们放了。由于在战斗中表现勇敢，他被授予格奥尔基勋章。[1]

1917 年夏天，由于准备和实施前线的进攻，临时政府对政治委员们更加依赖。而政治委员们虽然代表政府，但他们对于军队的状况有具体的直接的了解，更清楚地知道必须采取有力措施整顿秩序，否则无法完成组织进攻和争取胜利的目标。临时政府在军队中的政治委员很多，但真正对 1917 年历史进程产生了重大影响的，只有萨文科夫和费罗年科两人。他们在科尔尼洛夫的崛起和八月事件中，留下了引人注目的活动痕迹。

鲍里斯·萨文科夫曾是赫赫有名的社会革命党战斗组织的领导人之一，在第一次革命期间直接组织参与了针对沙皇政权高级官员的恐怖活动。在长期流亡之后，萨文科夫于 1917 年 4 月回到俄国。由于过去的革命功绩，他很快被委以重任，被任命为西南战线第 7 集团军政委，6 月升任西南战线政委，不久又晋升为临时政府军事部副部长，成为克伦斯基在军事方面的主要助手。

在担任西南战线政委期间，萨文科夫与科尔尼洛夫指挥的第 8 集团军政委费罗年科结识。费罗年科佩服萨文科夫，认为他是强有力的人物，具有从事国务活动的头脑，而克伦斯基已经过了气了。费罗年科让萨文科夫注意到了科尔尼洛夫将军。萨文科夫赏识科尔尼洛夫在俄军败退和崩溃中以铁腕建立秩序，向军事部长克伦斯基介绍科尔尼洛夫是一个"能够承担重任、采取坚决措施的人"。7 月初，科尔尼洛夫出任西南战线司令，萨文科夫和费罗年科在这一任命中起了重要作用。

[1] *Иоффе Г.З.* Семнадцатый год: Ленин, Керенский, Корнилов. М., 1995. С.95–96.

萨文科夫虽然出自社会革命党，但他很看不上苏维埃。他认为，要建立强有力的政权，首先必须清除苏维埃对临时政府的影响。按照他的想法，把“克伦斯基的红旗”和“科尔尼洛夫的铁腕”结合起来的那种政治结构，应该能够恢复和拯救俄国。

在萨文科夫的计划中，科尔尼洛夫的作用是推动临时政府和克伦斯基本人采取更坚决的行动与“革命无政府主义”作斗争。曾担任军事部下属政治部负责人的斯捷蓬回忆说，萨文科夫也看不上克伦斯基，他“习惯于作为恐怖活动领导人自己承担全部责任，天生就是阴谋家和专制者，倾向于夸大自己对于别人的权力。萨文科夫与其说希望他喜欢的科尔尼洛夫同他所蔑视的克伦斯基接近，不如说希望在自己设想的政治游戏——如果不说是政治阴谋的话——中利用他们。”[1]

7月8日，在进攻失败、军队崩溃的情况下，克伦斯基终于发布命令，要求“在部队中恢复纪律、充分显示革命权力，为拯救军队不排除使用军事力量”。而在同一天，科尔尼洛夫已经下令各级指挥员枪毙逃兵和抢劫者。他还给俄军最高总司令和政府总理发去了轰动一时的第3733号电报，指出了“由于纪律荡然无存而引起的瓦解和崩溃”，要求“临时政府和苏维埃必须以公开和直接的声明向部队表明，在进行军事行动的情况下将采取直至死刑的非常措施”。他警告说：“否则所有责任将由那些只想用嘴巴指挥前线——那里充斥着死亡、可耻的变节、胆怯畏缩和自私自利——的人来承担”。[2] 科尔尼洛夫的电报显然包含了对政府、首先是对克伦斯基的攻击。克伦斯基7月9日在回答科尔尼洛夫电报时为自己辩护说，在他的指示中有军人权利宣言第14条（这一条允许在作战情况下使用武器对付不服从命令者）。

科尔尼洛夫继续加强对临时政府的压力。7月10日，他给政府发去了第3911号电报，威胁说如果政府不能解决军队的“绝境和耻辱”，那么“就会出现别的一些人，他们将洗清耻辱，同时消灭革命的成果”。他明确地提出要求：“在

[1] 参见 *Иоффе Г.З.* Семнадцатый год: Ленин, Керенский, Корнилов. М., 1995. С.96.

[2] Протокол допроса генерала Л.Г. Корнилова Чрезвычайной Следственной Комиссией Временного Правительства, 2–5 сентября 1917 г.. http://www.white-guard.ru/go.php?n=53&aa1=513&aa2=2

作战时期实行死刑，建立战地法庭”。在科尔尼洛夫 7 月 10 日给临时政府的电报上，有西南战线政治委员萨文科夫签署的意见，他完全赞同电报的内容。

也是在 7 月 10 日，最高总司令布鲁西洛夫下令在部队中禁止举行士兵集会和会议。次日，7 月 11 日，他也给克伦斯基发去了最后通牒式的紧急报告，要求“立即彻底恢复铁的纪律和对叛变者的死刑”，并以辞职相威胁。

不光是将军们，连临时政府在军队中的代表——政治委员们——也认为必须采取更加强硬的措施。7 月 11 日，萨文科夫、他的副手戈别恰、第 8 军政治委员弗罗连科等人给克伦斯基发去电报，要求在前线对那些“拒绝为祖国、为土地和自由而冒死作战的”“叛徒”执行死刑。各大报纸都在醒目位置上以黑体刊登了这份电报。而科尔尼洛夫将军也公开在报纸上表达了自己的看法：“完全失去理智的阴暗的人们，肆无忌惮地不受政权约束，失去了人的尊严的感情，他们组成的军队在逃跑。在战场上——甚至不能被称为战场——完全是一幅可怕、耻辱的场景……必须立即在军事行动中实行死刑和野战法庭。”[1]

在国家和军队面临灭顶之灾威胁、军队将领和政治委员一再强烈要求的情况下，临时政府和苏维埃终于同意实施死刑。7 月 12 日，临时政府一致通过了在前线实施死刑和成立革命军事法庭（即野战法庭）的决定。决定规定，对叛变、投敌、临阵脱逃、拒绝参战、煽动投降、以武力对抗上级长官、拒不服从战斗命令、蓄意谋杀、强奸和抢劫等等犯罪行为执行枪决。临时政府的决定得到了孟什维克和社会革命党控制的苏维埃中央执行委员会的支持。中央执行委员会宣布，“决不宽恕叛徒和胆小鬼”。12 日早上，科尔尼洛夫收到了克伦斯基的电报，称已经通过在前线实行死刑的原则性法令，晚上就将公布其最终文本。[2]

科尔尼洛夫的崛起

7 月 16 日，根据克伦斯基的建议，在大本营召开了政府主要成员与军队高级将领会议，讨论前线军事战略形势及其前景、加强军队战斗力的措施等

[1] *Суханов Н.Н.* Записки о революции.Том 3（книга 5.6.7）. М.,1992. С.11.

[2] *Иоффе Г.З.* Семнадцатый год: Ленин, Керенский, Корнилов. М., 1995. С.100.

问题。

参加会议的有克伦斯基、外交部长捷列申科、最高总司令布鲁西洛夫和他的参谋长卢科姆斯基，以及阿列克谢耶夫、鲁兹斯基、北方战线司令克列姆波夫斯基、西方战线司令邓尼金及其参谋长马尔科夫、海军上将马克西莫夫、维利奇科、罗曼诺夫斯基等，以及军事部长办公室主任巴拉诺夫斯基。克伦斯基去莫吉廖夫时召来了西南战线政治委员萨文科夫，萨文科夫又带上了弗罗连科。除了他们两人之外，没有其他政委参加这次会议。这次科尔尼洛夫并未出席的会议，却使克伦斯基对他另眼相看。

会议前夕，俄军最高总司令布鲁西洛夫对邓尼金将军说："我清楚地意识到，下一步会走向哪里。必须直截了当地提出问题。所有这些政委、委员会和民主派正在断送军队和俄国。我决定坚决要求他们停止瓦解军队。我希望你能支持我。"[1]

主持会议的布鲁西洛夫作了简短开场白后，邓尼金首先发言，他汇报了部队和作战情况，评价了政治委员和各级委员会的活动对部队纪律的破坏作用，谴责临时政府削弱了军队纪律并因此而削弱了它的战斗力。他强调，"军队在瓦解，为了把它引上正确的道路，必须采取断然措施"，其中包括要求临时政府应该承认自己的错误和责任，彼得格勒停止任何军事立法，授予最高总司令充分权力，把政治从军队中清除出去，取消士兵权利宣言的基本部分，撤销政治委员和士兵委员会，恢复指挥人员的权力，重建纪律以及秩序和规范，对高级职务的任命要考虑战斗和服役经验，建立由精干守纪的部队组

布鲁西洛夫，邓尼金

[1] *Деникин А.И.* Очерки Русской Смуты. Том первый. Глава XXXIII. Совещание в Ставке 16 июля министров и главнокомандующих. http://www.magister.msk.ru/library/history/xx/denikin/denia001.htm.

成的预备队作为反对军事叛乱和涣散状态的支柱，在后方对犯有严重罪行的军人和平民适用革命军事法庭和死刑，等等。邓尼金认为，这些措施会有积极的效果，但肯定不会很快，“搞垮军队容易，重建需要时间”。他对克伦斯基说：“请您在自由的旗帜下领导俄国生活走向真理和光明吧！但也请给我们一点现实可能性，让我们能够在旧的战斗旗帜下领导部队为这个自由而战。”他呼吁克伦斯基不用害怕旧的旗帜，因为上面已经没有专制政权的痕迹，“但还有祖国，还有流淌的鲜血，还有过去胜利的光荣。然而你们却把我们的旗帜践踏在泥泞中。现在到了重新高举它、崇拜它的时候了。”[1]

邓尼金描述的军队的情况是事实，但他代表的高级军官所不理解的是，军队问题的根源在于士兵们已经不愿为胜利而牺牲自己，他们的目标是和平和土地。[2] 在军队已经事实上崩溃的情况下，实施邓尼金所提出的措施的尝试都将会在士兵中引起愤怒和反抗，就如后来科尔尼洛夫派往彼得格勒的部队所发生的情况那样。

其他几位将军也大体表达了类似的看法，但语气要缓和一些。

科尔尼洛夫因西南战线军务原因没有到会，由卢科姆斯基将军宣读了他给会议发来的电报。科尔尼洛夫的电报除了强调在后方也必须实行死刑、恢复指挥人员的执行纪律权、限制部队委员会的活动范围并明确其责任、禁止进行反国家宣传等意见外，有两点与众不同之处。一是关于政委，科尔尼洛夫提出要“加强”其作用；二是提出“要对整个指挥系统进行根本性的彻底的清洗”。正是这两点意见使克伦斯基产生了对科尔尼洛夫的好感。克伦斯基后来说：“科尔尼洛夫的电报是一抹亮光”，他的意见“似乎表明他比别人看形势更广一些、更深一些”。克伦斯基还认为，根据电报的风格，电报的作者不是科尔尼洛夫本人，而是在他后面的萨文科夫和费罗年科。因此，可以指望科尔尼洛夫会在萨文科夫的驾驭下走得更远。[3]

[1] *Деникин А.И.* Очерки Русской Смуты.Том первый. Глава XXXIII. Совещание в Ставке 16 июля министров и главнокомандующих.http://www.magister.msk.ru/library/history/xx/denikin/denia001.htm.

[2] Kowalski R. *The Russian Revolution 1917–1921.* London and New York.1997.p. 69.

[3] *Иоффе Г.З.* Семнадцатый год: Ленин, Керенский, Корнилов. М., 1995. С.101.

会议最后由克伦斯基作了总结。他强调军队民主化的不可避免和自发性，强烈谴责了旧制度，批评军人们对革命抱有成见。会议并未取得实质性的效果，相反，它使军队将领感到他们与政府之间没有共同工作的基础。阿列克谢耶夫 7 月 20 日给克伦斯基的信中反映了将军们的要求和情绪：必须最迟在冬天以前恢复军队纪律，破坏秩序的行为“可以而且应该用铁腕平息下去”。他对克伦斯基说：“上帝给了您很多，您的手中集中了巨大的权力和能力来拯救祖国、给它力量、夺取胜利，来开展创造性的工作以治愈那些祖国早就罹患并备受其折磨的创伤和疾病……祖国极度渴望这样的工作。如果它的期待受到欺瞒，那么人民的诅咒将落到您的头上”。[1]

克伦斯基面临很大压力，因为不仅军队高级将领强烈地呼吁恢复前线和后方的纪律和秩序，社会力量中要求建立一个“强有力的政府”的声音也不断升高。在这种情况下，他急于作出姿态。

7 月 19 日，克伦斯基根据萨文科夫的建议，作出了一个令很多人意想不到的决定：任命科尔尼洛夫为俄军总司令，接替被认为应该对六月进攻失败负责、被许多军官认为对士兵委员会过于迁就的布鲁西洛夫。此时距科尔尼洛夫被提拔为西南战线司令还不到半个月。

对科尔尼洛夫的新任命主要是出于政治方面的考虑。克伦斯基希望他能够恢复军队纪律、击退德国人的进攻，也试图以此来平息重起喧嚣的右翼力量，促使立宪民主党参加他正在尽力组织的新一届联合政府。

克伦斯基此举使科尔尼洛夫以惊人的速度进入了俄国政治舞台的中央。科尔尼洛夫不是一位像第 8 军军长切列米索夫或莫斯科军区司令维尔霍夫斯基那样的具有自由主义背景的将军，他的军功并不显赫，军事领导才能也难称卓越，但他一贯以强硬姿态示人，主张以果断措施包括死刑来对付骚乱和无序现象。

科尔尼洛夫出身于西伯利亚一个哥萨克家庭，他的青年时代是在哈萨克人和吉尔吉斯人中间度过的，这个经历使他对于亚洲和亚洲人始终抱有好感。在军事学校毕业后，他进入了总参军事学院，然后开始在土耳其斯坦服役，在那里领导过对阿富汗和波斯的考察。他能说多种亚洲语言，成为俄国亚洲边界

---

[1] *Иоффе Г.З.* Семнадцатый год: Ленин, Керенский, Корнилов. М., 1995. С.102.

问题专家。他参加了俄日战争，战后曾任驻中国武官。

第一次世界大战开始后，科尔尼洛夫曾在前线指挥一个师。1916年，他在战场上受了伤，被奥地利军队俘虏，但不久就身穿奥地利士兵的军装跑回了俄国。在那个俄国需要哪怕是最微不足道的胜利的时候，借助于报刊的宣传，科尔尼洛夫一下子蹿红，成了英雄，被视为勇敢和无畏的俄国军人的代表。但在军队高层，科尔尼洛夫并不被看好。布鲁希洛夫将军直言道："这只是一个剽悍的游击队首领，再没别的了。"[1] 阿列克谢耶夫将军说他"有狮子的心和绵羊的头"。但历史学家派普斯认为这样说也许不公平，认为科尔尼洛夫有着实践的智慧和健全的思维，但不太看重政治和政治家。[2]

科尔尼洛夫这个名字首次进入主要政治家的视野，是在二月革命过程中。3月2日，自由主义反对派领导人罗将柯、古契柯夫等已经在考虑如何掌握起义部队以控制彼得格勒以至整个政治局面的问题。古契柯夫后来说，他当时想找一位有过前线生活的历练、能干可靠的将军来指挥彼得格勒的部队。可能是当时担任总参谋部领导的阿维尔雅诺夫将军首先提到了指挥西南战线第25集团军的科尔尼洛夫的名字，得到了军事部长古契柯夫和杜马主席罗将柯的认可。3月2日晚上6点，罗将柯给大本营参谋长阿列克谢耶夫发去电报："为了建立充分的秩序，使首都免受无政府主义之害，必须派一位英勇的作战将军到这里来担任彼得格勒军区司令，他应该是知名的、在居民中享有威望的……国家杜马委员会认为，全俄闻名的英勇的第25集团军司令科尔尼洛夫中将就是这样的人选。"十分钟后，阿维尔雅诺夫将军给阿列克谢耶夫发电报，要求立即"执行杜马主席电报中提出的措施"，"毫不迟延地"派科尔尼洛夫到彼得格勒，以便为"正在拯救君主制的杜马临时委员会提供支撑"。[3]

阿列克谢耶夫收到这两份电报后不敢怠慢，很快签署了第334号命令，命令科尔尼洛夫中将临时指挥彼得格勒军区。当天，阿列克谢耶夫还给普斯科

---

[1] *Рабинович А.* Большевики приходят к власти.Революция 1917 года в Петрограде. М., 1989. С.121

[2] *Пайпс Р.* Русская революция. Большевики в борьбе за власть. 1917–1918. Глава третья. Октябрьский переворот. http://lib.rus.ec/b/129248/

[3] *Иоффе Г.З.*Семнадцатый год: Ленин, Керенский, Корнилов. М., 1995. С.39.

夫的尼古拉二世发去电报，报告了杜马主席的请求，并要求北方战线司令部转告宫廷警卫司令沃耶伊科夫，请他让沙皇尽快作出决定。阿列克谢耶夫称：“在叛变的部队中，工人代表不无成效的宣传正在加强。新的叛变将导致首都的无政府主义和恐怖，人们寄希望于科尔尼洛夫的名字能够控制部队，避免新的暴乱。”3月3日凌晨2点，大本营收到了来自普斯科夫的电报：尼古拉二世同意将侍从将军伊万诺夫召回大本营，任命科尔尼洛夫中将为彼得格勒军区司令。当天，国家杜马临时委员会在科尔尼洛夫担任彼得格勒军区司令的文告中说：“他在战场上的无比勇敢和英雄主义为全军和全国所知。”但是科尔尼洛夫的顶头上司、时任西南战线司令的布鲁西洛夫在收到阿列克谢耶夫的电报后，立即回电表示，他认为科尔尼洛夫“恰恰很不适合这个职位”，因为他的特点是“直来直去，特别急躁”。[1]

3月5日，科尔尼洛夫到达彼得格勒就任。此时沙皇政权已被推翻，这个新形势使科尔尼洛夫成了彼得格勒军区第一任“革命的司令”。科尔尼洛夫也迅速灵活地适应了政治局势的变化，他到任后立即对报纸表示，革命“是我们战胜敌人的可靠保证”。古契柯夫回忆，在与科尔尼洛夫第一次见面时，“我对他说，他的主要任务是为临时政府建立军事支柱。在人员任命方面，科尔尼洛夫被授予不受限制的权力。同时，他可以在部队中进行秩序和纪律的宣传”。[2]

但科尔尼洛夫很快就同苏维埃和民主派政党发生了重大分歧。在3月7日讨论军队改革问题的波利瓦诺夫委员会会议上，社会革命党代表B. 乌特戈夫声称，俄国的革命还在继续，俄国军队也将为自己争得自由。科尔尼洛夫立即站了起来：“我刚结束对各部队的巡视，应该说，它们处在完全瓦解的状态……因此，我利用在这里，在委员会里，见到前线各军代表的机会，告诉他们并请他们放心，我将在近日作出决定，把彼得格勒卫戍部队调往前线并从前线调已经休整过的更有纪律的部队来接替他们。”乌特戈夫立即站起来说：“这些话让我们感到奇怪。卫戍部队不会被调离……他们不会离开这里！我们不会允许执行这样的命令。”“谁是‘我们’？”科尔尼洛夫叫道。乌特戈夫回答说：

---

[1] *Иоффе Г.З.*Семнадцатый год: Ленин, Керенский, Корнилов. М., 1995. С.39–40.

[2] Александр Ивановнч Гучков рассказывает. М., 1993. С.72–73.

“我们，工人和士兵代表苏维埃。”科尔尼洛夫什么也没再说，马上就离开了。四月危机期间，彼得格勒苏维埃曾取消了彼得格勒军区司令科尔尼洛夫调部队到冬宫广场的命令。4 月 22 日晨，彼得格勒苏维埃执行委员会的呼吁书见报，强调只有执行委员会有权调动卫戍部队以及“制定调动军队上街的规则”。科尔尼洛夫为此提出辞职：“执行委员会以这样的方式把政府的职能抓在自己手里，在这种情况下我无论如何既不能为首都的安定承担责任，也不能为部队的秩序承担责任。”[1]

5 月初，科尔尼洛夫去了西南战线，指挥第 8 集团军。在这里他认识了战线司令部侦察处军官涅任采夫。涅任采夫向科尔尼洛夫提出了拯救军队的计划，强调需要来自最高权力的坚决措施，但也不能等待，而要发挥自己的主动性。5 月中旬，由涅任斯基组建了直接听命于科尔尼洛夫“科尔尼洛夫第一突击队”。在随后的六月进攻中，科尔尼洛夫的治军铁腕使他走上了军职晋升的快车道。

第二节 总司令与总理

科尔尼洛夫的要求

但科尔尼洛夫在接受俄军总司令职务之前，向临时政府提出了十分苛刻的条件。在发给克伦斯基的声明中，科尔尼洛夫表示，只有在下列条件得到满足的情况下他才能够接受最高总司令职务：

1. 他只对自己的良心和全国人民负责。
2. 完全不干涉他的作战命令，包括对最高层指挥人员的任命。
3. 将最近在前线采取的措施扩展到后备部队驻扎的后方地区。
4. 接受他在 7 月 16 日发给大本营会议的电报中提出的要求。[2]

---

[1] *Иоффе Г.З.*Семнадцатый год: Ленин, Керенский, Корнилов. М., 1995. С.42–43.

[2] *Деникин А.И.* Очерки Русской Смуты.Том первый. Глава XXXIII. Совещание в Ставке 16 июля министров и главнокомандующих. http://www.magister.msk.ru/library/history/xx/denikin/denia001.htm.

科尔尼洛夫的这些条件公布在7月21日《俄罗斯言论报》上，引起社会强烈反响，使他在非社会主义阵营中名声大振，同样也使他受到左翼的强烈敌视。这些堪称狂妄的要求也强烈地刺激了克伦斯基，以致他想收回对科尔尼洛夫的任命。但在反复权衡后，克伦斯基决定不计较将军的任性，因为他非常需要科尔尼洛夫的帮助，因为他的政府没有军队支持将是不牢靠的。克伦斯基同科尔尼洛夫的谈判延续了两周，后者在得到了将满足他的要求的承诺之后，于7月24日上任。

随后，临时政府继续采取了一些旨在遏制无政府主义、防止出现动乱的措施。例如，它在8月1日通过的决议中强调，政府的职责是在犯罪图谋实施之前就预防其可能的酝酿发展，为此授权军事部长和内务部长在协商之后逮捕那些行动危及国防、内部安全和作为革命成果的自由的人员，并令其在规定期限内离开俄国。[1]

但军队改革问题依然搁置。根据情报，德军在准备新的进攻战役，科尔尼洛夫要求尽快向内阁报告以推进军队问题的解决。8月3日，科尔尼洛夫到达彼得格勒，他在向部长们报告军事进程和军队状况时，再次强烈要求将死刑扩大到后方，对士兵和平民同样适用。克伦斯基承认科尔尼洛夫“提出了一整套措施，其中很大一部分是可以接受的，但是以这样一种方式提出，并且要通过这样的争论得到支持，将会产生极其相反的后果。”他担心采取这些措施也许会激起政府中的社会党部长和苏维埃的激烈反对。因此，他交给萨文科夫和费罗连科一个棘手的任务，让他们修改这些措施以使其更容易被接受。但具有讽刺意味的是，萨文科夫在8月初起草的纲领草案更为激进，其中提出要把死刑扩大到后方、对铁路运输实行军事化、在国防工厂实行军事制度、恢复受到士兵委员会限制的军官执行纪律的权力。据萨文科夫说，克伦斯基答应签署文件，但一直拖延不办，直到8月8日他明确表示：他“无论在什么时候、什么样的条件下都决不会签署在后方实行死刑的文件”。[2]

克伦斯基现在陷入进退两难的境地。同意这些要求可能会激起温和的社

---

[1] Хрестоматия по истории России 1917–1940.М.,1995.С.39.

[2] 参见 *Пайпс Р.* Русская революция. Большевики в борьбе за власть. 1917–1918.Глава третья. Октябрьский переворот. http://lib.rus.ec/b/129248/. 注 9.

会主义者的愤怒，因为还有很多社会主义者仍坚持反对恢复死刑，联合政府的存在会受到威胁，工人和士兵群众的反对几乎不可避免。

克伦斯基实际上没有兑现自己答应科尔尼洛夫的东西。派普斯认为，他无法做到这些，因为他没有行动的自由，他要执行中央执行委员会的意志，实行这些措施意味着要同社会主义者决裂，而他们是他的主要政治支柱。[1] 但这样说可能夸大了此时苏维埃多数派的抵制态度。如前所述，七月事件以来主导苏维埃的孟什维克和社会革命党在很大程度上已经改变了自己的立场，开始支持政府采取强力措施。也许，影响克伦斯基态度的还有其他一些原因，譬如，他有可能很快意识到，科尔尼洛夫将会是自己危险的竞争者，因而不急于实现自己的承诺。但最主要最根本的原因，可能是上面已经谈到的克伦斯基在原则上在信念上反对采取这些措施。

科尔尼洛夫也并未就此止步。回到莫吉廖夫大本营后，他开始在临时政府不知情的情况下采取行动。8 月 7 日，他命令第三骑兵军军长克雷莫夫将军把自己的部队从罗马尼亚一线向北运动，进入莫斯科和彼得格勒之间的大卢加。第三骑兵军由两个哥萨克师和一个来自高加索的“野蛮师”组成。这些部队并非满员，如野蛮师仅 1350 人，但被认为是可靠的部队。对这一部队调动，大本营参谋长卢科姆斯基将军有些不解，因为大卢加远离战线，不便使用这些部队对付德国人。科尔尼洛夫解释说，这是为了准备镇压布尔什维克可能在莫斯科或彼得格勒发动的暴动，必要时可能被用于驱散苏维埃，但不会用来对付临时政府。

他对卢科姆斯基说，他希望在最后时刻能够与临时政府达成协议。“俄国需要坚强的政权。我不是反革命。我仇视旧制度，它对我的亲人犯下了罪行。不会也不可能回到旧时代。但我们需要一个真正能够拯救俄国的政权，能够有尊严地结束战争、把俄国引向立宪会议的政权……在我们现在的政府中，有一些坚定的人，但也有坏事的人、损害俄国的人。重要的是我们现在没有政权，需要建立这样的政权。可能我会向政府施加某种压力。也许，在镇压彼得格勒可能发生的动乱之后，我会进入政府，参与建立新的强有力的

---

[1] *Пайпс Р.* Русская революция. Большевики в борьбе за власть. 1917–1918.Глава третья. Октябрьский переворот. http://lib.rus.ec/b/129248/.

政权。”[1]

8 月 10 日，根据萨文科夫的要求，科尔尼洛夫又去了彼得格勒。克伦斯基拒绝了他请求召开内阁会议的建议，但和涅克拉索夫、捷列申科一起会见了他。科尔尼洛夫强调，已得到情报，德国人将很快在里加地区发动新的进攻，可能会威胁首都，因此必须尽快进行军队改革，在前线和后方实行死刑，对军事工业和交通运输实行军事化管理。克伦斯基认为他的很多要求是“荒谬的”，但同意加强部队纪律的必要性。

莫斯科国务会议

7、8 月间，以克伦斯基为总理的联合临时政府和孟什维克、社会革命党领导的苏维埃，处在左和右的夹缝之中，处境十分困难。本来在政治格局中居于核心地位的临时政府和苏维埃中央执行委员会，现在正慢慢地失去这种地位，其标志就是它们对群众的影响力在逐渐削弱。

在这种情况下，8 月中旬在莫斯科召开的国务会议，是临时政府和苏维埃试图团结社会力量、加强自己地位的一次尝试。

召开国务会议的想法是克伦斯基在 7 月 13 日的中央执行委员会会议上正式宣布的。当时他说：“近期将在莫斯科召集所有社会团体和阶层的会议。在这个全俄会议上，临时政府将呼吁和要求拯救国家和革命。代表整个俄国的各社会组织将被邀请参加会议。我请求中央执行委员会全体到会。到会的还将有国家杜马、彼得格勒和莫斯科的城市杜马、各大学、工商业阶级的代表、全俄合作社和工会以及其他社会组织的代表。临时政府将以彻底的公开性向全俄会议通报国家的真实情况。我们将坚定地指出，国家的治理应该建立在联合的原则之上。”[2]

国务会议定在 8 月 12 日至 15 日在莫斯科召开。苏汉诺夫认为，克伦斯基选择莫斯科为会议地点是底气不足，因为他对彼得格勒的工人和士兵群众心

---

[1] *Пайпс Р.* Русская революция. Большевики в борьбе за власть. 1917–1918.Глава третья. Октябрьский переворот. http://lib.rus.ec/b/129248

[2] *Суханов Н.Н.* Записки о революции. Том 3（книга 5.6.7）. М., 1992. С.21.

存疑惧。

克伦斯基到莫斯科参加国务会议

8月10日，在斯莫尔尼宫，[1]苏维埃中央执行委员会会议讨论国务会议问题。报告人瓦因施泰因和李伯尔指出，国务会议将使政府得到支持并扩大其基础，但黑暗势力想利用会议来打击革命和现政府。因此，不参加会议就是不愿参与拯救国家。中央执行委员会应该参加会议的工作，宣传自己7月8日的纲领，呼吁有产阶级作出牺牲。

布尔什维克在七月事件以后开始重新表现出活跃的态势，他们与马尔托夫的支持者一起提议，不参加莫斯科会议，不给它真正的“全国性”权威。

但执行委员会会议最后还是决定参加莫斯科会议，并通过了一个非常有特点的给参加会议的中央执行委员会代表团的“规定”，其中要求无论是参会代表个人还是各党团，都不能在会上发言甚至不能在声明上签字，不接受这个规定的人不得被选入100人的代表团。孟什维克国际主义者和布尔什维克反对这个规定，并且退出了执行委员会会议。但最后确定的代表团成员中还是包括了这两个党派。

苏维埃中的反对派，特别是布尔什维克，强烈否定莫斯科会议，早就把它作为抨击的对象，而群众也因听到了所谓“国家政变”的传闻而对它进行攻击。彼得格勒工人区在酝酿骚动，涅瓦大街上也有传闻说布尔什维克会组织新的起义。

苏维埃领导层有些紧张，但已经没有时间了，去莫斯科的快车马上就要出发了。但他们还是采取了一些措施，把彼得格勒市长、具有自由主义倾向的社会革命党人施列伊捷尔留下来以维护首都的稳定。

8月11日早上，苏维埃代表团到达莫斯科，同其他民主派代表团如工会

[1] 苏维埃是在8月4日（17日）从塔夫利达宫搬迁到斯莫尔尼宫的。

代表团、合作社代表团、部分地方和城市自治机关代表、教师和哥萨克代表见了面，不断地举行会谈，讨论在会上以“整个民主派的名义”发表共同声明的问题。在预备会议上，形成了这个共同声明的原则。

莫斯科的布尔什维克组织作出决定，号召工人在国务会议开幕的当天举行罢工和示威表示抗议。8 月 11 日，在莫斯科苏维埃中进行了激烈的辩论，最后以 354 票对 304 票否决了在国务会议开幕当天发动罢工的意见。但在第二天，国务会议开幕的日子，莫斯科还是发生了罢工，尽管不是全面大罢工。一些工厂停工了，市内商店除了与居民生活密切相关的以外也关门了，电车停开了，连马车都不容易找到。这些莫斯科劳动者没有听苏维埃的，而是跟着布尔什维克表达了对国务会议的抵制。[1] 临时政府和苏维埃中央执行委员会受到这样的迎接，这是克伦斯基把会议地点定在莫斯科时没有想到的。

苏维埃中央执行委员会中的布尔什维克代表也到了莫斯科，但其中没有任何一位有影响力的领导人。直到 8 月 12 日开会前不久，布尔什维克党团才表明了自己的意图：在会上发表自己的声明，然后示威性地离开会场。苏维埃领导人认为这是不能容忍的，因为这不仅不符合会前的约定，而且会破坏“相互理解”的气氛，给“整个民主派”投下阴影。他们坚决要求布尔什维克放弃自己的计划，而布尔什维克代表干脆交回了会议入场券走人。

国务会议会场外聚集的群众

在国务会议召开前夕，莫斯科还举行了一次重要会议，参加者有著名社会活动家、军方将领、大企业家，如十月党人罗将柯，立宪民主党人米留可夫、马克拉科夫、盛加略夫，民族主义者舒尔金、С.И. 施德洛夫斯基，军方主要将领阿列克谢耶夫、布鲁西洛夫、卡列金、尤登尼奇等。会议通过的决议强调指出了政权

[1] *Суханов Н.Н.* Записки о революции.Том 3（книга 5.6.7）. М., 1992.59–60.

的危机和社会的崩溃，要求政府坚决与苏维埃和士兵委员会割断关系，表示全力支持总司令科尔尼洛夫将军。

莫斯科国务会议 8 月 12 日在莫斯科大剧院开幕。在大剧院前面一大早就聚集了很多人，与大剧院毗邻的地区都被警察和士官生的三层警戒线围住。据《中央执行委员会和彼得格勒工兵代表苏维埃消息报》刊登的报道，“莫斯科管理局给前来参加会议的各类代表编制了大致的汇总表：第四届国家杜马代表 488 人，农民代表 100 人，苏维埃和社会组织执行委员会的代表 129 人，城市代表 147 人，地方和城市自治机关联合会代表 18 人，地方自治局代表 118 人，工商界和银行界代表 150 人，科学组织代表 58 人，劳动知识分子代表 83 人，陆军和海军代表 117 人，宗教界和宗教组织代表 24 人，民族组织代表 58 人，粮食委员会代表 90 人，农业协会代表 51 人，合作社代表 313 人，工会代表 176 人，政府委员的代表 33 人，军事主管部门代表 16 人，等级代表机构代表 14 人，政府成员及部长代表 15 人。8 月 13 日又增加了 100 多人……总共有 2500 多名代表。”[1]

8 月 12 日下午 3 点，国务会议开幕。第一次会议几乎全是政府成员讲话。克伦斯基在讲话中没有提政府的纲领，而是向革命的敌人——无论是左翼还是右翼——发出警告，说政府掌握了全部权力，他能够把所有准备拯救革命的人团结在自己的周围。第二个发言的是内务部长、社会革命党人阿夫克森齐耶夫，他没有提“土地和自由”，而强调“国家与秩序”。接着发言的副总理兼财政部长涅克拉索夫说，为了战争要节约支出，从有产者那里已经没什么可拿的了，要不工业就完了。第二天是乏味的各代表团分组会议，大家都说着同样的话。13 日晚上，分配了各派别的发言人，总共 91 人。在两

科尔尼洛夫到莫斯科参加国务会议

[1] 徐天新选译：《俄国十月社会主义革命》，商务印书馆 1997 年版，第 52—53 页。

天的时间里，他们分别代表各派别表明了自己的态度。

国务会议第二天，出乎所有人的意料，科尔尼洛夫突然来到莫斯科参加会议。当他来到莫斯科大剧院时，受到热烈欢迎，被军官们抬进了会场。国家杜马代表费多尔·罗季切夫向他高声喊道："救救俄国吧!"这个场面对于克伦斯基与科尔尼洛夫的关系来说可能产生了重要作用。科尔尼洛夫威望的上升在很大程度上反映了社会对临时政府的不满和对强有力政权的呼唤。

起先克伦斯基不同意科尔尼洛夫在大会上发言，后来作出让步，要求他只谈军事问题。而科尔尼洛夫在8月14日所作的乏味的发言中，也确实没有什么可以被认为是攻击政府的内容。他谈到了士兵不执行命令、临阵逃脱、开小差、对军官实行私刑等情况。"我极其悲痛地公开声明，我对俄国军队能够毫不动摇地履行自己对祖国的责任不抱信心。"他要求尽快实行他建议的措施，在军队中恢复纪律。参加国务会议的士兵代表的表现似乎在证实他的说法。士兵代表没有按规矩在总司令科尔尼洛夫到来时起立，他们懒散地靠在椅子上，嘴上叼着烟卷听他的讲话。

在科尔尼洛夫之后，哥萨克将军卡列金的发言是整个国务会议期间最受关注的事件。

卡列金首先表达了哥萨克对祖国和新制度的忠诚。在谈到局势时，他说："哥萨克懂得，革命不是与敌人联欢，不是自由地放弃自己的职责、不执行命令、向政府提出不可能实现的要求、犯罪性地浪费人民的财产，不是让公民的人身和财产完全不受保护，不是粗暴地破坏言论、出版和集会的自由，哥萨克谴责反革命行为。哥萨克从不知胆怯和背叛为何物，他们渴望建立对自由和秩序的真正保障。我们痛心地注意到，人民的机体普遍瓦解，后方和前线崩溃，军队中纪律荡然无存，地方上政权缺位，有人犯罪性地煽动阶级之间的敌对，国家政权对不负责任的组织在中央和地方的破坏行为姑息纵容；我们注意到，一些集团和民族竭力摆脱中央，劳动生产率急剧下降，财政动荡。哥萨克呼吁，为了拯救祖国和巩固民主共和制度，全国一切有生力量联合起来、共同工作和发扬自我牺牲精神。哥萨克坚信，在祖国生死存亡的危急时刻，一切牺牲都是应该的。哥萨克认为，保护祖国首先要求我们同盟国紧密团结、把战争进行到胜利。国家的全部生活、临时政府的全部活动，都应该服从于这个条件。只有在这个条件下，政府才能得到哥萨克的充分支持。政府中不应该有失败主义者的地位。”卡列金宣布，“为了拯救祖国，我们提出如下主要措施：1）军队应该脱离政治，完全禁止具有党派斗争和纠纷性质的集会和会议；2）所有的苏维埃和委员会都应取消，无论是在军队还是在后方，除了其权利和义务明确限定于日常事务方面的团、连、分队和炮兵连委员会外；3）应该重新审议士兵权利宣言，并以士兵义务宣言作为对它的补充。4）应该以最坚决的手段加强和巩固军队纪律。5）……在前线为加强纪律而采取的一切措施，同样也适用于后方；6）应该恢复指挥人员执行纪律的权力，应该给予军队领导人充分的威力。”卡列金的结论是：“只有真正坚强的政权才能够拯救国家免于彻底灭亡，这个政权应该掌握在……同狭隘的党派集团的纲领没有联系、不是每走一步都要看无所不能的委员会和苏维埃脸色的自由的人士手里，他们应该清楚地知道，人民的意志，而不是某个党派或集团的意志，才是国家最高权力的源泉。无论在中央还是地方，政权都应该是唯一的。中央和地方的委员会和苏维埃侵夺国家权力的情况必须立即果断地结束。”[1]

在卡列金发言过程中，会场右边不断发出欢呼声、叫好声和掌声。而左边也不断高喊“打倒!”、“反革命!”

卡列金的发言是具有象征意义的，它代表了俄国右翼越来越强硬地要求采取果断措施恢复秩序的情绪和纲领。而它引起的左翼的反应则表明，莫斯科国务会议不可能成功地克服社会日益严重的分裂。立宪民主党领袖之一多尔戈鲁科夫作为莫斯科国务会议参加者写下了自己的感受：“左边和右边，这是两个对立的阵营……这两部分之间的相互仇恨比那时交战的俄国人和德国人还要强烈。……总的来说，本应寻求共同语言、联合全国力量、巩固摇摇欲坠的政权的国务会议，变成了一个反国家的集会，造成了相互敌视和不妥协，突出表现了无力的政府在两股势力之间挣扎下沉。”[2]

在卡列金发言之后，苏维埃中央执行委员会主席齐赫泽登上了讲坛，“以全体民主派的名义”发言。他首先列举了一长串他所代表的民主主义组织的名称，随后宣读了一份苏维埃中央执行委员会的宣言，即新的民主派纲领，后来

[1] Хрестоматия по истории России 1917–1940. М., 1995. С. 40–42.

[2] *Долгоруков П.Д.* Великая разруха. М., 2007. 参见 История России XX:1894–1939.Под ред. А.Б.Зубова. М., 2009. С.432.

经常被称为8月14日纲领。宣言表示，以苏维埃为代表的革命民主派不追求掌权，不谋求垄断权，而是支持任何有助于维护国家和革命利益的政权；革命民主派捍卫的并不是某些特定阶级的利益，而是国家和革命的共同利益，它要求政权更加彻底地落实7月8日的纲领。齐赫泽的发言表明，苏维埃领导层在国内局势日益紧张的气氛下，越来越倾向于满足自由主义者甚至保守主义者的要求，强调法律秩序以及为了国家防御必须作出普遍牺牲，而对于群众的要求只是作出了有限的让步。

国务会议未能达到预期的目的。克伦斯基政府没能得到更多支持，相反更暴露出自己的无力。要求重建秩序以拯救国家和军队的右翼与要求继续“深化革命”的左翼之间的对立进一步加剧。克伦斯基认为，“在莫斯科会议之后，我就很清楚，最近的打击尝试将来自右翼，而不是左翼。”[1] 而科尔尼洛夫则因为克伦斯基坚决要求他不在会上提出任何政治要求而失去了对克伦斯基愿意恢复俄国秩序的最后一丝信任。[2]

克伦斯基的盘算

莫斯科国务会议成为事态发展的一个重要转折点。克伦斯基感到科尔尼洛夫可能造成麻烦，开始考虑撤他的职务。而科尔尼洛夫认为自己受骗了，连续对克伦斯基发出最后通牒。

科尔尼洛夫在8月10日就提出的德军即将进攻里加的警告应验了。德军从8月中旬开始进攻，涣散的俄军根本无法与德军对抗，8月20日里加陷落。这是对科尔尼洛夫立场的最新证明，如果不立即整顿军队，彼得格勒可能步里加后尘。

此外，萨文科夫在8月中旬从法国方面得到情报，布尔什维克准备在9月初组织再一次暴动。克伦斯基认为关于布尔什维克暴动的情报并不可信，但

[1] 参见 *Пайпс Р.* Русская революция. Большевики в борьбе за власть. 1917–1918. Глава третья. Октябрьский переворот. http://lib.rus.ec/b/129248/.

[2] Munck J.L. *The Kornilov Revolt :A Critical Examination of Sources and Research.* Aarhus:Aarhus University press, 1987.p.99–100.

可以利用这种说法。严峻的局面使克伦斯基感到必须有所行动。他在8月22日派萨文科夫到大本营与科尔尼洛夫见面，其使命主要是同科尔尼洛夫达成协议、将实行戒严的彼得格勒及其郊区划归政府直接管辖、调用第三骑兵军执行彼得格勒戒严任务等。[1]

萨文科夫8月22日出发去大本营。他在同科尔尼洛夫见面时首先表示，尽管在最高总司令与政府总理之间有分歧，但必须一致行动。科尔尼洛夫认为克伦斯基的路线很弱并且履行职责不好，但还是需要他的。克伦斯基应该扩大政府的政治基础，吸收阿列克谢耶夫将军以及像普列汉诺夫和阿尔古诺夫这样的社会护国主义者参加政府。萨文科夫确认，政府将实现科尔尼洛夫建议的军队改革措施，并出示了改革计划的最后方案。科尔尼洛夫对方案中某些内容表示还不能令人满意，并关心何时实施的问题。萨文科夫强调，由于担心苏维埃方面的强烈抵制，政府暂时还不能实施方案。根据情报，布尔什维克准备8月底9月初在彼得格勒组织新的动乱，仓促实施方案可能会促使其加快行动，并得到苏维埃的支持。为了防止布尔什维克暴动，临时政府总理准备将彼得格勒及其周围地区军队的指挥权掌握在自己手里，并要求科尔尼洛夫在两天内将第三骑兵军从大卢加调往彼得格勒并转交政府直接指挥。萨文科夫说，必要时政府会毫不留情地对布尔什维克采取措施，如果苏维埃和他们一起闹事，那么也要收拾苏维埃。对此科尔尼洛夫表示完全赞成。8月24日早晨，萨文科夫离开大本营时又对科尔尼洛夫说了两件事，一是在第三骑兵军调到彼得格勒前要撤换其军长克雷莫夫将军，因为他的名声可能引起麻烦；二是把野蛮师从第三骑兵军建制中调出，以避免以后造成“高加索人”解放俄国首都的印象。科尔尼洛夫在同萨文科夫告别时说，他将支持克伦斯

克雷莫夫

[1] *Пайпс Р.* Русская революция. Русская революция. Большевики в борьбе за власть. 1917–1918. Глава третья. Октябрьский переворот. http://lib.rus.ec/b/129248/

基，因为国家需要他。[1]

送走萨文科夫后，科尔尼洛夫向克雷莫夫将军下了两道命令："1. 在接到我的消息或在当地直接得到布尔什维克开始进攻的消息后，骑兵军立即进入彼得格勒，占领城市，解除支持布尔什维克运动的彼得格勒卫戍部队的武装，解除彼得格勒居民武装，驱散苏维埃……2. 在完成上述任务后，克雷莫夫将军应派一个旅占领奥拉宁堡并要求喀琅施塔得警备部队解除要塞武装……"科尔尼洛夫的这两个命令是符合克伦斯基的指示的：第一个命令是根据萨文科夫转达的部队进入彼得格勒的要求，第二个命令是执行克伦斯基 8 月 8 日的命令。但科尔尼洛夫没有执行解除克雷莫夫将军职务的命令，对此科尔尼洛夫对卢科姆斯基将军作了解释：政府担心克雷莫夫镇压动乱时可能的残暴，但等事情结束后，政府会感激他的。而萨文科夫在 8 月 25 日向克伦斯基报告，他的全部指示都将得到执行。[2]

从分歧到冲突

但是，随后发生的事情使得科尔尼洛夫和克伦斯基之间的分歧变成了公开的冲突。事情是因第一届临时政府宗教院总监 B.H. 李沃夫而起。

B.H. 李沃夫曾作为十月党代表进入第二届、第三届国家杜马中，战争时期参加进步联盟。由于广泛的人脉关系，二月革命后他在临时政府中获得了宗教院总监的职位，但在七月事件后的政府改组中出局。据说，B.H. 李沃夫是个任性的、"轻率得难以想象"的人，有人甚至怀疑，他不是一个心理健康的人。李沃夫在自己的回忆录中说：国务会议后的一个星期，他听说大本营酝酿着一个让科尔尼洛夫成为专制者的阴谋，他认为自己有责任告诉克伦斯基，并在 8 月 22 日傍晚在冬宫见到了后者。李沃夫说，政府正在失去社会支持，目前应该吸收一些与军方关系密切的人士进入政府，他愿意同一些关键政治人士

---

[1] 参见 *Пайпс Р.* Русская революция. Русская революция. Большевики в борьбе за власть. 1917–1918. Глава третья. Октябрьский переворот. http://lib.rus.ec/b/129248/

[2] *Пайпс Р.* Русская революция. Русская революция. Большевики в борьбе за власть. 1917–1918. Глава третья. Октябрьский переворот. http://lib.rus.ec/b/129248/

接触以了解其情绪，探讨建立“民族内阁”的可能性。如果相信李沃夫后来在回忆录中的说法，那么似乎是克伦斯基授权李沃夫以他的名义进行谈判，甚至表示愿意辞去总理职务。但克伦斯基后来断然否认这种说法，强调他没有授权李沃夫以他的名义同任何人进行谈判，也没有同他讨论让他去莫吉廖夫与科尔尼洛夫接触的可能性问题。他甚至说，李沃夫一离开他的办公室，他就忘了他们之间的谈话。历史学家拉宾诺维奇认为，克伦斯基的说法更为可信，没有任何证据可以证明克伦斯基准备与科尔尼洛夫分享政权。但克伦斯基有可能希望利用李沃夫得到进一步的情报信息。[1]

不管怎样，李沃夫回到莫斯科作了短暂停留，就启程去莫吉廖夫大本营与科尔尼洛夫见面。8 月 24 日他到达大本营。在傍晚与科尔尼洛夫的谈话中，他造成一种印象，似乎他是得到总理的授权来探讨建立新政府的问题。他宣称，他的使命是弄清科尔尼洛夫对克伦斯基提出的三种加强政府的方案的反应：克伦斯基领导的独裁体制；一个科尔尼洛夫在其中发挥重要作用的独裁政府；或者科尔尼洛夫领导的军事独裁体制。

对于科尔尼洛夫来说，克伦斯基前面派来的萨文科夫刚走，马上又派来了李沃夫，这说明了克伦斯基的虚弱。在 8 月 25 日上午的会谈中，科尔尼洛夫表示，彼得格勒应该宣布戒严，所有军事和民事权力应该转交最高总司令，“不管是谁在这个职位上”。在新政府中，克伦斯基可以担任司法部长（一旁的科尔尼洛夫的主要谋士扎沃伊科表示，克伦斯基可以担任副总理），萨文科夫担任军事部长。为了保证他们两人的安全，科尔尼洛夫建议他们在 8 月 27 日前到莫吉廖夫大本营来。[2]

8 月 26 日下午，回到彼得格勒的李沃夫去冬宫向克伦斯基报告他同科尔尼洛夫的谈话结果。在李沃夫进来之前，萨文科夫刚刚非常自信地让克伦斯基相信，科尔尼洛夫将全力支持他。所以，当李沃夫转达科尔尼洛夫的意见，特别提到为了他的安全建议他立即离开彼得格勒时，克伦斯基起初根本不信，他

[1] *Рабинович А.* Большевики приходят к власти. Революция 1917 года в Петрограде. М., 1989. С.147.

[2] Революционное движение в России в августе 1917 г.: Разгром Корниловского мятежа. Документы и материалы.М., 1959. С.427–428,450.

哈哈大笑，以为李沃夫在开玩笑。而李沃夫说“这哪里是玩笑!”并劝说克伦斯基让步。克伦斯基后来回忆，当时他竭力想弄明白发生的事情，平静下来之后，他要求李沃夫把科尔尼洛夫的要求写下来。李沃夫写下了一张字条：“科尔尼洛夫将军要求：1. 宣布彼得格勒戒严。2. 把全部军事和民事权力交给最高总司令。3. 全体部长，包括总理应该辞职，各部交副部长临时管理，直至最高总司令组成内阁为止。”[1] 而科尔尼洛夫后来断然否认他提出了任何最后通牒，只是承认他请克伦斯基和萨文科夫到大本营来谈判新政府的组织问题。

李沃夫所说的科尔尼洛夫的要求使克伦斯基深感意外。为了从其他途径找到科尔尼洛夫背叛的证据，克伦斯基决定通过军事部的直通线路与科尔尼洛夫直接通话，其结果使之成为 1917 年俄国政治中最具悲剧性的、最荒唐的事件。

克伦斯基在通话中首先表示，他可以根据科尔尼洛夫请李沃夫转达的意见行事，但请科尔尼洛夫对自己的意见予以确认。

科尔尼洛夫回答，“我再次确认我对国家和军队状况的基本看法，我对弗拉基米尔·尼古拉耶维奇 [李沃夫] 表达的基本看法。我重申，最近的事态发展迫切要求我们在最短时间里作出明确的决定。”

克伦斯基以李沃夫的口吻对科尔尼洛夫说：“请您确认您请我直接转告亚历山大·费多罗维奇克伦斯基的明确意见。没有您的确认，亚历山大·费多罗维奇不能完全相信。”

科尔尼洛夫回答：“是的，我确认，我请您转告亚历山大·费多罗维奇，我坚持请他来莫吉廖夫。”

克伦斯基：“我理解您的回答是对弗拉基米尔·尼古拉耶维奇转告我的话的确认。今天已经不能做这件事，不能出发了。我希望明天出发。萨文科夫要来吗?”

科尔尼洛夫：“我坚决请求鲍里斯·维克多罗维奇 [萨文科夫] 和您一起来。……希望你们的出发时间不要晚于明天。请您相信，只是由于意识到自己的责任，我才这样坚决地请求您。”

克伦斯基：“只是在得到布尔什维克发动的消息时动身，还是无论如何都

[1] 徐天新选译：《俄国十月社会主义革命》，商务印书馆 1997 年版，第 53—54 页。

要这样做?”

科尔尼洛夫:“无论如何。”

克伦斯基:“再见。我们很快会见面。”

科尔尼洛夫:“再见。”[1]

这段对话含糊不清，明显缺乏准确性。克伦斯基并没有问清楚科尔尼洛夫与李沃夫谈话的具体内容。科尔尼洛夫确认的只是他在与李沃夫谈话中谈到的他“对国家和军队状况的基本看法”、“最近的事态发展迫切要求我们在最短时间里作出明确的决定”以及他请克伦斯基和萨文科夫立即到莫吉廖夫大本营来。邓尼金后来指出，这段对话充分表明了克伦斯基的精神面貌和科尔尼洛夫的轻率鲁莽。

但无论是科尔尼洛夫还是克伦斯基，都按自己的理解从中得出了结论。在大本营，这次谈话后出现了兴奋和狂喜，似乎克伦斯基已经不作斗争地同意由科尔尼洛夫组织政府。而在冬宫，克伦斯基似乎证实了自己的担心，他认为自己得到了科尔尼洛夫有野心的证据。

摊牌和对抗

8 月 26 日夜里，克伦斯基与涅克拉索夫和萨文科夫以及军事部其他高官进行了磋商，然后打断了正在讨论萨文科夫方案的政府会议，通报了关于科尔尼洛夫“叛变”的消息。他要求政府部长授予他在目前情况下采取一切必要行动的全权。他还指出，形势的进一步发展有可能要求“改组内阁”。看来，他已经在考虑成立类似法国 1795—1799 年间的“执政内阁”了。但立宪民主党部长科科什金和尤列涅夫担心克伦斯基会滥用“特别授权”而明确表示不赞成，并强调如果克伦斯基的要求被通过，他们就辞职。大部分部长支持克伦斯基，并正式提出辞职以便于克伦斯基组织新政府。克伦斯基接受辞职，但要求部长

[1] Революционное движение в России в августе 1917 г.: Разгром Корниловского мятежа. Документы и материалы. М., 1959. С.443.;*Деникин А.И.* Очерки Русской Смуты.Том второй. Август 1917 г. -- апрель 1918 г. Борьба Генерала Корнилова. http://www.unilib.neva.ru/dl/327/Theme_9/Sources/civil_war/Denikin_ocherki.htm

们继续留任至新政府组成。只有科科什金予以拒绝。

第二届联合政府的最后一次会议一直开到 8 月 27 日早上。会议结束后克伦斯基给科尔尼洛夫发去了简短的电报，命令他把最高总司令职权交给大本营参谋长卢科姆斯基将军并立即到彼得格勒来。

4 点多在大本营接到电报的卢科姆斯基大惊失色，他立即回了电报："要停止得到您的同意而开始的事情是不可能的……为拯救俄国您必须与科尔尼洛夫将军走在一起……撤掉科尔尼洛夫将军将会引起俄国前所未有的巨大灾难……我不认为我能接受科尔尼洛夫将军的职务。"[1]

由于卢科姆斯基拒绝接任科尔尼洛夫的职位，使科尔尼洛夫暂时还继续担任最高总司令。他派出的前线部队继续在向彼得格勒推进。因此，克伦斯基在 8 月 27 日中午开始制订彼得格勒的防御方案。他命令彼得格勒实行戒严；任命萨文科夫为彼得格勒军事总督，全面负责军事准备。他在发给北方战线总司令、第三骑兵军军长的电报中"命令所有向彼得格勒或在其区域内运动的列车都立即停止并返回其最后的驻扎地点"，并宣布彼得格勒很平静，不会发生任何动乱。但没人执行这个命令。

在萨文科夫和马克拉科夫先后劝说科尔尼洛夫交出最高总司令职权不果之后，8 月 27 日晚上克伦斯基通电全国并将副本发给科尔尼洛夫。

他宣布："8 月 26 日科尔尼洛夫将军派国家杜马成员李沃夫到我这里，要求临时政府把全部民事和军事权力交给科尔尼洛夫。以便由他根据自己的意志来组织新政府管理国家。……可以看出，向我提出的对临时政府的要求，是某些社会集团企图利用国家面临的困难局面建立反对革命成果的国家制度。

临时政府认为必须：

为了拯救祖国、自由和共和制度，授权我采取迅速果断的措施，从根本上制止任何侵犯国家最高权力和作为革命成果的公民权利的企图。

我将采取一切必要措施保卫自由和国内秩序，这些措施将及时公布周知。

同时我命令：

1. 科尔尼洛夫将军把最高总司令职权交给北方战线司令克列姆波夫斯基

---

[1] Революционное движение в Росии в августе 1917 г.: Разгром Корниловского мятежа. Документы и материалы. М., 1959. С.448.

将军。……

2. 宣布彼得格勒市和彼得格勒县戒严……

我呼吁全体公民保持充分的冷静、镇静，维护拯救祖国必需的秩序。呼吁军队和舰队的全体官兵发扬自我牺牲精神、冷静地履行保卫祖国免受外敌侵犯的职责。”[1]

克伦斯基的声明对科尔尼洛夫是出乎意外的当头一棒。深夜，扎沃伊科拟好了科尔尼洛夫的回电，立即发给军队全体指挥员并向报纸记者公布。在这份告居民书中，科尔尼洛夫首先指出：“总理第 4163 号电报的整个第一部分完全是谎言。不是我派遣国家杜马成员弗拉基米尔·李沃夫到临时政府那里去，而是他作为总理的使者来见我。第一届国家杜马成员阿拉金是这件事情的证明人。因此，这是一个把祖国的命运做赌注的巨大挑衅。”科尔尼洛夫在告居民书中说：“我们伟大的祖国正在灭亡！结束的时刻已经临近。我，科尔尼洛夫将军，不得不宣布，临时政府在苏维埃的布尔什维克多数的压力下，正完全按照德国总参谋部的计划，在敌军将在里加沿岸登陆的同时，从内部摧毁军队、动摇国家。我沉痛地感觉到国家不可避免的灭亡。这种感觉迫使我在这危急时刻呼吁全体俄国人拯救正在死亡的祖国。我，科尔尼洛夫将军，哥萨克农民的儿子，向所有人和每个人宣告，除了维护伟大的俄国，我个人没有任何要求，我发誓通过战胜敌人把人民引向立宪会议，他们将在那里决定自己的命运和选择自己新的生活方式。”[2]

科尔尼洛夫的告俄国居民书实际上是对临时政府的宣战书。随后，他命令部队继续沿铁路线向彼得格勒运动。8 月 27 日，装载“野蛮师”部队的火车开向彼得格勒。第二天早上，其先头部队抵达维里察；乌苏里骑兵师到达普斯科夫并继续向纳尔瓦—亚姆堡推进；第一顿河哥萨克师从普斯科夫出发并接近卢加。

8 月 28 日，科尔尼洛夫发布最高总司令第 897 号令。他首先追述了俄军 6 月攻势失败以来，他作为前线作战部队司令提出恢复死刑的要求，但未能得

[1] Хрестоматия по истории России 1917–1940. М., 1995. С.51–52

[2] Революционное движение в Росии в августе 1917 г.: Разгром Корниловского мятежа. М., 1959. С.446.

到彻底满足；在就任最高总司令时，他向临时政府提出了拯救军队所必需的条件，其中包括在后方恢复死刑，而临时政府没有下决心实施他的建议，还纵容其报纸和各种组织对他进行批判，对军队高级指挥人员开始进行清洗。

该命令指出："目睹临时政府既无能力又无决心采取有力措施对付那些把俄国引向毁灭的人物和组织，为了避免悲剧的发生，我决定向彼得格勒派遣4个骑兵师，一旦布尔什维克真的起事，就以最坚决最果断的措施镇压它。必须一劳永逸地结束后方叛徒的罪恶行径。

在作出这个决定的时候，我个人不追求任何虚名，也不想独揽管理国家的全部责任。我希望与受到社会信任的各方人士、致力于拯救俄国的各个社会组织协商，并在这些著名社会活动家的帮助下，给俄国一个能够把它从毁灭和耻辱中解救出来的强有力的政权。我只是认为，我作为最高总司令必须参加新的政府。"

科尔尼洛夫接着描述了萨文科夫和李沃夫先后受克伦斯基委派到大本营与他交谈的情况，以及随后发生的事情。他最后表示：

"注意到在已形成的局面下，继续动摇将是致命危险的，取消已经发出的命令为时已晚，我意识到自己的全部责任，为了拯救祖国免于灭亡，拯救俄国人民免受德国人奴役，决定不交出最高总司令职权。各战线司令支持我的这个决定。我坚信，我们多灾多难的祖国的所有忠诚保卫者都将和我站在一起。

真理和公正在我们一边。

我坚定地相信，俄国军队将从病态中奋起，帮助我抵御敌人并把他们赶出我们的国土，结束战争，同我们英勇的盟国紧密团结，确保自由的俄国进行创造性的工作为其争取与其在三年战争中作出的巨大牺牲相称的光明的未来。

我同时向临时政府呼吁：到大本营我这里来吧，我真诚地保证你们在这里的自由和安全。你们和我一起讨论全民防御政府的组成，它将保证胜利，领导俄国人民走向伟大的未来，这个未来是强大的自由的人民应该有的。"[1]

当时，大部分高级将领立即向科尔尼洛夫表达了忠诚。北方战线总司令克列姆波夫斯基、西方战线总司令巴卢耶夫、西南战线总司令邓尼金、罗马尼亚战线副总司令谢尔巴托夫等前线主要将领都表态支持科尔尼洛夫。只有高加

---

[1] Хрестоматия по истории России 1917–1940. М., 1995. С.53–56.

索战线司令普尔热瓦利斯基和莫斯科军区司令维尔霍夫斯基宣布站在临时政府一边。

军官联盟总委员会向各部队和舰队指挥部发去电报，宣布“临时政府已不再能够领导俄国”，号召全体军官“坚定地、毫不动摇地”支持科尔尼洛夫。外交部派驻大本营的代表格里戈里·特鲁别茨科伊在给外交部长捷列申科的电报中报告：“清醒地评价局势，不得不承认，整个指挥系统、绝大多数军官、优秀作战部队都跟科尔尼洛夫走。在后方，全体哥萨克、大部分军事学校以及精锐部队都站在他一边。……人民和城市居民的大多数对一切都漠不关心”。在彼得格勒，很多临时政府官员都认为克伦斯基的处境是没有希望的。8 月 28 日，由于预见到科尔尼洛夫的胜利，彼得格勒交易所的证券交易价格急剧攀升。[1]

克伦斯基一度也信心动摇。危机爆发之后，尤其是科尔尼洛夫的部队在克雷莫夫将军指挥下向彼得格勒挺进的时候，当左翼准备迎击科尔尼洛夫的军队的时候，克伦斯基感到的也许只是孤立和无助，因为无论是哪一方最终获胜，他的结局可能都不会很好。也正因如此，28 日克伦斯基一度考虑让步并辞职，把权力交给被认为能够平衡科尔尼洛夫的阿列克谢耶夫将军。但到 29 日，形势变得比较清楚了：科尔尼洛夫的部队不可能进入并控制首都。在这样的情况下，克伦斯基坚持要求成立以他为首的执政内阁。[2]

第三节　苏维埃反对科尔尼洛夫

民主派的反应

在苏维埃民主派方面，尤其是其中比较激进的成分，从科尔尼洛夫事件一开始就从中看到了自己的机会。

一些比较了解群众情绪的社会主义政党领导人相信，试图建立军事专政

[1] *Рабинович А.* Большевики приходят к власти. Революция 1917 года в Петрограде. М., 1989. С.152–153.

[2] *Головатенко А.*История России: спорные проблемы. М., 1993. С.149.

的力量将遭到打击。孟什维克国际主义者苏汉诺夫描述他和卢那察尔斯基在听到科尔尼洛夫的部队向彼得格勒开进的消息后的心情时说："我们都顿觉轻松，意味深长地深呼一口气。我们都很激动，有某种兴奋、某种解放的感觉。"这实际上是很多左翼活动家的感受。"这是驱散难以忍受的窒息气氛的惊雷。它可能敞开了解决革命危机的大门。它是局势向激进方向演变的起点。无论如何，这是对七月日子的彻底复仇。苏维埃能够复兴！民主派能够奋起，革命能够迅速走上它迷失已久的符合规律的道路……"[1]

8 月 27 日，星期天，彼得格勒按计划要召开群众集会庆祝二月革命半周年的日子。早上出版的报纸上还一点没有涉及克伦斯基与科尔尼洛夫之间已经展开的惊心动魄的斗争。

上午，苏维埃大部分领导人都参加了各区群众集会。到中午的时候，开始流传克伦斯基与科尔尼洛夫已经闹翻的说法。下午，苏维埃各党团开始开会讨论局势。

晚上 11 点半，工兵代表苏维埃中央执行委员会和全俄农民代表苏维埃执行委员会召开闭门的联席会议，讨论政治危机，这时距离克伦斯基断定科尔尼洛夫试图推翻政府已经过去了 24 小时。

联席会议开了通宵。首先面临的是政权问题，因为第二届联合政府已经垮台，克伦斯基已经表示要成立执政内阁，苏维埃对这个问题的立场将决定未来临时政府的命运。布尔什维克代表索科里尼科夫表示，革命民主派不能信任临时政府，"临时政府自己制造了反革命的基础"。但这时布尔什维克还未形成对于政权问题的正式立场。温和社会主义者倾向于相信克伦斯基关于他和科尔尼洛夫之间冲突形成的说法，认为这是一个反对革命和合法政府的阴谋；在目前情况下，他们除了支持政府别无其他选择。"现在能够建立政权的唯一人物只有克伦斯基。如果临时政府灭亡，革命也将灭亡。"但对于执政内阁问题，大家都持谨慎态度。马尔托夫指出，"任何执政内阁都会产生反革命。"会议形成决议，认为政府形式不应改变，但授权克伦斯基用"民主派成分"补充立宪民主党人退出政府后的空缺。决议还确定，尽快召集一次由支持苏维埃这个政治平台的民主派组织的代表参加的新的国务会议，重新讨论政权问题；而临时

---

[1] *Суханов Н.Н.* Записки о революции.Том 3（книга 5.6.7）. М., 1 992. С.83–84.

政府在立宪会议召开前对这个新国务会议负责。

会议休息时，主席团成员到临时政府所在地冬宫去了一会儿，向政府通报已经作出的决定。但克伦斯基坚持要立即成立由 5 人组成的执政内阁，强调只有一个不大的但坚强的政府才能快速坚决地采取行动，对付右翼的进攻。主席团成员把克伦斯基的意见带回会议后，又进行了一轮激烈的辩论。

参加会议的很多代表对于局势的了解是模糊的，直到 8 月 28 日早晨，他们才第一次听说军事威胁迫在眉睫、克雷莫夫的第三骑兵军已逼近彼得格勒、大部分战线司令支持科尔尼洛夫等情况。而一些新的消息也不断传来，如忠于科尔尼洛夫的部队已经在尼古拉车站下车等。这些情况促使代表们转向支持克伦斯基。会议最后通过了策列铁里提出的决议案：完全支持政府总理，他有权选择政府的形式，唯一的条件是他必须全力投入与科尔尼洛夫的斗争。[1]

孟什维克和社会革命党主导的苏维埃中央执行委员会号召彼得格勒工人和士兵群众起来保卫革命。工兵农代表苏维埃全俄中央执行委员会特别向士兵们呼吁：

“士兵同志们！

听听我们——你们的兄弟——的声音吧！你们去哪里？你们听谁的？你们相信谁？

科尔尼洛夫把你们派往彼得格勒，他和他的走狗让你们相信，彼得格勒发生了暴动，工人和布尔什维克暴动，彼得格勒背叛了祖国，要去保卫政府。这不是真的。科尔尼洛夫欺骗了你们……

科尔尼洛夫把你们领到这里，想用你们的枪来反对人民、反对革命、反对人民争取到的自由成果。他，科尔尼洛夫，想让我们兄弟残杀。他，科尔尼洛夫，想推翻革命政府。他，科尔尼洛夫，想要逮捕军队亲爱的领袖克伦斯基。他，科尔尼洛夫，想通过卑鄙的背叛自己掌权，扼杀革命，剥夺人民的自由和土地。……不要听信科尔尼洛夫这个祖国和自由的阴险叛徒。他把你们从前线抓来，他举起了兄弟相残的旗帜，他甚至不怕向德国军队开放战线。他想夺取革命的心脏彼得格勒，扼杀自由，把政权交给人民的敌人，然后再来对付

[1] *Рабинович А.* Большевики приходят к власти.Революция 1917 года в Петрограде. М., 1989. С.157.

你们……

同志们，祖国和自由的忠诚儿子们，现在全国和全民都充满期待地注视着你们。在你们的上级中还有沙皇的奴仆，还有科尔尼洛夫这样的阴险的叛徒。但在你们，人民的儿子中间，我们相信不会有自己国家和人民事业的叛徒。请你们记住，科尔尼洛夫的政府不仅会给你们，也会给我们重新带来万恶的沙皇政权。”[1]

同时，苏维埃作出指示，要求各政治和社会组织、军队和前线委员会、铁路和邮政电报部门职员不执行大本营的命令，监视反革命军队的活动并尽量阻挠他们，破坏其相互间的通信联系。

根据两个执行委员的决定，成立了特别军事防御机关——“人民与反革命斗争委员会”（Комитет народной борьбы с контрреволюцией），由孟什维克、社会革命党和布尔什维克三个党各出 1 名代表、全俄苏维埃中央执行委员会和农民代表苏维埃执行委员会出 5 名代表、工会中央联合会和彼得格勒苏维埃各出 2 名代表组成，下设军事部、政治委员部和情报部，从 28 日中午起开始工作。次日，彼得格勒各区苏维埃联系会议也向委员会派出了 1 名代表。

由于临时政府在敌视科尔尼洛夫的社会阶层中的威信不足，“人民与反革命斗争委员会”，尤其是它的军事部，自然成为动员社会力量反对科尔尼洛夫的核心。委员会通过彼得格勒电报通讯社不断发出简讯，向社会公众通报事态发展情况和政府、苏维埃及其他社会组织的措施和活动。委员会分配武器弹药，派遣有经验的工作人员到科尔尼洛夫的部队去进行宣传鼓动，通过邮电、铁路工会动员其职工阻挠科尔尼洛夫的部队向首都开进。

整个彼得格勒行动起来了。这是一场十分罕见的强大、高效、协调但又在一定程度具有自发性的群众性政治行动。在反对科尔尼洛夫的斗争过程中，立宪民主党左边的所有政治组织，以及彼得格勒市杜马、彼得格勒工会联合会、工厂委员会中央联合会、各行业工会、各工厂委员会、各级士兵委员会等机构和组织，都积极投入了斗争。

[1] Хрестоматия по истории России 1917–1940. М., 1995. С.57–58.

布尔什维克的立场

8月27日，布尔什维克党的中央委员会、彼得格勒委员会、军事组织、苏维埃中央执行委员会布尔什维克党团也联合发表告彼得格勒全体劳动人民、全体工人和全体士兵书：

“反革命在向彼得格勒推进。革命的叛徒、人民的敌人科尔尼洛夫正率领受其蒙骗的军队向彼得格勒挺进。……为了给科尔尼洛夫枪杀无产阶级的罪行开脱，资产阶级胡说，在彼得格勒仿佛工人的暴动占了上风。现在你们看到，掀起暴动的不是工人而是资产阶级和以科尔尼洛夫为首的将军们。科尔尼洛夫的胜利就是自由的坟墓、土地的丧失，就是地主对农民、资本家对工人、将军对士兵的胜利和无限统治。

临时政府无力完成自己首要和直接的任务：彻底扑灭将军—资产阶级的反革命。寻求同资产阶级的妥协削弱了民主力量，煽起了资产阶级的欲望，使资产阶级敢于决定用公开的暴动反对革命、反对人民。

拯救人民、拯救革命靠的是无产阶级和士兵群众自身的革命热情。……彼得格勒居民们！我们号召你们同反革命做最坚决的斗争！整个革命的俄国做彼得格勒的后盾。……你们能够推翻沙皇制度，你们应当证明，你们不甘于地主和资产阶级走狗——科尔尼洛夫的统治。”[1]

但布尔什维克对迫切政治问题的态度，如是否要同苏维埃中的孟什维克和社会革命党采取一致行动、如何处理与临时政府的关系等，还是不太清楚的。处在地下状态的列宁与在彼得格勒政治斗争中心的党的其他领导人在看法上存在着差异。

列宁在8月18—19日就写了《关于阴谋的谣言》这篇文章，提出了布尔什维克应对当前政治危机的原则立场。他在文章中写道，孟什维克和社会革命党散布谣言，说“某些军人集团”在一些社会力量的支持下正在组织反革命行动，说护国派与布尔什维克之间在“抵御反革命”问题上有某种同盟、联盟或协定。他认为，真正的反革命恰恰就是护国派想保护的那个临时政府，真正把

[1] 《俄国十月社会主义革命》，商务印书馆1997年版，第57—58页。

哥萨克军队调来首都的正是临时政府和社会主义者部长。列宁坚决反对布尔什维克与孟什维克和社会革命党合作或结盟，说“很难相信在布尔什维克中间能找到现在愿意同护国派结成联盟的傻瓜和坏蛋。”[1]他引用了党的第六次代表大会的决议，强调布尔什维克的首要任务是“完全孤立”孟什维克和社会革命党。列宁的这个态度是与他在七月事件后对革命和平发展的悲观情绪有关的，他坚定地要求既反对临时政府，也反对温和社会主义政党掌握的苏维埃，并且准备以武装起义的方式夺取政权。

但是，在科尔尼洛夫事件前后，在苏维埃的布尔什维克党团中起主要作用的是加米涅夫、卢那察尔斯基等人。他们身处政治斗争的中心，对政治局势、群众心态、苏维埃内部力量的消长有着具体的认识和直接的感受。

布尔什维克党团就政治形势举行的第一次会议是在 8 月 27 日晚上，两个执行委员会联席会议会间休息的时候。在那个夜里，布尔什维克党团的代表起先没有就政权问题提出自己的决议案，稍后支持孟什维克和社会革命党关于召开另一次国务会议以评价政治形势的提议。但在了解了克伦斯基要求成立执政内阁的强硬立场后，卢那察尔斯基要求苏维埃同现政府断绝关系，并在决议案中提出了宣布民主共和国、立即召集立宪会议等主张。这些主张与温和社会主义者的主张是一致的，因此实际上出现了布尔什维克与孟什维克和社会革命党接近的局面。布尔什维克党团还表示，如果政府真正与反革命作斗争，那么布尔什维克将同它在保卫革命方面结成军事同盟。[2] 很显然，这与列宁为党确定的方针是不一样的。

根据这一立场，布尔什维克在“人民与反革命斗争委员会”这个机构中与孟什维克和社会革命党进行合作，而且也发挥了重要作用。苏汉诺夫指出：“军事革命委员会（指人民与反革命斗争委员会）在组织防御时应该吸收工人和士兵群众参加运动。这些群众……是布尔什维克组织起来并跟着布尔什维克走的。……军事革命委员会同布尔什维克一起指挥整个现存的有组织的工人和

---

[1] 《列宁全集》第 32 卷，人民出版社 1985 年版，第 71 页。

[2] *Рабинович А.* Большевики приходят к власти.Революция 1917 года в Петрограде. М.,1989.С.160.

士兵的力量。”[1]

苏维埃的布尔什维克党团支持苏维埃以及在其中占多数的孟什维克和社会革命党同科尔尼洛夫作斗争，是符合逻辑的选择。因为军事专政一旦建立，布尔什维克首先会成为其打击的对象。

但党内也有不同的声音。在27—28日的那个夜里，在彼得格勒的另一端，纳尔瓦区，布尔什维克彼得堡委员会举行了紧急会议。这次会议是根据激进的维堡区布尔什维克要求召开的，他们认为党的领导机关对于日益增长的反革命危险应对不力。在六大上刚当选为中央委员的布勃诺夫首先作报告，要求采取与斯莫尔尼学院里（苏维埃在七月事件后搬到斯莫尔尼学院办公）那些党的领导人的立场不同的更独立更激进的方针，宣称“不同苏维埃多数派发生任何关系”，既不给克伦斯基、也不给科尔尼洛夫任何支持，而要独立地领导群众、实现自己的利益。来自维堡区委的拉齐斯甚至公开宣称：“我们的中央机关最近让我们为党的命运担忧”。但彼得堡委员会的多数成员最终认为，无论如何应该利用党的一切资源，团结群众组织、工人、士兵和水兵，同科尔尼洛夫进行殊死斗争。彼得堡委员会要求立即进行战斗准备。布勃诺夫也承认，即便出于宣传目的，党也应该与苏维埃成立的军事机关保持联系。会议确定了彼得堡委员会总部与各区委的联系办法，安排在各区委和工厂委员会通宵值班，准备印制传单，着手制定应对局面的军事计划。会议还决定第二天向工人区派出党的宣传员，派出专门人员与首都主要群众组织协调军事准备工作。总的来说，彼得堡委员会意识到了自己的目标与克伦斯基的目标的区别，比较谨慎地处理与温和社会主义者合作的问题，把自己的活动与其他左翼组织的活动联合起来，利用自己的组织、资源和斗志方面的优势，投入了反对科尔尼洛夫的斗争。[2]

布尔什维克同意与民主派合作共同对付科尔尼洛夫的最坚决最主要条件之一，是释放七月事件后被逮捕关押的布尔什维克。8月29日，根据“人民与反革命斗争委员会”的决定，首先释放了一批被关押的布尔什维克士兵，让

---

[1] *Суханов Н.Н.* Записки о революции. Том 3（книга 5.6.7）. М., 1992. С.113.

[2] *Рабинович А.* Большевики приходят к власти.Революция 1917 года в Петрограде. М., 1989. С.160–161.

他们参加反对科尔尼洛夫的斗争。在“人民与反革命斗争委员会”的推动下，七月事件后被逮捕的布尔什维克被当局释放。9月4日，托洛茨基、安东诺夫—奥夫申科、德宾科出狱。包括布尔什维克军事组织成员克雷连柯、达什凯维奇、库杰里科和捷尔—阿鲁琼扬茨在内的布尔什维克军官也在一周后获释。

科尔尼洛夫的失败

由于孟什维克、社会革命党与布尔什维克的合作，形成了一个反对科尔尼洛夫的左翼力量联盟，它对右翼力量具有压倒性的优势。

彼得格勒的右翼组织几乎无法进行公开宣传和活动。8月27—28日，一些右翼组织首脑如大本营与首都有关组织的主要联系人西多林上校、共和中心军事部负责人丘西梅杰尔上校、共和中心副主席菲尼索夫等人在等待有关克雷莫夫位置的消息。28日晚上，丘西梅杰尔和菲尼索夫出发去卢加方向找克雷莫夫。西多林留在彼得格勒，准备一得到确定消息就立即导演所谓的“布尔什维克暴动”。西多林在29日早上得到了第三骑兵军的消息，通知到其他人已是29日傍晚，此时右翼的计划已经明显没有希望了。据说，阿列克谢耶夫将军要求西多林放弃他们的计划，并以自杀相威胁。29日，在彼得格勒市中心的“阿斯托利亚”旅馆逮捕了卷入科尔尼洛夫军事政变的24名军官。

根据科尔尼洛夫8月27日的命令，28日，运载克雷莫夫将军的第三骑兵军部队的军列分布在数百公里的铁路线上，向彼得格勒开进。其中，野蛮师部队在莫斯科—温达瓦—雷宾斯克铁路的德诺车站和维里察车站之间。8月28日晚上，有两个团已到达离首都很近的维里察。铁路工人用装了原木的车厢封锁了道路，并拆了好几公里的铁轨。部队无法继续前进，也无法与克雷莫夫将军、大本营、其他部队以及彼得格勒保持通讯联系。

在军官们抓狂的时候，彼得格勒来的很多宣传员在士兵中进行宣传鼓动，他们是由“人民与反革命斗争委员会”、彼得格勒各区苏维埃、彼得格勒很多工厂和驻扎在皇村以北的卫戍部队派出的。穆斯林苏维埃联盟执行委员会也派出了一个代表团来做野蛮师的工作。维里察当地的工人和农民包围了野蛮师的军列，指责士兵们背叛革命。部队事先没有被告知向北运动具体原因，大多数士兵对科尔尼洛夫的目标没有兴趣，也不愿与临时政府和苏维埃作对。8月30

日，他们打出了写有“土地和自由”旗帜，逮捕了指挥部的长官。随后成立了革命委员会，其任务是阻止向彼得格勒的推进，并告诉这个师的其他部队，他们被反革命“利用”了。第二天，召开了野蛮师所有部队代表会议，决定立即向彼得格勒派出代表团表示对临时政府的忠诚。

乌苏里骑兵师经历的情况也大致如此。

第一顿河哥萨克师的情况要复杂一些。克雷莫夫将军及其指挥所与这个师一起行动，其先头部队在27日夜间到达卢加。铁路员工破坏桥梁和轨道，切断了各个分队之间的联系。受卢加苏维埃控制的卢加警备部队两万名左右士兵包围了军列。卢加苏维埃代表、彼得格勒市杜马代表以及一些士兵和工人代表与车厢里的哥萨克交谈。军官们抗议布尔什维克参与这些活动，但毫无结果。在得到科尔尼洛夫继续向彼得格勒运动的命令后，克雷莫夫打算命令部队弃车行军约90公里到达彼得格勒，但这个想法也没有成功。卢加警备部队的士兵准备用武力阻止骑兵师的行动，而哥萨克不想对付警备部队士兵。宣传员当着克雷莫夫的面召集哥萨克士兵大会，并且不太费劲地就把大部分部队的士兵代表拉到自己一边。到30日晚上，有一些哥萨克表示准备逮捕克雷莫夫。

在8月30日下午，临时政府特使、军事部长办公室主任格奥尔基·萨马林上校来见克雷莫夫，建议克雷莫夫同他一起去彼得格勒与克伦斯基谈判。萨马林曾是克雷莫夫的乌苏里骑兵师参谋长。在得到个人安全保证后，克雷莫夫同意前往。

克雷莫夫刚刚见过菲尼索夫和丘西梅杰尔，他们要他相信，彼得格勒很快就会发生动乱。所以，克雷莫夫在离开卢加去首都的时候，以为克伦斯基会请求他帮助镇压左翼的暴动。但夜里到达彼得格勒后，克雷莫夫看到的首都是平静的。他知道，大势已去。8月31日早上，他在冬宫同克伦斯基见了面。他们的谈话是激烈的。克雷莫夫试图证明，他的部队完全不是反对政府的，他的唯一目的是确保秩序。克伦斯基指责克雷莫夫“心口不一”。克雷莫夫同克伦斯基的谈话持续到14点左右，他被要求晚上到海军部接受进一步审问。克雷莫夫从冬宫出来时充满绝望，他到了一个朋友家，不愿见任何人。克雷莫夫自二月革命以来一直主张控制革命，重建强大的中央集权政府，认为唯有如此俄国才能获救。现在，他感到“拯救祖国的最后一张牌完了，继续活着已经没有意义”。在给科尔尼洛夫写了一封短信之后，他向自己的心脏开了枪。[1]

9月1日，科尔尼洛夫在大本营被逮捕。出于对君主制复辟的极度担心，克伦斯基当天采取重大措施，在立宪会议召开之前就解决国家制度问题。临时政府决定，为结束国家制度上的不确定性，实现莫斯科国务会议上一致承认的共和思想，“临时政府宣布，治理俄罗斯国家的国家制度是共和制，宣告俄国为共和国。”[2]

当天，以迫切需要采取迅速坚决措施恢复已遭动摇的国家秩序为由，克伦斯基组成了一个没有立宪民主党人参加的五人执政内阁并亲任总司令，阿列克谢耶夫将军出任总参谋长。次日，全俄工兵代表苏维埃中央执行委员会和农民代表苏维埃中央执行委员会宣布，支持克伦斯基的执政内阁。

科尔尼洛夫的部队被解除武装

在整个事件过程中，科尔尼洛夫的部队与支持政府的力量之间几乎没有发生冲突。事实上，在摊牌以后，大部分部队还是忠于苏维埃支持的临时政府的。在西南战线，邓尼金将军被自己的部队关押起来。违抗克伦斯基的命令、拒绝接替科尔尼洛夫出任最高总司令的北方战线总司令克列姆波夫斯基将军被悄悄解职。其他各战线司令随后相继表示忠于临时政府。萨文科夫因同科尔尼洛夫关系密切而被解除彼得格勒军事总督和军事部的职务。莫斯科军区

[1] *Рабинович А.* Большевики приходят к власти. Революция 1917 года в Петрограде. М., 1989. С.174–175. 还有一种说法，克雷莫夫是被克伦斯基身边的人开枪打死的，因为他打了克伦斯基的耳光。参见 Рецензия. Керенский А. Ф. “Прелюдия к большевизму”. Дополнение к прошению о помиловании. http://cordedkrieg.livejournal.com/383524.html

[2] Хрестоматия по истории России 1917–1940. М., 1995. С.58.

司令维尔霍夫斯基将军被任命为军事部长。克伦斯基任命了一个高级别的专门委员会调查这次反政府阴谋。

科尔尼洛夫军事政变的整个过程仍存在着有待深入探讨之处。而对这一事件的看法即便在当时就是远非一致的。

克伦斯基声称，科尔尼洛夫的行为是叛乱，是一场反政府的阴谋，“阴谋是逐渐地、有步骤地展开的，……阴谋的动机绝不是无私的爱国心。相反，其动机极端自私——确切地说，不是个人的自私，而是一个阶层的自私。为防止误解，这里我想附加一点说明：在描述这一阴谋的发起者和最初的领导者的犯罪动机时，我没有把这些自私的阶层的动机全部归咎于科尔尼洛夫将军和他的亲密的支持者们，因为他们所有人都是勇敢的俄国爱国者，他们都是在准备工作完成后被拉进阴谋中的”。[1] 但克伦斯基晚年终于承认，他在处理科尔尼洛夫事件上犯下了大错，对临时政府造成了致命伤害。[2]

一位当时在俄国的外国记者哈罗德·威廉姆斯认为，克伦斯基已经与科尔尼洛夫谈好派可靠的军队到首都保护政府，但克伦斯基违背了他与科尔尼洛夫达成的部署军队恢复国家秩序的协定。他突然掀起一阵反对科尔尼洛夫的恐慌，并且转而向苏维埃求助。他撤了科尔尼洛夫总司令的职务并且命令逮捕他。科尔尼洛夫因感到受欺骗而发动叛乱，并发出了求助的通告。[3]

1917 年担任英国驻俄大使的乔治·布坎南不赞同这是一场军事政变的观点，他认为俄国得救的最大的希望就在于科尔尼洛夫和克伦斯基的紧密合作，而科尔尼洛夫事件是克伦斯基和科尔尼洛夫之间的误会的结果，这种误会主要是李沃夫造成的。李沃夫“向科尔尼洛夫误传了克伦斯基的话，并且同样向克伦斯基误传了科尔尼洛夫的话……无论如何，他是一个狡猾的离间者。科尔尼洛夫是在被克伦斯基解除了指挥权之后才决定采取行动的，而且他仅仅是受爱国心的驱使才这样做的。但是，当他本人准备与克伦斯基合作时，他的一些追随者却在过去的几个星期里筹划推翻政府，并且他们决心利用他作为他们的工

[1] Kowalski R.*The Russian Revolution 1917–1920.*London and New York.1997.p.77–78.

[2] 罗仁：《苏俄“十月革命”究竟是怎么回事？克伦斯基感慨万端话当年》，《春秋》杂志总第 248 期（1967 年）。http://tieba.baidu.com/f?kz=94827096

[3] Ronald Kowalski.*The Russian Revolution 1917–1920.*London and New York.1997.p.77–78.

具并迫使他这样做。……克伦斯基意识到了这次反革命行动，所以当李沃夫带来所谓的科尔尼洛夫的声明时，他已经产生怀疑并且准备与他对抗。尽管克伦斯基无疑把科尔尼洛夫视为危险的叛乱者，……但他并没有为了驱逐科尔尼洛夫而蓄意设计陷阱。但是，与科尔尼洛夫一样，克伦斯基的背后也有一批狡猾的顾问，他们由于个人或政党的原因，怂恿他罢免总司令的职务。”[1]

对科尔尼洛夫和克伦斯基都很了解的萨文科夫说，科尔尼洛夫“热爱自由……但对他来说俄罗斯是第一位的，自由是第二位的。而对克伦斯基来说……自由、革命是第一位的，俄罗斯是第二位的。”[2]

而根据布尔什维克以及后来的苏维埃史学对这一事件及其性质的描述，这是一次反革命的阴谋，克伦斯基在其中也只不过是资本家的玩偶而已。

科尔尼洛夫军事政变反映了俄国右翼力量为结束革命、恢复秩序、重建军队纪律所做的努力。美国学者派普斯指出，尽管同时代人和许多历史学家都认为科尔尼洛夫和克伦斯基的冲突是权力之争，但对于科尔尼洛夫来说，这首先是拯救俄罗斯免于军事崩溃的最后的绝望的尝试。[3]

立宪民主党的态度

6 月初，米留可夫曾与海军上将高尔察克讨论了建立军事专政的可能性问题。不久，米留可夫又同进步党领袖里亚布申斯基一起，与主张实行军事专政的军官联盟进行接触，表示将给予军官联盟全面支持。7 月上旬第二届联合政府成立后不久，米留可夫同接近总司令科尔尼洛夫的萨文科夫进行了私下会谈，对萨文科夫介绍的建立军事专政的纲领表示赞同。

8 月上旬，米留可夫在莫斯科出席了两次有军官联盟总委员会秘书罗任科和大本营外交事务办公室主任特鲁别茨科伊参加的秘密会议，了解了有关建立

[1] Ronald Kowalski.*The Russian Revolution 1917–1920.*London and New York.1997.p.77–78.

[2] *Пайпс Р.* Русская революция. Большевики в борьбе за власть. 1917–1918. Глава третья. Октябрьский переворот. http://lib.rus.ec/b/129248/

[3] *Пайпс Р.* Русская революция. Большевики в борьбе за власть. 1917–1918.Глава третья. Октябрьский переворот. http://lib.rus.ec/b/129248/

军事专政的具体步骤。米留可夫代表立宪民主党发言，表示赞同大本营制止崩溃和驱散苏维埃的意向，但认为如果他们反对临时政府和苏维埃的话，将不会得到社会大众的支持。立宪民主党的作用将取决于群众在多大程度上跟他们走。这一立场得到了其他自由主义政党代表的赞同。[1] 立宪民主党人希望政变在克伦斯基参与的情况下进行，这将使政变得到政府的支持，具有合法的形式。

8 月 13 日，在莫斯科国务会议上，米留可夫同科尔尼洛夫见了面。他后来在谈到此事时说："我提醒科尔尼洛夫将军，在我看来，同克伦斯基闹翻是不合适的。他对此没有特别争辩。我对卡列金也说了这样的话，我同他也是在这几天见的面。看来，这是符合科尔尼洛夫的想法的，因为后来清楚了，克伦斯基是被留在政府内的。科尔尼洛夫将军没有告诉我任何正在准备中的行动的细节，但表达了希望立宪民主党支持他的想法。" [2]

8 月 20 日，立宪民主党中央委员会举行会议，讨论形势和对策。在临时政府中任职的卡尔塔绍夫首先谈到了国家面临无政府主义肆虐的局面。他认为，至今为止政权只采用内科疗法来医治国家的所有病症，即使这种办法不足以解决问题，它也不去寻找新的途径。军队在崩溃，表现出奴隶的造反本能。这种情况到处可见。盛加略夫谈到了他组织的一次集会：为了寻求共同的见解，共同的语言，演讲人提到了祖国，一个长相粗鲁的工人充满敌意地喊道："工人没有祖国，工人只有拳头！"当讲到在法国相互敌对导致了相互砍头时，一个士兵喊道："也该砍你们的头！"在奇尼泽利马戏院举行的集会上，一个士兵高喊："钱包应该平均，应该把资产者的脑袋拧下来！"愚昧的狂暴的人们抛弃了他们不久前的领袖策列铁里去造反。形势已经到了要开枪的地步，因为语言已经无能为力……专制者已经开始露头。A.B. 特尔科娃指出，社会上对立宪民主党的敌视日益加剧，也许是由于立宪民主党人没有让群众感觉到这是一个追求社会公正和政治自由的党。"我们把这些理想写进了我们的党纲，但是

[1] *Думова Н.Г.* Кадетская партия в период Первой мировой войны и Февральской революции. М., 1988, С. 190.

[2] *Думова Н.Г.* Кадетская партия в период Первой мировой войны и Февральской революции. М., 1988, С.196.

没有写进自己心里，这是可悲的。底层群众中蕴藏着本能而巨大的要求公正的感情，他们的许多社会要求是完全正当的。”她谈到国务会议结束后，“我与一些农民代表和士兵代表坐一个车厢回来，通过谈话我深信，代表们希望在莫斯科看到惊慌失措的资产阶级，他们怀着对资产阶级的蔑视来到这里，又从莫斯科带回了对‘资产者’更可怕的仇恨。到处都能感觉爆炸马上就会发生……”

与会者普遍对临时政府表示了失望，认为政权没有对国家面临的问题作出回应，“这种历史性的犯罪性的无所作为”将会导致“那些不怕作出残酷粗暴之举的人将夺取政权”。卡尔塔绍夫认为，如果政府不能证明自己的存在，那就“只能坐等专制的到来。左派暂时还在喧嚣鼓噪，不过，他们也会奴隶般地屈服，也会遭到镇压。”

米留可夫认为，“生活将使社会和居民接受外科手术不可避免的想法。这一过程将在没有我们参与的情况下完成，但我们不是站在中立的立场上对待这一过程，我们会承认它并在一定程度上同情它”。他指出，“现在，一个新的重要因素是士兵和工人代表苏维埃失去了原有的作用。既然它们投靠了布尔什维主义，也就预先决定了它们自己的命运……社会主义的中间派已经扮演了自己的角色，即将退场，取代它的是布尔什维克，随之而来的是不可避免的外科手术的幽灵。”米留可夫强调，“克伦斯基没有选择的余地，依靠策列铁里和齐赫泽的可能性已经排除，萨文科夫正在达到自己的目标，整个事态正自然地朝着我们所预料的方向变化。”在就目前的政治形势交换意见后，中央委员会会议结束，没有作出任何结论和决定。[1] 但大多数与会者支持建立军事专政的倾向性是明显的。

立宪民主党虽然对局势作出了判断，但它并未采取具体的措施和行动，而是倾向于等待。在随后的事态发展中，米留可夫一定程度上参与了试图建立军事专政的过程，但他错误地估计了克伦斯基的态度。米留可夫曾断言，克伦斯基将同科尔尼洛夫妥协，因为他别无选择。但他没有料到，克伦斯基在最后一刻“紧抓住权力不放并希望无论如何能够保住它”。[2]8 月 27 日，在危机最

---

[1] Хрестоматия по истории России 1917–1940. М., 1995. С.47–51.

[2] *Думова Н.Г.* Кадетская партия в период Первой мировой войны и Февральской революции, М., 1988, С.196.

紧张的时刻，米留可夫和阿列克谢耶夫将军试图劝说克伦斯基同科尔尼洛夫妥协，但这一尝试没有结果。8 月 28 日，在克雷莫夫的部队可能很快进城，右翼和左翼之间的一场血腥冲突看来难以避免的情况下，立宪民主党领导层试图说服克伦斯基让位于某位享有足够威望、科尔尼洛夫也愿意与之谈判的人士，以防止内战的爆发。立宪民主党人考虑的人选是阿列克谢耶夫。米留可夫积极支持关于让克伦斯基让位于阿列克谢耶夫的想法，并劝说阿列克谢耶夫同意出任总理。[1]8 月 28 日中午，米留可夫对克伦斯基说，布尔什维克暴动造成无政府主义泛滥的危险，在这样的情况下科尔尼洛夫的计划将拯救俄国免于彻底崩溃。他向克伦斯基表示，他愿意作为政府和大本营之间的中间人促成谈判。随后，另一位立宪民主党活动家尼古拉·基什金向克伦斯基试探他让位于阿列克谢耶夫的可能性。以英国大使布坎南为首的协约国驻俄国使节也希望克伦斯基同科尔尼洛夫进行谈判。

在压力之下，克伦斯基一度打算辞职，让位于阿列克谢耶夫。但苏维埃领导层坚决反对克伦斯基这样做，并促使他在最后一分钟拒绝了立宪民主党人的建议。

而米留可夫已给《言论报》写了一篇准备在 30 日刊登的社论，其中表示欢迎科尔尼洛夫的胜利，并“要求政府立即同他达成妥协”。米留可夫的表现令克伦斯基十分恼怒，他同维纳韦尔和纳波科夫“进行了开诚布公的讨论”并形成一致意见：米留可夫必须立即离开立宪民主党领导岗位和《言论报》编辑部的职务，去国外或者去南方。米留可夫被迫和科科什金离开彼得格勒去了克里米亚。[2]

立宪民主党部分党的领导人对科尔尼洛夫军事政变的态度，加快了立宪民主党乃至整个自由主义运动走向政治衰落的过程。立宪民主党受到沉重打击，它因自己在危机中的表现而被怀疑与科尔尼洛夫有勾结，并被排除在新政府之外。马克拉科夫被派往法国任大使，很多立宪民主党活动家都离开彼得格勒去了乡间别墅，党的活动几乎停止。立宪民主党的人数也迅速减少。有不少

[1] *Катков Г.М.* Дело Корнилова. Париж. 1987. С.122–127.

[2] *Керенский А.Ф.* Россия на историческом повороте.//Вопросы истории. 1991. № 7/8. С. 142–143.

劳动知识分子党员认为，党的领导人支持军事叛乱是从根本上背叛了自由主义原则，因而退出了立宪民主党。

右翼的牌出完了。他们建立军事专政的企图未遂而产生的最重要结果是，布尔什维克通过参与平息科尔尼洛夫的叛乱，以“拯救了革命”的姿态，走出了七月事件的阴影，开始对局势的发展起决定性作用。米留可夫无可奈何地承认，“现在王牌掌握在布尔什维克手中，政治钟摆急剧地转向左边。”[1] 作为一个政治家，米留可夫看到了局势的本质。

[1] 参见姚海、刘长江：《当代俄国》，贵州人民出版社 2001 年版，第 174 页。

第八章　布尔什维克浴火重生

七月事件后，布尔什维克受到社会舆论的强烈攻击和临时政府的司法指控，处境十分艰难。列宁根据变化的局势提出了新的策略思想，并在第六次代表大会后实现了策略上的调整。参与平息科尔尼洛夫军事政变的斗争为布尔什维克摆脱困境创造了良机，它以新的口号重新赢得群众的支持，并很快在苏维埃中取得了优势。

第一节　布尔什维克遭受重创

舆论火力

临时政府情报部门 7 月 4 日抛出有关布尔什维克与德国人关系的材料，沉重打击了布尔什维克，使其陷于艰难处境。

其实，对布尔什维克与德国人合作的指责，从四月份列宁经过德国回国时就已开始了。右翼报刊公开宣称，列宁是德国间谍。而列宁众所周知的反对战争、使本国政府战败的立场，使他特别易受攻击。4 月底，临时政府开始调查布尔什维克与德国之间存在秘密关系的可能性问题，其起因是一个名叫叶尔莫连科的俄军准尉向俄军总参谋部投降，他供称，自己在前线被俘后，被德军总参谋部军官希迪茨基和吕贝尔斯招募为间谍，派回俄国从事反战宣传；德国总参谋部的军官告诉他，在俄国进行这种宣传的还有德国总参谋部的间谍“乌克兰解放协会”乌克兰分会主席 A. 斯柯罗皮西—约尔图霍夫斯基和列宁，列宁的任务是尽可能破坏俄国人民对临时政府的信任。

叶尔莫连科身份可疑，供词多有漏洞，但临时政府多数成员还是愿意相信叶尔莫连科的证词是真实可信的。因为此时列宁已经使布尔什维克接受了自己的新思想，开始奉行新的政治策略，即“不给临时政府任何支持”，并使它陷入了持续危机。克伦斯基、涅克拉索夫和捷列申科三位部长授权彼得格勒和前线的侦查机构加紧调查。彼得格勒军区的反间谍部门对布尔什维克领导人进行监视，包括监听他们的电话。[1]

[1] *Рабинович А.* Большевики приходят к власти.Революция 1917 года в Петрограде. М., 1989. C.41.

1917 年 4 月中旬到 6 月底，芬兰边境托尔涅奥（Торнео）车站警卫队长鲍里索夫中尉截获了一些信件。这些信件是从彼得格勒发出，经托尔涅奥寄往哥本哈根的，收信人是帕尔乌斯。信件都很简短，没有细节，只是笼统地用了一些句子，如“工作进展非常顺利”、“我们希望尽快达到目标，但需要材料”、“尽快发来材料”、“信件和电报中要小心”、“发往维堡的材料已收到，继续需要”、“请多发些材料”、“联系时要特别小心”等等。信件被送交彼得格勒军区反间谍部门。在作了笔迹鉴定后，情报部门认为给帕尔乌斯的信是列宁写的。[1]

在此期间，俄国情报机构还得到了法国情报机构的帮助。6 月 1 日，法国情报官员洛普兰大尉向彼得格勒军区反间谍部门负责人 Б.В. 尼基金中校转交了一批盟国侦察部门截获的电报，这些电报的发送人和接收人是列宁、季诺维也夫、科兹洛夫斯基、柯仑泰、加涅茨基、苏缅松等。电报的话题涉及苏缅松经手的大笔款项。进一步调查显示，苏缅松从其账户上划出了 750000 卢布，还剩 180000 卢布，即她账户上总共有将近 100 万卢布。苏缅松在 1917 年 7 月被捕后承认了这个事实。[2]

七月事件发生时，对于布尔什维克领导人与德国关系问题的官方调查并未结束。7 月 4 日情报部门向卫戍部队代表公开布尔什维克与德国关系的材料后，立即引起强烈反响。7 月 4 日当晚，《现代言论报》编辑部得到了社会护国主义者阿列克辛斯基和曾在施利塞尔堡被囚禁 20 年的前民意党人潘克拉托夫致临时政府所属新闻委员会的声明。声明提出，必须公布有关布尔什维克与德国关系的档案文件，以便使俄国公民看到，是什么样的危险、从哪里威胁着俄国的自由、革命的军队和人民。阿列克辛斯基和潘克拉托夫的声明被印成传单，在几个小时之内就传遍了彼得格勒的大街小巷。

临时政府核心成员克伦斯基、涅克拉索夫、捷列申科以至李沃夫总理，对于反间谍部门抛出利用相关材料来平息暴乱的做法持否定态度。7 月 4 日晚上，李沃夫总理亲自向各报提出要求，请他们撤掉准备刊登的指控列宁的材

[1] *Никитин Б.В.* Роковые годы. Часть 3. http://www.dk1868.ru/history/nikitin3.htm

[2] *Никитин Б.В.* Роковые годы. Часть 3. http://www.dk1868.ru/history/nikitin3.htm

料。[1]克伦斯基认为，已经掌握的证据还不够充分，提前公开此事将使得侦查工作无法继续深入。彼列维尔泽夫匆忙的行动影响了充分搜集能够迫使布尔什维克领袖妥协的材料。为此，他紧急赶回彼得格勒后，迫使司法部长彼列维尔泽夫辞职。[2]但彼列维尔泽夫显然不同意对他的指责，他在1930年公布于巴黎的回忆录中表示，他到最后也不明白，为什么临时政府要如此护着刚才还试图推翻它的布尔什维克。[3]

苏维埃领导人也不赞成这样的做法。策列铁里指出，阿列克辛斯基和潘克拉托夫对布尔什维克的指控因其肤浅和依据不足而令人惊讶。苏维埃中央执行委员会发表声明，希望社会公众在苏维埃成立专门委员会进行仔细调查之前不要议论对布尔什维克提出的指控。齐赫泽和策列铁里也希望报刊编辑部不要利用未经证实的叶尔莫连科的材料来制造轰动。

但彼得格勒的报纸对临时政府和苏维埃的要求和建议不予理睬。

7月5日（18日），《现代言论报》在第一版以通栏标题《列宁、加涅茨基和科兹洛夫斯基是德国间谍》发表了阿列克辛斯基和潘克拉托夫的文章，其中引用了叶尔莫连科准尉的证词，指控列宁等布尔什维克领导人是德国间谍、布尔什维克通过加涅茨基和科兹洛夫斯基领到德国提供的宣传经费、布尔什维克领导人与德国间谍帕尔乌斯有涉及政治和金钱问题的电报来往等等。

随后几天，彼得格勒的很多报纸争相刊登有关布尔什维克与德国人关系的报道和评论。右翼报纸《小报》以《又一个阿捷夫大丑闻》为标题，将此与1908年被揭露的震撼了俄国革命运动的阿捷夫案相提并论。[4]无党派的日报《彼得格勒之页》的文章题目是《可怕!》，根据它的描述，七月事件期间的彼得格勒几乎就是“被德国人控制了”。俄国社会民主运动的元老、《统一报》主

---

[1] *Рабинович А.* Большевики приходят к власти. Революция 1917 года в Петрограде. М., 1989. С.42,345.

[2] *Иоффе Г.З.*Семнадцатый год: Ленин, Керенский, Корнилов. М., 1995. С.89.

[3] История России XX:1894–1939. Под ред. *А.Б.Зубова.* М., 2009. С.415.

[4] 阿捷夫是社会革命党领袖之一，领导该党从事恐怖活动的“战斗组织”。但他同时又是警察机关在社会革命党内的卧底，多次出卖社会革命党及其战斗组织的成员，保护沙皇政权高官免遭暗杀。1908年被揭露。

编普列汉诺夫写道："如果政府首脑不怀疑导致彼得格勒街头流血的动乱是在德国政府的间谍参与下组织的，那么很清楚，政府不应该这样对待它，即只是将此视为我们革命民主派内部少数人的策略迷失的可悲结果。俄罗斯国家首都的街头动乱显然是俄罗斯外部敌人为摧毁俄罗斯而制定的计划的组成部分。因此，坚决镇压这样的动乱也是俄罗斯民族自卫计划的组成部分。"文章最后说，"革命应该坚决、立即、无情地碾碎它前进道路上的一切障碍。"立宪民主党报纸《言论报》的态度要谨慎一些，认为"在提出进一步确凿证据以前不能确认布尔什维克有罪，但同时主张要以严厉手段对付左翼。"[1]

在舆论火力的猛烈攻击下，布尔什维克的声誉受到严重破坏。对于一般群众来说，列宁等布尔什维克通过与德国政府达成协议而借道德国返回俄国、布尔什维克拿了德国人的钱，这已足以影响他们对待布尔什维克的态度。在普通的工人和士兵中间，对布尔什维克产生了很大的反感情绪。还在七月事件尚未结束时，就有一些工厂通过决议反对布尔什维克。而在七月事件之后，情况变得更坏，很多工厂开始同布尔什维克划清界限，继卫戍部队之后宣布自己支持临时政府。[2]

布尔什维克断然否认自己同德国总参谋部有联系，为自己被指控涉嫌叛国进行辩护。布尔什维克也不得不解释自己在刚过去的不成功的起义中的作用，而且不得不否认自己直接参与了七月事件。这是一个很困难的任务。很清楚，关于布尔什维克是德国间谍的说法是没有依据的，但布尔什维克与德国之间的联系是很难否定的；七月事件并不完全是布尔什维克准备和发动的，但同样很难否定布尔什维克在其中的活动和所起的作用。

对于阿列克辛斯基和潘克拉托夫的指控，布尔什维克中央委员会立即表示抗议，甚至在《现代言论报》到售报亭之前就写好了由 7 月 5 日的《真理报》刊发的简讯，要求读者不要轻信对布尔什维克领导人的诽谤。列宁亲自出面断然否认阿列克辛斯基和潘克拉托夫的指控，将其称为"报纸上下流的诽谤者炮

---

[1] *Рабинович А.* Большевики приходят к власти. Революция 1917 года в Петрограде. М., 1989. С.45–46.

[2] *Суханов Н.Н.* Записки о революции.Том III（книга 5,6,7）М., 1992. С.10.

制的蹩脚货色"[1]，强调加涅茨基和科兹洛夫斯基都不是布尔什维克而是波兰社会民主党党员，并断然表示："无论从加涅茨基那里还是从科兹洛夫斯基那里，布尔什维克都没有收到过任何钱"；[2]他和其他布尔什维克与帕尔乌斯绝没有任何关系，而且早在1915年就认为帕尔乌斯是"向兴登堡摇尾乞怜"的"叛徒"；他与苏缅松从未打过交道，也从未见过她；他从未直接或间接地参与加涅茨基和科兹洛夫斯基的商务活动，根本没从他们那里为个人或为党拿过一个戈比。列宁指出，报刊上发布的消息是极端卑鄙的诽谤，是德雷福斯案件重演。[3]同时，其他布尔什维克领导人也要求苏维埃保护他们免受媒体攻击。

新成立的联合临时政府并没有对布尔什维克采取政治行动，如禁止布尔什维克党的活动。但针对布尔什维克的法律行动在展开。7月7日，临时政府授权彼得格勒法院检察长卡林斯基对7月3—5日的动乱进行调查。

列宁转入地下

7月7日，彼得格勒军区情报部门负责人尼基金带领一支由普列奥布拉任斯基近卫团的官兵组成的小分队，前往已知的列宁最后一个居住地点——他的姐姐安娜·叶里扎罗娃家，执行逮捕任务。他们扑了空，列宁已经转移。但安娜家遭到彻底搜查。不久，当局在芬兰和瑞典边境逮捕了加涅茨基，随后又在彼得格勒拘留了科兹洛夫斯基和苏缅松。[4]

在七月事件后的几天里，列宁不断变换藏身之地。7月5日晚上，他住在军事组织秘书玛利娅·苏里莫娃家里。在忠于政府的部队占领克舍辛斯卡娅大楼后，他在维堡区工人卡乌罗夫那里和克鲁普斯卡娅的好友玛格丽塔·福法诺娃家里待了几个小时。6日夜里，他在前杜马成员尼古拉·波列塔耶夫家过夜。7日一早，又到了谢尔盖·阿利卢耶夫家里。

---

[1] 《列宁全集》第30卷，人民出版社1985年版，第390页。

[2] 同上。

[3] 同上书，第402—403、405—406页。

[4] *Чернявский Г.* Немецкие деньги Ленина: легенда и документы. Вестник. № 8. 10 апреля 2001. http://www.vestnik.com/issues/2001/0410/win/cherniavsky.htm.

7 月 7 日，由于姐姐家遭到搜查，列宁向全俄中央执行委员会齐赫泽递交了一封信，其中提出了抗议，同时声明，在中央执行委员会批准逮捕命令的情况下，自己准备出现在中央执行委员会指定的任何地点以接受逮捕。这封信由谢尔戈·奥尔忠尼启则和诺根送到了塔夫利达宫。他们两人还得到口头指示，可以讨论把列宁交给当局的条件，他们应该得到对列宁安全的明确保证以及对尽快组织公正审理的承诺。

中午，奥尔忠尼启则和诺根同中央执行委员会代表阿尼西莫夫见了面。阿尼西莫夫表示，不能提供绝对的保证，但苏维埃将尽一切可能来保障列宁的权利。全俄中央执行委员会的正式答复是，尽管全俄中央执行委员会赞同临时政府关于在彼得格勒军区范围内重建革命秩序的决定，但它没有参与任何有关逮捕的问题，也没有采取任何批准逮捕的行动；如果列宁决定接受逮捕和审讯，那么全俄中央执行委员会愿意提供保障使其免遭可能的“来自群众的自发审判”；全俄中央执行委员会请求告知列宁的地址，以便派员前往，护送他去接受检察官的安排。[1]

这些情况马上通知了列宁。他同时还得知，苏维埃执行委员会拒绝对七月事件进行自己的调查。看来，这些情况影响了列宁的选择。后来的事情并不完全清楚：全俄中央执行委员会声明，没有收到任何有关列宁住址的消息；列宁和季诺维也夫则给全俄中央执行委员会送去短信，说他们等待全俄中央执行委员会人员直到 7 月 7 日晚上 7 点半，但他们没有出现，也没给任何消息，因此，“延迟审讯的责任不应由我们承担”。

列宁起初是倾向于出庭的，他认为，在公开审判的情况下，可以揭露临时政府的真实面目。但在无法得到中央执行委员会保证的情况下，他在 7 月 8 日作出决定：“我们改变了本来的打算，决定不服从临时政府逮捕我们的命令”，因为这是反革命资产阶级试图制造新的德雷福斯案件，制造新的贝利斯案件，因为“目前在俄国根本没有公正审判的保障”[2]。

在列宁是否接受政府的逮捕和审讯的问题上，布尔什维克党内曾经有过不同意见。

---

[1] *Иоффе Г.З.* Семнадцатый год: Ленин, Керенский, Корнилов. М., 1995. С.88.

[2] 《列宁全集》第 30 卷，人民出版社 1985 年版，第 415 页。

加米涅夫、托洛茨基、卢那察尔斯基和诺根等人认为，在列宁的个人安全问题上是可以信任苏维埃的。有苏维埃的捍卫，法庭将是公正和公开的，而且也有可能利用法庭揭露现存制度。因此他们建议列宁把自己交给政府。支持这个意见的还有一些彼得格勒组织的领导人，他们担心列宁不到庭将可能会对工人阶级产生不良影响。沃洛达尔斯基在党内讨论这个问题时说："问题不是像很多同志认为的那样简单。我们积累了应对任何事件的资本。群众是理解我们的，但在这一点上（即列宁转入地下）群众不理解。"马努伊尔斯基和沃洛达尔斯基一样与工人和士兵保持着密切联系，他说："关于列宁和季诺维也夫出庭的问题不能只从个人安全的层面来考虑……应该从党的利益和尊严的观点来考虑这个问题。在谈到我们的同志回避法庭的时候，我们必须同群众打交道，我们要看资产阶级手里有些什么牌。我们应该把对列宁的诉讼程序做成德雷福斯案件。"

但也有很多布尔什维克担心列宁出庭所带来的安全问题。他们认为，针对列宁的司法诉讼是阶级敌人阴谋的一部分，其目的是消灭布尔什维克党；在目前情况下不可能会有公正的司法审理，列宁可能会在出庭前就被害死。施略普尼科夫说，不少同志建议列宁出庭，这让玛利娅·伊里尼奇娜很担心，她希望自己的兄弟到瑞典去躲一躲。这些布尔什维克在七月事件后立即强烈建议列宁隐藏起来。他们不理会党内外猛烈的批评意见，坚持捍卫列宁采取的行动。

在 7 月中旬，党内就这个问题进行的争论中，斯大林的意见是，在局势明朗以前，列宁和季诺维也夫不应出庭。但如果是"诚实的资产阶级法庭"、能够保证安全，他们可以出庭。[1]

7 月 9 日，在夜幕掩护下，列宁离开了阿利卢耶夫家，和季诺维也夫一起前往彼得格勒西北 32 公里处，芬兰湾边疗养小城谢斯特罗列茨基附近的拉兹利夫村。他们起先藏在谢斯特罗列茨基工厂工人、老布尔什维克尼古拉·叶梅利扬诺夫家的板棚阁楼上。很快，由于存在着被好奇的村民发现的可能性，他们转移到拉兹利夫湖的另一边一座独立的草棚里。

在拉兹利夫湖边，列宁仍密切关注着彼得格勒的事态发展。他通过奥尔忠尼启则、亚历山大·绍特曼和艾伊诺·拉西亚与彼得格勒的党的领导层保持

[1] Шестой съезд РСДРП（большевиков）, август 1917 года. Протоколы. М., 1958. С.28–36.

联系。最让列宁兴奋的是他们带来的彼得格勒的报纸，每次新报纸一来，他就会扑上去，在草地上把报纸打开，在上面做记号，往笔记本上写点什么。在这段时间里，列宁系统地为布尔什维克报纸写文章，为党的会议，如 7 月 13—14 日的中央委员会扩大会议和 8 月的第六次代表大会写决议草案，完成了重要的理论著作《国家与革命》。列宁也在这里休息、游泳、长时间地散步。季诺维也夫多年后回忆这段时间时说到了一件轶事：有一次他们被几声枪响吓得不轻，赶紧躲在小灌木丛中，列宁不停地念叨：“好了，现在我们能做的就是装死。”结果是一场虚惊，原来是经过那里的几个猎人开的枪。[1]

列宁在拉兹利夫湖畔住到 8 月上旬。进入 8 月后，经常下雨，天气变冷，窝棚没法住了。8 月 9 日，列宁转移到芬兰。

对于七月事件后布尔什维克将会受到临时政府镇压，列宁早有预感，甚至高估了对手的果断和行动能力。托洛茨基回忆说：“7 月 5 日早晨我会见了列宁。群众的进攻已经被击退。列宁说：‘现在他们要枪杀我们了’，‘对他们来说这是最合适的时机’。”[2] 虽然托洛茨基还未正式加入布尔什维克党，但他以一个布尔什维克的名义给临时政府写了一封抗议信：“我与列宁、季诺维也夫和加米涅夫持相同的原则立场……我对 7 月 3—4 日事件的态度，与这些同志的态度也是一致的。……你们没有任何逻辑依据把我排除在你们签发的逮捕列宁、季诺维也夫和加米涅夫的命令以外。”[3] 在 7 月 17 日的苏维埃中央执行委员会会议上，托洛茨基发言为布尔什维克和列宁辩护：“列宁为革命斗争了 30 年。我为反对压迫人民群众的制度斗争了 20 年。我们不可能不仇恨德国军国主义。……不要允许任何人在这个大厅里说什么我们是德国的仆从，因为这

---

[1] 参见 *Рабинович А.* Большевики приходят к власти. Революция 1917 года в Петрограде. М., 1989. С.60.

[2] [俄] 托洛茨基著：《我的生平》，赵泓、田娟玉译，郑异凡校，上海人民出版社 2007 年版，第 274 页。

[3] *Троцкий Л.Д.* Письмо Временному Правительству.//Историческое подготовление октября, часть 1: От Февраля до Октября. http://www.magister.msk.ru/library/trotsky/trotl266.htm

绝不是坚定革命者的声音，而只是卑鄙下流者的声音。”[1]7月下旬，托洛茨基、卢那察尔斯基、加米涅夫等被逮捕并关进监狱。在狱中，托洛茨基给司法部长写信，强烈谴责政府的作为：“与今天在共和国司法的旗号下对政治活动家进行的道德谋杀相比，德雷福斯案件、贝利斯案件[2]都算不上什么。”[3]

在这段时间里先后遭到逮捕关押的还有巴维尔·德宾科、尼古拉·霍弗林等著名的“水兵”布尔什维克、从赫尔辛福斯波罗的海舰队中央委员会派到彼得格勒的两个水兵代表团成员，以及赫尔辛福斯布尔什维克领导人弗拉基米尔·安东诺夫—奥夫申科、布尔什维克中央候补委员谢尔盖·巴格达契耶夫等。

但在布尔什维克的堡垒喀琅施塔得海军基地，逮捕布尔什维克活动家的命令曾遭到抵制。对于克伦斯基要求立即把“反革命教唆者”交给政府的电报，喀琅施塔得苏维埃执行委员会回答说：“不可能执行逮捕命令，因为喀琅施塔得根本不知道有‘反革命教唆者’”。在临时政府点名要求交出拉斯科尔尼科夫、罗沙里、列姆涅夫 3 位主要布尔什维克领导人之后，喀琅施塔得苏维埃还是拒绝与政府合作。只是在政府威胁要对喀琅施塔得进行海上封锁和轰炸之后，喀琅施塔得苏维埃才同意让他们 3 人自行接受逮捕。[4]

布尔什维克在七月事件后遭到了沉重打击，但正如后来的事态发展所表明的那样，这只是其夺权过程中的一个曲折。

---

[1] *Троцкий Л.Д.* Речь на пленарном заседании ЦИК и Исполкома Советов Крестьянских Депутатов по вопросу об июльских днях（17 июля）. //Историческое подготовление октября, часть 1: От Февраля до Октября. http://www.magister.msk.ru/library/trotsky/trotl267.htm

[2] 1913 年 9—10 月，基辅法院对犹太人梅纳赫姆·门德尔·贝利斯被控谋杀 13 岁的基辅索菲亚神学校学生安德烈·尤申斯基一案进行了审理。在此期间，反犹活动高涨，但同时全俄乃至世界范围内出现了广泛的社会抗议。贝利斯最后被宣判无罪。

[3] *Троцкий Л.Д.* Письмо министру юстиции.//Историческое подготовление октября, часть 1: От Февраля до Октября. http://www.magister.msk.ru/library/trotsky/trotl274.htm

[4] *Суханов Н.Н.*Записки о революции.Том 3（книга 5.6.7）. М., 1992. С.16.

司法指控

临时政府的七月事件侦查委员会很快就结束了预审。侦查结果把7月3—5日的事件定性为布尔什维克挑起的暴动，其目的是破坏俄国的军事努力以有利于德国及其盟国。稍后，在中央执行委员会和农民代表苏维埃执行委员会中，通过了一项决议，把彼得格勒发生的事件说成是对军队的“背后一击”，而事件的策划者则是“革命的敌人”。[1]

7月22日，彼得格勒报纸刊登了彼得格勒刑事法院检察官关于审理7月3—5日事件并以叛国和组织武装暴动的罪名传讯列宁、季诺维也夫等出庭受审的通告。

通告指称，列宁、季诺维也夫、柯仑泰、科兹洛夫斯基、苏缅松、帕尔乌斯、加涅茨基、拉斯科尔尼科夫、谢马什科和罗沙里是德国的间谍，他们利用德国提供的经费在居民和部队中进行宣传，号召拒绝参加对敌军事行动，试图瓦解俄国的军队和后方，削弱俄军的作战能力。同样是为了上述目的，他们在7月3日到5日期间在彼得格勒组织了反对现存国家最高政权的武装暴动，并实施了一系列凶杀、暴力和企图逮捕某些政府成员的行动。

通告强调指出，列宁在侨居瑞士时与公认的德国间谍帕尔乌斯有联系；战时住在哥本哈根的布尔什维克加涅茨基同帕尔乌斯有密切来往；科兹洛夫斯基在战时曾与帕尔乌斯一起从哥本哈根去过柏林。通告认为，布尔什维克得到德国钱的路径是：帕尔乌斯把钱转交俄国社会民主工党（布）国外局领导人加涅茨基，后者将钱打入自己的表妹叶芙盖尼娅·苏缅松的账户，苏缅松从账户上取钱并付给党的代表科兹洛夫斯基。

针对临时政府提出的指控，列宁还是绝对否认自己与帕尔乌斯、加涅茨基、科兹洛夫斯基、苏缅松等人有任何关系。[2]这在当时政治斗争环境下是很自然的反应，因为这些指控可能对党造成致命的打击。

列宁在1917年3月决定借道德国回国时就意识到，帕尔乌斯这个名字可

[1] *Иоффе Г.З.* Семнадцатый год. Ленин, Керенский, корнилов. М.,1995. С.84–85.

[2] 参见《列宁全集》第32卷，人民出版社1985年版，第41—43页。

能给布尔什维克带来声誉上的影响，因为关于德国通过帕尔乌斯与布尔什维克有联系的说法在欧洲早就不是新闻。回国途中，列宁一行于 4 月 13 日到了斯德哥尔摩。他在这里会见了拉狄克、加涅茨基、沃罗夫斯基等布尔什维克和其他“革命社会主义者”。帕尔乌斯也想与列宁见面，但遭到列宁拒绝。列宁还特意请加涅茨基、沃罗夫斯基和“瑞典同志”见证了此事。不过，列宁还是让布尔什维克中央委员会国外局成员加涅茨基和拉狄克代表他同帕尔乌斯进行了会谈。他们见面时可能主要讨论了德国与布尔什维克的关系问题，特别是资金问题。[1]

如果说布尔什维克与帕尔乌斯的联系还缺少更具体的直接证据的话，那么加涅茨基、科兹洛夫斯基的布尔什维克身份以及列宁与他们的关系则是没有任何疑问的事实。

加涅茨基和科兹洛夫斯基都是布尔什维克党的重要干部。

雅科夫·斯坦尼斯拉沃维奇·加涅茨基（菲尔斯腾贝格）是俄国和国际革命活动家，1896 年起就加入俄国社会民主工党，1903—1909 年是波兰和立陶宛社会民主党领导人之一，1907 年当选为俄国社会民主工党中央委员会委员。他以商人身份为掩护，长期在国外从事党的对外联络事务。列宁侨居国外期间，与在斯堪的纳维亚的加涅茨基时有联系。1917 年，列宁回国途中到达斯德哥尔摩后，召集布尔什维克领导层会议，会上决定成立中央委员会国外局，由加涅茨基、拉狄克和沃罗夫斯基三人组成。[2] 国外局出

布尔什维克党中央国外局成员加涅茨基、拉狄克、沃罗夫斯基

[1] *Пушкарев С.Г.* Ленин и Россия. http://lenin-rus.narod.ru/01.htm

[2] *Попова С. С.* Французская разведка ищет «германский след» // Первая мировая война: дискуссионные проблемы истории. М., Наука, 1994. С. 266

版刊物《俄国革命通报》和《真理报通信》。根据第二次世界大战后公布的德国文件，布尔什维克中央国外局与帕尔乌斯之间的通信是通过柏林用德国外交部的密码进行的。[1]1917年二月革命后，加涅茨基是列宁回国事宜的具体组织者之一，也是布尔什维克党从事对外联络的主要干部之一。十月革命后，加涅茨基先后任职于财政人民委员部、外贸人民委员部、外交人民委员部等部门，1920—1921年任俄罗斯联邦驻拉脱维亚全权代表和商务代表。

梅契斯拉夫·尤里耶维奇·科兹洛夫斯基是俄国和波兰革命活动家，布尔什维克，曾任波兰和立陶宛社会民主党总执行委员会委员。1917年二月革命后，成为布尔什维克彼得堡委员会委员，并担任彼得格勒苏维埃执行委员会委员、第一届全俄中央执行委员会委员和维堡区杜马主席。同时，他是国内布尔什维克组织负责与布尔什维克中央国外局联系的代表。十月革命后，科兹洛夫斯基任彼得格勒特别侦查委员会主席、司法人民委员部部务委员、小人民委员会主席等职。

苏缅松是加涅茨基的表妹，掌握一家商业企业和一个药品仓库。她住在巴甫洛夫斯克的别墅，经常从自己的账户上往西伯利亚银行和其他银行打入数万卢布。

布尔什维克中央国外局是党从国外获得资金的链条上的重要环节，这从收入列宁全集的列宁与中央委员会国外局成员的信件来往中可以看出一些踪迹。

列宁从瑞士回到彼得格勒后一周左右，4月12（25）日，给斯德哥尔摩的加涅茨基和拉狄克发电报请求汇钱："亲爱的朋友们：你们的信札、邮包及汇款至今还没有收到，什么也没有收到。"[2]10天后，他又写信给加涅茨基：科兹洛夫斯基汇来的款子（2000）也收到了。但邮包迄今尚未收到。

拉狄克在1917年7月3日（16日）从斯德哥尔摩给列宁的信中说："我们（沃罗夫斯基、加涅茨基和拉狄克）还没有得到您对于我们收到的钱怎么分配的回答。由于必须为会议[3]作准备，要派人去德国与左翼谈判，必须印制关

[1] Michael Futrell. *Northern Underground* .London: Faber and Faber, 1963, p. 162.

[2] 《列宁全集》第47卷，人民出版社1990年版，第617页。

[3] 指1917年9月5—14日在斯德哥尔摩召开的第三次齐美尔瓦尔德派会议。

于会议的传单，我们不得不在没有等到您的答复的情况下就把钱花了。”[1]

卢那察尔斯基在1917年3月给妻子的信中也曾提道：在列宁等俄国侨民回国前，谢姆科夫斯基告诉他，“从斯堪的纳维亚收到的钱是供完全确定的、对党特别有价值的人员回国用的”。[2]

到8月中旬，所谓布尔什维克间谍案被冻结，那时的联合政府中社会主义者占了多数，官方对案子的态度有了变化。为被告进行辩护的律师П.Н. 马良托维奇认为，布尔什维克是不受法院管辖的，因为他们的行动是出于政治的原因而不是刑事的原因，他引用了1905年的经验，那时也有很多诚实的人同情日本。

而在科尔尼洛夫军事政变失败之后，由于国内政治气候发生对布尔什维克有利的变化，很多因七月事件被捕的布尔什维克获得释放，其中包括苏缅松。所谓间谍案事实上已经结束。

1917年10月，临时政府新任司法部长马良托维奇召集司法部和检察院有关负责人员会议，负责调查“布尔什维克案件”的检察官亚历山大罗夫作了关于侦查结果的报告。马良托维奇在作总结发言时说，布尔什维克的行为中并无“恶意”。司法部副部长杰米亚诺夫证实，“马良托维奇找到了一个理由，即布尔什维主义是一种政治学说，因此，像所有其他学说一样，它不应受到来自政权方面的任何迫害”。这意味着俄国最高司法官员宣布了对布尔什维克的政治赦免。[3]

但很明显，结束案件的理由并不是不存在德国经费问题，而是布尔什维克通过参与平息科尔尼洛夫军事政变改变了自己的政治处境。

第二节　德国经费问题

西松文件

临时政府结束了对所谓间谍案的调查，但关于第一次世界大战时期布尔

[1] РЦХИДНИ, Ф. 17, Оп. 1а, Д. 122, Л. 1.

[2] 《苏联历史档案选编》第1卷，社会科学文献出版社2002年版，第3页。

[3] *Соболев Г. Л.* Русская революция и «немецкое золото». http://militera.lib.ru/research/sobolev_gl/07.html

什维克党与德国的相互关系问题，特别是德国是否向布尔什维克提供经费支持的问题，很长时间里因为缺乏有说服力的材料而混沌不清，争论不断。

十月革命一年之后，由于所谓西松文件（Документы Сиссона）的发表，关于布尔什维克与德国关系的问题再次引起关注。

1918 年 10 月，美国公共情报委员会公布了一组证明布尔什维克与德国经费之间关系的文件。由于这些文件是由新闻记者埃德加 · 西松提供的，后来被称为西松文件。西松在 1917 年秋天作为威尔逊总统的私人代表被派往俄国，在彼得格勒逗留了几个月，试图搜集有关俄国新政权政策的情报信息。在此期间，他同敌视布尔什维克制度的新闻记者 E. 西蒙诺夫和前上校军官萨姆索诺夫建立了联系，并在他们帮助下，在 1918 年初苏维埃政权迁都莫斯科前夕，乘乱在斯莫尔尼宫获得了一箱文件。[1] 西松回国时把这些文件带回了美国，交给公共情报委员会。公共情报委员会请专家研究后认为文件是真实的，随即公开。

西松文件总共有 68 份文件，其形成时间几乎都在十月革命以后，标注的日期最晚的是 1918 年 2 月 26 日。文件显示，布尔什维克政权很重视彻底消除德国经费的痕迹。如 1917 年 11 月 16 日，外交人民委员部向人民委员会主席列宁报告，已执行几天前作出的决定：司法人民委员部从关于列宁和其他布尔什维克领导人叛国案的卷宗中取出了德国帝国银行 1917 年 3 月 2 日关于转交资金给列宁、季诺维也夫、加米涅夫、苏缅松、科兹洛夫斯基和其他人用于“和平宣传”的 7433 号付款凭据；在斯德哥尔摩查阅了尼亚银行的账本，从中抽出了根据德国帝国银行 2754 号指令开立的列宁和其他人的账户，等等。西松文件还包括了德国总参谋部侦察部门对布尔什维克政权的干预，如明确要求让一些主张对德国和平的人进入中央执行委员会；要求在乌克兰停止反对德国的宣传；通报外交人民委员托洛茨基，他关于停止在德国军队中进行社会主义宣传的承诺没有得到遵守，等等。

西松文件在发表后立即引起强烈反应。德国政府立即声明，西松文件是

[1] 参见 *Чернявский Г.* Немецкие деньги Ленина: легенда и документы. Вестник. № 8. 10 апреля 2001. http://www.vestnik.com/issues/2001/0410/win/cherniavsky.htm. 也有说法是西松以 25 000 美元购得这些文件。

假的。[1] 捷克著名历史学家、后来成为捷克斯洛伐克共和国第一任总统的马萨里克也表示了对文件真实性的怀疑，他指出，有些出自不同机构的文件是用同一架打字机打印的。俄国孟什维克领袖马尔托夫也表达了类似的怀疑。但克伦斯基曾对凯南说，威尔逊总统曾让人向他求证西松文件的真实性，他的回答是：这些文件是“真理和谎言的混合物”，而文件本身完全是赝品。[2] 近年有研究者指出，西松文件中有些文件上托洛茨基的批注或签字是真迹。有人认为，文件基本上是真的，但显然因为追求政治轰动而被人重新编造加工过了。[3]

除了很多疑点之外，西松文件事实上未能回答一系列重要问题：德国方面根据谁的指示、有哪些人与布尔什维克建立了联系；谁是这种联系的中间人并以何种方式进行活动；布尔什维克接受德国经费的具体数额和条件等。

伯恩斯坦的文章

1921 年初，由于一度担任德国财政部副部长的著名德国社会民主党人爱德华·伯恩斯坦公开发表的文章，有关布尔什维克与德国关系的问题引起了一阵关注。1 月 14 日，伯恩斯坦在德国社会民主党机关报《前进报》上发表题为《黑暗的历史》的署名文章，其中提到，早在 1917 年 12 月，他就从一位权威人士那里得到了德国是否向列宁及其同志提供经费问题的肯定答复；1921 年，在德国国会外交政策委员会会议上，有人明确指出“布尔什维克从德国政府得到了

---

[1] Zeman Z.A.B. *Germany and the Revolution in Russia, 1915–1918.* Lnd., 1958. P.X. 参见 *Пайпс Р.* Русская революция. Большевики в борьбе за власть. 1917–1918. ГЛАВА ВТОРАЯ БОЛЬШЕВИКИ В БОРЬБЕ ЗА ВЛАСТЬ.http://lib.rus.ec/b/129249/read

[2] *Соболев Г. Л.* Русская революция и «немецкое золото». http://www.rusrevolution.info/books/index.shtml?2_10

[3] 参见 *Чернявский Г.* Немецкие деньги Ленина: легенда и документы. Вестник. № 8. 10 апреля 2001. http://www.vestnik.com/issues/2001/0410/win/cherniavsky.htm. ；*Фельштинский Ю.* Крушение мировой революции. Брестский мир: Октябрь 1917-ноябрь 1918. М., ТЕРРА, 1992. С.49.

6000万马克”，而他向委员会主席许金求证时，许金回答说，他知道的事实是向布尔什维克提供了这个数目的金钱。

伯恩斯坦的文章引起了德国共产党人的抗议，后者在报刊上掀起了指控伯恩斯坦“诽谤”的运动。对此，伯恩斯坦回应说，“最近，某位特别知情并值得信任的德国人证实了我在1917年底就已知道的事实、并明确了数量范围。在这种情况下，我认为让公众特别是让社会主义的共产国际了解此事是自己的责任”，他建议成立一个以社会主义者为主的国际调查委员会来调查德国经费与布尔什维克的关系问题。在这之后，针对他的宣传运动很快停止了。

伯恩斯坦触及了一个很多人包括德国官方不愿谈论并竭力回避的问题。他被坚决劝阻不要再做进一步的调查。德国当局并不愿意让这个问题为公众所了解，它不希望让世人知道，德国除了对战争负有责任之外，也应对布尔什维克掌权承担责任。[1]

以德国外交部档案为基础的研究

20世纪50年代下半期，德国外交部第一次世界大战时期的秘密档案文件陆续公开。这些档案文件说明了德国在第一次世界大战时期投入巨资对俄国进行宣传战和支持俄国反战力量的情况，主要有泽曼编《德国与俄国革命（1915—1918）。德国外交部档案文件》和哈里维格编《1917年列宁返回俄国》。此外，还有费里施金斯基编《尼古拉耶夫斯基：秘密历史文件》，这本文集公布了著名孟什维克历史学家、档案学家波里斯·尼古拉耶夫斯基发现和收藏的145份文件。尼古拉耶夫斯基在第二次世界大战后任职于加利福尼亚古维洛夫战争、革命与和平研究所，曾打算写一本关于布尔什维克与德国关系的专著。

这些文件除了直接提及一些布尔什维克活动家外，还明确地提到了一些著名的社会主义者——革命者的名字，如瑞士社会民主党人卡尔·穆尔（贝

[1] *Фельштинский Ю.* Крушение мировой революции. Брестский мир: Октябрь 1917-ноябрь 1918. М., ТЕРРА, 1992. С.28–29,47–48.; *Чернявский Г.* Немецкие деньги Ленина: легенда и документы. Вестник. №8. 10 апреля 2001. http://www.vestnik.com/issues/2001/0410/win/cherniavsky.htm.

耶）、俄国—罗马尼亚—保加利亚社会主义者拉科夫斯基、社会革命党人齐文（维伊斯）和鲁巴金等，齐文被指在1916年前为奥地利人工作，此后充当德国人的间谍。文件的公布引起了一些当时还在世的革命者的震撼甚至慌乱。如社会革命党人维什尼亚克公开表态，否认与齐文的钱有关系。前共产国际活动家安吉里卡·巴拉巴诺娃急忙宣布，她早就怀疑，卡尔·穆尔与德国政府有合作关系。尼古拉耶夫斯基在给法国共产党前领导人波里斯·苏瓦林的信中写道："现在我承认，我们过去是多么幼稚。……现在，列宁通过帕尔乌斯—加涅茨基从德国得到巨额经费的事实毋庸置疑地得到了证实。列宁非常清楚，购买印刷厂的钱是从哪里来的。当加涅茨基在1918年初被清除出党的时候，是列宁恢复了他的党籍，尽管他很清楚加涅茨基的作用。"[1]

在这些档案资料的基础上，历史学家和档案学家对第一次世界大战时期德国与布尔什维克的关系进行了延续数十年的研究，理出了事情的大体轮廓。

在第一次世界大战时期，德国很重视宣传战，总共花了不少于38200万马克用于"和平宣传"。它在俄国进行的颠覆活动只是其为削弱对手而实行的政策的一部分。在1917年5月前，德国花在罗马尼亚或意大利的钱要比花在俄国的还多；它在法国用几千万马克收买了4家报纸。[2] 德国人对俄国社会民主工党中的失败主义者也给予了大量的经费支持。德国政府希望，可能的俄国革命将引起俄罗斯帝国的崩溃、俄国退出战争并与德国媾和。德国需要这个结果，因为1917年它已经无力在两条战线上同时作战。

帕尔乌斯的建议被接受后，德国投入了大量经费。德国外交部档案中包括了德国驻瑞典、瑞士等国的代表就经费资助及其额度问题给外交部和首相的报告、德国外交部与财政部、军方就经费问题的文件来往等材料。在德国外交部档案的基础上，近年一些德国学者进一步发掘利用了瑞典、瑞士和英国的安全部门、普鲁士警方、瑞士银行等机构的案卷、账单等材料，于2007年联合发表研究论文，认为在1914—1917年底为止的4年间，包括布尔什维克在内的俄国革命者从德国外交部得到的金钱和武器共计26000000马克，约合现在

[1] *Фельштинский Ю.* Крушение мировой революции. Брестский мир. Москва. 1992. С.31–32.

[2] *Фельштинский Ю.* Крушение мировой революции. Брестский мир. Москва. 1992. С.33.

的 75000000 欧元。[1] 有些历史学家认为，德国外交部文件所反映的只是德国资助中较小的一部分，而德国的资助首先是通过总参谋部这条线进行的。奥匈帝国外交部长奥托・冯・切尔宁在 1918 年初布列斯特和谈期间在日记中提到："德国军人为了推翻克伦斯基并用'某个其他人'取代他做了可能的一切。"[2] 但是，目前还没有材料能够证明德国军方是怎样做的。

帕尔乌斯与德国官员商定了向俄国革命者提供经费的渠道。为此目的，1915 年他在丹麦首都哥本哈根成立了一个名为"世界大战的原因和影响研究所"的机构。这个机构实际上是他的指挥部，在那里工作的有一些与资金交接有关人员，其中包括两个著名的布尔什维克：乌里茨基和与列宁接近的加涅茨基。在斯德哥尔摩，帕尔乌斯注册了一家名为费边・克林格斯良德（Фабиан Клингслянд）的进出口公司，其执行经理是加涅茨基，驻彼得格勒代表是加涅茨基的表妹叶芙盖尼娅・苏缅松，她是专门从华沙回到俄国的。而公司的法律顾问是科兹洛夫斯基。这家公司被认为是帕尔乌斯资助布尔什维克和个人发财混合在一起的路线图中的一个部分：资金从德国转到帕尔乌斯的公司在斯德哥尔摩的尼亚银行[3]（Ниа Банкен）和哥本哈根列维齐昂银行（Ревизионсбанк）的账户上；这些资金除了一部分直接被帕尔乌斯占用外，部分用于政治目的（主要是用于印制宣传材料），部分用于购买德国药品和外科器械；药品和外科器械被卖出，其收入的 1/3 转入斯堪的纳维亚的银行，其余的进入加涅茨基在莫斯科商业银行和私人商业银行的账户和苏缅松在西伯利亚银行和亚速—顿河银行的账户。[4] 由于公司从事走私活动，加涅茨基 1917 年在哥本哈根遭到指控。

除了帕尔乌斯外，德国外交部档案显示，德国还通过其他一些途径来探

[1] Klaus Wiegrefe, u.a. *Revolutionär Seiner Majestät.*//Der Spiegel. № 50/10.12.2007.S.34–48.

[2] *Фельштинский Ю.* Крушение мировой революции. Брестский мир: Октябрь 1917-ноябрь 1918. М.,1992. С.32.

[3] 尼亚银行行长奥洛夫・阿施伯格后来确认了他与加涅茨基的关系，他的银行也加入了苏维埃俄国的"俄罗斯商业银行"集团。

[4] *Корнейчук Д.*Гениальный план "купца революции" . Зеркало недель. № 9（638）. 8–16 марта 2007. http://www.zn.ua/3000/3150/56037/

索和建立与布尔什维克之间的联系。大约也是在 1915 年年中，德国人利用了与他们合作的爱沙尼亚社会民主党人亚历山大·凯斯丘尔。凯斯丘尔曾经是布尔什维克，他被派去见列宁，试图摸清布尔什维克领导人的底细。凯斯丘尔向列宁提出了在布尔什维克掌握政权情况下，在什么条件基础上同意签订和平条约的问题。9 月 30 日，驻伯尔尼公使罗姆贝格向首相报告了凯斯丘尔与列宁会谈的情况。此后，通过凯斯丘尔，德国利用专门基金给布尔什维克提供了经费支持。在凯斯丘尔的安排下，列宁的报纸《社会民主党人报》在德国海军部印刷厂印刷后，发往斯德哥尔摩和哥本哈根，再从那里转运到俄国。1916 年 5 月，德国反间谍部门首脑施泰因巴克斯通报外交部，证实与布尔什维克领导人保持着关系的爱沙尼亚商人凯斯丘尔是它的代理人。[1]

但是德国外交部档案也只能间接地说明存在德国经费问题。因为外交部在审计过后销毁了支出收据。德国经费是分批陆续提供的，有些文件表明，帕尔乌斯至少收到了其中的几笔。凯斯丘尔也收到了 25 万马克，其中一部分根据指示交给了布尔什维克。[2] 但文件不能详细回答，德国的钱具体是在什么时候、以什么方式转交给布尔什维克的。

俄共（布）特档中的穆尔

瑞士社会党创始人之一卡尔·穆尔，是德国方面与布尔什维克之间的又一条联系线索。作为德国人“最受信任的”间谍，穆尔是德国与布尔什维克中央国外局联系的最主要中间人。但他的活动更加隐秘，远不如帕尔乌斯那样为人所知。所以，在很长时间里，这一条线索并未引起特别的关注和重视。

但苏联官方实际上早在 1932 年就已公开承认，布尔什维克与穆尔之间存在着资金方面的关系。这年 6 月 15 日，莫斯科报纸报道，瑞士最早的马克思主义者之一、革命家卡尔·穆尔在柏林逝世。拉狄克被授权写了一篇悼念文章。《消息报》刊登的文章提到了穆尔为国际工人运动所作的贡献。拉狄克在

---

[1] *Шуб Д.* Политические деятели России. http://www.hrono.ru/libris/lib_sh/shub13.html

[2] Klaus Wiegrefe, u.a. *Revolutionär Seiner Majestät: Wie Kaiser Wilhelm II. die russischen Revolutionäre um Lenin unterstützte.*// «Der Spiegel» № 50/10.12.2007.S.34–48.

回忆文章中说，第一次世界大战期间，穆尔在得到了“一大笔遗产”后，帮助了侨居瑞士的布尔什维克；在二月革命后，“他到了斯德哥尔摩，向布尔什维克的国外代表提供了帮助”。文章号召“共产主义无产阶级”向走过了“从第一国际到俄国革命”漫长道路的穆尔致哀。[1]

当然，《消息报》文章没有指出，穆尔的“遗产”和资金来自何处。只是在数十年之后，德国外交部档案揭示，穆尔用以帮助侨居瑞士的布尔什维克的“突然”得到的“遗产”以及他在斯德哥尔摩期间给布尔什维克国外局提供的资金来自德国政府。

长期以来，否认布尔什维克与德国金钱有关系的意见认为，通过尼亚银行以及俄国银行进行的资金流动只是加涅茨基公司的商业行为；加涅茨基与帕尔乌斯的联系也是纯粹的商业联系；俄军总参谋部情报部门获取的电报不能成为把钱从斯德哥尔摩转到俄国的证明；没有发现苏缅松与布尔什维克的联系；最后的也是最主要的一条理由是，在布尔什维克中央委员会的档案材料中没有发现十月革命前德国资金的踪迹。[2]

正因如此，俄罗斯重要史学刊物《祖国历史》1993 年第 2 期首次公布的俄共布中央书记处、组织局特别档案中与穆尔有关的材料具有重要意义。这批档案包括俄共（布）中央会议记录、领导人之间的通信、当事人的书信，直接而又具体地证明了布尔什维克党与穆尔的关系，部分地解决了究竟有没有德国钱的问题。这些新公布的文件揭示的事实是，布尔什维克在 1917 年确实从穆尔这个中间人那里收到了钱，而且其中有一部分是在七月事件以及临时政府对布尔什维克提出司法指控以前收到的。

在俄共（布）中央“特别卷宗”中，保存着一份写于 1925 年 11 月的“关于卡·穆尔帮助俄国革命运动的证明”。文件指出：“穆尔同志在 50 年时间里从事俄国革命运动……尽力支持俄国革命运动，特别是其中的左翼。在物质方面，他同样给运动及其部分代表人物提供了广泛的支持。例如，在 1908 年他一次提供了超过 15 万（150000）瑞士法郎。此外，他还向（德国、瑞士、意

[1] Известия. 1932. 15 июня. См. также: Радек К. Ноябрь（Страничка из воспоминаний）// Красная новь. Кн. 10.1926. С. 163–164.

[2] *Аникеев В.В.* Документы Великого Октября. М., 1977. С. 206.

大利、斯堪的纳维亚）的革命政党提供了好几十万瑞士法郎。穆尔同志是所有俄国革命者需要时的庇护者，并在各个方面都准备提供建议和行动方面的帮助。”在 1917 年布尔什维克最困难的时候，“沃罗夫斯基同志和加涅茨基同志向穆尔要求得到借款，他们明确称之为借款，承诺将在夺取政权后立即还给他。列宁知道此事并很感谢穆尔。”

证明列出了穆尔分多次提供的经费清单，币种包括瑞典克朗、瑞士法郎、德国马克，共计 113926 瑞典克朗，整数 114000 瑞典克朗，这个数目“曾在 1919 年 2 月呈报列宁同志并得到他的确认。1919 年又在这个数字上加上了 15000 马克，当时拉狄克同志因穆尔同志的大力营救从柏林的列尔杰尔监狱释放出来……向穆尔同志要 15000 马克给被枪杀的列维耐同志[1]的遗孀。……列宁同志知道并认可此事是在 1921 年。这样，债务的数目为 113926 瑞典克朗加上 7500 瑞典克朗（=15000 德国马克），达到 121426 瑞典克朗（相当于 32837 美元）。‘在最困难的时候给党提供无私的大量的贡献’——列宁同志用这样的话语表达了对他评价。”[2]

卡尔·穆尔究竟是什么人？他与布尔什维克有什么样的关系？俄共（布）中央机关为什么会在 1925 年写下这样一份证明？[3]

相对于帕尔乌斯来说，卡尔·穆尔的名字是令人感到陌生的。但在列宁著作和布尔什维克党的文件中都提到过他。拉狄克在 1926 年的回忆录中有一些段落也提到了他。作为瑞士社会民主主义运动的领导人之一，穆尔的名字经常在欧美有关学术著作中被提及。但对穆尔这个人的兴趣主要产生于第二次世界大战之后，是在知道他于第一次世界大战期间和战后初期与德国官方进行合

[1] 列维耐·艾根（1883—1919），德国共产党党员，1919 年巴伐利亚苏维埃共和国执行委员会领导人。革命失败后被野战军事法庭判处枪决。

[2] РЦХИДНИ, Ф. 17, Оп. 113, Д. 164, Л. 227–236.// Отечественная история. 1993. 2. С.137–139. 这份证明没有署名，根据内容分析可能出自俄共（布）中央办公厅和财务部。

[3] 俄罗斯《祖国历史》杂志 1993 年第 2 期刊登了良德烈斯在为有关 1917 年布尔什维克经费问题的新文件所做的引言中介绍了穆尔其人及其与布尔什维克的关系。*Ляндрес С.* Новые документы о финансовых субсидиях большевикам в 1917 году. // Отечественная история. 1993. 2. С.128–131.

作之后。20 世纪 70 年代，出现了一些专门研究穆尔的论著。

卡尔·瓦伊特尔·穆尔 1852 年 12 月 11 日出生于瑞士弗赖堡的一个贵族之家，从小受到良好的教育。19 世纪 70 年代初，在巴黎公社的影响下，穆尔开始对马克思主义产生兴趣，并结交了一些瑞士和德国的著名社会主义者。19 世纪 70 年代末，他积极参加了当时处于被禁状态的德国社会民主党的活动。1881 年春，穆尔被巴伐利亚政府驱逐，当年 9 月迁居巴塞尔，在那儿为自由主义报纸撰稿，并在当地工人中间宣传社会主义思想。从 1889 年开始，穆尔住在伯尔尼，在 1894—1906 年间领导了瑞士社会民主党主要报纸的编辑部工作，同时领导了伯尔尼的社会主义工人运动，后来他长期在市议会和州议会中代表其利益。

在伯尔尼长达 30 年的生活中，穆尔给很多流亡瑞士的俄国政治侨民提供了大量帮助，得到他帮助的有俄国的民粹主义者、波兰第一个社会主义政党“无产阶级党”的领袖，以及俄国的布尔什维克。1904 年，他认识了当时在伯尔尼大学学习的卡尔·拉狄克，当年 8 月在阿姆斯特丹社会主义会议上认识了列宁。当时属于瑞士社会民主党左翼的穆尔热情地接受了列宁表达的思想。

第一次世界大战初期，列宁和季诺维也夫被奥地利驱逐后，穆尔为他们进入瑞士向瑞士政府作了担保。由于他的努力，布尔什维克领导人被允许进入瑞士并居留。1915 年，为延长列宁的居住期，穆尔几次向伯尔尼区管理机关缴纳了保证金。列宁一度通过穆尔与 1915—1917 年间在斯堪的纳维亚的Я.С. 加涅茨基进行联系。1916 年 1 月中旬，列宁向伯尔尼当局递交了无需交纳保证金而延长他的居留时间的申请。申请书是由穆尔手写，列宁签名的。

但列宁对于与穆尔的关系十分谨慎，尽量避免与穆尔的公开接触。从 1913 年开始到 1917 年回国为止，列宁通过当时住在伯尔尼的布尔什维克Г.Л. 什克洛夫斯基与穆尔进行联系。什克洛夫斯基与穆尔早就相识。20 世纪初什克洛夫斯基侨居瑞士时，他一家在 1902—1917 年间在伯尔尼短暂居住过几次，曾周期性地得到过穆尔的资金支持。1914—1916 年间，列宁一家在伯尔尼的住处离什克洛夫斯基家只有 20 分钟步行的距离。

列宁这样做的原因可能是担心穆尔与瑞士当局的关系过分密切，或者是因为穆尔在第一次世界大战开始后与德国社会民主党右翼的关系，也不能排除是列宁听说了穆尔与德国在瑞士的情报机关有联系的传言。

关于穆尔与德国官方的联系，英国学者舒勒认为，在第一次世界大战开始时，穆尔就把有关俄国政治侨民中的国际主义者特别是布尔什维克的活动情况告诉了在瑞士的德国外交官。瑞士历史学家哈斯指出，穆尔在1917年3月与驻伯尔尼的德国公使罗姆贝格男爵和副武官瓦尔特·哈塞两人建立了联系；穆尔同时还是奥地利间谍，受到奥地利驻瑞士副武官维尔格尔姆·冯·艾涅姆上校的信任。

另一方面，穆尔与布尔什维克继续保持着联系。1917年二月革命后，在列宁等俄国政治侨民从瑞士过境德国返回俄国一事的过程中，穆尔参与了组织工作，在此期间他提供给加涅茨基的3.5万瑞士法郎和3万德国马克可能正好被用于列宁的回国之旅。

1917年5月初，化名贝耶的穆尔告诉德国公使罗姆贝格和副武官瓦尔特·哈塞，他与俄国社会民主工党两个党派的和平主义派的代表进行了谈话，俄国社会民主党人表示，在确定的条件下，准备为在俄国进行和平主义宣传而接受经费帮助；经费应由得到他们信任的人以私人捐赠的方式提供现金。穆尔向德国人自荐，他自己是最为合适的转交“捐赠”的人选。穆尔的建议被接受了。两周以后，他受罗姆贝格委派前往斯德哥尔摩，布尔什维克中央国外局就在这里。在斯德哥尔摩的一年时间里，穆尔作为德国官方与布尔什维克之间的中间人，多次转交给布尔什维克中央国外局成员数以万计的经费。[1]

由于七月事件后布尔什维克遭到叛国指控，列宁在8月17日（30日）给国外局的回信中要求斯德哥尔摩的布尔什维克代表尽量小心地处理与穆尔的关系。他在信中写道：“穆尔究竟是什么人？是否已完全而绝对地证明：他是一个正直的人？他同德国的社会帝国主义者过去和现在都没有直接间接的勾结？如果穆尔真的在斯德哥尔摩，如果你们认识他，那么，我衷心地、恳切地、再三地要求采取一切措施，对此加以最严格、最有根据的审查。在这里，没有即不应当有让人提出任何怀疑、责难和散布流言等等的余地。”[2]

---

[1] Katkov George. *German Foreign Office Documents on Financial Support to the Bolsheviks in 1917.* p. 187–188; *Germany and Revolution in Russia.* 1915–1918.p.54–55. 这一情况为前引俄共（布）中央机关“关于卡·穆尔帮助俄国革命运动的证明”所证实。

[2] 《列宁全集》第47卷，人民出版社1990年版，第634页。

如果注意到列宁和拉狄克早就认识穆尔而且与他合作已经多年这个事实，列宁的警告和要求可能意味着他当时掌握了穆尔与德国政府有联系的材料。9月，当穆尔又发来例行的关于向党提供资金的建议时，列宁把自己的犹豫告诉了中央委员会。于是产生了以下早已为人所知的事实：布尔什维克中央委员会1917年9月24日（10月7日）会议讨论了穆尔提出的“转交中央委员会一定数量的钱”的建议，决定不接受穆尔的钱，并且认为不能允许就这一问题作进一步的谈判。[1]

据尼古拉耶夫斯基说，党拒绝接受穆尔准备提供的钱，是因为认为穆尔是个“太肮脏的人”。但是，实际情况与中央委员会所做的决定并不一样。根据俄共（布）中央机关的档案文件，在1917年9月24日的中央委员会会议之后，布尔什维克中央国外局显然继续从穆尔那里得到经费。而且，布尔什维克中央也没有结束与穆尔在其他方面的合作。通过中央委员会国外局，布尔什维克中央继续支持与穆尔的接触。这些接触的实质无论在布尔什维克掌权之前还是掌权之后都是确定无疑的，即他们把穆尔视为自己与德国政府之间的中间人、一个有益的非官方的联系渠道。[2]

穆尔的故事在十月革命后仍在继续。

1918年最初几个月，穆尔是在彼得格勒度过的，他的身份是列宁在对德和谈问题上的顾问。同时，他也试图根据罗姆贝格给的任务，劝说布尔什维克政府接受对德国有利的条件。布列斯特和约签订后，穆尔很快去了伯尔尼，帮助刚被任命为俄罗斯联邦驻瑞士全权代表的别尔津与德国公使罗姆贝格建立联系。7月，他去柏林为苏俄代表团与德国就布列斯特—里托夫斯克条约的补充协议的谈判提供咨询。8月初，他作为苏俄驻德国全权代表越飞的随从和克拉辛代表团成员回到莫斯科。

穆尔来到莫斯科引起了当时在苏俄驻伯尔尼外交使团任职的什克洛夫斯基的强烈反对，他在1918年8月14日给列宁写信：“请您注意卡·穆尔，他

[1] Протоколы Центрального Комитета РСДРП（б）. Август 1917-Февраль 1918. М., 1958. С.77–78, 83.

[2] *Ляндрес С.* Новые документы о финансовых субсидиях большевикам в 1917 году. // Отечественная история. 1993. № 2. С.130.

是德国间谍，是为了钱而被收买的间谍。证据是充足的，没有人会怀疑。我相信，他在俄国逗留的时间里给我们带来了很多危害（在签订布列斯特和约和德国人进攻期间）。”在信的最后，什克洛夫斯基建议以任何借口把穆尔逐出苏维埃俄国。[1]

什克洛夫斯基对穆尔的看法实际上与列宁早在一年前就有过、并对中央国外局说过的看法是一致的。但现在，列宁对什克洛夫斯基来信的反应看来完全不是什克洛夫斯基期待的。在一段时间的沉默之后，列宁把信交给了拉狄克。拉狄克立即去找什克洛夫斯基，指责他散布对穆尔同志的“诽谤”。同时穆尔顺利地住进了“大都会”饭店，继续得到苏维埃政权的关照，享受老革命家和布尔什维克政府客人的特权。穆尔在俄国待到 1919 年 3 月初，在此期间他参加了共产国际第一次会议的工作。尼古拉耶夫斯基认为，这一时期布尔什维克领导人与穆尔保持联系，在很大程度上是因为列宁想利用穆尔与德国右翼集团的关系，让他在这些集团中宣传德国民族主义者与苏维埃政府结盟以共同反对凡尔赛会议的思想。穆尔在这个问题中所起的作用是很明显的。[2]

随后两年穆尔住在欧洲，起先是在斯德哥尔摩。他从那里很快向德国外交部详细报告了布尔什维克政府的情绪。然后，在 1919 年 5 月，他到了柏林，在凡尔赛谈判期间作为“俄国问题专家”为德国外交官提供咨询，并力图使他们相信，必须与苏维埃俄国接近。

但德国新政府对于穆尔的中间人角色的需求越来越少，与他的接触很快就停止了。在德国外交部的档案中，没有 1919 年以后穆尔的报告。1920 年初穆尔回到了伯尔尼。在新的条件下，苏维埃政权同样没有赋予穆尔特别的作用，对他通过苏联外交官提供的建议和信息都没有给予回答。他试图通过驻柏林的苏联全权代表获得苏联的入境签证的努力也没有结果。

这时在苏联驻柏林贸易代表处工作的什克洛夫斯基越来越确信自己对穆尔与德国人合作的怀疑。1921 年 9 月，他再次给列宁写信：“我第一次从柏林

---

[1] *Ляндрес С.* Новые документы о финансовых субсидиях большевикам в 1917 году. // Отечественная история. 1993. №2. С.130.

[2] *Ляндрес С.* Новые документы о финансовых субсидиях большевикам в 1917 году. // Отечественная история. 1993. №2. С.131.

给您写信。我在这里遇到了穆尔。您也许记得，我认为他是德国间谍并反对让他去俄国，为此甚至招致拉狄克同志的愤怒。我对穆尔的继续观察没有改变我对他活动性质的看法……”根据列宁的指示，莫洛托夫看了什克洛夫斯基的信。

1921 年 6 月，穆尔直接写信给列宁，表示自己希望亲眼看到苏维埃俄国发生的变化，请求列宁促成给他和他的秘书发入境签证。列宁把穆尔的信转交给季诺维也夫。季诺维也夫在给列宁的回信中建议保持沉默，不让他和他的秘书来莫斯科。

过了 5 个月，1921 年 11 月，穆尔还是到了莫斯科。他很快提出要求归还他 1917 年在斯德哥尔摩给布尔什维克国外局成员的那些钱。这个过程延续了将近 6 年。正是在这个过程中形成的一系列文件，证明了布尔什维克中央国外局与穆尔之间的联系，以及资金方面的具体情况。

1921 年底，穆尔去找了列宁，虽然没有见到面，但他得到了一张列宁手写的便条。列宁让他去找哥尔布诺夫和加涅茨基解决问题。[1]

1922 年 5 月 10 日，加涅茨基给莫洛托夫写信，请示如何处理从里加带回来的 83513 荷兰克朗，并说明这是从穆尔那里得到的钱的结余，而中央曾几次决定把这些钱还给穆尔。加涅茨基建议给穆尔这些钱并同他清账，并以这种方式避免与他再有纠葛。加涅茨基也许估计此信会转到列宁那里，在信上写有如下附言：“弗拉基米尔·伊里奇，哥尔布诺夫告诉我，您主张把钱还给穆尔。无论如何，必须同老头子了结此事。”[2]

5 月 10 日当天，列宁给斯大林写了一张便条：“我记不清我参加了对这个问题的处理。怎么说呢，忘了。我知道，季诺维也夫参加了。我请求不要在没有准确和详尽证明的情况下处理此事，以免犯错。一定要问问季诺维也夫。”[3]

但问题一直拖了几年没有解决。

1925 年 9 月 26 日，时任人民委员会办公厅主任的哥尔布诺夫在给加涅茨基的信中说：“卡尔·穆尔来找我，再次提出了支付他在 1917 年 7—8 月间提供给党的那个数目的钱，他要求得到 35000 美元。穆尔 1921 年曾去找过列宁，

---

[1] Ленин В. И. Биографическая хроника. М., 1982. Т. 12. С. 34.

[2] РЦХИДНИ, Ф. 2, Оп. 1, Д. 25064, Л. 1. //Отечественная история. 1993. 2. С.134.

[3] РЦХИДНИ, Ф. 2, Оп. 1, Д. 25064, Л. 1 об. //Отечественная история. 1993. 2. С.134.

虽然没有见面，但弗拉基米尔·伊里奇给了他一张便条，安抚了穆尔，并指示他可以找我谈所有具体问题。根据弗拉基米尔·伊里奇的直接指示，那时我同您和拉狄克同志谈过，传达了弗拉基米尔·伊里奇关于立即同穆尔清账并让他来找您的意见。现在穆尔又来到我这里，说他至今没有收到钱，并认为自己处于困难且有失尊严的境地，因为他很需要这笔钱，不能放弃得到它。在同我谈话时穆尔要求得到一份书面证明，说明弗拉基米尔·伊里奇曾指示必须同他结账。我拒绝给穆尔提供这样的证明，强调我这里没有任何有关此事的信件和文件、也不记得此事，因此不能给他这样的证明。我给你写这封信是要证实，事实上我从弗拉基米尔·伊里奇那里得到了这样的指示。因为您最了解此事并有资料，据此您能够查对穆尔的账单并确定他应该从我们这里得到的数目。”[1] 1925 年 10 月 16 日，加涅茨基给中央书记布勃诺夫写了一张便条，其中明确表示：“从穆尔那里得到的钱的准确账目我当时就交给了中央委员会，可能保存在中央委员会的档案中。我记得，这个数目是 7 万左右丹麦克朗。”[2]

在 1925 年 11 月 15 日俄共（布）中央办公厅和财政部给中央书记布勃诺夫的报告中明确指出：“1917 年及以后的一段时间，中央委员会国外局，即加涅茨基同志、沃罗夫斯基同志和拉狄克同志，在不同时间从卡尔·穆尔那里得到的钱的数目，一共是 32837 美元。从穆尔提供的说明和清单可以看出，列宁同志知道这笔债务。”[3]可能就是在随后几天，办公厅和财政部写了前面引述的那份“关于卡·穆尔帮助俄国革命运动的证明”。

上述文件说明了这样一个事实：布尔什维克国外局在 1917 年及以后确实多次接受了穆尔提供的资金，而穆尔具有多重身份，在这里他主要是布尔什维克与德国之间的中间人。

蔡特金曾于 1927 年 8 月 19 日就穆尔的问题致信莫洛托夫，说：“75 岁的穆尔同志一生都是为国际革命无产阶级利益斗争的忠诚的无私的战士。特别是他在我们的俄国同志最困难的时候，随时准备作出任何牺牲，并作出了一定的

[1] РЦХИДНИ, Ф. 17, Оп. 113, Д. 164, Л. 224, 224 об. //Отечественная история. 1993. 2. С.136.

[2] РЦХИДНИ, Ф. 17, Оп. 113, Д. 164, Л. 226. //Отечественная история. 1993. 2. С.136.

[3] РЦХИДНИ, Ф. 17, Оп. 113, Д. 164, Л. 223 //Отечественная история. 1993. 2. С.137.

政治和物质贡献。我们永远怀念的列宁把他称为自己的朋友，我们知道，这个词列宁是不轻易用的。穆尔同志急切地等待最后解决自己的问题，因为已经受到损害的健康不允许他再承受这里的气候。他想在自己的祖国用自己的最后力量和手段为我们的革命事业工作。此外，此事在原则上已经解决。为此，我希望您，尊敬的莫洛托夫同志，帮助穆尔同志并见见他。”[1]

在历经曲折和长期等待之后，穆尔最后得到了这笔钱，1927 年秋天在布哈林的帮助下永远地离开了苏联，后来在柏林一家疗养院度过余生，1932 年 6 月 13 日去世。

神话与事实

关于第一次世界大战时期特别是 1917 年布尔什维克与德国的关系问题至今仍是一个有待于深入研究的问题。

长期以来，围绕这一时期布尔什维克与德国的关系问题的争论，曾被赋予了很多政治色彩。在苏联时期，苏联史学著作对于有关十月革命与德国金钱之间存在联系的说法是完全否定的，有关的材料都被认为是缺乏真实性或是伪造的，是对布尔什维克的诽谤。

20 世纪 90 年代以来，关于布尔什维克与德国关系的问题重新引起关注。

一方面，政治化情绪化的情况依然存在。出现了很多充满强烈的反布尔什维主义情绪的文章，其作者经常引用一些不可信的材料就试图证明列宁和其他布尔什维克领导人是德国总参谋部收买的间谍。对于这类文章，就连一些西方学者也认为不值得予以严肃的学术关注，因为文章的作者完全不是试图弄清这个远非简单的问题的实质。[2] 但同样有人继续绝对否定任何有关第一次世界大战时期布尔什维克与德国钱之间存在联系的说法，认为与此有关的档案文件全都是伪造的。

另一方面，有关这个问题的研究出现了一个趋势，即力图从发掘和分析

[1] РЦХИДНИ, Ф. 17, Оп. 161, Д. 8, Л. 10–11. //Отечественная история. 1993. 2. С.141–142.

[2] *Ляндрес С.*Новые документы о финансовых субсидиях большевикам в 1917 году. // Отечественная история. 1993. 2. С.132.

档案文件出发，厘清这个问题上的神话和事实。如索波列夫的《俄国革命与德国金钱》一书表明，没有根据证明布尔什维克被德国经费收买，但德国经费问题是存在的。[1]

研究俄国革命史的著名俄国学者约非认为，“德国文件间接地证明了，一些德国经费进入了布尔什维克的金库。但即便如此，也绝对不能说列宁和其他布尔什维克是德国的间谍并执行了德国人下达的任务。调查七月事件的亚历山德罗夫委员会的侦查员们曾讯问了普列汉诺夫。普列汉诺夫在回答有关德国经费问题时作了如下证词：‘列宁的不拘一格使我能够想象，他为了自己政党的利益会利用从德国弄来的钱。在这种情况下我绝对排除列宁有任何个人的自私的目的。我确信，他所采取的从法律角度来说应受谴责的犯罪的行动是为了他的政策的胜利’。可以认为，普列汉诺夫说得比较接近真理。”[2]

很多学者认为，德国经费的存在已是无法否定的事实，但这不是本来意义上的收买，而是布尔什维克的目标与德国人试图使俄国退出战争的目标在一定程度上重合的结果。

比较详尽地研究了布尔什维克夺取政权过程的《布尔什维克走向政权》一书的作者、美国学者拉宾诺维奇指出：“现在已经清楚，在第一次世界大战时期，德国人花了大量的钱用于在俄国的破坏活动，这些钱的一部分是专门给布尔什维克的。但是，关于这个问题的已有材料表明，大多数布尔什维克领导人对这些经费毫不知情，更不要说普通党员了。尽管列宁本人看来知道‘德国钱’，但没有任何证据证明这些钱影响了他的立场或布尔什维克党的政策。至于七月事件，关于起义受到列宁和德国人共同煽动的说法显然是没有依据的。”[3]

切尔尼亚夫斯基在《通报》杂志上的文章认为，德国钱在俄国革命中起了作用，但这只是战时德国的直接利益与布尔什维克“使本国政府战败”和实现社会主义革命的目标在一段时间内的一致。费里施金斯基指出，德国经费的

---

[1] *Соболев Г.Л.* Русская революция и «немецкое золото». СПб., «Нева», 2002.

[2] *Иоффе Г.З.* Семнадцатый год. Ленин Керенский корнилов. М.,1995. С.89.

[3] *Рабинович А.* Большевики приходят к власти.Революция 1917 года в Петрограде. М., 1989. С.31–32.

问题，说到底是列宁利用了德国人。“在这场博弈中，最后胜利的是列宁的团体，它胜过了所有人，其中包括德国人以及与布尔什维克合作思想的倡导者帕尔乌斯。”[1]

实际上，德国经费问题是否存在与布尔什维克是否被收买是两个不同的问题，不能混为一谈，应该明确地加以区分。指控列宁和其他布尔什维克领导人是德国间谍是迄今为止没有根据的。但如果因此而排除德国经费问题的存在，显然也是轻率的。

第一次世界大战时期，德国出于自身战略利益而支持交战国的反战和平运动是一个普遍性的政策，并不是只针对俄国的，也不是只针对布尔什维克的。二月革命后，德国对于俄国国内局势的发展极为关注，竭力试图与全部反战革命力量（而不仅仅是其中的激进一翼）建立联系。在 1917 年 3 月德国驻斯德哥尔摩的代表机关收到的一份电报中，德皇威廉二世要求：“我们应该支持社会主义者（克伦斯基和其他人）反对协约国和米留可夫，尽快同他们进行接触。”[2] 德国资助俄国反战革命运动的动机，就是要削弱俄国的作战能力，促使俄国退出战争。

德国驻哥本哈根公使布罗克多夫·兰卓由于同帕尔乌斯和俄国侨民的联系而对俄国局势了解较多，他在 4 月 2 日给德国外交部发去备忘录，提出了德国干预俄国事态的若干方案：

“我认为，根据我们对俄国革命的态度，我们可能接受下列结局的一种：如果我们准备以经济和军事手段继续进行战争到秋天，那么加剧俄国的混乱就是很重要的，就不应对俄国革命进程进行任何公开干预。但我认为我们应该暗中加深温和政党与极端政党之间的分裂。后者占上风是符合我们的利益的，因为在这种情况下戏剧性的变化将是不可避免的，这些变化甚至可能以动摇俄罗斯帝国存在的形式表现出来。也许，即便温和派继续掌权，也很难想象不经普遍混乱就转向正常状态。此外，我认为，从我们的角度看最好支持极端分子，因为这将最快地导致确定的结果。很明显，3 个月后俄国的解体就将达到我们

[1] *Фельштинский Ю.* Крушение мировой революции. Брестский мир: Октябрь 1917-ноябрь 1918. М., 1992. С.34.

[2] *Николаевский Б.И.* Тайные страницы истории. М., 1995. С.400.

能够以军事力量摧毁它的程度。如果我们现在就开始过早的进攻，那么只会使得目前还在互相对抗的各种政治力量联合起来，同德国斗争的决心将使他们团结起来，甚至有可能提高军队的战斗力。如果我们不能顺利地继续战争到今年年底，那么我们就必须与掌权的温和政党接近，并且使他们相信，如果他们同英国人一起坚持继续战争，将会为反革命开辟道路从而威胁已经取得的自由。作为一个补充的论据，应该向米留可夫们和古契柯夫们指出，从俄国局势不明朗的角度来看，英国人可能试图同我们达成不利于俄国的协议。”[1]

后来实际发生的是，德国统治集团作出了支持俄国反战革命力量的决定。

而列宁在第一次世界大战的最初几个月就为布尔什维克党制定了战争时期的政治方针。列宁指出，战争具有帝国主义性质，布尔什维克的口号是：使本国政府在战争中失败。列宁希望利用俄国政权在战争中可能的失败来为自己的党争得夺取政权的机会，然后再把革命之火烧向欧洲，包括德国。

这样，在列宁的目标和德国政府的目标之间，存在着某种一致性。这两条道路上的某些路段显然是重合的。德国人试图利用布尔什维克，是因为他们认为其奉行的方针在客观上有利于自己。而坚定的革命者、社会主义者列宁当然不可能被德国收买。但列宁也是策略大师，可以想象，为了实现自己的主要目标，他不排除在特定的时期在策略上采取灵活的立场。对于布尔什维克来说，德国提供的资金只是在俄国乃至在欧洲——首先是德国——组织革命的工具。

其实，如果把利用德国经费只是视为布尔什维克在为自己的目标和理想而斗争过程中的一个策略问题的话，这个问题是可以理解的。托洛茨基在批驳有关布尔什维克是德国间谍的诽谤时指出，一批俄国革命者被允许经过德国回国这一事实本身就足以说明鲁登道夫的计划，这是鲁登道夫因德国面临的严重军事局势而采取的冒险行动。而列宁利用了鲁登道夫的打算，同时也有他自己

---

[1] Germany and the Revolution in Russia. 1915–1918. Documents from Archives from of the German Foreign Ministry. London. 1958. Doc. № 22.[参见 *Г.Л.Соболев.* Русская революция и «немецкое золото».СПБ.,2002. Глава четвертая.Вильгельм II: «Мы должны поддержать социалистов (Керенского и др.) против Антанты и Милюкова»]

的打算。两个对立的计划在一个点上相交了。[1] 布尔什维克策略原则的基础，是有利于社会主义革命。这是列宁公开宣布的原则。他后来在解释签订布列斯特和约的合理性和正确性时曾举了一个例子：一个革命者为了刺杀暴君和恶棍而同一个大坏蛋、大骗子或大强盗作交易搞到一支手枪，他的行为不应该受到非难，而应该得到赞许。这是一个“明显的真理”。[2]

第三节　布尔什维克调整策略

列宁对形势的悲观估计

从布尔什维克的角度看，七月事件之后的时期是一个艰难时刻。

列宁在布尔什维克遭受沉重打击的情况下，意识到局势的严峻，甚至曾考虑过把布尔什维克的领导中心迁到瑞典或挪威去。关于列宁在这段时间内的精神状态，陪伴在列宁身边的绍特曼和季诺维也夫的回忆是很好的证明。绍特曼说，有一段时间列宁夸大了反动的范围和结果，对俄国革命的近期前景持悲观态度。他认为，继续谈论召开立宪会议已经无益，因为“胜利者”不会做这件事。党应该集结剩余的力量，“认真地、长久地”走入地下。季诺维也夫也证明了列宁在七月事件之后一段时间内的悲观立场，他在 20 年代的回忆录中写道：列宁预料会有一个较长的反动时期，并认为这个反动将比其表面现象还要深刻。[3]

对于新一届联合政府的看法，列宁认为“现在俄国基本的国家政权实际上是军事专政”，军队的总参谋部和高级将领在克伦斯基的帮助下“已经把实际的国家政权夺到手”[4]。列宁是在布尔什维克遭到政治和舆论打击的情况下，

---

[1] 参见 [俄] 托洛茨基著：《我的生平》，赵泓、田娟玉译，郑异凡校，上海人民出版社 2007 年版，第 271 页。

[2] 《列宁全集》第 41 卷，人民出版社 1986 年版，第 214 页。

[3] *Рабинович А.* Большевики приходят к власти. Революция 1917 года в Петрограде. М., 1989. С.63.

[4] 《列宁全集》第 32 卷，人民出版社 1985 年版，第 1 页。

从否定临时政府、争取以武装斗争方式夺取政权的角度，对临时政府作出这个评价的，是完全可以理解的。

但从当时俄国实际政治格局和临时政府的纲领及政策来看，以克伦斯基为首的、由多数社会主义者部长和追求国家民主改造目标的自由主义政党的代表组成的这一届临时政府，还不是军事专政，甚至还不是主张建立军事专政的政权。如果说这时政权已经落入总参谋部和高级将领之手的话，那么到8月冒出一个试图建立军事专政的科尔尼洛夫就是难以理解的。事实上，如果七月事件后真是军事集团掌权，布尔什维克能否存在下来确实还是个问题。如果临时政府真的成为军事专政的话，布尔什维克在7月底8月初合法地举行其第六次代表大会就是不可想象的。毫无疑问，临时政府在处理一系列重大问题上犯有错误和过失，采取了显然不正确的政治步骤，特别是简单地拒绝立即满足日益激进化的群众的要求，但它仍然试图引导国家沿着民主化的道路走向立宪会议。

就联合政府首脑克伦斯基个人来说，从他的表现看，可以说这是一个脱离实际的民主主义者、理想主义的政治家。他的悲剧在于他过高地估计了自己的能力，并竭力试图在左和右两个极端之间搞平衡，甚至在两者之间已经你死我活的时候仍然抱有这样的幻想。七月事件后，克伦斯基继续固执地相信他在二月底所说过的话：只有依靠全体人民团结的力量才能拯救国家，而这只有在所有有生力量、所有创造性的阶级和阶层的代表达成积极有效的妥协的情况下才是可能的。但克伦斯基这样做的结果是他不仅遭到布尔什维克的蔑视，而且遭到右翼力量的敌视。而同样决心为实现民主力量的联合而努力的孟什维克和社会革命党，也遭到来自左和右两个方面的非难和反对。

转入地下的列宁对苏维埃也表示了强烈否定态度，认为“苏维埃以及社会革命党和孟什维克党的领袖们”[1]“已经彻底出卖了革命事业，把革命事业交给反革命分子，使自己和自己的党以及苏维埃变成了反革命的遮羞布”。[2]“现在的苏维埃由于社会革命党和孟什维克党在其中占统治地位而垮台了，完全破产了。现在，这些苏维埃像是一群被牵去宰割、在屠刀下咩咩哀叫的绵羊。现

[1] 《列宁全集》第32卷，人民出版社1985年版，第2页。

[2] 同上。

在，苏维埃在节节胜利的反革命势力面前显得软弱无力，一筹莫展。政权归苏维埃的口号”[1]“在目前情况下就是欺骗人民。而欺骗是最危险的行为。”[2]

七月事件后，列宁显然也是从是否有利于布尔什维克夺取政权的角度来看待苏维埃的作用的。七月事件表明苏维埃已不可能成为布尔什维克掌握政权的中间环节，也正是因为这个原因，苏维埃应该彻底否定。

但就如临时政府并未在 7 月后成为“军事专政”一样，事实上苏维埃也没有成为被驱往屠宰场置于刀斧之下的羔羊。第二届临时政府尽管比以前有了更多的独立性，但强大的苏维埃系统和其他革命组织（如工会、合作社、工厂委员会、军队委员会等）一样，并未因七月事件而受到触动，它的影响依然无所不在，而且深入了国家生活的所有领域。如果苏维埃在 7 月真的垮掉了、被宰割了、“遭到了彻底失败”，那么它怎么可能在仅仅一个多月之后就能够一呼百应地领导粉碎科尔尼洛夫军事政变的斗争呢？

孟什维克和社会革命党对苏维埃作用的理解与列宁的评价是完全不同的。孟什维克和社会革命党把苏维埃视为一个促进现政权沿着民主道路前进、为社会主义未来创造前提的工人、士兵和农民的组织。10 名社会主义者成为临时政府的部长是在这个方向上采取的一个实际步骤，孟什维克和社会革命党掌握的苏维埃中央执行委员会不认为存在同这样一个社会主义者占了多数的政府进行对抗的依据。

列宁对临时政府和苏维埃新作用的评价，是他一如既往地把“资产阶级民主”视为资产阶级对群众进行欺骗和施行暴力的面纱加以拒绝、并坚决与之斗争的精神的体现，也是他在布尔什维克处境严峻情况下的一种情绪表达。

列宁的新策略

七月事件后出现的政治局面确实使得布尔什维克夺取政权的计划遭受严重挫折。列宁是现实的敏锐的政治家，他明确指出：“至于我国革命明天会带来什么样的结果，是回到君主制去，使资产阶级得到加强，还是使政权转到更

[1] 《列宁全集》第 32 卷，人民出版社 1985 年版，第 13 页。

[2] 同上书，第 12—13 页。

先进的阶级手中。这我们不知道，而且谁也不知道。”[1]列宁在这里显然指的是革命前景的不确定性，他表达了多种可能性，而完全没有谈到任何的必然性。这一事实本身也说明，关于十月革命必然性的说法与列宁的观点是完全不一样的。

布尔什维克虽然遭到了沉重打击，但它没有被击垮。正如后来的事态发展所表明的那样，这只是其夺权过程中的一个曲折。列宁是斗士，他没有放弃夺权目标，仍在积极准备新的战斗，考虑党在新形势下的实现目标的方法和途径。

从二月革命以来，列宁曾经一直把苏维埃视为夺取政权的杠杆。七月事件后列宁注意到，右翼力量已经迅速团结起来，而临时政府主张妥协的政治路线在一定程度上对此起了促进作用。临时政府认为自己的做法是使国家免于崩溃灾难的拯救措施，但列宁将其视为反革命的帮凶，而苏维埃向临时政府投降，成了它的无力的附属品，因此党必须调整策略。

列宁明确地指出，俄国革命和平发展的一切希望都彻底破灭了。客观情况是：或者是军事专政取得最终胜利；或者是工人的武装起义取得胜利，全部政权归苏维埃的口号是革命和平发展的口号，在4月、5月、6月，直到7月5—9日以前，即实际权力转到军事独裁者手中以前，革命的和平发展是可能的。现在这个口号已经不正确了，因为它没有考虑到目前发生的这种转变，没有考虑到社会革命党人和孟什维克实际上对革命的彻底背叛。……不要对立宪和共和国抱任何幻想，不要再对和平道路抱任何幻想，现在，要坚决地准备武装起义，武装起义的目的只能是使政权转到受贫苦农民支持的无产阶级手中，以实现我们党的纲领。同时，考虑到党仍然能够合法地开展政治活动，列宁表示党决不放弃合法活动，但一分钟也不对合法活动抱过高的希望，应当像在1912—1914年那样把合法活动和秘密活动结合起来。[2]

列宁对政治局势和党的任务的认识促使布尔什维克党迅速调整策略，加快了布尔什维克党以及追随它的力量进一步的激进化。

---

[1] 《列宁全集》第30卷，人民出版社1985年版，第222页。

[2] 参见《列宁全集》第32卷，人民出版社1985年版，第1—2页。

第六次代表大会

7月26日到8月3日（8月8日到16日），在彼得格勒维堡区一座属于私人公司的房子里面，布尔什维克党召开了第六次代表大会。来自全国的约150名代表参加了这次大会。大会是合法地举行的，并未遭到禁止。事先在报纸上公布了会议将召开的消息，但会议具体地点没有公开。孟什维克领袖马尔托夫还以苏维埃的名义向布尔什维克党代表大会发去了贺电。

隐匿在拉兹利夫湖畔的列宁给大会发去了自己关于政治局势的提纲，并与大会主席团保持着经常联系，从而影响和指导会议的方向。第六次代表大会在原则上接受了列宁关于政治形势和党的策略的新观点，通过了一系列重要的激进的决议，如拒绝与苏维埃中的温和社会主义政党领导人合作，将孟什维克和社会革命党人视为反革命的帮凶，取消“全部政权归苏维埃”的口号。

在当时所有政党中，布尔什维克以自己的强硬立场表现得特立独行。有学者认为，“布尔什维克把自己置于同所有其他政党对立的位置，实际上是宣布了自我孤立”。[1] 在8月初，还很难预料，这样的路线会有什么结果。

如果不是8月下旬的事件促使彼得格勒和莫斯科的布尔什维克组织从六大决议后退、采取与苏维埃合作对付科尔尼洛夫军事政变的立场的话，布尔什维克在不到一个月的时间里就“在废墟上重新崛起”也许是不可能的。

但是，第六次代表大会在列宁缺席的情况下，并未无保留地全盘接受列宁的思想。大会没有立即把列宁提出的准备武装起义以推翻临时政府和夺取政权的要求作为党的最近任务，而只是在决议中相对模糊地号召全党为未来的阶级斗争做好准备。

第六次代表大会的一个重要成果是区联派与布尔什维克党正式合并。

自5月合并问题暂时搁置以来，七月事件前夕布尔什维克举行全国代表会议，为重提合并问题提供了一个机会。这时，区联派中已经没有谁再提党的名称问题了。托洛茨基比较迫切地希望合并，针对区联派中有人批评布尔什维克缺乏民主、宗派作风等问题，他认为由于布尔什维克已经脱离了秘密活动方

[1] *Головатенко А.*История России спорные проблемы. М., 1993. С.145.

式，已基本上摆脱了旧习，余下的问题可在一个公开活动的党内彻底解决。卢那察尔斯基也协助做了说服解释工作，最后区联派多数同意合并。但七月事件的爆发又推迟了合并。

七月事件后列宁转入地下，布尔什维克党内以加米涅夫为代表的温和派主导日常工作，而托洛茨基也对苏维埃中央执行委员会里的布尔什维克党团具有一定影响。当时，布尔什维克党团派了一个代表团去找托洛茨基，请他给他们谈谈形势。托洛茨基认为，自己与这些布尔什维克之间的谈话“建立了只有在敌人的沉重打击下才能建立起来的精神上的联系”。他对党团代表团说，这场危机过后，可以期望革命会有一个迅速的高涨；一旦群众通过事实检验了我们主张的正确性，他们就会加倍坚定地跟我们走；必须严密地观察每个革命者，因为在这样的时刻，每个人都会在天平上受到衡量。在列宁不能直接领导党的活动的情况下，托洛茨基在布尔什维克党内发挥了积极作用。老布尔什维克穆拉洛夫说：“列宁不在，而在其他人中间，唯独托洛茨基没有惊慌失措。”[1]

布尔什维克党第六次代表大会选出的中央委员

在第六次代表大会上，讨论了联合问题，区联派代表尤列涅夫在会上通报了区联派的情况，宣读了关于统一的决议案，大会一致通过了这个决议。区联派与布尔什维克党正式合并。[2] 托洛茨基、乌里茨基当选为中央委员，越飞为候补中央委员。这意味着列宁与托洛茨基

---

[1] [俄] 托洛茨基著：《我的生平》，赵泓、田娟玉译，郑异凡校，上海人民出版社 2007 年版，第 275 页。

[2] Шестой съезд РСДРП（б）. Протоколы. М., 1958. С.47–50, 238–240.

这两个具有坚强意志和政治斗争艺术的领袖人物的联合，为布尔什维克党在十月的胜利奠定了基础。[1]

修改口号

在收回“全部政权归苏维埃”的提法，积极准备武装起义的同时，列宁没有放弃争取苏维埃领导权的努力。为了把孟什维克和社会革命党从苏维埃排挤出去，布尔什维克需要把这些民主派政党与作为反映群众意愿的组织苏维埃区分开来，需要在最迫切的问题上满足群众的直接要求，为此必须修正甚至放弃自己原先的口号。

分析七月事件后布尔什维克在一系列具体问题上的策略口号的变化，可以看出布尔什维克在短时间内不事声张地完成了这个调整过程，其转折标志是8月31日（9月13日）召开的布尔什维克中央委员会扩大会议。

这次会议讨论了党在反对科尔尼洛夫军事政变时的策略问题，通过了由加米涅夫起草的“关于政权”的决议，并在当天的苏维埃中央执行委员会会议上作为布尔什维克党团提出的决议案宣读。

决议首先谴责了妥协性的和不负责任的政策，因为这种政策最有可能把最高总司令部和国家政权机关变成阴谋反对革命的策源地和工具。决议认为，应当把那些公开参与叛乱的立宪民主党人和一般有产者从政权中清除出去，根本改变一切妥协性的政策，不能容忍临时政府的非常权力和不负责任的态度。决议指出，唯一的出路是建立由革命无产阶级和农民的代表组成的政权，并明确提出了这个政权的活动原则和应该采取的一系列紧急措施。正是这些原则和措施，成为布尔什维克改变策略、更新口号的基本内容。[2]

战争问题是俄国革命的主要问题。战争造成的重负和灾难加速了革命的到来，但各政治力量对战争问题的看法是不一致的。由于美国的参战，已经很少有人怀疑协约国最终将获得胜利。自由主义政党希望与盟国一起战斗到

---

[1] История России XX век:1894–1939. Под ред. *А.Б.Зубова.* М., 2009. С. 94.

[2] 参见《苏联共产党代表大会、代表会议和中央全会决议汇编》第一分册，人民出版社1964年版，第509—560页。

胜利，俄国工商阶层已在考虑如何享受胜利的果实；革命民主派政党即孟什维克、社会革命党等希望尽快从战争中脱身，但不知道怎样才能做到这一点。

布尔什维克自1914年8月起就提出了把帝国主义战争转变为国内战争的口号，并且很清楚只有这样才能够夺取政权。但怎样实现这个转变并通过这个转变来夺取政权？布尔什维克四月代表会议决议对战争问题的表达是“绝对不允许对‘革命护国主义’作任何让步”，认为“只有至少几个交战国的全部政权转到真正能够消灭资本压迫的无产者和半无产者阶级手里，才能用民主的和约结束这场战争”。[1] 在6月22日的全俄苏维埃代表大会上，列宁说：我们“不同任何资本家单独媾和，首先是不同俄国资本家单独媾和。（鼓掌）我们不承认同德国资本家的任何单独媾和，不同他们进行任何谈判，也不承认同英法帝国主义的任何单独媾和”。[2] 直到8月初，列宁仍坚持这一立场。赞成和平，但不承认单独媾和，也不进行谈判。支持这一立场的逻辑依据是不太容易理解的，大概当时的群众也不会很清楚。8月初结束的俄国社会民主工党（布）第六次代表大会的决议还是没有提出结束战争的具体方法，只是继续强调“只有国际主义的无产阶级革命，才能导致民主的和平”，“真正民主的消灭战争的唯一方法”就是“工人和贫苦农民夺取政权”等比较空洞的说法。

但是，到8月底，这种模糊性不再存在，布尔什维克开始采用满足人民要求立即结束战争的口号。在8月31日中央委员会扩大会议通过的“关于政权”的决议中，明确提出“立即建议各交战国的人民缔结普遍民主和约”。[3]

农民土地问题也是1917年最迫切的问题之一。在人民中间，“给农民土地”这个口号是广为知晓的。农民要求在劳作于土地之上的人之间平均分配土地，而布尔什维克尽管支持农民废除地主土地所有制的要求，但不同意按农民的要求平分土地。四月代表会议决议仍强调“无产阶级政党要求全国一切土地国有化，即把全部土地的所有权交给国家，把土地的支配权交给地方民主

---

[1] 《苏联共产党代表大会、代表会议和中央全会决议汇编》第一分册，人民出版社1964年版，第436页。

[2] 《列宁全集》第30卷，人民出版社1985年版，第259页。

[3] 参见《苏联共产党代表大会、代表会议和中央全会决议汇编》第一分册，人民出版社1964年版，第481—482、510页。

机关。……党忠告农民要有组织地夺取土地，绝不容许有一点损坏财产的行为”。[1]1917 年 6 月，社会革命党把平分土地写进了自己的党纲，但遭到了布尔什维克的强烈批评。

不过，到了 8 月，布尔什维克就把这个社会革命党的口号，实际上也是农民的口号，接了过来，变成自己的口号。8 月 31 日中央委员会扩大会议“关于政权”的决议提出，“立即无偿地废除地主的土地私有制，在立宪会议作出决定以前，把土地交给农民委员会管理”。[2]

“把工厂给工人”也是 1917 年风行的一个口号。对此布尔什维克的理解与无产阶级阶级群众的理解是各不相同的。工人代表苏维埃要求剥夺资产者的财产，分配给工人集体。布尔什维克主张实现企业国有化，即将其变为国有资产，交给国家机关掌握。第六次代表大会强调要对大企业实行国有化，逐步把工人监督发展为对生产进行完全的调节。

到 8 月底，布尔什维克虽然仍然不认同工人代表苏维埃的要求，但作出了新的表示，保证“在全国范围对生产和分配实行工人监督”。[3]

在民族问题上，二月革命后布尔什维克党多次表示，既然还存在资产阶级民主革命所没有解决的问题，它就主张加以解决，使俄国各族人民享有独立自主地决定自己的命运、直到分离的权利，谁反对这种权利，谁就是沙文主义者。同时，列宁明确指出，“在社会主义革命中，宣布和实现一切被压迫民族的自由（也就是它们的自决权）是非常迫切需要的”，[4] 在俄国这样的多民族国家里，实现无产阶级的政治纲领需要各民族无产阶级和人民群众的团结，而这种团结首先要求大俄罗斯的无产阶级同历史上形成的大俄罗斯民族对其他民族的偏见和不公正作斗争。承认民族自决权，就是获得各族人民信任的最有效最

[1] 《苏联共产党代表大会、代表会议和中央全会决议汇编》第一分册，人民出版社 1964 年版，第 44、441 页。

[2] 《苏联共产党代表大会、代表会议和中央全会决议汇编》第一分册，人民出版社 1964 年版，第 510 页。

[3] 《苏联共产党代表大会、代表会议和中央全会决议汇编》第一分册，人民出版社 1964 年版，第 486—487、510 页。

[4] 《列宁选集》第 2 卷，人民出版社 1995 年版，第 571 页。

实际的措施。列宁特别强调，动员各民族人民支持无产阶级夺取政权的斗争，是民族自决权的口号在政治上的最直接目的。

在民族关系和国家形式问题上，布尔什维克在 1917 年前是否定联邦制思想的，认为联邦制将会使民族差别长期存在下去。二月革命后民族关系的现实促使布尔什维克重新考虑联邦制问题，在 6 月的苏维埃第一次代表大会上，列宁提出了“让俄罗斯成为自由共和国的联盟”的口号，此后他不断谈到了使俄罗斯联邦化的问题。但这主要还是原则立场的表达。

到了 8 月，布尔什维克开始采取更有针对性的措施以争取非俄罗斯民族的支持。例如，布尔什维克在乌克兰很活跃，但一直忽视乌克兰的民族性。然而在 8 月 22 日，布尔什维克很突然地以独立党团的名义加入了乌克兰中央拉达。[1]8 月 31 日，布尔什维克又公开地明确地宣布：“真正实现俄国境内一切民族的自决权，首先满足芬兰和乌克兰的要求。”[2]

8 月底的布尔什维克中央委员会扩大会议决议还对当时俄国社会关注的一些具体问题表达了自己的立场，如要求停止对工人阶级及其组织的一切镇压，立即废除前线的死刑，恢复在军队中进行宣传鼓动和建立一切民主组织的完全自由，清除军队中反对革命的指挥员，解散国务会议和国家杜马，立即召开立宪会议，消灭一切等级特权等。[3]

布尔什维克党的口号的变化，表明它敏锐地把握住了俄国人民大多数的脉搏，及时地调整了自己的策略，使自己紧密地与他们站在一起，获得他们的支持。

布尔什维克党口号的变化，“对以后事态的影响甚至大于科尔尼洛夫叛乱”[4]。临时政府继续把进行战争、恢复秩序放在优先位置，而在和平、土地、立宪会议等迫切问题上依然无所作为，从而使得工人、士兵和农民的不满情绪

---

[1] *Кульчицкий С.* Русская революция 1917 года: новый взгляд.Чужие лозунги большевистского переворота. День. 18 октября 2003.

[2] 《苏联共产党代表大会、代表会议和中央全会决议汇编》第一分册，人民出版社 1964 年版，第 510 页。

[3] 同上。

[4] *Кульчицкий С.* Русская революция 1917 года: новый взгляд. День. 18 октября 2003.

进一步发展，而这在客观上为他们的左倾化创造了条件。越来越多的群众开始支持布尔什维克的主张——这实际上是他们自己的主张，似乎把它视为摆脱困境是唯一希望。

但布尔什维克在调整自己的策略和口号时，并没有刻意宣传和张扬，以至于连其对手都未注意到这些变化。例如，在十月武装起义前几天，孟什维克中央机关报《工人报》发表文章，对布尔什维克试图夺取政权的执着表示惊讶，文章指出，“这些人难道没有看见，彼得格勒的无产阶级和卫戍部队从未这样孤立于所有其他社会阶层之外；难道他们没有看见，工人和农民的大多数不跟他们走，他们的口号只能把不大一部分狂热的工人和士兵引上街，他们是注定要被粉碎的。”[1]孟什维克很清楚布尔什维克的口号，但那是以前的口号，他们没有发现布尔什维克已不再提这些口号，而开始提另外的一些口号。

新口号使布尔什维克的力量得到了显著加强。七月事件时，列宁曾经对于是否要把群众运动变成一场夺取政权的政变犹豫不决，尽管彼得格勒工人和士兵的情绪是对布尔什维克有利的，但列宁担心的是军队和外省还不在布尔什维克影响和控制之下，因为即便彼得格勒胜利了，也不能保证全国的胜利。但从 8 月底 9 月初开始，外省和军队的情绪也开始发生变化，局势的发展越来越有利于布尔什维克。

第六次党代会根据列宁的意见确定的与其他社会主义政党对立的策略也在实践中得到了修正。8 月，布尔什维克与孟什维克国际主义者、左派社会革命党等左翼社会主义者的联合趋势明显加强，并取得了实际效果。在 8 月举行的彼得格勒的区苏维埃代表选举、彼得格勒市杜马选举、喀琅施塔得地方选举中，包括了布尔什维克在内的左翼力量取得了很大成功。例如，在彼得格勒市杜马选举中，布尔什维克没有单独提出自己的候选人名单，而是加入了“社会民主党人—国际主义者联盟”，这个联盟在选举中取得了 67 份代表委托书，这个成绩仅次于社会革命党。[2]

[1] 参见 *Кульчицкий С.* Русская революция 1917 года: новый взгляд. День. 18 октября 2003.

[2] *Головатенко А.* История России: спорные проблемы. М., 1993. С.148.

第四节　苏维埃内部的变化

政治力量的消长

科尔尼洛夫军事政变的失败，使七月事件以来临时政府在试图恢复政权力量、重建军队纪律方面取得的非常有限的进展化为乌有。

击败科尔尼洛夫，既是革命对反革命的胜利，自由对专政的胜利，也是无政府主义对秩序的胜利。各个政治组织互相竞争的局面进一步发展。工厂工人变得更有组织，也更加好斗。在平息科尔尼洛夫军事政变中起了重要作用的军队委员会更加活跃，彼得格勒卫戍部队很多团委员会的控制权从原先那些比较温和的成分手中转到了布尔什维克手中。农村进入了阶级斗争的决定性阶段，农民造反的烈火席卷俄国大地。

临时政府试图扭转事态的发展趋势。9 月 1 日，克伦斯基发布命令，要求所有指挥员、政治委员和军队组织停止政治斗争。但这个命令根本没有产生效果。3 天后，他又作出决定，解散所有在平息科尔尼洛夫军事政变期间建立的组织，包括“人民与反革命斗争委员会”。但这个决定只是进一步恶化了克伦斯基与苏维埃领导层之间的关系。还没等决定正式公布，“人民与反革命斗争委员会”就召开会议，通过了一个决议，宣称鉴于目前仍有危险的局势，各地方革命委员会将一如既往地继续开展自己的活动。[1]9 月上半月，在军队中对军官进行了又一轮清洗，所有被怀疑与反革命叛乱有牵连的军官被逐出军队。但这无助于扭转军队崩溃的局面，到 10 月初，开小差的士兵人数已超过 200 万人。[2] 此外，政府还面临着经济快速瓦解、彼得格勒失业增加、粮食和燃料供应困难、物价飞涨等一系列难以解决的问题。

科尔尼洛夫军事政变的失败还使俄国社会政治力量的格局发生根本改变。

---

[1] Революционное движение в России в сентябре 1917 г. Общенациональный кризис. Документы и материалы. М., 1961. С.148–149.

[2] [法] 尼古拉 · 韦尔特著：《1917 年，革命中的俄罗斯》，上海人民出版社 2007 年版，第 93 页。

右翼政治力量被粉碎，被排除出政治舞台，甚至已经不能公开地发出自己的声音。

临时政府实际上已经被边缘化，克伦斯基个人的威信急速跌落。遭到失败的右翼认为，克伦斯基为了达到个人目的或者缺乏勇气，最后出卖了科尔尼洛夫。而左翼力量以及彼得格勒的工人和士兵，则认为克伦斯基是科尔尼洛夫反革命阴谋的一部分。北方战线政治委员沃伊京斯基认为，每个士兵都知道，在克伦斯基与科尔尼洛夫之间的冲突发生前有过谈判，他们谈到了实行死刑、限制士兵委员会的活动、恢复军官执行纪律的权力等问题，一句话，要回到旧制度。对每个士兵来说，科尔尼洛夫军事政变不仅是反对革命的，也是反对他们每个人的。[1]

温和社会主义政党趋于激进，他们与布尔什维克的关系发生变化。七月事件后，大多数孟什维克和社会革命党人曾经支持克伦斯基采取的解除工人武装、限制布尔什维克的措施。但科尔尼洛夫军事政变把温和社会主义者推向左边，迫使他们同布尔什维克和其他极左翼力量结成紧密联盟，组成“人民与反革命斗争委员会”，同意建立工人武装，来进行生死攸关的斗争。因为，如果科尔尼洛夫获得胜利，将不仅意味着苏维埃的灭亡，而且意味着领导苏维埃的孟什维克和社会革命党领导层被消灭。

在1917年夏秋之交的政治乱局中，最大的获胜者是布尔什维克。在平息科尔尼洛夫军事政变的过程中，布尔什维克再次显示了自己口号的巨大吸引力。而在科尔尼洛夫失败以后，由于右翼的出局，已经没有任何现实的力量能够构成对布尔什维克的重大威胁了。当然这并不是说，科尔尼洛夫的失败已经使得布尔什维克的胜利唾手可得，因为群众的情绪还没有达到强烈希望布尔什维克掌权的地步。在事件之后，彼得格勒很多士兵、水兵、工人组织发表的政治声明中，还是像以前一样，希望建立一个联合所有社会主义党派的政府。

科尔尼洛夫的失败证明了苏维埃具有巨大的政治潜力，而危机过后的苏维埃内部，力量对比关系也发生了变化，布尔什维克在苏维埃中的影响力迅速

[1] *Рабинович А.* Большевики приходят к власти. Революция 1917 года в Петрограде. М., 1989. С.191.

增强。苏维埃变得更加激进，对群众的吸引力进一步扩大。

科尔尼洛夫军事政变被粉碎后，掌握苏维埃领导权的孟什维克和社会革命党领导人在确定自己在政权问题上的立场的时候，再次面临七月事件时的情况，即群众对临时政府不满以及要求苏维埃掌权。在战胜科尔尼洛夫军事政变过程中出了力的各个地方群众组织、工厂工人、士兵和水兵，纷纷通过写信、做决议、发宣言表达自己对未来政府的性质、组成和纲领的意见。他们的要求同两个月前没有什么区别，还是希望建立一个没有资产阶级参加的、联合所有社会主义党派的政府。

孟什维克和社会革命党领导层内部在政权问题上已发生了深刻分歧，主张建立一个没有立宪民主党人参加的政府的观点占了上风。很多孟什维克和社会革命党活动家对克伦斯基打算组织一个新的有立宪民主党人参加的联合政府持反对态度，因为现在立宪民主党是反对共和国和改革、支持继续战争的代表性力量，在民主派中间普遍存在着对立宪民主党的敌对情绪。

8月31日，孟什维克中央委员会通过了一项决议，不允许那些“参与了反革命运动或破坏同反革命的斗争的成分”加入临时政府。决议特别提到，立宪民主党人再不能进入临时政府。社会革命党中央也通过了类似的决议。这一原则立场立即通知了克伦斯基，使克伦斯基只能暂时搁置建立新一届联合政府的方案，而提出了成立没有立宪民主党人的5人执政内阁的要求。

8月31日开始的工兵苏维埃中央执行委员会和农民苏维埃执行委员会的联席会议，是2月到10月之间苏维埃领导层最重要的一次会议，也是孟什维克和社会革命党最接近于同自由主义者决裂并奉行更为激进政策的时刻。在开始讨论时，加米涅夫建议通过一个“关于政权”的宣言，即当天早些时候已在布尔什维克中央委员会扩大会议上得到通过的决议。这个决议案反映了布尔什维克中的温和派的立场，它对革命政权性质的定位是民主共和国。加米涅夫呼吁继续保持在反对科尔尼洛夫的斗争中形成的统一的革命战线，他特别强调了苏维埃的决定性作用，认为它在危机时期是所有民主力量的粘合剂。他表示：“谁都不能说，目前还存在着比苏维埃更强大的组织。”在政权组成问题上，加米涅夫并没有坚持要把政权交给苏维埃，没有排除建立一个吸收苏维埃以外的组织如工会、地方自治机关、城市杜马、合作社等组织的代表参加的社会主义政府可能性。他在发言结束时说：“布尔什维克党团感兴趣的不是技术层面的东西，而是那些加入政府的力量对于当前任务是否能够有共同理解、是否能够同民主派步调一致。”[1]加米涅夫的意见得到了马尔托夫的支持，孟什维克国际主义者是布尔什维克之外唯一赞同建立只有社会主义者参加、对民主议会负责的政府的党派。

8月31日的执行委员会联席会议开到晚上17点30分结束，没有对加米涅夫的决议案进行表决。会议定于第二天晚上继续对政权问题作进一步讨论。

9月1日晚上，两个执行委员会的联席会议继续开会。

大概就在这个时候克伦斯基宣布建立执政内阁。虽然这时苏维埃中已出现要求苏维埃在政权问题上改变政策的倾向，但执行委员会中的孟什维克和社会革命党领导层仍然不打算与现政府脱离关系。斯科别列夫、波格丹诺夫等人批评布尔什维克的政策，主张至少在立宪会议召开之前支持政府。阿夫克森齐耶夫欢迎执政内阁并呼吁给它尽可能多的支持。切尔诺夫明确表示，没有一个社会革命党人会加入有立宪民主党人的政府，但不排除建立一个与其他资产阶级集团联合的政府。劳动派的代表谢尔盖·兹纳缅斯基也强调，“在立宪民主党以外，存在着能够与我们携手并进的社会和政治团体”。

9月2日清早，开了一宿会议已经疲倦的代表们进行了投票。布尔什维克和孟什维克国际主义者提出的议案未能获得通过，会议最终接受的是孟什维克和社会革命党共同提出的决议案，其内容是尽快召开民主会议并由它最终解决政权问题，在此之前应继续支持克伦斯基政府。

这说明对于大多数孟什维克和社会革命党人来说，暂时还只能与现实妥协，接受克伦斯基的执政内阁。他们很难不这样做，因为如果支持布尔什维克的方案，那将意味着放弃自己的政策，意味着准备建立新的政治制度，准备自己承担起维护法律秩序、领导经济、保证粮食和燃料等必需品的供应、满足群众立即进行激进社会改革、结束战争的要求等等责任，而这也必然引起自由主义阵营、工业界、土地所有者和军队领导层的反对。

[1] *Рабинович А.* Большевики приходят к власти.Революция 1917 года в Петрограде. М., 1989. С.184–185.

布尔什维克掌握苏维埃

但是，在两个中央执行委员会联席会议的两次会议之间，8月31日的深夜，还召开了彼得格勒苏维埃的会议。这是一次具有标志性意义的会议，苏汉诺夫认为“它开启了革命历史的新时代”。[1]

自8月以来，彼得格勒苏维埃的立场一直在向左倾斜，3—4月选出的一些情绪温和的苏维埃代表纷纷被召回，被更为激进的工人和士兵代表所取代。在31日深夜的会议讨论政权问题时，策列铁里第一次公开承认，立宪民主党加入政府是有困难的。但他还是主张同其他资产阶级集团达成联合，因为民主派还不能独自应付经济破坏局面，而这种情况会被反革命利用。策列铁里的发言多次被抗议和反驳所打断，以至于主持会议的齐赫泽不得不竭力维持秩序，说苏维埃还有足够的力气把破坏秩序的人请出去。

托洛茨基和加米涅夫力促民主派与曾经支持科尔尼洛夫的立宪民主党人决裂。加米涅夫代表布尔什维克党团发言并提出了已经布尔什维克中央委员会成员和苏维埃中央执行委员会的布尔什维克党团成员事先通过的“关于政权”的决议案。在对这个决议案进行了几个小时的辩论后，大约在9月1日凌晨5点，彼得格勒苏维埃代表表决接受布尔什维克的决议案作为解决政权问题的政治基础。投票的结果是279票赞成，115票反对，51票弃权。[2] 投票结果对于布尔什维克来说具有重要意义：首先，它表明有很多普通的孟什维克和社会革命党代表也投了赞成票；其次，它反映出彼得格勒苏维埃中政治情绪在明显地左倾。

但是，参加8月31日夜间的会议并投票的只是彼得格勒苏维埃的一部分代表，还有大约一半的代表正在自己的部队里执行反对科尔尼洛夫、保卫首都的任务，未能出席会议，而他们通常是处在社会革命党影响之下的。也正因如此，由孟什维克和社会革命党人组成的彼得格勒苏维埃主席团对投票结果作出

[1] *Суханов Н.Н.* Записки о революции. Т.3.（Книги 5.6.7. ）М., 1992. С.149.

[2] *Рабинович А.* Большевики приходят к власти. Революция 1917 года в Петрограде. М., 1989. С.186.

了强烈反应。主席团宣布，如果 31 日对布尔什维克决议案的表决结果不被确认无效，如果目前的领导层不能获得信任投票，他们将辞职。

对于布尔什维克来说，如果对现任主席团进行信任投票，布尔什维克未必能够占有优势。因为自 1917 年 3 月成立以来，彼得格勒苏维埃主席团里集中了全俄最著名的民主派政治活动家，如齐赫泽、策列铁里、唐恩、斯科别列夫、郭茨和阿尼西莫夫等，而且至今为止他们还享有巨大威望。

因此，布尔什维克党团首先提出了程序问题，他们坚持主张，主席团组成如果还是像以前那样只有多数派的代表是不公平的，唯一民主的做法是按照代表比例的原则，让各党派在主席团中有相应的代表。加米涅夫指出，既然孟什维克和社会革命党“号召与资产阶级联合，那么他们也应该同意与布尔什维克在主席团中联合”。

9 月 9 日(22 日）早上，彼得格勒苏维埃会议就主席团改组问题进行表决，布尔什维克的按代表制原则改组主席团的建议以不明显的优势得到通过：519 票赞成布尔什维克的方案，414 票赞成孟什维克和社会革命党的决议案，67 票弃权。[1] 投票结果出来后，大部分主席团成员离开了会场以表达自己的愤怒。

9 月 25 日的彼得格勒苏维埃全体会议上，苏维埃领导层彻底改组。新的主席团中有 4 名布尔什维克（托洛茨基、加米涅夫、李可夫和费多罗夫)，2 名社会革命党人（切尔诺夫、卡普兰)，1 名孟什维克(勃罗伊多)。托洛茨基当选为彼得格勒苏维埃主席。

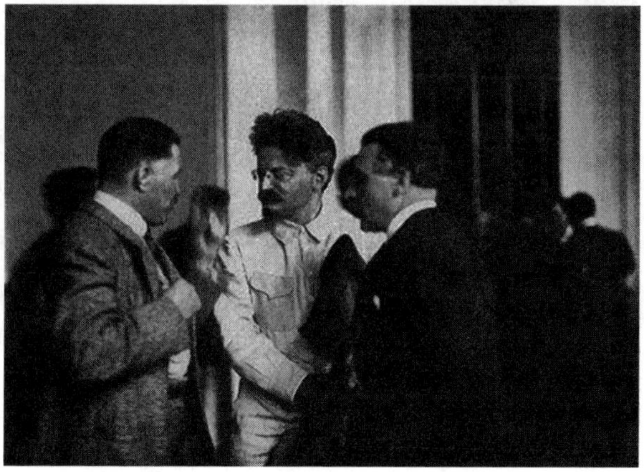

托洛茨基与彼得格勒苏维埃代表交谈

布尔什维克占优势的新的主席团开始履行职责。在彼得格勒苏维埃全体会议上，在雷鸣般的掌

[1] *Рабинович А.* Большевики приходят к власти.Революция 1917 года в Петрограде. М., 1989. С.200,367.

声中，新主席团成员就座。托洛茨基开始讲话时，会场“爆发出暴风雨般的掌声”。他在回忆了1905年他主持彼得格勒苏维埃会议的情况后说：“我们感到，我们远比那个时候强大。但晚报上刊登的新的部长名单是对民主派的挑战，它证明革命到了紧要关头。我们坚信，新的主席团将在新的革命高潮的情况下工作。我们来自于各个党派，我们将做好自己的工作，我们之间也将不止一次地发生冲突。但我们将以合法的和各党团充分自由的精神来领导彼得格勒苏维埃的工作，主席团之手任何时候都不会成为镇压少数之手。”[1]

随后，布尔什维克提出了一个决议案，其主要内容是彼得格勒工人和士兵不支持新的联合政府，要求把政权交给苏维埃代表大会。决议案以压倒多数获得通过。

布尔什维克控制苏维埃主席团，这是苏维埃历史上的一个转折。苏汉诺夫在谈到当时彼得格勒苏维埃的情况时说：“苏维埃中一切都改变了！……现在它重新是一支革命军队了……它现在是托洛茨基的近卫军，已经做好准备根据他的号令攻击联合政府、冬宫以及所有资产阶级的堡垒。苏维埃重新与群众结合在一起，使自己拥有了巨大的力量。……没有任何东西能够对抗苏维埃新的摧毁性力量。问题只在于托洛茨基要把它引向何处？它除了摧毁之外还能做什么？”[2]

诺根当选莫斯科苏维埃主席

莫斯科苏维埃也在9月5日进行了改组，布尔什维克在其组成中占了多数。莫斯科市苏维埃主席一职改由布尔什维克党中央委员诺根担任。

随后，这一被称为“苏维埃的布尔

[1] 参见 *Рабинович А.* Большевики приходят к власти.Революция 1917 года в Петрограде. М., 1989. С.216.

[2] *Суханов Н.Н.* Записки о революции. Т.3. (Книги 5.6.7.) М., 1992. С.213.

什维克化”的过程发展到外省城市。在基辅、萨拉托夫等50多个城市的苏维埃中，布尔什维克取得了多数。越来越多的群众开始支持布尔什维克的主张。七月事件以来才一个多月，被击败的布尔什维主义又重新争取到了那些在7月抛弃了它的群众，其证明就是布尔什维克开始掌握苏维埃的领导权。

现在，布尔什维克无疑将作为多数党出现在即将召开的苏维埃第二次代表大会上。通过苏维埃夺取政权的斗争已经胜券在握。

第九章　选票与步枪

9 月中旬召开的全俄民主会议是民主派政党希望团结社会力量、解决政权组织问题的最后尝试。由于民主会议上各种意见难以妥协，最后决定由民主会议选举产生一个常设代表机构来解决具体的政府组成问题，据此成立了预备议会（共和国会议）。在布尔什维克党内，列宁曾一度打算与民主派政党妥协，但很快就转向立即举行武装起义的立场。而民主会议上的布尔什维克领导人认为，在布尔什维克已经在苏维埃中占有优势的情况下，应该等到预定 10 月 25 日召开的全俄苏维埃第二次代表大会，以合法途径解决政权问题。在列宁的坚决推动下，布尔什维克退出了预备议会，开始准备武力夺权。

第一节　全俄民主会议

全俄民主会议的酝酿

作为团结一切反对军事专政的社会力量、解决政权问题的重大努力，9 月 3 日（16 日），全俄工兵苏维埃中央执行委员会和全俄农民苏维埃执行委员会联席会议作出了召开全俄民主会议的决定：立即召集一切民主组织和地方自治民主机关的代表大会，以解决政权组织问题，这一政权应能把国家引导到立宪会议；在这次大会召开之前，苏维埃中央执行委员会建议政府保持现有的组成，欢迎它宣告民主共和国成立，要求实现军队民主化和高级指挥成员的决定性改组；要求政府采取维护社会秩序的措施时必须同全俄中央执行委员会下属的同反革命斗争人民委员会保持密切联系；要求居民中的民主阶层不受挑拨、忍耐自制、不擅自行动，等待民主会议的决定。[1]

9 月 4 日，苏维埃中央执行委员会常务局开会，围绕已经确定于 9 月中旬召开的“民主会议”的任务问题展开激烈争论。

在常务局的孟什维克代表中，护国主义者波格丹诺夫和孟什维克国际主义者一起，主张把民主会议转变为立宪会议，而将在民主会议上成立的政府应该对实现民主派的任务负责。而齐赫泽和李伯尔等坚持，至少应有部分有产阶级的代表参加未来的任何政府、参加民主会议。唐恩和策列铁里的意见中性一

[1]　徐天新选译：《俄国十月社会主义革命》，商务印书馆 1997 年版，第 59—60 页。

点，他们认为，民主会议的首要任务是直接解决政权问题，他们准备接受会议作出的任何决定。

常务局中的社会革命党代表之间也出现了严重分歧。以阿夫克森齐耶夫为首的保守的社会革命党党团继续坚持保留有立宪民主党人参加的联合政府，而切尔诺夫不愿意再同立宪民主党有任何联系，他也不赞同多数右翼孟什维克吸收立宪民主党以外的、愿意同社会主义者合作并实现改革纲领的资产阶级代表加入政府的意见。左派社会革命党人代表则反对任何形式的与资产阶级的联合。在 9 月的第二个星期，左派社会革命党人控制了彼得格勒的社会革命党地方委员会，并立即开始了一个要求召集全俄苏维埃代表大会、建立只有社会主义者参加的政府的运动。[1]

列宁考虑妥协

对于即将举行的全俄民主会议，布尔什维克领导层也给予极大关注。9 月 4—5 日，37 个布尔什维克地方党组织给中央委员会发电报写信，要求中央关注民主会议的代表组成，尽可能把自己的同志派到会议上。

科尔尼洛夫军事政变以来，一直处于地下状态的列宁对政治局势的看法和策略思想发生了重大变化。从 8 月 9 日到达芬兰后，列宁很快就与彼得格勒党的中央委员会建立了可靠的联系。在八月事件最高潮的那些日子，列宁在赫尔辛福斯。那是俄国波罗的海舰队司令部所在地，布尔什维克在这里的水兵中有很大影响。9 月 9—12 日召开的芬兰第三次军队、舰队和工人苏维埃大会选出了一个几乎全是布尔什维克和左派社会革命党人组成的常务执行委员会，该执行委员会宣布自己是芬兰最高政权，政治观点很激进的布尔什维克中央委员伊瓦尔・斯米尔加当选为执行委员会主席。

8 月 28 日，列宁得知了科尔尼洛夫威胁彼得格勒的消息，但具体情况是到 29 日晚上才从迟到的报纸上了解的，而且关于彼得格勒布尔什维克的情况他还是不清楚。科尔尼洛夫发动军事政变促使列宁对布尔什维克的策略作了新

[1] *Рабинович А.* Большевики приходят к власти.Революция 1917 года в Петрограде. М., 1989. С.189–190.

的思考。在8月30日（9月12日）早上，他写了《给俄国社会民主工党中央委员会的信》，他指出，科尔尼洛夫叛乱是出乎意料的、简直难以置信的急剧转变，布尔什维克必须审慎地修改和变更策略。列宁强调，在科尔尼洛夫叛乱的情况下，布尔什维克要同科尔尼洛夫斗争，但是不支持克伦斯基，而要揭露他的软弱性。他提出，党在策略上的改变，应该体现在加强向克伦斯基提出“局部要求”的宣传鼓动上，如要求逮捕米留可夫、武装彼得格勒工人、调喀琅施塔得、维堡、赫尔辛福斯的革命军队到彼得格勒来、解散国家杜马、逮捕罗将柯、用法律规定地主土地转交农民、实行工人对粮食和工厂的监督，等等。“我们要带领工兵农向前进。”[1] 列宁敏锐地意识到，布尔什维克大大接近了夺取政权的任务，此刻应该鼓动间接地反对克伦斯基，对科尔尼洛夫进行一场积极的真正革命的战争，“只有这个战争的发展才能使我们掌握政权，但鼓动时应该少说这些话（牢牢记住，明天事变就可能使我们掌握政权，那时我们决不放弃政权）”。[2] 列宁预计，中央委员会最早要到星期五，9月2日，能够收到他的这封信。“但我还是存在着侥幸心理，我认为我有义务写这封信。”[3]

列宁在9月1日写的《论妥协》中再次强调，在俄国革命发生十分急剧、十分奇特的转变时，布尔什维克可以而且应当谋求与孟什维克和社会革命党的妥协，即“回到7月前的要求：全部政权归苏维埃，成立一个对苏维埃负责的由社会革命党人和孟什维克组成的政府”[4]。布尔什维克不要求加入政府，但要求得到进行宣传鼓动的充分自由以及尽快召开立宪会议。在9月3日得知克伦斯基组成执政内阁以及苏维埃多数派在政权问题上的立场后，列宁在准备发往彼得格勒的《论妥协》一文的后面加了几句话：“我心想：也许建议妥协已经晚了。也许革命还有和平发展的可能的那几天已经过去了。”[5]

随后几天，列宁仍然在继续考虑妥协的可能性问题。他这个时候写的《革命的任务》、《革命的一个根本问题》和《俄国革命和国内战争》等文章反映了

---

[1] 《列宁全集》第32卷，人民出版社1985年版，第116页。

[2] 同上书，第117页。

[3] 同上书，第115页。

[4] 同上书，第31页。

[5] 同上书，第135—136页。

这种思考。“如果苏维埃掌握全部政权，现在还能够(看来这是最后一次机会了)保证革命的和平发展，保证人民和平地选举自己的代表，保证各政党在苏维埃内部进行和平的斗争，保证通过实践来考验各政党的纲领，保证政权由一个政党和平地转到另一个政党手里。如果错过了这个机会，那么从4月20日运动到科尔尼洛夫叛乱这段时间革命发展的全部进程表明，在资产阶级和无产阶级之间必然发生最尖锐的国内战争。”[1]“如果苏维埃抓住革命和平发展的最后一个机会，那么无产阶级一定会全力支持苏维埃。”[2]

这些提出策略建议的信件和文章，反映出列宁对发展革命的看法发生了实质性的转变。他从原先坚决反对同孟什维克和社会革命党有任何接近、认为无产阶级可以单独掌握政权的立场后撤了。而在那几天，彼得格勒的布尔什维克领袖们已经在这样做了。

在彼得格勒，9月13日布尔什维克中央委员会会议选出了一个由托洛茨基、加米涅夫、斯大林、米柳亭和李可夫组成的委员会，负责制定布尔什维克在民主会议上的宣言和决议草案。根据列宁在9月初的那些信件和文章的精神，委员会拟定的宣言中阐述了布尔什维克的革命纲领，其基本要点是：革命的和平发展仍然是可能的，民主会议能够也应该建立一个革命政府。与列宁的《论妥协》一样，宣言实际上承认苏维埃是革命政权机关，并呼吁那些过去支持联合的人同资产阶级断绝关系。宣言强调，布尔什维克过去、现在和将来都不会违背劳动群众大多数的意志去夺取政权，在苏维埃中争取优势的斗争将在充分自由的宣传鼓动和不断有基层的代表更新其组成的条件下继续展开。同列宁的《论妥协》有所不同的是，宣言不排除布尔什维克参加苏维埃政府的可能性，看来这是受加米涅夫的影响而提出的。

在9月13日的《工人之路报》第一版上，刊登了季诺维也夫写的文章《我们的胜利和我们的任务》。“在我们每一个革命者面前，现在主要的问题是，目前是否还存在革命和平发展的任何机会，以及为了增加这样的机会应该做些什么？”“如果说存在这样的机会，那么也只是在这样的情况下：在跟着我们党走的工人阶级和跟着社会革命党和孟什维克走的小资产阶级民主派群众之间出现

[1] 《列宁全集》第32卷，人民出版社1985年版，第157页。

[2] 同上。

某种妥协、某种协议……同小资产阶级民主派达成诚实的协议，这是令人期待的，在某种条件下也是可能的！……近日将召开的全俄民主会议能够为这样的和平结局开辟道路。”[1]

全俄民主会议的召开

9 月 14 日晚上，全俄民主会议在彼得格勒亚历山大剧院开幕。出席会议的 1582 名代表来自省和县的工兵代表苏维埃、农民代表苏维埃、地方和城市自治机构、工会、合作社组织、军事单位、民族组织等。但布尔什维克占优势的城市工人和士兵苏维埃、工会等组织占有的席位与温和社会主义占优势的农民苏维埃、地方自治机关和合作社组织的席位比较起来相对较少。在民主会议开会前夕，关于代表的党派关系明朗了，布尔什维克在代表组成中只是少数。在表明自己所属党派的与会代表中，社会革命党有 532 人，其中包括 71 名左

全俄民主会议代表进入会场亚历山大剧院

[1] 参见 *Рабинович А.* Большевики приходят к власти.Революция 1917 года в Петрограде. М., 1989. С.203.

派社会革命党人；孟什维克 172 人，其中国际主义者 56 人；布尔什维克 134 人；人民社会主义党 55 人；无党派 133 人。[1]

全俄民主会议需要解决的核心问题是：社会主义者是应该恢复与自由主义者的联合政府，还是建立没有“有资格成分”参加的政府？

在开幕大会上，克伦斯基首先作了长篇讲话，随后军事部长维尔霍夫斯基发言。在他们之后，各党团代表发言。从 9 月 14—18 日，连续 5 天，民主会议各党派集团分组会议与全体会议交替进行，主要讨论有关未来政权和政府的各种可能的问题。托洛茨基代表布尔什维克党团发言，反对在政权问题上与资产阶级联合，认为应该把政权交给民主派。这与列宁在 9 月初的想法是一致的。托洛茨基宣读的布尔什维克党团的声明指出，在推翻沙皇制度后，已经有了民主派与资产阶级代表组成联合革命政权的一系列尝试，但都没能解决俄国面临的迫切问题；在现有条件下，联合政权必然是上层对底层进行暴力镇压的政权，联合政权意味着继续战争，而苏维埃政权意味着和平。声明最后要求，立即召开全俄苏维埃代表大会。

在经过了长时间的争论之后，9 月 19 日就政权问题进行了投票表决。表决的内容和程序设计得很复杂。根据主席团的决定，代表们应该首先就是否与资产阶级组织联合政府的思想表明自己的原则立场，然后再对以下两个修正意见投票：1. 把立宪民主党和其他参与科尔尼洛夫叛乱的集团的成员排除在联合政府之外；2. 无条件地拒绝同立宪民主党联合。最后再对相应的决议进行表决。

对联合原则的记名表决进行了 5 个小时，结果是以 766 票赞成、688 票反对、38 票弃权通过了与资产阶级联合的原则。随后开始对两个修正意见进行表决。表决前托洛茨基代表布尔什维克发言，主张接受这两个修正意见。马尔托夫代表孟什维克国际主义者、卡姆柯夫代表左派社会革命党人也表达了相同的立场。尽管很多人不满意，但两个修正意见还是通过了。

关于政权问题的最后决议案内容是：赞同联合的原则，但拒绝与立宪民主党和其他支持科尔尼洛夫军事政变的集团结盟。投票结果是，支持最后决议案的只有 183 名代表，反对的有 813 名，弃权的有 80 名。这个结果表明，民主

[1] 参见 *Рабинович А.* Большевики приходят к власти.Революция 1917 года в Петрограде. М., 1989. С.202.

派内部在政权问题上存在着深刻分歧，关于未来政权组成的问题实际上并没有得到解决。

民主会议主席团很清楚，国家面临的局面是无法继续下去的，民主会议也不能就此结束。民主会议原定19日闭幕，但在主席团坚持下，代表们作出决定，民主会议将继续进行，直到就未来政府的纲领以及政府组成的条件和原则达成互相能够接受的妥协为止。

在9月20日（10月3日）的会议上，辩论十分激烈，对立的意见势均力敌。策列铁里建议，可以尝试一下走其他的道路。他提出，由民主会议选举产生一个常设代表机构来解决具体的政府组成问题，这个政府应对常设代表机构负责，直到立宪会议召开。

当天晚上的民主会议全体会议通过了策列铁里提出的决议案，据此，解决政权问题的任务将交给民主会议产生的常设机构。加米涅夫曾希望这个常设机构的大部分成员应该来自工兵代表苏维埃的代表。但会议决定，进入这个常设机构的不仅应该有参加民主会议的各政党、团体的代表，也应该有资产阶级的代表。这个常设机构起先被称为全俄民主理事会，后来通常称为俄罗斯共和国预备议会。决议明确，政府应奉行实现8月14日纲领的路线，在对外政策方面致力于缔结各交战国之间的和约，向立宪会议之前代表人民意志的常设代表机构报告工作并负责；这个常设代表机构，即预备议会，应该从民主会议代表中组成。决议提到，如果有资产阶级的代表进入政府，那么经常性代表机构的组成中也应该增加资产阶级的代表，但在这种情况下应该确保民主派的优势。最后，还决定从民主会议代表中选出一个代表团就政府组成问题与政府方面进行谈判，代表团有义务向民主理事会通报谈判结果，而苏维埃将审查他们的报告。

第二节　怎样解决政权问题？

列宁又一次急转弯

列宁在8月底9月初表达的主张妥协的新观点，曾遭到一贯要求采取强硬措施的彼得堡委员会领导人和莫斯科州执行局部分成员的反对。

但彼得格勒的布尔什维克们谁都没有料到，列宁愿意妥协的想法只存在了两个星期，他很快又一次从根本上急剧地改变了自己的立场。

9月15日，正在参加民主会议的布尔什维克领导人收到了列宁在9月12—14日写的两封信，《布尔什维克应当夺取政权》和《马克思主义和起义》。在这两封信中，列宁放弃了自己前几天还主张的妥协路线，转而坚决要求布尔什维克应该立即开始准备武装起义，夺取政权。列宁认为，布尔什维克在两个首都的工兵代表苏维埃中取得多数之后，可以而且应当夺取国家政权；布尔什维克不必等待形式上的大多数；“如果我们现在不夺取政权，历史是不会饶恕我们的。”[1]列宁急剧改变立场的原因在于，他不仅看到了科尔尼洛夫军事政变失败后有利于布尔什维克夺权的形势，他同时也担心临时政府可能会采取诸如进行单独媾和的谈判、把彼得格勒交给德国人、进行立宪会议选举等一系列措施来释放革命的压力，从而使布尔什维克丧失夺权的机会。

列宁的这一急剧转变使得彼得格勒民主会议上的布尔什维克领导人目瞪口呆，不知所措。情况就跟4月列宁提出他的革命转变理论时一样。布哈林后来回忆，“我们全都惊呆了，没人知道该怎么办。大家一开始都困惑不解”。党的领导人显然不能理解，既然苏维埃已经在布尔什维克化，预定10月25日开会的全俄苏维埃第二次代表大会上布尔什维克肯定会获得多数，全部政权归苏维埃的口号一定能够实现，布尔什维克掌握国家政权已经没有疑问，那么为什么还一定要举行武装起义呢？

9月15日晚上，中央委员会召开紧急会议，讨论列宁的来信。除了在彼得格勒的中央委员外，莫斯科组织的代表布哈林、洛莫夫、诺根、李可夫和中央委员会在高加索的代表邵武勉也参加了会议。中央委员会作出决定，近期召开会议专门讨论党的策略问题。斯大林在会上建议把列宁的信发给最主要的党组织并建议讨论，但未被接受，尽管列宁的第一封信写明不仅是给中央委员会的，也是给彼得堡和莫斯科委员会的。会议最后通过决定：“责成领导军事组织和彼得堡委员会工作的中央委员（斯维尔德洛夫和布勃诺夫）采取措施，避免军营和工厂搞什么运动。”[2]参加会议的洛莫夫后来回忆：“我们担心这些信

[1] 《列宁全集》第32卷，人民出版社1985年版，第234页。

[2] Протоколы ЦК РСДРП（б）. Авг.1917–фев.1918. М., 1958. С.55.

件会落到彼得格勒工人和区委员会手里。彼得堡和莫斯科委员会得到信的话，将立即在我们队伍中引起巨大的混乱……我们担心，他的话在工人中一传开，很多人就会怀疑整个中央委员会路线的正确性。”[1]

根据这次会议的精神，布尔什维克党团在民主会议上的立场是强调应该把政权交给现在由布尔什维克占了优势的苏维埃。在9月18日的会议上，宣读了布尔什维克关于政权问题的宣言，这是中央委员会在9月13日通过的，其内容与列宁《论妥协》一文的精神一致，但完全不同于列宁的新主张。作为对布尔什维克呼吁的回应，当天晚上有150名来自彼得格勒工厂工人和卫戍部队士兵的民主会议代表在亚历山大剧院附近举行示威游行，支持成立由各社会主义党派代表组成的政府。就这样，民主会议上的布尔什维克党团实际上执行了列宁已经放弃的立场。

列宁对彼得格勒布尔什维克领导层的表现显然是不满意的，因为就是在这个时候，列宁作出了立即返回彼得格勒的决定。9月17日，列宁在没有通知中央委员会的情况下，从赫尔辛福斯到了维堡，并从这里通知了克鲁普斯卡娅和斯维尔德洛夫而不是党中央委员会，他将回到彼得格勒。

在9月下半月，布尔什维克的全部活动都围绕着争取在定于10月20日开幕的全俄苏维埃第二次代表大会上建立新政权和新政府的目标展开。“他们满怀信心地指望，在即将召开的全俄苏维埃代表大会上作为多数党出场。”[2]而彼得格勒的工人和士兵也对即将召开的苏维埃代表大会以及将在会上成立的新的革命政府抱有极大希望。

但是列宁不这样想。他认为，彼得格勒的布尔什维克领导人正在浪费有可能很容易地推翻临时政府的最后机会。他起先是从维堡，后来是从他藏匿的玛格丽塔·福法诺娃位于彼得格勒北郊的家中，给彼得格勒的布尔什维克领导层发去了几篇措辞强烈的文章，坚决地要求采取有力行动，毫不迟延地推翻临时政府。

---

[1] *Рабинович А.* Большевики приходят к власти.Революция 1917 года в Петрограде. М., 1989. С.207.

[2] [波]伊萨克·多伊彻著：《武装的先知》，王国龙译，施用勤校，中央编译出版社1998年版，第318页。

其中第一篇文章写于9月17—23日（9月30日—10月6日）之间，以《论进行伪造的英雄和布尔什维克的错误》为题。列宁指出，民主会议只是社会革命党和孟什维克看到自己在苏维埃中多数逐渐消失而伪造出来的革命民主派的代表机构。布尔什维克本来应当退出会议以示抗议……应当到工厂和兵营中去，但布尔什维克在革命的（不是"立宪的"）紧要关头，对议会活动采取了不正确的态度，对社会革命党人和孟什维克采取了不正确的态度。列宁指出，产生这种错误的原因是由于科尔尼洛夫叛乱使国内局势发生了非常急剧的转变，而党没有跟上历史飞快的发展速度，使自己一时陷入了可耻的清谈馆的圈套。列宁还具体地对季诺维也夫和加米涅夫的言论进行了批评。[1]这篇文章在《工人之路报》发表时用了《论进行伪造的英雄》这个题目，并删去了批评彼得格勒布尔什维克错误的内容。

第二篇文章题为《政论家札记》，写于9月22—24日（10月5—7日）之间。在9月22日的札记中，列宁指出，目前一场新的革命正在成熟，这是无产阶级和大多数农民即贫苦农民反对资产阶级以及波拿巴主义者克伦斯基领导的资产阶级政府的革命。在这种情况下，参加民主会议和预备议会的策略是完全错误的。9月23日，列宁写道：托洛茨基是主张抵制的。好极了，托洛茨基同志！在参加民主会议的布尔什维克党团中，抵制的主张失败了。抵制万岁！无论如何我们不能容忍参加的主张。……毫无疑问，在我们党的"上层分子"中，显然存在着动摇的现象。这种动摇可能会招致灭亡……现在还不晚，应当拿出全部力量来进行斗争，捍卫革命无产阶级政党的正确路线。9月24日，对于全俄苏维埃第二次代表大会定于10月20日召开的消息，列宁认为"以目前的俄国生活节奏看，这简直等于无限期地拖延"。[2]这篇文章没有在《工人之路报》上发表。当时有索科里尼科夫、托洛茨基、加米涅夫、斯大林和沃洛达尔斯基参加的《工人之路报》编辑部决定刊登了列宁在9月初写的《革命的任务》一文，而列宁在这篇文章中还在认真考虑与孟什维克和社会革命党进行妥协的可能性问题。

列宁此时显然已经失去了耐心。在9月27日给斯米尔加的信中，他以不加掩饰的愤怒谈到布尔什维克正在浪费时间，列宁指出：历史使军事问题在目

---

[1] 参见《列宁全集》第32卷，人民出版社1985年版，第242—250页。

[2] 同上书，第251—257页。

前变成了一个政治问题。我担心，布尔什维克忘掉这一点，而迷恋于“当前问题”，迷恋于眼前的琐碎问题，“希望”“巨浪把克伦斯基冲垮”。存这种希望是很幼稚的，这简直是在“碰运气”。对革命无产阶级的政党来说这可能是犯罪。我认为，必须在党内进行鼓动，让大家认真对待武装起义。列宁还具体地要求斯米尔加承担起准备以军事斗争推翻临时政府的一系列任务。[1]

两天后，9 月 29 日（10 月 12 日），可能正是列宁回到彼得格勒的那天，他写了《危机成熟了》一文。他认为，“不容怀疑，我们正站在世界无产阶级革命的前阶”。而“在俄国，革命的转折时机显然已经到来”。列宁认为，农民起义的发展、民族解放运动的高涨、军队的布尔什维克化、铁路员工同临时政府的尖锐冲突，等等，“一切征兆都表明，全国性危机已经成熟。在这种情况下，要是布尔什维克落入相信苏维埃代表大会、相信立宪会议的圈套，这样的布尔什维克就成了无产阶级事业的可耻的叛徒……就成了出卖农民的叛徒……就成了出卖民主和自由的叛徒。列宁明确指出：应当老实承认：在我们中央委员会里，在党的上层分子中存在着一种主张等待苏维埃代表大会，反对立即夺取政权，反对立即起义的倾向或意见。必须制止这种倾向或意见。否则，布尔什维克就会遗臭万年，毁灭自己的党。如果我们立刻从彼得格勒、莫斯科和波罗的海舰队这三个据点突然进行攻击，那么我们有 99% 的可能获得胜利，而且我们的牺牲会比 7 月 3—5 日的牺牲小。列宁最后表示：鉴于中央委员会甚至迄今没有答复我自民主会议开幕以来所坚持的上述精神的主张，鉴于中央机关报删掉了我的文章中……”的几段话，我不能不认为这是“微妙地”暗示中央委员会甚至不愿讨论这一问题，“微妙地”暗示要封住我的嘴，并且要我隐退。“我不得不提出退出中央委员会的请求……同时保留在党的下层以及在党的代表大会上进行鼓动的自由。因为我深信，如果我们‘等待’苏维埃代表大会，放过目前的时机，就等于断送革命。”[2]

当然，没有任何材料能够证明中央委员会讨论了列宁退出中央委员会的请求，而列宁本人也很快积极地投入了中央委员会的工作。

在 9 月的最后几天，列宁还起草了《告工人、农民和士兵书》，直接诉诸

---

[1] 参见《列宁全集》第 32 卷，人民出版社 1985 年版，第 258—262 页。

[2] 同上书，第 267—278 页。

群众。他说：如果政权由苏维埃掌握……俄国将有一个工农政府，它会一天也不迟延，立刻向一切交战国的人民提出公正的和约……立刻就会宣布地主的土地是全体人民的财产……不，人民连一天也不肯再容忍拖延了！……全部政权归工兵代表苏维埃！[1]

10月1日，列宁给中央委员会、莫斯科委员会、彼得堡委员会写了一封信，试图在更广泛的范围内说服党内同志认识立即举行武装起义的必要性。他强调："布尔什维克没有权利等待苏维埃代表大会，他们应当立刻夺取政权。只有这样，才能挽救世界革命……才能挽救俄国革命……才能挽救战争中的几十万人的生命。拖延就是犯罪。"[2]

民主会议上的布尔什维克

但彼得格勒的布尔什维克领导人们的看法与列宁有着不同程度的差别。

在民主会议通过策列铁里决议案的次日，9月21日，布尔什维克中央委员们开会讨论党在当前及最近时期内的路线问题。在民主会议已经明确表达了不愿放弃建立联合政府的政策的情况下，中央委员会会议并没有把列宁关于发动群众进行武装起义的号召提出来。很显然，这是加米涅夫、李可夫、诺根等人的意见产生了作用，他们主张尽快召开全俄苏维埃代表大会，并提出了"全部政权归苏维埃"的口号。

即便是那些支持列宁革命理论的中央委员，如托洛茨基、布勃诺夫、索科里尼科夫、斯维尔德洛夫等人，也怀疑立即动员武装斗争的可能性。他们同工人和士兵有着经常性的联系，对党在群众中的影响和威望所达到的程度以及群众对作为民主派合法支柱的苏维埃的忠诚程度有自己的认识和判断，认为在目前情况下要立即发动群众搞武装起义是不现实的。而且，在科尔尼洛夫军事政变失败后，他们并不像列宁那样担心克伦斯基政府还会对左翼力量进行打击。他们也倾向于把夺取政权和建立新政府的任务与不久将要召开的全俄苏维埃代表大会联系起来，即利用苏维埃在人民群众心目中的合法性来解决政权问题。

[1] 参见《列宁全集》第32卷，人民出版社1985年版，第280—281页。

[2] 同上书，第332—333页。

这样，在“右翼”布尔什维克与“列宁主义者”之间的区别实际上就在于，前者把全俄苏维埃代表大会视为各民主派团体的广泛和巩固的同盟，它将建立一个由各社会主义政党的代表组成的联合政府，直至立宪会议的召开；而后者认为全俄苏维埃代表大会应该把政权转交给由主张立即缔结和约和实现广泛激进改革的左翼革命政党——布尔什维克。

因此，在民主会议即将结束时，彼得格勒的布尔什维克党领导层实际上在策略原则上是一致的，即由全俄苏维埃代表大会解决政权问题，而不是如列宁要求的那样立即发动武装起义夺取政权。他们面临的具体问题是，布尔什维克是否要退出民主会议，是否要参加已定于 9 月 23 日召开第一次会议的预备议会的工作。

加米涅夫及其支持者认为，应该利用民主会议闭幕和参加预备议会来批评主张同资产阶级联合的力量，与社会革命党—孟什维克阵营中的动摇分子保持联系，这将有利于在全俄苏维埃代表大会上最大限度地巩固社会主义力量的联盟。而托洛茨基及其支持者则认为，布尔什维克示威性地退出民主会议并抵制预备议会，将是布尔什维克在全俄苏维埃代表大会上与妥协派决裂、使政权转到苏维埃手里、同一切真正革命的团体走上新的革命道路的必要前提条件。

9 月 21 日的布尔什维克中央委员会会议就党对民主会议的态度问题作出了一个折中性的决定：不从民主会议召回整个布尔什维克代表团，但要表示反对与资产阶级联合并召回自己在主席团的代表。随后，以 10 票对 8 票的表决结果反对布尔什维克参加预备议会。由于表决结果表明两种不同意见的支持者在人数上相差不大，中央委员们商定，由中央委员会和参加民主会议的来自全俄各地的布尔什维克代表举行联席会议，最终决定是否抵制预备议会的问题。

联席会议于当天举行，托洛茨基以抵制派的名义发言，李可夫表达了相反的观点。加米涅夫、诺根、梁赞诺夫表示支持李可夫。争论很激烈，持续了很长时间，最后不得不进行投票表决，结果托洛茨基代表的左翼失败。联席会议以 77 票赞成、55 票反对的结果，决定布尔什维克参加预备议会。中央委员会立即批准了这个决定。[1]

---

[1] Протоколы Центрального Комитета РСДРП（б）. Август 1917-Февраль 1918. М., 1958. С.65,261–262; *Троцкий Л. Д.* История русской революции. М., Т. 2. 1997. С. 80.

9 月 21 日，民主会议确定了全俄民主理事会即预备议会的基本条例和组成，决定民主会议的全部权力转归全俄民主理事会，全俄民主理事会为自己的活动制定规则，全俄民主理事会成员按出席民主会议的各团体代表的 15% 的比例，从民主会议代表中产生。

由于反对同资产阶级联合的代表不愿参加与克伦斯基的正式谈判，在谈判代表团中主要起作用的是苏维埃中支持联合的领导人，如策列铁里、阿夫克森齐耶夫、郭茨和齐赫泽，以及合作社和地方自治机关的代表，他们都认为，如果没有大资产阶级参加政府，俄国无论如何都是不行的。

9 月 22 日开始，代表团同克伦斯基、各位部长、立宪民主党中央委员、彼得格勒和莫斯科工业家代表等进行了谈判。资产阶级代表果然不愿意接受把 8 月 14 日纲领作为政府政策的基础。他们虽然在总体上不反对预备议会的思想，但坚持只有临时政府才拥有建立这样的机关的法律权力，在任何情况下新政府都不应对临时议会负责。换句话说，临时议会只应发挥咨询机构的作用。克伦斯基则坚持必须建立新的联合政府。

在无法妥协的情况下，为避免与克伦斯基决裂并彻底放弃资产阶级代表进入政府的思想，代表团最后默认了政府对于临时议会的独立性。这个结果实际上已经否定了策列铁里自己在民主会议上所追求的东西。策列铁里只能强调，民主派和资产阶级之间的联盟所具有的决定性意义是，这个联盟是使俄国免于灾难的唯一基础。在谈判的最后阶段，决定由临时政府准备并颁布一个法令，将民主会议产生的常设机构预备议会改名为共和国会议，其组成将包括民主会议选出的 367 名代表和另外增加的 150 名有产阶级代表。[1]

过了两天，9 月 23 日，彼得格勒苏维埃选出了新的中央执行委员会，其

[1] 参见 *Рабинович А.*Большевики приходят к власти.Революция 1917 года в Петрограде. М.,1989.С.213。托洛茨基对预备议会的人数有不同的说法。他指出全俄民主理事会中"民主派"多数共有 308 人：120 名社会革命党人（其中 20 名左派社会革命党人），60 名孟什维克（包括孟什维克各派系），66 名布尔什维克，以及合作社代表、农民执行委员会代表等；有产阶级的代表共 156 人，其中差不多一半是立宪民主党人，另有一些合作社代表、哥萨克代表和农民委员会中的保守力量代表。见 *Троцкий Л.Д.* История русской революции. М., Т. 2. 1997. С. 63.

中布尔什维克有 13 人，社会革命党 6 人，孟什维克只有 3 人。当天，由于布尔什维克的努力，苏维埃中央执行委员会成员与来自各地方苏维埃的全俄民主会议代表进行了会谈，并作出了 10 月 20 日在彼得格勒举行全俄苏维埃代表大会的决定。这一步骤显然表明了使全俄苏维埃代表大会取代预备议会成为最高权力机构的意图。

在 9 月 23 日深夜，民主会议举行全体会议，托洛茨基代表布尔什维克提出了一个决议案，其中认为策列铁里为首的谈判代表团背叛了人民群众的愿望，并要求确保一个“真正的革命政权”。但会议否决了这个决议案，而以不大的优势通过了由唐恩提出的实际上默认谈判结果的决议案。

9 月 24 日，举行了布尔什维克中央委员会、彼得堡委员会的代表、刚成立的参加预备议会的布尔什维克党团成员的联席会议，通过了一个决议，明确布尔什维克在预备议会的活动应该为保证在即将召开的全俄苏维埃代表大会上把全部政权转交苏维埃的目标服务。决议指出，在目前形势下，党的主要任务是动员广大群众支持把政权转交给苏维埃，扩大苏维埃的影响，巩固其政治权威，使其能够与政府竞争；布尔什维克要集中力量加强地方苏维埃之间的联系，巩固与其他工人、士兵和农民组织的联系，争取举行中央和地方苏维埃执行机关的重新选举，采取一切措施确保全俄苏维埃代表大会按时召开。决议强调，布尔什维克在预备议会的活动只具有辅助性质，它将完全服从于群众斗争的任务。[1]

9 月 25 日(10 月 8 日)，组成了第四届临时政府，这也是第三届联合政府。在 18 人的政府中，有 6 个社会主义者，6 个自由主义者，6 个无党派人士。总理仍由克伦斯基担任，其他的成员有军事部长维尔霍夫斯基，海军部长维尔捷列夫斯基，内务部长和邮电部长尼基金，外交部长捷列申科，粮食部长普罗科波维奇，财政部长别尔纳茨基，教育部长萨拉兹金，交通部长李维洛夫斯基，工商部长柯诺瓦洛夫（兼任副总理），国家救济部长基什金，司法部长马良托维奇，劳动部长格沃兹杰夫，农业部长马斯洛夫，正教院总监卡尔塔舍夫，国家监察长斯米尔诺夫，经济委员会主席特列季亚科夫。

---

[1] Революционное движение в России в сентябре 1917 г. Общенациональный кризис. Документы и материалы. М., 1961. С.74–75.

关于武装起义的争论

与此同时，列宁在继续呼吁布尔什维克党发动起义。到10月初，列宁的号召开始影响地方党组织的情绪。

在10月3日的中央委员会会议上，莫斯科区域局成员、中央候补委员洛莫夫作报告。在试图使中央相信开始准备夺取政权的必要性时，他指出，区域内群众情绪激烈；在很多地方我们在苏维埃中占有多数，但我们还到处采取等待的态度。会议决定不对此进行讨论。会议决定建议列宁到彼得格勒来，以便建立经常的密切联系。[1]

列宁的号召在一贯比较倾向于采取果断措施的彼得堡委员会中产生了强烈反响。

布尔什维克党彼得堡委员会成员

七月事件以前和七月事件中，彼得堡委员会经常采取比中央委员会左得多的立场，甚至经常独立地就重大政治问题作出决定。七月事件后，中央委员会与彼得堡委员会达成了一种默契，即彼得堡委员会不应在未经中央委员会同意的情况下作出任何具有全国意义的决定，而中央委员会在就重要政治问题作出决定之前应该尽可能征求彼得堡委员会的意见。为进一步协调行动，布勒诺夫被任命为中央委员会驻彼得堡委员会的代表。

彼得堡委员会在收到列宁的信后，认为中央委员会在9月下半月掩盖和歪曲了列宁对事态进程和目前局势的评价，拒绝执行列宁关于准备武

[1] Протоколы ЦК РСДРП（б）. Авг.1917-фев.1918. М., 1958. С.74.

装起义的建议，而且违反了已形成的彼得堡委员会与中央委员会之间的决策程序。彼得堡委员会的9人执行委员会的多数赞同列宁的观点，少数认为武装起义还为时过早。但执行委员会一致认为，不能允许中央委员会对列宁的书信和文章充当书报检查官的角色。执行委员会10月5日向中央委员会发出信件，要求立即召开中央委员会与彼得格勒和莫斯科的党的工作者会议来决定党的政治路线。这封信对于促使中央委员会重新审视自己的立场起了一定作用。

但此时中央委员会成员对于基本政治问题的看法已经发生了一些变化。在10月5日的中央委员会会议上，讨论了布尔什维克对预定将于10月7日举行的改组后的预备议会第一次会议的态度问题。主张抵制预备议会的中央委员坚持要求重新审查早先通过的决定，因为在有产阶级代表进入预备议会后，其组成和作用都发生了变化。在与会的中央委员中，只有加米涅夫认为布尔什维克参加预备议会会有某种好处。会议最后以绝对多数（1票反对）通过了退出预备议会的决定。加米涅夫发表书面声明说，退出预备议会的决定给党的近期策略方向带来极大的危险，他要求解除自己在代表机构(中央执行委员会等等)中的职务。[1]

在10月7日有很多来自基层组织的代表参加的会议上，争论同样很激烈。托洛茨基还是坚持主张抵制，加米涅夫、梁赞诺夫和其他一些布尔什维克已不再坚持参加预备议会，但认为布尔什维克代表团应在会议讨论到重要问题时再退出会议，以便使退出看起来有充分依据。会议最后以微弱多数通过了抵制预备议会的决定。

也是在这几天，彼得堡委员会执行委员会在没有得到中央委员会反馈的情况下，决定召开彼得堡委员会全体委员会议，讨论列宁的信。会议于10月5日在纳尔瓦区召开。这是一次非常重要的会议，不同的意见在会上都得到了充分阐述。

会议首先向与会者宣读了列宁10月1日写的要求立即推翻临时政府的信。随后，尤卡·拉西亚受彼得堡委员会执行委员会的委托作了关于时局的报告。他强调，现在已经到了生死关头，会议应该特别集中地讨论列宁的指示和准备武装起义的具体问题。

---

[1] Протоколы ЦК РСДРП（б）. Авг.1917-фев.1918. М., 1958. С.76.

在拉西亚之后，目标坚定、思维敏捷的沃洛达尔斯基代表执行委员会中对立即起义持怀疑态度的少数发言，认为必须继续等待。他怀疑布尔什维克已经具备了足够的军事力量，认为即便是在布尔什维克占优势的彼得格勒和芬兰，“与将从前线调回来对付我们的部队相比，我们的力量也是不够的”。但他强调，同列宁的分歧不是在布尔什维克的目标和任务方面的，而只是纯粹的策略层面的。“如果我们不想冒险，那么对于我们来说，革命的道路就是拒绝妥协，但不加快事态发展……同时加强我们的战斗能力，以便在不可避免的时候夺取政权。夺取政权还为时尚早。应该对群众说明，我们的道路是走向政权的道路，是唯一正确的道路……我们应该明白，我们要是掌握了政权，就不得不降低工资、增加工作机会，就不得不实行恐怖……我们没有权利拒绝这些手段，但也没有必要急于去接近它们。”

接着发言的拉舍维奇是执行委员会中唯一支持沃洛达尔斯基观点的委员。在党的第六次代表大会上，拉舍维奇和沃洛达尔斯基曾明确反对列宁观点的支持者，后者认为苏维埃已经不再是革命的机关。现在，拉舍维奇认为，革命已经到了其发展过程中的关键时刻，但他警告与会者不要试图加快事态进程。“我们……听了各个地方的报告，因此我们比你们更清楚，现在俄国处于何种情况之下。”“毫无疑问，俄国在经济、工业和粮食方面正走向崩溃。甚至连孟什维克都承认，必须采取革命措施，减速并制止走向崩溃。甚至立即缔结和约也不能制止瓦解。我们正在接近政权。这是事实。……但应该现在夺取政权吗？我认为不能加快事态发展……现在夺取政权，我们会因此而推开那些以后可能会跟我们走的成分……列宁同志提出的战略计划有很多缺陷……同志们，我们不能欺骗自己。我们提供不了面包……我们也提供不了和平。我不能想象，德国在战争时期会发生革命……立即颁布法令把土地转交给农民未必能够提振群众的情绪，那时他们也未必会起来斗争。在我们做决定的时候，这一切都需要冷静地加以考虑。列宁同志没有向我们解释，为什么要现在、在苏维埃代表大会之前做这件事……在苏维埃代表大会上，我们将会有一个机关：如果来自全俄各地的代表赞成夺取政权，那是另一回事。我同意拉西亚同志说的，我们要进行准备。我们站在火山口上。每天早上我起来的时候就想，还没有开始吧？”

彼得堡委员会书记波基打断了争论，宣读了列宁给预定于10月7日举行的第三届彼得格勒全市代表会议所写的信。列宁在提纲中再次强调了自己否定预备议会、主张在苏维埃第二次代表大会前推翻临时政府、立即组织武装起义的立场。

接着又有一批发言者批评沃洛达尔斯基和拉舍维奇的观点，火药味越来越浓，有人甚至开始扣起了帽子。如拉西亚再次发言时说："我曾经以为在这里我们都是革命者。但听了沃洛达尔斯基和拉舍维奇同志的发言后，我对自己的这个看法产生了动摇。"主张采取坚决行动的还有拉齐斯、加里宁、莫洛托夫、叶甫多基莫夫等有影响的彼得格勒党组织领导人。

布勃诺夫、索科里尼科夫和斯米尔加在中央委员会会议结束后也来到了彼得堡委员会会议上。他们的坚决态度使得一些可能倾向于反对立即举行武装起义的彼得堡委员会成员没有表达自己的意见。

除了以上两种基本观点以外，在具体起义时机问题上还存在一种相对模糊的观点。加里宁在发言中认为，党已经解决了夺取政权的问题，现在需要解决的是又一个困难的问题：选择最合适的时机问题。莫洛托夫发表了类似的意见："现在我们处在巨变的前夜。现在我们的任务不是控制群众，而是选择最合适的夺权时机问题。"

拉西亚敦促与会者就准备起义作出明确的决定，而沃洛达尔斯基建议到预计两天后举行的彼得格勒全市代表会议时提出决议案。这个建议被会议接受了。[1]

彼得堡委员会全体委员会议之后，执行委员会开始落实列宁的指示，委派其 3 名成员，费尼克施泰因、莫斯克文和拉齐斯，去弄清彼得格勒有哪些部队可以被认为是布尔什维克可以使用的力量，并且动员各区委员会积极准备采取行动。

10 月 7 日，布尔什维克中央委员会在了解情况后，立即召开会议。布勃诺夫通报说彼得堡委员会执行委员会组织了一个专门机构去了解群众情绪并保持与党的中央机关的联系。中央委员会会议讨论了协调行动和提供准确情报的必要性问题，决定成立一个隶属于中央委员会的专门局负责"与反革命斗争的情报工作"，并选出托洛茨基、斯维尔德洛夫和布勃诺夫作为中央的代表进入专门局。后来进入这个机构的还有军事组织的涅夫斯基和波德沃伊斯基、彼得堡委员会的拉齐斯和莫斯克文。关于这个机构的活动缺乏记载，因为中央委员

---

[1] 参见 *Рабинович А.* Большевики приходят к власти.Революция 1917 года в Петрограде. М., 1989. С.223–225.

会决定成立这个机构的主要目的是牵制彼得堡委员会执行委员会采取的步骤。

第三节 “扔掉选票，拿起步枪”

退出预备议会

10月7日，来自俄国各地的近500名代表聚集玛丽亚宫，举行“共和国临时会议”即预备议会的第一次会议。孟什维克国际主义者苏汉诺夫认为，共和国会议的“组成是特别光彩照人的。它真正集中了民族的精华。……所有政党和社会团体都向预备议会派出了自己的优秀人物……这里很少有不是全俄知名的人物。所有的‘名人’都在这里了。”[1] 会场设在白红色大厅，这里原来是俄罗斯帝国国务会议开会的地方。克伦斯基和政府部长、协约国外交代表以及不少新闻媒体记者参加了会议。

列宁没有参加共和国会议，他仍处于地下状态，因为临时政府对他的逮捕令仍然有效。“但托洛茨基成功地替代了列宁的位置”。另一个没能参加预备议会的重要人物是策列铁里，“他的作用已经发挥完了”，去高加索“休息”了。[2]

下午5点，克伦斯基宣布共和国会议开幕。

53人的布尔什维克代表团是在结束了他们在斯莫尔尼宫的会议之后直接来到玛丽亚宫的。当他们出现在会场的时候，绝大部分代表已经入座了。在克伦斯基、“俄国革命老祖母”布列什柯—布列什柯夫斯卡娅、会

阿夫克森齐耶夫（前排右一）和切尔诺夫（前排右二）在一起

[1] *Суханов Н.Н.* Записки о революции.Том 3（книга 5.6.7）. М.,1 992. С.234.

[2] *Суханов Н.Н.* Записки о революции. Том 3（книга 5.6.7）. М.,1992. С.234.

议主席阿夫克森齐耶夫充满爱国激情和呼吁支持法制和秩序的发言之后，托洛茨基代表布尔什维克代表团讲话。他跳上讲台，大声宣布，预备议会和临时政府是反革命资产阶级的工具，致命的危险威胁着革命。他谴责克伦斯基和柯诺瓦洛夫的政府在德军威胁彼得格勒的时候准备逃离首都，声明布尔什维克党与这个背叛人民的政府和怂恿反革命的议会没有任何共同之处，“彼得格勒处于危险之中，革命处于危险之中，人民处于危险之中。政府在加重这种危险。执政党在加重这种危险。只有人民自己能够挽救自己和国家。我们向人民呼吁：立即的、真正的、民主的和平万岁，全部政权归苏维埃，全部土地归人民，立宪会议万岁！”托洛茨基的发言不断引起温和社会主义者、护国主义者的反对，他们从座位上站起来，持续地叫喊道：“坏蛋！”“回到你们铅封的德国车厢里去吧！”托洛茨基走下讲台，布尔什维克代表团在大多数代表鄙视的目光下，在一片喧哗声中离开了会场。

在现场目睹这一切的苏汉诺夫写道：“布尔什维克退出预备议会是走出了具有重要意义的一步。布尔什维克在众目睽睽之下扔掉了选票，拿起了步枪。他们没有任何机会以这样的示威引起孟什维克和社会革命党人的同情，但他们有一切机会把他们远远推开。布尔什维克领袖们这样做了，他们也是这样打算的。”“对他们来说，从预备议会出来只有一条路——走向街垒。扔掉选票，就必然操起步枪。强硬地解决一切问题，强硬地决定操起步枪，选票已经没什么用处。”[1]

10 月 10 日开始，共和国会议进入了“正常生活”。舒适豪华的休息厅里的低语，咖啡座里的会见，新闻记者来回跑动打听消息……“在灯光柔和的玛丽亚宫的厅室里，没有任何革命。全部的革命在斯莫尔尼宫、在首都的工人区、在外省的市县里。……布尔什维克离开玛丽亚宫只是为了把革命扩大到街上、扩大到人民群众的运动中。布尔什维克坚决地走上了以革命和暴力摧毁联合政府并以苏维埃政权取而代之的道路。布尔什维克直接地认真地走上了进行国家政变的道路。”[2]

---

[1] *Суханов Н.Н.* Записки о революции. Том 3（книга 5.6.7）. М.,1992. С.239，237–238.

[2] *Суханов Н.Н.* Записки о революции. Том 3（книга 5.6.7）. М.,1992. С.260.

10月10日中央委员会会议

在布尔什维克退出共和国会议后，《新生活报》报道，彼得格勒大街小巷传言纷纷，到处都在谈论布尔什维克已在准备武装起义。

10月8日，列宁写了《局外人的意见》一文，明确指出政权转归苏维埃目前在实践上就意味着武装起义……现在拒绝武装起义，就等于是背弃布尔什维克的主要口号（全部政权归苏维埃），就等于完全背叛革命无产阶级的国际主义。他还具体地阐述了作为一种艺术的武装起义的主要规则，以及布尔什维克根据这些规则应该立即采取的行动。[1]

10月10日晚上，布尔什维克中央委员会举行了列宁从维堡回到彼得格勒之后的第一次会议。列宁事先委托斯维尔德洛夫安排会议地点。斯维尔德洛夫选择了孟什维克国际主义者苏汉诺夫的家。苏汉诺夫的妻子苏汉诺娃·加琳娜·弗拉克谢尔曼（Суханова Галина Флаксерман）从1905年开始就是布尔什维克，1917年在《消息报》编辑部任职，同时也参加了布尔什维克中央委员会秘书处的工作。她曾向斯维尔德洛夫建议，必要时可利用她家的房子。

出于安全考虑，列宁是化了妆来到会议地点的。他戴着假发，剃掉了胡子，一副路德教牧师的模样。

晚上10点，在苏汉诺夫家的客厅里，列宁、托洛茨基、斯维尔德洛夫、季诺维也夫、加米涅夫、斯大林、捷尔任斯基、布勃诺夫、柯仑泰、乌里茨基、洛莫夫、索柯里尼柯夫等12名中央委员围桌而坐。出席这次中央会议的是部分中央委员，当时的中央委员会共有21名委员。斯维尔德洛夫主持会议。候补中央委员雅科夫列娃担任记录。[2] 会议的主要内容是列宁关于当前局势的报告。

在将近一个小时的报告中，列宁首先强烈要求立即采取坚决行动。他指责党内同志们“对起义漠不关心”，认为“党早就应当注意这个问题的技术方

[1] 参见《列宁全集》第32卷，人民出版社1985年版，第373—375页。

[2] *Рабинович А.* Большевики приходят к власти.Революция 1917 года в Петрограде. М., 1989. С.230.

面”。他强调不能浪费时间，说临时政府准备把彼得格勒交给德国人，[1]而这将扼杀革命。现在，“权力转移在政治上条件已经完全成熟了”。

会议对列宁的报告进行了长时间的激烈的争论，直到10月11日早晨才结束，几乎所有与会者都发表了意见。洛莫夫和雅科夫列夫谈到了莫斯科的布尔什维克领导人对策略问题以及莫斯科政治形势的看法。乌里茨基担心，布尔什维克在彼得格勒能够掌握的军事力量不足，并认为如果真的打算起义就应采取一切措施确保其能够取得胜利。斯维尔德洛夫介绍了国内形势的基本情况，支持立即起义。加米涅夫强调了小资产阶级自发性在俄国革命发展过程中的作用，他认为俄国工人阶级不可能独立地把革命进行到底：“我们从来没有说过，俄国工人阶级能够只靠自己的力量胜利地完成现在的革命。我们没有忘记，现在也不应该忘记，在我们与资产阶级之间存在着一个很大的第三阵营：小资产阶级。这个阵营在科尔尼洛夫叛乱中同我们联合并给了我们胜利。它还会不止一次地与我们联合……无疑，这个阵营现在同资产阶级站得比同我们更近。”[2]

加米涅夫和季诺维也夫全面地反驳了列宁的观点。他们不认为布尔什维克已经得到了国内大部分居民和国际无产阶级的支持，指出布尔什维克只是得到了俄国工人阶级大多数和相当一部分士兵的支持，“但其余的都还是问题”；如果现在举行立宪会议选举，那么大部分农民会投社会革命党的票；至于支持布尔什维克的士兵群众，如果党发动革命战争的话，他们将大量地“后退”；德国政府未必会像列宁论证的那样，会因为革命的俄国提出了民主和平的建议而难以派部队来对付它；指望欧洲各国革命无产阶级的支持也是靠不住的。此外，临时政府在中央执行委员会的支持下几乎肯定会借助于从前线调来的军队，而布尔什维克党将不得不同时与孟什维克和社会革命党、克伦斯基政府、立宪民主党和其他社会力量进行斗争，在这样的斗争中布尔什维克将不可避免地遭到失败。

---

[1] 1917年秋，关于政府将放弃彼得格勒的传言流播很广，但没有证据能够证明临时政府认真考虑过这个问题，俄国军方也不认为在1917年秋天德军进攻彼得格勒是可能的。参见 *Рябинский К.* Революция 1917 года. Хроника событий. М., 1976. Т. 5. С.67.

[2] Протоколы Центрального Комитета РСДРП（б）. Август 1917-Февраль 1918. М., 1958. С.87–92.

加米涅夫和季诺维也夫建议党拒绝用暴力方式进行斗争，尽力争取群众支持以获得立宪会议选举的最大胜利。针对列宁关于浪费时间将使临时政府有可能破坏立宪会议的说法，他们认为资产阶级的力量已受到明显削弱，不仅不可能实现自己的反革命阴谋，甚至不可能影响立宪会议选举进程。布尔什维克将得到群众越来越多的支持，而立宪民主党、孟什维克、社会革命党的联盟将逐渐衰落。布尔什维克和苏维埃在立宪会议中的地位的强大将迫使其敌人逐步退却；在另一种情况下，他们将受到由布尔什维克、左派社会革命党、无党派的农民代表和其他类似成分结成的联盟的威胁。加米涅夫和季诺维也夫指出，这一切将使布尔什维克能够顺利地推行自己的党的纲领；唯一的障碍是列宁主张的不合时宜的武装起义，它将无产阶级置于所有反革命和小资产阶级民主派的联合打击之下。

加米涅夫和季诺维也夫的观点在更大范围的党内争论中也许能够得到一定的支持，但与他们观点一致的诺根和李可夫没有参加历史性的10月10日的中央委员会会议，而其他与会者都支持列宁。

中央委员会的决议是列宁在学生练习本上草拟的。决议指出：中央委员会认为，俄国革命的国际环境，军事形势，无产阶级政党在苏维埃中获得多数，再加上农民起义和人民转而信任我们党……以及第二次科尔尼洛夫叛乱显然已在准备……这一切把武装起义提到日程上来了。因此中央委员会认为，武装起义是不可避免的，并且业已完全成熟。中央委员会建议各级党组织以此为指针，并从这一观点出发讨论和解决一切实际问题。[1]

列宁的路线最终得到了与会多数的支持。这一拿起武器、准备起义的计划以10票比2票获得通过。这也是列宁个人的政治胜利。几周以来他一直在坚持自己的观点，对党的领导层进行说服，甚至进行威胁，就跟4月时的情况一样。

投票结果一出来，大家如释重负，一下子都觉得饿了。苏汉诺夫的妻舅、布尔什维克尤里·弗拉克谢尔曼把茶炊和食物放上了桌子，与会者扑向黄油、香肠和黑面包。争论还持续了一会儿，期间还穿插着一些针对加米涅夫和季诺维也夫的并无恶意的玩笑。这次具有历史意义的中央委员会会议就在这样的气

[1] 参见《列宁全集》第32卷，人民出版社1985年版，第383—385页。

氛中结束了。[1] 但党内对于武装起义以及革命策略问题的意见分歧仍然存在，而且还在继续影响革命进程。

北方区域苏维埃代表大会

中央委员会作出准备武装起义的决定后，10 月 11—13 日在彼得格勒举行的北方区域苏维埃代表大会成为最先的关注点。

北方区域苏维埃代表大会是在准备全俄苏维埃代表大会过程中，俄国各个部分召开的区域性苏维埃代表大会之一。还在 10 月 7 日，彼得格勒布尔什维克全市代表会议就认为，北方区域苏维埃代表大会能够开始反对临时政府的积极行动。在来自军队、舰队委员会和地方苏维埃的 94 名代表中，布尔什维克占了 51 名，左派社会革命党人 24 名，社会革命党 10 名，孟什维克 4 名(他们在大会开幕后就退出了)，从社会革命党中分裂出来的最高纲领派 4 名，孟什维克国际主义者 1 名。

由于左翼在这个大会上占有明显的优势，列宁认为大会在推翻临时政府的斗争中是可以依靠的。列宁在 10 月 8 日写的《给参加北方区域苏维埃区域代表大会的布尔什维克同志的信》中指出：我们的革命正处于万分紧要的关头……拖延确实等于自取灭亡。……“全部政权归苏维埃”这一口号就是号召起义。我们几个月来一直号召群众举行起义，拒绝妥协，而在群众对我们表示信任以后，我们如果不领导群众在革命崩溃的前夜发动起义，这全部罪责就无条件地要我们承担。[2]

10 月 11 日，在参加北方区域苏维埃代表大会的代表到达斯莫尔尼宫后，

---

[1] 通常认为，在 1917 年 10 月 10 日（23 日）布尔什维克党中央委员会会议上，还成立了政治上领导武装起义的“政治局”，其成员有列宁、季诺维也夫、斯大林、加米涅夫、托洛茨基、索柯里尼柯夫和布勃诺夫。实际上并不存在这样的机构。斯大林秘书托夫斯图哈在 1934 年写下“证词”，证明他在 1924 年亲自看到斯大林在 10 月 10 日决议下面添加了成立政治局的几句话。详见郑异凡：《斯大林伪造“政治局”》，《当代世界社会主义问题》2009 年第 3 期。

[2] 参见《列宁全集》第 32 卷，人民出版社 1985 年版，第 376—382 页。

向他们传达了布尔什维克中央委员会关于发动群众准备武装起义的决议。代表们得到的印象是，开始起义的信号随时都可能发出，而且代表大会将成为起义的领导中心。索科里尼科夫在代表大会的布尔什维克党团会议上指出，为苏维埃的胜利而投入战斗的时候到了，代表大会在彼得格勒举行不是偶然的，因为它有可能开始起义。[1]

但北方区域苏维埃代表大会最后没有直接推动起义，或者说，举行武装起义的准备工作尚未完成。布尔什维克军事组织的领导人对于党是否已经做好夺取政权的准备工作持怀疑态度，因为事实上过去一段时间布尔什维克的注意力集中在与革命和平发展观点相应的活动上。布尔什维克还没有恢复对于彼得格勒卫戍部队的控制；很多在平息科尔尼洛夫军事政变过程中成立的赤卫队解散了，10 月中旬才开始在彼得格勒全市范围内重建和训练赤卫队；还没有为铁路能够确保首都与全国的联系做任何工作，等等。涅夫斯基后来回忆说："受到七月事件痛苦经验教育的军事组织成员放慢了步子并仔细考虑行动的计划。很多事情还没有准备，很多事情还需要安排，很多事情还需要改进，随便哪里都有一些不可容忍的疏漏。"由于上述原因，他和波德沃伊斯基坚持将起义推迟两个星期。局势"迫使军事组织非常谨慎并给所有那些充满激情地投入战斗而对起义的所有困难毫无概念的同志们泼凉水"。[2]

工人赤卫队

此外，很多每天工作在人民群众

[1] 参见 *Рабинович А.* Большевики приходят к власти.Революция 1917 года в Петрограде. М., 1989. С.237.

[2] 参见 *Рабинович А.* Большевики приходят к власти.Революция 1917 года в Петрограде. М., 1989. С.238.

中间的布尔什维克党组织领导人对于能否在苏维埃代表大会召开之前动员足够的数量的彼得格勒工人和士兵参加武装起义也抱有深刻的怀疑。因为自9月23日以来，布尔什维克和左派社会革命党、孟什维克国际主义者都在不断向群众宣传，要等到苏维埃代表大会来合法地解决政权问题。在10月1日彼得格勒地区（彼得格勒周边一些小城市）党组织代表会议和10月10日彼得格勒全市布尔什维克党的代表会议上，以及10月第二个星期军事组织成员与彼得格勒卫戍部队代表的会见时，这种怀疑很清晰地表达出来了。根据绍特曼回忆，参加上面这3个代表会议的大多数代表都表示反对在苏维埃二大前举行武装起义。他写道："我很清楚地记得，争论围绕的中心问题是，立即夺取政权，还是把夺权延至第二次苏维埃代表大会的召开……在3个代表会议上都谈到了在最近的将来夺取政权的问题，没有任何人对此表示反对。但是，3个代表会议的大多数人都表示反对立即夺取政权。"[1]

在北方区域苏维埃代表大会举行期间，加米涅夫和季诺维也夫仍在竭力试图阻止起义。他们坚信，如果党现在就组织武装起义，唯一可能的结局将远比七月发动的结局更为严重。他们不无依据地认为很多地方党组织的领导人会支持他们的看法，因此在10月10日中央委员会会议后向布尔什维克重要地方组织和布尔什维克在全俄中央执行委员会、彼得格勒苏维埃和北方区域苏维埃代表大会的党团发出声明，阐述自己反对布尔什维克通过武装起义夺取政权的立场。加米涅夫和季诺维也夫在声明中表示："我们深信，宣布立即发动武装起义不仅赌上了我们党的命运，还有俄国和国际革命的命运。毫无疑问，在历史上经常会有这样的情况：被压迫的阶级不得不承认，宁可战斗到失败，也不能不战而降。但是现在俄国工人阶级就处在这样的状况中吗？不！绝对不是!!!"他们两人亲自在彼得格勒市的布尔什维克组织领导人中间以及北方区域苏维埃代表大会的代表中间进行宣传，散发自己的声明。[2]

在左翼阵营中，加米涅夫和季诺维也夫并不是孤立的。出席北方区域苏

[1] *Шотман А.* Ленин накануне Октября. //О Ленине. Сборник воспоминаний.1 925. С.112–114.

[2] 参见 *Рабинович А.* Большевики приходят к власти. Революция 1917 года в Петрограде. М., 1989. С.238– 239.

维埃代表大会的左派社会革命党人完全赞同他们在武装起义问题上的立场，反对利用代表大会来推翻临时政府，主张通过一切可能的方式争取在即将举行的苏维埃第二次代表大会上建立由所有社会主义政党的代表组成的政府。10月 13 日，左派社会革命党机关报《劳动旗帜报》刊登了姆斯基斯拉夫的文章。姆斯基斯拉夫说："在目前时刻，工人和士兵群众的起义将是严重的犯罪……它将要扼杀的不是现存政府，而是苏维埃……那些号召群众'为夺取政权'而起义的人是在胡说八道，他们不是在号召人民走向胜利，而是走向自杀。"[1]这种情况表明，如果在北方区域苏维埃代表大会上进行投票表决的话，左派社会革命党、社会革命党、孟什维克国际主义者的代表，加上受加米涅夫和季诺维也夫影响的布尔什维克代表，已经有可能否决立即发动武装起义的意见。

会议最后通过了一份呼吁书，其中特别强调全俄苏维埃代表大会的意义，认为应该由它来夺取政权，并以此作为及时公正地举行立宪会议选举的唯一保证。

党内的严重分歧

在北方区域苏维埃代表大会结束之后，列宁继续坚持立即举行武装起义，布尔什维克的宣传员仍然在彼得格勒的所有工人区进行宣传鼓动，激发工人和士兵对临时政府的敌视，号召他们立即手持武器反对这个政府。但在布尔什维克党内，对于是否立即举行起义的争论远未结束。

大多数布尔什维克领导人意识到，在以武装起义方式夺取政权的道路上还面临着一些困难，如起义的组织准备不够，起义队伍的武器不足，武装夺权有可能引起其他政党、外省农民和前线士兵以及苏维埃、工会等民主组织的抵制，彼得格勒的工人和士兵也未必愿意在苏维埃代表大会召开之前响应起义号召，等等。这些情况使他们感到不安。

即便在赞成列宁发动武装起义推翻临时政府主张的布尔什维克领导人中间，采取谨慎策略、发挥苏维埃的作用的倾向也在逐渐加强。他们相信，即将

[1] 参见 *Рабинович А.* Большевики приходят к власти. Революция 1917 года в Петрограде. М., 1989. С.239.

召开的苏维埃代表大会的绝大多数代表将会支持把政权转交苏维埃。托洛茨基是这一立场的主要代表，他得到了包括斯大林在内的一些知名布尔什维克的支持。甚至连一些一直坚持采取纯粹武装斗争方式的党的领导人，如军事组织领导人波德沃伊斯基、涅夫斯基等，也建议推迟开始起义的时间。

10月15日，布尔什维克最重要的地方组织彼得堡委员会举行会议，讨论武装起义的准备问题。这次会议有35名来自各个区的代表参加。

布勃诺夫首先做报告，要求采取积极行动。他说，“为了拯救革命，我们不仅要实行防御政策，而且要实行进攻政策。”但紧接着他发言的布尔什维克军事组织领导人涅夫斯基“代表军事组织提请会议注意我们不得不面对的大量困难”。他自我解嘲地说，“军事组织突然变得右了”。他指出，绝对还没有做任何事情去动员外省的力量推翻临时政府，布尔什维克在农村的宣传鼓动刚刚开始，有些省的农民扬言如果发动起义就不给粮食，还不能保证得到必需的铁路员工和北方战线第5军的支持。他强调，无视群众的情绪，党就不能指望获得胜利；起义的技术准备工作还没有真正开始；中央委员会10月10日的决议应该被认为是超前的。

根据与会者的请求，彼得堡委员会书记波基宣读了中央委员会10月10日决议的全文和加米涅夫和季诺维也夫的声明。

各区代表的意见存在着明显的分歧。

当时，彼得格勒工人和士兵赞成把政权交给苏维埃，他们支持布尔什维克提出的纲领。但令很多布尔什维克担心的是，他们是否愿意在苏维埃代表大会几天内就将召开并解决政权问题的时刻，冒着失去工作、立即被派往前线、关进监狱甚至牺牲生命的危险，义无反顾地响应布尔什维克的号召，投入武装起义。

在19名各区代表中，有8人认为群众已经做好了随时起义的准备，6人认为群众中占优势的是漠不关心、消极等待的情绪，而其余5人直截了当地认为群众没有任何起义的愿望。此外，几乎所有的发言者都谈到了起义的技术准备严重不足：组织赤卫队的困难，缺少武器弹药，至今没有一个能够有效领导起义准备工作的机关，等等。加里宁在听了各区代表的发言后说：“中央委员会的决议是一个很好的决议，这样的决议中央委员会任何时候都可以作出。……但这个起义在什么时候是可能的呢？不知道。也许是一年以后。”会议最后作出的决议认为，中央委员会10月10日决议应该被认为是很宽泛的，无论从原则上的可实现性还是从实际执行的前景来看都是这样。[1]

第二天（10月16日）晚上，紧急召开了中央委员会扩大会议，主要解决准备起义过程中出现困难的情况下布尔什维克党的战略问题。会议在彼得格勒北郊列斯诺伊区杜马的房子里举行，当时加里宁是这个区杜马的主席。有25位著名的布尔什维克参加了会议。

会议从晚上8点开到第二天凌晨3点。列宁首先宣读了10月10日中央委员会作出的立即组织武装起义的决议，对这个决议的依据作了说明。针对一些布尔什维克主张同孟什维克和社会革命党合作的意见，列宁指出，布尔什维克党曾经尽力实现与他们的妥协，但现在已经很明显不可能达成相互理解。至于一些同志强调的群众情绪，列宁认为不能从群众的情绪出发，因为群众的情绪是多变而无法预测的，布尔什维克应当依据的是对革命的客观分析和估计。列宁谈到了俄国和欧洲的阶级斗争形势，强调中央委员会作出的武装起义的结论是毋庸置疑的。但列宁表示，反对的同志可以发表意见，进行讨论。[2]

军事组织成员克雷连柯说，军事组织领导层注意到士兵的革命情绪在下降，大多数人认为党不应"激化问题"。沃洛达尔斯基在谈到彼得格勒苏维埃中的情绪时说，"没有人会冲上街头，但大家都会响应苏维埃的号召"。彼得格勒工会联合会主要领导人瓦西里·施密特表示，尽管普遍要求把政权转交苏维埃，但不能指望50万工会会员会积极参加武装起义，因为几乎所有人都害怕企业倒闭、工人失业。施略普尼科夫补充说，五金工会处于党的影响之下，但在布尔什维克领导下发动武装起义的思想并未得到普遍认可，相反，有关武装起义的传言还引起了恐慌。季诺维也夫在发言中再次列举很多理由，说明武装起义能否成功是非常令人怀疑的。他表示，如果可能的话，应该重新审视中央委员会10月10日的决议。加米涅夫坚称，布尔什维克准备武装起义是给临时政府的磨坊注水，只会促使其加强防御能力。沃洛达尔斯基再次发言说，如果决议是命令，那么这个命令是执行不了的；"如果起义的问题变成就在明天起

---

[1] *Рабинович А.* Большевики приходят к власти. Революция 1917 года в Петрограде. М., 1989. С.245,247.

[2] 参见《列宁全集》第32卷，人民出版社1985年版，第386—389页。

义的问题，那么就不得不承认我们还没准备好”。

列宁与持不同意见的同志进行了争论，他提出的决议案内容是：“会议十分欢迎并完全支持中央的决议，号召一切组织、全体工人和士兵从各方面加紧准备武装起义，支持中央委员会为此而成立的总部；会议完全相信中央和苏维埃会及时指出进攻的有利时机和适当方法。”[1]季诺维也夫也提出了自己的决议案，其主要观点是：“在有布尔什维克参加的苏维埃代表大会召开之前，任何起义都是不能允许的”。两个决议案都付诸表决。赞成列宁的决议案的有19票，反对的2票，弃权的4票。赞成季诺维也夫决议案的有6票，反对的有15票，有3票弃权。列宁的意见得到了多数的支持。一些对立即起义持怀疑态度与会者也投了对列宁意见的赞成票，但他们在发言中明确地表达了一个思想，即武装起义的条件尚未成熟，10月10日决议首先表达的是推翻临时政府的愿望，而不是需要立即执行的政治指示。米留亭公开和直接地表达了这样的思想。而对季诺维也夫决议案的表决结果说明，仍有1/3的参加会议的布尔什维克领导人实际上是不赞成立即举行武装起义的。[2]

曾有一个广为流传的说法，在这次中央委员会扩大会议上决定成立了由斯大林为首的领导起义的党总部，作为彼得格勒军事革命委员会的领导核心。[3]

但会议的原始记录为：

“中央委员会单独开会并通过以下决定：中央委员会组织由以下人员组成的军事革命总部：斯维尔德洛夫、斯大林、布勃诺夫、乌里茨基和捷尔任斯基。该总部参加革命的苏维埃委员会。”[4]

这里没有“为首”和“核心”的字样，并且迄今为止，没有看到任何涉

---

[1] 《列宁全集》第32卷，人民出版社1985年版，第389页。

[2] 参见*Рабинович А.* Большевики приходят к власти.Революция 1917 года в Петрограде. М., 1989. С.248–250.

[3] 《苏联共产党代表大会、代表会议和中央全会决议汇编》第1分册，人民出版社1964年版，第513—514页。

[4] Протоколы Центрального Комитета РСДРП（б）. Август 1917-Февраль 1918. М., 1958. С.104.

及该总部活动的文件，也没有任何有关十月革命史的著作记录了这个总部的活动。有观点认为，如果这个党总部是确实存在的，那么斯大林为什么不充分利用这个机构在十月夺权中作出自己独特的贡献呢？[1]

加米涅夫的声明

虽然中央扩大会议最终在形式上同意了中央委员会10月10日的决议，但党内的争论还是没有平息。加米涅夫和季诺维也夫要求立即通过电报召集中央委员举行中央全会讨论这一问题。加米涅夫还递交了退出中央委员会的声明，宣称他采取这一步骤是因为不能同意中央委员会近期作出的决定，这些决定将导致党和无产阶级的失败。诺根、米留亭、李可夫曾要求在中央机关报上刊登声明，但未能发表。

由于不能在布尔什维克报纸上表达意见，加米涅夫在10月18日的《新生活报》上发表题为《尤·加米涅夫谈“发动”》的短文，阐述他和季诺维也夫反对武装起义的理由。加米涅夫的这一做法引起列宁的愤怒，被列宁称为“前所未闻的工贼行为”、“卑鄙的叛变活动”。列宁甚至提出要把他们两人开除出党。[2]

加米涅夫在谈话中究竟说了些什么，使得列宁作出如此强烈的反应？

加米涅夫谈话的内容如下：

“B. 巴扎洛夫昨天的文章提到了两个知名布尔什维克散发的一份反对行动的文件。加米涅夫就此说明：

鉴于加紧讨论行动问题，我和季诺维也夫同志给在彼得格勒、莫斯科和芬兰的我们党的各大组织写了一封信，信中坚决反对我们党在最近期间主动发起任何武装起义。必须说明，我不知道我党有什么指定在某某时间举行某某行动的决定。党的这样的决议是没有的。……不仅我和季诺维也夫同志，并且还有许多从事实际工作的同志都认为，在目前，在现在的社会力量对比下，撇开

[1] *Роберт Слассер.*Сталин в 1917 году.Человек,оставшийся вне революции.М.1989.С.259–260.

[2] 参见《列宁全集》第32卷，人民出版社1985年版，第411—419页。

苏维埃代表大会，在苏维埃代表大会召开的前几天，主动发动武装起义，是一种不能允许的、对无产阶级和革命极端危险的步骤。……举行起义来反对祸国的政权，是劳动群众不可剥夺的权利，而在某种时刻也是那些得到群众信任的政党的神圣义务。但是，根据马克思的说法，起义是艺术。正因如此，我们认为，现在，在目前形势下，我们有责任反对一切主动发动武装起义的企图，因为这种起义是注定会要失败的，会给党、给无产阶级、给革命的命运带来最致命的后果。把一切都压在近日发动起义这张牌上，这就是采取绝望的举动。而我们的党是强有力的，是有远大前途的，决不会采取这种绝望的举动。”[1]

稍后，季诺维也夫书面声明，否认自己参与了加米涅夫在《新生活报》上的声明。

关于加米涅夫泄露了党的机密的说法是不确切的。因为在加米涅夫发表声明之前，列宁已有多篇关于武装起义的书信发表在公开发行的党报《工人之路报》上。彼得格勒几乎所有的报纸每天都在发表大量文章，评论布尔什维克的计划和他们的活动。高尔基的《新生活报》在10月15日发表社论，指出布尔什维克正在为武装起义展开宣传鼓动，而群众的情绪并不一致：很多人表示准备立即采取坚决行动，但也有不少人表示不会参加起义或者表现出漠不关心。右翼报纸《生活语言报》的评论文章写道：“在所有的工厂和所有的兵营，都在大张旗鼓地进行宣传鼓动。布尔什维克号召工人和士兵一得到信号就立即拿起武器走上彼得格勒街头，推翻临时政府，血洗资产阶级。”很多报刊文章要求政府采取果断措施：“政权和民主派平静地不加抵抗地听任布尔什维克为破坏国家防御和进行革命所做的一切……政府应该利用这个时机坚定地表现革命的彼得格勒抵御无政府状态的决心。”温和社会主义政党领导人和临时政府部长们也都认为，很快会发生布尔什维克领导的群众武装起义。在10月14日全俄中央执行委员会全体会议上，唐恩提请与会者注意纷至沓来的有关左翼力量活跃化以及布尔什维克公开准备武装起义的消息。他说：我们应该明确地问一问自己的布尔什维克同志们，他们要把这个政策引向何方？……布尔什维

[1] “Новая жизнь” 18 октября 1917 г. http://his95.narod.ru/doc15/d27.htm；Протоколы Центрального Комитета РСДРП（б）. Август 1917-Февраль 1918. М.,1958. С.115–116；参见《列宁全集》第32卷，第479—480页。

克应该在这个讲台上宣布，他们对革命无产阶级的理解是否正确。他们有没有号召革命无产阶级起义……我要求布尔什维克党直接地诚实地回答：有还是没有？梁赞诺夫从座位上回答说：我们要求和平和土地。唐恩提出了一个决议案，其中号召工人、士兵和农民保持平静，并且宣布任何起义都是完全不能允许的。这个决议案甚至得到了孟什维克国际主义者马尔托夫和左派社会革命党人利夫希茨的发言支持。

事实上，当时布尔什维克准备武装起义不是阴谋而是“阳谋”。列宁的愤怒主要是由于在最关键的时刻党的领导层中居然还有这样顽强的反对意见。但对列宁要求将加米涅夫和季诺维也夫开除出党的建议，20日的中央委员会会议上没有一人表示支持。会议只是接受加米涅夫辞职以及要求他和季诺维也夫不发表任何反对中央委员会决议的言论。

第十章　十月起义

进入十月，人们已在屏息等待布尔什维克实现其武装夺权的目标。当布尔什维克党内还在就起义时机进行争论的时候，彼得格勒苏维埃及其军事革命委员会已开始具体组织起义。预备议会建议临时政府立即宣布激进的“土地和和平”纲领，以此抽去起义的社会依据，但遭到拒绝。军事革命委员会从10月21日起采取的措施进展顺利。在25日下午举行的彼得格勒苏维埃特别会议上，军事革命委员会宣布临时政府已被推翻。当天夜里举行的全俄苏维埃第二次代表大会苏维埃，标志着苏维埃政权的建立，也意味着俄国历史新时代的开始。

第一节　起义前夜

苏维埃集结力量

1917年秋天的俄国，危机达到了新的高峰。经济混乱不可收拾，城市的供应经常中断。农民们直接宣布现在是“他们的时代”，到处发生以暴力方式剥夺地主的事件。军队已经彻底崩溃，10月初逃兵人数已超过200万。德国海军就在芬兰湾活动，彼得格勒人心惶惶。居民的情绪出现了明显的两极化。社会的中上层，二月革命后欢迎革命的情绪已经被制止革命、恢复秩序的强烈愿望所取代。下层群众的情绪则在不断地激进化，对现状越来越不满。布尔什维克领导人之一卢那察尔斯基对形势的看法是悲观的：“俄罗斯的局势很糟糕，始终为它而揪心。我们都将和它一起毁灭……”“现在还不错，但灾难正在来临，脚下的冰层在断裂……”[1]。

10月10日布尔什维克中央委员会会议后，党内仍在就是否立即发动起义问题进行激烈争论。但彼得格勒苏维埃已经在开始积极准备，集结力量。

在彼得格勒，关于布尔什维克准备起义已经不是传闻而是现实了。“总的气氛非常凝重，在所有人看来，国家和群众都在屏息等待。危机对每个人来说都是显而易见的。群众运动之水已经漫出河岸。在所有人眼中，彼得堡工人区已经沸腾。工人们只听布尔什维克的，只相信他们。在托洛茨基、卢那察尔斯

[1] 《苏联历史档案选编》第1卷，社会科学文献出版社2002年版，第54、56页。

布尔什维克向斯莫尔尼宫聚集力量

基和沃洛达尔斯基进行演讲的著名的“摩登”马戏场，人如潮涌，巨大的马戏场已经容纳不下。……最后，在斯莫尔尼宫，已经在为建立一个新的、可疑的‘防御’机关开始工作”[1]。

由于列宁仍处于隐匿状态，托洛茨基成为公开活动的最主要的布尔什维克领导人，虽然他是以彼得格勒苏维埃主席的正式身份出面的。“托洛茨基自己中断了在革命指挥部的工作，从奥布霍夫工厂到制管厂，从普梯洛夫工厂到波罗的海舰队，从练马场到兵营，他不停奔走，就好像同时在各处讲话。彼得格勒的每个工人和士兵都知道他，都听他讲话。无论是在群众中还是在指挥部，他都具有绝对的影响。在这些日子里他是中心人物，是这一非凡历史篇章中的主角。”[2]

临时政府和苏维埃都开始为即将到来的决斗进行准备，但都以军事防御需要作为借口。

10 月 5 日，临时政府命令彼得格勒军区司令波科夫尼科夫做好准备把一些部队调往前线，波科夫尼科夫第二天就向有关部队指挥员下达了初步命令。克伦斯基采取这个行动表面上是为了加强前线兵力部署，实际上具有把革命部队调出首都的政治目的。这个行动成为触发彼得格勒士兵情绪转变的因素。

10 月 9 日，彼得格勒苏维埃执行委员会审议军事上保卫首都和卫戍部队怀疑临时政府调动部队的动机等问题。发言者大多承认，士兵们的担心是有理由的。孟什维克勃罗伊多提出了孟什维克和社会革命党的联合决议案，认为成立独立于政府的军事指挥部将会严重破坏首都防御；呼吁士兵们做好上前线的

[1] *Суханов Н.Н.* Записки о революции. Том 3（книга 5.6.7）. М., 1992. С.274.

[2] *Суханов Н.Н.* Записки о революции. Том 3（книга 5.6.7）. М., 1992. С.287.

准备，同时建议成立专门委员会评估军事需要并制定受人民信任的军事方案。这个决议案的实质是促进彼得格勒苏维埃与临时政府之间在军事行动方面继续进行合作。

而布尔什维克提出了由托洛茨基起草的更具战斗性的决议案，它认为克伦斯基政府正在“毁掉国家”，拯救俄国的唯一希望在于尽快缔结和约。决议指责资产阶级与克伦斯基政府勾结、准备把“革命的主要堡垒”彼得格勒交给德国军队。决议案强调，彼得格勒苏维埃绝对不会为政府的军事战略、特别是不会为把部队调出彼得格勒承担责任。决议指出，唯一的拯救道路就是把政权转交给苏维埃。[1]

彼得格勒苏维埃执行委员会对这两个决议案进行了表决。在当时布尔什维克已经控制彼得格勒苏维埃执行委员会的情况下，执行委员会的投票结果是出乎意外的。孟什维克和社会革命党的决议案以微弱多数获得通过。但不久这两个决议案又被提交给人数众多的彼得格勒苏维埃全体会议表决。在经过了气氛极为激烈的辩论后，布尔什维克的决议案得到了来自工厂和卫戍部队代表的支持。

10 月中旬，临时政府宣布了把部分卫戍部队派往前线的计划，并授权北方战线政治委员沃伊京斯基负责换防事宜。临时政府的这个计划有一些军事方面的依据，即需要加强波罗的海方向上的防御，因为德军在 8 月 20 日占领里加之后，已对彼得格勒构成直接威胁。但另一方面，政府显然希望借此把受到布尔什维克影响的部队调出首都，就像它在科尔尼洛夫发动军事政变前夕试图做的那样。政府的计划促使士兵政治态度急剧转变，也使布尔什维克有了一个号召士兵起来反对临时政府的绝好的直接理由。

战线逼近首都本来就在彼得格勒卫戍部队士兵中引起了恐慌，而临时政府要调部分部队到前线去的消息导致其愤怒的爆发，卫戍部队一致表示不信任临时政府，并要求把政权转交苏维埃。这是一个重大转变，因为几乎所有在七月事件中和科尔尼洛夫发动军事政变后都未特别表现出对布尔什维克好感的部队，现在也拒绝继续服从临时政府、宣布支持彼得格勒苏维埃了。叶戈尔斯基近卫团士兵集会上通过的抗议书是有代表性的：“把卫戍部队调出去是有资格

---

[1] *Рябинский К.* Революция 1917 года. Хроника событий. М., 1976. Т. 5. С.238.

的资产阶级所需要的，是为了扼杀革命、驱散苏维埃代表大会、破坏立宪会议的召开。只要政权还在公开的反革命分子、科尔尼洛夫分子、半科尔尼洛夫分子手里，我们就要展开坚决的斗争，反对把革命的卫戍部队从革命的中心彼得格勒调出去。我们将听从真正的工人和贫苦农民的革命领袖的声音，即工人和士兵代表苏维埃的声音，只相信他们、只跟着他们走，除此之外的一切都是对世界革命的叛卖和侮辱。”[1]而那些七月事件后作为临时政府的依靠力量而从前线调进首都的部队，在卫戍部队调动问题上或者表示在苏维埃和军事指挥部门之间保持中立，或者公开支持苏维埃。卫戍部队在十月中旬的这一动态后来被托洛茨基称为“静悄悄的起义”。

但是应该指出，士兵们表达的是对苏维埃而不是对布尔什维克或者任何一个政党的忠诚和支持。但布尔什维克非常成功地把士兵们对苏维埃的支持转化为对自己的支持。在彼得格勒的报纸上、在苏维埃里、在兵营和工厂里，布尔什维克宣传“第二次科尔尼洛夫叛乱”正在威胁革命，他们喊出的口号是“全俄苏维埃代表大会在危险中”。

然而前线士兵对彼得格勒卫戍部队不愿上前线感到愤怒。沃伊京斯基指出，在这个时候，在调动后方部队去前线的问题上，渴望和平的战壕中的士兵和持温和护国主义倾向的部队委员会的立场是一致的。这一事实也使得布尔什维克担心再次出现七月事件时发生的那种情况，即前线部队被克伦斯基政府用来对付革命的彼得格勒。彼得格勒苏维埃中的布尔什维克领导人充分注意到了这一点。在 10 月 15 日早晨苏维埃中的布尔什维克领导人与已接到命令调往普斯科夫的卫戍部队的代表进行会谈时，士兵们接受了布尔什维克的建议，强调卫戍部队的调动是一个政治问题，应由苏维埃中央执行委员会来决定，是否出发去普斯科夫应在执行委员会审议这个问题之后再定。

北方战线的军队委员会就此发表声明，只有前线部队代表和卫戍部队代表的联席会议有权确定部队调动的合法性问题，而不是苏维埃或者卫戍部队自己。声明要求卫戍部队派代表参加 10 月 17 日在普斯科夫举行的会议。

苏维埃执行委员会紧急开会讨论前线部队的要求，最后决定同意向普斯

[1]　参见 *Рабинович А.* Большевики приходят к власти.Революция 1917 года в Петрограде. М., 1989. С.254.

科夫派出代表团，但代表团成员中加进了不少赞成布尔什维克立场的苏维埃代表。10 月 16 日的苏维埃全体会议批准派出代表团，但其得到的授权仅限于交换意见。而 17 日普斯科夫的会议也未能超出各方表达自己意见的范围。

根据彼得格勒苏维埃军事部的号召，驻彼得格勒和郊区各部队派出代表参加了 10 月 18 日在斯莫尔尼宫举行的会议，会议的主要任务是弄清各部队在多大程度上将会支持苏维埃同政府对抗，譬如在把部分部队调离首都的问题上。在会议上，每一位代表都介绍了所在部队的政治情绪，以及对于推翻临时政府的武装起义的态度。在 18 名部队代表中有 15 名表示了对临时政府的不信任，坚决要求把政权转交给苏维埃。但大约一半的发言者在表态支持苏维埃掌权的时候也声明，他们只有在彼得格勒苏维埃或者全俄苏维埃代表大会组织武装起义的情况下才会参与其中。叶戈尔斯基近卫团的代表说："我们只有在彼得格勒苏维埃发出命令的情况下才会起义，我们将有组织地行动，并要求立即推翻政府、把政权转交苏维埃。"[1]这次非正式会议反映了士兵群众政治立场的左倾化，对临时政府构成了很强烈的震动。

而苏维埃执行委员会中的孟什维克和社会革命党也意识到，布尔什维克能够成功地利用卫戍部队危机来动员士兵起义。为防止事态朝这个方向演变，他们在第二天（10 月 19 日）举行了自己的卫戍部队士兵代表会议，并且也邀请了驻扎在彼得格勒的来自前线部队的具有温和情绪的代表。但会议结果并不那么令人欣慰。唐恩在会上号召士兵们专心于立宪会议的准备以及同"德国人、反革命分子和一切形式的暴乱"作斗争上。但卫戍部队代表纷纷表示信任和支持苏维埃，即便是反对在目前情况下发动武装起义的前线部队代表也赞成把政权转交给苏维埃、立即实现和平以及把土地交给农民。对会议组织者来说，更大的打击还在后面：大部分发言者反对会议通过任何决议，理由是中央执行委员会召开这次会议没有得到彼得格勒苏维埃的同意。[2]会议没有产生任何结果。

在准备夺权过程中，布尔什维克找到了同盟者——左派社会革命党人。

---

[1] *Рабинович А.* Большевики приходят к власти. Революция 1917 года в Петрограде. М., 1989. C.264.

[2] *Рабинович А.* Большевики приходят к власти. Революция 1917 года в Петрограде. М., 1989. C.264.

领导人斯皮里多诺娃、卡姆柯夫、卡列林

左派社会革命党人是社会革命党内极端激进的一翼，形成于1917年夏天，其领袖是斯皮里多诺娃、卡姆柯夫、卡列林等人。他们的政治立场与布尔什维克基本一致，也主张立即签订民主和约、立即废除地主土地所有制、拒绝支持临时政府。而布尔什维克与左派社会革命党人的合作从1917年5月的彼得格勒区杜马选举时就已开始了。布尔什维克愿意同左派社会革命党人建立同盟，主要是考虑到社会革命党的土地纲领对于农民具有巨大影响，而当时布尔什维克还完全没有在农民中间开展工作，斯维尔德洛夫在十月革命后不久明确承认了这种情况。[1]

但另一方面，布尔什维克还远未胜券在握。革命的参与者和观察者卢那察尔斯基在10月中旬表示："事态飞速发展，甚至连我们这些非常靠近形势中心之一的人，对近期的前景都心中无数。局势有可能大为激化。有可能会是这样一种结局，即政府迟迟不召开立宪会议会导致暴风雨式的抗议，于是竟认真地召开这个会议。"他看到，"右面一极对我们的恼怒在极大地增长，他们的追随者也不断增加。严重的不满情绪也在工人、士兵、农民中间滋长，这一点使我害怕，而且现在无政府主义的、普加乔夫式的东西很多。这一批灰色的群众，目前还是红褐色的，可能作出严重的残暴行为，而从另一方面说，在一切破坏殆尽的条件下我们未必能多少整顿好国家生活，即使政权转入极左派手中也是一样。到那时，我们可能会被那股把我们党推上掌权地位的绝望的浪潮所冲刷掉。立宪民主党人所采取的似乎就是这样的方针。"他在给妻子的信中说，他的预测"是犹豫动摇的，而且相当阴暗"。[2]

---

[1] Седьмой экстренный съезд РКП（б）. Март 1918 года. Стенографический отчет. Москва, 1962. С.6.

[2]《苏联历史档案选编》第1卷，社会科学文献出版社2002年版，第57、58页。

10月20日前后几天，卢那察尔斯基明显地紧张和焦虑："会发生什么事呢？局势非常、非常、非常危急……我们坐在火山口上。""这是一个严酷的时期。看不到丝毫亮光。情绪接近于悲怆的绝望。……饥荒蔓延，濒临崩溃。一切都听天由命。未必会有什么东西能够阻止这一切。也许，左翼民主派[1]要付出英勇的努力（既是社会主义性质的，也是深刻爱国主义性质的），但是看来肯定要就此毁灭。"[2]

军事革命委员会成立

苏联史学界很长时间里流行一种说法，认为军事革命委员会是作为10月10日中央委员会决议的结果而成立的，而且从一开始其首要任务就是组织武装起义。[3]但实际上在整个10月上半月，成立类似军事革命委员会这样的机构的问题从未提到过中央委员会的议事日程上来。此时列宁和主张采取强硬行动的布尔什维克关注的不是彼得格勒苏维埃，而是布尔什维克军事组织和北方区域苏维埃代表大会。

成立一个领导武装起义的机构的想法，最早产生于彼得格勒苏维埃之中。在10月9日苏维埃中央执行委员会会议上，布尔什维克曾建议成立一个"革命防御委员会"，其基本任务是仔细研究保卫首都的任务的措施，采取一切可能的办法武装工人，"促进彼得格勒的革命防御，使人民的安全免受军人和科尔尼洛夫分子公开准备的进攻的威胁"。[4]10月11日，彼得格勒苏维埃军事部门领导人员讨论了成立军事领导机构的问题。随后，这一问题被提交给12日的彼得格勒苏维埃执行委员会会议和13日的彼得格勒苏维埃士兵部会议，获得他们的一致赞同。

---

[1] "左翼民主派"指的是布尔什维克。

[2] 《苏联历史档案选编》第1卷，社会科学文献出版社2002年版，第57、58页。

[3] 参见《联共布党史简明教程》，人民出版社1975年版，第228—229页。

[4] 也有观点认为，军事革命委员会是由左派社会革命党人拉吉米尔在10月9日在苏维埃执行委员会会议上提出来的。参见伊萨克·多伊彻著：《武装的先知》，中央编译出版社1998年版，第330—331页。

10 月 16 日的彼得格勒苏维埃全体会议正式批准成立一个委员会。形式上这个机构是为了应付德国可能对彼得格勒的进攻，其任务是形成彼得格勒必需的战斗力量、准确统计卫戍部队的人员和装备等，以便制定首都防御计划。但在工作计划中，并未涉及武装工人、保卫革命等内容。大多数布尔什维克认为，这个机构的基本任务是阻止政府把布尔什维克化的部队调往前线、保护左翼力量不受攻击，而不是推翻临时政府。

10 月 19 日或 20 日，布尔什维克军事组织给中央委员会写信，坚持主张应由军事组织而不是一般党的组织或彼得格勒苏维埃来领导武装起义的极端重要性。但中央委员会拒绝了军事组织的意见，认为“我们的所有组织都能够进入彼得格勒苏维埃建立的革命中心，并在那里讨论它们有兴趣的所有问题”。[1]

彼得格勒苏维埃军事革命委员会

彼得格勒苏维埃军事革命委员会实际上是到 10 月 20 日正式成立的，由布尔什维克和左派社会革命党人组成。[2] 这一天召开了军事革命委员会第一次组织会议，产生了自己的领导核心：选出了由 5 人组成的处理日常工作的常务局，其中有 3 个布尔什维克（安东诺夫—奥夫申科、波德沃伊斯基和萨多夫斯基）和 2 个左派社会革命党人（拉吉米尔和苏哈里科夫）。此常务局以及整个军事革命委员会的主席由彼得格勒苏维埃士兵部主席、左派社会革命党人拉吉米尔担任。但在 10 月 21 日到 25 日，布尔什维克波德沃伊斯基、安东诺夫—奥夫申科和托洛茨基经常和拉吉米尔一样履行了

[1] Протоколы Центрального Комитета РСДРП（б）. Август 1917-Февраль 1918. М., 1958. С.104.

[2] *Головатенко А.* История: России спорные проблемы. М., 1993. С.151.

军事革命委员会主席的职责。在十月起义中，在军事革命委员会中实际起领导作用的是托洛茨基，他是整个行动的总指挥。在推翻临时政府之前，军事革命委员会组成中有数十人，其中包括布尔什维克，左派社会革命党人，无政府主义者，以及彼得格勒苏维埃，农民代表苏维埃，波罗的海舰队中央执行委员会，芬兰地区军队、舰队和工人代表执行委员会，工厂委员会和工会联合会的代表。但军事革命委员会很少举行全体会议。它占用了斯莫尔尼宫三楼的几个房间，那里总是挤满了人。在起义最紧张的那几天，军事革命委员会的活动是由那些积极采取行动、带着自己的问题到这里来的委员们决定的。

军事革命委员会是十月起义的指挥机关，但当时成立这个机构的理由是为了抵御德国人可能对彼得格勒发动进攻。布尔什维克很好地利用了对德国人的恐惧，一方面号召缔结和约以及组织革命首都的防御，另一方面进行宣传，似乎政府要把彼得格勒交给德国人。

军事革命委员会第一次会议研究的主要问题有保卫彼得格勒苏维埃免受攻击、巩固自己在彼得格勒卫戍部队中的威望等。第一次会议还讨论了 10 月 22 日彼得格勒苏维埃日的秩序问题。为预防出现反革命发动，军事革命委员会在 20 日就把自己的代表派到各基层部队进行宣传。

武装起义前夕，列宁注意到了苏维埃军事革命委员会作为非党的领导起义的机关所具有的首创意义，以及它在发动群众开展武装斗争方面所具有的优势。20—23 日间，列宁曾找军事组织领导人波德沃伊斯基、涅夫斯基和安东诺夫紧急谈话。列宁对于波德沃伊斯基提出的由军事组织来领导起义的请求并未给予支持。根据中央不久前作出的决定，列宁坚持军事组织应该通过苏维埃军事革命委员会开展活动，并强调后者应该保持同最广大群众的联系。[1]

第二节 “起义开始了”

控制卫戍部队

苏联时期的十月革命史论著通常认为十月武装起义是在 10 月 24 日开始

[1] *Подвойский Н.И.* О военной деятельности Ленина.// Коммунист.1957. №1. С.17.

的，但彼得格勒苏维埃在10月21—22日那个夜里采取的控制卫戍部队的行动，实际上已经意味着起义的开始。

为了建立军事革命委员会与各部队之间的密切联系，根据10月20日的军事革命委员会第一次会议决定，在21日早上举行了第二次卫戍部队代表会议。托洛茨基首先讲话，号召工人和士兵团结在彼得格勒苏维埃周围，在夺取政权的斗争中支持军事革命委员会、帮助苏维埃。在他之后，代表们接二连三地谈到了立即把政权转交给苏维埃的必要性。会议最后通过了由托洛茨基起草的几个决议。关于军事革命委员会的决议表示，欢迎委员会的成立、完全支持委员会采取的“一切旨在为革命利益而建立前线和后方之间紧密联系的步骤”。关于彼得格勒苏维埃日的决议提醒“哥萨克兄弟”不要成为革命敌人的牺牲品，呼吁他们参加左翼力量组织的集会。关于全俄苏维埃代表大会的任务的决议赞同彼得格勒苏维埃作出的一切政治决定，要求即将举行的苏维埃第二次代表大会“把政权掌握在自己手里，确保给人民以和平、土地和面包”，“彼得格勒卫戍部队向全俄苏维埃代表大会郑重承诺，在为实现这些要求的斗争中卫戍部队将贡献自己的全部力量直至最后一人。”[1]

卫戍部队代表会议的这些决议一方面进一步激发了士兵群众参与事态的积极性，他们本来就因感受到被派往前线的危险而情绪激动；另一方面也说明了军事革命委员会利用保卫革命的口号来动员群众起义的策略的成功。

10月21日晚上，军事革命委员会采取了一个果断的行动加强自己对卫戍部队的控制：它向各部队派去了自己的政治委员以取代那些支持临时政府的政治委员。同时，一个由拉吉米尔、萨多夫斯基和梅霍诺申参加的小组来到彼得格勒军区司令波科夫尼科夫的办公室，正式宣布自己对卫戍部队拥有最高控制权力。萨多夫斯基向波科夫尼科夫宣布：彼得格勒军区司令的所有命令都必须有军事革命委员会政治委员之一签字，否则命令无效。波科夫尼科夫表示，他只认识中央执行委员会派来的政治委员，不承认军事革命委员会的政治委员。如果军事革命委员会的代表破坏法纪，那就逮捕他们。于是，拉吉米尔、萨多夫斯基和梅霍诺申回到了斯莫尔尼宫。在军事革命委员会的办公室，他们同托

[1] 参见 *Рабинович А.* Большевики приходят к власти.Революция 1917 года в Петрограде. М., 1989. С.267.

洛茨基、安东诺夫—奥夫申科和斯维尔德洛夫一起商量，怎样应对和利用彼得格勒军区司令拒绝合作一事。

托洛茨基当即以彼得格勒苏维埃军事委员会的名义拟写了一份告卫戍部队书，这是彼得格勒十月革命期间最重要的文件之一。托洛茨基写道：

“在10月21日的会议上，彼得格勒革命的卫戍部队团结在作为自己领导机关的军事革命委员会周围。但在当天夜里，彼得格勒军区司令部不顾这一事实，不承认军事革命委员会，拒绝与苏维埃士兵部的代表一起工作。司令部以此断绝了同革命卫戍部队和彼得格勒工兵代表苏维埃的联系。司令部成为反革命力量的第一个工具……保卫革命秩序不受反革命图谋之害的任务将由军事革命委员会领导你们来承担。对卫戍部队的任何命令不经军事革命委员会签字均为无效……革命在危急中。革命的卫戍部队万岁！”[1]

军事革命委员会继续加紧向卫戍部队各部队派遣自己的政治委员。新的政治委员大多是布尔什维克军事组织的成员，他们到处都受到了热烈欢迎。10月23日，军事革命委员会发布命令，授予其政治委员不受限制地否决军事当局命令的权力。命令宣称，为了保卫革命成果不受反革命侵犯，军事革命委员会向各部队、首都及其郊区各重要据点派遣政治委员，各部队和各重要据点只执行经过军事革命委员会任命的政治委员批准的命令。

10月23日中午，为争取彼得保罗要塞警备部队站到起义一边，军事革命委员会在彼得保罗要塞组织了士兵集会，拉舍维奇、丘德诺夫斯基出席集会并发表演说。集会进行过程中，托洛茨基也来到现场。托洛茨基到达的时候，“乌拉”声和掌声雷动，随后又是一片寂静，而托洛茨基的演讲“与其说是言语，不如说是鼓动的诗歌”。托洛茨基演讲结束后，集会还进行了一段时间。天黑了，士兵们把会场转到了附近的“摩登”马戏场。最后，大部分士兵赞成把政权转交苏维埃并表示只执行军事革命委员会的命令。拉舍维奇回忆：“晚上8点钟，在极为紧张的气氛中，问题被付诸表决……所有支持军事革命委员会的士兵站到左边，而反对的站到右边。在‘乌拉’声中，大多数士兵涌向左

---

[1] Петроградский военно-революционный комитет. Документы и материалы. Под ред. Д.А.Чугаева. Т.1. М., 1966. С. 63.

边。反对军事革命委员会的只有一些军官和自行车兵。”[1]军事革命委员会控制彼得保罗要塞是对临时政府的一个沉重打击，具有重要的心理和战略意义。因为在几天前的10月19日，要塞警备部队的委员会刚刚通过决议反对起义。而现在，要塞的大炮直指冬宫，附属于要塞的军火库使军事革命委员会掌握了大量武器。

彼得格勒苏维埃日

如果说军事革命委员会的一系列行动使它控制了彼得格勒卫戍部队，那么组织彼得格勒苏维埃日的活动则是起义前的最后动员。

彼得格勒苏维埃将10月22日定为彼得格勒苏维埃日，打算在这一天举行群众集会游行和音乐会。组织这一活动的目的是集中支持彼得格勒苏维埃的力量、检验群众对其激进纲领的支持程度。

在苏维埃日，彼得格勒很多工厂和各区都举行了群众集会。托洛茨基、沃洛达尔斯基、拉舍维奇、柯仑泰、拉斯科尔尼科夫、克雷连柯等布尔什维克领导人在群众集会上发表了演讲。

托洛茨基出席了在涅瓦河右岸的人民宫举行的集会。在会议开始前，会场就挤满了想来见一见听一听布尔什维克传奇人物托洛茨基的工人、士兵和一些中间阶层市民，有三千多人。托洛茨基的演说中几乎没有任何超出布尔什维克一直在强调的东西，但他很快就把听众的情绪激发起来。他说，“苏维埃政权将拿出国家拥有的一切给贫农和战壕里的士兵。资产者你有两顶帽子，那就拿出一顶给在战壕里挨冻的士兵。你有暖和的靴子？那你在家里呆着吧，工人需要你的靴子……”

托洛茨基的演说对于下层群众来说具有强大的煽动作用。参加了这次集会的苏汉诺夫指出，这样的话语很能燃起劳苦大众们的热情。托洛茨基说，彼得格勒面临被交给德国人的危险，工人和士兵应该承担起保卫首都的责任；布尔什维克燃起的革命之火不仅将烧遍俄国、还将烧遍整个世界；苏维埃夺取政

---

[1] *Рабинович А.* Большевики приходят к власти. Революция 1917 года в Петрограде. М., 1989. С.271.

权后将首先实现和平，废除私有制，没收地主藏匿的粮食，剥夺资产者的金钱、衣服和靴子，把土地分给农民。当他号召集会群众宣誓支持彼得格勒苏维埃时，人们都举手高喊："我们宣誓！"

当时在会场的苏汉诺夫写道："我的周围充满了类似狂欢的情绪，人们似乎是在没有约定和要求的情况下唱起了某一支宗教圣歌。"托洛茨基拟定了一个简短的一般性的决议，大体内容是："我们将保卫工农的事业直至最后一滴血。""谁赞成？数千人的会场像一个人那样举起了手……托洛茨基继续演讲。人们继续举着手。托洛茨基铿锵有力地说：'苏维埃已经承担起将革命进行到胜利并实现土地、和平和自由的责任，你们的表态将是你们的宣誓：'以全部力量和任何手段支持苏维埃。'人们举着手。他们表示赞成。他们在宣誓……我以特别沉重的心情看着这一幕庄严的场景。托洛茨基结束了演讲。另一个演讲者登上了讲台。但已经没有什么可等、没有什么可看的了。整个彼得格勒都在发生差不多同样的事情。到处都是最后的检阅，到处都是最后的宣誓。几千、几万、几十万的人……这实际上已经是起义。起义已经开始了。"[1]

"此时，托洛茨基所要等待的是来自克伦斯基方面的挑衅，这样他就可以把发动起义作为防御战了。他毫不怀疑，克伦斯基必定会挑衅……他自己对克伦斯基的刺激足以使他进行挑衅。"[2]

临时政府的行动

彼得格勒苏维埃及其军事革命委员会的行动受到临时政府密切关注。10月中旬以来，临时政府每天的会议都要讨论来自布尔什维克的威胁。在10月17日的会议上，内务部长基什金说，政府有足够的力量在动乱初起时进行镇压，但要进攻的话力量就不够了。他指出布尔什维克的起义最初定在18日，但因"力量还没有集中起来，群众还没有准备好"而推迟到了23日。临时政府显然希望布尔什维克先动手并因此而损害其自身的名誉。在10月中旬，临

[1] *Суханов Н.Н.* Записки о революции.Том 3（книга 5.6.7.）. М., 1992. С.292–293.

[2] [波]伊萨克·多伊彻著：《武装的先知》，王国龙译，施用勤校，中央编译出版社1998年版，第339—340页。

时政府每天都在呼吁群众保持镇静和秩序，但还未命令忠于政府的部队做好准备。军事部长维尔霍夫斯基说出了临时政府的为难之处："计划是有的，但要等待对方行动。布尔什维克在工人代表苏维埃中，政府没有力量驱散它。"[1]

在 10 月 22—23 日的那个夜里，克伦斯基一直在与自己的主要顾问讨论局势。彼得格勒军区司令部参谋长巴格拉图尼将军要求北方战线司令部立即准备紧急派遣部队到首都。北方战线政治委员沃伊京斯基回答说，在目的不明的情况下，绝对不可能为使用武装力量提前做好准备。取代克列姆波夫斯基担任北方战线司令的切列米索夫将军宣称自己没有"可靠的部队"，也不想卷入"彼得格勒的麻烦事"。[2]

克伦斯基还要求彼得格勒军区立即派部队取缔军事革命委员会并逮捕其成员。但彼得格勒军区司令波科夫尼科夫对次日将举行的同军事革命委员会成员的会见还抱有希望，认为有可能说服他们改变立场，因此建议克伦斯基暂缓采取这个措施。克伦斯基命令巴格拉图尼将军向苏维埃发出强硬通牒：或者立即放弃自己 10 月 22 日的声明，或者由军事当局采取一切必要措施恢复法律和秩序。[3]

在政府表达强硬立场后，孟什维克和社会革命党领导人开始对军事革命委员会施加压力。郭茨和波格丹诺夫在军事革命委员会发表讲话，要求军事革命委员会放弃完全控制首都军事力量的企图，否则中央执行委员会将断绝与军事革命委员会的关系。左派社会革命党人也表示，如不取消声明就退出军事革命委员会。左派社会革命党人明确反对任何在苏维埃代表大会召开之前试图推翻临时政府的行动。

当时，显然还存在一些不利于立即发动武装起义的因素。关于前线士兵政治情绪的消息是矛盾的。大量前线来信表明，战壕里的士兵的情绪与首都卫戍部队士兵的情绪没有太大差别。但一些由前线部队派到彼得格勒来参加苏维

[1] 参见 *Рабинович А.* Большевики приходят к власти.Революция 1917 года в Петрограде. М., 1989. С.243.

[2] Из истории российской демократии 1917 года//"Литературная газета", 2002 №45, 6–12 ноября 2002 г.

[3] *Рябинский К.* Революция 1917 года. Хроника событий. М., 1976.Т . 5. С.151–152.

埃代表大会的代表们表示，如果在苏维埃代表大会之前发生反对临时政府的起义，那么很多前线组织将会响应苏维埃中央执行委员会要求帮助的号召。此外，一些布尔什维克领导人对于首都工人和士兵究竟能给予推翻临时政府的军事行动多大的支持还没有把握。他们也注意到了主要由地方党组织代表组成的参加苏维埃代表大会的布尔什维克党团不赞同起义的可能性：因为在 6 月的苏维埃第一次代表大会上，布尔什维克党团就反对中央委员会在 10 日举行武装示威游行的计划；而不久前的民主会议上，布尔什维克党团也取消了中央委员会抵制预备议会的决定。

在这样的情况下，军事革命委员会采取的策略是谨慎从事，外松内紧。10 月 23 日晚上，军事革命委员会对于彼得格勒军区司令部的最后通牒作出回应，宣布取消自己 10 月 22 日的声明。军事革命委员会显然希望避免造成它要篡夺苏维埃代表大会权力的印象。但另一方面，在彼得格勒苏维埃 10 月 23 日全体会议上，安东诺夫—奥夫申科在报告军事革命委员会活动时，特别强调了有关措施对于保卫革命、确保召集苏维埃代表大会和立宪会议的必要性。随后大多数代表投票赞成布尔什维克提出的支持军事革命委员会采取的措施的决议案：

“彼得格勒苏维埃确认，由于军事革命委员会卓有成效的工作，彼得格勒苏维埃与革命卫戍部队之间的联系得到了加强。它坚信，只有在这方面继续努力才能保证即将召开的苏维埃代表大会自由和无障碍地工作。”[1]

10 月 23 日军事革命委员会控制卫戍部队的措施使克伦斯基认为，已经到了必须公开镇压左翼力量的时候了。在得到军事革命委员会准备同彼得格勒军区司令部妥协的报告后，他认为这不过是推迟与临时政府发生军事冲突的策略性步骤。这一判断似乎被稍后军事革命委员会控制彼得保罗要塞的事实证明了。

在内阁会议上，克伦斯基提出要逮捕军事革命委员会的成员。但克伦斯基的内阁成员建议他暂时不要采取这样激烈的行动，可以先对军事革命委员会成员煽动反对合法政府的活动开始刑事调查。内阁会议最后决定重新拘禁那些

---

[1] Петроградский военно-революционный комитет. Документы и материалы. Под ред. *Д.А.Чугаева.* Т.1. М., 1966. С.74.

被控参与七月事件、后来取保获释、现在进行反政府鼓动的布尔什维克。如果临时政府的这一决定得到执行的话，将使包括托洛茨基在内的不少知名布尔什维克活动家不能发挥作用。

临时政府还下令封闭《工人之路报》、《士兵报》等布尔什维克报纸以及《生活语言报》、《新罗斯》等极右翼报纸，宣布这些报纸的出版人和文章作者将遭到刑事指控。

彼得格勒军区司令部受命为执行政府决定采取一切必要措施。巴格拉图尼将军命令彼得格勒的巴甫洛夫军校、弗拉基米尔军校、康斯坦丁军校的士官生、彼得戈夫和加特契纳的尉官学校学员、巴甫洛夫斯克的炮兵连、皇村的步兵团、列瓦绍夫的第一妇女突击营到皇宫广场报到。10 月 24 日黎明时分，一队士官生和警察袭击了《工人之路报》的印刷厂并将其封闭。

10 月 24 日上午，克伦斯基去了总参谋部，在那里他要求加快从前线调动忠于政府的部队到首都，立即驱逐所有军事革命委员会派遣的政治委员，卫戍部队所有分队不经彼得格勒军区司令部特别许可一律不得离开营房。

但很快就清楚了，彼得格勒的大部分部队不服从军事指挥当局的命令，他们只听苏维埃军事革命委员会的。迅速从前线调大部队进首都的计划也进展不顺，一些部队在接到向彼得格勒开进的命令后立即表示不会去帮助临时政府，还有一些部队的行动受到支持军事革命委员会的士兵的阻挠。

中午时分，妇女突击营的一个连大约 200 人到达冬宫。2 点左右又来了 68 个米哈伊洛夫炮兵学校的士官生。加上此前已到冬宫执勤的来自彼得戈夫、奥拉宁堡和加特契纳尉官学校的 134 名军官和大约 2000 名学员，这就是克伦斯基能够掌握的全部武

冬宫的最后守卫者

装力量。

十月中旬在彼得格勒的阿列克谢耶夫将军曾建议把首都军官组织起来保卫临时政府，据他估计当时在彼得格勒有约 1.5 万名军官。“如果允许的话，明天就会有 5000 名军官在我指挥下保卫临时政府。”但那些日子里没有人向阿列克谢耶夫发出过求助信号。克伦斯基直到布尔什维克起义的前几天还认为，他拥有的力量甚至超出了需要，如果布尔什维克发动起义，“他们将被彻底镇压”。[1]

军事革命委员会的反应

10 月 24 日早晨，已经有很多参加苏维埃代表大会的代表到达了首都，如果没有特殊情况，可以预计多数代表将会赞成把政权转交苏维埃并成立清一色社会主义者组成的政府。

而克伦斯基针对左翼力量采取的行动对局势的下一步发展产生了重大影响。如果克伦斯基能够把足够的忠于政府的部队调进首都，也许会重演七月事件后的一幕。在这种情况下，苏维埃代表大会完全有可能开不成。

因此，彼得格勒苏维埃军事革命委员会在 10 月 24 日的凌晨得到有关克伦斯基正在调动忠于政府的部队的最初消息后，立即作出了强烈的反应。仅仅在几个小时以前，军事革命委员会还因担心不能得到足够的群众支持而决定与彼得格勒军区妥协，以避免同政府发生直接军事对抗。现在，它采取了一系列针锋相对的行动。军事革命委员会领导人托洛茨基、拉吉米尔、斯维尔德洛夫、安东诺夫—奥夫申科、波德沃伊斯基和拉舍维奇等很快拟定并立即发出了给野战部队的部队委员会和彼得格勒地区的各部队政治委员的命令：

“彼得格勒苏维埃面临直接危险。昨夜反革命阴谋分子从郊区调动士官生和突击营到彼得格勒。《士兵报》和《工人之路报》被封闭。现命令部队做好战斗准备、等待进一步命令。一切拖延和阻挠都将被视为背叛革命。”[2]

[1] 参见 История России XX:1894–1939. Под ред. *А.Б.Зубова*. М., 2009. С.462.

[2] Петроградский военно-революционный комитет. Документы и материалы. Под ред. *Д.А.Чугаева.* Т.1. М., 1966. С.86.

随后，托洛茨基命令拉脱维亚团和第 6 工兵营这两支组织性和革命性最强的部队去恢复被封闭的《工人之路报》印刷厂并承担其保卫工作。这一行动使《工人之路报》在几个小时后重新出刊。

接着，军事革命委员会领导人拟定了两份呼吁书。一份呼吁书指出："人民的敌人在夜间转入了进攻，试图对苏维埃进行背叛性的打击。因此，团和连的委员会应该立即与指挥员一起举行会议；任何人不得离开军营；保持沉着，避免犹豫。人民的事业掌握在强有力的手中……"另一份呼吁书要求同暴行和混乱作斗争，强调军事革命委员会将保卫秩序，犯罪分子和反革命走狗将被消灭，居民应抓捕流氓和黑帮挑唆者。[1]

但在采取这些措施的同时，在左派社会革命党人的要求下，军事革命委员会在 10 月 24 日还是发表声明，断然否定它正在准备起义。"军事革命委员会宣布，与各种流言蜚语相反，它的存在绝不是为了准备和实施夺取政权，而只是为了捍卫彼得格勒卫戍部队的利益不受反革命和破坏力量的侵害"。[2]

布尔什维克中央委员会的态度

10 月 24 日凌晨，斯维尔德洛夫召集布尔什维克中央委员在斯莫尔尼宫开会。除了尚处在地下状态的列宁和季诺维也夫以及斯大林原因不明的缺席外，所有在彼得格勒的布尔什维克中央委员都到了：布勃诺夫、捷尔任斯基、越飞、洛莫夫、米柳亭、诺根、斯维尔德洛夫、托洛

斯莫尔尼宫前的革命部队

[1] *Суханов Н.Н.* Записки о революции. Том 3（книга 5.6.7）. М., 1992. С.307.

[2] *Суханов Н.Н.* Записки о революции. Том 3（книга 5.6.7）. М., 1992. С.307.

茨基、乌里茨基、别尔津和加米涅夫（他前不久退出中央委员会一事并未被认真对待）。

会议一开始就根据加米涅夫的提议作出决定：不经中央特别准许任何中央委员都不得离开斯莫尔尼宫。参加会议的中央委员们最担心的问题是，深受孟什维克和社会革命党影响的邮电部门和铁路部门的职工会反对推翻临时政府，他们在苏维埃夺权的情况下会采取行动孤立彼得格勒。会议讨论了在成立革命政权的情况下彼得格勒的粮食供应问题，以及同左派社会革命党保持紧密工作联系的问题。会议责成布勃诺夫联系铁路职工，捷尔任斯基联系邮电职工，加米涅夫和别尔津同左派社会革命党进行政治接触，诺根和洛莫夫与莫斯科保持联系，米柳亭负责粮食事务，斯维尔德洛夫负责监视临时政府的活动。根据托洛茨基的要求，会议最后还决定，在已经转到苏维埃一边的彼得保罗要塞建立预备指挥部，以备斯莫尔尼宫被政府军队占领时启用。[1]

但 10 月 24 日凌晨的中央委员会会议也回避了一些迫切问题。当时彼得堡委员会已经正式号召“毫不迟疑地”起义，但中央委员会会议没有对是否要立即或在苏维埃代表大会之前推翻临时政府的问题进行专门讨论。看来多数与会中央委员还是希望尽可能利用苏维埃代表大会以有利于自己的方式彻底解决与政府的争执。

这时布尔什维克领导层的公开言论也反映了这种利用苏维埃代表大会夺取政权而不是直接发动武装起义的观点。10 月 24 日下午广为散发的《工人之路报》刊登社论，呼吁工人和士兵“聚集自己的全部力量，万众一心，挺身而起，召开会议，选出代表团并通过他们在将于明天在斯莫尔尼宫举行的苏维埃代表大会上表达自己的要求”，直接向苏维埃代表大会施加压力，以革命政府取代克伦斯基政府。其他一些布尔什维克报刊也表达了对苏维埃代表大会的期待。

在 10 月 24 日苏维埃布尔什维克党团会议上，斯大林明确指出，“在军事革命委员会中有两种意见：(1) 立即起义；(2) 首先聚集力量。俄共（布）中央委员会倾向于第二种观点。”托洛茨基对来自全俄各地的布尔什维克领导人

---

[1] Протоколы Центрального Комитета РСДРП（б). Август 1917–Февраль 1918. М.,1958. С.119–121.

说，“政府是软弱的，我们完全不害怕它……因为我们有足够的手段……我们有些同志，如加米涅夫和梁赞诺夫，在对时局的看法上与我们有分歧。但我们既不偏右，也不偏左。我们的路线是由生活本身决定的。我们在一天天强大起来。我们的任务是，在防御的同时，逐渐扩大我们的影响范围，为明天开幕的苏维埃代表大会创造坚实的基础。明天……人民将表达自己的真正意志。对它的呼声作出响应的将不仅仅是彼得格勒。”在几个小时后举行的彼得格勒苏维埃会议上，托洛茨基表示：“在苏维埃代表大会即将召开之际，在我们的计划中，今天或明天不会发动起义冲突。”“但如果政府试图利用它剩下的最后一段时间——24 小时、48 小时或者 72 小时——对付我们，那么我们将进行反攻，以打击回应打击。”[1]

但起义实际上已经开始。10 月 24 日，彼得格勒苏维埃及其军事革命委员会所在地斯莫尔尼宫已经成为真正的军事指挥中心。

第三节　预备议会的尾声

克伦斯基求助

10 月 24 日下午 1 时，预备议会开始举行会议。内务部长尼基金首先报告了地方上的无政府主义以及运粮车辆被劫的情况。这时克伦斯基来到玛丽亚宫，打算说服预备议会支持政府并同意他为镇压左翼力量采取的一切措施。他面色苍白，眼睛充血，有些激动但又很严肃。他在讲话中指责极右翼和极左翼都在竭力破坏召开立宪会议和建立民主政府的计划，他特别谴责布尔什维克打算以武装暴动的方式夺取政权，并引用了列宁发表在《工人之路报》上的《给同志们的信》作为证明。克伦斯基说，布尔什维克“组织起义”，“是试图煽动愚昧无知者反对现存制度……阻挠立宪会议召开”，它帮助的“不是德国的无产阶级，而是德国的统治集团。他们在威廉及其一伙的铁拳面前开放了俄国的防线……从这个讲台上，意识到自己的责任，我把这个俄国政党的行动评定为

[1]　参见 *Рабинович А.* Большевики приходят к власти.Революция 1917 года в Петрограде. М., 1989. С.278– 280.

对俄罗斯国家的出卖和背叛……彼得格勒相当一部分居民处于起义状态……现在，当国家因有意识或无意识的叛卖而濒临灭亡的时候，临时政府和我本人，宁愿选择被打死被消灭，也不会背叛国家的生存、荣誉和独立。”这时，除了孟什维克国际派和左派社会革命党人以外，预备议会的多数成员从座位上站起来向克伦斯基欢呼致意。在结束发言时，克伦斯基对预备议会表示：“让彼得格勒的居民知道，他们将看到一个坚强有力的政权……我以国家的名义请求，我要求，在今天，在现在的这次会议上，让临时政府得到你们的答复，它能不能在这个崇高的会议的支持下充满信心地履行自己的职责！”全场再次起立鼓掌，除了孟什维克国际主义者。[1]

克伦斯基在预备议会上讲话

在一个多小时的演讲中，克伦斯基不断受到来自右边的鼓掌欢呼，也不断受到来自左边的愤怒抗议。但克伦斯基在预备议会的表演实际上已经没有多少意义和价值，因为在这个时候，政治局势已经完全不取决于预备议会的多数，甚至预备议会本身也已经无足轻重。苏汉诺夫指出，克伦斯基的发言是多余的，因为临时政府事实上拥有充分的授权，它采取的措施是合法的。“克伦斯基在预备议会发言只是因为他没什么别的可做。……因为这个人真的相信，他没有什么可做的，因为他相信，出于民主主义、出于法制和别的感情，他实际上不能粉碎斯莫尔尼宫。他是这样的人”。[2]

苏汉诺夫对克伦斯基的评论是有依据的。处在左翼和右翼之间的克伦斯基和他的共济会朋友、政府同僚涅克拉索夫、捷列申科、柯诺瓦洛夫等人一

[1] *Рабинович А.* Большевики приходят к власти.Революция 1917 года в Петрограде. М., 1989. С.281;Суханов Н.Н. Записки о революции. Том 3（книга 5.6.7）. М., 1992. С.309.

[2] *Суханов Н.Н.* Записки о революции.Том 3（книга 5.6.7.）. М., 1992. С.309.

样，一直担心的是来自右翼的危险，而对来自左翼的危险则不那么重视。他认为，如果用军事力量镇压布尔什维克及其赤卫队和喀琅施塔得水兵，他自己将会成为下一个牺牲品，甚至可能会出现君主制复辟。因此，他对右翼毫不妥协，而对布尔什维克只是把他们看作“迷失的兄弟”。七月事件时正在前线的克伦斯基主张临时政府采取果断措施平息暴乱，但事件的结局并未使克伦斯基感到高兴，相反他可能还因为忠于政府的部队的镇压手段而感到害怕。七月事件后，克伦斯基虽然同意对布尔什维克继续进行调查，但不愿对其进行司法审判。而这样的审判至少将在政治上把布尔什维克及其领导人置于死地，就像列宁极度担心的那样。而对于来自右翼的可能危险，他极为敏感和警惕。7 月 7 日从前线回到彼得格勒后，他立即指示将囚禁于皇村的尼古拉二世一家送往遥远的托博尔斯克，以防备有哪个鲁莽的将军突然解救了沙皇一家。[1] 对科尔尼洛夫事件的处理，也反映了他的这种思想。直到布尔什维克发动十月起义时，他最为担心害怕的还是来自右翼的危险。

克伦斯基对民主主义的理想化认识，使他的政策具有了幼稚的色彩，甚至成为笑柄。在平息科尔尼洛夫军事政变、宣布共和国后不久，9 月 8 日，他指示撤销政治保卫机构，这个步骤使得政府在反政府活动面前失去了防护。在右翼看来，克伦斯基的“民主”理念和措施简直不可理喻。库罗帕特金对军队崩溃原因的看法是具有相当代表性的：

“造成这一切的主要原因之一，就是不学无术的克伦斯基。本来应当采取措施加强纪律，而他却做了许多进一步破坏纪律的事情。克伦斯基同极左派眉来眼去，沽名钓誉，怂恿士兵对军官滥施暴虐，听信谗言把军队信赖的称职的指挥人员赶走，作出了对军官特别是军队首长具有侮辱性的任命。被挑选担任首长的不是那些能取得胜利的人，而只是有革命历史的人。少尉和中尉被任命为领导将军的首长。阿列克谢耶夫和所有战线司令、集团军司令的意见被置之不理。克伦斯基不等到他们发表意见，就发布了士兵权利宣言。但他忘记了士兵对祖国、对自己应尽的职责以及遵守纪律的义务。后来虽曾发布了许多关于在前线和后方恢复纪律的命令，但这一切只不过停留在口头上，实际上，种种卑鄙的事情依然存在而不受惩罚，杀害军官的行为也未受惩罚。颁布了关于死

[1] 参见 История России XX:1894–1939. Под ред.*А.Б.Зубова.*М., 2009. С.441.

刑的命令，但幻想家克伦斯基在签署这项法令的同时却公开声称，他反对这项法令，而且他不会在任何一份死刑判决书上签字。”“尼古拉·尼古拉耶维奇·西韦尔斯中将……对于当前局势和未来前景极为悲观，流露出我们自己无法恢复元气的看法。按照他的说法，到处都对克伦斯基完全失望。”[1]

克伦斯基在预备议会的发言是他在俄国的最后一次公开演讲，也是他作为“一个破产的政治家的历史性哀鸣”。[2] 在二月革命以来的几个月中，克伦斯基从“革命的最爱”到逐渐被彼得格勒的工人和士兵群众抛弃，这个过程证明，以理想主义来理解革命现实的政治家是不能把握人民脉搏的，也终将遭到失败。

摆脱困境的尝试

克伦斯基在预备议会的演讲结束后，预备议会的会议日程做了调整，“决定要立即给政府首脑一个答复。为此，大会只能休会，各党团举行会议和磋商……几乎直到傍晚。而根据一系列迹象，可以判断政府没有再采取任何行动”。立宪民主党人和合作社工作者提出无条件地支持克伦斯基采取一切“坚决措施”对付布尔什维克的提议，但遭到孟什维克和社会革命党人拒绝。在这过程中，不时有人被来自市内和郊区的各种传言所吸引。苏汉诺夫写道：“大家都在谈论已经开始的行动——有的说在这里，有的说在那里。但是不存在‘行动’……我们知道，中央执行委员会派在司令部里的政治委员禁止士兵上街。并且军事革命委员会也发出了同样的命令。最后，部队指挥员也是这样命令的。不管部队最信服谁的命令，反正他们没有走出兵营。我个人首先认为这是由卫戍部队的情绪造成的。卫戍部队是站在布尔什维克一边的，但它没有起义和行动的愿望，就是说不想冒险。”[3]

稍后，在玛丽亚宫，预备议会一些党团举行跨党团会议，马尔托夫提出了一个提纲作为讨论的基础，其中没有任何克伦斯基要求得到的信任和支持，

---

[1] 《苏联历史档案选编》第 1 卷，社会科学文献出版社 2002 年版，第 133—134 页。

[2] *Ерыкалов Е.Ф.* Октябрьское вооруженное восстание в Петрограде. Л., 1966. С.435.

[3] *Суханов Н.Н.* Записки о революции. Том 3（книга 5.6.7）. М., 1992. С.310.

相反指出布尔什维克主义运动是由临时政府的政策引起的，因此目前必须立即提出和平建议、把土地交给委员会。至于同无政府主义和可能的动乱作斗争的问题，则应由专门的“社会拯救委员会”承担，这个委员会应该由城市自治机关、革命民主派机关的代表组成并应在行动时与临时政府保持联系。这个提纲引起了一些克伦斯基党内同志的不满，郭茨和晋季诺夫要求多少得表示一点“支持”。但到最后也没有达成一致意见。

苏汉诺夫认为，“在当时，只有孟什维克和社会革命党能够说出决定性的话，这是扭转事态进程的虽然不是很可靠、但却是最后和唯一的手段。但为此这个苏维埃中的老同盟需要从自己的传统路线转一百八十度的弯，需要坚决地脱离冬宫而转向同斯莫尔尼宫结盟。”[1]

大约晚上 7 点钟，预备议会代表重新开会。相当一部分代表反对给予克伦斯基政府对极左翼力量进行大规模镇压的无限授权。卡姆柯夫代表左派社会革命党人首先发言。他宣称：

“总理来到这里，宣称正在发生某种暴乱，要求得到我们会议的批准来对付它。有可能压倒多数会同意批准。但我不知道，俄罗斯人民、革命军队和劳动农民会批准吗？……难道现在有谁会相信这个政府吗？……如果我们想认真地消灭酝酿国内战争惨剧的土壤，那么我们应该坦诚地说，摆脱困境的唯一出路，就是建立单一由革命民主派组成的政权。”

在他之后代表孟什维克国际派发言的马尔托夫也对临时政府持批判态度，他指出：

“我们不能允许那些试图利用局势来停止革命发展的人想做的事情。民主派应该宣布，如果政府不立即保证实现人民的迫切需要，政府从它那里将不会得到任何支持……应该发表声明，俄国奉行立即实现和平的政策，土地委员会将支配划归其管理的土地，军队的民主化不会停顿。如果现政府不能发表这样的声明，那么它将被重组。”[2]

在孟什维克和社会革命党的基本部分中，唐恩和郭茨这样的人物，现在

---

[1] *Суханов Н.Н.* Записки о революции. Том 3（книга 5.6.7）. М., 1992. С.311.

[2] *Рабинович А.* Большевики приходят к власти.Революция 1917 года в Петрограде. М., 1989. С.283.

也在支持联合政府的问题上产生了动摇。在10月24日晚上预备议会会议上，唐恩表达了自己的观点。他首先表示完全不同意布尔什维克的路线，但他同时强调，如果政府与极左翼力量之间的冲突不能以和平方式解决的话，那么极右翼力量将最终获胜。他认为，避免破坏性的流血争斗的唯一途径在于满足那些现在跟着布尔什维克走的群众的迫切要求。唐恩指出："不管布尔什维克的起义明天怎样结束，但只要它淹没在血泊中，只要用武力来建立秩序，那么这在事实上将是第三种力量的胜利，这第三种力量将扫除布尔什维克、政府、民主派和革命。如果你们想对布尔什维主义赖以迅速发展的基础釜底抽薪的话，那么就必须采取一系列政治措施。政府和共和国会议都必须明确表态，让人民看到，他们的合法利益将受到这个政府和共和国会议而不是布尔什维克的保护……和平、土地、军队民主化等问题应该这样的方式提出：任何一个工人、任何一个士兵都不会怀疑，我们的政府将采取坚决的果断的措施解决这些问题。"[1]唐恩认为，这是向临时政府指出的唯一可能得救的道路。

在10月24日预备议会会议结束时，提出了3个决议案：

第一个决议案是以合作社运动和立宪民主党的名义提出的，它承诺对临时政府为镇压叛乱而采取的最坚决的行动给予充分的支持；

第二个决议案是哥萨克党团提出的，它强烈抨击一切左翼力量，指责临时政府软弱以至"纵容布尔什维克"，要求政府"这一次绝不能对布尔什维克有任何姑息"；

第三个决议案是以唐恩为代表的预备议会左翼党团提出的，它批评临时政府拖延实行必需的政治和社会改革，表示预备议会将有条件地支持临时政府，即临时政府立即宣布激进的"土地和和平"纲领，建立由城市自治机关和苏维埃代表组成的"社会拯救委员会"，与临时政府合作恢复秩序。

晚上8点半，会议以123票赞成、102票反对、26票弃权的表决结果通过了左翼党团的决议案。这在实际上意味着拒绝信任克伦斯基，不赞同动用军事力量对布尔什维克进行镇压，而要求政府采取政治行动。

在通过这个决议后，唐恩和郭茨拉着预备议会主席阿夫克森齐耶夫立即

---

[1] 参见 *Рабинович А.* Большевики приходят к власти.Революция 1917 года в Петрограде. М., 1989. С.283–284.

去临时政府所在的冬宫，要求政府执行预备议会通过的决议。他们还抱着一线希望：政府成员会接受预备议会的意见，当天晚上就印刷张贴公告，宣布临时政府建议立即停止一切军事行动，开始就普遍和平进行谈判；立即发电报给土地委员会，把全部地主土地交给农民；尽快召开立宪会议。他们认为，这些措施将会扭转群众的情绪，并且会加强那些反对立即起义的布尔什维克的地位。

克伦斯基听到预备议会通过的决议后极为恼怒。“克伦斯基给人的印象是一个心力交瘁到了极点的人”，他起先威胁说政府明天就辞职，最后又指着门口要唐恩、郭茨和阿夫克森齐耶夫出去，声言临时政府“不需要教训和指示，它自己能够对付起义”。[1]

尽管克伦斯基拒绝接受临时议会的建议，但在这个方向上的努力仍然在继续。在10月25日凌晨召开的全俄工兵代表苏维埃中央执行委员会和全俄农民代表苏维埃执行委员会的联席会议上，还是通过了一个决议，在谴责布尔什维克、赞同成立社会拯救委员会的同时，再次强烈要求立即实行稍早时预备议会已经提出的改革。

与此同时，参加苏维埃代表大会的孟什维克和左派社会革命党党团积极活动，主张由苏维埃代表大会建立完全由社会主义者组成的联合政府。

在有护国派和国际派参加的孟什维克党团会议上，通过了一个打算提交苏维埃代表大会的提纲，其中要求成立“单一的”、“民主派的”新政府，认为布尔什维克的起义是挑衅性的，但同时也不赞成临时政府的政策，反对以军事力量镇压布尔什维克起义。

10月25日早上，社会革命党党团会议举行。占多数的左派社会革命党人反对社会革命党中央提出的决议案（92票对60票），建议与孟什维克国际派接触，协调建立单一社会主义政府的问题。

但在克伦斯基拒绝接受温和社会主义者建议的情况下，局势已经无可挽回。

[1] *Дан Ф.* К истории последних дней Временного правительства. http://lib.rus.ec/b/169220/read

第四节　最后的冲击

10月24日的事态

彼得格勒的大街上气氛紧张。武装的工人和士兵在斯莫尔尼宫区域的集中使政府和总参谋部不安。军事指挥部门命令断开涅瓦河上的几座大桥，只留下皇宫大桥通行，但也要严密控制，防止起义者从工人区进入涅瓦河右岸的市中心区。街上有士官生巡逻，这在市中心区引起了恐慌。一些士官生在桥边执勤，同工人赤卫队发生争执和不流血的冲突。士官生的小分队分散在车站、电站、政府机关等市内重要地点。他们还在市中心街道上设置哨卡，拦截和征用汽车。

政府与起义者之间为控制涅瓦河上的大桥展开了争夺。忠于政府的米哈伊洛夫炮兵学校士官生刚到达铸造街大桥，就遭到一群武装的工人的围攻。士官生被迫交出武器，并被强制返回军校。彼得格勒军区司令部命令第一妇女突击营的一个连断开罗伊茨基大桥，但因大桥处在起义者掌握的彼得保罗要塞的机枪射程之内，执行任务有困难。在连接瓦西里岛和市中心的尼古拉大桥，士官生与工人赤卫队进行争斗之后才得以断开大桥。傍晚时分，涅瓦河上四座主要大桥中的两座以及涅瓦河支流大涅夫卡河和小涅夫卡河上的桥梁已掌握在起义者手中。

下午，在得到涅瓦河上的桥梁要断开的消息之后，学校的学生、国家机关职员都提前回家去了。市中心区的银行和商店纷纷关门，电车行驶受到限制。大约下午3点钟，克伦斯基从总参谋部来到冬宫，指示将所有妇女撤离冬宫。这一决定引起了混乱，但还是得到了执行。“大概从下午2点开始，机关和商店都纷纷关门了，涅瓦大街上的人们匆忙往家里赶。在混乱中，一些流氓公开抢劫，他们甚至从行人身上扒下衣服、靴子，掠走贵重物品……傍晚，随着秋天夜幕的早早降临，街道上完全空了。”[1]

下午4点，奉命保卫冬宫的自行车部队士兵突然表示，他们不愿意继续

[1] *Суханов Н.Н.*З аписки о революции.Том 3（книга 5.6.7.）М., 1992. С.310–311.

留在自己的岗位上。5 点，军事革命委员会派政治委员斯坦尼斯拉夫·彼斯特科夫斯基控制了中央电报局。中央电报局 3000 多职员中没有一个布尔什维克，但由于执行保卫任务的一支部队此前已经宣誓忠于军事革命委员会，因此在控制中央电报局过程中没开一枪。晚上 8 点左右，一队士官生试图重新夺回中央电报局，但没有成功。很快，军事革命委员会的政治委员列昂尼德·斯塔尔克带着 12 个水兵控制了彼得格勒电报通讯社，他作出的第一个决定就是禁止播发临时议会刚刚通过的政治决议。

在同政府力量发生最初冲突的时候，军事革命委员会手中也没有多少可以支配的力量。工人赤卫队提供了波罗的海工厂的 255 人和普梯洛夫工厂的 80 人；卫戍部队只有巴甫洛夫团和凯克斯戈尔姆团派出了哨兵队，其余部队表示“中立”。[1] 彼得格勒的大多数居民，其中包括约 50 万工人、士兵和水兵，都待在自己的工厂和营房中。10 月 24 日，在有些工厂和波罗的海舰队的主要基地举行了群众集会，表达对彼得格勒苏维埃及其纲领的支持，但没有发生大规模的群众性示威游行或起义行动。

10 月 24 日夜里，布尔什维克开始为调动其控制的部队进入首都而活动。安东诺夫—奥夫申科给赫尔辛福斯的德宾科发电报，要求派鱼雷攻击舰到彼得格勒来。他还给喀琅施塔得苏维埃中的布尔什维克阿列克塞·普罗宁发信，要求第二天派喀琅施塔得水兵到彼得格勒。几个小时后，阿列克塞·巴拉诺夫以军事革命委员会的名义打电话给德宾科，问“我们能否指望及时得到援助?”德宾科回答:“鱼雷攻击舰黎明时出发”。[2]

列宁来到斯莫尔尼宫

彼得格勒已经开始历史性事件的时候，列宁在彼得格勒市郊福法诺娃的家里。因为有传闻说列宁已经回到彼得格勒，临时政府内务部长在 10 月 20 日签发了对布尔什维克领导人的新的逮捕令，显然是希望以此堵住列宁安全地脱

[1] История России XX:1894–1939. Под ред. *А.Б.Зубова.* М., 2009. С.463.

[2] Великая Октябрьская социалистическая революция в Петраграде и Москве. М., 1959. С.305.

离藏匿状态的途径。但列宁关注着事态的进展。24 日早上，列宁从报纸上读到了军事革命委员会决定同彼得格勒军区司令部妥协的决定后，整天都通过福法诺娃与斯莫尔尼宫保持联系。列宁很快了解到政府开始对左翼力量进行镇压以及一些温和社会主义者试图迫使政府立即宣布进行激进改革等消息。这些情况使他很不安。列宁在 24 日一天里几次派福法诺娃去斯莫尔尼宫要求中央委员会允许他到斯莫尔尼宫，但都被断然拒绝了。快天黑的时候，列宁又一次读到了中央委员会否定的答复。他大发脾气，把纸条揉成一团扔在地上，叫道："我不理解他们。他们怕什么？……问问他们，如果那里有 100 个士兵或者 100 个带枪的赤卫队员，我什么都不需要了！"[1]

傍晚 6 点，列宁决定不顾中央委员会的意见，直接诉诸党的地方组织，特别是彼得堡委员会和各区的委员会，号召他们采取行动夺取政权。他写了一封信，请福法诺娃马上送给克鲁普斯卡娅。信中写道："我写这封信是在 24 日晚上，情况已经万分危急。非常清楚，现在拖延起义确实等于自取灭亡。我力劝同志们相信，现在正是千钧一发的关头，目前提上日程的问题决不是会议或代表大会(即使是苏维埃代表大会）所能解决的，而只有各族人民，只有群众，只有武装起来的群众的斗争才能解决。""无论如何必须在今天晚上，今天夜里逮捕政府成员，解除士官生的武装（如果他们抵抗，就击败他们)""不能等待了!！等待会丧失一切!！""必须立即把各区、各团、各种力量都动员起来，立即派遣代表团到军事革命委员会，到布尔什维克中央委员会去，坚决要求：无论如何不能让克伦斯基一伙人手中的政权保留到 25 日，一定要在今天晚上或夜里解决问题。历史不会饶恕那些延误时日的革命者""拖延发动等于自取灭亡。"[2]

在福法诺娃出发去送信几个小时后，列宁终于失去了耐心。他在餐桌上留了一张条子："我到你不想让我去的地方去了。"他化了装，戴上假发和便帽，在艾伊诺·拉西亚的陪同下往斯莫尔尼宫去了。这是他在一个月里第二次不顾

---

[1] Об Ильиче. Воспоминания питерцев. Л., 1970. С.348.

[2] 《列宁全集》第 32 卷，人民出版社 1985 年版，第 430—431 页。在《列宁全集》中，这封信的题目是《给中央委员的信》，但信的内容表明，它显然是写给布尔什维克党的下级组织的，是希望他们向中央委员会施加压力。

中央委员会不让他出门活动的意见而采取的行动。他们乘坐空空荡荡的电车通过维堡区到芬兰车站，在顺着什帕列拉街步行去斯莫尔尼宫时，躲过了骑马巡逻的士官生，快到半夜时到达了目的地。

这个时候的斯莫尔尼宫气氛紧张，附近的路口布置了武装岗哨，周围的广场和胡同里有一群群围着篝火的士兵和赤卫队员，前院里停着一些卡车、小汽车和摩托车，大楼里面灯火通明，中间的大门两边架着机枪，门口的哨兵对进入大楼的人进行检查。

列宁到达斯莫尔尼宫后不久，举行了布尔什维克党中央委员会会议。这次历史性会议的记录从未公布，也可能根本就没有做记录。但在一些当事人的回忆录中，谈到了会议的有关情况。参加会议的有列宁、托洛茨基、斯大林、斯米尔加、米柳亭、季诺维也夫、加米涅夫和别尔津。拉西亚坐在房间的一个角落里。会议进行过程中，不时有人进来报告市内夺权斗争的新进展。列宁对于采取的每一个新步骤都表示满意，同时坚决要求尽快夺取冬宫、逮捕临时政府部长。在会议短暂休息时，一位中央委员建议拟定一份新政府成员名单，准备提交第二天将要召开的苏维埃代表大会。这个建议引出了关于未来政府及其成员的名称问题。有人认为，“临时政府”这个名称对大家来说已是陈腐不堪了，“部长”的称呼也散发着“官僚主义的霉味”。托洛茨基提出可用人民委员（народный комиссар）来取代部长。与会者都喜欢这个称呼，列宁马上说：“好啊，这个称呼好，有革命气息。”而政府名称也就很自然地确定为人民委员会（Совет Народных Комиссаров）。由于同临时政府的斗争还未结束，一些中央委员认为，拟定政府成员名单为时尚早。[1]

苏联时代的十月革命论著竭力淡化托洛茨基及其领导的彼得格勒苏维埃军事革命委员会在十月夺权斗争中的作用，并试图造成一种印象，似乎是由于托洛茨基的影响，布尔什维克党过高估计了克伦斯基的力量而对左翼力量估计不足，悲观地等待苏维埃代表大会对建立革命政府问题进行表决；强调只是在列宁于 24—25 日的那个深夜到达斯莫尔尼宫后才扭转了局面，使武装起义得

[1] 参见［俄］托洛茨基著：《论列宁》，王家华、张海滨译，三联书店 1980 年版，第 91 页；*Рабинович А.* Большевики приходят к власти.Революция 1917 года в Петрограде. М., 1989. С.295.

以顺利展开。

但实际情况是，军事革命委员会在10月21—24日奉行的策略和采取的实际措施，都是为了在苏维埃代表大会之前尽可能摧毁临时政府的基础，而且在24日夜里很大程度上已经达到了这个目标。这个策略思想是在对现实力量对比关系的正确分析和对群众情绪的正确认识的基础上确定的。

在此期间，虽然军事革命委员会的部分成员担心走得太远会失去群众的支持、甚至会破坏苏维埃代表大会的召开，但军事革命委员会并未放弃积极的活动。在10月24日临时政府采取最初的措施镇压左翼时，军事革命委员会把自己的力量置于战斗准备状态，也不准备让群众离开街头。它采取了诸如占领印刷厂、恢复出版《工人之路报》、控制桥梁等行动，并在得到有关亲政府的部队从彼得戈夫和北方战线调往首都的消息后，立即派自己的部队占领了市内的波罗的海车站。

在列宁还没有到达斯莫尔尼宫的时候，军事革命委员会领导的起义已经展开。但列宁比其他所有布尔什维克领导人都更明确地赋予在代表大会召开前推翻临时政府以特别的意义，他到达斯莫尔尼宫有利于左翼力量领导层更坚决地采取行动。在25日天亮前，军事革命委员会的行动已经是非常具有进攻性的，并且显然是希望在苏维埃代表大会开始工作以前就将其置于临时政府已被推翻的既成事实面前。

起义的发展

大约10月25日凌晨2点，根据军事革命委员会的命令，起义士兵和工人赤卫队开始占领市内一系列重要据点。第六工兵营一连占领了兹纳缅斯基广场边上的尼古拉车站；军事革命委员会派出的政治委员米哈伊尔·法耶尔曼带队伍控制了彼得格勒电站，切断了对多数政府建筑的供电；军事革命委员会政治委员卡尔·卡德卢波夫斯基指挥了占领邮政总局的行动；阿芙乐尔号巡洋舰夺取了尼古拉大桥的控制权。早上6点，一支起义水兵队伍占领了国家银行。稍后，拉舍维奇和军事革命委员会政治委员卡利亚金带领谢苗诺夫团控制了彼得格勒中央电话站，立即切断了同冬宫和军事指挥机关的一切联系。早上8点，彼得格勒三大火车站中的最后一个——华沙车站——落入军事革命委员会控制之中，这个车站连接的铁路通往北方战线部队及其司令部所在地普斯科夫。

凌晨 3 点左右，克伦斯基得到了关于局势的最新报告。他在自己的副手柯诺瓦洛夫的陪同下再次来到总参谋部大楼。所有的消息都令他沮丧。不断有新的重要地点转入军事革命委员会掌握之中。保卫冬宫的军校士官生和妇女突击营突然宣布，他们不能向卫戍部队士兵开枪。只是在向他们保证前线部队很快就要到达之后，他们的情绪才稳定下来。

黎明时分，克伦斯基最后一次向首都的哥萨克部队发出绝望的呼吁：“为了祖国土地的自由、荣誉和光荣，最高总司令命令第 1、第 4、第 14 哥萨克团支持中央执行委员会、革命民主派和临时政府，拯救正在死亡的俄国”。哥萨克代表询问，步兵是否也执行这个命令？在没有得到满意的答复情况下，多数哥萨克部队代表表示，他们不愿意站出来成为活靶子。最后，有 200 名左右第 14 哥萨克团的官兵来到冬宫支持政府，但他们不可能从根本上改变局面。[1]

当时在彼得格勒的列维茨基将军在给前线的季杰里赫斯将军的信中描述并评价了 10 月 24 日彼得格勒的局势：“政府总理昨天在共和国会议（预备议会）清晰明确地解释了已经形成的局面，指出了临时政府奉行的路线……随后彼得格勒卫戍部队一些分队……转到了布尔什维克一边。他们把断开的大桥又合上了。整个城市布满了卫戍部队的岗哨，但街上没有任何行动。卫戍部队控制了电话站。在冬宫的部队只是形式上在保卫它，因为并没有决定要进攻它……临时政府就像处在一个敌对国家的首都。”[2]

士兵和赤卫队员检查证件

[1] *Рябинский К.* Революция 1917 года. Хроника событий. М., 1976. Т. 5. С.175–176,377.

[2] *Рабинович А.* Большевики приходят к власти. Революция 1917 года в Петрограде. М., 1989. С.294–295.

10月25日早晨，就连一直乐观的彼得格勒军区司令波科夫尼科夫也意识到，政府面临的局面是绝望的。他在给克伦斯基的报告中说，政府手中实际上没有任何部队可以使用。现在，克伦斯基唯一的希望就是尽快动员前线作战部队来帮助政府。

10月25日上午9点，克伦斯基让柯诺瓦洛夫临时领导政府，他自己准备立即前往普斯科夫。由于所有车站都已在军事革命委员会控制之中，克伦斯基无法乘坐火车。而总参谋部甚至不能为克伦斯基安排一辆适宜于长途旅行的小汽车，最后只弄到了一辆美国造的皮尔斯·艾罗牌敞篷车和一辆从美国使馆借来的雷诺小车。上午11点，挂着美国国旗的雷诺和皮尔斯·艾罗驰出总参谋部大楼的拱门，避开军事革命委员会已经部署在冬宫附近的步哨，离开首都往西南方向而去。与克伦斯基同行的有彼得格勒军区副司令库兹明和两个副官。他们就这样开始了毫无结果的寻找前线来的部队的旅程。

另一方面，布尔什维克领导的起义在进一步发展。10月25日天亮前，波罗的海舰队的主要基地已是一片忙碌。根据军事革命委员会的要求，从凌晨3点到天亮，先后有3个军列的水兵从舰队司令部所在地赫尔辛福斯被派往彼得格勒。同时，一些舰船也组成小舰队全速开往彼得格勒，为首的“萨姆松号”打出的旗帜上写着“打倒联合政府!”、“全俄苏维埃代表大会万岁!”、“全部政权归苏维埃!”最后，总共有1万名水兵和11艘舰船参加了彼得格勒的起义。[1]

10月25日早上，在斯莫尔尼宫，波德沃伊斯基、安东诺夫—奥夫申科、叶列梅耶夫、布拉贡拉沃夫、丘德诺夫斯基和萨多夫斯基等军事革命委员会领导人和从一些关键地点赶来的政治委员们一起制订了夺取冬宫、逮捕临时政府成员的计划。根据这个计划，首先占领玛丽亚宫，解散预备议会，然后包围冬宫。将要求政府不作抵抗向起义者投降，如遭到拒绝，就从“阿芙乐尔号”巡洋舰和彼得保罗要塞对冬宫进行炮击，然后以突击队将其占领。确定了参加这些行动的基本力量，担任进攻任务的部队由安东诺夫—奥夫申科指挥。

在夺取临时政府在彼得格勒的最后堡垒——冬宫——的准备工作紧张进行时，斯莫尔尼宫中的列宁不断地看表，他希望在还有几个小时就要开幕的全俄苏维埃代表大会之前彻底推翻克伦斯基政府。

[1] История России XX:1894–1939. Под ред. *А.Б.Зубова.* М., 2009. С.463.

列宁一段时间以来一直坚持的在苏维埃代表大会之前发动武装起义的真正原因，就是要使苏维埃代表大会面临政权已经转移的事实。离代表大会召开的时间越近，列宁就越感紧张。

上午 10 点左右，列宁写好了宣布政权转移的《告俄国公民书》：

"临时政府已被推翻。国家政权业已转到彼得格勒工兵代表苏维埃的机关，即领导彼得格勒无产阶级和卫戍部队的军事革命委员会手中。立即提出民主的和约，废除地主土地所有制，实行工人监督生产，成立苏维埃政府，人民为之奋斗的这一切事业都有了保证。工人、士兵、农民的革命万岁！"[1]

在制定进攻冬宫、夺取政权计划的军事革命委员会会议还没有结束的情况下，《告俄国公民书》就通过电报传往全国。[2] 这时离布尔什维克领导的武装力量占领冬宫还有 14 个小时。

中午时分，军事革命委员会成员丘德诺夫斯基指挥大批武装的士兵和水兵控制了预备议会所在地玛丽亚宫周围的街道，并在其所有出入口布置了岗哨。一辆打着红旗的装甲车停到了玛丽亚宫的西侧。稍后，一位不知名的军事革命委员会的政治委员进入玛丽亚宫，找到预备议会主席阿夫克森齐耶夫，向他宣布了军事革命委员会对玛丽亚宫立即进行清场的命令。手持步枪的士兵和水兵进入玛丽亚宫，在礼仪台阶两侧立定。

阿夫克森齐耶夫还打算举行一次预备议会主席团部分成员会议，而一些惊慌失措的预备议会代表们已抓起大衣准备走人了。预备议会代表们匆忙决定，对军事革命委员会以武装力量攻击预备议会表示正式抗议，但不与其对抗；授权阿夫克森齐耶夫一有可能就立即重新召集预备议会会议。所有代表在离开玛丽亚宫时都被门口的岗哨检查了证件，但没有人被抓。

大约下午 1 点，在伊凡·斯拉特克夫指挥下，一支起义部队占领了离开冬宫不远的海军部大楼，逮捕了海军部的领导层。同时，巴甫洛夫团已完成了对冬宫地区的包围。而在日落前，守卫冬宫的士官生们也在冬宫广场上构筑了堡垒。

---

[1] 《列宁全集》第 33 卷，人民出版社 1985 年版，第 1 页。

[2] *Рабинович А.* Большевики приходят к власти.Революция 1917 года в Петрограде. М., 1989. С.297.

彼得格勒苏维埃特别会议

10月25日中午，斯莫尔尼宫的大厅里已经聚集了彼得格勒苏维埃代表和各省苏维埃选出的代表，大家焦急地等待着事态最新进展的报告。

2点35分，托洛茨基主持召开彼得格勒苏维埃特别会议。托洛茨基一改上次会议上他表达的苏维埃代表大会之前不会考虑武装起义的态度，登上讲台就大声说道："我以军事革命委员会的名义宣布，临时政府已不复存在。"在"军事革命委员会万岁！"的口号声和暴风雨般的掌声中，他接着宣布，一些部长已被逮捕，军事革命委员会掌握的革命卫戍部队已经解散预备议会，车站、邮政局、电报局、彼得格勒电报通讯社、国家银行等已被军事革命委员会所控制；冬宫虽然还未拿下，但它的命运马上就要决定。"到目前为止，这一切都是以不流血的方式进行的。我们还不知道哪怕一例牺牲。我不知道革命运动史上有过这样的先例：这么多群众卷入却没有流血。克伦斯基领导的临时政府的权力已经死亡，只待被扫除出历史舞台。"[1]

在托洛茨基讲话时，列宁走进会场，代表们欢呼起来。托洛茨基喊道："列宁同志万岁！列宁同志又和我们在一起了！"托洛茨基为列宁让出了讲台，站在他的边上。列宁开始讲话：

同志们！布尔什维克始终认为必要的工农革命，已经成功了。

这个工农革命的意义是什么？这个革命的意义首先在于我们将拥有一个苏维埃政府，一个绝无资产阶级参加的我们自己的政权机关。被压迫的群众将亲自建立政权。旧的国家机构将被彻底打碎，而新的管理机构即苏维埃组织将建立起来。

俄国历史的新时期从此开始了，这第三次俄国革命终将导致社会主义的胜利。

我们当前的任务之一，就是立即结束战争。……我们向国际民主派提出

---

[1] *Троцкий Л. Д.* Доклад на экстренном заседании петроградского совета о свержении Временного правительства（25 октября）. http://www.magister.msk.ru/library/trotsky/trotl346.htm

的立即缔结公正和约的建议，一定会得到国际无产阶级群众的热烈响应。……

……我们只要颁布一项废除地主所有制的法令，就可以赢得农民的信任。……我们要对生产实行真正的工人监督。

……我们拥有群众组织的力量，它定能战胜一切，并把无产阶级引向世界革命。

在俄国，我们现在应该着手建设无产阶级的社会主义国家。

全世界社会主义革命万岁！[1]

列宁结束简短的讲话之后，托洛茨基提议立即向前线和各交战国派出特别政治委员，把彼得格勒起义胜利的消息告诉广大群众。这时下面有人大声喊道："你们这是抢在第二次苏维埃代表大会表达意志前夺权！"托洛茨基立即回答："全俄苏维埃代表大会的意志已被昨晚发生的彼得格勒工人和士兵起义的事实预先决定了。现在我们要做的只是发展我们的胜利。"人数不多的孟什维克宣布不对"已经实现的阴谋所产生的悲剧性结果负责"，并退出了彼得格勒苏维埃执行机构。但多数代表热烈支持列宁草拟的、沃洛达尔斯基提出的政治宣言，其中表示欢迎推翻临时政府、呼吁全体工人和士兵支持革命、坚信西欧的无产阶级将会帮助把社会主义事业进行到最后胜利。[2]

夺取冬宫

这时，冬宫还在临时政府手里。

在克伦斯基离开彼得格勒之后一个小时，柯诺瓦洛夫在冬宫二层的马拉希托夫厅主持了内阁会议。他报告了首都的政治局势、军事革命委员会取得的进展、彼得格勒军区司令波科夫尼科夫的报告、克伦斯基的离去。

临时政府部长们第一次意识到，彼得格勒军区不仅不能镇压起义，而且不能保证他们的安全。部长们一致认为，要用一个"专制者"代替波科夫尼科夫，授予其全权以恢复秩序，并决定在非常形势下内阁将留在冬宫。会议最后选出社会保障部长基什金担任"专制者"。医生出身的基什金在彼得格勒并无

[1] 参见《列宁全集》第 33 卷，人民出版社 1985 年版，第 2—3 页。

[2] *Рябинский К.* Революция 1917 года. Хроника событий.М., 1976.Т. 5, С.179–180.

政治威望，其立宪民主党人的身份更显示临时政府直到最后似乎仍然无视预备议会要求政府关切民意的呼吁。

下午 4 点多，基什金正式就任总督一职。他立即去司令部，解除了波科夫尼科夫的职务，任命原参谋长巴格拉图尼将军任军区司令。这个人事变动加剧了混乱，一些将军和军官以辞职表示抗议，有些人干脆不辞而别，即便留下的也不愿再工作。

与此同时，内阁会议拟定了号召居民给予政府帮助的呼吁书，打算印刷后普遍散发。

在布尔什维克方面，攻占冬宫的时间起先定在中午，后来改到下午 3 点，再后来又延到 6 点。最后，按照波德沃伊斯基的说法，“已经没有确切时间表了”。安东诺夫—奥夫申科后来解释，一再推迟发起攻击时间的原因，是起义士兵的动员和组织方面存在一些没有预见到的困难。例如，在最后时刻，在动员普列奥布拉任斯基团和谢苗诺夫团的几支分队时出现了一些问题；军事革命委员会原先计划使用的从赫尔辛福斯调来的水兵队伍未能及时赶到，原因是亲临时政府的维堡车站站长给军列调用的蒸汽机车有问题，军列在维堡附近耽搁了好几个小时；在技术方面也有一些问题，如彼得保罗要塞的火炮预计要用来炮击冬宫，但这些火炮都是有毛病的，一时没法射击；根据约定进攻冬宫的信号是在彼得保罗要塞的旗杆上挂起红灯，但在要用灯的时候却找不到，花了挺长时间找到了，但要把它挂到很容易看到，也费了不少工夫。波德沃伊斯基还从另一个方面谈到了延迟攻击冬宫的原因。他回忆说，延迟夺取冬宫是与军事革命委员会希望尽量避免流血的原则有关系的。“胜利已经在望。我们等待着临时政府的屈辱结局。我们努力争取临时政府在目前由我们代表的革命力量面前放下武器。我们的大炮没有开火，我们更倾向于在冬宫之外使用我们更强大的武器——阶级斗争。”[1]

夜幕逐渐降临。飘起稀稀落落的雨点，天气潮湿阴冷。冬宫守卫者的斗志在衰减。近 3000 名军官、士官生和妇女突击营女兵已经没有足够的食品，政府允诺的弹药和援军都没有到达。傍晚 6 点 15 分时，一伙米哈伊洛夫炮兵

---

[1] 参见 *Рабинович А.* Большевики приходят к власти.Революция 1917 года в Петрограде. М., 1989. С.302–303.

学校的士官生离开了冬宫，还带走了 6 门火炮中的 4 门。大约 8 点的时候，约 200 名哥萨克也回自己的营房去了。到晚上 10 点左右，有一半左右的士官生和哥萨克离开了冬宫。

10 月 25 日，列宁一直在斯莫尔尼宫中。由于对冬宫的攻击一再推迟，在 25 日下午的几个小时里，焦虑的列宁给波德沃伊斯基、安东诺夫—奥夫申科和丘德诺夫斯基写了数十张条子，愤怒地批评他们，说他们的延误影响了苏维埃代表大会的开幕，会使大会代表们感到不安。[1] 他担心，苏维埃代表大会开幕的时候，临时政府部长还没有被全部抓起来。波德沃伊斯基回忆说："他在斯莫尔尼宫的小房间里来回走动，就像笼中的狮子。他无论如何需要冬宫，冬宫是劳动人民掌握政权道路上的最后一个障碍。弗拉基米尔·伊里奇在那儿骂人……叫喊……他打算把我们都枪毙了"[2]。

傍晚，在斯莫尔尼宫不断施加压力的情况下，彼得保罗要塞政治委员布拉贡拉沃夫最终作出了决定，对冬宫的攻击不能再拖延了。他在 6 点 30 分派出两个自行车兵到总参谋部去递交由军事革命委员会主席安东诺夫和他本人签署的最后通牒。自行车兵在 20 分钟后到达总参谋部。最后通牒中写道：

"彼得格勒苏维埃军事革命委员会决定，宣布临时政府已被推翻。全部政权转到彼得格勒工兵代表苏维埃手中。冬宫已被革命部队包围。彼得保罗要塞和'阿芙乐尔号'、'阿穆尔号'等军舰上的火炮对准了冬宫和总参谋部大楼。现以军事革命委员会的名义要求临时政府及信任它的部队投降。临时政府成员、总参谋部官员和高级指挥人员将被逮捕。士官生、士兵和职员将被解除武装、逐个甄别后予以释放。限 20 分钟内给予答复。答复告知使者。最后通牒的期限到 19 点 10 分为止，过了这个时间将立即开火。"[3]

在总参谋部大楼里的基什金、巴格拉图尼等人说服一名自行车兵先回彼

[1] 参见 *Рабинович А.* Большевики приходят к власти.Революция 1917 года в Петрограде. M., 1989. C.302.

[2] 参见 *Рабинович А.* Большевики приходят к власти.Революция 1917 года в Петрограде. M., 1989. C.310.

[3] 参见 *Рабинович А.* Большевики приходят к власти.Революция 1917 года в Петрограде. M., 1989. C.306.

得保罗要塞，转达延长10分钟最后通牒期限的要求，而他们立即到冬宫与政府成员沟通后再将结果通知另一名自行车兵。在等待冬宫答复的过程中，起义的士兵和工人赤卫队员就涌进了总参谋部大楼。

冬宫中的临时政府成员收到了军事革命委员会的最后通牒，但所有部长都一致认为，在目前情况下投降是不可想象的。司法部长马良托维奇后来解释说，他们都已经不指望增援部队到来，但都认为根据法律临时政府只能向立宪会议交出自己的权力。

在冬宫的巴格拉图尼将军得到总参谋部大楼被占的消息后，立即提出辞职并离开冬宫，但他很快被军事革命委员会的岗哨逮捕了。临时政府部长们向俄罗斯人民发出了如下电报：

“全体人民，全体人民，全体人民……彼得格勒工兵代表苏维埃宣布临时政府被推翻，并以用彼得保罗要塞和‘阿芙乐尔号’巡洋舰的火炮轰击冬宫相威胁，要求把权力转交给它。政府只能把权力交给立宪会议，它据此决定不投降，并把自己交给人民和军队来保卫。已向大本营发去表明这一立场的电报。大本营答复派出部队。让国家和人民来回答布尔什维克在作战的军队的后方发动起义的毫无理性的尝试吧！”[1]

部长们与正在市杜马大楼里的彼得格勒市长施列伊捷尔通了电话，说冬宫将遭到“阿芙乐尔号”巡洋舰和彼得保罗要塞火炮的轰击，请求支持政府。当时在彼得格勒市杜马中占多数的是立宪民主党人和社会革命党人，他们派出了一个代表团到斯莫尔尼宫去了解真实情况，然后不顾市杜马中布尔什维克代表的强烈反对，成立了一个以维持城市秩序和保护居民为目的的社会安全委员会。施列伊捷尔立即召集了市杜马特别会议，宣称“几分钟后大炮就将轰响，俄罗斯共和国临时政府将在冬宫的废墟中灭亡”，呼吁市杜马尽全力帮助政府。市杜马决定立即向“阿芙乐尔号”巡洋舰、斯莫尔尼宫和冬宫派出代表团，希望解除对冬宫的包围，并在临时政府和军事革命委员会之间进行调解。但彼得格勒市杜马的努力是徒劳的。

这时，在彼得保罗要塞，终于解决了大炮和信号灯的问题。布拉贡拉沃夫和安东诺夫—奥夫申科准备向冬宫开炮了。但传来消息说冬宫已经接受了最

[1] Октябрьское вооруженное восстание в Петрограде. Документы и материалы. С.414–415.

后通牒，他们二人赶到涅瓦河对岸去证实这个消息。结果表明这个消息有误，可能是由总参谋部的投降引起的。

晚上 9 点 40 分，布拉贡拉沃夫回到要塞，给“阿芙乐尔号”巡洋舰发出了开火的信号。根据命令，“阿芙乐尔号”巡洋舰用舰首火炮进行了空弹射击。空弹射击的声音比实弹射击还要响，震耳欲聋的轰鸣响彻首都的夜空。守卫冬宫的军人显然受到了强烈的刺激，不少士官生离开了自己的岗位，紧随其后的还有一些妇女突击营的女兵。11 点，布拉贡拉沃夫下令要塞大炮进行实弹射击。大部分炮弹在涅瓦河上空爆炸，但有两发炮弹部分损坏了冬宫的屋檐和窗户。

冬宫二层会议厅里的临时政府部长中有人开始怀疑，继续抵抗还有没有意义。粮食部长、社会革命党人马斯洛夫与市杜马成员瑙姆·贝霍夫斯基通电话时说：“我们在这里，在冬宫，完全是被抛弃、被遗忘的人。民主派让我们进入临时政府，我们并不想去，但我们去了。现在灾难来了，要枪毙我们，我们却得不到任何人的支持。当然，我们要死在这里，但我要说出最后的话：那个能够把我们派来、但不能够保护我们的民主派是应该受到蔑视和诅咒的。”[1] 贝霍夫斯基立即建议市杜马全体成员去冬宫，“让我们的同志们知道，我们没有抛弃他们。让他们知道，我们准备和他一起去死。”他的建议得到除布尔什维克之外的杜马成员一致响应。

半夜过后，临时政府的部长们仍困守在冬宫。他们的处境是绝望的，临时政府最后的支持者已经涣散，冬宫的东侧已经无人防守，武装的起义者开始从这里的窗户进入冬宫。在二楼的会议厅，部长们已不再讨论什么。他们或躺在沙发上，或靠在椅子上，等待着最后时刻的到来。间或传来一些射击声和叫喊声，这是忠于临时政府的最后一些军官和士官生在试图抵挡起义者。

与苏联时期历史著作通常说法不同的是，冬宫最后实际上并不是被起义者攻下来的。进攻冬宫的指挥者安东诺夫—奥夫申科后来说：“对冬宫的进攻具有完全无序的性质……最后才弄清楚，剩下的士官生已经不多了，我和丘德诺夫斯基带领进攻队伍进入冬宫。在我们进入时，士官生已经不再抵抗，我们自由地深入冬宫搜寻临时政府部长。”这大概是在 10 月 26 日的凌晨 2 点。

---

[1] *Ерыкалов Е.Ф.* Октябрьское вооруженное восстание в Петрограде. Л., 1966. С.450–451.

在二楼的会议厅，临时政府部长们意识到，一切都已经结束了。基什金命令冬宫警卫队长向起义者宣布政府准备投降。部长们在会议桌旁坐好，无声地等待那个时刻的到来。会议厅的门被打开了，安东诺夫—奥夫申科率领起义队伍涌进会议厅。柯诺瓦洛夫坐在那里对他说："临时政府在这里，随您怎么办吧！""我向你们——你们全体，临时政府成员们——宣布，你们被捕了。"安东诺夫—奥夫申科回答。丘德诺夫斯基开始登记在场的部长们的姓名。当发现克伦斯基不在的时候，人群开始发狂。有人喊道"见鬼了，同志们！把他们全捅了……"安东诺夫—奥夫申科制止了对部长们的私刑："同志们，安静点！临时政府的所有成员都已被捕。他们将被关押在彼得保罗要塞。我不允许对他们实行任何暴力。请大家安静！"[1]随后，一支由水兵和赤卫队员组成的武装队伍把临时政府成员押往彼得保罗要塞。

同自发的二月革命不同，十月起义是布尔什维克精心组织和准备的，其目标就是推翻临时政府、掌握国家政权。同二月革命时大规模的群众运动比较，参与十月革命的彼得格勒居民不多。直接参加十月起义的只是有组织的彼得格勒卫戍部队和工人赤卫队，总共"不一定能超过 2.5 万到 3 万人"。[2] 起义进展顺利，几乎没有遇到真正的抵抗。起义实际上的总指挥托洛茨基对 24 日晚上开始的行动非常满意，说"一切好得不能再好了"，"根据斯莫尔尼宫发出的命令，士兵和水兵的队伍以及赤卫队未经巷战，有条不紊地占领了一个又一个机关，几乎没有放枪，没有流血。"[3]在整个十月武装起义期间，人员伤亡明显少于二月革命。据布尔什维克官方资料，在起义过程中一共死 6 人，伤 50 人。[4] 对于这场具有伟大历史意义的革命来说，这是比较小的代价，但这是以俄国牺牲巨大的第一次世界大战为前提的。

[1] 参见*Рабинович А.* Большевики приходят к власти.Революция 1917 года в Петрограде.М., 1989. С.320–321.

[2] Троцкий Л.Д. История русской революции. М., Т.2. 1997. С. 263.

[3] [俄] 托洛茨基著：《我的生平》，赵泓、田娟玉译，郑异凡校，上海人民出版社 2007 年版，第 285 页。

[4] История Коммунистической партии Советского Союза. Т. 3. Кн.1. М., 1967. С.321–328.

第五节　全俄苏维埃第二次代表大会

大会代表的党派构成

全俄苏维埃第二次代表大会起先是计划在10月25日下午两点开幕的。但由于占领冬宫的时间拖延了，大会开幕时间也往后推迟。但到晚上不管列宁如何不愿意，已经没法再拖了，挤满了会场的代表们已经等待了很长时间，其中有很多代表是从全俄各地到彼得格勒来开会的。

来自全国402个苏维埃的代表们到达斯莫尔尼宫后，要填写一份表格，其内容包括所属党派、代表哪个地方的苏维埃、对新政权组织问题的立场等。绝大多数代表505人，支持"全部政权归苏维埃"的口号，即赞成建立一个反映苏维埃代表大会党派构成关系的苏维埃政权。86名代表支持"全部政权归民主派"，主张建立单一民主派组成的新政府，其成员应包括来自于农民代表苏维埃、工会、合作社组织等方面的代表。还有21名代表主张建立以民主派为主的联合政府，可以吸收立宪民主党以外的某些有产阶级的代表参加。只有55名代表仍然支持与立宪民主党人的联合政府。[1]

关于苏维埃第二次代表大会代表的党派构成有不同的说法，较新的数据是，出席大会开幕式的代表不少于739人，其中有338名布尔什维克，211名社会革命党人（包括127名左派社会革命党人），69名孟什维克（包括32名孟什维克国际主义者），20名联合的社会民主党人—国际主义者，10名波兰社会主义政党的代表，其他一些较小党派的代表如6名崩得成员、4名锡安工人党成员、6名乌克兰社会民主工党党员，3名乌克兰社会革命党党员、4名立陶宛民粹派社会主义者、3名无政府主义者、2名最高纲领派成员、1名劳动派成员、1名劳动农民党成员，以及36名无党派人士和22名没有表明自己所

[1]　参见 *Рабинович А.* Большевики приходят к власти.Революция 1917 года в Петрограде. М., 1989. С.311–312.

属党派的代表。[1]

在会议过程中，由于社会革命党、孟什维克和崩得[2]成员退出代表大会、一些迟到的代表到达会场以及部分代表加入其他党团或转为无党派等因素，布尔什维克的人数达到 390 人，左派社会革命党为 179 人，联合的社会民主主义者—国际主义者 35 人，民族社会主义政党的人数减到 21 人。全部代表人数为 625 人。[3]

苏维埃第二次代表大会代表的党派构成表明，与 6 月的第一次苏维埃代表大会相比布尔什维克的力量急剧地增长了，其党团的人数几乎是6月的3倍。它已经成为苏维埃代表大会上最大的政党。但如果没有左派社会革命党的支持，布尔什维还不能取得绝对多数。

晚上 10 点半后，苏维埃中央执行委员会的领导人郭茨、唐恩、李伯尔、波格丹诺夫、勃罗伊多、菲力波夫斯基等已经坐在主席台上。10 点 40 分，唐恩代表第一届苏维埃代表大会中央执行委员会宣布代表大会开幕。他说，“中央执行委员会认为，以政治演说来开始这次会议是多余的……在这个时候，我们的党内同志在受到炮击的冬宫中奋不顾身地履行着中央执行委员会放在他们肩上的部长职责。”

接下来按代表比例选举了主席团。进入主席团的布尔什维克有 14 人：列宁、季诺维也夫、托洛茨基、加米涅夫、斯克良斯基、诺根、克雷连柯、柯仑泰、李可夫、安东诺夫—奥夫申科、梁赞诺夫、穆拉诺夫、卢那察尔斯基、斯图奇卡；左派社会革命党人 7 人：卡姆柯夫、斯皮里多诺娃、卡霍夫斯卡娅、姆斯基斯拉夫斯基、扎克斯、卡列林，犹太联合社会主义工人党的古特曼，乌

[1] *Орлов В.С., Султанова Е.А.* Съезд восставшего и победившего народа. П., 1987. С. 65–66. ; Второй Всероссийский Съезд Советов Рабочих и Солдатских Депутатов. http://mirslovarei.com/content_pol/VTOROJ-VSEROSSIJSKIJ-SEZD-SOVETOV-RABOCHIX-I-SOLDATSKIX-DEPUTATOV-6534.html

[2] 犹太社会民主主义组织，全称为“立陶宛、波兰和俄罗斯犹太工人总同盟”。

[3] Второй Всероссийский Съезд Советов Рабочих И Солдатских Депутатов. http://mirslovarei.com/content_pol/VTOROJ-VSEROSSIJSKIJ-SEZD-SOVETOV-RABOCHIX-I-SOLDATSKIX-DEPUTATOV-6534.html

克兰社会主义政党的代表、乌克兰社会民主工党的库里尼钦科。

获得主席团中7个席位的社会革命党和获得3个席位的孟什维克拒绝参加主席团，获得1席的孟什维克国际主义者表示在弄清某些情况之前不参加主席团。

自3月以来一直领导苏维埃工作的郭茨、唐恩、李伯尔、波格丹诺夫、勃罗伊多、菲利波夫斯基等人黯然让出了他们的座位。在雷鸣般的掌声中，托洛茨基、柯仑泰、卢那察尔斯基、诺根、季诺维也夫、卡姆柯夫、斯皮里多诺娃、姆斯基斯拉夫斯基等主席团成员在主席台上落座。

列宁此时也在斯莫尔尼宫，但没有出席苏维埃第二次代表大会的第一次会议。冬宫还没有拿下。他密切关注着武装起义最后阶段的行动。

民主派退出大会

会议主席加米涅夫宣布了主席团确定的大会日程：关于政权问题、战争问题和立宪会议问题。这时，远处传来隆隆炮声。

马尔托夫以沙哑和颤抖的声音要求就程序问题发言。他指出，首先必须保证和平解决危机，因为彼得格勒的大街上正在流血。必须停止双方的军事行动。可以通过建立一个得到全体民主派承认的政权来和平解决危机。代表大会不能漠视已在进行的国内战争，因为这场战争的结果可能是反革命的可怕爆发。他建议为此目的立即成立一个专门的代表团与其他社会主义政党和组织进行谈判，尽快结束街头冲突。[1]

应该说，在24—25日这一天里，孟什维克和社会革命党这两个苏维埃代表大会上主要的温和社会主义政党的立场比以前有了很大的变化。在这两个党的不同派别在苏维埃代表大会上都有代表，但不同派别的基本政治立场上已经很接近，即倾向于同资产阶级政党彻底切割、支持建立一个主张实现和平和改革的清一色社会主义者组成的政府。马尔托夫的发言反映了这样的情绪。左派社会革命党人姆斯基斯拉夫斯基发言表示支持马尔托夫。前线代表也赞成马尔托夫的建议。

---

[1] *Суханов Н.Н.*Записки о революции. Том 3（книга 5.6.7）. М., 1992. С.335.

支持这一建议的甚至还有很多布尔什维克代表，苏汉诺夫注意到，“会场里很大一部分代表以热烈的掌声欢迎马尔托夫的发言。看来有很多很多布尔什维克没有掌握列宁和托洛茨基教导的精神，他们很乐于沿着这样一条道路往前走”。卢那察尔斯基代表布尔什维克党团表态，完全不反对把和平解决危机问题放在大会议程的首位。对马尔托夫的建议进行了表决，没有反对票。[1] 应该说，这是一个可能妥协的迹象。

但在大会明确支持通过谈判方式建立民主派联合政府之后，一些不能接受布尔什维克夺权方式的孟什维克和社会革命党人发言，强烈谴责布尔什维克和彼得格勒苏维埃夺取政权，并表示将退出大会以示抗议。

来自前线的军官、孟什维克雅科夫·哈拉什发言说，布尔什维克正背着代表大会进行犯罪性质的政治冒险，“孟什维克和社会革命党必须同这里发生的一切划清界限，并聚集自己的力量、坚决抵制夺取政权的企图。”另一位著名的孟什维克军官格奥尔基·库钦以前线军队委员会温和派代表联盟的名义发言，认为“夺取政权的冒险已经进行，代表大会的意志被事先包办代替了……必须拯救革命免于无理性的尝试，为了拯救革命我们将动员全军和全国一切自觉的革命力量……前线集团不会对这一冒险的后果承担任何责任……并将退出大会”。[2]

莫斯科苏维埃代表列夫·欣丘克代表孟什维克发言：“唯一的出路是同临时政府就建立新政府问题开始谈判，新政府应依靠所有阶层……”他的话引起了强烈的反对，会场里响起了持久的大声喧哗，以至于过了一阵他才得以继续讲话：“背着苏维埃代表大会组织了军事阴谋。我们对已经发生的事不承担任何责任，我们将退出代表大会，并建议其他党团一起开会讨论已形成的局势。”会场里响起了叫喊声：“逃兵！”、“去见科尔尼洛夫吧！”、“资产阶级的走狗！”、“人民的敌人！”[3]

在喧哗声中，社会革命党人、律师米哈伊尔·亨德尔曼走上了讲台。“可

---

[1] *Суханов Н.Н.*Записки о революции. Том 3（книга 5.6.7）. М., 1992. С.335.

[2] *Рабинович А.* Большевики приходят к власти.Революция 1917 года в Петрограде. М., 1989. С.313.

[3] *Суханов Н.Н.* Записки о революции. Том 3（книга 5.6.7）. М., 1992. С.335–336.

以预料，布尔什维克的许诺不会实现，人民的愤怒将会爆发……社会革命党党团号召国内一切革命力量组织起来保卫革命……社会革命党党团确认，布尔什维克党夺取了政权，它应该为自己无理性的犯罪行为的后果承担全部责任。鉴于此，社会革命党党团认为已不可能与其一起工作……将退出大会。”会场里的情绪更激烈了，跺脚声、口哨声、喊叫声响成一片。

艾尔利赫代表崩得上台发言，对孟什维克和社会革命党表示支持。会场里的声音简直要把屋顶都冲掉了。这时，孟什维克、社会革命党的代表们站起来向出口走去，在一片嘲笑和谩骂声中退出了大会。[1]

在孟什维克和社会革命党的主要派别退出大会后，马尔托夫的立场失去了支撑。马尔托夫再次发言，代表孟什维克国际派提出了一个决议案，其内容是谴责布尔什维克在苏维埃代表大会开幕前组织政变，号召建立一个基础广泛的民主派政府以取代临时政府。决议案特别指出：“注意到这一政变有引起流血、内讧和……反革命胜利的危险，……摆脱这一局面、制止国内战争蔓延的唯一出路，就是在起义的那部分民主派与其他的民主派组织之间就成立民主派政府达成妥协，这个民主派政府应能得到全体民主派的承认、且临时政府能够顺利地向其交出权力。孟什维克党团建议代表大会作出决定：必须以成立全体民主派的政府的途径来和平解决已经形成的危机。……为此目的应指定一个代表团同其他民主派组织和所有社会主义政党进行谈判。孟什维克国际派党团建议，在弄清这个代表团工作的结果之前，代表大会暂时停止自己的工作。”[2]但是，一个小时前刚刚接受了马尔托夫建议的代表大会的情绪，现在已经发生了急剧的变化。大会多数已经对一切形式的“妥协派”持敌对态度。

作为对马尔托夫的回答，托洛茨基手持一份决议案代表布尔什维克党团发言。“人民群众起义的正确性无需论证。所发生的是起义，而不是阴谋。我们锻炼了彼得格勒工人和士兵的革命热情，我们公开打造了群众起义的意志而不是阴谋的意志。人民群众走在我们的旗帜之下，我们的起义胜利了。现在有人要我们放弃自己的胜利，作出让步，实行妥协。同谁妥协？我要问我们应该

[1] *Суханов Н.Н.* Записки о революции. Том 3（книга 5.6.7）. М., 1992. С.336.

[2] *Рабинович А.* Большевики приходят к власти.Революция 1917 года в Петрограде. М., 1989. С.315.

同谁妥协？同那些离开了这里的可怜的小集团吗？或者是同那些提出这个建议的人吗？我们已经把他们看透了。在俄国没有人会跟他们走了。……我们要对那些离开的人和提建议的人说：你们是可怜的一小撮，你们破产了，你们的戏演完了，滚进历史的垃圾堆吧！那是你们从今以后该待的地方。”托洛茨基冷酷、轻蔑而又尖刻的言辞博得了暴风雨般的掌声。讲台上狂怒的马尔托夫喊道：“那我们走！”他和孟什维克国际主义者在喧嚣声中离开了会场。[1]

发生在1917年10月26日1点左右的这一幕，展示了俄国社会主义者之间的决裂，也证明不同社会主义政党或派别在对俄国革命的理解和信念、对俄国未来道路的选择上，存在着根本性的差异。

托洛茨基宣读了布尔什维克的决议案，它谴责妥协派及其“破坏苏维埃代表大会的卑劣企图”，认为他们的退出只会加强而不是削弱苏维埃、帮助苏维埃“清除反革命的杂质”。在托洛茨基之后发言的左派社会革命党人卡姆柯夫尽管声称“右派社会革命党人离开了大会，但我们左派社会革命党人留下了”，但他还是反对托洛茨基的提议，强调必须建立统一的革命阵线，认为托洛茨基的提议将使代表大会孤立于民主派中的温和成分。联合的社会民主党人—国际主义者也反对托洛茨基的建议。部分对武装起义夺取政权持保留态度的布尔什维克也未必能够接受对孟什维克和社会革命党进行如此激烈的攻击。在这种情况下，托洛茨基的建议没有交付表决。

孟什维克、社会革命党等退出苏维埃代表大会的背景和原因是复杂的，但这一事实本身对局势发展产生了深远的影响。这使得孟什维克国际派、左派社会革命党人以及部分温和的布尔什维克为达成妥协而作的努力最终归于无效。“突然打开了一条……建立布尔什维克政权……的道路，而在此之前还未公开讨论过实现这样一个政权的可能性问题”。[2] 事件的参与者苏汉诺夫后来指出：“我们走了……切断了自己与苏维埃的联系，把自己同反革命分子混在一起，歪曲和降低了自己在群众心目中的形象。不仅如此，我们走了，还完全放开了布尔什维克的手脚，让他们成为整个局势的完全主宰，彻底地把全部革

[1] 参见 *Суханов Н.Н.* Записки о революции.Том 3（книга 5.6.7.）. М.,1992. С.336–337.

[2] *Рабинович А.* Большевики приходят к власти. Революция 1917 года в Петрограде. М., 1989. С.314.

命舞台都让给了他们。”苏汉诺夫认为，“在代表大会上为统一的民主派阵线所作的斗争是有可能成功的……而我们退出代表大会，留下了布尔什维克与一群左派社会革命党年轻人和新生活派的弱小团体，我们亲手把对于苏维埃、对于群众、对于革命的领导权交给了布尔什维克。由于自己不理智的任意行为，我们保证了列宁‘路线’的全面胜利。”[1]

苏维埃政权的建立

在10月26日2点40分至3点10分半个小时的休息后，苏维埃第二次代表大会第一次会议重新开会。具有讽刺意味的是，临时政府部长们被逮捕的消息是由一个多月以来一直坚决反对发动武装起义推翻临时政府的会议主席加米涅夫宣布的。“刚得到消息，盘踞在冬宫的反革命首脑们……已经被革命的彼得格勒卫戍部队抓起来了。”他随后宣读了已被逮捕的临时政府成员名单。在读到作为可诅咒的战争的象征的外交部长捷列申科的名字时，会场里响起了欢呼声和鼓掌声。

卢那察尔斯基代表布尔什维克提出了列宁起草的《告工人、士兵和农民书》，大会经过简短讨论后以压倒多数予以通过（2票反对，12票弃权）。《告工人、士兵和农民书》宣告，“妥协派把持的中央执行委员会的权力结束了。根据绝大多数工人、士兵和农民的意志，依靠彼得格勒工人和卫戍部队所举行的胜利起义，代表大会已经把政权掌握在自己手里。”《告工人、士兵和农民书》承诺：

“苏维埃政权将向各国人民提议立即缔结民主和约，立即在各条战线上停战。苏维埃政权将保证把地主、皇族和寺院的土地无偿地交给农民委员会处置；将使军队彻底民主化，以维护士兵的权利；将规定工人监督生产；将保证按时召开立宪会议；将设法把粮食运往城市，把生活必需品运往农村；将保证俄国境内各民族都享有真正的自决权。代表大会决定：全部地方政权一律转归当地的工兵代表苏维埃，各地苏维埃应负责保证真正的革命秩序。”[2]

---

[1] *Суханов Н.Н.* Записки о революции.Том 3（книга 5.6.7.）. М., 1992. С.343.

[2] 《列宁全集》第33卷，人民出版社1985年版，第5—6页。

10月26日清晨6点左右，苏维埃第二次代表大会第一次会议结束。布尔什维克在彼得格勒掌握了俄罗斯国家的政权。

第二次会议在26日晚上9点开会。大会讨论了列宁所做的关于战争问题和土地问题的报告，以全体一致通过了和平法令，以1票反对、8票弃权通过了土地法令。加米涅夫作了关于政权组织和苏维埃政府的组成问题的报告。托洛茨基在回答反对意见时说：

“面对全体人民，我们公开地举起了起义的旗帜。这个起义的政治法则是：通过苏维埃代表大会把全部政权转归苏维埃。有人对我们说：你们没要等到苏维埃代表大会召开。我们想等，但克伦斯基不想等，反革命分子没有打盹。我们是一个把创造条件为苏维埃代表大会掌握政权当作自己任务的政党。如果代表大会被士官生包围，它怎么能够把政权掌握在自己手里？为了实现这个任务，需要有一个党把政权从反革命手里夺过来，然后说：‘这是政权，你们必须接受’。”[1]

苏维埃第二次代表大会上成立的人民委员会

大会以压倒多数通过了组织新政权的法令：在立宪会议召开以前，成立工农临时政府管理国家，其名称为人民委员会。由于左派社会革命党人拒绝接受布尔什维克的建议参加政府，人民委员会全部由布尔什维克组成，列宁任人民委员会主席，托洛茨基为外交人民委员，李可夫为内务人民委员，米留亭为农业人民委员，施略普尼科夫为劳动人民委员，诺根为

[1] *Троцкий Л.* Речи на II Всероссийском Съезде Советов. //Историческое подготовление Октября. Часть 2. От Октября до Бреста.http://www.magister.msk.ru/library/trotsky/trotl350.htm

工业和商业人民委员，卢那察尔斯基为教育人民委员，安东诺夫—奥夫申科、克雷连柯、德宾科为陆海军人民委员，洛莫夫为司法人民委员，斯克沃尔佐夫—斯捷潘诺夫为财政人民委员，泰奥多罗维奇为粮食人民委员，阿维洛夫为邮电人民委员，斯大林为民族事务人民委员。

在宣布成立清一色布尔什维克政府前几个小时，布尔什维克曾建议卡列林、卡姆柯夫和斯皮罗三位左派社会革命党人加入人民委员会，但他们没有接受。卡列林解释说，如果他们加入这个联合政府，将会加深革命民主派内部已经存在的分歧，而他们的任务是同民主派的所有部分和解。

大会选举产生了新一届全俄中央执行委员会。在 101 人组成的中央执行委员会中，布尔什维克和它的盟友左派社会革命党占了绝对优势，其中布尔什维克 62 人，左派社会革命党 29 人，孟什维克国际主义派 6 人，其他左翼小党派的代表 4 人。

大会还作出了一系列决定，如在前线废除死刑、释放被逮捕的地方自治机关成员、逮捕克伦斯基、尽可能让退出大会的党派和团体的代表重返全俄中央执行委员会、农民代表在代表大会中的人数等。大会通过了对前线士兵、哥萨克、铁路员工、地方苏维埃的呼吁书。

苏维埃第二次代表大会标志着苏维埃政权的建立，也意味着俄国历史新时代的开始。

第十一章　巩固政权的最初斗争

布尔什维克通过十月武装起义顺利地夺取了政权后，面临巩固政权的艰巨任务。苏维埃政权击退了克伦斯基组织的军队对彼得格勒的进攻，顶住了全俄铁路工会执行委员要求成立社会主义政党联合政府的最后通牒的压力，中央委员会内部在政权问题上的严重分歧也得到平息。为了巩固政权基础，布尔什维克积极采取措施解决迫切问题，但和平、土地、面包、自由都不是仅仅通过颁布法令和发表宣言就能实现的。立宪会议的选举和召开是对苏维埃政权的严峻考验。立宪会议最终被解散，既使苏维埃政权得到了巩固，也使国家进入了“铁与血”的国内战争时期。

第一节　新政权面临挑战

遭遇武力攻击

十月武装起义胜利后成立的新政权并未得到普遍支持。10 月 27 日（11 月 9 日）卢那察尔斯基写道：“夺取政权总算轻易完成了，但是保持政权呢？”在彼得格勒，除了士兵、工人和少许农民，多数市民、知识分子、市杜马以及其他社会主义政党“都断然抵制我们”，布尔什维克遭遇“可怕的、令人胆寒的孤立和疯狂的愤怒”，“形势极端危险、极端严重”，“我已经不祈求命运让我再看到你们。”[1]

彼得格勒群众关注事态发展。1917 年 10 月 26 日

新政权首先遭到了支持临时政府的军队的抵抗。

克伦斯基在意识到他已失去对彼得格勒的控制时，离开首都去北

[1] 参见《苏联历史档案选编》第 1 卷，社会科学文献出版社 2002 年版，第 66—67 页。

方战线寻找和调动可以依靠的部队。现在他的希望寄托于北方战线部队。早在10月23日，临时政府调动“可靠的部队”进入首都的命令就已到达北方战线，但北方战线没有行动。25日，北方战线司令部所在地普斯科夫的苏维埃作出决定，禁止派遣前线部队去彼得格勒保卫临时政府。普斯科夫苏维埃建立的军事革命委员会下令控制了当地通信和交通设施。北方战线的军队委员会表示，不可能在保卫临时政府的口号下派部队去彼得格勒，部队调动需要得到苏维埃中央执行委员会的批准。最后，孟什维克和社会革命党看到事态严重，终于给前线发出了命令：“中央执行委员会主席团批准从前线调一支部队。这支部队应该尽快组成。务请执行中央执行委员会的决定。”现在，切列米索夫不得不下达了调动部队去彼得格勒的命令。[1]

10月25日，布尔什维克在彼得格勒已经占领了主要中心，并准备进攻冬宫。但临时政府在首都以外仍得到了14个军队委员会中的12个以及大本营的军队总委员会的支持，它们作出决议坚决反对布尔什维克。但恰恰是本应派部队前往彼得格勒的北方战线第1集团军和第5集团军的委员会表态支持布尔什维克，而第12集团军的委员会则被布尔什维克化的拉脱维亚步兵包围。北方战线司令切列米索夫将军是一个只关心怎样利用局势为自己牟利的军事官僚，他认为临时政府的处境是无望的，因此公开向官兵们表示“干预国内战争不是前线应该做的事”，临时政府已被推翻，应该等待新政权的成立。最后，他取消了先前发出的从前线调部队去彼得格勒的命令，并命令已在去首都路上的部队停止前进。士兵们被告知，他是根据克伦斯基本人的命令停止部队向彼得格勒的运动。这就是所谓“切列米索夫插曲”或“切列米索夫事件”。[2]

10月25日晚上9点左右，克伦斯基到达了普斯科夫的北方战线司令部。切列米索夫告诉克伦斯基，不能保证他的个人安全，坚决地请他立即离开普斯科夫。北方战线政治委员沃依廷斯基到处奔走，寻找可以派往彼得格勒的部队，最后确认只有作为北方战线预备队的克拉斯诺夫将军指挥的第三骑兵军部

---

[1] *Иоффе Г.З.* Из истории российской демократии 1917 года.//”Литературная газета”, 2002 №45, 6–12 ноября 2002 г.

[2] *Иоффе Г.З.* Из истории российской демократии 1917 года.//”Литературная газета”, 2002 №45, 6–12 ноября 2002 г.

队可以派往彼得格勒。克拉斯诺夫不赞成切列米索夫停止派部队去彼得格勒的决定，并打算动员自己的哥萨克部队去平息首都的事态。深夜，克伦斯基会见了第三骑兵军军长克拉斯诺夫将军。克拉斯诺夫能够为克伦斯基调动的部队总共有 12 个哥萨克骑兵连，数量不大的轻型炮兵，一列装甲列车和一辆装甲车。10 月 27 日早晨，这些部队占领了彼得格勒西南 30 公里处的加特契纳。克伦斯基在这里建立了自己的指挥部。次日，克拉斯诺夫的部队又占领了皇村。

为了集合起一支部队阻止克拉斯诺夫的进军，托洛茨基费了很大的劲。卫戍部队不想打仗，就像当初不想被临时政府调往前线一样。他们萎靡不振地被迫进入阵地。工人赤卫队不会进行正规作战，谁也不知道他们的战斗力怎样，而且工人群众还意识不到为了巩固革命必须进行严酷的斗争。布尔什维克军事组织领导人善于组织起义，但不能胜任指挥正规作战。在这种情况下，托洛茨基果断使用旧军官为苏维埃政权服务。在迎击克拉斯诺夫的哥萨克骑兵部队时，穆拉维约夫上校和瓦尔登上校帮助布尔什维克取得了决定性的胜利。[1]

克拉斯诺夫的部队同样没有斗志，在遭到炮击严重减员后，就停下来不打了。哥萨克举行集会，决定同苏维埃政权方面进行谈判，随后退回加特契纳。克拉斯诺夫的进军就此结束，克伦斯基的最后希望落空。在几个社会革命党“小分队”成员的帮助下，克伦斯基乘车离开加特契纳。克伦斯基就此告别了俄国政治生活舞台。[2]

在克拉斯诺夫的部队进军彼得格勒的同时，10 月 26 日，彼得格勒市杜马

---

[1] *Троцкий Л. Д.*Петроград.// Историческое подготовление Октября. Часть 2. От Октября до Бреста. http://www.magister.msk.ru/library/trotsky/trotl361.htm.

[2] 克伦斯基在乡间躲藏了大约两个月。在此期间他与彼得格勒的朋友建立了联系，他写的呼吁同布尔什维克作斗争的信件发表在社会革命党的《人民事业报》上。他仍想继续领导同布尔什维克的斗争，想亲自出席立宪会议。但在 1918 年 1 月 2 日，社会革命党使者晋季诺夫带来了坚决的否定的答复。1918 年 3 月，克伦斯基秘密地回到莫斯科。6 月，他用塞尔维亚护照获得英国代表的签证，从莫斯科雅罗斯拉夫里车站登上了遣返塞尔维亚战俘的列车，前往摩尔曼斯克。6 月 21 日，克伦斯基搭乘英国巡洋舰来到伦敦，后来又迁居巴黎。但无论是英国还是法国都没有承认克伦斯基，因为白卫运动领导人坚决拒绝克伦斯基，认为他是要为布尔什维克的胜利负责的罪人。

中的孟什维克和社会革命党人发起成立了“拯救祖国和革命委员会”，加入其中的有市杜马代表、原先的苏维埃中央执行委员会成员、农民代表苏维埃执行委员会成员、退出第二次苏维埃代表大会的孟什维克和社会革命党党团成员、铁路工会和邮电联盟的代表、中央海军委员会的代表，以及孟什维克和社会革命党的中央委员会成员等。社会革命党领导人之一郭茨任委员会主席。

拯救祖国和革命委员会发表《告俄罗斯共和国公民书》，号召政府官员和居民不承认人民委员会、不执行它的命令，并宣布自己拥有重新组织临时政府的权力。拯救祖国和革命委员会的领导人还制订了在彼得格勒发动反对苏维埃政权的军事行动的计划。29 日早上，由预备议会主席阿夫克森齐耶夫、拯救祖国和革命委员会主席郭茨签署命令，要求部队集结。首都几个军事学校的士官生占领了彼得格勒电报中心、阿斯托利亚饭店、国家银行等，随后准备把布尔什维克赶出斯莫尔尼宫。军事行动一度得手，士官生甚至抓住了军事革命委员会主席安东诺夫—奥夫申科。但拯救祖国和革命委员会能够动员的也就是人数不多的士官生，而革命军事委员会掌握了彼得格勒的几乎全部武装力量，因此军事暴动从一开始就是没有成功希望的，士官生占领的据点很快又被苏维埃政权夺回，几个军事学校被包围，傍晚时就投降了。

在最初的保卫新政权的斗争中，已经显露出国内战争的一些特点。

在士官生俘虏了一些赤卫队员和士兵后，托洛茨基即代表苏维埃宣布：“我们将采取最严厉的措施作为回答……我们抓的俘虏是我们的人质。如果敌人抓了我们的人，那就让他们知道：每一个工人和士兵要用 5 个士官生来换。”同时，为了解决物资匮乏的问题，苏维埃明确表示，为了向阵地上的战士提供必需的物资，将立即采取必要措施。“在目前情况下我们不会在私有财产神圣不可侵犯的原则面前止步。工人和士兵组织可以从军事革命委员会得到征用的授权。”[1]

针对政府部门公职人员以及银行、铁路、邮电部门职工对新政权的抵制，军事革命委员会宣布，工农政府将采取必要措施保障国家所需的一切，富人阶

[1] *Троцкий Л.Д.* Речь на заседании Петроградского Совета по текущему моменту.// Историческое подготовление Октября. Часть 2. От Октября до Бреста”. http://www.magister.msk.ru/library/trotsky/trotl353.htm.

级及其支持者如果不停止怠工，他们“将失去获得食品的权利。他们拥有的全部储备将被征用。主要罪犯的财产将被剥夺”。[1]

在控制舆论方面，苏维埃政权迅速采取措施取缔了具有反对新政权倾向的传播媒体。10 月 26 日（11 月 7 日），彼得格勒军事革命委员会下令把当天刊登已被推翻的临时政府的声明和杜鹤宁将军呼吁的报纸一律查封，并拘捕其编辑和主要工作人员。随后又陆续封闭了一些资产阶级报纸，将其设备用于印刷出版《真理报》、《士兵真理报》、《乡村农民报》等革命报纸。军事革命委员会还分别派遣委员管理印刷出版事务和电报通讯社。10 月 27 日人民委员会通过出版法令，规定了取缔报纸的条件，追认彼得格勒军事革命委员会的措施为合法，将印刷厂和造纸厂收归国有。苏维埃中央执行委员会 11 月 4 日作出关于出版问题的决议，明确提出“查封资产阶级报纸并不纯粹出于起义和镇压反革命时期的斗争需要，而且也是在出版领域建立新制度的必要过渡措施。……进一步的措施是没收私有印刷厂和纸张储备，将它们转归中央和地方苏维埃所有……恢复所谓‘出版自由’……无疑是反革命性质的措施”。[2]

全俄铁路工会的通牒

与军事战线上的斗争同时展开的还有政治层面的斗争。由布尔什维克组成的苏维埃政府成立后，遭到全俄铁路工会执行委员会[3]的强烈反对。全俄铁路工会执行委员会是在 1917 年 7 月全俄铁路工会成立大会上选举产生的，其中有 14 名社会革命党人，6 名孟什维克，3 名人民社会主义党人和 11 名无党派人士。在拯救祖国和革命委员会宣布抵制新政权之后，全俄铁路工会执行委

---

[1] *Троцкий Л.Д.* Вниманию всех граждан. //Историческое подготовление Октября. Часть 2. От Октября до Бреста.http://www.magister.msk.ru/library/trotsky/trotl369.htm.

[2] *Троцкий Л.Д.* Резолюция ЦИК по вопросу о печати.// Историческое подготовление Октября. Часть II. От Октября до Бреста. http://www.magister.msk.ru/library/trotsky/trotl366.htm.

[3] 全俄铁路工会执行委员会（Всероссийский Исполнительный Комитет ж.-д.профсоюза），简称 Викжель。

员会试图在它与苏维埃军事革命委员会之间充当调停人，以期建立一个由各个社会主义政党的代表组成的政府。

为此目的，全俄铁路工会执行委员会决定于10月29日召开各社会主义政党参加的会议，并威胁说如果敌对各方不停止军事行动，不就建立更具广泛性的政府进行谈判，全俄铁路工会执行委员会就将在29日午夜开始铁路员工总罢工。全俄铁路工会执行委员会在其发出的《告全国同胞书》中说：

“国家没有政权，正在为政权进行残酷斗争。在彼得格勒成立的人民委员会仅仅依靠一个党，它不可能得到全国的承认和支持。必须建立一个能够得到整个民主派信任、具有道义力量的新政府，它在立宪会议召开之前应把政权掌握在自己手里。建立这样的政权只能通过整个民主派的理智妥协，而绝不是利用武器的力量。为了保存国家和拯救革命，全俄铁路工会执行委员会……宣布：实现国内和平的唯一方式就是组织纯粹社会主义的政府，它应吸收从布尔什维克党到人民社会主义党的所有社会主义政党参加。”[1]

全俄铁路工会执行委员会的警告十分严厉，因为如果彼得格勒与全国其他地方的交通联系被切断，粮食运输被停止，那么新政府将被置于极为困难的境地。在布尔什维克领导层中，存在着主张妥协的强烈倾向。卢那察尔斯基的看法具有相当的代表性，他注意到，所有市民、所有温和社会主义者对布尔什维克的敌视“达到了难以估量的程度”。“有一点很清楚，那就是我们掌握了政权，却什么也做不成。单靠我们自己，我们什么也不能搞好。社会主义者是否会参加单一的民主派内阁，我不知道。但是，没有这一条，应当说，除了毁灭，革命没有别的出路。”[2]

10月29日，在列宁和托洛茨基缺席的情况下，布尔什维克中央委员会会议同意参加全俄铁路工会执行委员会打算在10月29日召集的会议。中央委员会会议通过如下决定：中央认为必须扩大政府的基础并可以改变其组成；政府由苏维埃中央执行委员会组建并对其负责；对所有苏维埃政党包括人民社会主

[1] 参见 *Козьменко В.М.* История россии. М., 2009. http://www.protown.ru/information/hide/hide_1259.html.

[2] 《苏联历史档案选编》第1卷，社会科学文献出版社2002年版，第70页。

义党人进入政府的要求不作最后通牒式的拒绝。[1] 但会议否决了各个退出代表大会的政党可以按人数比例增补进中央执行委员会的议案。[2]

这个决定意味着中央委员会多数实际上接受了全俄铁路工会执行委员会的最后通牒，赞同成立联合政府，为此甚至准备作出重大让步。会议的基本精神显然是与列宁和托洛茨基的想法背离的。

当天，全俄铁路工会执行委员会召集会议，各社会主义党派组织总共 30 名代表出席。孟什维克护国派唐恩和艾里克，孟什维克国际主义派马尔托夫和马尔丁诺夫，右派社会革命党人亨德尔曼和雅可宾，左派社会革命党人柯列加耶夫和马尔金，代表拯救祖国和革命委员会的孟什维克瓦因施泰因，以及全俄农民代表委员会、国家机关职员联合会以及其他组织的某些代表。代表布尔什维克的是加米涅夫和索柯里尼柯夫，斯维尔德洛夫、梁赞诺夫代表全俄中央执行委员会也出席了会议。以加米涅夫为首的布尔什维克代表在同全俄铁路工会执行委员会的谈判中基本上是采取对话、调和、妥协的立场，总的目标是设法建立一个有各社会主义党派参加的联合政府。

在全俄铁路工会执行委员会组织的各党派谈判中，孟什维克和右翼社会革命党人提出了成立联合政府的苛刻条件：新政府不是对苏维埃负责而应对革命民主派负责，解除布尔什维克部队的武装，列宁和托洛茨基不能进入新政府等。这意味着彻底否定布尔什维克 10 月 25 日的武装夺权，显然是以列宁和托洛茨基为首的布尔什维克党内左翼不可能接受的。

中央委员会的分裂

11 月 1 日，布尔什维克党召开中央扩大会议，除了 12 名中央委员外，还有 11 名来自彼得格勒委员会、军事组织、工会的代表和不是中央委员的政府

---

[1] 在这一条进行表决时删去了后面半句话："并同意放弃提名列宁和托洛茨基作为候选人，如果有这样的要求的话。" 见 Протоколы Центрального Комитета РСДРП（б）. Август 1917–февраль 1918. М., 1958. С.122.

[2] Протоколы Центрального Комитета РСДРП（б）. Август 1917-февраль 1918. М., 1958. С.122.

成员参加。加米涅夫就孟什维克和社会革命党提出的建立联合政府的条件问题作了报告，提到了成立“人民苏维埃（совет）”作为取代全俄中央执行委员会的新的预备议会，政府对“人民苏维埃”负责，由切尔诺夫或阿夫克森齐耶夫担任总理等问题。

从彼得格勒郊外同克拉斯诺夫部队进行战斗的前线直接来到会场的托洛茨基首先发言：“从加米涅夫报告中看得很清楚，那些没有参加起义的党派是如何想要把政权从那些把他们推翻了的人手中夺回来”，他坚决反对向铁路工会执行委员会及其后面的孟什维克和社会革命党让步。[1]

会议的调子开始出现明显的变化。捷尔任斯基、乌里茨基等人表示不能允许让出列宁和托洛茨基的职位。加米涅夫则申辩说，代表团是按照上次中央会议的决定行事，没有搞交易；现在没有中断谈判的理由。列宁激烈地声明：“加米涅夫的政策应当立即停止执行。现在不必同全俄铁路工会执行委员会谈判。必须派军队到莫斯科去。”“谈判本来应该成为军事行动的外交掩护。”[2]

主张谈判的中央委员担心，如果中断谈判，布尔什维克党将陷于孤立。李可夫指出：“如果我们停止谈判，那些支持我们的集团就会离开我们，我们就不能维持政权。加米涅夫进行的谈判是完全正确的。”梁赞诺夫指出，不能回避这样的事实：甚至在彼得格勒，政权都不在我们手里而是在苏维埃手里。如果离开谈判的道路，我们就会完全孤立无援。我们已经犯了错误——去领导政府并以命名使问题尖锐化。如果我们没有这样做，中级官员集团就会跟我们走。此外，他提醒，再过两三天我们就会面临只能发 1/4 磅面包的局面。如果我们今天拒绝妥协，我们就会失去左派社会革命党人，失去一切，就会面对这样一个事实，即我们欺骗了群众，原先我们曾经答应给他们一个苏维埃政府。

中央扩大会议明确了几个原则性的立场：首先，无论在苏维埃中央执行委员会还是在政府中，布尔什维克必须占多数。托洛茨基强调：如果我们得不到多数，那就没有必要举行起义。我们必须拥有 75%。其次，列宁和托洛茨基

---

[1] 参见 Протоколы Центрального Комитета РСДРП（б）. Август 1917-февраль 1918. М., 1958. С.125.

[2] Протоколы Центрального Комитета РСДРП（б）. Август 1917-февраль 1918. М., 1958. С.126,127. 参见《列宁全集》第 33 卷，人民出版社 1985 年版，第 38 页。

的位置不能让出。托洛茨基声明，“我们不能让出列宁的主席职位”。再次，关于同全俄铁路工会执行委员会的谈判，多数认为不能中断谈判，会上以10票对4票的多数通过了不中断谈判的决定。但会议最后还通过了一个决议，同意参与左派社会革命党人提出的建立社会主义政党联合政权的最后尝试，但“目的是揭露这种尝试无法成立，并最终停止关于联合政权的进一步谈判”。[1] 这个决议实际上否决了继续谈判以谋求建立各社会主义政党组成联合政府的可能性，因此加米涅夫等中央委员还是坚持认为，应当为争取建立联合政权而进行谈判。

11月2日（15日），中央委员会再次开会，23名中央委员中有15名出席了会议。会议决议表明，列宁成功地把中央委员会内的多数派变成反对派，并对其进行了政治谴责：“中央委员会认为，中央内部形成的反对派一再发表绝非马克思主义的言论，说什么社会主义革命在俄国不可能成功，必须向苏维埃组织中明显的少数派所提出的最后通牒和退出的威胁让步，这样就是违反全俄苏维埃代表大会的意志和决议，暗中破坏刚建立的无产阶级和贫苦农民的专政，从而完全背离了布尔什维主义的一切根本立场”，“反对派必须对阻碍革命工作、对目前等于犯罪的动摇负完全责任”。[2]

在11月2日（15日）深夜举行的全俄中央执行委员会会议上，以加米涅夫、季诺维也夫为首的布尔什维克党团提出一项决议案，主张参加苏维埃的各政党就联合政府问题进行谈判，把政府中的半数席位提供给孟什维克和社会革命党，扩大全俄中央执行委员会的组成。这一决议案获得通过。

列宁得知这一情况后十分愤怒，他拟定了一份最后通牒，并请当时在彼得格勒的中央委员们单独到他的办公室，向他们介绍最后通牒的内容，并要求他们签字同意。同列宁一起在文件上签字的有托洛茨基、斯大林、斯维尔德洛夫、乌里茨基、捷尔任斯基、越飞、布勃诺夫、索科里尼科夫、穆拉诺夫。最后通牒指出：布尔什维克党团竟公然投票反对中央委员会关于自己在政府中的

---

[1] 参见 Протоколы Центрального Комитета РСДРП（б）. Август 1917-февраль 1918. М., 1958, С.124–130.

[2] 《苏联共产党代表大会、代表会议和中央全会决议汇编》第1分册，人民出版社1964年版，第516—517页。

代表人数和代表人选问题的决定，是骇人听闻的破坏纪律的行为，是这些中央委员背着中央干的，他们在暗中破坏党的工作。最后通牒要求持不同意见的中央委员以书面形式明确地回答：是否保证服从党的纪律并执行列宁提出的、中央委员会通过的决议所确定的政策？如果对这个问题作否定的或者含糊不清的回答，就将立即请彼得格勒委员会、莫斯科委员会、中央执行委员会布尔什维克党团、彼得格勒市代表会议、党的非常代表大会对以下建议加以抉择：或者是委托反对派组织政府，或者是赞成列宁提出的唯一革命的路线。[1]

组建政府问题上的分歧，引发了十月夺权以后布尔什维克党内第一次严重的危机。11 月 4 日，加米涅夫、季诺维也夫、李可夫、米柳亭和诺根等 5 名中央委员声明退出中央委员会。他们在声明中指出，只有同其他社会主义政党达成妥协，才有可能巩固十月革命的成果，巩固阵地和积聚力量，继续为社会主义而斗争。声明表示，“我们不能为中央的这一有害政策承担责任，这一政策是违背希望尽快结束民主派各部分之间流血的无产阶级和士兵大多数的意志的。为此，我们放弃自己的中央委员称号，以便有权公开地向工人和士兵说出自己的意见，并呼吁他们支持我们的口号：‘由苏维埃各政党组成的政府万岁’”。[2]

同时，内务人民委员李可夫、工商业人民委员诺根、农业人民委员米柳亭、粮食人民委员泰奥多罗维奇、出版事务委员杰尔贝舍夫、国家印币厂委员阿尔布佐夫、赤卫队委员尤列涅夫等在中央执行委员会发表声明：“我们坚持必须由所有苏维埃政党组成社会主义政府的观点。我们认为，除此以外只有一条路：用政治恐怖手段来维持清一色布尔什维克政府。人民委员会走上了这条道路。我们不能也不愿走这条路。我们认为这将导致把大量无产阶级组织排除出对政治生活的领导，导致建立不负责任的制度和毁灭革命和国家。我们不能对这样的政策负责，因此向中央执行委员会辞去人民委员职务。”[3] 在声明上签

[1] 参见《列宁全集》第 33 卷，人民出版社 1985 年版，第 44 页。

[2] Протоколы Центрального Комитета РСДРП（б）. Август 1917-февраль 1918. М., 1958, С.135.

[3] Протоколы Центрального Комитета РСДРП（б）. Август 1917-февраль 1918. М., 1958, С.136.

字的还有梁赞诺夫和劳动部的司长费多罗夫和拉林。此外，劳动人民委员施略普尼柯夫表示赞同对形势的分析，但不辞职。

11 月 5 日或 6 日，列宁以中央委员会名义给加米涅夫、季诺维也夫、梁赞诺夫和拉林等人写信，要求他们或者书面保证服从中央决议，或者退出党的一切公开活动、辞去所有重要职务，否则就将他们开除出党。列宁最终分化了持不同意见的中央委员，在 11 月 8 日的中央委员会会议上，加米涅夫被解除了全俄中央执行委员会主席职务，由斯维尔德洛夫取代。季诺维也夫最先改变了立场。随后，加米涅夫和李可夫、诺根、米柳亭递交了服从“多数”和重返中央委员会的声明。中央委员会的第一次危机结束。

第二节　怎样兑现承诺

愿望与现实

4 月以来，布尔什维克提出的和平、土地、面包和自由的口号使它获得了群众的支持，并且为十月的胜利提供了保证。临时政府就是因为在这些最迫切的问题上拖延不决而丧失了群众大多数的支持，而布尔什维克则从和平和土地的口号中获得了力量的源泉。毫无疑问，依靠这些口号争得人心从而夺取了政权的布尔什维克是打算立即兑现这些承诺的，因此在宣布武装起义胜利之时就颁布了和平法令和土地法令。和平法令和土地法令在很大程度上是对既成局面的承认，因为军队不愿打仗，前线已经瓦解；农民早已在自行夺取并分配地主土地。

但是，愿望不等于现实。和平、土地、面包、自由都不是仅仅通过颁布法令和宣言就能实现的。临时政府所给予的自由已经无法超越，而临时政府没能解决的问题，对于苏维埃政权来说也绝非易事。卢那察尔斯基在苏维埃政权成立后的第三天（10 月 27 日）写道：“困难比所有的预想超出一千倍……粮食供应任务极为艰巨。到处都是衰败崩溃，并且从各个方面袭来！甚至即使把一切力量集中到一起，俄国可能也无法摆脱这种可怕的境况，而我们必须仅仅依靠布尔什维克的力量来拯救俄国。”一个月后，他对于能否签订和约、整顿生产、改善粮食供应、实现军队复员、召开立宪会议仍持怀疑态度，认为“局势是相当令人绝望的”。[1]

艰难的和平之路

从二月到十月，战争问题始终是俄国面临的最迫切问题。在 10 月 25 日苏维埃第二次代表大会上，列宁宣布工农革命成功的同时提到，当前的任务之一就是必须立即结束战争。

苏维埃第二次代表大会通过的《和平法令》明确表达了俄国人民要求结束战争的愿望，提出了立即就公正的民主和约进行谈判、立即实现不割地不赔款的和平的主张。《和平法令》同时也阐明了新政权对外政策的基本原则，提出了不同社会制度国家相互关系的一些观点，如表示愿与其他国家和平共处、建立睦邻关系和经济联系，宣布废除秘密外交、公布沙皇政府和临时政府所签订的一切秘密条约并立即无条件废除。《和平法令》对帝国主义兼并政策作了明确定义，认为“凡是把一个弱小民族合并入一个强大国家而没有得到这个民族的同意合并、希望合并的明确而自愿的表示，就是兼并或侵占别国领土的行为”，为此目的进行的战争是“反人类的滔天罪行”。法令表示，苏维埃政权决心根据对一切民族都公正的条件，立即签订和约，终止这场战争。但它同时表示，上述和平条件并非是最后通牒式的，它愿意考虑任何其他和平条件，只是要求各交战国尽快提出明确的、没有丝毫含糊和秘密的条件。[2]

《和平法令》在形式上满足了俄国人民尤其是前线士兵要求结束战争的愿望，但它是一个充满理想主义色彩的文件，其宣传意义远远大于实际影响。

苏维埃政权通过《和平法令》提出了实现没有兼并、没有赔款的和平的主张，希望以此作为结束战争、缔结和约的条件。但在当时国际政治的现实中，公正和民主的和约、不割地不赔款的和平这样的目标，显然是脱离实际的一厢情愿的想法。因为各个交战国都有自己的战争目的，他们不可能因为俄国新政权颁布了《和平法令》而放弃自己的利益。

《和平法令》试图以国内法来处理其与各交战国的关系，按照自己的原则

[1] 《苏联历史档案选编》第 1 卷，社会科学文献出版社 2002 年版，第 67、77 页。

[2] 参见《列宁全集》第 33 卷，人民出版社 1985 年版，第 9—12 页。

来实现和平。但是各个交战国政府还没有听说过这个政权，更没有承认这个政权，要让他们对《和平法令》作出正面响应是不可能的，相反，列宁也预计“各国政府和资产阶级定会竭尽全力以图联合起来，把工农革命淹没在血泊里”[1]。

列宁很清楚，《和平法令》是难以实现和平的。正因为如此，他把推翻资本主义制度视为结束战争、实现和平的前提条件。他在苏维埃第二次代表大会上多次明确指出：“大家都很清楚，要结束同现在的资本主义制度密切联系着的这场战争，就必须打倒资本本身。”[2]而在当时，俄国革命自身还有待于胜利的欧洲无产阶级的支持。因此，布尔什维克领导人把实现和平的希望首先寄托于各交战国的人民，而且深信自己能够得到欧洲无产阶级的支持而获得成功。

虽然《和平法令》“向一切交战国的人民及其政府建议”，立即就缔结公正的民主的和约开始谈判，立即实现不割地不赔款的和平。但法令的着眼点显然是交战国的人民。它特别强调：“俄国政府向一切交战国人民建议立即缔结这种和约，并且决心不等到各国和各民族的享有全权的人民代表会议最后批准这种和约的全部条件，就立即毫不延迟地采取一切果断步骤。”[3]

在《和平法令》之外，列宁反复提到要诉诸交战国的人民。他拟定的苏维埃二大决议指出：“新的工农政府定会立即向各交战国人民提议缔结公正的民主和约”；他在《告工人、士兵和农民书》中强调，新政府将向各国人民直接提出民主和约；他“特别向人类三个最先进的民族，这次战争中三个最大的参战国，即英法德三国的觉悟工人呼吁”[4]，“坚信上述各国工人定会了解他们现在所担负的使人类摆脱战祸及其恶果的任务，定会从各方面奋力采取果敢的行动，帮助我们把和平事业以及使被剥削劳动群众摆脱一切奴役和一切剥削的事业有成效地进行到底”[5]；他认为，苏维埃政权的呼吁定会得到国际无产阶级群众的热烈响应，“工人运动定会占上风，定会铺平走向和平与社会主义的道

[1] 《列宁全集》第33卷，人民出版社1985年版，第13页。

[2] 同上书，第2页。

[3] 同上书，第9页。

[4] 同上书，第11页。

[5] 同上书，第11页。

路"[1]；苏维埃政权不能被动地等待这种支持和响应，而"应当帮助各国人民干预战争与和平问题"[2]。从这个意义上说，《和平法令》与其本意相反，是一个指向"世界革命"的法令。"《和平法令》的实施本身，就是一场俄国对抗整个资本主义世界的、力量极为悬殊的战争"。[3]

《和平法令》颁布后，苏维埃政权多次向各交战国、各中立国呼吁进行和平谈判。但协约国各国根本不承认苏维埃政权，拒绝与它发生关系。在大国中，只有德国在 11 月底向苏维埃俄国表示愿意进行和平谈判，但它的动机也只是为了更好地进行战争、更多地谋取利益，而不是赞同苏维埃俄国不割地不赔款的和平呼吁。

在布列斯特-里托夫斯克进行的和平谈判

在不可能得到协约国各国的响应开始和平谈判以达成全面和平的情况下，列宁不得不转向与德国单独媾和，这是在发生欧洲革命以前赢得时间的唯一途径。1917 年 12 月 15 日，苏维埃俄国与德国签订停战协定。22 日，在布列斯特—里托夫斯克开始了和平谈判。德国及其盟国因在对俄作战中占有优势，向苏俄提出了苛刻的条件，要求苏俄割让波兰、立陶宛以及乌克兰、白俄罗斯、爱沙尼亚、拉脱维亚的部分土地，赔款近 30 亿卢布。在与德国进行的和平谈判中，苏维埃俄国曾竭力拖延签订和约，但最后还是不得不从"缔结公正的民主的和约"的立场转到了接受屈辱的既割地又赔款的和约的立场。列宁

[1] 《列宁全集》第 33 卷，人民出版社 1985 年版，第 13 页。

[2] 同上书，第 12 页。

[3] 参见闻一：《十月革命——阵痛与震荡》，广东人民出版社 2010 年版，第 140 页。

认为，保住政权的目标高于一切。[1]

借用的土地纲领

列宁在10月25日的《告工人士兵和农民书》中保证，苏维埃政权将把地主、皇族和寺院的土地无偿地交给农民委员会处置。他在苏维埃第二次代表大会上作关于土地问题的报告时指出，临时政府和孟什维克和社会革命党用各种理由拖延土地问题的解决，从而使国家陷于经济破坏，激起了农民的起义；而工农革命的政府首先应当解决土地问题，满足广大贫苦农民的要求。

《土地法令》的主要内容出自于社会革命党人的《农民的土地问题委托书》。这份委托书是由《全俄农民代表苏维埃消息报》编辑部根据242份地方农民委托书拟订的，并于1917年8月19日在该报上公布。委托书体现了社会革命党在土地问题上的意见和主张。有人指出这个法令和委托书是社会革命党人的东西，对此列宁回答说："就让它这样吧。谁拟订的不都一样吗？我们既是民主政府，就不能漠视下层人民群众的决定，即使我们并不同意。"[2] 但即便如此，列宁把这份反映社会革命党观点的文件作为苏维埃政权的《土地法令》向俄国和世界公布，还是清楚地表明了布尔什维克并没有自己的成熟的土地问题纲领这一事实。直到十月武装起义时，布尔什维克党的工作重点在主要城市产业工人中间和波罗的海舰队水兵中间，党的农村组织很少，而且没有任何一位党的重要领导人曾在农村从事过革命宣传和组织工作。因此，布尔什维克党在总体上并不十分了解俄国农村的情况，也缺乏对农村和农民的影响力。对于自己的这个弱点，布尔什维克自己也是承认的，而且还尽力试图弥补。布尔什维克之所以从5月开始就同左派社会革命党人合作以至最终建立同盟，主要也是因为自己还没有在农民中间开展工作，而社会革命党人却在农民中具有巨大的绝对的影响。

《土地法令》的核心内容是立刻废除地主土地所有制，不付任何赎金；把

---

[1] 闻一对此作了具体分析。参见闻一：《十月革命——阵痛与震荡》，广东人民出版社2010年版，第142—153页。

[2] 《列宁全集》第33卷，人民出版社1985年版，第20页。

"地主的田庄以及一切皇族、寺院和教会的土地，连同所有耕畜、农具、农用建筑和一切附属物，一律交给乡土地委员会和县农民代表苏维埃支配，直到召开立宪会议时为止"。《土地法令》也试图控制农村的混乱状态，规定："任何毁坏被没收的即今后属于全民的财产的行为，都是严重的罪行，革命法庭应予惩处。"法令明确规定，"在立宪会议对伟大的土地改革作出最后决定以前"，各地应该以农民的土地问题委托书"作为实行这一改革的指南"。[1] 而按照委托书的提法，一切土地均属全民所有，按照平均原则分配给农民使用。

但《土地法令》只是作出了一个临时性的安排，没有明确下一步具体怎么办，它把土地问题的最终解决交给了立宪会议。因此《土地法令》没有能够真正解决农民土地问题：从政权方面来说，它"并不是布尔什维克所实际要求的土地和农民问题的最终出路"；从农民方面来说，它没有满足农民对土地私有的渴望，没有明确规定农民在新的土地关系中的地位和相应的权利。[2]

《土地法令》主要是表明了新政权解决土地问题的一个态度，是对农民自发夺取地主土地和财产这一既成事实的承认。列宁很现实，他提到了 8 个月来临时政府与农民的关系，认为现在农民"想要亲自解决一切有关土地的问题"，说："我们相信农民自己会比我们更善于正确地妥当地解决问题。至于究竟是按照我们的方式，还是按照社会革命党人纲领所规定的方式，并不是问题的实质。问题的实质在于使农民坚信农村中再不会有地主了，一切问题将由农民自己来解决，他们的生活将由他们自己来安排。"[3] 在苏维埃第二次代表大会 10 月 26 日的会议上，列宁的这一表态赢得了热烈的掌声。但此后苏维埃俄国的历史表明，农民是不可能自己解决土地问题和安排自己生活的。因为，不存在抽象的农民，也不存在让农民自行解决的制度安排。布尔什维克很快就与其盟友左派社会革命党人因农民土地问题发生了尖锐冲突以至最终决裂。

---

[1] 《列宁全集》第 33 卷，人民出版社 1985 年版，第 18—19 页。

[2] 参见闻一：《十月革命——阵痛与震荡》，广东人民出版社 2010 年版，第 42—43 页。

[3] 《列宁全集》第 33 卷，人民出版社 1985 年版，第 21 页。

棘手的粮食问题

在 1917 年革命中，俄国大城市居民喊出了要面包的口号。面包问题即粮食问题是引爆二月人民革命的一个直接原因，而临时政府不得不接受沙皇政权遗留下来的面包—粮食问题。为了保证居民基本需要，临时政府继续了沙皇政府的做法，由政府实行粮食垄断，以固定价格出售粮食。但由此造成的一普特粮食的价格只相当于一副马掌铁的价格的情况，使得农民不愿出售粮食，是导致城市和军队的粮食供应紧张的主要原因之一。

在夺取政权之前的 1917 年 9 月，列宁曾认为，国内有足够的粮食和原料，但却不见商品，国家因食品不足、劳动力缺乏而面临死亡的威胁；消除灾难和战胜饥荒的基本的和主要的办法，就是由国家实行监督、监察、计算和调节，正确地进行分配。[1]

10 月 25 日列宁在《告工人、士兵和农民书》中作出保证，将设法把粮食运往城市，把生活必需品运往农村。但在十月革命后的最初一段时间里，包括列宁在内的布尔什维克领导人很少谈粮食问题，尽管十月革命后严重的粮荒以更快的速度发展蔓延。在布尔什维克着手处理粮食问题时，他们很快意识到问题并非那么简单。

1917 年 11 月初，列宁几次提到，产粮区有粮食，农民手里有粮食，只要铲除了投机倒把、暗中破坏、隐藏存粮、恶意积压货物等现象，只要在工厂建立起工人监督，用工业品供应农村，就能得到粮食。11 月 9 日或 10 日的人民委员会命令指出："粮食恐慌已经严重到了极点"，要求军事革命委员会采取最坚决措施打击"粮匪"，"立即逮捕，并在送交军事革命法庭审判以前拘留在喀琅施塔得的监狱里"。[2]

但是苏维埃政权对农村的粮食状况和农民的生活处境估计不足，了解不够。实际上，由于战争、饥荒和沙皇政府、临时政府的强制政策，农村没有布尔什维克想象的那么多粮食，甚至不少农村地区也缺粮。很多地方的农民写信给列

---

[1] 参见《列宁全集》第 32 卷，人民出版社 1985 年版，第 184—185 页。

[2] 《列宁全集》第 33 卷，人民出版社 1985 年版，第 81 页。

宁和人民委员会，诉说他们的困境和要求。列宁的答复是：“人民委员会号召农民自己把地方上的全部政权掌握在自己手里。工人将尽一切可能全力支持农民，但请求农民供给粮食。”为了维持军队和城市的粮食供应，新政府不得不延续沙皇政权和临时政府的不成功做法，采取强制措施来迫使农民提供粮食。

正是因为夺取政权时作出的承诺并未及时兑现，在1917年的最后两个月里，农民和士兵的情绪发生了急剧变化。苏维埃政权和列宁收到很多因为饥饿而陷于绝境的农民和士兵的信。一份骑兵团委员会的呼吁书提出了自己的要求，并宣布绝不从这些要求后退一步：“给人民以和平、土地、面包和自由……我们不需要关于自由、民主和社会主义的漂亮的豪言壮语，我们需要真正的自由、真正的民主，真正的社会主义”，“我们不是寻求过分的东西，我们期待的只是面包，那种普通的黑面包，那种没有它我们的孩子和兄弟就会浮肿的面包。”在苏维埃政权准备与德国单独媾和的情况下，一位“前布尔什维克”在12月19日给列宁的信中写道：“一开始我相信过你，因为你向我们许诺了美好的东西——真正的和平、面包和自由。我想，你不会毁了我们的国家。可是代替所许诺的东西，你却出卖了俄罗斯，面包没有给，确立的自由也是尼古拉式的。”1918年初，5个自称“真正的和非资产阶级”的农民给列宁写信：“新年好。俄国无产阶级高傲的领袖。我们莫斯科省季米特洛夫县的5个农民诅咒你，因为你们这些善人使我们陷入了绝境，我们连一小块面包也没有了……孩子们饿得全身浮肿，娘儿们哭喊着给我面包！”“你们太不理解我们默默无闻的农村了。”一封来自前线士兵的信向列宁发出了警告：“列宁同志，我们已经四个昼夜没有见到面包了。我们拖着饥饿的身体，光脚行走，而和平还是没有”，“列宁同志，您的良心何在，您作出的3天

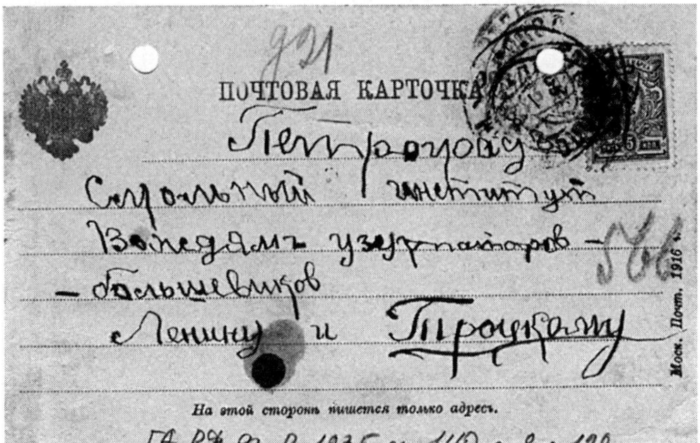

写给列宁和托洛茨基的明信片正面

内就会有和平、土地和自由的承诺何在，您为了夺取政权作出过这些承诺。而您不想去履行自己的承诺，没有。如果在 2 月 1 日前您不能履行自己的承诺，这就是敌人，你们将会和杜鹤宁一样。”[1]

亲自读过这类谴责甚至诅咒的信件后，列宁肯定意识到了粮食问题的极端严重性。他在 12 月 14 日写的《为了面包与和平》短文中，把面包问题提到了首位：“当前有两个问题比其他一切政治问题更为重要，这就是面包问题与和平问题。”他承认，“和平与面包，这就是工人和被剥削者的基本要求。”“和平与面包，推翻资产阶级，用革命手段医治战争创伤，社会主义的完全胜利，这就是斗争的目的。”[2] 但尽管如此，苏维埃政权解决粮食问题的办法仍然在行政命令、强力剥夺、用阶级斗争方式搞粮食的方向上发展。[3] 列宁后来承认，国内战争不仅是红军与白军的战争，也是苏维埃政权与农民的战争。粮食问题、农民问题一直到 1921 年春天才被列宁和布尔什维克党深刻认识并认真解决。

矛盾的民族政策

十月革命胜利后，布尔什维克所主张的民族自决权从一个原则问题、策略问题转变为具体的实践问题。布尔什维克领导人认为，民族自决权仍是获得最大限度的民族平等和民族和平的“唯一实际的保证”，因而也是苏维埃政权民族政策的基础。

苏维埃政权在其成立之时就否定了沙皇政府和临时政府的民族政策。全俄苏维埃第二次代表大会通过的《告工人、士兵和农民书》中宣布，苏维埃政权“将保证俄国境内各民族都享有真正的自决权”。根据列宁的建议，在人民委员会下设立了民族事务人民委员部，它通过加入其中的各民族的委员会以及地方各级苏维埃政权中的民族事务部门开展工作，为它规定的任务是：“解放被压迫民族，消除民族间的敌视和不信任，发展各民族在建设新社会事业中的合作。”1917 年 12 月 2 日，人民委员会通过了一项重要的法律文件——《俄

[1] 参见闻一：《十月革命——阵痛与震荡》，广东人民出版社 2010 年版，第 200—201 页。

[2] 《列宁全集》第 33 卷，人民出版社 1985 年版，第 171—172 页。

[3] 参见闻一：《十月革命——阵痛与震荡》，广东人民出版社 2010 年版，第 202 页。

国各民族权利宣言》。苏维埃政权宣布，根据布尔什维克党的民族纲领，它的民族政策将建立在如下基础上：(一) 俄国各民族的平等和主权。(二) 俄国各民族享有直至分离和建立独立国家的自决权。(三) 取消任何民族的和民族宗教的特权和限制。(四) 居住在俄国领土上的少数民族和种族的自由发展。[1]

苏维埃政权先后承认了原俄罗斯帝国境内一些民族和国家的独立地位。

1917 年 12 月 4 日，苏维埃政权承认乌克兰独立，同意它分离或与苏维埃俄国建立联邦关系。12 月 18 日，列宁把承认芬兰国家独立的决定交给芬兰资产阶级政府的代表，全俄中央执行委员会随后通过了关于芬兰独立的宣言。

在白俄罗斯、波罗的海沿岸等民族地区，当地共产党人在苏俄的支持下先后建立起苏维埃政权，并相继成立了拥有主权的苏维埃共和国。这些民族地区的共产党人都曾对成立独立的苏维埃共和国持有异议，如爱沙尼亚、拉脱维亚、立陶宛的苏维埃政权都主张作为自治共和国加入俄罗斯联邦，西部州的人民委员会也反对成立白俄罗斯苏维埃社会主义共和国。但根据列宁为首的俄共(布) 的意见，这些地方成立了独立的苏维埃共和国，全俄中央执行委员会很快就承认了他们的独立。

但在处理民族问题的原则上，布尔什维克党在主张民族自决权的同时，坚持把民族有权自由分离的问题与某一民族在某个时期实行分离是否适当的问题区别开来。列宁认为，承认民族自决权并不意味着马克思主义政党赞成分离，而只是反对一切民族压迫的彻底表现。从本质上说，民族自决权的提法是国际主义的，它主要反对的是大俄罗斯的沙文主义，但并没有因此而向被压迫民族的资产阶级民族主义让步。布尔什维克“把各民族无产者之间的联合看得高于一切，提得高于一切，从工人的阶级斗争着眼来估计一切民族要求，一切民族的分离”。[2]

布尔什维克对于民族自决权的这种认识包含着很难调和的矛盾：既承认直至分离的民族自决权，又限制这种权利的行使；一个民族分离出去是否合适的问题必须由党来作出判断，而判断的依据是阶级斗争的利益。

列宁在回答有人担心民族自决权会使俄国分裂成一些单独的共和国时说：

[1] 《苏维埃政权法令》第一卷，莫斯科 1957 年版，第 40 页。

[2] 《列宁全集》第 24 卷，人民出版社 1988 年版，第 239 页。

"我们用不着害怕这一点。不论有多少独立共和国，我们都不怕。在我们看来，重要的不在于国界划在哪里，而在于保持各民族劳动者的联盟，以便同任何民族的资产阶级作斗争。"他举例说，如果芬兰资产阶级反对本国的工人，"我们就建议芬兰工人同俄国的劳动人民联合起来"；"我们现在正在'征服'芬兰"，征服办法是一方面允许芬兰有同苏维埃俄国或同其他国家结成联盟的完全自由，另一方面保证完全支持包括芬兰在内的一切民族的劳动人民反对各国的资产阶级。"我们绝对赞成乌克兰民族有完全和无限制的自由"，"你们乌克兰人可以按照你们的愿望来安排自己的生活。但我们要向乌克兰工人伸出兄弟之手"[1]来同资产阶级作斗争。

这种认识上的矛盾性在苏维埃政权处理民族问题的实践中得到了越来越多的反映。

果断的经济措施

十月革命胜利后，苏维埃政权立即采取措施掌握国民经济的命脉。

还在10月25日武装起义过程中，革命的工人和士兵就占领了了中央银行。为防止各商业银行转移资金和贵重物品，11月14日夜间，在列宁亲自安排下，武装部队出其不意地接管了各商业银行，并于次日颁布法令，宣布所有私营股份银行和私人银行一律收归国有，并同国家银行合并。于是，实现了银行业的国家垄断。

在财政金融方面采取的又一措施是于1918年2月废除了沙皇政府和临时政府所借的国债，包括内债和外债。但小额国债持有者以及合作社、地方自治局等机构的利益得到了部分补偿。同时，苏维埃政权表示，准备调整与外国之间因废除债务法令而引起的相互关系问题，包括部分补偿外国公民因此而遭受的损失，但前提条件是停止对苏俄的经济和财政封锁。

1917年11月中旬，颁布了由列宁起草的《工人监督条例》，规定在各行业所有使用雇佣工人的企业中实行工人对生产、经营和财务的监督；企业主必须服从由选举产生的工人监督机关的决定。根据这个法令，苏维埃政权实际上

[1] 《列宁全集》第33卷，人民出版社1985年版，第112页。

把工厂交给了工人管理。布尔什维克党把工人监督视为通向社会主义的一个必要步骤，是在建设新生活中发挥群众首创精神和主动精神的条件。而企业主则激烈地反对这一措施，1917 年 12 月初召开的全俄厂主协会联合会代表大会通过决议，宣称凡是工人实行监督、干预管理的企业都将关闭。苏维埃政权在对抵制监督、消极怠工、拒发工资的私人小企业实行管制和征用的同时，开始对大型工业企业实行国有化。1917 年 11 月到 1918 年上半年，一些著名的大企业如普梯洛夫工厂、涅瓦工厂、顿巴斯和乌拉尔的采矿和金属加工企业等先后被收归国有。1918 年 6 月，人民委员会颁布了对大工业实行国有化的历史性法令，宣布矿山、冶金、金属加工、纺织、电机、锯木和木材加工、玻璃、陶瓷、水泥、制革等工业部门的大型企业，以及蒸汽机磨坊、地方公用事业、食品工业的某些企业、私人铁路等均为国家财产。

革命前俄国运输系统由铁路、水运、公路和少量石油管道组成。在 1913 年的货物周转量中，铁路完成了将近 61%，内河航运占 23%，海运占 16%，公路和管道运输所占的比例较小。在旅客运输方面，铁路占有 92% 的份额。运输业基本上是由国家控制的：国家拥有铁路总长度的 70%、几乎全部公路网和输油管道干线网以及部分海船。水运船队主要归私人所有。革命后，苏维埃政权很快实际掌握了原来的官办运输企业，并在 1918 年头几个月将私人铁路收归国有。1918 年 1 月 23 日，又颁布了商船国有化的法令，宣布所有航运企业都是不可分割的全民财产。

在商业方面，苏维埃政权首先对私营商业实行了监督和调节，包括规定最主要的食品和日用品的价格，商业企业的利润率等。1917 年底和 1918 年上半年，对大型批发商业实行了国有化；部分零售商业被收归城市所有，由地方粮食机构管辖。除粮食外，对农业机器、布匹、皮革等重要商品也实行了国家垄断，把所有这类产品全部收归政府支配。由于国营商业还没有组织良好的机构，不能有效履行对居民供应和分配商品的职能，苏维埃政权充分发挥了消费合作社的作用。革命前，俄国已经形成了一个消费合作社网络，1917 年底共有约 35000 个基层社。根据人民委员会 1918 年 4 月 10 日的法令，每个地区可有两个消费合作社，即普通公民消费合作社和工人消费合作社，为本地区全体居民服务而不论其是不是合作社社员。它们在国营供应机关领导和监督下，按政府规定的额度供应居民食品。

对外贸易的国家垄断也是苏维埃政权最初采取的几项重大经济措施之一。起先，彼得格勒军事革命委员会负责调节对外贸易，审批进口商品的申请并监督海关业务。从 1918 年 1 月起，由工商人民委员部对外贸易局负责发放商品进出口许可证，没有许可证的进出口活动一律作走私论。此后不久，人民委员会规定“对外贸易全部实行国有化”，除了政府特别授权的机关之外，禁止任何机构和个人从事进出口交易。未经许可而输入苏俄的商品均予没收。

为了加强对经济的管理，列宁认为除了人民委员会中的粮食、财政、农业、商业和工业、交通等人民委员部外，还必须建立一个指导整个国民经济的最高经济机构。1917 年 12 月，成立了由奥辛斯基任主席（1918 年 3 月由李可夫担任主席）的最高国民经济委员会，其职能是组织国民经济和国家财政，负责制定调节全国经济生活的总的原则和总的计划，协调并统一中央和地方经济管理机关以及工人监督组织的活动。

第三节　苏维埃政权与立宪会议

立宪会议选举

1917 年二月革命推翻沙皇制度之后，俄国主要政治力量达成协议，由立宪会议来决定国家治理形式并解决和平、土地、民族等重要问题；在立宪会议召开之前，成立临时政府管理国家。从 1917 年 3 月 2 日到 1918 年 1 月 6 日，立宪会议问题影响着群众的情绪、政党的活动、政府的政策、俄国革命的进程和俄罗斯国家发展的方向。

布尔什维克在二月革命期间也提出了召开立宪会议的口号。2 月到 10 月间，布尔什维克在不断抨击临时政府拖延召开立宪会议的同时，一再表示只有它才能保证选举如期举行。在《四月提纲》中，列宁提出“全部政权归苏维埃”，但这时布尔什维克认为全部政权归苏维埃是立宪会议选举和召开的保障，是通向立宪会议的入口。列宁的意图是在立宪会议前夺取政权，因为他相信，掌握了政权的政党将组织立宪会议选举、召集立宪会议，这是具有决定性意义的，在这种情况下执政党及其所做的一切都将得到立宪会议的承认和批准，从而获得政治合法性。列宁一再说明：“没有工兵代表苏维埃，立宪会议的召开是没有保证的，是不可能成功的。”[1]

在布尔什维克掌控的苏维埃第二次代表大会的文件中，很多地方提到了立宪会议。列宁起草的《告工人、士兵和农民书》宣布，苏维埃政权“保证按时召开立宪会议”；土地法令具有临时性质，直到召开立宪会议为止；土地问题只有全民立宪会议才能加以通盘解决。在大会关于成立工农政府的决议中指出，“成立工农临时政府，在立宪会议召开以前管理国家”[2]。列宁在苏维埃二大上谈到立宪会议时甚至宣布，如果布尔什维克在立宪会议选举中失败的话，他们将服从“人民群众”。[3] 托洛茨基也曾认为，如果立宪会议表达自己掌权的愿望的话，这一要求应该得到满足。[4]

立宪会议问题是苏维埃政权成立以后面临的一个严峻考验。1917 年 10 月 27 日，人民委员会通过决议，明确立宪会议选举应在预定日期 11 月 12 日进行。选定这个日期对布尔什维克是很有利的：9 月初出现的苏维埃布尔什维克化表明了工人和士兵对这个党的信任，现在它又掌握了政权，因此可以预料它在立宪会议选举中应能获胜。11 月 2 日，全俄中央执行委员会成立了立宪会议筹备工作部。

立宪会议选举前夕。各党派的选举宣传

在当时的俄国，

[1] 《列宁全集》第 29 卷，人民出版社 1985 年版，第 117 页。

[2] 《列宁全集》第 33 卷，人民出版社 1985 年版，第 5、22 页。

[3] [英]伦纳德·夏皮罗著：《一个英国学者笔下的苏共党史》，东方出版社 1991 年版，第 205 页。

[4] Учредительное собрание, Россия, 1918. Стенограмма и другие документы. Москва, 1991. C.7.

包括反对布尔什维克十月夺权的政治力量在内，人们普遍认为，2月开始的革命的目标就是召开立宪会议，由立宪会议来解决俄国面临的所有迫切问题，决定俄国的前途和命运。立宪会议代表的选举和会议的召开，将意味着革命的完成、新的国家制度的确立和俄国走上正常的发展道路。

11月12日开始举行立宪会议选举。布尔什维克对选举结果极为关注，13日人民委员会就要求全俄立宪会议选举委员会立即报告其为使立宪会议选举能在规定期限内进行所采取的措施，以及它所掌握的在前线和后方选举进行的全部情况。

11月15日，彼得格勒立宪会议选举的结果公布。布尔什维克的成绩不错，在首都彼得格勒的12个席位中，布尔什维克赢得6个席位，立宪民主党4个席位，社会革命党2个席位（包括左派社会革命党1个席位）。美联社记者就此走访了列宁。列宁非常乐观地表示："这次选举是布尔什维克党取得巨大胜利的证明。""在这个资产阶级（立宪民主党）势力很强的城市里布尔什维克在12个席位中获得了6席，这就意味着在俄国获胜。"他确信，立宪会议将批准人民委员会的全部措施，"决不会有多数人反对我们"。[1]

但列宁显然过早表达了自己的乐观。立宪会议选举的最后结果并未如布尔什维克所愿。在选出的715名代表中，社会革命党370名，布尔什维克175名，左派社会革命党40名，孟什维克15名，立宪民主党（人民自由党）17名，另有一些其他党派和民族组织的代表。[2] 选举结果表明，布尔什维克虽然在彼

[1] 《列宁全集》第33卷，人民出版社1985年版，第97页。

[2] 与立宪会议选举相关的数据有不同说法。关于应选出的立宪会议代表人数，一般都引用800人这一数字，这是选举条例规定的。较新的数据是Л.Г.普罗塔索夫在其研究成果中提出的：临时政府先前确定800人，但后来增加了莫斯科、彼得格勒、哥萨克区和军队的名额，总共应选出820名代表。关于实际被选入全俄立宪会议的人数也有争论，分别有767人、715人、707人等不同数据，本文取715人之说。但关于主要党派的当选代表人数基本是一致的。参见*Протасов Л.Г.* Всероссийское Учредительное собрание: история рождения и гибели. М., 1997. С.164,295;*Знаменский О.Н.* Всероссийское Учредительное собрание: История созыва и политического крушения. Л., 1976. С.270–273; Избирательная система в РФ. http://refjustice.ru/law/electoral _system_in_the_russian_federation_a_ variant/m/21419/ 1.46.htm.

得格勒、莫斯科和一些战线的部队中占有优势，但在外省，在广大的农村，布尔什维克的影响是有限的。很明显，布尔什维克在总体上输掉了这场选举。

对立宪会议选举中布尔什维克得票相对较少这一问题的解释，布尔什维克认为主要是因为十月武装起义前公布的候选人名单已不能反映政治力量对比关系。但在苏维埃政权组织实施了这次选举之后再这样说，显然是很勉强的。而且，在选举结果揭晓以前，列宁认为立宪会议代表的选举“是一种最先进的选举方法”。[1]

十月武装起义后，布尔什维克经历了非常困难的时期。由于采用武装起义的方式夺取政权，布尔什维克遭遇到了普遍的敌视，连工人中也有强烈不满情绪，甚至布尔什维克领导层内都出现了主张与各社会主义政党合作的强烈呼吁。在这种情况下，布尔什维克的支持率不比十月起义以前高是可以理解的。

实际上，按照党派提出的名单进行的选举，不仅反映了首都而且也反映了整个俄国真实的力量对比关系。在大城市和一部分前线部队布尔什维克有优势，但社会革命党人取得了过半的席位。社会革命党人索科洛夫分析社会革命党在立宪会议选举中取得多数席位的原因时认为，这是与社会革命党长期以来在农村和军队中的工作分不开的：“社会革命党不仅在前线、而且几乎在整个国家获胜有两个原因：第一，军队中的农民——士兵群众把社会革命党看作是自己的、农民的政党。一号名单是农民代表苏维埃和军队的社会革命党共同提出的名单这一事实，使他们更确信这一点。社会革命党最经常最关切地谈论土地问题，这也向士兵们说明了他们的选择是正确的。士兵—农民认为，投社会革命党的票是投自己的党的票。第二个原因是直接与以往的工作联系在一起的。良好的基础使党在军队中的工作得以广泛和充分地开展。还在 4 月份，我们就开始为选举做准备，把在所有部队甚至最小的单位建立党的支部作为自己不可推卸的责任。这些组织工作在选举运动中产生了特别有成效的结果。”[2]

---

[1] 《列宁全集》第 33 卷，人民出版社 1985 年版，第 137 页。

[2] *Соколов Б.* Защита Всероссийского Учредительного Собрания.//Октябрьская Революция. Мемуары. М., 1991. С.334–336.

布尔什维克的应对

选举之后，主要政党立即表明了自己对立宪会议的态度。

选举中得到多数的社会革命党首先表示，应该把全部权力交给立宪会议。在选举中得票较少的立宪民主党也表示支持立宪会议并赞成在预定日期召开。

左派社会革命党在自己的第一次代表大会上公开表示不支持立宪会议，在知道选举结果后更是如此。但左派社会革命党内存在不同意见，以卡姆柯夫、施泰恩伯格为首的中派坚持认为立宪会议可以作为人民政权的一种形式加以利用。即便在人民委员会对立宪民主党采取行动后，施泰恩伯格仍坚持认为，应让立宪民主党人参加立宪会议，否则立宪会议就会变成一个扩大的全俄中央执行委员会。

在布尔什维克方面，根据 1917 年 4 月确定的方针，无产阶级专政的国家作为民主的最高形式应该取代议会制共和国；无产阶级已经夺取的政权不可能转到立宪会议的手中，召开立宪会议的目的就是把政权交给作为无产阶级专政机构的苏维埃。因此，一旦选举产生的立宪会议构成不能保证实现这个目标，布尔什维克就立即采取措施试图改变这种构成。

11 月 21 日，列宁起草的关于罢免立宪会议代表的法令草案送达全俄中央执行委员会，此时立宪会议的选举工作尚未完全结束。罢免权法令规定：“工兵代表苏维埃和农民代表苏维埃的代表大会，有权决定城市杜马、地方自治机关以及一切代表机构的重新选举，立宪会议也不例外。苏维埃应根据有关选区半数以上选民的要求决定改选。……新当选的代表从当选时刻起代替以前选出的代表。”[1]

在中央执行委员会就法律草案进行的讨论中，著名的孟什维克国际主义者克拉马罗夫发言说：“列宁的方案是军事诡计。这绕过了谁将是俄国土地的主人的问题：是列宁和他的同志们，还是别的什么人？方案鼓励大家为了进一

[1] Учредительное собрание, Россия, 1918. Стенограмма и другие документы. Москва, 199. С.56–57.

步加强布尔什维克而利用召回权。列宁的方案是对立宪会议的进攻。”而托洛茨基在讲话中认为：“立宪会议应该这样开：人们不能够用外科手术的方式、用解散的方式来结束它的存在。如果立宪民主党人成了多数——当然这是不可能的，我只是举个例子——那么立宪会议当然不能获得政权。而罢免权能够以无痛苦的方式避免和纠正这个问题。”实际上托洛茨基晦涩地表达了一个思想，即如果布尔什维克不能获得多数，立宪会议的命运就将是被解散。托洛茨基在论证罢免权法令的正当性时强调，苏维埃组织了1/3的居民。[1]但问题正在于，这是以代表1/3居民的组织来否定和推翻普选产生的结果。列宁在作关于罢免权的报告时说得坦率得多：“苏维埃作为国家观念即强制观念最完全的体现者，应当享有罢免权。”[2]

列宁的罢免权法令草案获得中央执行委员会原则上通过。根据这个法令，一些地方的苏维埃撤换了已在普选中被选为立宪会议代表的立宪民主党人、社会革命党人和孟什维克，如米留可夫、阿夫克森齐耶夫、郭茨等。但是，多数地方苏维埃并没有利用这一权力，因此试图通过这个法令改变立宪会议代表构成的预定目的未能达到。

但是，希望用法律途径改变选举结果只是一种尝试而已。这时，反映选举结果的数字实际上已经没有重要意义了，因为还在选举之前，11月8日，布尔什维克就讨论了驱散立宪会议的可能性问题，并且确认采取这样的行动不会引起左派社会革命党人的反对。[3]立宪会议的命运已经被预先决定了。在选举结果产生之后，列宁明确表示：“全部政权归立宪会议”是反革命口号，“立宪会议如果同苏维埃政权背道而驰，那就必然注定要在政治上死亡”。[4]

苏维埃政权采取了针对立宪会议的密集措施。

11月23日，根据人民委员会的命令，逮捕了全俄立宪会议筹备委员会中

[1] *См. Троцкий Л.Д.* Речь на заседании ЦИК о созыве Учредительного Собрания. //Историческое подготовление Октября. Часть II. От Октября до Бреста. http://www.magister.msk.ru/library/trotsky/trotl376.htm.

[2] 《列宁全集》第33卷，人民出版社1985年版，第108页。

[3] *Головатенко А.* Истории России: спорные проблемы. М., 1993. С.153–154.

[4] 《列宁全集》第33卷，人民出版社1985年版，第165页。

的立宪民主党和社会革命党成员。11 月 26 日，在临时政府确定的立宪会议召开日期 11 月 28 日的前两天，人民委员会决定，立宪会议第一次会议召开的条件是：根据全俄选举委员会政治委员乌里茨基的邀请到达彼得格勒的全俄立宪会议代表多于 400 人，会议只能由人民委员会授权的人士宣布开幕。

11 月 27 日，立宪民主党中央委员会讨论了在“全部政权归立宪会议”口号下进行示威游行的计划，决定宣布已到达彼得格勒的立宪会议代表的集会为正式会议，它应选出立宪会议主席，并等待其他代表到达。28 日，原定的立宪会议召开日期，在彼得格勒发生了要求“全部政权归立宪会议”的示威游行，主要参加者是旧政府官员、学生和市民。一些市杜马议员和立宪民主党、孟什维克、社会革命党、人民社会主义党等政党的活动家出席了在塔夫利达宫前的集会。社会革命党领导人切尔诺夫、立宪民主党中央委员罗季切夫等发表了演说。一部分示威者和约 60 名当选的立宪会议代表进入塔夫里达宫的会场。立宪会议代表们举行会议，并宣称是“立宪会议部分成员会议”，并将每天在塔夫里达宫集合，直到足够数量的代表到达并认为自己合法为止。会议很快被赤卫队、士兵和水兵驱散。

当天，立宪会议中央选举委员会工作人员拒绝在乌里茨基领导下工作。

晚上，人民委员会通过“关于逮捕反革命内战祸首的法令”，宣布立宪民主党为人民敌人的党，其领导人必须逮捕并送交革命法庭审判，责成地方苏维埃对该党进行特别管制。

11 月 29 日人民委员会公布的“关于立宪民主党领导的资产阶级反革命暴动的政府公告”强调，无论要付出多大的代价，资产阶级的叛乱都将被镇压。[1]

随着围绕立宪会议开幕问题政治斗争的尖锐化，布尔什维克领导层在这个问题上表现出更多的坚决和果断。12月1日，逮捕数十名立宪民主党活动家，其中包括当选的立宪会议代表，立宪民主党事实上被取缔。当天，人民委员会决定罢免全俄立宪会议选举事务委员会主席阿维诺夫和 20 余名委员，由乌里茨基负责管理全俄立宪会议选举事务委员会的一切事务。人民委员会还宣布，立宪会议代表必须在领导全俄立宪会议选举事务委员会的政治委员处登记并取

[1] Учредительное собрание, Россия, 1918. Стенограмма и другие документы. Москва, 1991. С.57–58.

得塔夫里达宫办公室发放的临时证件。

12月20日，人民委员会颁布关于立宪会议开幕日期的法令，明确1918年1月5日在代表不少于400人的情况下召开立宪会议。12月23日，人民委员会宣布在彼得格勒实行战时状态，忠于布尔什维克的部队被调入首都。

围绕立宪会议问题发生的一系列事情，其关键是解决政权问题。

布尔什维克领导层分析了立宪会议选举中占优势的社会革命党可能在立宪会议上采取的立场，认为它会利用自己的多数地位拒绝接受被剥削劳动人民权利宣言，并宣称自己是“俄罗斯土地的主人”。基于这种判断，全俄中执委在立宪会议开幕前两天，1918年1月3日，又通过了一个重要决定：“在俄罗斯共和国全部权力归苏维埃和苏维埃机关。因此，无论是什么人、什么机构赋予自己国家政权的职能，都将被认为是反革命行为。苏维埃政权将以其拥有的一切手段直至使用武力来镇压任何这类企图。” [1]

社会革命党的态度

社会革命党赢得了立宪会议选举的多数席位，它对立宪会议的态度对此后事态的发展具有重要影响。

11月中旬，选举产生的立宪会议代表开始动身前往彼得格勒。布尔什维克代表一路上得到了苏维埃政府提供的一切可能的帮助，但其他党团的代表处境不好。特别是外省来的代表，一般都没有钱，对彼得格勒又不熟悉。他们认为在首都会有人接待他们这些立宪会议代表，一切都已经为他们安排好了。但实际情况让他们感到失望。

社会革命党的外省代表好不容易被安排住进了位于波洛特那亚街的一幢房子，这里原先是一家由地方和城市自治联合会开办的医院，到处放着单人病床，还弥漫着没有散发掉的药味。不光是住宿条件不好，后来连代表的伙食供应也发生了困难。更主要的是，党团的活动完全处在苏维埃政府的监视之下，经常有人到宿舍楼转悠，党团的电话被监听。这种处境对立宪会议代表们造成

[1] Декреты Советской власти. Т.1. С.323, 324；*Протасов Л.Г.* Всероссийское Учредительное собрание: история рождения и гибели. М., 1997. С.288, 307.

了心理上的压力，也使社会革命党立宪会议党团执行局成员中一开始就形成了不知所措的气氛。“我们落在自己的敌人手中”、“他们可以轻而易举地把我们抓起来!”这种感觉自始至终都笼罩着波洛特那亚街。[1]

在整个 1917 年，所有温和社会主义政党、包括社会革命党，进行的是公开的合法的活动，其代表和领袖抛头露面，不搞秘密行动。在布尔什维克夺权后，他们也仍然保持着这种公开活动的特点，没有甚至也没考虑过要回到地下状态。“我们不躲躲藏藏，我们不想躲藏。”“我们是人民选出的代表，我们来这里捍卫自己的权利，同篡位者进行公开的斗争。”而布尔什维克还在 12 月份的时候就笑着说：“要把社会革命党党团端掉，只要几十个水兵就足够了。我们可以轻而易举地把他们抓起来……但我们没有这样做，因为我们不想这样做。这没有意义。”在等待立宪会议召开的日子里，对于有人提出的要保卫立宪会议的号召，很多社会革命党活动家大惑不解：“保卫立宪会议？保卫自己？这么糊涂？您知道自己说了些什么呀？要知道我们是人民选出来的，我们应该给人民带来新的生活、新的法律，而保卫立宪会议，这是把我们选出来的人民的事情。”“如果人民支持我们，他就应该保护我们，因为是它把我们派到这里来的。”这反映了社会革命党党团大多数的情绪。[2]

无论是社会革命党党团执行局，还是大多数到达的代表，都赞成纯粹的“议会主义”。他们认为，布尔什维克和其他政党之间的争论应该通过纯议会方式、在立宪会议的会场里来解决，因为这里聚集了全俄国的代表。

当时，大多数代表对党应该采取的策略的看法是：“我们应该采取尽一切措施避免冒险。如果布尔什维克犯下了反对俄国人民的罪行，推翻了临时政府并夺取了政权，如果他们采取了粗鲁的、不光彩的手段，那么这还并不意味着我们应该像他们一样行事。绝对不。我们应该通过绝对的法制，我们应该通过对于人民选出的代表来说唯一可以被允许的途径——议会的途径——来保卫权力。流血太多了，冒险太多了。应该把争论提交给全俄立宪会议来解决，在这

[1] *Соколов Б.* Защита Всероссийского Учредительного Собрания.//Октябрьская Революция. мемуары. М., 1991. С. 340–341.

[2] 见 *Соколов Б.* Защита Всероссийского Учредительного Собрания.//Октябрьская Революция. Мемуары. М., 1991. С. 341–346.

里，面对全体人民、整个国家，它应该得到公正的解决。”这一立场绝非仅仅得到社会革命党右派和中派的支持，也得到了切尔诺夫分子的支持，后者甚至更甚。切尔诺夫强烈地反对国内战争，希望和平地消除与布尔什维克之间的冲突，相信“布尔什维克会在全俄立宪会议面前低头认输”。他反对举行武装示威，其理由是“不能让人民流血。人民自己会作出判断。不能手持武器去证明真理……而且，布尔什维克也是人民。应该记住这一点”。[1]

事实上，大多数社会革命党领导人不相信布尔什维克会驱散立宪会议。社会革命党领导层中有代表性的看法是：“我们不知道布尔什维克到底想干什么，但我们确信他们不敢侵犯全体人民选出的最高机构的权力。如果是这样，如果还有机会，即立宪会议能够举行，那我们就应该去参加，带着我们的全部政治经验，带着对俄国人民赋予我们重任的深刻理解。我们应该按照法律程序给人民以土地和所有基本权利。”[2]

在社会革命党党团中有这样的说法：“你说布尔什维克想要驱散立宪会议？这难以相信。要知道这不符合逻辑。难道不是布尔什维克这几个月来一直在叫喊必须尽快召开立宪会议吗？”他们的这一态度与孟什维克很相似。策列铁里曾说：“很难相信布尔什维克会驱散立宪会议。如果他们这样做，无论是人民还是历史都不会原谅他们。数十年来先进的俄国知识分子追求实现自己的理想。这不仅是我们的自由主义者的口号，而且首先是革命者的口号。我深信，布尔什维克只是在吓唬人，想让反对派更忍让一些。”索科洛夫认为：“即便在得到证实布尔什维克准备在反对派不驯服的情况下驱散立宪会议时，反对派党团——特别是社会革命党党团——仍然不准备放弃原来的方针，即愚蠢的议会主义。”[3]

但社会革命党内部仍然存在着不同意见。

[1] *Соколов Б.* Защита Всероссийского Учредительного Собрания.//Октябрьская Революция. Мемуары. М., 1991. С.343.

[2] *Соколов Б.*Защита Всероссийского Учредительного Собрания.//Октябрьская Революция. Мемуары. М., 1991. С.345.

[3] *Соколов Б.*Защита Всероссийского Учредительного Собрания.//Октябрьская Революция. Мемуары. М., 1991. С.369.

1917 年 11 月 23 日，成立了以社会革命党为主的“保卫立宪会议同盟”，B.H. 菲利波夫斯基担任了同盟的主席。

在 12 月的最后几天里，在社会革命党党团内部，全俄职员协会的代表比尔根盖姆和尼·瓦·柴可夫斯基宣称，他们得到了数万名劳动知识分子的授权，呼吁全体劳动知识分子起来保卫立宪会议，并认为发动总罢工是完全现实的。在经过了激烈和持久的辩论之后，党团作出答复：“我们也许不反对总罢工，但我们不会去领导它，甚至认为不应与它有直接联系。”[1]

1918 年 1 月的最初几天，保卫立宪会议同盟、社会革命党军事委员会等组织积极准备为保卫立宪会议而采取行动，详细地制订了行动计划，准备工作也已经就绪，只等社会革命党中央对这次发动的批准。“但在 1 月 3 日军事委员会会议上，向我们通知了我们党中央委员会的决定。这一决定断然禁止武装行动，认为这是不合时宜的、不可靠的行为。建议举行和平示威，并要求士兵和其他军人参加示威时不携带武器，‘以避免不必要的流血’”。[2]

社会革命党作出这一决议的动机是复杂的，索科洛夫认为：“其一，担心会发生内战，或者准确地说，兄弟残杀。切尔诺夫曾说：‘我们不应该让人民流一滴血。’有人问道：‘那布尔什维克呢?’‘能让布尔什维克流血吗?’他的回答是：‘布尔什维克也是人民。’其二，很多人对于莫斯科和彼得格勒为保卫临时政府而举行的武装行动的失败记忆犹新，这些行动证明了民主派的软弱无力和无组织性，由此产生了对自己力量的信心不足，担心类似的行动会遭到失败。其三，相信布尔什维克是强有力的，相信布尔什维克是一种人民现象，已经控制了越来越多的居民群众的阶层。‘让布尔什维主义自行消亡。’这是当时提出的口号。其四，建立在对民主原则和人民意志必胜的信念之上的理想主义。”[3]

---

[1] *Соколов Б.*Защита Всероссийского Учредительного Собрания.//Октябрьская Революция. Мемуары. М., 1991. С.346.

[2] *Соколов Б.*Защита Всероссийского Учредительного Собрания.//Октябрьская Революция. Мемуары. М., 1991. С.372–373.

[3] *Соколов Б.*Защита Всероссийского Учредительного Собрания.//Октябрьская Революция. Мемуары. М., 1991. С.373.

社会革命党在立宪会议问题上的态度与其对布尔什维克武装夺权的态度相比发生了明显变化。在布尔什维克武装夺权之初，社会革命党的反应是强硬的，从退出苏维埃第二次代表大会，到组织成立救国救革命委员会，都是具有对抗性的。但在立宪会议问题上却表现得非常平静和克制。甚至在1919年1月布尔什维克来到波洛特那亚街的宿舍，逮捕了社会革命党整整2/3的活动家时，逮捕行动也非常平静和顺利，社会革命党人没有任何抗拒。

索科洛夫认为，社会革命党的立场与布尔什维克以掌权者身份施加的压力有关。“促使社会革命党态度变化的一个重要原因是1917年12月中旬他们意识到布尔什维克是掌权者。乌里茨基正式宣布：只有那些在他——乌里茨基本人——那里登记并领取到由他亲笔签字、布尔什维克警卫队盖章的相应证件的代表，才能被承认是代表并被允许进入塔夫利达宫。这在党团内部引起了持久的争论。问题是原则性的：‘我们作为民选代表，要屈从于这个专横的登记吗？从我们的角度来说，这是否意味着我们在某种程度上承认布尔什维克毕竟是现政权呢？’但最终结果是，‘我们都得到了由政治委员乌里茨基签字的证件’”，[1] 这意味着社会革命党人最终接受了他们认为是苛刻的条件。

1918年1月5日

1918年1月5日，是立宪会议开幕的日子。这天，彼得格勒和莫斯科发生了支持立宪会议的和平示威。数万彼得格勒居民上街，保卫立宪会议委员会在其中起了重要作用。示威者发出了这样的声音：“你们已经推翻了临时政府，这还不够吗？现在又想收拾立宪会议了。等了那么多年，终于等到了。你们攫取了政权，不是吗？你们嗜好权力。立宪会议万岁！”“苏维埃万岁！但不是布尔什维克的苏维埃，而是我们的自己的苏维埃！”[2]

---

[1] *Соколов Б.* Защита Всероссийского Учредительного Собрания.//Октябрьская Революция. Мемуары. М., 1991. С.370.

[2] *Соколов Б.* Защита Всероссийского Учредительного Собрания.//Октябрьская Революция. Мемуары. М., 1991. С.364.

彼得格勒支持立宪会议的游行。1918 年 1 月 5 日

游行遭到武力镇压，有人员伤亡。[1]《真理报》认为，是资产者、银行家等组织了这次示威，是资产者和“卡列金分子”走在游行队伍中。但高尔基指出：“手无寸铁的彼得格勒民主派——工人、职员——举行了和平游行”，“参加游行的有奥布霍夫工厂、帕特隆工厂和其他工厂的工人；瓦西里岛、维堡区和其他区的工人是举着俄国社会民主工党的红旗走向塔夫里达宫的。正是这些工人遭到了枪杀……士兵和赤卫队员从工人们手中夺过革命的红旗，用脚践踏它们，把它们放到篝火上烧……”[2]

在塔夫里达宫内，到会的立宪会议代表有 410 名，其中有右派社会革命党 237 名，布尔什维克 120 名，左派社会革命党 30 名，孟什维克 5 名等。[3]立宪民主党因被苏维埃政权宣布为人民的敌人未能出席会议。右翼力量的代表也没有出席会议。

立宪会议在紧张的对立情绪中开幕。会议代表显然受到这种气氛的影响，“在立宪会议第一次会议上，很多社会革命党的立宪会议代表向党的领袖发问：‘如果布尔什维克对我们使用暴力，我们该怎么办？如果我们遭到殴打或可能被打死，那该怎么办？’我们得到的答复是确定的、清楚的：‘我们应该记住，我们是人民选出的代表。我们应该高举立宪会议的旗帜。如果布尔什维克决定

---

[1] Учредительное собрание и его историческое значение. http://refhist.ru/history/the_constituent_assembly_ and_its_historical_value/m/28516/1.1.html.

[2] [俄] 高尔基著：《不合时宜的思想》，江苏人民出版社 1998 年版，第 260—261 页。

[3] *Знаменский О.Н.* Всероссийское Учредительное собрание: История созыва и политического крушения. Л., 1976. С.339.

使用暴力，我们应该准备牺牲自己的生命。'" [1]

冲突主要在右派社会革命党和布尔什维克之间展开。大会多数决定不将布尔什维克党团提出的《被剥削劳动人民权利宣言》提交讨论，即拒绝按照人民委员会的要求，把权力交给苏维埃并自行宣布驱散立宪会议。于是布尔什维克和左派社会革命党人和部分穆斯林党团代表退出了会议。到1918年1月6日凌晨4时，坚持留在会场的立宪会议代表被警卫队命令离开。当天，全俄中央执行委员会宣布驱散立宪会议。1月10日，全俄苏维埃第三次代表大会开幕，并取代了立宪会议的职能，通过了《被剥削劳动人民权利宣言》。

布尔什维克在1917年10月前后对立宪会议采取的截然不同立场被卢森堡称为"令人迷惑不解的转变"[2]。关于布尔什维克驱散立宪会议的原因，一般都将其归结于布尔什维克的现实政治考虑：在立宪会议中占少数，政权的社会基础不够强大，不愿失去已经得到的政权等。确实，对于一个立志要利用世界大战创造的前所未有的机会夺取政权并实现自己纲领的政党来说，是不可能允许立宪会议否定自己权力的合法性并收回这个权力的，因此驱散立宪会议在当时形势下对于苏维埃政权来说是一项合乎逻辑的措施。

但除此之外，还应该关注布尔什维克党采取这一行动的思想理论方面的根源。

一是俄国无产阶级政党未能解决好一般民主原则与无产阶级专政相互关系的问题，在理论上把无产阶级专政与民主绝对地对立起来。1903年俄国社会民主工党第二次代表大会通过的纲领确认党的最近政治任务是推翻沙皇专制制度，建立民主共和国，并承认各项政治自由和公民自由的原则，但同时又认为掌握了政权的无产阶级为了自身权力的巩固可以采取一切措施。当时，包括普列汉诺夫在内的不少人都认为，每一个民主原则都应受到为了革命胜利这一最高法律的限制，"可以设想，有那么一天，我们社会民主党人会反对普选权。……如果在革命热情迸发的情况下，人民选出了一个很好的议会……那么，我们应该力求使它成为长期的议会；如果选举结果不能令人满意，那我们

[1] *Соколов Б.* Защита Всероссийского Учредительного Собрания.//Октябрьская Революция. Мемуары. М., 1991. С.371.

[2] [德]罗莎·卢森堡著：《论俄国革命·书信集》，贵州人民出版社2001年版，第22页。

就应当力求解散它，不是过两年，要是可能的话，过两周就解散它"[1]。十月革命后俄国立宪会议的命运正是如此。卢森堡在评论俄国立宪会议问题时曾经指出，"政治生活的民主形式实际上关系到社会主义政策的最有价值、甚至是不可缺少的基础"，无产阶级专政应该是"最大限度公开的、由人民群众最积极地、不受阻碍地参加的、实行不受限制的民主的阶级专政"，不应该用一小部分政治家的专政来反对民主。[2] 这些观点和这种意识正是俄国布尔什维克的思想中缺少的东西。理论上的缺陷导致布尔什维克在取得政权后放弃了俄国社会民主工党建党时确定的社会民主的基本理念，背离了他们自己原先追求的社会政治变革目标，陷入了悲剧性的矛盾之中。

二是布尔什维克党对俄国社会经济发展阶段的认识具有超前性。在《火星报》讨论党的纲领时，普列汉诺夫提出过一个小心翼翼的表述："在俄国，资本主义日益成为主要的生产方式"，而列宁认为："这显然不够。资本主义已成为主要的生产方式。"由此出发引出的逻辑结论就是："不是与资产阶级建立反对专制制度的同盟，而是拒绝资产阶级的发展阶段。"[3] 第一次世界大战期间，列宁一度修正了自己对俄国国情的认识，认为俄国是资本主义发展程度中等偏下的国家。在从瑞士回国以前，列宁谈到二月革命时说："俄国是一个农民国家，是欧洲最落后的国家之一。在这个国家里，社会主义不可能立刻直接取得胜利。"[4] 但是回国以后，列宁在《四月提纲》中提出，俄国资产阶级民主革命必须从第一阶段向第二阶段过渡。而在迅速夺取政权后，被认为是"资产阶级民主共和国"标志的立宪会议马上被视作完全过时的东西。但是，伟大的俄国革命并不能掩盖俄国资本主义的发展还很不充分这一事实。1919 年列宁在俄共八大上承认，"我们苦于俄国资本主义不够发达"。[5] 在十月革命五年之后，列宁重申，"在我国就是资产阶级文化的状况也是很差的"，"我们能够有

---

[1] 参见《苏联共产党代表大会、代表会议和中央全会决议汇编》，人民出版社 1964 年版，第 37—38 页；《列宁全集》第 33 卷，人民出版社 1985 年版，第 189 页。

[2] [德] 罗莎 · 卢森堡著：《论俄国革命 · 书信集》，第 16、32 页。

[3] 参阅普利马克：《另一个列宁》，《马克思恩格斯列宁斯大林研究》2005 年第 1 期，第 30 页。

[4] 《列宁全集》第 29 卷，人民出版社 1990 年版，第 90 页。

[5] 《列宁全集》第 36 卷，第 154 页。

真正的资产阶级文化也就够了……我们能够抛掉资产阶级制度以前的糟糕之极的文化，即官僚的或农奴制等等的文化也就不错了”。[1]

在夺取政权后，由于上述思想和理论上的原因，布尔什维克对立宪会议的作用和意义最终作出了否定性的评价。在这个过程中，党内对立宪会议曾有过不同看法。1917 年 12 月 2 日选举产生的领导立宪会议布尔什维克党团的临时局主要成员加米涅夫、季诺维也夫、拉林、李可夫等人，认为召开立宪会议是俄国革命的结束阶段，主张人民委员会停止对立宪会议的召开和活动进行控制。加米涅夫的支持者表示，由俄国社会民主工党（布）中央委员会领导党团是不合适的。他们把立宪会议视为保住民主力量统一的唯一机会，准备与右翼社会主义者实现联合。[2] 而列宁认为，这些意见是不顾阶级斗争和国内战争现实条件的资产阶级民主观点，为此他坚持在 12 月 11 日重新选举了立宪会议布尔什维克党团临时局，并在会上通过了他提出的《关于立宪会议的提纲》，其中强调“苏维埃共和国是比通常那种有立宪会议的资产阶级共和国更高的民主形式”[3]。列宁的思想成为布尔什维克党处理立宪会议问题的基本方针。

布尔什维克内部在立宪会议问题上的分歧，反映了对于马克思主义理论的理解和对于俄国实际的认识上存在的深刻差异。

对于列宁领导的以夺取政权并实现无产阶级社会主义革命为己任的布尔什维克党来说，决定解散自己在其中只占 25% 席位的立宪会议，是不可避免的。用苏维埃否定立宪会议，开始了苏维埃俄国国内阶级斗争的新阶段，成为国内战争的重要原因。

影响立宪会议命运的其他因素

当立宪会议已经成为现实的时候，却以仅仅存在一天的记录载入史册。立宪会议这一俄国解放运动追求了 100 多年的目标最终未能在俄国政治生活中

[1] 《列宁全集》第 43 卷，人民出版社 1990 年版，第 356、357、378 页。

[2] Учредительное собрание, Россия, 1918. Стенограмма и другие документы. Москва, 1991. С.6–7.

[3] 《列宁选集》第 3 卷，人民出版社 1960 年版，第 363 页。

发挥作用，这是俄国现代化进程曲折性的又一例证。掌握政权的布尔什维克对立宪会议持否定态度并最终将其驱散，决定了立宪会议的命运。但是，导致这一结局的社会的、文化的因素，同样是值得思考的。

19 世纪中期以来的历史进程使得俄国在资本主义道路上有了长足的发展，1905 年革命已经使俄国从君主专制国家演变为君主立宪制国家，基本代表了各阶层利益诉求的国家杜马已经是国家政治生活中一个不可或缺的因素。而在 1917 年 2 月开始的俄国革命中，立宪会议思想在总体上得到了各政党支持，具有一定群众基础。在 10 月之后，在苏维埃政权已经成立的情况下，仍有大约一半的选民参加立宪会议代表选举。这些情况表明，俄国人民的半数并不排除苏维埃以外的国家治理形式。

与此同时，立宪会议的基础还不牢固，同样也是一个客观存在的事实。

驱散立宪会议前后，俄国社会对这一事件发出过不同的声音。

在苏维埃政权为驱散立宪会议进行准备工作期间，士兵和工人中曾发生过抵制。1918 年 1 月 3 日，军事人民委员克雷连柯亲自到伊兹马伊洛夫斯基团，为驱散立宪会议做动员，希望瓦解他所说的“这里的军营充斥的严重的反革命情绪”。但在这里，他没有获得成功。社会革命党得到布尔什维克要调动波罗的海舰队的水兵上街游行反对立宪会议的消息后，1 月 3 日在第二波罗的海舰队举行会议。在一些有感召力的发言之后，一个水兵情绪激昂地叫道：“弟兄们、同志们，让我们宣誓决不去反对人民的立宪会议。”下面叫道：“我们宣誓！……”“跪下，同志们，跪下！”数千水兵双膝跪下：“我们宣誓决不去反对立宪会议。”水兵们履行了自己的誓言，5 号没有上街。[1] 在 1 月 5 日前一个工厂集会上，主持会议的布尔什维克斯米尔诺夫说：“同志们，我们必须、也能够驱散立宪会议，因为已经很明显，立宪会议浸透了资产阶级的偏见并倾向于反革命。”但他遭到最高纲领派成员、工人施马科夫反驳：“不对，布尔什维克同志们。你们不能这样做。这样做不对。要知道你们是在破坏全体人民的特有权利，是人民选出了这个全俄会议。如果你们这样行事，

[1] Учредительное собрание, Россия, 1918. Стенограмма и другие документы. Москва, 1991. С.368.

那么请记住，俄国人民和俄国无产阶级将永远不会原谅你们的这种暴力。”[1]立宪会议被驱散后，从地方上仍然继续不断地给立宪会议发来祝贺和支持的信件。在很多城市发生了保卫立宪会议的示威游行，在莫斯科等地的示威中有人员伤亡。高尔基写了《从一月九日到一月五日》一文，谴责对支持立宪会议的游行进行镇压的行为。直到 1918 年 1 月底，立宪会议的话题仍未从报刊上消失。

但另一方面，也有对苏维埃政权驱散立宪会议持肯定态度的力量。左派社会革命党作为布尔什维克的盟友不仅事先认可了驱散计划，而且在立宪会议开幕式上与布尔什维克采取了一致行动。在苏维埃三大上支持批准全俄中央执行委员会驱散立宪会议法令的，除了布尔什维克和左派社会革命党外，还有部分以马尔托夫、唐恩为首的孟什维克左翼。地方苏维埃对驱散立宪会议一事基本上持肯定态度，如莫斯科苏维埃在 1918 年 1 月 8 日决议中赞成驱散立宪会议，认为“立宪会议一开始就试图以自己的工作把工人、士兵和农民的斗争成果从人民那里夺走”。著名社会革命党评论家斯维亚季茨基指出，右翼力量对立宪会议态度也是消极的，他们也高呼“打倒立宪会议”。“右翼资产阶级出版物叫喊‘打倒’只是因为立宪会议没有满足他们。……人民权力符合他们利益时，高喊万岁，不符合他们利益时，高喊打倒……在最后时刻，我们社会力量的左翼和右翼都背叛了民主主义。”[2]

更重要的是，驱散立宪会议并没有在社会上引起普遍的强烈的抵制和反抗。社会革命党立宪会议代表米诺尔谈到了他们离开塔夫里达宫以后的内心感受：“怎么办？接下来该怎么办？……要知道，如果人民不支持我们，不以威严的声音表示需要我们的工作，我们就是软弱无力的。但是，人民保持沉默。”[3] 斯维亚季茨基也为“人民对我们被驱散的那种冷漠”而感叹，他认为正

---

[1] Учредительное собрание, Россия, 1918. Стенограмма и другие документы. Москва, 1991. С.365.

[2] Учредительное собрание. http://historysibsuti.narod.ru/ys7.htm

[3] *Знаменский О.Н.* Всероссийское Учредительное собрание: История созыва и политического крушения. Л., 1976. С.346.

是这种冷漠"使列宁能够对我们挥挥手说'回家去吧'"。[1]

在革命的俄国，尽管立宪会议是由苏维埃政权组织的普遍、直接、不记名的选举产生的，具有正统性和合法性，但面对被驱散的命运却是如此无力和无助。最根本的原因是，俄国还缺乏立宪会议所代表的民主制度能够依靠的牢固社会基础，还没有形成比较成熟的支持这种制度的社会阶层。可以说，立宪会议的最终命运在很大程度上仍受制于俄国社会发展水平。当时的俄国还是一个农民的国家，居民的4/5是农民，其中2/3是贫农，1/5是中农，只有1/7—1/6是殷实农户或富农。在人数较少的城市居民中，资产阶级与封建土地所有制密切相连且依附于国家，无产阶级总人数不多，小资产阶级就其状况而言被称为半无产阶级，此外就是官员和弱小的知识分子。[2] 这种情况表明，立宪会议的社会基础是脆弱的。

俄国这种社会结构自然导致居民的整体政治素质和文化水平较低，社会政治思想和实际生活中理性和妥协的成分较少，空想和极端的因素较多。"在俄国，形成西方类型的政治民主制度所必需的社会文化前提还很薄弱。大多数人对于诸如国家、民族、法制这样一些通过社会文化长期发展形成和获得的抽象价值还很陌生。"[3] 尤其是占人口绝大多数的农民的政治意识发展更加缓慢。虽然自第一次革命以来，民主共和观念在那些受过一定教育和住在城郊的农民中逐渐形成，在1917年革命中许多省的农民苏维埃都热烈讨论共和形式，通过支持共和的方案并递交给当局。但作为一个阶层，农民群众的政治思维还是不发达的。4月，一名从奔萨省到彼得格勒苏维埃服役的士兵写道："农民对政治一无所知，尽管农村中有民主代表如苏维埃宣传员，农民也会很快就忘记告诉他们的有关自由民主、共和政体、君主专制的含义。"一位宣传员总结说："他们根本不了解最基本的政治问题，因为他们没有接受过作为公民应有的教

[1] *Знаменский О.Н.* Всероссийское Учредительное собрание: История созыва и политического крушения. Л., 1976. С.350.

[2] *Бурганов А.Х.* Была ли возможность создания демократического правительства после Октябрьской революции.//Отечественная история.1993. №5. С.26.

[3] *Миллер В.И.* Всероссийское Учредительное собрание и демократическая альтернатива: Два взгляда на проблему. //Отечественная История.1993. №5. С.27.

育。但是广大农民的投票将决定俄国的政治经济制度，因此他们必须马上变成公民。此外，他们也得理解不同的治理方式，并能够在不同的政见之间作出理性的选择。”[1]

实际情况是很多农民和士兵不明白共和制和君主制的区别，他们支持共和国，又把实现自由和拥有土地的理想寄托在“农民的国王”或者其他独裁者——解放者身上。这种带有君主主义色彩的共和主义思想的存在，说明了代表不同文化的民主制度与专制思想处于奇特的混杂状态。革命期间在俄国的英国大使乔治·布坎南注意到了植根于人民意识中的君主制影响，并记载了一个士兵对他说的话：“的确，我们需要一个共和国，但领导我们的得是个好沙皇。”他认为：“俄国政治还没有成熟到可以接受绝对的民主政治。”美国人弗兰克·戈尔德在其3月7日的日记中写道：一个士兵说，他希望能够选举总统，而当被问及会选谁时，他的回答是：沙皇。在军队中常会有这样的口号：“我们要选举沙皇”。一位孟什维克党员描述了自己在弗拉基米尔一次军事集会上的经历，揭示了农民士兵中这种反君主政治行为与骨子里的君主制思想之间的矛盾：“我的发言当然是关于战争、和平、土地，以及共和制取代君主制的种种好处。当我的演讲和大家的欢呼都平息之后，忽然有人高呼，‘我们要您来做我们的沙皇’，士兵中立即爆发出掌声和欢呼声。我拒绝了这顶罗曼诺夫的王冠，当我离开时，我心情很沉重：这是多么单纯而又无知的人们，多么容易被控制的人们！”[2]

群众对立宪会议的态度是决定立宪会议命运的一个重要因素。俄国各个社会文化阶层对于立宪会议思想有不同理解。对于中间阶层和民主力量来说，主要是通过立宪会议以和平改革方式克服俄罗斯的危机、建立法制国家和民主制度。而对于广大的工农群众而言，立宪会议的吸引力体现在它可能成为在比较平均地重新分配社会财富基础上解决社会迫切需要的工具。

在二月革命胜利后的最初几个月，“立宪会议对于前线士兵群众来说是某

[1] Orlando Figes and Boris Kolonitskii. *Interpreting the Russian Revolution.The Language and Symbols of 1917.* Yale University Press,New Haven and London,1999,p.128.

[2] Orlando Figes and Boris Kolonitskii. *Interpreting the Russian Revolution.The Language and Symbols of 1917.* Yale University Press,New Haven and London,1999,p.72–73.

种未知的、不清楚的东西。他们的兴趣确定地、不掩饰地集中于苏维埃，那是一种贴近他们并使他们感到亲近的制度，就像他们的农村的村社大会。前线苏维埃的会议从一开始就吸引了大量旁听者，他们干预苏维埃事务并经常影响其作出决定。经常能从士兵那里听到反对立宪会议的言论：'要立宪会议干什么？我们已经有了苏维埃，那里有我们的代表，他们能够解决所有问题，处理一切事务。'”但是，随着革命进程的深入，通过社会活动家和出版物的持续不断的宣传和解释，在几个月里，群众的意识中逐渐形成了关于全俄立宪会议的思想。很多群众集会经常一致响起“全部权力归立宪会议”的口号。这种情况在社会革命党影响较大的军队中特别明显。一个军的委员会在致临时政府的电报中说：“我们认为，民主共和国最能够保障人民权利和民族自治，我们期待立宪会议表达人民的意志。”“6—7 月间……各部队作出的决议的第一点往往就是要求立即召开立宪会议。俄国知识分子期待立宪会议拯救国家的那种希望、那种信仰，也传染给了士兵群众。越来越多的人确信，只有立宪会议能给他们带来和平、消灭战争，让他们回家。这一时期通过的决议经常有这样的内容：'我们同意坚守阵地，但不能超过 11 月，那时代表们应该召集起来了。'这就提出了一个问题：如果立宪会议决定继续战争那该怎么办呢？这引发了某种不安，可以感觉到对立宪会议的信念是有限度的，是同最关注的问题——战争问题——联系在一起的。他们对苏维埃的贴近表明人民权利的思想对他们来说更亲切、更明了。”[1]

农民对立宪会议的看法带有浓厚的传统色彩，他们把立宪会议看作是能够给予他们的土地革命以合法性支持的国家机构，称立宪会议为“农民意志的代言人”、“土地和自由的拯救者”，认为它可以使全体人民团结一致，从而使革命形势发展到不可逆转的程度。有时，农民还会天真地认为，只要大会有一位智慧的老农，只要立宪会议囊括足够的有威信有能力的农民，它就一定能够带给农民土地和自由。农民经常认为，立宪会议应当以独裁者的身份“掌握全

---

[1] Учредительное собрание и его историческое значение. http://refhist.ru/history/the_constituent_assembly and_its_historical_value/m/28516/1.3.html ; *Соколов Б.* Защита Всероссийского Учредительного Собрания. //Октябрьская Революция. Мемуары. М., 1991. С.332–333.

权”，“成为全俄罗斯土地的主人”。秋天，报纸上曾刊登过两个老农在火车站前的对话：第一位农民：“立宪会议，我们的好兄弟，将成为我们的主人。由于是我们农民投票选举的，他将成为我们中的一个。农民不能再捣乱了。我们的事业是严肃的、伟大的：我们供养全国人民。正因为我们的工作性质特殊，我们更需要和平和秩序。然而我们的期望无法实现，因为现在时局仍有太多变数。”第二位农民：“很多变数！我们不喜欢变化！有沙皇的时候，一切正常。可现在，我们适应不了变化。”第一位农民：“我们现在的统治者会考虑一切的，但他们没有任何实权，他们不能随心所欲地直接管理人民。然而，立宪会议，我的朋友，将成为真正的主人。他会让人民各就其位、各司其职。不要违逆！不要叫喊！等着我们送给你们自由和土地吧！伟大的事业不可能一蹴而就。农民们需要并期待土地和自由。我们必须彻底解决问题，不仅为我们自己，也为我们的子孙后代。因此，我们需要一个主人。”[1]这些对话明白显示，农民对于立宪会议的支持并非是出于对民主政治的信念，而只是因为它是能够满足他们要求的主人。亲社会革命党的《自由言论报》文章承认：“立宪会议……未能抓住、未能吸引群众，没有渗入人民的心中，它对于俄国人民来说只是一个外国玩具，可以玩一玩，但不能当真。”[2]绝大部分选民参加投票，并不是出于对民主制的信念，而是为了更实际和具体的目的。

相比之下，工农群众对苏维埃的认识要确定得多。他们希望建立一个能够满足他们要求的、以村社民主准则为基础的理想社会制度，在他们心目中苏维埃就是实现这种理想的一个载体。工人、士兵和农民代表苏维埃是革命期间群众历史创造性的最重要表现，它不同于西方政治文化，没有明确的阶级特点，独立于政权系统，但又积极参与政治，从一开始就力图实现权力职能，不断扩大自己的势力范围，建立内部结构和严格的职务等级制度，在短短几个月时间里发展成为一个拥有从全俄到大区、省、县、市、区以及更基层组织的机构，力图代替地方自治机关或对其进行监督。尽管布尔什维克十月夺权后苏维

[1] Orlando Figes and Boris Kolonitskii. *Interpreting the Russian Revolution.The Language and Symbols of 1917.* Yale University Press,New Haven and London,1999,p.141,147.

[2] *Протасов Л.Г.* Всероссийское Учредительное собрание: история рождения и гибели. М., 1997. С.320, 321.

埃的性质和机制开始发生变化并因此加剧了不同社会主义党派之间的冲突，但苏维埃在工农群众心目中的形象暂时还没有发生大的变化。

由于处在战争和革命的特殊条件之下，也由于俄国历史道路的独特性，俄国沙皇制度瓦解以后向新体制的过渡是病态的，也是极其短暂的。在 8 个月时间里，无政府主义空前泛滥，二月革命建立的脆弱民主最终淹没在群众自发性的浪潮之中。“二月到十月这个时期非常清楚地表明，对于建立公民社会和法制国家的任务而言，仅有缺乏相应社会经济前提保障的政治自由是远远不够的。”[1] 社会和文化基础的薄弱，是 1918 年立宪会议所代表的那种发展方向遭到失败的深层原因。

解散立宪会议是俄国革命的一个重要路标。但是，苏维埃政权仍然面对强大的反对力量，巩固政权的路还很长。托洛茨基在二月后不久所说的真正“铁与血”[2] 的国内战争时代到来了。

[1] *Шелохаев В.В.* История，деформированная властью.//Кентавр.1994.2.С.16.

[2] *Троцкий Л.Д.* История русской революции.Т.1.М.,1997.С.178.

附　录

参 考 书 目

文　　献

Декларация Временного правительства о его составе и задачах. http://his95.narod.ru/04.htm.（临时政府关于其组成及任务的宣言）

Декларация прав солдата для Армии и Флота. http://samuraev.narod.ru/biblio/d/d002.htm.（陆海军士兵权利宣言）

Документы Великого Октября. Под.ред. *В. В.Аникеева.* М., 1977.（伟大十月革命文件）

Из истории борьбы за власть в 1917 году. Сборник документов. М., 2002.（1917 年夺权斗争史要。文件集）

История отечества в документах. 1917–1993 гг. Часть 1. 1917–1920 гг. М., 1994.（祖国历史文件。1917—1993）

От исполнительного комитета совета рабочих и солдатских депутатов. 3 марта 1917 г. http://his95.narod.ru/doc15/d4.htm.（工兵代表苏维埃执行委员会。1917 年 3 月）

Отречение Николая II. Воспоминания очевидцев, документы. 2-е издание, дополненное. Протокол отречения Николая II. http://publ.lib.ru/ARCHIVES/SCH/SCHEGOLEV _Pavel_Eliseevich/_Schegolev_P._E..html#01（尼古拉二世退位。目击者回忆，文件）

Петроградский военно-революционный комитет. Документы и материалы. Под ред. *Д.А. Чугаева.* Т1. М., 1966.（彼得格勒军事革命委员会。文件和材料）

Петроградский Совет рабочих и солдатских депутатов в 1917 году. Протоколы и материалы. Т.1. Л., 1991.（1917 年的彼得格勒工兵代表苏维埃。记录和材料）

Последний всеподданнейший доклад М. В. Родзянко.（10 Февраля 1917 года). http://www.tuad.nsk.ru/~history/Author/Russ/B/BlokA/last/pril.html（罗将柯的最后奏折。1917 年 2 月 10 日）

Протоколы Центрального Комитета РСДРП（б）. Август 1917-Февраль 1918. М., 1958.（俄国社会民主工党（布）中央委员会记录。1917 年 2 月—1918 年 2 月）

Революционное движение в России после свержения самодержавия. Документы и материалы. М., 1957.（专制制度被推翻后的俄国革命运动。文件和材料）

Революционное движение в России в апреле 1917 г. Апрельский кризис. Документы и материалы. М., 1958.（1917 年 4 月的俄国革命运动，四月危机。文件和材料）

Революционное движение в России в мае-июне 1917 г. Документы и материалы. М., 1959.（1917 年 5—6 月的俄国革命运动。文件和材料）

Революционное движение в России в июле 1917 г. Июльский кризис. Документы и материалы, М., 1959.（1917 年 7 月的俄国革命运动，七月危机。文件和材料）

Революционное движение в России в августе 1917 г. Разгром Корниловского мятежа. Документы и материалы. М., 1959.（1917 年 8 月的俄国革命运动，粉碎科尔尼洛夫叛乱。文件和材料）

Революционное движение в России в сентябре 1917 г. Общенациональный кризис. Документы и материалы. М., 1961.（1917 年 9 月的俄国革命运动，全国性危机。文件和材料）

Россия 1913 год. Статистико-документальный справочник. СПб., 1995.（1913 年的俄国。统计文献概览）

Седьмая（апрельская）Всероссийская конференция РСДРП（б）. Протоколы. М., 1958.（俄国社会民主工党（布）第七次（四月）全俄代表会议记录）

Седьмой экстренный съезд РКП（б）. Март 1918 года. Стенографический отчет. Москва, 1962.（俄共（布）第七次紧急代表大会，1918 年 3 月。速记记录）

Телеграмма Председателя IV Государственной Думы М.В. Родзянко Императору Николаю II о начале революционных выступлений в Петрограде. http://www.krugosvet.ru /articles/ 109/1010974/1010974a2.htm（第四届国家杜马主席

罗将柯就彼得格勒发生革命行动致尼古拉二世皇帝的电报）

Учредительное собрание, Россия, 1918. Стенограмма и другие документы. М.,1991.（俄国立宪会议，1918 年。速记记录及其他文件）

Февральская революция 1917 года. Сб. документов и материалов. М., 1996.（1917 年二月革命。文件资料集）

Хрестоматия по истории России 1917–1940. М., 1995.（俄国历史史料集，1917—1940）

Хрестоматия по истории СССР. 1861–1917. М., 1970.（苏联历史史料集，1861—1917）

Шестой съезд РСДРП（б）. Август 1917 г. Протоколы. М., 1958.（俄国社会民主工党（布）第六次代表大会记录）

《俄国十月社会主义革命》，徐天新选译，商务印书馆 1997 年版。

《苏共决议汇编》，第 1 分册，人民出版社 1964 年版。

著　　作

1917 год в судьбах России и мира. Февральская революция: от новых источников к новому осмыслению. М., 1997.（俄国和世界命运中的 1917 年。二月革命：从新史料到新思考）

Анфимов А.М. Крестьянское хозяйство Европейской России. 1881–1904. М.，1980.（欧俄的农民经济。1881—1904）

Балк А.П. Последние пять дней царского Петрограда 23–28 фев. 1917. русское прошлое, 1991.（沙俄彼得格勒的最后五天，1917 年 2 月 23—28 日）

Бахурин Ю.А. Первый, последний приказ. http://www.ostfront.ru/Text/First.html.（一号命令，最后的命令）

Белоусов Р.А. Экономическая история России: XX век. Книга I. На рубеже двух столетий. М.,1999.（20 世纪俄国经济史。第一册，世纪之交）

Берберова Н. Люди и ложи. Русские масоны XX столетия. Нью-Йорк, 1986.（人物和分会。20 世纪俄国共济会）

Большая советская энциклапедия. Москва.1978. 3-изд.（苏联大百科全书）

Бонч-Бруевич В. Д. На боевых постах Февральской и Октябрьской революции. М., 1931.（在二月革命和十月革命的战斗岗位上）

Борисов Н. С. Ключ к истории отечества. М., 1993.（祖国历史的关键）

Боффа Д. История Советского Союза. Т. 1. М., 1994.（苏联史）

Боханов А. Н. и др. История России. XX век. М., 1996.（20 世纪俄国史）

Бреслав Б. А. Канун Октября 1917 года. М., 1934.（1917 年十月前夜）

Бубликов А. Русская революция. Нью-Йорк. 1918.（俄国革命）

Буржуазия накануне Февральской революци. М. - Л., 1927.（二月革命前夜的资产阶级）

Бушмаков А.В. Февральская революция в Перми. http://www.archive.perm.ru/page.php.（彼尔姆的二月革命）

Великая Октябрьская социалистическая революция в Петраграде и Москве. М., 1959.（彼得格勒和莫斯科的伟大十月社会主义革命）

Витте С. Ю. Воспоминания. Т. 2. М., 1994.（维特回忆录）

Войтинский В. С. 1917-й. Год побед и поражений. М., 1999.（1917：胜利和失败的一年）

Воспоминаня о Владимире Ильиче Ленине. Т. 1. М., 1956.（回忆列宁）

Врангель П.Н. Воспоминания генерала барона П. Н. Врангеля. Франкфурт-на-Майне. 1969.（弗兰格尔回忆录）

Второй Всероссийский Съезд Советов Рабочих И Солдатских Депутатов. http://mirslovarei.com/content_pol/VTOROJ-VSEROSSIJSKIJ-SEZD-SOVETOV-RABOCHIX-I-SOLDATSKIX-DEPUTATOV-6534.html（全俄苏维埃第二次代表大会）

Галушкин Н.В. Собственный Его Императорского Величества Конвой. М., 2004.（皇帝陛下的护卫队）

История Российской империи. В трех томах. М., 1997.（俄罗斯帝国史）

Головатенко А.Ю. История России. Спорные вопросы. М., 1994.（俄国历史。有争议的问题）

Горинов М.М. и др. История отечества. Выпуск 1. М., 1992.（祖国历史）

Граф Г. К. Балтийский флот в войну и революцию. СПб., 1997.（战争和革

命时期的波罗的海舰队）

Дан Ф. К истории последних дней Временного правительства. http://lib.rus.ec/b/169220/read（临时政府的最后时日）

Деникин А. И. Очерки Русской Смуты. Том первый.http://www. magister.msk.ru/library/history/xx/denikin/denia 001.htm（俄国动乱史纲，第 1 卷）

Деникин А. И. Очерки Русской Смуты.Том второй.http://www.magister.msk.ru/library/history/xx/denikin/denia 002.htm（俄国动乱史纲，第 2 卷）

Думова Н. Г. Кадетская партия в период Первой мировой войны и Февральской революции. М., 1988.（第一次世界大战和二月革命时期的立宪民主党）

Ерыкалов Е. Ф. Октябрьское вооруженное восстание в Петрограде. Л., 1966.（彼得格勒十月武装起义）

Желтова В. П. Стачечная борьба российского пролетариата в 1910–1912 гг. М., 1993.（1910—1912 年间俄国无产阶级的罢工斗争）

Зиновьев Г.Н. Ленин, Владимир Ильич Ульянов. Очерк жизни и деятельности. Пг., 1918.（列宁生平和活动概要）

Иоффе Г.З. Семнадцатый год: Ленин, Керенский, Корнилов. М., 1995.（1917 年：列宁、克伦斯基、科尔尼洛夫）

История Коммунистической партии Советского Союза. Т. 2. М., 1966.（苏联共产党历史）

История России. Двадцатый век. Кризисы Временного правительства. Конец двоевластия. http://xx-stoletie.ru/2/8-krizisy-vremennogo-pravitelstva-konec-dvoevlastiya.html（20 世纪俄国史。临时政府的危机，双重权力现象的结束。）

История России XX век:1894–1939. Под ред. *А.Б. Зубова.* М., 2009.（20 世纪俄国史，1894—1939）

История СССР. 1859–1917. Под ред. *В. Г. Тюкавкин.* М., 1990.（苏联史，1859—1917）

Калягин А. В. Июльский кризис 1917 года: причины, характер, последствия. http://media.ssu.samara.ru/materials/russia_1917/part7/page1_7.html（1917

年七月危机：原因、性质和后果）

Катков Г. М. Дело Корнилова. Париж. 1987.（科尔尼洛夫事件）

Катков Г. М. Февральская революция. М., 1997.（二月革命）

Кара-Мурза С. Г. Гражданская война 1918–1921 гг. Глава 2. После Февраля 1917 г. http://www.kara-murza.ru/books/war/civil_war4.htm（1918—1921 年的国内战争）

Калашников В. Кто и как сделал Февральскую революцию. http://www.sp-bvedomosti. ru/article.htm（是谁、怎样制造了二月革命）

Керенский А. Ф. Россия на историческом повороте. //Вопросы истории. 1990.N 6-11; 1991.N 1-11.（历史转折时期的俄国）

Китаниная Т. М. Война, хлеб, революция, продовольственный вопрос в России. 1914–октябрь 1917. Л., 1985.（俄国的战争、面包、革命和粮食问题。1914—1917.10.）

Кожинов В. В. Россия. век XX（1901–1939）. М., 1999. http://hronos.km.ru/libris/ kogin6.html（20 世纪俄国，1901—1939）

Козьменко В. М. История России. М., 2009.http://www.protown.ru/information/hide/hide_1259. html（俄国史）

Кокошкин ф. ф. Учредительное собрание. Петраград. 1917.（立宪会议）

Краснов П. Н. На внутреннем фронте. III. Бунт 3-й пехотной дивизии. Убийство комиссара Юго-Западного фронта Ф. Ф. Линде. http://www.dk1868.ru/history/Krasnov_na_vn_fronte.htm（在国内战线上。III. 第三步兵师暴动。西南战线政治委员林德被杀。）

Кригер-Войновский Э. Б. Записки инженера. Воспоминания, впечатления, мысли о рево- люции. М., 1999.（工程师札记。关于革命的回忆、印象和思考）

Леонтович В. В. История либерализма в России. Париж. 1980.（俄国自由主义史）

Луначарский А. В. Письма мои к тебе, конечно, исторические. // Вопросы истории КПСС. 1991. №2.（我写给你的信当然是历史性的）

Маклаков В. А. Власть и общество на закате старой России. Париж. 1936.（旧俄国终结时期的政权与社会）

Милюков П. Н. Воспоминания（1859–1917）. Т. 2. М., 1990.（米留可夫回忆录）

Милюков П. Н. Россия на переломе. Т. 1. Париж. 1927.（转折中的俄国）

Никитин Б. В. Роковые годы. Часть 3. http://www.dk1868.ru/history/nikitin3.htm（决定命运的年代）

Николаев А. Б. Государственная дума в Февральской революции. Рязань. 2002.（二月革命中的国家杜马）

Николаев А. Б. Революция и власть: IV Государственная дума 27 февраля-3 марта 1917 года. СПб., 2005.（革命与政权：1917 年 2 月 27 日—3 月 3 日期间的第四届国家杜马）

Николаевский Б. Н. Русские масоны и революция. М., 1990.（俄国共济会与革命）

Николаевский Б. И. Тайные страницы истории. М., 1995.（历史的秘密篇章）

Об Ильиче. Воспоминания питерцев. Л., 1970.（彼得堡人回忆列宁）

Оболенский В. А. Моя жизнь и мои современники. Париж, 1988.（我的生平和我的同时代人）

Ольденбург С. Ф. Царствование императора Николая II. СПб., 1991.（尼古拉二世皇帝在位时期）

Орлов В.С., Султанова Е. А. Съезд восставшего и победившего народа, П., 1987.（起义并取得胜利的人民的代表大会）

Пайпс Р. Русская революция. Кн. 1. Агония старого режима. 1905–1917. М., 2005.（俄国革命。第 1 册，垂死的旧制度。1905—1917）

Пайпс Р. Русская революция. Кн. 2. Большевики в борьбе за власть. 1917–1918. М., 2005.（俄国革命。第 2 册，布尔什维克的夺权斗争。1917—1918）

Пайпс Р. Три《почему》Русской революции. http://publ.lib.ru/ARCHIVES/P/PAYPS_Richard/_Payps_R..html（俄国革命的三个“为什么”）

Палелог М. Царская Россия во время мировой войны. М., - Пг., 1923.（世界大战时期的沙皇俄国）

Пушкарев С. Г. Ленин и Россия. http://lenin-rus.narod.ru/01.htm（列宁与

俄国）

Рабинович А. Большевики приходят к власти. Революция 1917 года в Петрограде. М., 1989.（布尔什维克走向政权。1917 年彼得格勒的革命）

Раев М. Понять дореволюционную Россию: Государство и общество в Российской империи. Лондон, 1990.（理解革命前的俄国：俄罗斯帝国的国家与社会）

Раскольников Ф. Ф. Кронштадт и Питер в 1917 году. http://www.rusrevolution.info/books/ index. shtml?12（1917 年的喀琅施塔得和彼得格勒）

Родзянко М. В. Крушение империи. Харьков. 1990.（帝国的崩溃）

Рябинский К. Революция 1917 года. Хроника событий. М., 1976.（1917 年革命）

Секиринский С. С., Филипова Т. А. Родословная российской свободы. М., 1993.（俄国自由的谱系）

Слассер Р. Сталин в 1917 году. Человек, оставшийся вне революции. М., 1989.（1917 年的斯大林。置身于革命之外的人）

Соболев Г. Л. Русская революция и «немецкое золото». СПБ., 2002.（俄国革命与德国金钱）

Соколов А. К. Курс советской истории. 1917–1940. М., 1999.（苏联史教程）

Солженицын А. И. Красное Колесо.http://solzhenicyn.ru/modules/myarticles/topics_topic_id_6. html（红色车轮）

Солженицын А. И. Размышления над Февральской революцией. http://vff-s.narod.ru/gov/pr/ opr33a.html（对二月革命的思考）

Сорокин П. Дальняя дорога. Автобиография. М. 1992.（漫长的道路。自传）

Спиридович А. И. Великая Война и Февральская Революция. 1914 –1917. Нью-Йорк.1962.（大战与二月革命）

Страна гибнет сегодня: Воспоминания о Февральской революции 1917 года. М., 1991.（国家今天灭亡：回忆 1917 年二月革命）

Суханов Н. Н. Записки о революции. Книга первая. Берлин-Петербург-Москва. 1922.（革命札记。第 1 册）

Суханов Н. Н. Записки о революции. Книга вторая. Берлин-Петербург-

Москва. 1922.（革命札记。第 2 册）

Суханов Н. Н. Записки о революции. Том 2（книги 3. 4. ）М., 1991.（革命札记。第 3、4 册）

Суханов Н. Н. Записки о революции. Том 3（книга 5. 6. 7. ）М., 1992.（革命札记。第 5、6、7 册）

Токарев Ю. С. Петроградский Совет рабочих и солдатских депутатов в марте и апреле 1917 г. Л., 1976.（1917 年 3—4 月的彼得格勒工兵代表苏维埃）

Троцкий Л. Д. История Русской Революции. Т. 1. Февральская Революция. М., 1997.（俄国革命史。第 1 卷。二月革命）

Троцкий Л. Д. История Русской Революции. Т. 2. Октябрьская Революция. М., 1997.（俄国革命史。第 2 卷。十月革命）

Троцкий Л. Д. Историческое подготовление Октября. Часть I. От Февраля до Октября.http://www.magister.msk.ru/library/trotsky/trotl224.htm（十月革命的历史进程。第 1 部分，从二月到十月）

Троцкий Л. Д. Историческое подготовление Октября. Часть II. От Октября до Бреста. http://www.magister.msk.ru/library/trotsky/trotl315.htm（十月革命的历史准备。第 2 部分，从十月到布列斯特）

Фельштинский Ю. Г. Большевики и левые эсеры. Октябрь 1917-июль 1918. Париж. 1985. http://lib.ru/HISTORY/FELSHTINSKY/sr1917.txt（布尔什维克与左派社会革命党人 1917.10.—1918.7.）

Фельштинский Ю. Г. Крушение мировой революции. Брестский мир: Октябрь 1917-ноябрь 1918. М., 1992.（世界革命的失败。布列斯特和约：1917.10.—1918.11.）

Хальвег В. Возвращение Ленина в Россию в 1917 году. М., 1990.（1917 年列宁返回俄国）

Шелохаев В. В. и др. Политическая история России в партиях и лицах. М., 1993.（俄国政治史，政党与人物）

Шляпников А. Г. Канун семнадцатого года. Семнадцатый год. Т. 2. М., 1992.（1917 年前夜。1917 年）

Шуб Д. Политические деятели России（1850–1920 годов）. http://www.

hrono.ru/libris/lib_sh/shub13.html（俄国政治活动家。1850—1920）

Abraham Ascher. *The Mensheviks in the Russian Revolution.* New York, 1976.（俄国革命中的孟什维克）

Basil J. D. *The Mensheviks in the Revolution of 1917.* Columbus: Slavica Publishers Inc., U.S. 1984.（1917 年革命中的孟什维克）

Hans Rogger. *Russia in the Age of Modernization and Revolution 1881–1917.* London and New York.1983.（现代化与革命时代的俄国。1881—1917）

Martin McCauley. *The Russian Revolution and the Soviet State 1917–1921:*documents. London,1980.（1917—1921 年的俄国革命和苏维埃国家）

Munck J.L. *The Kornilov Revolt : A Critical Examination of Sources and Research.* Aarhus:Aarhus University press, 1987.（科尔尼洛夫叛乱）

Orlando Figes and Boris Kolonitskii. *Interpreting the Russian Revolution. The Language and Symbols of 1917.* Yale University Press, New Haven and London, 1999.（解读俄国革命。1917 年的语言和符号）

Owen T.G. *Capitalism and Politics in Russia:A Social History of the Moscow Merchants,1855–1905.* Cambrige, 1981.（资本主义与俄国政治：莫斯科商人的社会史）

Riha T. *Russian European: Paul Miliukov in Russian Politics.* New York, 1969.（俄国的欧洲人：俄国政治中的米留可夫）

Ronald Kowalski. *The Russian Revolution,1917–1921.* London and New York.1997.（俄国革命，1917—1921）

Rosenberg W.G. *Liberals in the Russian Revolution: The Constitutional Democratic Party, 1917–1921.* Princeton University Press.1974.（俄国革命中的自由主义者：立宪民主党，1917—1921）

Wade R.A. *The Russian search for peace: February-october 1917.* Stanford. 1969.（俄国寻求和平，1917 年 2 月—10 月）

《马克思恩格斯选集》，人民出版社 1995 年版。

《列宁全集》中文第 2 版，人民出版社。

《列宁年谱·1917年3月—10月》，第4卷，三联书店1984年版。

［俄］德·阿宁编：《克伦斯基等目睹的俄国一九一七年革命》，丁祖永等译，三联书店1984年版。

［奥地利］布劳恩塔尔著：《国际史》，第2卷，杨寿国译，上海译文出版社1986年版。

［美］丹尼尔斯著：《革命的良心——苏联党内的反对派》，高德平译，北京出版社1985年版。

［波］多伊彻著：《武装的先知，托洛茨基：1879—1921》，王国龙译，施用勤校，中央编译出版社1998年版。

［俄］高尔基著：《不合时宜的思想》，朱希渝译，江苏人民出版社1998年版。

［俄］戈林科夫著：《反苏维埃地下组织的覆灭》，上、下册，陈行慧等译，群众出版社1983年版。

李显荣著：《托洛茨基评传》，中国社会科学出版社1986年版。

［美］里德著：《震撼世界的十天》，郭圣铭等译，东方出版社2005年版。

［德］卢森堡著：《论俄国革命·书信集》，殷叙彝等译，贵州人民出版社2001年版。

《“十月”的选择——90年代国外学者论十月革命》，刘淑春、翟民刚、王丽华编，中央编译出版社1997年版。

［美］斯坦伯格、［俄］赫鲁斯塔廖夫著：《罗曼诺夫王朝覆灭》，张蓓译，新华出版社1999年版。

《苏联历史论文选辑》第3辑，三联书店1965年版。

孙成木、李显荣、康春林著：《十月革命史》，三联书店1980年版。

［俄］托洛茨基著：《论列宁》，王家华、张海滨译，三联书店1980年版。

［俄］托洛茨基著：《我的生平》，赵泓、田娟玉译，郑异凡校，上海人民出版社2007年版。

［法］韦尔特著：《1917年，革命中的俄罗斯》，宫宝荣译，上海世纪出版集团、上海人民出版社2007年版。

闻一著：《十月革命——阵痛与震荡》，广东人民出版社2010年版。

［英］夏皮罗著：《一个英国学者笔下的苏共党史》，徐葵等译，东方出版

社 1991 年版。

姚海著:《近代俄国立宪运动源流》，四川大学出版社 1996 年版。

姚海著:《历史性的转折:1917 年俄国革命》。《一个大国的崛起与崩溃 · 苏联历史专题研究》，社会科学文献出版社 2009 年版。

姚海、刘长江著:《当代俄国》，贵州人民出版社 2001 年版。

论　　文

Алексеев А. Март-апрель 1917 года: Россия на грани нервного срыва. // Наука и жизнь.№ 3. 2009. http://www.dm-b.ru/1272/（1917 年 3—4 月：俄国濒临崩溃）

Воспоминания председателя Военной комиссии Временного комитета Государственной думы о февральской революции 1917 г. // Клио 2003. № 1（20）.（国家杜马临时委员会军事委员会主席回忆 1917 年二月革命）

Грасименко Г. А. Земство в Февральской буржуазно-демократической революции. //История СССР.1987. 4.（二月资产阶级民主革命中的地方自治机关）

Ермаков В. Д. Маруся: портрет анархистки.//Социологические исследования. 1991.-N.3.（玛露霞，一个无政府主义者的肖像）

Земцов Б. Н. Историография революции 1917. // Международный исторический журнал, №2, март-апрель 1999.（1917 年革命的历史编撰学）

Иоффе Г. З. Из истории российской демократии 1917 года.//Литературная газета. 2002 № 45. 12 ноября（1917 年俄国民主史要）

Князев Г. А. Из записной книжки русского интеллигента за время революции и гражданнской войны. 1915–1922гг. //Русское прошлое. СПБ., Кн. 2.1991.（一个俄国知识分子革命和内战年代的笔记）

“Круглый стол”. Гражданская война в России.// Отечественная история.1993. N 3.（“圆桌会议”。俄国国内战争）

Кульчицкий С. Русская революция 1917 года: новый взгляд.//День, 4 октября 2003; 18 октября 2003.（1917 年俄国革命：新观点）

Ляндрес С. Новые документы о финансовых субсидиях большевикам в 1917 году. // Оте- чественная история. 1993. 2.（关于 1917 年布尔什维克得到经费资助的新文件）

Миллерр В. К вопросу о сравнительной численности партий большевков и меньшевиков в 1917г.// Страницы истории КПСС. М., 1989.（1917 年布尔什维克与孟什维克党员人数比较问题）

Милюков Павел Николаевич. http://hronos.km.ru/biograf/milyukov.html（帕・尼・米留可夫）

Радек К. Ноябрь（Страничка из воспоминаний）//Красная новь. Кн. 10.1926.（11 月。回忆录片段）

Революция 1917 года: почему Февраль? почему Октябрь? http://cityref.ru/prosmotr/5433-8510. htm（1917 年革命：为什么会有二月？为什么会有十月？）

Соловьев О.Ф. Парвус: политический портрет. // Новая и новейшая история, 1991.1.（帕尔乌斯：政治肖像）

Подвойский Н.И. О военной деятельности Ленина.// Коммунист.1957.1.（论列宁的军事活动）

Почетный гражданин Екатеринбурга А. Бубликов о русской революции. http://museum1723. narod. ru/ library/Bublikov.htm（叶卡捷琳堡荣誉市民布勃利科夫谈俄国革命）

Учредительное собрание и его историческое значение. http://refhist.ru/history/the_ constituent_assembly and _its_historical_value/m/ 28516/ 1.3.html（立宪会议及其历史意义）

Февральская революция1917 г.в России. http://www.krugosvet.ru/enc/istoriya/FEVRALSKAYA_REVOLYUTSIYA_1917_V_ROSSII. html(俄国 1917 年二月革命)

Февральская революция в Новониколаевске. http://vn.ru/index.php（新尼古拉耶夫斯克的二月革命）

Февральские события 1917 года.http://www.kro.su/article/show/?id=661（1917 年二月革命）

Филоненко В. Старая власть оказалась бессильной…http://zdr-gazeta.ru/index.php?newsid=9781（旧政权是无力的……）

Фомин С. Великая? Безкровная? Русская? Часть 2.//Русский вестник.16.02.2007.（伟大的？不流血的？俄罗斯的？）

Хеймсон Л. Об истоах революции.// Отечественная история. 1993.6.（论革命的根源）

Чарнолуский В.И. Десять лет назад（Воспоминания о первых моментах февральской революции）http://biblio.narod.ru/gyrnal/publicat/fevr_17_tharn.htm（十年之前。回忆二月革命的最初时刻）

Черменский Э. Д. Начало второй Российской Революции. //История СССР.1987. 1.（第二次俄国革命的开始）

Чернявский Г. Немецкие деньги Ленина: легенда и документы.//Вестник. апреля 2001. http://www.vestnik.com/issues/2001/0410/win/cherniavsky.htm（列宁的德国钱：神话与文件）

Чурбанов В. IV Дума и революция: созданная предотвратить–вынужденная возглавить. http://www.russia-today.ru/2006/no_03/03_centenary.htm（第四届杜马与革命）

Feldman R.S. *The Russian General Staff and the June 1917 Offensive.*// Soviet Studies. 1968. XIX,4.（俄国总参谋部与 1917 年 6 月进攻）

Melancon M. *Who Wrote What and When? Proclamations of the February Revolution in Petrograd, 23 February–1 March 1917.*//Soviet Studies, Xl, 3.1988.（谁在什么时候写了什么？彼得格勒的革命宣言，1917 年 2 月 23 日—3 月 1 日）

Schurer H. *Kari Moor — German Agent and Friend of Lenin.*//The Journal of Contemporary History. L., 1970. Vol. 5. № 2.（卡尔·穆尔——德国的间谍和列宁的朋友）

Klaus Wiegrefe,u.a.*Revolutionär Seiner Majestät.*//Der Spiegel.No 50/10.12.2007.（陛下的革命家）

罗仁：《苏俄“十月革命”究竟是怎么回事？克伦斯基感慨万端话当年》，《春秋》杂志总第 248 期（1967 年）。

［俄］普利马克：《另一个列宁》，《马克思恩格斯列宁斯大林研究》2005

年第 1 期。

闻一：《十月革命与农民、农业问题》，《世界历史》1987 年第 5 期。

徐天新：《布尔什维克党在十月革命准备时期的农民政策》，《世界历史》1981 年第 6 期。

杨存堂：《十月革命与历史的选择性》，《历史研究》1988 年第 5 期。

姚海：《1917 年布尔什维克革命理论的转变》，《铁道师院学报》1988 年第 2 期。

姚海：《1917 年俄国革命中的七月事件与布尔什维克》，《历史教学问题》2008 年第 2 期。

姚海：《第一次世界大战时期的俄国自由主义运动》，《铁道师院学报》1995 年第 1 期。

姚海：《第一次世界大战与十月革命的发生》，《外国问题研究》1988 年第 1 期。

姚海：《俄国 1917 年的"电报革命"》，《历史教学问题》2010 年第 6 期。

姚海：《俄国革命的根源》，《俄罗斯研究》2007 年第 4 期。

姚海：《俄国革命中的立宪会议问题》，《史学集刊》2009 年第 1 期。

姚海：《俄国立宪派政党与二月革命》，《铁道师院学报》1989 年第 1 期。

姚海：《俄国自由主义运动失败的原因》，《铁道师院学报》1995 第 2 期。

姚海：《二月革命领导权问题探讨》，《世界史研究动态》1988 第 9 期。

姚海：《世纪之交俄国自由主义运动的演变》，《世界历史》1993 第 6 期。

余伟民：《世界现代化进程中的十月革命》，《当代世界与社会主义》2000 年第 4 期。

郑异凡：《斯大林伪造"政治局"》，《当代世界社会主义问题》2009 年第 3 期。

郑异凡：《有关十月革命的几个问题》，《当代世界社会主义问题》2002 年第 3 期。

郑异凡：《自由——十月革命的第四个口号》，《探索与争鸣》2008 年第 1 期。

郑异凡：《左派社会革命党人对十月革命的贡献》，《当代世界与社会主义》2004 年第 1 期。

档　　案

《苏联历史档案选编》第1—2卷，沈志华总主编，社会科学文献出版社2002年版。

ГАРФ.（俄罗斯联邦国家档案馆）

РГАСПИ.（俄国社会政治史国家档案馆）

主 题 索 引

B

C

D

E

G

H

J

K

L

M

N

Q

R

S

T

W

X

Y

Z

人 名 索 引

A

B

C

D

E

F

G

H

J

K

L

M

N

P

Q

R

S

T

W

X

Y

Z

人物简介

A

阿布拉莫维奇（Абрамович Р. 1880—1963）——崩得领导人之一。曾长期侨居国外。1917年回到俄国后，加入孟什维克国际主义派右翼。1920年流亡国外。

阿尔丹诺夫（Алданов М.）——作家。

阿尔曼德（Арманд И. Ф. 1874—1920）——出生于巴黎，1889年来到俄国，1904年加入布尔什维克党。多次被捕流放。1909年移居巴黎，与列宁相遇。曾担任俄国社会民主工党国外组织委员会书记。1917年与列宁一起回国。1920年病逝。

阿夫克森齐耶夫（Авксентьев Н. Д. 1878—1943）——社会革命党领袖之一。1917年二月革命后，任全俄农民代表苏维埃执行委员会主席，第二届联合临时政府内务部长，俄罗斯共和国会议（预备议会）主席。

阿杰莫夫（Аджемов М. С. 1878—1950）——医生，立宪民主党人，第二、三、四届国家杜马代表，国家杜马临时委员会派往司法部的政治委员。十月革命后流亡巴黎。

阿克雪里罗得（Аксельрод П. Б. 1850—1928）——1883年参与创建"劳动解放社"，孟什维克领袖之一。1917年二月革命后，任彼得格勒苏维埃执行委员会委员。十月革命后流亡国外。

阿利卢耶夫（Аллилуев С. Я. 1866—1945）——工人，1896年加入布尔什维克党。1917年曾掩护列宁躲避临时政府搜捕。

阿列弗耶夫（Арефьев М. И. 1864—?）——十月党人，第四届国家杜马代表。国家杜马临时委员会派往内务部的政治委员。

阿列克辛斯基（Алексинский Г. А. 1879—1967）——1905年10月开始任布尔什维克彼得堡委员会委员，1906年成为第二届国家杜马布尔什维克代表，1909年和波格丹诺夫一起领导了布尔什维克左翼团体前进派，1914年第一次世界大战开始后成为社会护国主义者，1917年二月革命后属于普列汉诺夫的统一派，1918年流亡国外。

阿列克谢（Алексей）——尼古拉二世之子。

阿列克谢耶夫（Алексеев М. В. 1857—1918）——步兵上将，第一次世界大战时期俄国最主要的军事领导人。1915年8月任大本营参谋长。在促使尼古拉二世退位过程中起了重要作用。二月革命后曾任最高总司令，在克伦斯基自任最高总司令后担任其参谋长。

阿纳尔多维奇（Анардович К.）——第 8 军政治委员助理。

阿尼西莫夫（Анисимов В. А.）——苏维埃中央执行委员会的代表。

阿维尔雅诺夫（Аверьянов П. И. 1867—1937）——中将，二月革命前后曾领导总参谋部。

艾尔利赫（Эрлих Х. М. 1882—1942）——波兰人，著名崩得活动家。1917 年先后任彼得格勒苏维埃执行委员会委员、全俄中央执行委员会委员、预备议会成员。

艾列尔（Эйлер А. Н. 1862—1921）无线电通讯专家，少将，1917 年曾任邮电总监。

艾伦（Эрн А. А. 1869—1931）——第四届国家杜马代表，弗拉基米尔省立宪民主党领导人，国家杜马临时委员会派往弗拉基米尔省的政治委员。

艾涅姆（Айнем Вильгельм фон）——奥地利驻瑞士副武官。

埃尔茨贝格（Erzberger M. 1875—1921）德国政治家、国会议员。1918 年曾为政府成员，代表德国签署康边停战协定。

埃维尔特（Эверт А. Е. 1857—1926）——步兵上将，1915 年 8 月起任西方战线总司令。二月革命后被解职。

安德罗尼克（Андроник）——彼尔姆主教。

安东诺夫－奥夫申科（Антонов–Овсеенко В. А. 1884—1938）——1901 年参加革命运动，曾是孟什维克，第一次世界大战期间是国际主义者，1917 年 6 月加入布尔什维克党，十月革命期间任彼得格勒苏维埃军事革命委员会委员。

奥波林斯基(Оболенский В. А.)——公爵，立宪民主党人。1917 年为该党中央委员。

奥尔忠尼启则（Орджоникидзе Г. К. 1886—1937）——1903 年加入布尔什维克党。1917 年 6 月任布尔什维克党彼得堡委员会执行委员会委员。

奥尔登堡（Ольденбург С. Ф. 1863—1934）——俄国东方学家，1908 年开始为俄罗斯科学院院士。立宪民主党人，1912—1917 年间为国务会议成员。1917 年 7—8 月为临时政府国民教育部长。1918 年开始与苏维埃政权合作。

B

巴尔克（Балк А. П. 1866—1957）——1916 年 11 月开始任彼得格勒市长。二月革命中被解职并遭逮捕，6 月获释。十月革命后参加反苏维埃政权的运动。

巴格达契耶夫（Багдатьев С. Я. 1887—1949）——1903 年加入布尔什维克党，1908 年起任彼得堡委员会执行委员会委员。1917 年七月事件的重要组织者之一。

巴格拉图尼（Багратуни Я. Г. 1879—1943）——少将。1917 年 6 月在军事部长克伦斯基办公室工作，7 月任彼得格勒军区司令部参谋长，10 月 25 日被任命为彼得格勒军区司令。

巴拉巴诺娃（Балабанова А. И. 1877—1965）——1897 年脱离贵族家庭前往欧洲，参加俄国社会民主主义者国外组织，1900 年加入意大利社会党。二月革命后回到俄国，加入布尔什维克党。

巴拉诺夫斯基（Барановский）——临时政府军事部长办公室主任。

巴雷什尼科夫（Барышников А. А. 1877—1924）——进步党人，第四届国家杜马代表。国家杜马临时委员会派往邮政总局的政治委员。

巴伦（Пален）——伯爵。右翼组织成员。

巴萨科夫（Басаков В. П.）——第四届国家杜马代表。国家杜马临时委员会派往司法部的政治委员。

巴维尔・亚历山大罗维奇（Павел Александрович 1860—1919）——大公。1916 年底曾受皇室成员委托，建议尼古拉二世尽快赐予一个宪法，或者至少成立一个受到杜马信任的政府。

邦契—布鲁耶维奇（Бонч-Бруевич В. Д. 1873—1955）——20 世纪 80 年代末参加革命运动，1896 年侨居瑞士后，参加了劳动解放社的活动，为《火星报》撰稿。二月革命后，相继参加《彼得格勒苏维埃消息报》、布尔什维克的《工人和士兵报》的编辑工作。十月革命后出任人民委员会办公厅主任。

鲍里索夫（Борисов）——中尉，芬兰边境托尔涅奥（Торнео）车站警卫队长。

贝贝利亚耶夫（Пепеляев В. Н. 1884—1920）——立宪民主党人，第四届国家杜马代表。国家杜马临时委员会派往彼得格勒市政府的政治委员。

贝霍夫斯基（Пеховский Н.）——彼得格勒市杜马成员。

本尼格森（Беннигсен Э. П. 1875—?）——第三届、第四届国家杜马代表。

比利茨（Пильц）——东西伯利亚总督。

彼得一世（Петр I 1672—1725）——俄国沙皇，俄罗斯帝国第一任皇帝。

彼列维尔泽夫（Переверзев П. Н. 1871—1944）——律师，劳动派成员，第二届临时政府司法部长。

彼舍霍诺夫（Пешехонов А. В. 1867—1933）——人民社会党人，第二届临时政府粮食部长。

彼斯特科夫斯基（Пестковский С. С.）——彼得格勒苏维埃军事革命委员会任命的中央电报局政治委员。

别尔嘉耶夫（Бердяев Н. А. 1874—1948）——俄国哲学家。19 世纪 90 年代曾是合法马克思主义者，1905 年加入立宪民主党，1922 年被驱逐出苏联。

别尔津（Берзин Я. А. 1890—1938）——1902 年入党，1908 年侨居国外，1917 年夏天返回俄国，在布尔什维克党第六次代表大会上当选为中央委员。十月革命后任俄罗斯联邦驻瑞士全权代表。

别尔纳茨基（Бернацкий М. В. 1876—1943）——经济学家，第四届临时政府财政部长。

别尔斯基（Бельский）——劳动派成员，二月事件的参与者。

别利亚耶夫（Беляев М. А. 1864—1918）——俄罗斯帝国最后一任军事部长。

别洛乌斯（Белоус И.）——萨马拉省的伏尔加沿岸小城罗夫宁斯克的电报员。

别洛乌索夫（Белоусов）——尼古拉铁路运行一处处长。

别塞金（Беседин）——新尼古拉耶夫斯克市长。

波德沃伊斯基(Подвойский Н. И. 1887—1920)——1901 年加入俄国社会民主工党。1917 年是彼得堡委员会委员，布尔什维克军事组织领导人之一，彼得格勒苏维埃军事革命委员会主席。

波格丹诺夫（Богданов[Малиновский] А. А. 1873—1928）——真姓马林诺夫斯基。俄国革命运动活动家，医生、经济学家、哲学家。1896—1909 年是布尔什维克，曾任中央委员。后来退出布尔什维克党，脱离政治活动。第一次世界大战时期是军医。积极评价二月革命，认为它将促进俄国的民主发展。

波格丹诺夫（Богданов Б. О. 1884—?）——孟什维克，中央军事工业委员会工人部领导人。

波格丹诺维奇（Богданович Н. М.）——乌法省长。

波基（Бокий Г. И. 1879—1937）——1917 年 3 月起任布尔什维克中央委员会俄国局成员。4 月起任彼得堡委员会书记。

波克罗夫斯基(Покровский Н. Н. 1865—1930)——俄罗斯帝国最后一任外交大臣。

波克罗夫斯基（Покровский）——右翼组织成员。

波利瓦诺夫（Поливанов А. А. 1855—1920）——步兵上将，1915—1916年任军事大臣。

波列塔耶夫（Полетаев Н. Г. 1872—1930）——最早的工人出身的社会民主党人之一，彼得堡工人阶级解放斗争协会成员，第三届国家杜马代表。七月事件后列宁曾藏身于他家。

波洛夫采夫（Половцев П. А. 1874—1964）——中将。二月革命爆发时正在彼得格勒休假，被召至国家杜马参加军事委员会的工作。5月出任彼得格勒军区司令。

波罗维季诺夫（Боровитинов М. М. 1874—?）——1913—1917年任芬兰院副主席、参政官。

波特列索夫（Потресов А. Н. 1869—1934）——俄国社会民主工党的创始人之一，孟什维克领袖。

伯恩斯坦，爱德华（Bernstein, Eduard）——德国社会民主党领袖。

勃朗斯基（Бронский М. Г. 1882—1941）——波兰社会民主党人，后为布尔什维克。十月革命后任苏俄副工商人民委员。

勃列依多（Брейдо Г.Е.）——工人，孟什维克。中央军事工业委员会工人部领导人，第一届彼得格勒苏维埃委员。

勃留索夫（Брюсов В. Я. 1873—1924）——诗人，俄国象征派创始人之一。

博罗金（Бородин В. Л.）——尼古拉铁路运行稽查员。

博什（Бош Е. Б. 1879—1925）——女革命家，1901年加入布尔什维克党。第一次世界大战前流亡国外。二月革命后不久返回俄国。后来在基辅担任党的区域委员会主席。

布勃利科夫（Бубликов А. А. 1875—1941）——进步党人，第四届国家杜马代表。毕业于彼得堡交通工程学院，在铁路部门任职。是全俄工商组织著名活动家之一，俄国共济会领导机构“最高会议”成员。1912年从彼尔姆省当选为第四届国家杜马成员。战时参加了“进步联盟”。二月革命开始时，被国家杜马临时委员会任命为交通部政治委员。1917年9月侨居美国。

布勃诺夫（Бубнов А. С. 1883—1940）——1903年加入布尔什维克党。二月革命后任党的莫斯科区域局委员、彼得堡委员会委员、中央委员。

布尔采夫（Бурцев В. Л. 1862—1942）——俄国革命者，出版家。青年时代因参加反对沙皇政权的革命运动而被逮捕流放。1917年七月事件后强烈批评布尔什维克。十月武装起义胜利后第二天，就被托洛茨基下令逮捕。1918 年 2 月，根据担任司法部长的左派社会革命党人施泰因伯格的指示释放，随后移居国外。

布哈林（Бухарин Н. И. 1888—1938）——1906 年加入布尔什维克党。1912 年流亡国外。1917 年 5 月回到俄国，8 月当选为中央委员。

布坎南（Buchanan G. W.）——1910—1918 年任英国驻俄大使。

布拉贡拉沃夫（Благонравов Г. И. 1896—1938）——彼得格勒苏维埃军事革命委员会成员，彼得保罗要塞政治委员。

布莱赫曼（Блейхман И. С.）——无政府主义者，在七月事件中组织士兵暴动。

布列什柯—布列什柯夫斯卡娅（Брешко-Брешковская Е.К. 1844—1934）——左派社会革命党领导人之一。19 世纪 70 年代开始参加民粹派革命运动。二月革命后支持临时政府。

布鲁西洛夫（Брусилов А. А. 1853—1926）——骑兵上将。1916 年任西南战线总司令，1917 年 5—7 月任最高总司令。

布罗克多夫—兰卓（Brockdorff-Rantzau, Ulrich von 1869—1928）——德国外交家，第一次世界大战时期德国驻丹麦公使。魏玛德国第一任外交部长。1922—1928 任德国驻苏联大使。

布舍（Буше）——德国外交大臣秘书助理。

C

柴可夫斯基（Чайковский Н. В. 1850—1926）——民粹派革命家，后为社会革命党人、人民社会党人。二月革命后任彼得格勒工兵代表苏维埃和全俄农民代表苏维埃执行委员会委员。

策列铁里（Церетели И. Г. 1882—1959）——孟什维克领袖。曾是第二届国家杜马社会民主党党团领袖之一，1907 年被流放，1917 年 3 月中旬回到彼得格勒。彼得格勒苏维埃执行委员会委员、第一届中央执行委员会成员。第一届联合临时政府邮电部长。

D

达尼洛夫（Данилов Ю. Н. 1866—1937）——将军，北方战线参谋长。

达什凯维奇（Дашкевич П. В. 1888—1942）——布尔什维克军事组织领导人之一。

德波林（Деборин А. М. 1881—1963）——哲学家。1903 年起为布尔什维克，1907—1917 年是孟什维克。

德宾科（Дыбенко П. Е. 1889—1938）——1912 年加入布尔什维克党。二月革命后任波罗的海舰队中央委员会主席。第一届苏维埃政府陆海军事务人民委员。

德拉布金（Драбкин Я. Д. 1974—1933）——又名古谢夫（Гусев С.И.）。布尔什维克，彼得格勒苏维埃军事革命委员会秘书。

德拉戈米洛夫（Драгомиров А. М. 1868—1955）——骑兵将军，1917 年 4 月被任命为北方战线总司令，但因反对士兵权利宣言而很快被解职。

德米特里·巴甫洛维奇（Дмитрий Павлович 1891—1942）——大公。亚历山大二世的孙子。1916 年底参与刺杀拉斯普京。

德米特留科夫（Дмитрюков И. И. 1871—?）——十月党人，第三届、第四届国家杜马代表。国家杜马临时委员会成员。

邓尼金（Деникин А. И. 1872—1947）——将军，1917 年 4—5 月任最高总司令部参谋长，随后任西方战线、西南战线司令。科尔尼洛夫军事政变失败后被逮捕。1917 年 11 月被时任最高总司令的杜鹤宁释放。参与组建反对苏维埃政权的“志愿军”。因反苏维埃政权的军事行动失败，1920 年 4 月 4 日向弗兰格尔移交南俄武装力量总司令一职，当天离开俄国，开始其流亡生涯。

杜尔诺沃（Дурново П. Н. 1844—1915）——1905—1906 年间任内务大臣，1906 年起为国务会议成员。

杜托夫（Дутов А. И. 1879— 1921）—— 乌拉尔地区的统领，哥萨克大会主席。

多尔戈鲁科夫（Долгоруков П. Д. 1866—1927）——公爵，政治活动家，第二届国家杜马代表，立宪民主党领导人之一。

多勃罗沃尔斯基（Добровольский А. А. 1859—1918）——立宪民主党人，第三届、第四届国家杜马代表。国家杜马临时委员会派往交通部的政治委员。

E

恩格尔哈特（Энгельгардт Б. А. 1877—1962）——十月党人，总参谋部上校军官。第四届国家杜马代表。国家杜马临时委员会成员，被任命为军事委员会主席和彼得格勒卫戍部队司令。

F

法耶尔曼（Фаерман М.）——十月起义中彼得格勒苏维埃军事革命委员会任命的

彼得格勒电站的政治委员。

费奥多罗夫（Федоров М. М. 1859—1949）——俄国共济会创建者之一、立宪民主党人。

费奥多罗夫（Федоров Г. Ф. 1891—1936）——布尔什维克，1917 年是彼得格勒苏维埃执行委员会委员，彼得格勒苏维埃工人部主席，彼得格勒苏维埃军事革命委员会委员。

费罗年科（Филоненко М.）——1917 年曾任第 8 集团军政委，大本营政委。

费尼克施泰因（Феникштейн）——布尔什维克彼得堡委员会执行委员会成员。

菲利波夫斯基（Филипповский В. Н. 1882—1940）——俄国海军军官，社会革命党军事组织成员，二月革命中参加彼得格勒苏维埃起义指挥部的工作。

菲尼索夫（Финисов П. Н.）——共和中心副主席。

弗拉基米罗夫（Владимиров [Шейнфинкель] М. К. 1879—1925）——真姓舍因芬克尔。1903 年加入布尔什维克。二月革命后回国，参加区联派，在布尔什维克党第六次代表大会上加入布尔什维克党。

弗拉克谢尔曼（Флаксерман Ю.）——布尔什维克，苏汉诺夫的妻舅。

弗兰格尔（Врангель П. Н. 1878—1928）——将军，男爵，狂热的君主主义者。

弗列德里克斯（Фредерикс В. Б. 1838—1927）——伯爵，骑兵将军，宫廷事务大臣，国务会议成员。

弗谢沃洛日斯基（Всеволожский）——中将，国家杜马临时委员会任命的总参谋部军事交通管理局局长。

福法诺娃（Фофанова М. В. 1883—1976）——1902 年入党的老布尔什维克，克鲁普斯卡娅的好友。七月事件后列宁曾在她家藏匿过一段时间。

G

高尔察克（Колчак А. В. 1873—1920）——海军上将，君主主义者。1917 年任黑海舰队司令。十月革命后反苏维埃政权的主要首领之一，自称俄国最高摄政。兵败后被红军俘虏，1920 年 2 月被处决。

高尔基（Горкий, Максим 1868—1936）——无产阶级作家，1917 年主编《新生活报》。

戈德涅夫（Годнев И. В. 1856—?）——十月党人，第三届、第四届国家杜马代表。国家杜马临时委员会成员，派往最高法院的政治委员。第二届临时政府国家监察长。

十月革命后流亡国外。

戈尔登伯格（Гольденберг И. П. 1873—1922）——原布尔什维克，第一次世界大战开始后持护国主义立场。

戈利岑（Голицын А. Д. 1874—1925）——公爵，沙皇政府最后一任大臣会议主席。二月革命中被国家杜马临时委员会关进彼得保罗要塞，9天后释放。十月革命后，戈利岑在彼得格勒以制靴为生。1925年被国家政治保卫局处决。

戈列梅金（Горемыкин И. Л. 1839—1917）——1914—1916年间任大臣会议主席。

戈洛巴乔夫（Глобачёв）——彼得格勒保安局首脑。

戈洛文（Головин Ф. А.）——立宪民主党人，第二届和第三届国家杜马代表。国家杜马临时委员会派往宫廷和领地部的政治委员。

戈托维茨基（Готовицкий М. Х. 1876—1937）——第四届国家杜马代表。国家杜马临时委员会派往萨拉托夫省的政治委员。

格拉西莫夫（Герасимов П. В. 1877—1919）——立宪民主党人，第三届、第四届国家杜马代表。国家杜马临时委员会派往彼得格勒市政府的政治委员。

格里布宁（Грибунин С. Ф. 1870—?）——第四届国家杜马代表。

格里戈罗维奇（Григорович И. К. 1853—1930）——海军上将。1911—1917年任海军大臣。

格里姆（Гримм Д. Д. 1864—1941）——法学家，立宪民主党人，国务会议成员。国家杜马临时委员会派往国务会议办公厅和马丽亚宫的政治委员。

格里姆（Гримм, Роберт 1881—1958）——瑞士社会党领导人之一。

格隆斯基（Гронский П. П. 1883—1937）——立宪民主党中央委员，第四届国家杜马代表。二月革命中先后被国家杜马临时委员会派往彼得格勒电报通讯社、电报总局、国家杜马临时委员会出版局任政治委员。

格罗季茨基（Гродзицкий М. И. 1861—?）——进步党人，第三届、第四届国家杜马代表。国家杜马临时委员会派往国家监察部的政治委员。

格沃兹杰夫（Гвоздев К. А. 1886—1952）——孟什维克，中央军事工业委员会工人部领导人。

古尔科（Гурко В. И. 1864—1937）——骑兵将军。在阿列克谢耶夫将军生病期间曾代理大本营参谋长职务。

古米廖夫（Гумилёв Н. С. 1886—1921）——诗人，阿克梅派创建人。1921年被处死。

古契柯夫（Гучков А. И. 1862—1936）——“十月十七日联盟”创始人之一，曾任第三届国家杜马主席，1915—1917 年为中央军事工业委员会主席，二月革命后出任第一届临时政府军事部长。

郭茨（Гоц А. Р. 1882—1940）——社会革命党领导人之一。

H

哈巴罗夫（Хабалов С. С. 1858—1924）——彼得格勒军区司令。

哈季索夫（Хатисов А. И. 1874—1945）——梯弗利斯市长，1916 年 12 月底参加在格·李沃夫家中讨论宫廷政变的会议。

哈拉什（Хараш Я.）——来自前线的军官，孟什维克。

哈塞（Hacce B.）——德国驻伯尔尼副武官。

亨德尔曼（Гендельман М. Я. 1881—1939）——社会革命党人，律师。全俄苏维埃中央执行委员会委员。

霍弗林（Ховрин Н.）——水兵布尔什维克。

霍夫曼（Hoffman, Max 1869—1927）——德国将军，1916 年 9 月起任东线参谋长。

贝特曼—霍尔韦格（Бетман-Гольвег, Теобальд фон 1856—1921）——1909—1917 年任德国首相。

J

基里尔·弗拉基米罗维奇（Кирилл Владимирович 1876—1938）——大公。尼古拉二世的堂兄弟。

基洛夫（Киров С. М. 1886—1934）——1917 年是苏维埃第二次代表大会代表。后为联共（布）中央政治局委员，书记处书记，列宁格勒州委第一书记。

基什金（Кишкин Н. М. 1864—1930）——立宪民主党领导人之一，第四届临时政府国家救济部长。

吉皮乌斯（Гиппиус З. Н. 1869—1945）——俄国女作家，1920 年移居国外。

吉尔波（Guilbeaux, Henri 1885—1938）——法国社会党人。

季诺维也夫（Зиновьев Г. Е. 1883—1936）——1917 年和列宁一道回国。十月革命后历任党的中央委员、政治局委员，彼得格勒苏维埃主席。共产国际执行委员会主席。1925 年是“新反对派”的组织者之一，1926 年是托季联盟的组织者之一。1936 年被处死。

季托夫（Титов И. В. 1879—1948）——进步党人，国家杜马临时委员会派往财政部的政治委员。

加里宁（Калинин М. И. 1875—1846）——1898 年加入俄国社会民主工党。1919 年起任全俄（苏联）中央执行委员会主席，1919 年起任党的中央委员、中央政治局候补委员，1926 年起为政治局委员。

加米涅夫（Каменев Л. Б. 1883—1936）——十月革命后任全俄中央执行委员会主席、莫斯科苏维埃主席，1919—1926 年任中央政治局委员、候补委员等职。1936 年 8 月被处死。

加米涅夫（Каменев С. С. 1881—1936）——俄军上校，十月革命期间最早转向苏维埃政权一边的旧军官之一。1919—1924 年任共和国武装力量总司令。1927—1934 年任苏联副陆海军人民委员和革命军事委员会副主席。

加米涅娃（Каменева О. Д. 1883 —1941）——娘家姓勃朗施坦，托洛茨基的妹妹，加米涅夫的第一任妻子。

加涅茨基 [菲尔斯滕贝格]（Ганецкий [Фюрстенберг] Я. С. 1879—1937）——俄国和国际革命活动家，1896 年加入俄国社会民主工党，1903—1909 年是波兰和立陶宛社会民主党领导人之一，1907 年当选为俄国社会民主工党中央委员会委员。他以商人身份为掩护，长期在国外从事党的对外联络事务。1917 年参与组织列宁回国事宜，是布尔什维克中央国外局成员。

杰尔—阿鲁秋尼扬茨（Тер-Арутюнянц 1894—1961）——布尔什维克军事组织成员。

杰米多夫（Демидов И. П. 1873—1946）——立宪民主党人，第四届国家杜马代表。国家杜马临时委员会派往农业部的政治委员。

杰普洛夫（Теплов В. В. 1861—1924）——将军，共济会成员。第一次世界大战期间先后任近卫芬兰团团长、旅长、彼得格勒军区部队司令。

捷奥多罗维奇（Теодорович И. А. 1875—1937）——1895 年入党，老布尔什维克。1917 年 8 月起任彼得格勒市杜马副主席。第一届苏维埃政府的粮食人民委员。

捷尔任斯基（Дзержинский Ф. Э. 1877—1926）——1895 年加入立陶宛社会民主党。十月革命后任全俄肃反委员会、国家政治保卫总局主席，俄共中央委员、组织局委员和政治局候补委员等职。

捷列申科（Терещенко М. И. 1886—1956）——基辅大企业家，无党派，具有自由主义倾向，第二届临时政府外交部长。

杰米亚诺夫（Демьянов А. А. 1865—1925）——法学家。人民社会党创始人之一。曾任临时政府司法部副部长。

捷伊奇（Дейч Л. Г. 1855—1941）——早年参加革命民粹主义运动，后与普列汉诺夫等一起创建劳动解放社。俄国社会民主工党第二次代表大会后是孟什维克。二月革命后与普列汉诺夫一起办孟什维克护国主义报纸《统一报》。

金加科夫（Киндяков М. Л. 1877—1935）——十月党人，第四届国家杜马代表。国家杜马临时委员会派往国家印刷所的政治委员。

晋季诺夫（Зинзинов В. М. 1880—1953）——社会革命党中央委员。彼得格勒苏维埃执行委员会委员。

K

卡德卢波夫斯基（Кадлубовский К. Я.）——彼得格勒军事革命委员会委员。

卡尔宾斯基（Карпинский В. А. 1880—1965）——1898 年加入俄国社会民主工党的老布尔什维克。1904 年侨居瑞士。1917 年 12 月回国。

卡尔塔绍夫（Карташёв А. В. 1875—1960）——教会史专家。二月革命后加入立宪民主党，任中央委员。最后一任正教院总监，临时政府宗教部部长。

卡拉汉（Карахан Л. М. 1889—1937）——1913 年加入俄国社会民主工党区联派组织。1917 年七月事件后加入布尔什维克党。

卡拉乌洛夫（Караулов М. А. 1878—1917）——哥萨克军人，第二届和第四届国家杜马捷列克州代表。国家杜马临时委员会委员。

卡利宁（Калинин С. А. 1873—?）——第四届国家杜马代表。

卡利亚金（Карякин）——军事革命委员会任命的政治委员。

卡列林（Карелин В. А. 1891—1938）——左派社会革命党领导人之一。

卡卢金（Калугин М. Д. 1882—1924）——立宪民主党人，第四届国家杜马代表。国家杜马临时委员会派往电报总局的政治委员。

卡列金（Каледин А.М. 1861—1918）——将军，顿河哥萨克军首领，科尔尼洛夫叛乱的参与者。1917 年 10 月—1918 年 2 月顿河哥萨克反苏维埃暴动的领导人，失败后自杀。

卡林斯基（Каринский Н. С.）——彼得格勒法院检察长，负责调查七月事件。

卡梅列尔（Каммерер）——苏黎世的鞋匠，列宁曾租住在他家。

卡普尼斯特（Капнист Д. П. 1879—1926）——十月党人，第四届国家杜马代表。国家杜马临时委员会派往内务部的政治委员。

卡普尼斯特（Капнист И. И. 1872—1936）——十月党人，第三届、第四届国家杜马代表。国家杜马临时委员会派往农业部的政治委员。

盖尔曼—卡缅斯基（Герман—Каменский）——新尼古拉耶夫斯克的孟什维克。

卡尤罗夫（Каюров В. Н. 1876—1937）——老布尔什维克，二月革命事件的参与者和见证人，随后领导彼得格勒维堡区苏维埃。

凯斯丘尔（Кескюл А.）——爱沙尼亚社会民主党人，曾是布尔什维克。与德国情报部门有联系。

柯仑泰（Коллонтай А. М. 1872—1952）——女革命家。生于将军家庭。1906 年加入俄国社会民主工党，1908 年侨居国外，参加欧洲社会主义工人运动，1915 年成为布尔什维克，二月革命后回到俄国。彼得格勒苏维埃执行委员会成员，布尔什维克党第七次（4 月）全国代表会议代表，在 8 月的第六次代表大会上当选为中央委员。1920 年起任俄共中央妇女部部长，1923 年起任驻外全权代表、公使、大使等职。

柯诺瓦洛夫（Коновалов А. И. 1875—1948）——俄国大企业家，政治家，左翼自由主义政党进步党领导人之一，中央军事工业委员会副主席，1917 年曾任临时政府工商部长、副总理兼工商部长。

科科什金（Кокошкин Ф. Ф. 1871—1918）——立宪民主党创始人之一，法学家。1917 年 3 月出任立宪会议选举条例起草委员会主席。第二届临时政府国家监察长。当选为立宪会议代表。1917 年 11 月 28 日（12 月 11 日）被逮捕。1918 年 1 月 6 日晚被杀。

科林夫斯基（Коринфский А.）——列宁的中学同学。

科瓦列夫斯基（Ковалевский Е. П. 1865—1941）——十月党人，第三届、第四届国家杜马代表。国家杜马临时委员会派往国民教育部的政治委员。

科瓦列夫斯基（Ковалевский М. М. 1851—1916）——历史学家，科学院院士，自由主义活动家，1907 年创建共济会团体“北极星”。

科兹洛夫斯基（Козловский М. Ю. 1876—1927）——俄国、波兰、立陶宛社会民主主义运动的参加者。1917 年二月革命期间成为彼得格勒苏维埃执行委员会委员，4 月当选为布尔什维克彼得堡委员会委员。

克拉夫钦科（Кравченко）——军官联盟总委员会中秘密小组成员，该组织的主要目标是组织政变以建立军事独裁。

克拉马罗夫（Крамаров Г. М.）——孟什维克国际主义者，全俄中央执行委员会委员。彼得格勒苏维埃军事革命委员会委员，参与了十月起义。

克拉斯诺夫（Краснов П. Н. 1869—1947）——骑兵将军，1917 年 9 月任第三骑兵军军长。

克拉西柯夫（Красиков П. А. 1870—1939）——1892 年参加马克思主义工人运动，老布尔什维克。1917 年二月革命后是彼得格勒苏维埃执行委员会委员。

克雷连科（Крыленко Н. В. 1885—1938）——1904 年加入布尔什维克党，1907 年脱党。1913 年因革命活动被捕并被逐出彼得堡。1914 年 7 月侨居国外，参加了 1915 年 3 月在伯尔尼举行的党代表会议。1915 年 6 月回到莫斯科，随即被捕并送往哈尔科夫关押。1916 年 4 月开始在作战部队服役。二月革命后在士兵中进行革命宣传，参加过布尔什维克前线和后方军事组织全国代表会议。第一届苏维埃政府陆海军人民委员，后任最高总司令。

克雷莫夫（Крымов А. М. 1871—1917）——骑兵将军，共济会军事支部成员。1917 年 4 月被任命为第三骑兵军军长。科尔尼洛夫军事政变中，受命率第三骑兵军前往彼得格勒。军列在接近彼得格勒时受阻，克雷莫夫被建议去首都与克伦斯基见面。在与克伦斯基谈话后自杀。

克里格尔—沃伊诺夫斯基（Кригер–Войновский Э. Б. 1864—1933）——沙皇俄国最后一任交通大臣。

克里斯季（Крисги Н.）——孟什维克。

克里沃舍因（Кривошеин А. В. 1858—1923）——沙皇政权中的自由主义官僚，第一次世界大战时期主张同杜马反对派妥协。1915 年 8 月出任粮食事务特别会议主席。

克列姆波夫斯基（Клембовский В. Н. 1860—1921）——北方战线司令，参与科尔尼洛夫军事政变。

克伦斯基（Керенский А. ф. 1881—1970）——社会革命党人，律师。第四届国家杜马代表。一度加入劳动派并任主席。二月革命中积极活动。在临时政府中先后任司法部长、陆海军部长、总理，并兼任最高总司令。1918 年逃往国外。

克伦斯基（Керенский Ф. М.）克伦斯基的父亲，辛比尔斯克的中学校长。

克鲁普斯卡娅（Крупская Н. К. 1869—1939）——列宁夫人。

库杰里科（Куделько）——布尔什维克军事组织成员。

库拉耶夫（Кураев）——布尔什维克。

库罗帕特金（Куропаткин А. Н. 1848—1925）——将军，曾任陆军大臣、陆军总司令、远东武装部队总司令。第一次世界大战期间曾指挥北方战线，二月革命时任土耳其斯坦总督。

库钦（Кучин Г. Д. ）孟什维克，军官，苏维埃二大代表。

库兹明（Кузьмин）——彼得格勒军区副司令。

L

拉狄克（Радек К. Б. 1885—1939）——布尔什维克中央国外局成员。十月革命后历任外交人民委员部中欧司司长、共产国际执委会书记、俄共中央委员、莫斯科中山大学校长等职。

拉西亚，艾伊诺（Рахья, Эйно Абрамович 1885—1936）——1903 年入党，布尔什维克军事组织中的工人积极分子。七月事件后负责列宁的保卫工作以及列宁与中央委员会之间的联络。

拉西亚，尤卡（Рахья, Юкка Абрамович 1887—1920）——艾伊诺·拉西亚的兄弟。1902 年入党。曾在芬兰从事工人运动。1917 年是布尔什维克彼得堡委员会委员。

拉柯夫斯基（Раковский Х.Г. 1873—1941）——1890 年代参加俄国、保加利亚、罗马尼亚、瑞士、法国的社会民主主义运动。1917 年加入布尔什维克。

拉林（Ларин Ю. 1882—1932）——原名卢利叶（Лурье М. А.）。1900 年参加社会民主主义运动，1914 年成为孟什维克国际主义者，1917 年加入布尔什维克党。彼得格勒苏维埃执行委员会委员。

拉斯普京（Распутин Г. Е. 1872—1916）——出身于托博尔斯克的农民家庭，自称先知并取得沙皇家庭信任，干预政事和军事。1916 年底被君主主义者暗杀。

拉扎维尔特（Лазаверт）——军医，参与暗杀宫廷奸佞拉斯普京。

拉舍维奇（Лашевич М. М. 1884—1928）——1901 年加入俄国社会民主工党，布尔什维克。二月革命后，任彼得格勒苏维埃中的布尔什维克党团书记、主席。

拉斯科尔尼科夫（Раскольников Ф. Ф. 1892—1939）——喀琅施塔得的布尔什维克领导人之一。

拉齐斯（Лацис М.И. 1888—1938）——布尔什维克维堡区委负责人、彼得堡委员会执行委员会成员之一。

勒热夫斯基（Ржевский В. А. 1865— ?）——1911 年任莫斯科县地方自治局主席。

第四届国家杜马代表。二月革命中是国家杜马临时委员会成员。3 月末由临时政府派往莫斯科任政治委员。

里亚布申斯基（Рябушенский П. П. 1871—1924）——进步党人，莫斯科大银行家和企业家。

利季赫（Риттих А. А. 1868—1930）——沙皇政权最后一任农业大臣。

列别捷夫（Лебедев）——上校，莫吉廖夫大本营的军官。

列姆涅夫（Ремнев）——喀琅施塔得的布尔什维克领导人之一。

列宁（Ленин В. И. 1870—1924）。

列奇茨基（Лечицкий П. А. 1856—1921）——将军，1914 年 9 月出任第 9 军军长。1917 年 5 月退休。

列维，保尔（Levi, Paul 1883—1930）——德国社会主义者，卢森堡、李卜克内西之后的德共领导人。

拉兹日文（Разживин Г.）——布尔什维克，西南战线第 3 步兵师士兵委员会主席。

雷申斯基－特罗耶库洛夫（Лыщинский–Троекуров）——彼尔姆省副省长。

李伯尔（Либер [Голдман] М. И. 1880—1937）——崩得领袖之一。二月革命后任彼得格勒苏维埃执行委员会委员、第一届中央执行委员会主席团委员。

李卜克内西，卡尔（Liebknecht, Karl 1871—1919）——德国工人运动和国际工人运动的著名活动家，斯巴达克派的组织者和领导人之一，德共创始人之一。一月起义失败后被害。

李可夫（Рыков А. И. 1881—1938）——1899 年加入俄国社会民主工党。二月革命后从流放地来到莫斯科，当选为莫斯科苏维埃副主席。9 月到彼得格勒，任彼得格勒苏维埃主席团成员。第一届苏维埃政府的内务人民委员。

李维洛夫斯基（Ливеровский А. В.）——第四届临时政府交通部长。

李沃夫，格·叶·（Львов Г. Е. 1861—1925）——公爵，第一届国家杜马代表。先后加入立宪民主党、进步党。1915—1917 年领导全俄地方自治和城市联盟。二月革命后任临时政府总理。

李沃夫，弗·尼·（Львов В. Н. 1872—1934）——第三届、第四届国家杜马代表。1917 年先后任临时政府宗教部长、正教院总监。

李沃夫，尼·尼·（Львов Н. Н. 1867—1940）——进步党人，第一届、第三届、第四届国家杜马代表。国家杜马临时委员会派往国家剧院管理处的政治委员。

梁赞诺夫（Рязанов Д. Б. 1870—1938）——19 世纪 90 年代参加俄国社会民主主义运动。1917 年第六次党代表大会上和区联派一起并入布尔什维克。

林德（Линде Ф. Ф.）——毕业于尤里耶夫大学，战时被征召入伍。无党派社会主义者，护国主义者。二月革命期间曾积极策动普列奥布拉任斯基团转到革命一边，并因此而促使国家杜马临时委员会下决心接管政权。彼得格勒苏维埃执行委员会委员，后出任西南战线政治委员。1917 年 8 月 24 日要求哗变士兵服从命令，被乱军所杀。

卢科姆斯基（Лукомский А. С. 1868—1939）——中将，1917 年 6 月任大本营参谋长。支持科尔尼洛夫军事政变。

卢那察尔斯基（Луначарсий А. В. 1875—1933）——1890 年代参加俄国社会民主主义运动。1917 年初参加区联派，在布尔什维克党第六次代表大会上加入布尔什维克党。第一届苏维埃政府教育人民委员。

鲁登道夫（Ludendorff, Erich 1865—1937）——德国将军，第一次世界大战期间任德军参谋长。

鲁巴金（Рубакин Н. 1862—1946）——社会革命党人，图书学家，长期侨居瑞士。列宁曾利用他的图书馆。

鲁杰尔（Руттер）——参加 1917 年 5 月军官代表大会的士兵代表，莫吉廖夫苏维埃成员。

鲁兹斯基（Рузский Н. В. 1854—1918）——步兵上将。1915 年 8 月至 1917 年 4 月为北方战线总司令。在促使尼古拉二世退位过程中起重要作用。

洛里欧（Loriot, Ferdinand 1870—1930）——法国社会党人。

洛莫夫（Ломов А. 1888—1938）——1903 年加入布尔什维克党。二月革命后任布尔什维克莫斯科区域局委员和莫斯科委员会委员、中央候补委员，中央委员。

洛普兰（Лоран П.）——法国军事情报官员。

罗季切夫（Родичев Ф. И.）——立宪民主党领导人之一。第一、二、三、四届国家杜马代表。二月革命后派往芬兰院任政治委员。第一届临时政府芬兰事务部长。

罗将柯，米·弗·（Родзянко М. В. 1859—1924）——十月党领导人之一，第三届、第四届国家杜马主席。二月革命中组织成立国家杜马临时委员会。

罗将柯，谢·尼·（Родзянко С. Н. 1878—1949）——十月党人，第四届国家杜马代表。国家杜马临时委员会派往商业和工业部的政治委员。

罗津纳—罗津斯基（Лозина—Лозинский М. А.）——彼尔姆省省长。

罗曼（Роман）——经济学家，孟什维克。1917年为孟什维克中央委员，第一届全俄中央执行委员会委员。

罗蒙诺索夫（Ломоносов）——交通部工程师。

罗姆贝格（Ромберг, Гисбсрт фон）——德国驻伯尔尼的公使。

罗任科（Роженко В. И.）——军官联盟总委员会秘书。

罗日科夫（Рожков Н. А. 1868—1927）——1905年加入俄国社会民主工党。1917年革命后进入孟什维克中央委员会。曾任临时政府邮电部副部长。

罗斯托夫采夫（Ростовцев Н. А.）——十月党人，第四届国家杜马代表。国家杜马临时委员会派往商业和工业部的政治委员。

罗沙里（Рошаль М. Г. 1897—？）——1915年加入布尔什维克党。二月革命后担任布尔什维克党赫尔辛福斯委员会书记。喀琅施塔得水兵领导人。

罗扎诺夫（Розанов В. В. 1856—1919）——哲学家，作家。

M

马尔科夫（Марков Н. 1866—1945）——新闻业者。君主主义者。第三和第四届国家杜马代表。

马尔托夫（Мартов Л. 1873—1923）——俄国社会民主工党创建者之一，左派孟什维克国际主义者领袖。1917—1918年主张建立社会主义联合政府。

马尔丁诺夫（Мартынов А. С. 1865—1935）——19世纪80年代加入民意党组织，在流放西伯利亚期间成为社会民主党人。1900年侨居国外，是经济派代表人物之一。俄国社会民主工党第二次代表大会后加入孟什维克。二月革命后是孟什维克国际主义者。

马克拉科夫（Маклаков В. А. 1870—？）——律师。第三届、第四届国家杜马代表。立宪民主党中央委员。二月革命中曾任司法部政治委员。后任临时政府驻法国大使。

马克拉科夫（Маклаков Н. А. 1871—1918）——1913—1915年任内务大臣，1915年起为国务会议成员。

马克西莫夫（Максимов А. С. 1866—1951）——海军上将。二月革命后被水兵选为波罗的海舰队司令，接替在动乱中被杀的原司令涅比宁。9月任海军参谋长。

马克西姆[克里万斯基C.A.](Максим [Кливанский С. А.])——无党派社会主义者。

马良托维奇(Малянтович П. Н. 1869—1940)——律师，第四届临时政府司法部长。

马林诺夫斯基（Малиновский Р. В. 1876—1918）——1906 年参加工人运动，1910 年成为沙皇政权保安局密探。1912 年在俄国社会民主工党布拉格代表会议上被选为中央委员。第四届国家杜马代表，国家杜马布尔什维克党团领导人。1918 年被枪决。

马努伊尔斯基（Мануильский Д. З. 1883—1959）——1903 年加入俄国社会民主工党。1907 年流亡国外，1917 年 5 月回国。作为区联派成员，第六次代表大会上并入布尔什维克党。

马努伊洛夫（Мануйлов А. А.）——曾任莫斯科大学校长，国务会议成员。临时政府教育部长。

马斯洛夫，彼·巴·（Маслов П. П. 1867—1946）——经济学家。孟什维克。

马斯洛夫，谢·列·（Маслов С. Л. 1873—？）——社会革命党人。二月革命后任全俄农民代表苏维埃执行委员会委员。9 月出任临时政府农业部长。

曼德里施塔姆（Мандельштам М. Л. 1865—1939）——立宪民主党中央委员。

曼瑟列夫（Мансырев С. П. 1866—1928）——第四届国家杜马代表。二月革命期间国家杜马临时委员会派往部队任政治委员。

梅霍诺申（Мехоношин К. А. 1889—1938）——1917 年十月革命时期任彼得格勒军事革命委员会委员。12 月被任命为副军事人民委员。

米尔斯基（Мирский Б.）——立宪民主党政论家。

米哈伊尔·亚历山大罗维奇（Михаил Александрович）——大公。尼古拉二世的兄弟。尼古拉二世退位后，他放弃了继位权。

米哈伊洛夫（Михаилов）——出版工作者协会书记，布尔什维克党内的沙皇政权奸细。

米留亭（Милютин В. П. 1884—1937）——1903 年参加社会民主主义运动，1910 年起成为布尔什维克。第一届苏维埃政府的农业人民委员。

莫洛托夫（Молотов В. М. 1890—1986）——1906 年加入布尔什维克。二月革命时期是中央俄罗斯局成员之一。1921 年起历任中央委员，中央书记和政治局委员，苏联人民委员会主席、外交部长等职。1962 年被开除出党。

莫斯克文（Москвин）——布尔什维克彼得堡委员会执行委员会委员。

穆尔，卡尔（Моор, Карл 1852—1932）——又名贝耶（Байер），瑞士社会民主党人，第一次世界大战期间和战后初期与德国官方进行合作。与布尔什维克党有联系。

穆拉洛夫（Муралов Н. И. 1877—1937）——1903 年入党的布尔什维克，十月革命期间是莫斯科军事革命委员会委员。

穆拉诺夫（Муранов М. К. 1873—1959）——1904 年加入俄国社会民主工党。第四届国家杜马代表。1914 年因反战活动被逮捕流放。二月革命后回到彼得格勒。布尔什维克党第六次代表大会当选为中央委员。

穆拉维约夫（Муравьев М. А. 1880—1918）——上校，十月起义后最早站到苏维埃政权一边的旧军官之一。

穆罗佐夫斯基（Мрозовский И. И. 1857—1917）——炮兵将军。1915—1917 年任莫斯科军区司令。

姆斯基斯拉夫斯基（Мстиславский С. Д. 1876—1943）——社会革命党人，二月革命时参加彼得格勒苏维埃起义指挥部的工作。

N

纳波科夫（Набоков В. Д. 1870—1922）——法学家，立宪民主党中央委员。1917 年曾任临时政府办公厅主任。

纳雷什金（Нарышкин）——将军，军队事务办公厅主任。

纳坦松（Натансон М. А. 1850—1919）——俄国革命民粹主义的代表人物，1905 年加入社会革命党。1917 年是左派社会革命党的创建人之一。

尼古拉二世（Николай II 1868—1918）——俄罗斯帝国末代皇帝。1917 年二月革命中被迫退位。1918 年 7 月 17 日在叶卡捷琳堡被枪决。

尼古拉·尼古拉耶维奇（Николай Николаевич 1856—1929）——大公。骑兵上将。第一次世界大战期间曾任最高统帅（1914—1915）、高加索战线司令。

尼古拉耶夫斯基（Николаевский Б. И. 1887—1966）——孟什维克活动家。研究俄国革命史的著名历史学家，档案学家。

尼基弗洛娃（Никифорова М. Г. 1885—1919）——无政府主义者，在七月事件中参与组织喀琅施塔得水兵暴动。

尼基金（Никитин А. М. 1876—1939）——律师，孟什维克。二月革命期间是莫斯科军事革命委员会主席，莫斯科工人苏维埃主席。第 7 月出任临时政府邮电部长。

尼基金（Никитин Б. В.）——中校，彼得格勒军区反间谍部门负责人。

涅比宁（Непенин А. И. 1871—1917）——波罗的海舰队司令，二月革命中被水兵所杀。

涅夫斯基（Невский В. И. 1876—1937）——布尔什维克军事组织领导人之一。

涅克拉索夫（Некрасов Н. В. 1879—1940）——立宪民主党左翼领导人之一。1917年曾任临时政府交通部长。

涅任采夫（Неженцев М. О. 1886—1918）——上校。1917年是西南战线司令部侦察处军官，组建并指挥科尔尼洛夫突击队。

诺根（Ногин В.П. 1878—1924）——1898年加入俄国社会民主工党，布尔什维克。中央委员。二月革命后曾任莫斯科工人苏维埃副主席、主席。第一届苏维埃政府工商人民委员。

诺维科夫（Новиков А. И. 1871—?）——第三届、第四届国家杜马代表。国家杜马临时委员会派往莫斯科的政治委员。

诺沃西里采夫（Новосильцев）——军官联盟总委员会中秘密小组成员，其主要目标是组织政变以建立军事独裁。

P

帕尔乌斯（Парвус А. Л. 1869—1924）——原名格尔方特（Герфанд），1869年生于俄国，1886年侨居瑞士，后来到了德国。德国和俄国社会民主主义者。《火星报》和《曙光》杂志的撰稿人。1905年返回俄国，是彼得格勒工人代表苏维埃执行委员会委员，也是托洛茨基的好友。后来脱离国际社会主义运动。第一次世界大战时期与德国情报部门有联系。

潘克拉托夫（Панкратов В. С. 1864—1925）——俄国最早的工人革命家之一。1881年加入民意党。后来成为社会革命党人。1917年任临时政府政治委员，负责保护前沙皇。

蒲宁（Бунин И.А. 1870—1953）——作家。1920年侨居国外。获诺贝尔文学奖。

普尔热瓦利斯基（Пржевальский А. М.）——高加索战线司令。科尔尼洛夫发动军事政变后宣布站在临时政府一边的少数军事领导人之一。

普拉滕（Platten, Friedrich 1883—1942）——瑞士社会主义者。1912—1918年任瑞士社会民主党书记。1917年二月革命后列宁和其他俄国侨民回国事务的主要组织者。

普拉沃苏多维奇（Правосудович）——温道—雷宾斯克铁路负责人。

普里什凯维奇（Пуришкевич В. М. 1870—1920）——君主主义者，“俄罗斯人民联盟”领导人之一，“米哈伊尔·阿尔汉格尔同盟”的创建者。第二、三、四届国家杜马代表。

普利什文（Пришвин М. М. 1873—？）——作家。

普列汉诺夫（Плеханов Г. В. 1856—1918）——俄国和国际社会主义运动活动家、哲学家、马克思主义理论家。

普列维（Плеве В. К. 1846—1904）——1902—1904 年间任内务大臣兼宪兵司令。被社会革命党人暗杀。

普洛宁（Пронин）——上校，在莫吉廖夫大本营任职。

普罗科波维奇（Прокопович С. Н. 1871—1955）——“经济主义”思想家，1905 年为立宪民主党中央委员。第三届临时政府商业和工业部长，第四届临时政府粮食部长。

普罗宁（Пронин А.）——喀琅施塔得苏维埃中的布尔什维克。

普罗托波波夫（Протопопов А. Д. 1866—1917/18）——沙皇政府最后一任内务大臣。

普梯洛夫（Путилов А. И. 1866—1926）——大资本家。曾任华俄道胜银行经理，许多家股份公司的股东。

Q

恰尔诺鲁斯基（Чарнолуский В. И. 1865—1941）——人民社会党中央委员。

切尔宁（Чернин О.）——奥匈帝国外交部长。

切尔诺夫（Чернов В. М. 1873—1952）——社会革命党领袖和理论家之一。1917 年任临时政府农业部长，1918 年 1 月任立宪会议主席。1920 年流亡国外。

切尔诺科夫（Черноков М. В.）——立宪民主党人，曾任城市联盟主席。

切尔诺玛佐夫（Черномазов）——曾任《真理报》发行主编。布尔什维克党内的沙皇政府奸细。

切尔诺斯维托夫（Черносвитов К.К. 1865—1919）——立宪民主党人，第一、二、三、四届国家杜马代表。国家杜马临时委员会派往邮政和电报总管理局的政治委员。

切列米索夫（Черемисов В. А. 1871—1938）——第八军军长、第九军军长、北方战线司令。

齐赫泽（Чхеидзе Н. С. 1864—1926）——孟什维克领袖之一。1917 年任彼得格勒苏维埃主席和第一届中央执行委员会主席。1918 年起是格鲁吉亚民主共和国政府首脑。后流亡国外。1926 年在巴黎自杀。

齐文［维伊斯］（Цивин [Вейс]）——社会革命党人，与德奥情报机关有联系。

契科里尼（Чиколини）——大尉，塔夫利达宫警卫队长。

丘德诺夫斯基（Чудновский Г. И. 1890—1918）——1917 年 5 月与托洛茨基一起从美国回到俄国。区联派成员。彼得格勒军事革命委员会委员，全俄中央执行委员会委员。

丘西梅杰尔（Дюсиметьер）——上校，右翼组织“共和中心”军事部负责人。

R

热尔纳科夫（Жернаков）——俄罗斯—亚速银行在新尼古拉耶夫斯克分行的副总经理，二月革命期间被选为当地社会秩序和安全委员会主席。

S

萨多夫斯基（Садовский А. Д. 1880—1927）——布尔什维克。1917 年任彼得格勒军事革命委员会委员。

萨哈罗夫（Сахаров В. В. 1853—1920）——二月革命时任罗马尼亚战线司令。

萨拉兹金（Салазкин А. С. 1870—？）——第二届、第四届国家杜马代表。国家杜马临时委员会派往彼得格勒电报通讯社的政治委员。

萨沙·切尔内（Саша Чёрный 1880—1932）——真名格里克贝格（Гликберг, Александр Михайлович），白银时代的俄国诗人。

萨瓦捷耶夫（Савватеев А. П. 1869—？）——第四届国家杜马代表。政治上接近立宪民主党。国家杜马临时委员会派往陆海军事务部的政治委员。

萨文科夫（Савинков Б. В. 1879—1925）——社会革命党著名活动家。曾是该党战斗组织领导人之一，在长期流亡之后于 1917 年 4 月回到俄国。先后任西南战线第 7 集团军政委、西南战线政委、临时政府军事部副部长。

萨维奇，尼·瓦·（Савич Н. В. 1869—1942）——十月党人，第三届、第四届国家杜马代表。国家杜马临时委员会派往陆海军事务部的政治委员。

萨维奇（Савич）——北方战线负责后勤供应的将军。尼古拉二世决定退位时在场。

萨勃列尔（Саблер В. К. 1845—1929）——1911—1915 年任正教院总监。国务会议成员。

萨宗诺夫（Сазонов С. Д. 1860—1927）——俄国外交大臣（1910—1916）。

沙霍夫斯科伊（Шаховской Д. И. 1861—1939）——公爵，地方自治活动家，立宪民主党领导人之一。第二届临时政府国家救济部长。

沙普隆（Шапрон А.）——上校，阿列克谢耶夫将军的女婿。

绍特曼（Шотман А. В. 1880—1939）——职业革命家，布尔什维克。七月事件后负责转入地下状态的列宁与党的领导层的联系。

盛加略夫（Шингарёв А. И. 1869—1918）——立宪民主党中央委员，立宪民主党国家杜马党团领袖。在第一届和第二届临时政府中任农业部长和财政部长。

什克洛夫斯基（Шкловский Г. Л. 1875—1937）——1898 年加入俄国社会民主工党。布尔什维克。1909 年流亡国外。二月革命后回国。十月革命后曾在苏俄驻伯尔尼外交使团、苏联驻柏林贸易代表处工作。

施比茨贝尔格（Шпицберг）——布尔什维克，组织喀琅施塔得水兵的革命行动。

施德洛夫斯基（Шидловский С.И. 1861—1922）——十月党人。第三届、第四届国家杜马代表。进步同盟领导人之一。国家杜马临时委员会成员。

施马科夫（Шмаков）——工人，最高纲领派成员。

施密特（Шмидт В.В. 1886—1940）——1905 年加入布尔什维克党。1914—1917 年任布尔什维克党彼得堡委员会书记。二月革命后任彼得格勒工会理事会书记。

施里亚耶夫（Ширяев А.Е.）——工程师，在彼尔姆省军事工业委员会中任职。

施列伊捷尔（Шрейдер Г. И. 1859—1940）——社会革命党人，1917 年任彼得格勒市长。

施略普尼科夫（Шляпников А.Г. 1885—1937）——1901 年加入俄国社会民主工党。布尔什维克。二月革命时期任布尔什维克党彼得堡委员会委员、中央俄国局成员。

施丘尔梅尔（Штюрмер Б.В. 1848—1917）——1916 年出任大臣会议主席、内务大臣和外交大臣。1916 年 11 月被进步同盟领导人指控亲德和准备与德国单独媾和，被迫辞职。

舒尔金（Шульгин В. В. 1878—1976）——著名的君主主义者和民族主义者。第二、三、四届国家杜马代表。参加进步同盟。与古契柯夫一起，作为国家杜马临时委员会的代表，促使尼古拉二世退位。

舒瓦洛夫（Шувалов）——右翼组织成员。

斯大林（Сталин И. В. 1879—1953）。

斯捷蓬（Степун Ф. А. 1884—1965）——哲学家，作家。第一次世界大战时期是炮兵军官。二月革命后任临时政府军事部下属政治部主任。1922 年被驱逐出境。1926—1937 年任德累斯顿大学社会学教授，后被法西斯分子撤职。

斯柯罗皮西—约尔图霍夫斯基（Скоропись-Иолтуховский А.Ф. 1880—?）——乌克兰民族主义者。第一次世界大战时期是“乌克兰解放协会”的组织者和领导人之一。

斯科别列夫（Скобелев М. И. 1885—1939）——1903 年参加社会民主主义运动，孟什维克。二月革命后任彼得格勒苏维埃副主席，第一届中央执行委员会副主席。5—8 月任临时政府劳动部长。

斯克沃尔佐夫—斯捷潘诺夫（Скворцов-Степанов И. И. 1870—1928）——1892 年开始参加革命运动，1896 年加入俄国社会民主工党，1904 年成为布尔什维克。第一届苏维埃政府的财政人民委员。

斯米尔加（Смилга И. Т. 1892—1938）——1907 年加入布尔什维克。二月革命后从流放地回到彼得格勒，曾任布尔什维克党喀琅施塔得委员会委员。以不到 25 岁的年龄当选为中央委员，被派往芬兰。9 月任芬兰区域陆海军和工人执行委员会主席。10 月 25 日将忠于布尔什维克的部队从芬兰调往彼得格勒。

斯米尔诺夫（Смирнов С. А.）——立宪民主党人，最后一届临时政府国家监察长。

斯切克洛夫（Стеклов Ю. М. 1873—1941）——1893 年参加社会民主主义运动。二月革命后任彼得格勒苏维埃执行委员会委员。

斯捷姆普科夫斯基（Стемпковский В. И. 1859—?）——十月党人，第三届、第四届国家杜马代表。国家杜马临时委员会派往商业和工业部的政治委员。

斯皮里多维奇（Спиридович）——少将，雅尔塔市长。

斯皮里多维奇（Спиридович А. И. 1873—1952）——宪兵少将，宫廷警卫局长。

斯皮罗（Спиро В. Б.）——左派社会革命党活动家，全俄苏维埃第二次代表大会代表。

斯塔尔克（Старк Л. Н. ）——布尔什维克，彼得格勒苏维埃军事革命委员会的政治委员。

斯坦凯维奇（Станкевич В. Б. 1884—1964）——劳动派成员，护国主义者。彼得格勒苏维埃执行委员会委员。先后在彼得格勒军区和北方战线任政治委员。

斯特鲁米林（Струмилин С. Г. 1877—1974）——经济学家。1897 年参加革命运动。俄国社会民主工党第四次和第五次代表大会代表。曾是孟什维克。1923 年加入布尔什维克党。

斯维尔德洛夫（Свердлов Я. М. 1885—1919）——1917 年 4 月当选布尔什维克党

中央书记，1917 年 11 月 21 日当选全俄中央执行委员会主席。

斯维亚季茨基（Святицкий Н.）——社会革命党人，政治评论家。

司徒卢威（Струве П. Б. 1870—1944）——19 世纪 90 年代是“合法马克思主义”的著名代表。“解放同盟”的核心人物，立宪民主党领袖之一。

苏汉诺夫（Суханов Н. Н. 1882—1940）——孟什维克国际主义者。1917 年 10 月 10 日布尔什维克中央委员会会议在他家举行。多卷本《革命札记》的作者。

苏汉诺娃，加琳娜・弗拉克谢尔曼（Суханова Галина Флаксерман）——Н. 苏汉诺夫的妻子。1905 年加入布尔什维克，1917 年在《消息报》编辑部任职，同时也参加布尔什维克中央委员会秘书处的工作。

苏霍姆林诺夫（Сухомлинов В. А. 1848—1926）——骑兵上将。1908—1909 年为总参谋长，1909—1915 年任军事大臣。1916 年因俄军对战争缺乏准备而被捕，1917 年被判终身监禁，1918 年因年老而获释，迁居国外。

苏里莫娃，玛利娅（Сулимова М. Л. 1881—1969）——布尔什维克军事组织秘书。

苏缅松（Суменсон Е. М.）——加涅茨基的表妹。帕尔乌斯的进出口公司派驻彼得格勒的代表。

苏什金（Сушкин）——新尼古拉耶夫斯克军事工业委员会工作人员。

苏沃林（Суворин Б. А. 1879—1940）——新闻业者，出版家。

索柯里尼科夫（Сокольников Г.Я. 1888—1939）——1905 年加入布尔什维克党。二月革命后任布尔什维克莫斯科委员会和莫斯科区域局委员。

索科洛夫（Соколов Н. Д. 1870—1928）——著名律师，20 世纪初期为革命恐怖主义者作过出色辩护。以无党派社会民主主义者身份进行政治活动。二月革命期间是彼得格勒苏维埃执行委员会成员，一号命令的起草人。

索罗金，皮梯利姆（Сорокин П. А. 1889—1968）——社会革命党人。社会学家。对十月革命持批判态度。1922 年 9 月被驱逐出境。

T

塔尔贝格（Тальберг Н. Д.）——君主主义者。

泰奥多罗维奇（Теодорович И. А. 1875—1945）——1895 年参加莫斯科工人阶级解放斗争协会。布尔什维克。1917 年在彼得格勒、莫斯科、斯摩棱斯克、西伯利亚等地工作。十月革命后任苏维埃政府粮食人民委员。

唐恩（Дан Ф. И. 1871— 1947）——孟什维克领袖和主要理论家之一。二月革命后是彼得格勒苏维埃执行委员会委员、中央执行委员会委主席团成员。1922 年被驱逐出境。

特尔科娃（Тыркова А. В.）——立宪民主党中央委员。

特列波夫（Трепов А. Ф. 1862—1928）——1915 年任交通大臣，1916 年底短期出任大臣会议主席。

特列季亚科夫（Третьяков С. Н. 1882—1944）——大企业家。进步党中央委员。第四届临时政府经济委员会主席。

特鲁别茨科伊（Трубецкой Г. Н.）——临时政府外交部派驻大本营的代表。

托尔斯托乌赫（Толстоух）——叶卡捷琳堡的铁路员工。

托洛茨基（Троцкий Л. Д. 1879—1940）——1895 年加入俄国社会民主工党。1917 年率区联派与布尔什维克党合并。9 月任彼得格勒苏维埃主席。直接准备和领导十月武装起义。十月革命后先后任俄共中央委员、政治局委员，外交人民委员、陆海军人民委员和共和国革命军事委员会主席等职。1927 年被开除出党。1928 年被流放阿拉木图，1929 年被驱逐出境。遭暗杀身亡。

托姆斯基（Томский М. П. 1880—1936）——1904 年加入布尔什维克党。二月革命后任彼得堡委员会执行委员会委员。俄共（布）第八次代表大会起是中央委员，第十一次代表大会起是政治局委员。自杀身亡。

W

瓦尔登（Вальден）——上校，十月起义后最早站到布尔什维克一边的旧军官之一。

瓦尔热涅夫斯基（Варженевский А. К. 1855—?）——莫斯科省莫扎尔斯克县的首席贵族，国务会议成员。

巴卢耶夫（Балуев П. С.）——1917 年 8—11 月任西方战线总司令。

瓦因施泰因（Вайнштейн）——苏维埃中央执行委员会委员。

瓦西里契科夫（Васильчиков И. С.）——中央派党团成员，国家杜马临时委员会派往农业部的政治委员。

维尔霍夫斯基（Верховский А. И. 1886—1938）——少将。二月后曾任莫斯科军区司令，最后一届临时政府的军事部长。

维尔捷列夫斯基（Вердеревский Д. Н.）——最后一届临时政府的海军部长。

维尔什宁（Вершинин В. М. 1874—1946）——第四届国家杜马代表。

阿维洛夫（Авилов Н. П. 1887—1942）——1907 年加入布尔什维克党。1917 年任彼得堡委员会执行委员会委员。第一届苏维埃政府的邮电人民委员。

维纳韦尔（Винавер М. М. 1863—1926）——法学家，政治家。立宪民主党领导人之一。

维诺格拉多夫（Виноградов В. А. 1874—?）——第三届、第四届国家杜马代表。立宪民主党人，国家杜马临时委员会派往财政部的政治委员。

维什尼亚克（Вишняк М. В.）——社会革命党人。

维特（Витте С. Ю. 1849—1915）——国务活动家。19 世纪 90 年代以来先后任交通大臣、财政大臣、大臣会议主席，在财政、关税政策、铁路建设、工厂立法和吸引外资等方面采取一系列措施，促进了俄国资本主义的发展。

维亚泽姆斯基（Вяземский）——公爵。二月革命前参与策划宫廷政变。

沃尔科夫（Волков Н. К.）——立宪民主党人，国家杜马临时委员会派往农业部的政治委员。

沃罗夫斯基（Воровский В. В. 1871—1923）——1890 年开始在大学生中开展革命活动。多次遭逮捕流放。1915 年去斯德哥尔摩。1917 年成为布尔什维克中央国外局成员之一。十月革命后从事外交工作。

沃洛达尔斯基（Володарский В. 1891—1918）——1905 年在崩得组织内开始革命活动，后加入孟什维克。多次被捕流放。1914 年侨居北美。1917 年 5 月回国。区联派成员，后加入布尔什维克党。彼得堡委员会委员，彼得格勒苏维埃主席团委员和全俄中央执行委员会委员。

沃斯特罗金（Востротин С. В. 1864—1943）——立宪民主党人。第三届、第四届国家杜马代表。国家杜马临时委员会被派往农业部和粮食问题特别会议的政治委员。

沃伊采霍夫斯基（Войцеховский）——劳动派成员，二月事件的参与者。

沃伊京斯基（Войтинский В. С. 1885—1960）——1905 年加入布尔什维克，1917 年二月革命后成为孟什维克。十月革命后参加了克伦斯基—克拉斯诺夫对彼得格勒的进攻，被苏维埃政权逮捕，获释后去格鲁吉亚，后来移居国外。

沃伊科夫（Войков）——宫廷警卫队长。

乌里茨基（Урицкий М. С. 1873—1918）——俄国社会民主工党第二次代表大会后是孟什维克。二月革命后加入区联派，与该派一起并入布尔什维克党，当选为中央委员。1918年3月任彼得格勒契卡主席。8月30日被人民社会党人康涅吉赛尔(Каннегисер)刺杀。

乌里扬诺夫，伊·尼·(Ульянов И. Н. 1831—1886）——列宁的父亲，辛比尔斯克国民学校督学。

乌里扬诺娃，玛利亚（Ульянова М. И.）——列宁的妹妹。

乌里扬诺娃—叶里扎罗娃，安娜（Ульянова—Елизарова А. И.）——列宁的姐姐。

乌鲁索夫（Урусов С. Д.）——1917 年 3—6 月任临时政府内务部副部长。

乌特戈夫（Утгоф В.）——社会革命党人，参加波利瓦诺夫将军的委员会工作。

X

西多林（Сидорин В. И.）——大本营上校，军官联盟总委员会中秘密小组成员，其主要目标是组织政变以建立军事独裁。

西皮亚金（Сипягин Д. С. 1853—1902）——1899 年起任内务大臣和宪兵司令，压制社会，镇压群众运动。1902 年被社会革命党人巴尔马晓夫刺杀。

西松（Сиссон）——美国新闻记者。

夏里亚宾（Шаляпин Ф. И. 1873—1938）——著名男高音歌唱家。

谢尔巴托夫（Щербатов）——罗马尼亚战线副总司令。

谢尔盖·亚历山大罗维奇（Сергей Александрович 1857—1905）——大公，尼古拉二世的叔叔。1891—1905 年为莫斯科总督。1905 年被社会革命党战斗组织刺杀。

谢格洛维托夫（Щегловитов И. Г. 1861—1918）——曾任司法大臣、国务会议主席。二月革命中被捕。1918 年被处决。

谢拉菲姆（Серафим）——叶卡捷琳堡主教。

谢列布里亚科夫（Серебряков Л. П. 1888—1937）——1905 年加入布尔什维克党。1917 年是科斯特罗马工人和士兵苏维埃的组织者之一。党的莫斯科委员会委员、书记。十月革命后历任党的莫斯科区域委员会委员、俄共（布）中央委员会书记、全俄中央执行委员会秘书、南方战线革命军事委员会委员、共和国政治保卫局长等要职。是托洛茨基反对派的重要成员。

谢列梅捷夫（Шереметьев С. Д. 1844— ?）——伯爵，莫斯科省首席贵族，宫廷总狩猎官。1900 年起为国务会议成员。

谢马什科（Семашко）——少尉，无政府主义者。七月事件中起义士兵的领头人之一。

谢姆柯夫斯基（Семковский С. Ю. 1882—1937）——社会民主党人，孟什维克。1917 年回国后进入孟什维克中央委员会。

欣丘克（Хинчук Л. М. 1868—1944）——孟什维克中央委员，1917 年 3—9 月是莫斯科苏维埃主席。1920 年加入俄共（布）。

兴登堡（Hindenburg, Paul 1847—1934）——德国军事家和国务活动家。第一次世界大战期间任德军东线司令，后为总参谋长。1925—1934 年任魏玛德国总统。

许金（Шюкинг）——德国国会外交政策委员会主席。

Y

雅戈夫（Ягов, Готлиб фон 1863—1935）——德国外交家。1913—1916 年间的德国外交大臣。

雅科夫列娃（Яковлева В. Н. 1885—1944）——1904 年加入布尔什维克党。1917 年任中央委员会莫斯科区域局书记。布尔什维克党第六次代表大会上被选为候补中央委员。

雅库波夫（Якубов）——上校，彼得格勒军区司令部反侦察局局长。

亚历山大・米哈伊洛维奇（Александр Михайлович 1866—1933）——大公，亚历山大三世的堂兄弟，尼古拉二世的堂叔。战时曾领导作战部队航空部。共济会成员。

亚历山大二世（Александр II 1818—1881 ）——1855—1881 年为俄国皇帝。

亚历山大三世（Александр III 1845—1894）——1881—1894 年为俄国皇帝。

亚历山德拉・费奥多罗夫娜（Александра Федоровна 1972—1918）——俄国皇后。原名阿丽萨・格森—达尔穆施塔茨卡娅。1894 年与尼古拉二世结婚。

亚历山大罗维奇（Александрович 1884—1918）——左派社会革命党人、社会革命党工人战斗队领导人。彼得格勒苏维埃执行委员会委员。十月革命后曾任全俄契卡副主席。参加 1918 年 7 月左派社会革命党叛乱，被逮捕并枪决。

叶尔莫连科（Ермоленко Д. С.）——俄军准尉，曾在反间谍机关供职。

叶甫多基莫夫（Евдокимов Г. Е. 1884—1936）——1903 年入党的布尔什维克。1917 年参与组建工人赤卫队。十月革命后担任过俄共（布）中央委员、联共（布）中央书记、组织局委员，中央执行委员会主席团成员等重要职务。

叶甫列莫夫（Ефремов И. Н. 1866—1945）——第一、三、四届国家杜马代表。进步党领导人之一。第二届临时政府国家救济部长。

叶列梅耶夫（Еремеев К. С. 1874—1931）——1896 年加入俄国社会民主工党的布尔什维克。二月革命后是中央委员会俄国局委员。彼得格勒军事革命委员会委员。

叶梅利扬诺夫（Емельянов Н. А. 1871—1958）——谢斯特罗列茨基工厂工人，老布尔什维克。七月事件后列宁曾在他家住过一段时间。

伊恰斯（Ичас М. М. 1885—1941）——立宪民主党人。第四届国家杜马代表。国家杜马临时委员会派往国民教育部的政治委员。

伊万诺夫（Иванов Н. И. 1851—1919）——侍从将军。曾担任过西南战线和西方战线司令。2 月 27 日被任命为彼得格勒军区司令，率部队前往彼得格勒平息动乱。因尼古拉二世退位，伊万诺夫到达皇村后没有采取进一步行动。

越飞（Иоффе А. А. 1883—1927）——19 世纪末参加革命运动。1917 年作为区联派成员并入布尔什维克党。彼得格勒军事革命委员会委员。1918 年为布列斯特和谈的苏俄代表团首席代表。后担任驻德国、中国、奥地利等国的全权代表。

尤登尼奇（Юденич Н. Н. 1862—1933）——步兵上将。二月革命后任高加索战线总司令。十月革命后是反苏维埃武装的主要首领之一。

尤列涅夫（Юренев К. К. 1888—1938）——1905 年加入俄国社会民主工党。1913—1917 年 7 月是彼得格勒区联派组织领导人之一，在第六次代表大会上并入布尔什维克党。彼得格勒苏维埃执行委员会委员、中央执行委员会委员。

尤列涅夫（Юренев П. П. 1874—1943）——工程师。1906 年加入立宪民主党。第二届国家杜马代表。1917 年 7—8 月间出任临时政府交通部长。

尤列维奇（Юревич В. А.）——军事医学院教授，二月革命期间为国家杜马临时委员会军事委员会成员。

尤苏波夫（Юсупов Ф. Ф. 1887—1967）——公爵，1916 年底策划并参与暗杀宫廷奸佞拉斯普京的活动。

Z

赞科维奇（Занкевич М. И.）——少将，彼得格勒军区保安部门负责人。

泽英（Зейн, Франц—Альберт Александрович 1862—1918）——将军，芬兰总督。二月革命中被逮捕。

扎鲁德内（Зарудный А. С. 1863—1934）——律师。1917 年二月革命后加入人民

社会党。7—8 月任临时政府司法部长。

扎鲁茨基（Залуцкий П. А. 1887—1938）——曾是社会革命党人。1907 年加入布尔什维克党。1916 年起是布尔什维克党彼得堡委员会执行委员会委员和中央俄国局成员。二月革命后担任彼得格勒苏维埃执行委员会委员。十月期间是彼得格勒军事革命委员会委员。

扎沃伊科（Завойко）——右翼组织成员。

大 事 记[1]

1916年

11月1日（11月14日） 杜马年会开幕。进步同盟领导人在会上发言，强烈谴责政府并表示将斗争到底，被认为是发出了革命的信号。

12月16日（12月29日） 君主主义者密谋刺杀宫廷奸佞拉斯普京。

1917年

1月9日（1月22日） 彼得格勒5万工人罢工游行，纪念1905年1月流血的星期日。列宁在苏黎世的社会民主党青年党员会议上发表演说，称“我们这些老年人”也许看不到未来社会主义革命的决战了。

2月5日（2月18日） 沙皇政权为预防动乱，成立哈巴罗夫将军领导的彼得格勒特别军区。

2月10日（2月23日） 国家杜马主席罗将柯面见沙皇，主张成立对杜马负责的政府，认为不这样做将会发生革命和无政府状态。

2月14日（2月27日） 杜马例会召开，要求一些无能的部长辞职。彼得格勒8万工人罢工。

2月 彼得格勒粮食供应困难。

2月18日（3月3日） 彼得格勒普梯洛夫工厂工人开始罢工。

2月21日（3月6日） 彼得格勒普梯洛夫工厂关闭，3万余工人失去工作。

2月22日（3月7日） 尼古拉二世离开彼得格勒去莫吉廖夫大本营。

2月23日（3月8日） 彼得格勒发生大规模游行纪念国际劳动妇女节。

2月24日（3月9日） 彼得格勒游行示威活动继续发展，示威者与警察之间发生冲突。

2月25日（3月10日） 彼得格勒罢工规模扩大。晚上，尼古拉二世从大本营发出电报，要求结束首都的动乱。

[1] 每一项前面的日期为俄历，括号内为公历。

2月26日（3月11日） 部队开枪镇压示威者，造成人员伤亡。大臣会议主席戈利岑通知国家杜马主席罗将柯，沙皇决定将杜马会议延期到4月举行。罗将柯发电报给尼古拉二世，警告事态将会失控。

2月27日（3月12日） 士兵起义开始。国家杜马临时委员会成立。彼得格勒苏维埃成立。杜马临时委员会派往交通部的政治委员布勃利科夫通过铁路电报网络向全国铁路车站发出政权已转到国家杜马手中的电报，把彼得格勒发生革命的消息传遍俄国。

3月1日（3月14日） 彼得格勒苏维埃发布一号命令。

3月2日（3月15日） 临时政府成立。尼古拉二世在普斯科夫签署退位诏书，并代表其子阿列克谢让位于米哈伊尔大公。

3月3日（3月16日） 米哈伊尔大公宣布不接受皇位。临时政府公布关于临时政府组成及其任务的宣言。

3月8日（3月21日） 尼古拉二世在莫吉廖夫大本营被逮捕。

3月12日（3月25日） 临时政府废除死刑。加米涅夫、斯大林等从流亡地回到彼得格勒。

3月25日（4月7日） 对粮食实行国家垄断和价格控制，在彼得格勒实行粮食供应卡，在地方成立粮食供应委员会。

3月26日（4月8日） 发行“自由公债”。

3月27日(4月9日) 列宁等俄国侨民启程经德国回国。临时政府公布《临时政府关于战争目的的声明》。

4月3日（4月16日） 晚上11点10分，列宁乘火车抵达彼得格勒芬兰车站。

4月4日（4月17日） 列宁作关于革命无产阶级的任务的报告，报告提纲被称为《四月提纲》。

4月 协约国社会主义政党代表团到俄国，要求俄国继续进行战争。

4月12日（4月25日） 颁布集会和结社自由的法令。

4月18日（5月1日） 临时政府在向盟国发出3月27日的《临时政府关于战争目的的声明》的同时，由外交部长米留可夫向协约国发出照会，表示俄国将把战争进行到胜利。

4月20日（5月3日） 彼得格勒发生反对米留可夫照会的示威游行。布尔什维克开始组建赤卫队。

4月21日(5月4日) 颁布土地委员会条例，建立中央和地方土地委员会。临时政府宣布，将由立宪会议从法律上解决土地问题。

4月23日（5月6日） 颁布成立工厂委员会的法令。

4月24日—29日（5月7日—12日） 布尔什维克党召开第七次全国代表会议。

4月29日（5月12日） 军事部长古契柯夫辞职。

5月1日（5月14日） 苏维埃与临时政府谈判后决定派自己的代表进入联合政府。

5月2日（5月15日） 外交部长米留可夫辞职。

5月4日（5月17日） 托洛茨基回到彼得格勒。

5月4日—28日(5月17日—6月10日） 全俄农民代表苏维埃代表大会。大会要求把地主土地无偿交给农民。

5月5日（5月18日） 第一届联合政府组成。

5月7日—12日（5月20日—25日） 孟什维克全俄代表会议。

5月22日（6月4日） 布鲁西洛夫取代阿列克谢耶夫出任俄军总司令。

5月25日—6月4日（6月7日—17日） 社会革命党代表大会在莫斯科举行。

6月3日—24日（6月16日—7月7日） 第一届全俄工兵代表苏维埃代表大会在彼得格勒举行。

6月18日（7月1日） 俄军在加里西亚前线发起进攻。彼得格勒苏维埃组织游行支持临时政府。

7月1日（7月14日） 临时政府与乌克兰拉达签订妥协性协议。

7月2日（7月15日） 立宪民主党部长因不同意政府对乌克兰的政策而辞职。

7月3日—4日（7月16日—17日） 七月事件。彼得格勒工人、士兵和喀琅施塔得水兵反对临时政府的大规模动乱。布尔什维克试图借助于群众运动夺取政权。最后临时政府与苏维埃联手平息了动乱。

7月7日（7月20日） 临时政府开始对7月初的动乱进行司法调查。列宁等转入地下。

7月8日（7月21日） 李沃夫总理辞职，克伦斯基领导过渡内阁。

7月12日（7月25日） 前线恢复死刑。

7月18日（7月31日） 科尔尼洛夫取代布鲁西洛夫担任俄军总司令。

7月24日（8月6日） 克伦斯基组织第二届联合政府。

7月26日—8月3日（8月8日—16日） 布尔什维克党举行第六次代表大会。

8月12日—15日（8月25日—28日） 国务会议在莫斯科举行。科尔尼洛夫要求整饬军队纪律。

8月19日（9月1日） 德军在波罗的海前线开始进攻。

8月21日（9月3日） 德军占领里加。

8月25日（9月7日） 科尔尼洛夫向B.H.李沃夫表示，彼得格勒应该宣布戒严，所有军事和民事权力应该转交最高总司令。

8月26日（9月8日） 克伦斯基与科尔尼洛夫通话后，向政府通报了关于科尔尼洛夫“叛变”的情况。

8月27日（9月9日） 晚上，克伦斯基通电全国，称科尔尼洛夫的要求是企图建立“反对革命成果的国家制度”，命令科尔尼洛夫交出最高总司令职权，并宣布彼得格勒戒严。科尔尼洛夫发表告俄国居民书反驳克伦斯基的说法，命令克雷莫夫将军的第三骑兵军继续向彼得格勒开进。

8月28日（9月10日） 苏维埃成立“人民与反革命斗争委员会”。

8月30日（9月12日） 第三骑兵军军列受阻。克雷莫夫同意临时政府特使的建议，去彼得格勒与克伦斯基谈判。

8月31日（9月13日） 克雷莫夫与克伦斯基谈话后自杀。

9月1日（9月14日） 科尔尼洛夫在大本营被逮捕。临时政府宣布俄罗斯为共和国。成立克伦斯基为首的执政内阁。

9月5日（9月18日） 莫斯科苏维埃改组，布尔什维克在其组成中占了多数。布尔什维克党中央委员诺根担任莫斯科市苏维埃主席。

9月12日—14日（9月25日—27日） 列宁连续写信坚决要求布尔什维克党立即开始准备武装起义，夺取政权。

9月14日—22日(9月27日—10月5日） 全俄民主会议在彼得格勒举行。会议决定成立临时议会。

9月25日（10月8日） 布尔什维克掌握彼得格勒苏维埃的领导权，托洛茨基当选为彼得格勒苏维埃主席。克伦斯基组织第三届联合政府。

10月7日（10月20日） 预备议会开幕。布尔什维克退出预备议会。列宁秘密回到彼得格勒。

10月10日（10月23日） 布尔什维克党举行中央委员会会议，以10票比2票通过武装起义的决议。

10月16日（10月29日） 布尔什维克党中央扩大会议在激烈争论之后通过列宁提出的关于武装起义的决议案。

10月18日（10月31日）《新生活报》刊登加米涅夫反对主动发动武装起义的文章。

10月20日（11月2日） 彼得格勒苏维埃军事革命委员会正式成立。

10月21日—22日（11月3日—4日） 彼得格勒苏维埃军事革命委员会控制首都卫戍部队。

10月24日(11月6日） 士兵、水兵和赤卫队占领彼得格勒市内重要地点。克伦斯基离开首都。临时政府成员困守冬宫。列宁到达斯莫尔尼宫。

10月25日（11月7日） 除冬宫外，布尔什维克控制了几乎整个首都。在下午举行的彼得格勒苏维埃特别会议上，军事革命委员会宣布临时政府已被推翻。晚上，全俄苏维埃第二次代表大会开幕。

10月26日（11月8日） 凌晨2点，起义队伍占领冬宫。全俄苏维埃第二次代表大会通过和平法令、土地法令和组织新政权的法令。人民委员会成立。

10月28日（11月10日） 克伦斯基动员的克拉斯诺夫将军的部队在彼得格勒郊外被挫败。人民委员会颁布出版法令，禁止反对革命的出版物出版。

10月29日(11月11日） 士官生反对布尔什维克政府的军事暴动被镇压。全俄铁路工会执行委员会向布尔什维克政府发出最后通牒，要求成立由各社会主义政党的代表组成的联合政府。

11月4日（11月17日） 因在成立社会主义政党联合政府问题上的尖锐分歧，布尔什维克党中央委员会出现严重危机。

11月12日（11月25日） 开始立宪会议选举。最终选举结果是社会革命党占明显优势，布尔什维克获得的立宪会议代表席位占选出代表的近1/4。

11月21日（12月4日） 列宁起草的关于罢免立宪会议代表的法令草案得到全俄中央执行委员会原则通过。

1917年11月23日(12月6日） 以社会革命党为主的“保卫立宪会议同盟”成立。

11月28日（12月11日） 彼得格勒发生要求“全部政权归立宪会议”的示威游行。人民委员会通过“关于逮捕反革命内战祸首的法令”。

12月2日（12月15日） 立宪民主党人被剥夺立宪会议代表资格。

12月7日（12月20日） 成立全俄肃清反革命和怠工非常委员会（简称契卡）。

12月9日（12月22日） 布尔什维克与左派社会革命党就后者进入人民委员会达成协议。苏维埃俄国与德奥在布列斯特—里托夫斯克开始举行和平谈判。

12月18日（12月31日） 人民委员会承认芬兰独立。

12月20日（1月3日） 人民委员会决定，1918年1月5日在代表不少于400人的情况下召开立宪会议。

12月23日（1月5日） 人民委员会决定在彼得格勒实行战时状态。

1918年

1月3日（1月16日） 全俄中央执行委员会宣布，全部权力归苏维埃和苏维埃机关，任何机构赋予自己国家政权职能的行为都将被认为是反革命，将受到武力镇压。

1月5日（1月18日） 立宪会议开幕。彼得格勒支持立宪会议的游行被镇压。立宪会议多数决定不讨论布尔什维克党团提出的《被剥削劳动人民权利宣言》。布尔什维克及其支持者退出立宪会议。

1月6日（1月19日） 凌晨6时，立宪会议被驱散。

СОДЕРЖАНИЕ

后　　记

我对“俄国革命”史这个重大课题的研究，从收集资料到完成书稿，至今已有十多年了。虽然这期间也做了一些其他方面的研究工作，但可以说俄国革命史是我从事俄国历史研究以来耗时最多也是最具挑战性的一个课题。在俄国革命这一宏大复杂的历史事件面前，我经常感到研究者个人的力量是十分有限的。如果把俄国革命史这一研究领域视为一片原野，那么个人能够耕耘的仅仅是其中很小的一块而已。在完成书稿后，还在不断斟酌书稿内容，还希望补充一些新发现的资料。但也为终于告一段落而稍感宽慰。学术无止境，我们所做的一切都是阶段性的工作，对于俄国革命的研究必定会不断深入。

这本书是我对俄国革命的了解和认识的一种表达，希望它能够成为引玉之砖，引发对俄国革命的更多实证研究，引起对俄国革命的更深理论思考，使我们对俄国革命有更加真切的了解和更加全面的认识。也希望学界同仁对书中的不足和问题批评指正。

在俄国革命史的研究和写作过程中，很多师长和朋友给予了热情支持和鼓励，他们是中共中央马列编译局郑异凡研究员、北京大学徐天新教授、上海师范大学叶书宗教授、陕西师范大学杨存堂教授、已故中央党校姜长斌教授、中国社会科学院闻一研究员、马龙闪研究员、华东师范大学沈志华教授、余伟民教授、中国政法大学金雁教授、中国社会科学院俄罗斯东欧中亚研究所张盛发研究员、中央党校左凤荣教授。他们的建议促使我不断地完善本书的思路和内容。特别要提到的是，郑异凡老师审阅了书稿并对一些具体问题提出了修改意见，他的严谨和博学使我深受教益，也使书中有关论述和表达更为严密和准确。人民出版社张伟珍编审做了大量细致的工作，保证了本书以规范的形式面世。在书稿付梓之际，谨向他们表示诚挚的感谢。

姚　海

2011 年春节

责任编辑：张伟珍
封面设计：吴燕妮
封面制作：王春峥

图书在版编目（CIP）数据

俄国革命 / 姚海 著 . – 北京：人民出版社，2013.9（2026.2 重印）
（苏联史 / 郑异凡主编：1）
ISBN 978 – 7 – 01 – 012270 – 0

I. ①俄…　II. ①姚…　III. ①十月社会主义革命　IV. ① K512.51

中国版本图书馆 CIP 数据核字（2013）第 142746 号

俄国革命

EGUO GEMING

姚　海　著

人民出版社 出版发行
（100706　北京市东城区隆福寺街 99 号）

北京新华印刷有限公司印刷　新华书店经销

2013 年 9 月第 1 版　2026 年 2 月北京第 2 次印刷
开本：710 毫米 ×1000 毫米 1/16　印张：42.25
字数：632 千字

ISBN 978 – 7 – 01 – 012270 – 0　定价：180.00 元

邮购地址 100706　北京市东城区隆福寺街 99 号
人民东方图书销售中心　电话（010）65250042　65289539